T5-ARF-586

Collection « réf. »
« Littérature » dirigée par Henri Mitterand

Série « Histoire littéraire » dirigée par Jean Rohou

Alain Vaillant
Professeur de littérature française
à l'université Paul-Valéry (Montpellier-III)

Jean-Pierre Bertrand
Chargé de cours
à l'université de Liège

Philippe Régnier
Directeur de recherches au CNRS

Histoire de la littérature française du XIXe siècle

NATHAN

Dans la même collection

Histoire de la littérature française du Moyen Âge, Anne BERTHELOT, 1990.

Histoire de la littérature française du XVIe siècle, André TOURNON, Michel BIDEAUX, Hélène MOREAU (sous la dir. de J. Rohou), 1990.

Histoire de la littérature du XVIIe siècle, Jean ROHOU, 1989.

Histoire de la littérature du XVIIIe siècle, Béatrice DIDIER (sous la dir. de J. Rohou), 1992.

Ont rédigé :

Alain Vaillant les chapitres 1, 2, 3, 4, 5, 6, 7, 8, 9, 11, 13, 14, 15, 16, 17, 18, 23, 24 et 27, ainsi que les portraits de B. Constant, Mme de Staël, V. Cousin, F. de Lamennais, J. de Maistre, C. Nodier, E. Pivert de Senancour, A. Dumas fils, A. de Tocqueville, E. Renan, T. de Banville, E. Fromentin, J. Barbey d'Aurevilly, J. Vallès, A. Allais, J. Verne et E. Rostand.

Jean-Pierre Bertrand les chapitres 28, 29, 30, 31, 32, 33, 34, 35, 36, 37, 38, 39 et 40, ainsi que les portraits de E. Labiche, Leconte de Lisle, E. Sue, E. et J. de Goncourt, M. Barrès, L. Bloy, P. Bourget, A. Villiers de l'Isle-Adam, A. Daudet, J.-K. Huysmans, O. Mirbeau, J.M. de Heredia, Sully Prudhomme, T. Corbière, G. Nouveau, G. Courteline, J. Laforgue, M. Maeterlinck et A. Jarry.

Philippe Régnier les chapitres 10, 12, 19, 20, 21, 22, 25 et 26 ainsi que les portraits de H. Taine, H. Saint-Simon, C. Fourier, P.-J. Proudhon et J. Michelet.

Édition : Claire Hennaut
Illustration de couverture : Henri Fantin-Latour, *Coin de table*, 1872 (Salon de 1872). Musée d'Orsay. Photographie : archives Nathan.

9, rue Méchain,
75014 Paris.
ISBN : 2-09-190286-1

Introduction : points de méthode

Le siècle des révolutions

Disons-le d'emblée : il est impossible de faire tenir en un seul volume, aussi synthétique fût-il, toute l'histoire littéraire française du XIXe siècle. Cet exploit n'est sans doute réalisable pour aucun siècle, mais il est encore moins souhaitable pour le XIXe siècle : la commotion révolutionnaire de 1789, prolongée par vingt-cinq années de troubles civils et militaires, a mis en branle une dynamique qui accélère brutalement le rythme du temps et transforme en profondeur toutes les structures de la France.

Politiquement, c'est après deux monarchies, deux empires et trois insurrections parisiennes que la république parlementaire s'installe définitivement. Économiquement, la France entre après quelques hésitations dans l'ère industrielle, qui bouleverse les conditions de la vie sociale et les comportements individuels.

Quant à la littérature, elle peut d'autant moins rester à l'écart de ce maelström permanent qu'elle prétend y jouer les premiers rôles. Emportée elle aussi par la fièvre de nouveauté qui caractérise ce temps des révolutions, elle voit se succéder à une vitesse étourdissante les écoles, les esthétiques, les idéologies : qu'ont encore de commun la versification pédante de Delille et les illuminations rimbaldiennes, le roman d'introspection staëlien et les fresques, brossées à larges traits expressifs, de Zola ?

Parallèlement, le domaine des études littéraires s'accroît démesurément. Au XIXe siècle émerge en effet le continent immense des sciences humaines et sociales : histoire, sociologie, psychologie, linguistique ; d'autre part, les progrès de la médecine et des sciences naturelles et physiques engendrent de nouveaux savoirs qui trouvent à se réfléchir dans les textes et modifient les pratiques d'écriture. L'historien de la littérature doit donc, dans les limites de ses compétences, échapper au cadre rigide des genres, déplacer son point d'observation en se portant aux limites traditionnelles des Belles-Lettres, prendre acte de cet échange, fécond mais indescriptible, entre l'ensemble des discours et des formes de pensée.

En outre, si l'écrivain se fait à sa manière philosophe ou savant, il devient aussi artiste. La démocratisation – entendons l'embourgeoisement – de la peinture et de la musique provoque de nouvelles symbioses entre les diverses formes d'expression artistique offertes à la consommation culturelle : on ne songerait pas à interpréter les évolutions littéraires du XIXe siècle sans placer en regard les transformations, aussi profondes, de la pratique picturale (de David à Van Gogh) et de la musique (symphonique, lyrique, pianistique, etc.) ou l'apparition de nouvelles technologies (le daguerréotype, la photographie, le cinématographe).

Enfin, les bouleversements qui interviennent dans le système de production littéraire – le capitalisme éditorial, la médiatisation par le journal, le développement des industries culturelles – atteignent l'idée même de la littérature – du moins la perception qu'en ont publics, critiques, écrivains. Cette mutation est décisive : appelons-la l'avènement de la modernité. Du début à la fin d'une histoire littéraire du XIXe siècle, il n'est pas sûr qu'il soit toujours question d'un même et unique objet.

Le sens de l'Histoire : problèmes d'interprétation

La tâche est donc, répétons-le, impossible. Était-il alors opportun de s'y atteler pourtant, alors qu'il existe déjà de nombreux manuels de cette sorte ? Certains, déjà anciens et presque classiques, comme ces monumentales histoires littéraires parues chez Artaud ou aux Éditions sociales ; d'autres beaucoup plus récents, à la faveur des nouvelles collections visant les deux premiers cycles universitaires. À tous nos prédécesseurs, nous sommes redevables pour les leçons qu'ils nous ont donné l'occasion de méditer. Notre objectif n'a pas été de faire mieux, mais autrement, en nous tenant à quelques principes simples, qu'il faut commencer par énoncer.

Tout d'abord, la raison d'être d'une synthèse historique n'est pas d'accumuler le plus grand nombre de connaissances – avec le risque assuré de les rendre insignifiantes à force d'ellipses –, mais de faire comprendre des évolutions, de donner du sens à la succession des œuvres et des hommes, de transmettre une vision des choses. Aussi avons-nous systématiquement privilégié le travail d'interprétation plutôt que les nomenclatures et les références allusives qui rassurent le lecteur sans l'instruire : on connaît trop l'effet désastreux de ces illusions de savoir dans les travaux d'étudiants. Agissant ainsi, nous avons bien conscience d'avoir dû faire des impasses et des sacrifices. En particulier, nous avons renoncé aux survols de la culture européenne, artistique et littéraire, qui agrémentent habituellement ce type de synthèse. Mais un manuel n'est ni un dictionnaire ni une encyclopédie : il en est d'excellents, à la disposition de celui qui a appris à *interroger* la littérature. Le présent ouvrage, justement parce qu'il se veut un manuel, adopte l'allure d'un *essai* d'histoire littéraire et tient un discours, inévitablement partiel et subjectif, à son lecteur.

Or, avant même d'entrer dans le jeu conjectural des causes et des mécanismes explicatifs, il faut acquérir non le sens de l'Histoire, mais, tout simplement, le sentiment du temps qui passe, année après année, mois après mois. Par exemple, il est inutile de savoir qu'*Hernani* date de 1830 et *Les Burgraves* de 1843, et même d'accumuler des analyses subtiles pour justifier la chute du drame romantique si, au préalable, on ne s'est intimement pénétré de tout ce qui a changé, irréversiblement, entre la France de 1830 et celle de 1843. Or, l'histoire culturelle, qui s'inscrit le plus souvent dans la longue durée, nous a habitués à négliger les chronologies, à resserrer le temps, à sauter allègrement les décennies ou à pratiquer d'audacieux retours en arrière. Cette pratique, légitime dans un certain cadre méthodologique, finit, si on y recourt abusivement, par déréaliser l'histoire – pour ainsi dire, par la déshistoriciser. Autant qu'il était possible, nous avons pris ici le parti inverse : souligner les rythmes, les ruptures, les accélérations ou au contraire les pauses de l'histoire littéraire. Pour y parvenir, nous avons adopté deux démarches complémentaires : d'une part, ne pas négliger la dimension événementielle de la littérature (les luttes d'influence, les dates symboliques, la succession des écoles et des manifestes), parce qu'elle correspond à la vision des contemporains ; d'autre part, nous appuyer, autant que de besoin et plus qu'à l'accoutumée, sur les données proprement historiques (politiques, économiques, institutionnelles, etc.), qui constituent le contexte réel de la production littéraire.

Histoire littéraire et étude des œuvres

Nous nous sommes alors trouvés confrontés au vieux problème de l'histoire littéraire : comment concilier l'approche historique, qui vise à reconstituer un *continuum* temporel, et le traitement monographique des grandes œuvres ? À l'usage, ces deux perspectives nous sont apparues inconciliables. Il est passionnant d'examiner pour lui-même le traitement du roman par Balzac ou Flaubert, de la poésie par Lamartine ou Rimbaud, mais c'est le plus sûr moyen de manquer l'histoire du roman et de la poésie, considérés comme genres : de la critique d'auteur sur fond d'histoire littéraire risque fort d'apparaître alors comme de la critique littéraire qui n'ose dire son nom, mise au goût du jour historique. Pour autant, il serait absurde de ne pas accorder aux « grands » auteurs la place qu'ils ont en effet acquise et de les noyer dans la masse des autres.

C'est pourquoi notre premier mouvement fut de vouloir diviser le corps de l'ouvrage en deux parties successives : d'abord l'histoire littéraire *stricto sensu*, où les écrivains n'auraient jamais été étudiés en tant que tels, et qui aurait visé à ébaucher les contours d'une histoire sociale de la littérature et d'une poétique historique des genres, et ensuite les notices consacrées aux auteurs et présentées par ordre alphabétique. À l'usage, il est apparu que ce découpage risquait de laisser entendre que l'histoire littéraire pouvait se passer de l'étude des œuvres : un tel effet de lecture eût été désastreux, et aux antipodes de ce que nous souhaitions. Ces hésitations, qui ont donné lieu à des discussions longues, nombreuses et nourries d'arguments *pro* et *contra*, ne concernent certes que la genèse interne de ce manuel. Mais il n'est peut-être pas inutile d'y faire écho ici, parce qu'un manuel n'est pas un objet neutre et que son organisation engage l'interprétation des faits dont il doit rendre compte : du moins pouvons-nous assurer notre lecteur que l'architecture finalement adoptée ne résulte pas de quelque commodité d'exposition mais traduit, aussi fidèlement que possible, la conception que nous nous faisons de la littérature du XIXe siècle comme de son histoire [1].

Concrètement, nous avons décidé d'entrelacer les chapitres généraux et les analyses consacrées aux auteurs, sans jamais fondre pourtant ces deux discours de nature distincte. Nous souhaitons ainsi convier – mais sans contorsion excessive – à une lecture stéréoscopique de l'ensemble, en sorte que la singularité et l'historicité de chaque œuvre soient également prises en compte. Bien sûr, toute œuvre participe d'un mouvement qui la dépasse et l'inscrit dans une chronologie collective. Il n'empêche que son élaboration, parfois longue et incertaine, témoigne d'abord d'une trajectoire personnelle et d'une volonté subjective. Dans cette optique, l'histoire littéraire doit moins être celle des textes que celle des sujets écrivants ; son objectif est de faire comprendre ce qui a rendu possible des aventures individuelles, non de réduire par des classifications pédagogiques ou des déterminations abstraites ce qui en fait la valeur – à savoir la manifestation esthétique d'une parole libre, rêvant ou s'efforçant de l'être.

Au-delà des principes, l'analyse des auteurs a posé à son tour une série de problèmes. L'espace nous étant mesuré, il a d'abord fallu choisir : sélectionner ceux qui feraient l'objet d'un développement séparé, ensuite distinguer les « plus grands » disposant d'un chapitre entier, et la masse des autres, placés à la fin des chapitres généraux. Dans ce travail toujours menacé d'arbitraire, notre point de vue a été, autant que possible, celui d'historiens plutôt que de critiques ou de lecteurs. Nous n'avons pas privilégié les auteurs que nous préférions, mais ceux dont on pouvait constater l'influence dans la littérature du XIXe siècle – influence mesurable par leur situation dans le champ littéraire ou leur rôle personnel, analysable, rétrospectivement, dans l'évolution des formes et des écritures.

Les écrivains « secondaires » sont toujours l'expression d'un plus vaste mouvement, intellectuel ou littéraire ; leur représentativité compense donc en

1. Ce manuel a bénéficié des remarques faites par nos collègues Jacques Dubois et Jean-Claude Fizaine, qui nous ont fait l'amitié d'en lire le manuscrit : qu'ils trouvent ici le témoignage de notre vive gratitude.

partie l'exclusion de tous ceux qui auraient pu venir à leur place. Quant aux auteurs « majeurs », il s'est avéré beaucoup plus simple que nous ne le pensions d'en arrêter la liste ; le XIXe siècle, à mesure qu'il avance, ne cesse de former sa propre image et celle de sa littérature, en sorte que l'historien n'a qu'à prendre acte d'une hiérarchie à peu près fixée dès la génération symboliste. Pour trois écrivains seulement, nous nous sommes crus obligés d'enfreindre cette règle et de prendre en compte les relectures et la réévaluation d'œuvres peu ou prou négligées sur le moment : il s'agit de Maupassant, de Nerval et, surtout, de Lautréamont. En réalité, nous avons été beaucoup plus embarrassés pour les auteurs à cheval sur deux siècles (XVIIIe et XIXe, ou XIXe et XXe siècles) : lorsqu'une part trop grande de l'œuvre ne concernait pas le XIXe siècle, nous avons choisi de les négliger, malheureusement certains d'aboutir dans tous les cas à une cote mal taillée.

Les développements monographiques visent à resituer l'œuvre dans le siècle, à en soumettre la lecture à notre perspective historique. D'où le patron commun à tous. D'abord, une brève présentation de l'écrivain, tel qu'il a été statufié par la postérité – en somme, la vulgate critique. Ensuite, le rappel, suffisamment circonstancié, des données bio-bibliographiques : malgré toute la méfiance qu'inspire, depuis le *Contre Sainte-Beuve*, l'analyse biographique, elle reste la seule manière de repérer, au niveau des destinées individuelles, la marque de l'Histoire, de donner chair et vie aux orientations collectives que les chapitres généraux auront permis de mettre au jour. Enfin, l'examen de la poétique de l'œuvre, qui s'efforcera de comprendre pourquoi elle a fait date plutôt que de s'attarder sur les réinterprétations du XXe siècle ; ainsi essaiera-t-on d'expliquer en quoi le scandale des *Fleurs du mal*, en 1857, est fondamental pour qui veut comprendre la poésie du second Empire, au lieu de relire le recueil comme s'il n'avait pas été scandaleux – ainsi que le fait, peut-être à bon droit, le critique contemporain. Au reste – faut-il le préciser ? –, cette partie critique est, malgré les considérations historiques sur lesquelles elle s'appuie, affaire d'appréciation personnelle et laissée au libre jugement de chaque rédacteur : on trouvera, en page 2, la répartition précise des chapitres et des auteurs entre les trois signataires de ce volume.

Mais, dans tous les cas, nous nous sommes gardés de confondre les *œuvres*, c'est-à-dire les différentes constellations d'écrits émanées des différents auteurs et garanties par leur autorité, y compris, parfois, leurs brouillons, leurs manuscrits inédits ou inachevés, leur correspondance, etc., et, d'autre part, les *textes*, c'est-à-dire les produits finis publiés et promus au rang de *textes* par les contemporains et la postérité. Notre souci a été de décrire les œuvres dans leurs dynamiques globales et leurs environnements respectifs. Nous nous sommes abstenus d'évoquer de manière circonstanciée la genèse, la réception et les éditions successives des textes, ou d'analyser leurs structures singulières, leurs fonctionnements particuliers en systèmes clos, ou de faire l'histoire des lectures qui, tour à tour, les ont actualisés. C'est là l'affaire soit d'éditions critiques ou de dossiers spéciaux, soit de monographies entre lesquelles il serait déconseillé, par définition et par méthode, de chercher à faire courir le fil d'une histoire commune.

De la périodisation littéraire

Il nous reste à nous livrer à notre examen de (mauvaise) conscience historique : justifier notre périodisation. La périodisation n'est jamais scientifiquement légitime ; elle n'est rien d'autre qu'un cadre commode de présentation, ou un catalyseur pour la réflexion historique, qu'il convient d'oublier et de changer dès qu'il a rempli son office. La seule vertu que nous attendions de notre périodisation était d'être aussi neutre que possible, de ne pas déformer, à l'avance et pour ainsi dire clandestinement, les faits qu'il fallait interpréter.

Écartons d'emblée les faux débats : les dates extrêmes ne posaient aucun problème. Comme chacun sait, le XIXe siècle commence en 1801 (ou, selon l'erreur commune, en 1800) et se termine en 1900 (ou 1899). Il y a là plus qu'une pirouette ou une boutade ; la division séculaire est une convention héritée de la tradition et cautionnée par le cloisonnement des pratiques scolaires et universitaires : on doit ou bien la rejeter en bloc, comme non pertinente, ou bien l'accepter telle quelle. Mais se demander si le XIXe siècle commence en 1789, 1815 ou 1830 et s'il se termine en 1870 ou en 1914 relève purement du nonsens, puisque l'on confond alors un mode arbitraire de mesure du temps et l'examen des faits concrets : il faut bien de la fraîcheur d'esprit pour imaginer qu'un déplacement de quelques années efface le péché d'arbitraire.

Découpage chronologique arbitraire, le siècle existe toutefois bel et bien dans la mentalité de ceux qui y vivent. Au jour où ces lignes sont écrites – en 1998 –, nous éprouvons presque comme une réalité naturelle l'achèvement du XXe siècle, et ce sentiment de fin – voire de déclin – constitue en lui-même un événement historique, qui détermine en partie les comportements psychologiques ou idéologiques. Or, cette perception du fait séculaire est encore plus forte au XIXe siècle, qui est le premier siècle postrévolutionnaire – à ce titre, le premier d'une ère nouvelle. « Ce siècle avait deux ans », écrira Hugo, dont le romantisme redira sur tous les tons sa fierté de coïncider avec le siècle, d'être la littérature de l'avenir et de toutes les renaissances. À l'opposé, la fin du siècle est hantée par le sentiment de sa décadence, en sorte que le symbolisme apparaît, de façon parfaitement symétrique, comme un « romantisme fin de siècle ».

S'il fallait invoquer des arguments plus positifs, nous serions tentés de dire que, considérant tout le XIXe siècle et seulement lui, nous plaçons aux bornes extrêmes ces deux événements majeurs que sont l'avènement du Consulat – avec ses immenses conséquences sur l'avenir de la France – et l'Affaire Dreyfus – crise de conscience cataclysmique pour la société du XIXe siècle. Mais nous nous arrêterons là : ce serait commettre à notre tour le péché que nous dénoncions en commençant.

La périodisation interne était plus délicate à fixer. Tout le monde s'accorde à considérer que, autour de 1815, 1830, 1848 (ou 1851), 1870-1871, la France connaît des changements significatifs, accompagnés de violences insurrectionnelles ou de guerres extérieures. Pour déterminer nos trois parties chronologiques, nous n'avons gardé que 1830 et 1870, et cela appelle quelques explications.

La léthargie littéraire du premier Empire justifierait à elle seule l'effacement de 1815. Par ailleurs, tout le premier tiers du siècle est marqué par la survivance d'une France archaïque, retardant le capitalisme libéral au profit de l'État autoritaire ; quant à la question romantique, qui caractérise la littérature de la Restauration, elle commence dès 1800, notamment avec le *De la littérature* de Mme de Staël. En revanche, 1848 est incontestablement une année fondamentale : nous ne la retenons pas comme limite, mais comme centre et pivot de notre période 1830-1870.

Cependant, il va de soi que la littérature n'évolue pas instantanément au gré des changements de régime. Il est même probable que, du point de vue de l'histoire littéraire, la rupture n'est pas en 1830, mais au milieu des années 1820 (avec le romantisme libéral) ou à la fin des années 1830 (avec le déclin du romantisme le plus flamboyant), ou que les conséquences littéraires de 1870-1871 ne sont apparentes qu'au cours des années 1880, avec l'affermissement de la République.

Mais à quoi bon ces ajustements, eux-mêmes récusables comme toute périodisation ? Il nous a semblé, au contraire, que le travail d'accommodation que nous exigions de notre lecteur en adoptant des dates approximatives réalisait mieux l'objectif que nous nous fixions : montrer la relation entre littérature et société – faite à la fois d'interdépendance et de distance. Assurément, ce rapport est complexe – d'ordre sociologique, psychologique, économique, mythologique, etc. Il n'empêche qu'écrire est d'abord un acte de conscience, comparable à tous ceux qu'accomplissent les intellectuels du XIXe siècle pour concevoir leur présent et leur avenir. En choisissant les dates de 1830 et de 1870, il ne nous a pas déplu de rappeler que, au moins pour le XIXe siècle, la littérature a partie liée, expressément ou par défaut, avec l'histoire des faits et des idées politiques.

Au demeurant, cette chronologie, même approximative, vaut essentiellement pour les chapitres généraux, non pour les auteurs, dont ni les dates de naissance ni les périodes d'inspiration ne sauraient dépendre, sinon très indirectement, des changements de régime : Chateaubriand a aussi publié après 1830, Flaubert après 1870, Zola avant. Pourtant ils ont été respectivement traités dans les parties 1800-1830, 1830-1870, 1870-1900 : nous avons en fait privilégié, pour cette répartition approximative, les moments de plus forte production.

Mais comment choisir entre le Lamartine d'avant ou d'après 1830, le Vigny des *Poèmes antiques et modernes*, de *Chatterton* ou des *Destinées*, le Musset des *Contes d'Espagne et d'Italie* ou de *Lorenzaccio*, le Hugo des *Odes et Ballades*, des *Rayons et les Ombres*, de *La Légende des siècles* ? Il nous a donc fallu, pour tous les grands auteurs qui ont commencé à produire dans les années 1820, renoncer à notre découpage chronologique en trois périodes et les rassembler dans un quatrième ensemble, intitulé « Les grandes voix du romantisme ». Faute de mieux. À moins que cette permanence polymorphe de la parole romantique, parfois jusqu'à l'aube de la IIIe République, ne soit justement ce qui caractérise le XIXe siècle et nous le rende encore si désirable.

À propos des notes bibliographiques

Les références bibliographiques concernant les chapitres généraux sont rassemblées à la fin du volume ; au contraire, celles portant sur les auteurs figurent à la suite immédiate des analyses qui leur sont consacrées. Dans les deux cas, il nous a fallu choisir et retenir seulement l'essentiel ou le plus accessible, compte tenu de l'immense développement, en France et à l'étranger, des études dix-neuviémistes. Sauf exceptions, nous nous sommes tenus à quatre principes – discutables, mais clairs et exempts d'arbitraire :

1. Privilégier les travaux publiés en langue française.
2. Lorsqu'il existe une autre édition de texte, ne pas mentionner les volumes publiés en format de poche, très souvent excellents et faisant parfois autorité, mais beaucoup trop nombreux pour être tous mentionnés et d'ailleurs facilement repérables par l'étudiant.
3. Écarter les articles au profit des ouvrages. Il était difficile de faire autrement, à cause de la masse énorme des articles, dans laquelle il nous aurait fallu prélever une sélection très subjective. Mais nous sommes bien conscients de cette part vivante de la recherche littéraire dont nous nous sommes ainsi privés.
4. À propos des auteurs, préférer les travaux consacrés à un aspect général de l'œuvre, quel qu'il soit, aux études portant sur un texte en particulier. Là encore, cela n'allait pas sans renoncements déchirants.

1800-1830 :
modernité et traditions

Si le romantisme de 1820 ne rompt pas totalement avec le passé, il ne se contente pas non plus de rafraîchir un décor déjà ancien. On sait bien, en histoire littéraire, que les faits ne sont jamais aussi simples. Cependant, on a le tort, parfois, de rechercher d'abord à la surface des textes les signes d'un bouleversement dont les forces s'exercent en des zones plus obscures et plus profondes.

Quelque chose d'encore informulé s'invente, en effet, au début du XIXe siècle, mais cette innovation, qui dérive à la fois de la pensée des Lumières et de l'esprit révolutionnaire, a partie liée avec l'histoire des idées, l'évolution des institutions et de la société française, l'ouragan politique et militaire qui semble n'avoir rien laissé d'intact en Europe.

Quant à la littérature, elle est obligée, par nature, de se renouveler en même temps qu'elle perpétue les plus vieilles traditions de l'art d'écrire, de nourrir ses rêves les plus fous en poussant ses racines aussi loin qu'elle peut dans le sol sédimentaire de son passé – d'un passé auquel l'effondrement brutal du monde d'avant 1789 se chargea de donner l'allure d'un mythe fondateur.

Chapitre 1

La littérature et les pouvoirs

L'histoire événementielle, qui s'attachait aux faits et gestes des hommes d'État et de leur entourage, a cédé le pas à de nouvelles approches, qui privilégient les rythmes socio-économiques. En histoire de la littérature, nous avons de même appris à tenter de reconstituer le réseau dense et inextricable des déterminations qui permettent de rendre compte, toujours partiellement, des phénomènes culturels. La chronique des Lettres ne saurait donc se résumer à quelques images d'Épinal : Chateaubriand et Napoléon Ier, Béranger et Charles X, Hugo et Napoléon III, Zola et les autorités civiles et militaires. Au demeurant, le développement européen de démocraties parlementaires et capitalistes a considérablement distendu les liens qui unissaient l'autorité politique et les écrivains, les artistes ou les intellectuels.

Évitons toutefois de pécher par excès ou par anachronisme. Sous un régime autoritaire, et dans la mesure où le marché de la culture, accessible seulement à une étroite élite sociale, n'induit pas de puissants mouvements d'opinion ou de consommation, le pouvoir politique peut influer, de manière significative et durable, sur le cours des choses littéraires. À cet égard, le fonctionnement de la littérature, dans le premier tiers du XIXe siècle, reste archaïque, plus proche de l'Ancien Régime que de cette « IIIe République des Lettres », à laquelle, depuis plus d'un siècle, on tend à assimiler la tradition culturelle française. Encore s'agit-il d'un Ancien Régime assoupi et rapetissé, que la Révolution a privé de l'activité brillante des cercles aristocratiques. Ainsi, plus que jamais peut-être, la vie littéraire a paru dépendre du caprice d'un seul (Napoléon Ier, par exemple) et de cet interventionnisme étatique qui est la pente naturelle de toutes les administrations centrales mais qu'a raffermi encore, au lendemain de la Révolution, l'organisation de la France bureaucratique moderne.

Non que la littérature soit devenue une telle puissance que l'autorité veuille, par crainte, l'enrégimenter : ni l'intellectuelle Germaine de Staël ni, *a fortiori*, les artistes Flaubert ou Baudelaire n'ont fait trembler la dynastie napoléonienne. Mais tout exécutif cherche à contrôler les manifestations extérieures de sa force : la production littéraire en est une, au même titre que les arts plastiques et l'architecture monumentale. Il s'arroge ainsi le privilège de façonner l'image qu'il désire donner à la postérité : aussi tout régime autoritaire favorise-t-il les arts qui donnent à voir plutôt qu'à penser. De surcroît, l'activité littéraire constitue un espace de liberté où viennent se fortifier les oppositions politiques : il est alors prudent de la surveiller et de la canaliser. Le premier Empire l'entreprendra avec vigueur et détermination ; la Restauration, en ce domaine comme en tant d'autres, ne saura pas choisir entre la tradition du dirigisme monarchique et l'aspiration au libéralisme qui, en 1814, avait favorisé son avènement, et elle finira par s'aliéner la plupart des gens de lettres.

La dictature intellectuelle de Bonaparte

En matière culturelle, le 18 Brumaire (9 novembre 1799), qui permet à Napoléon Bonaparte d'accéder au Consulat, inaugure brutalement une ère nouvelle.

Jusqu'au 9 Thermidor (27 juillet 1794), la Révolution a favorisé une littérature de la parole qui, pour se déployer, avait besoin de l'espace public de la tribune, du théâtre ou du journal. Dans l'ambiance trouble des périodes insurrectionnelles, une liberté débridée, du moins pour les modes d'expression et les registres de langue, coexiste avec des accès imprévisibles et brutaux de répression, qui conduisent à la prison ou à l'échafaud. Cependant, les formes littéraires plus traditionnelles, liées à la sociabilité privée de l'Ancien Régime, sont laissées en jachère, pour des raisons aussi bien politiques qu'économiques : nombre d'écrivains, naguère liés à l'aristocratie, trouvent prudent de se taire en attendant des jours meilleurs ; en outre, la désorganisation des institutions culturelles les prive d'une bonne part de leurs revenus et les contraint à vivre d'expédients.

Au contraire, la Convention thermidorienne et le Directoire renouent avec une littérature plus festive et licencieuse sans doute, mais surtout moins soucieuse d'effets oratoires que de plaisirs intellectuels. Au fond, l'intelligentsia philosophique, libertine et bourgeoise de la fin d'Ancien Régime a acquis le pouvoir auquel elle aspirait dès 1789. On se reprend à rimer des vers ; les salons rouvrent et accueillent à nouveau les débats d'idées ; l'absence de toute censure, en fait ou en droit, provoque une explosion de littérature érotique, dont l'exemple le plus célèbre reste, à partir de 1795, la publication des romans de Sade. D'ailleurs, l'administration consulaire se hâtera, en 1801, d'interner ce dernier à Sainte-Pélagie puis à Charenton, où il restera jusqu'à sa mort, en 1814.

Au reste, ce cas est anecdotique au regard de la politique générale de contrôle et de répression que mène Napoléon Bonaparte. Ses partis pris intellectuels et esthétiques révèlent l'homme d'ordre et le militaire. Sur le plan des idées, il se méfie des spéculations philosophiques ou scientifiques, auxquelles il préfère la pure rigueur des mathématiques et le pragmatisme du technicien ; comme les intellectuels de la Révolution, il s'inscrit dans la tradition rationaliste française. Formellement, il promeut la littérature d'apparat, aime les effets rhétoriques et les vers sonores ; combinant classicisme louis-quatorzien et néoclassicisme à l'antique (antiquité romaine plutôt que grecque en l'occurrence), nationalisme et conservatisme, il prétend défendre le modèle français contre d'autres sensibilités littéraires d'Europe (notamment l'anglaise et l'allemande). Ces choix, et la manière brusque de les appliquer qu'imposait une suite à peu près ininterrompue de guerres, n'ont pas produit de grandes œuvres. En revanche – et ceci est peut-être plus important pour l'histoire –, ils ont contribué à enraciner dans la mentalité collective le préjugé, déjà très répandu, d'une supériorité littéraire française, faite du maniement maîtrisé d'une langue claire et de la pensée logique.

Pour marquer sa faveur à l'égard des écrivains, le pouvoir dispose d'un ensemble de commandes et de pensions, qu'il prodigue assez généreusement. Surtout, il crée un grand nombre de charges honorifiques et rémunérées, qu'il octroie sélectivement à des hommes sûrs.

La presse périodique est, comme à l'accoutumée, un des principaux secteurs touchés. En 1805, le *Journal des débats* – futur *Journal de l'Empire* – se voit imposer son rédacteur en chef et un censeur ; le système sera progressivement étendu à tous les journaux de Paris – brutalement réduits à quatre en 1811. Jouy, Jay, Lacretelle aîné, Legouvé comptèrent parmi ces hommes de presse.

La réorganisation de l'Institut offre d'autres occasions de récompense. Il avait été créé par la Convention en 1795 afin de remplacer les sept anciennes académies, et divisé en trois classes (sciences physiques et mathématiques, littérature et beaux-arts, sciences morales et politiques). Depuis le Directoire, la troisième classe était dominée par les Idéologues, hostiles à Napoléon. Celui-ci la supprima, et remplaça l'ancienne tripartition par une division en quatre classes (sciences physiques et mathématiques, langue et littérature françaises, histoire et littérature anciennes, beaux-arts). Contre le mouvement général des idées, il manifestait sa préférence pour les anciennes belles-lettres, au détriment de ce que nous appellerions aujourd'hui les sciences humaines. Augmentant aussi le nombre des membres de l'Institut, il atténua le poids des Idéologues, répartis entre la deuxième et la troisième sections, et fit nommer plusieurs anciens membres de l'Académie royale (Fontanes, Delille, La Harpe…) ou des personnes de son entourage (Lucien Bonaparte, Ségur, Portalis…).

Enfin, l'unification et la centralisation des institutions scolaires, couronnées par la création du lycée (1802), de l'Université impériale (1806) et des facultés de lettres et de sciences, chargées de délivrer le baccalauréat, permirent à de grands noms de la vie intellectuelle ou savante de trouver leur place dans un édifice subtilement hiérarchisé. Fontanes fut le grand maître de l'Université et eut dans son Conseil Bonald, Cuvier, Jussieu ; Ampère et Royer-Collard furent inspecteurs généraux ; d'autres savants, qui, pensait-on, n'étaient pas hostiles au régime, furent nommés professeurs à la Faculté de Paris ou chargés d'enseignement dans les écoles spécialisées.

Cette page de l'histoire administrative, trop souvent négligée, est capitale pour la littérature et la culture en général. Les hommes, souvent jeunes, que Napoléon avait remarqués resteront en place bien après sa chute, puis, dans un milieu où la cooptation joue un rôle si considérable, sauront se trouver, sous la Restauration, des successeurs à leur image. C'est donc, pour un demi-siècle, l'élite chargée de la tutelle du savoir et des arts que le premier Empire lègue à la France. Née de la Révolution et du centralisme impérial, elle présente un mélange déroutant – pour les contemporains comme pour l'observateur d'aujourd'hui – de rationalisme philosophique et de conservatisme culturel. Nous touchons là à l'une des données fondamentales du XIXe siècle : à mesure que le temps passe, l'écart devient de plus en plus insupportable, en matière de littérature et de beaux-arts, entre le monde des créateurs et, d'autre part, le discours académique et les pouvoirs publics : dès les années 1820, les écrivains romantiques feront l'épreuve de ce divorce, et la peinture en nourrira son histoire sous le second Empire.

Mais il y a davantage : en créant le lycée, d'ailleurs avec un succès mitigé, Napoléon Ier adoptait un contenu pédagogique autant qu'une forme institutionnelle. À travers ses écoles centrales, fondées en 1795, le Directoire, s'inspirant des Idéologues et tournant le dos à l'Ancien Régime, avait voulu promouvoir les sciences expérimentales, la philosophie, la littérature moderne et les langues étrangères. L'Empire en prit l'exact contre-pied : il prôna les mathématiques, supprima l'enseignement de la philosophie, réduisit la littérature à la rhétorique et aux humanités gréco-latines. De même, toujours en continuité avec l'Ancien Régime et à l'exception des écoles spéciales dont il avait besoin pour la formation de techniciens, il négligea de constituer un enseignement supérieur comparable aux modèles anglo-saxon ou germanique.

Tout au long du XIXe siècle, les écrivains devront donc s'accommoder de ces deux handicaps : l'existence d'un public formé dans une conception étroitement rhétoricienne de la littérature et dans le classicisme le plus académique ; l'absence de lieux reconnus de réflexion et de recherche également indépendants du pouvoir et du marché. D'ailleurs, presque tous les auteurs du XIXe siècle ont commencé eux-mêmes par être apprentis-rhéteurs et bons latinistes, et il leur faut d'abord revendiquer une indépendance d'écriture que leur interdit, malgré qu'ils en aient, un apprentissage précoce mais limité des Humanités classiques. On comprend que, dans ces conditions, tous les bouleversements littéraires aient débuté par une révolte de potache, du romantisme de Hugo à la voyance rimbaldienne et au père Ubu.

En attendant les résultats à long terme de cette vaste politique culturelle, l'Empire met en place un arsenal répressif qui, dans ses grandes lignes et malgré certains assouplissements, restera en vigueur jusqu'à la IIIe République : il s'agit en fait de restaurer la censure d'Ancien Régime, en lui donnant un cadre législatif et juridique clair.

Le théâtre était soumis à une stricte censure préalable et la représentation de toute pièce nouvelle nécessitait l'autorisation du ministre de la Police. En outre, le nombre de salles fut considérablement réduit en 1807, passant brutalement, à Paris, de trente-trois à huit. En province comme dans la capitale, l'activité dramatique fut étroitement réglementée et surveillée. De fait, la pièce la plus inoffensive – ou la plus ancienne – pouvait, pourvu que les comédiens et le public en prissent la peine, donner lieu à une interprétation subversive, et toute représentation constituait effectivement une réunion publique susceptible de dégénérer en un événement incontrôlable. D'où les craintes particulières que nourrissent, hier comme aujourd'hui, les pouvoirs publics à l'égard du spectacle vivant.

Le journal est, lui aussi, l'objet de soins particuliers : même s'il a relativement peu de lecteurs, sa périodicité régulière lui permet de favoriser les mouvements d'opinion et de s'agréger les oppositions. Comme les théâtres, les journaux parisiens furent réduits en nombre et soumis à censure. Quant à la presse de province, on lui interdit tout simplement de publier des articles politiques, à l'exception d'extraits du *Moniteur*, journal officiel de l'époque.

Enfin, l'imprimerie et la *librairie* – on dirait aujourd'hui l'édition – furent réorganisées par le décret du 5 février 1810 : si l'on écartait pour des raisons pratiques la censure préalable, c'est-à-dire la censure du manuscrit, tout imprimeur devait, avant l'impression, déclarer le titre de l'ouvrage et le nom de son auteur, et permettre ainsi, le cas échéant, l'intervention des censeurs impériaux. Surtout, les professions du livre étaient désormais étroitement encadrées : limités en nombre par un système de brevet professionnel octroyé par l'administration, menacés par des sanctions brutales, imprimeurs et libraires avaient tout intérêt à respecter l'esprit et la lettre de la réglementation impériale.

Les hésitations du pouvoir royal

S'il n'y avait eu, à partir des années 1820, la fièvre romantique et, davantage encore, la montée irrépressible de l'opposition libérale, toute la Restauration (1814-1830) apparaîtrait comme une pause, une période indécise dont, après un quart de siècle de guerres et de troubles, la bourgeoisie aurait profité pour reconstituer sa puissance économique et ses ambitions politiques. Cette pause, hormis l'épisode des Cent-Jours et la Terreur blanche qui fut, en 1815, sa conséquence directe, marqua la fin de la dictature militaire et offrit l'apaisement attendu de tous et, en particulier, des libéraux modérés. L'histoire politique et intellectuelle de la Restauration est contenue dans ce dilemme : si elle tient les promesses de liberté et de concorde nationale inscrites dans la Charte de 1814, elle conforte l'influence de l'opposition parlementaire ; si elle revient au monarchisme autoritaire auquel aspirent, par conviction ou par esprit de revanche, les émigrés rentrés d'exil, elle se prive du mince consensus qui est le seul gage de sa pérennité.

C'est pourquoi le règne de Louis XVIII (1814-1824) et, surtout, celui de Charles X (1824-1830), étroitement lié aux milieux ultraroyalistes, alternèrent modération et, par brefs accès, répression idéologique. Ainsi Louis XVIII rétablit-il la censure préalable de 1815 à 1819, malgré l'article 8 de la Charte (« Les Français ont le droit de publier et de faire imprimer leurs opinions, en se conformant aux lois qui doivent réprimer les abus de cette liberté »). Après l'assassinat du duc de Berry, second fils du futur Charles X (1820), il suspendit l'expérience libérale de son ministre Decazes. Enfin, ce fut la signature des quatre ordonnances restreignant le droit de vote et la liberté de la presse qui entraîna l'insurrection des 27, 28 et 29 juillet 1830 (les « Trois Glorieuses ») et la chute du régime. D'autre part, la censure réprima avec vigilance toute critique explicite du principe monarchique (le droit divin) et, sous Charles X, les protestations soulevées par la politique cléricale de la Cour et du gouvernement.

Cependant, d'après les témoignages des contemporains, il semble que, ces restrictions admises, l'époque ait été globalement propice à la réflexion, à l'argumentation théorique, aux échanges contradictoires. Victor Hugo la décrit en ces termes dans *Les Misérables* (1862) : « Sous la Restauration la nation s'était habituée à la discussion dans le calme, ce qui avait manqué à la république, et à la grandeur dans la paix, ce qui avait manqué à l'empire. La France libre et forte avait été un spectacle encourageant pour les autres peuples de l'Europe. La révolution avait eu la parole sous Robespierre ; le canon avait eu la parole sous Bonaparte ; c'est sous Louis XVIII et Charles X que vint le tour de parole de l'intelligence. Le vent cessa, le flambeau se ralluma. On vit frissonner sur les cimes sereines la pure lumière des esprits. » Mais Renan, autre figure tutélaire de la IIIe République, rappelle dans ses *Souvenirs d'enfance et de jeunesse* (1883) le prix payé pour cette tranquillité retrouvée : « Le temps de la Restauration passe pour une époque libérale ; or, certainement, nous ne voudrions plus vivre sous un régime qui fit gauchir un génie comme Cuvier, étouffa en de mesquins compromis l'esprit si vif de Victor Cousin, retarda la critique de cinquante ans. Les concessions qu'il fallait faire à la cour, à la société, au clergé étaient pires que les petits désagréments que peut nous infliger la démocratie. » Aussi faut-il considérer comme une exception remarquable l'œuvre de « Paul-Louis Courier, vigneron », en fait ancien officier, propriétaire terrien et opposant contestataire à toutes les autorités, qui laisse libre cours, jusqu'à sa mort en 1825, à sa rude et vigoureuse verve de pamphlétaire.

Tout bien pesé, le bilan intellectuel de l'époque paraît pourtant honorable. Des noms illustres du Consulat continuent à briller (Mme de Staël, Chateaubriand, B. Constant) ; bien sûr, les maîtres à penser du régime connaissent une vieillesse glorieuse (Louis de Bonald, Joseph de Maistre) ; on est aussi frappé par le nombre de jeunes écrivains ou de théoriciens qui, destinés à occuper pendant tout le siècle une place de premier plan, franchissent alors les étapes initiales de leur carrière : parmi d'autres, V. Cousin, Lamennais, Tocqueville, Michelet, Thiers, Guizot, A. Thierry. De ces années, d'autre part, datent certains grands textes des utopistes Saint-Simon (*Catéchisme des industriels*, 1824) et Fourier (*Le Nouveau Monde industriel et sociétaire*, 1820).

L'échec littéraire de la Restauration

Que signifiait au juste cette activité des esprits ? La paix revenue, les hommes de cabinet et de bibliothèque retrouvèrent avec bonheur le rang que les soldats de l'Empire leur avaient disputé. La bourgeoisie parisienne, dans une ambiance à la fois feutrée et brillante, tissait les réseaux progressistes qu'elle utiliserait après 1830. En somme, sans la concurrence que représenteront, sous la monarchie de Juillet, les querelles politiques menées au grand jour et l'irruption des médias, les intellectuels profitaient d'un élitisme serein et, à vrai dire, confortable.

Or, la vie des idées va rarement de pair avec la littérature. Sous la Restauration, leurs logiques semblent même contradictoires. La mouvance libérale se rattache à la tradition des Lumières et, du point de vue de la forme, à la grande prose classique (celle des XVIIe et XVIIIe siècles). Contre elle, précisément, le pouvoir voudrait favoriser un renouveau de la poésie lyrique et dramatique, qui constituerait enfin, dans la culture française, l'antidote indispensable contre Voltaire et tous les impies du XVIIIe siècle, et qui défendrait les mystères de la foi contre les ambitions sacrilèges de la raison humaine.

D'où le *premier romantisme* : passés l'immédiat après-guerre et les années d'occupation du territoire (1815-1817), les cercles aristocratiques tentèrent de briller et d'attirer à eux de jeunes auteurs. On échangeait des mots d'esprit, on écoutait des poèmes ou de la musique, on s'efforçait d'oublier la Révolution. Dès 1819, on se murmurait ainsi le nom d'un poète au charme mélancolique, issu de la bonne noblesse provinciale, célèbre déjà par la lecture de ses textes qu'il faisait, d'une voix profonde et ardente, dans les hôtels particuliers de Saint-Germain-des-Prés : avant même la publication des *Méditations* (1820), la notoriété d'Alphonse de Lamartine était assurée. On accueillit aussi un officier de la Garde royale, Alfred de Vigny, et un jeune prodige de la rime auquel sa situation de fortune précaire donnait sans doute, plus qu'aux autres, le désir de réussir vite et brillamment, Victor Hugo. Leurs premier succès furent récompensés par le roi ou son administration. En 1820, Lamartine fut nommé attaché d'ambassade à Naples puis, après avoir composé la même année une ode pour l'« enfant du miracle » – le fils du duc de Berry, né quelques mois après l'assassinat de son père –, il obtint un congé illimité avec solde ; en 1825, son ode sur le sacre de Charles X lui valut la légion d'honneur et une promotion dans la carrière diplomatique. Hugo, pour sa part, toucha une gratification pour une ode publiée à la mort du duc de Berry ; il fit partie des pensionnés du roi en 1822, et de ceux du ministère de l'Intérieur l'année suivante ; lui aussi reçut la légion d'honneur pour une ode composée à l'occasion du sacre de 1825.

Cependant, cette entente se désagrégea vite. Dès 1827, la plupart des romantiques – Hugo à leur tête – ont rejoint le camp des libéraux, ajoutant ainsi la revendication esthétique à l'opposition politique. C'est le *deuxième romantisme*, qui laissa les ultraroyalistes – et le roi Charles X – à leur volonté obstinée de restauration absolutiste, mais désormais privée du semblant de légitimité que pouvaient leur procurer les poètes en vogue.

Cet échec auprès des écrivains fut symboliquement considérable et annonça, plus que bien d'autres symptômes, la faillite du régime. Il eut sans doute des causes conjoncturelles, dont il est impossible, aujourd'hui, de mesurer l'importance : l'évolution personnelle de certains romantiques, auxquels leurs succès mêmes autorisaient d'ailleurs une plus grande indépendance ; l'habileté des libéraux, qui comprenaient l'intérêt de se concilier le monde turbulent de la littérature et des arts, même s'ils étaient loin – l'après-1830 le montrera – d'en partager tous les choix ; à l'opposé, l'étroitesse de pensée et l'aigreur très manifeste des ultras et du proche entourage de Charles X.

Quoi qu'il en soit, l'aristocratie se révélait désormais incapable de jouer le rôle culturel qui était le sien sous l'Ancien Régime : la Révolution l'avait affaiblie économiquement, avait taillé dans cette province des châteaux et des fêtes qui, avant 1789, parvenait encore à contrebalancer le pouvoir de la Cour et de Paris ; l'exil avait exacerbé la sensibilité des émigrés mais, souvent, racorni les esprits. Il suffit de relire *La Comédie humaine*, où le roturier Balzac s'en donne à cœur joie : la haute noblesse pouvait encore, glorieuse ou pathétique survivance de temps révolus, fomenter des coteries, perpétuer des rites, entretenir l'esprit de caste et même donner l'illusion de sa propre importance. Mais elle dut renoncer à un pouvoir réel d'impulsion, du moins en histoire littéraire. D'autres forces sociales la supplantèrent : la jeunesse des écoles et des ateliers d'artistes, extraordinairement concentrée à Paris, et le public bourgeois du livre.

La littérature, la jeunesse et Paris

Point n'est besoin d'évoquer Villon ou Rabelais : l'histoire parisienne a, depuis le Moyen Âge, été intimement mêlée à celle de la jeunesse turbulente qui vient y étudier, y apprendre un métier et, parfois, s'y révolter. Cependant, le phénomène prit une ampleur nouvelle au XIXe siècle. Tout d'abord, les provinces furent les grandes perdantes de la Révolution et de l'Empire : les solidarités et les pouvoirs locaux ont été détruits, les richesses hasardeusement redistribuées, les traditions – seigneuriales ou ecclésiastiques – niées, si bien que la province, passée au singulier, a adopté l'allure morne et assoupie qui pousse tous les Rastignac à Paris.

Ces rejetons de la bourgeoisie provinciale se rendaient donc dans la capitale non seulement pour acquérir, avec une conviction et une énergie variables, les diplômes de droit ou de médecine qui feraient d'eux à leur tour des notabilités locales, mais surtout pour participer à la vie éphémère, illusoire mais séduisante pour leurs jeunes imaginations, du Paris estudiantin. Celui-ci se situe dans un lieu bien délimité, le Quartier latin, massé autour de la colline Sainte-Geneviève, fait d'un tissu dense de bibliothèques, de facultés et d'établissements scolaires et religieux. Il s'agit encore d'un quartier relativement pauvre, où abondent les restaurants bon marché, les hôtels et les meublés pour étudiants, les cafés où l'on peut consommer – chichement – en refaisant le monde. Cette confrérie informelle et joyeuse des étudiants, où les promesses d'un avenir assuré et les subsides prudemment distillés par des parents lointains compensent largement la précarité du moment, se mêle à deux autres univers : celui des ateliers d'artiste et des rapins, qui lui communique un peu de sa démesure et de sa folie, et le monde des grisettes, jeunes ouvrières – couturières de préférence –, elles aussi attirées à Paris et améliorant leur ordinaire sentimental et matériel par une de ces formes de prostitution déguisée qui constituent, au XIXe siècle, l'envers de la morale bourgeoise.

Pour percevoir l'importance historique de ce phénomène local, il faut oublier le Paris d'aujourd'hui, vaste mégapole qui a achevé de perdre l'individu dans l'enchevêtrement complexe des contraintes urbaines. Le Paris de 1820, malgré l'hypertrophie de ses quartiers populaires, a lui-même quelque chose de provincial. À l'intérieur d'un même groupe socioculturel, on est à peu près sûr de fréquenter les mêmes cafés, de se promener sur les mêmes boulevards, de partager enthousiasmes et dégoûts.

Le Quartier latin est donc le lieu du travail et de l'austérité partagée. Mais, à quelques centaines de mètres de là, de l'autre côté de la Seine, se trouve l'autre Paris mythique : celui des théâtres, des librairies et des cafés à la mode, qui s'étend du Palais-Royal aux Boulevards, réunis par les rues Vivienne et de Richelieu ; celui aussi des débauches et du jeu, qui fait l'étalage de séductions plus troubles. À la limite de ces deux pôles – la rive gauche et la rive droite, le travail et le plaisir –, s'établira après 1830 le monde joyeux de la bohème, fait d'artistes et de jeunes bourgeois en rupture de ban, provisoire ou prolongée. Cette dualité, matérialisée dans la topographie parisienne, se retrouve d'ailleurs dans la psychologie de la jeunesse, partagée entre le goût de la fête carnavalesque et le triste sentiment de venir trop tard pour faire l'Histoire : on appellera celui-ci le « mal du siècle ».

Cet univers parisien, trop rapidement esquissé ici, est consubstantiel à la littérature romantique, comprise au sens large – disons de Hugo à Rimbaud. Il se terminera aussi avec elle, lorsque les travaux d'urbanisme entrepris par Haussmann, l'embourgeoisement général de la rive gauche et les flux incessants de provinciaux que drainent les grandes gares auront bouleversé le paysage architectural et social de la capitale. Mais, dans cette première moitié du XIXe siècle, c'est bien de cette jeunesse turbulente, lovée au centre de Paris, que sortirent les écrivains – journalistes, dramaturges, romanciers ou, plus rarement, poètes : ceux-ci restent souvent plus proches de leurs racines provinciales. Parmi elle se recrutèrent aussi, après la révolution de juillet 1830, bien des cadres administratifs de la monarchie parlementaire. Durant quelques années, les réussites furent rapides, spectaculaires et brillantes, et cette ambiance euphorique favorisa les entreprises littéraires les plus démesurées : chaque époque a les ambitions qui lui sont proportionnées.

De fait, les années 1820 furent marquées par une explosion de jeunesse, et le romantisme en a retiré ses traits les plus visibles. Comme dans chaque période d'après-guerre, le fossé est immense entre ceux qui ont vécu le conflit et ceux, plus jeunes, dont l'adolescence en fut préservée. À cette circonstance s'ajouta alors le sentiment que la Révolution avait fait table rase et que tout, au moins pour quelque temps, était à faire ou à penser. La littérature en particulier : Balzac et Hugo y employèrent leur énergie, et s'admirèrent mutuellement à cause de ce même orgueil. Mais l'un et l'autre durent compter, pour leur malheur parfois, avec l'émergence d'un nouveau public.

Le public du livre

Le graphique de la page 23 représente l'évolution de l'édition, générale et littéraire, de 1815 à 1830. Il fait apparaître, de manière si spectaculaire qu'il se passe de commentaires, l'accroissement de la production et le besoin de lecture qu'il traduit. Autoritairement réglementée et artificiellement préservée de la concurrence, l'édition française avait traversé l'Empire dans un état de douce léthargie. Artisanale et obéissante, elle avait aussi perdu le prestige dont jouissaient, par leur influence et leur puissance économique, les grands « libraires » du XVIIIe siècle. Sous la Restauration, la demande se fit sentir très vite, avant même le renouveau de la littérature. Des imprimeurs-éditeurs entreprenants se lancèrent alors dans la réimpression d'ouvrages du domaine public, que le procédé récent de la stéréotypie permettait de tirer à faible coût. Le marché fut alors inondé de nombreuses collections – à tous les formats et donc à tous les prix – d'œuvres complètes, capables de garnir, rapidement et élégamment, les rayonnages des bibliothèques. On y retrouvait les grands classiques (Racine, Molière, Fénelon, La Fontaine, etc.), mais aussi, parce que la clientèle bourgeoise était la première visée, les philosophes du XVIIIe siècle : Voltaire fut, et de très loin, l'auteur le plus imprimé et le plus

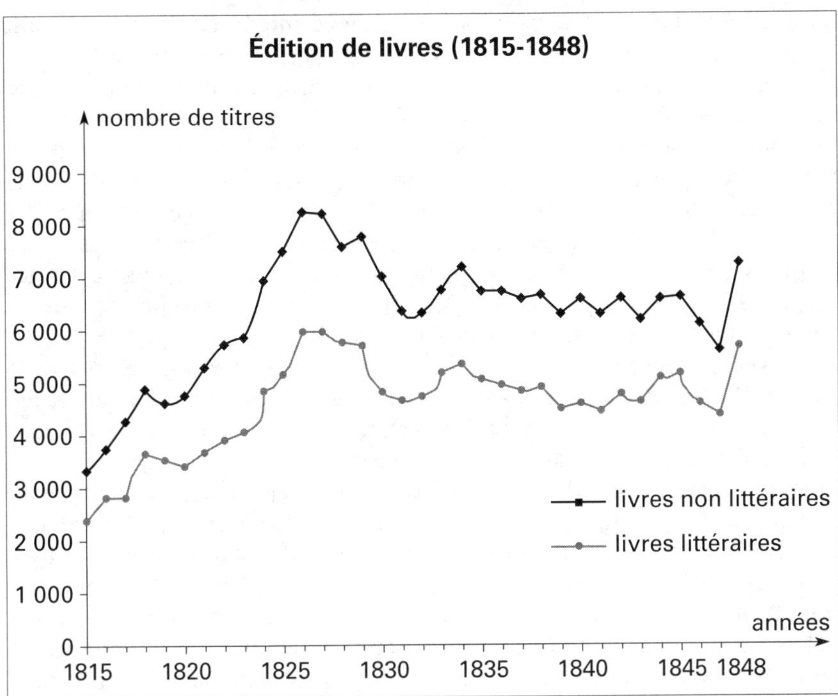

vendu, et en acheter eut valeur de protestation à l'égard de la monarchie de droit divin.

Puis la vogue passa à la littérature anglaise (Byron, W. Scott), enfin à la production française vivante. *Les Méditations* de Lamartine (20 000 exemplaires de 1820 à 1822, dit-on) sont ainsi le premier best-seller de l'édition du XIXe siècle, même si le roman reste, et de loin, le plus demandé. Sans doute les acheteurs de livres ne lisent-ils pas tous, tant s'en faut, les auteurs romantiques. Mais il n'est pas indifférent que le premier mouvement littéraire du siècle, destiné à couvrir de son ombre tous ceux qui le suivront, ait coïncidé avec un mouvement profond de consommation culturelle.

N'exagérons pourtant pas les proportions. L'éditeur de 1820, même heureux dans son commerce, n'a rien d'un Louis Hachette ni, *a fortiori*, d'un Gaston Gallimard. C'est, dans la plupart des cas, un artisan modeste, peu cultivé, disposant de maigres fonds propres et ne pouvant compter sur aucun crédit extérieur. D'ailleurs, le livre de littérature courante est, pour la majorité des exemplaires imprimés, vendu à des cabinets de lecture qui le louent à leurs abonnés. Les tirages sont donc médiocres (500 à 2 000 exemplaires) et les perspectives d'enrichissement faibles, autant pour les auteurs que pour les éditeurs. Ajoutons à cela une diffusion très lente à travers la France, une publicité à peu près totalement absente, et nous aurons là une image exacte, faite d'archaïsme et de fragilité, de la librairie française de l'époque.

De même, il serait absurde d'assimiler la progression de l'édition au vaste courant d'alphabétisation qui parcourt le siècle, mais qui n'interférera avec l'histoire littéraire que dans sa deuxième moitié. Pour l'heure, l'amateur de littérature se recrute presque exclusivement dans les différentes strates de la bourgeoisie. Si les plus fraîches d'entre elles, issues de la Révolution et des transferts de richesses qu'elle a occasionnés, se hâtent d'acquérir les signes culturels de leur promotion, il n'est pas sûr que, globalement, la France d'après 1815 compte plus de lecteurs qu'en 1780. La vraie nouveauté est ailleurs, qui marque la rupture d'avec l'Ancien Régime.

Avec quelques variations, la production littéraire avait reposé, jusqu'à la Révolution, sur une double logique : celle des cercles aristocratiques et élitaires qui conféraient à l'auteur des revenus, un statut social et, surtout, sa légitimité culturelle, et, d'autre part, celle de la *librairie*, qui, périphérique à la première, servait à la diffusion d'un produit commercial, le livre et, marginalement, à la propagation clandestine des idées contestataires. L'effondrement inéluctable de la société aristocratique, depuis la Révolution jusqu'à la Restauration, créa un vide culturel que, pendant un temps, rien ne vint remplir. Pour le meilleur ou pour le pire, le pouvoir était passé au livre et à son public, et l'avenir révélera les effets imprévus de cette hégémonie de l'imprimé. Mais, en 1830, l'état de la littérature laissait seulement deviner quelques traits ébauchés : une structure administrative qui pesait lourdement sur la vie intellectuelle et artistique, l'aristocratie rétractée sur son passé et son prestige de jadis et, de part et d'autre du livre, un face-à-face encore indécis entre les jeunes auteurs, atteints par le mal du siècle, triomphants ou goguenards, mais toujours prêts à contester, et le public de la bourgeoisie.

Portraits

BENJAMIN CONSTANT (1767-1830)

Diverse jusqu'à paraître, parfois, incohérente, l'œuvre de Benjamin Constant est inséparable des circonstances, historiques et personnelles, qui ont sans aucun doute profondément influé sur elle : la Révolution et ses suites, pendant lesquelles Constant, théoricien mais joueur, espère concrétiser ses ambitions personnelles ; les femmes, qui ont occupé beaucoup de son temps et de ses préoccupations ; les influences intellectuelles exercées sur lui par le groupe de Coppet, brillante cohorte d'intellectuels et d'écrivains qui entoure Mme de Staël en exil. Cette perméabilité au monde extérieur est assurément le signe d'une âme faible et ondoyante, passive et jouissant de l'être – de cette âme dont les journaux intimes projettent l'image narcissique mais lucide. Pourtant, elle permet paradoxalement à Constant de concevoir une œuvre originale, où la confidence intime et la réflexion politique se complètent et se répondent. À cet égard, une telle œuvre a le mérite de dater et de faire date, témoignant de ces temps incertains où la pensée des Lumières voit émerger un monde et des forces qu'elle ne prévoyait pas, sans vouloir renoncer encore aux exigences de la pensée spéculative.

Les jeux de l'amour et de la politique

De la jeunesse de Constant émane le parfum de romanesque qu'on retrouve en parcourant les biographies de ces fils de l'aristocratie qui, tel Chateaubriand, paraissent traverser les événements révolutionnaires sans rien perdre de leur goût de l'aventure ni de leur insouciance. Fils de l'officier suisse Juste Constant de Rebecque et orphelin de mère, Benjamin enfant est passé de précepteur en précepteur, avant de venir à Paris en 1785, pour y connaître les plaisirs de la capitale, le jeu et les liaisons faciles – en somme, la jeunesse oisive d'un gentilhomme de l'époque. Officiant en 1788 à la cour de Brunswick, il y est marié à une dame d'honneur, puis se brouille avec sa nouvelle épouse dont il divorcera en 1795. Entre-temps, il a croisé la route de Charlotte de Hardenberg, dont il finira par faire sa seconde femme en 1808, et surtout, en 1794, de Germaine de Staël. En effet, s'il est déjà un homme prometteur, à la conversation brillante et caustique, c'est Mme de Staël qui le révèle à lui-même et, surtout, au monde parisien. À partir de 1796, il se fait connaître en publiant ses premiers textes politiques, où il approuve le progressisme des thermidoriens. Naturalisé français en

1798 et ayant soutenu comme sa protectrice l'essor de Bonaparte, il est nommé au Tribunat après le coup d'État du 18 Brumaire.

Mais sa carrière semble alors piétiner. D'une part, il fait immédiatement figure d'opposant libéral : cette attitude autant que ses liens avec Mme de Staël l'éloignent du pouvoir. D'autre part, sa vie privée s'enlise dans d'inextricables difficultés qu'il paraît redoubler à plaisir et qui prennent, dans ses rapports avec l'illustre exilée de Coppet, une allure sadomasochiste. Poutant, au cours de ces années, Constant travaille. Il publie *Wallstein*, pièce adaptée du *Wallenstein* de Schiller ; il écrit, à partir de 1803, une série de textes autobiographiques, ébauche de grands traités politiques restés inédits sous leur forme primitive, accomplit les travaux préparatoires de son grand œuvre, *De la religion considérée dans sa source, ses formes et ses développements*, dont les cinq premiers tomes paraîtront de 1824 à 1831.

La chute de Napoléon marque un nouveau départ pour le politicien. Dès 1814, la publication de plusieurs essais politiques en fait un porte-parole de la mouvance libérale. Malgré une violente diatribe contre l'empereur à la nouvelle de son retour de l'île d'Elbe, il se rallie à lui et accepte de rédiger l'*Acte additionnel aux constitutions de l'Empire*, donc de cautionner le tournant libéral que prétend prendre Napoléon Ier. Cette palinodie lui vaudra, après Waterloo, une nouvelle disgrâce. Il en profite pour publier, en 1816, *Adolphe*. Dans ce roman au contenu très autobiographique, un jeune homme, prénommé Adolphe, s'évertue à effrayer son entourage familial en ne voulant pas quitter la femme qui l'aime, mais qu'une précédente liaison a socialement déclassée, et à désespérer cette femme mollement aimée, en refusant de contracter un véritable engagement. Le roman connaît un vif succès d'intérêt et, surtout, de scandale auprès du public qui reconnaît dans l'héroïne les violentes exigences de Mme de Staël et chez Adolphe, l'incapacité à vouloir et à décider de l'auteur.

Mais, dès 1817, Benjamin Constant revient à la politique. À la tête du *Mercure de France* puis de *La Minerve française*, il sera jusqu'à sa mort l'inlassable ténor de l'opposition libérale, s'imposant aussi bien par sa vibrante éloquence que par ses conceptions politiques nourries par vingt ans d'expérience de l'Histoire. Il accueille donc avec joie la chute de Charles X et participe aux Trois Glorieuses ; il est honoré par le nouveau roi et sa mort, en décembre 1830, donne lieu à des funérailles nationales.

Le bonheur d'écrire, entre philosophie, autobiographie et littérature

Malgré une œuvre politique très consistante, Benjamin Constant doit surtout sa place dans l'histoire littéraire à ses textes autobiographiques : à ses journaux intimes, publiés en 1887, aux récits *Amélie* [Fabri] et *Germaine* [de Staël] (1952) et *Ma vie*, ce dernier étant plus connu sous le titre *Le Cahier rouge* (1907), à ses romans où l'aveu personnel vient alimenter la fiction, *Adolphe* et *Cécile* (1951). Il est inutile d'insister sur ce que ces textes révèlent sur le plan psychologique : soit une extraordinaire lucidité à l'égard de soi et de ses vraies motivations, soit une navrante complaisance à gloser sur sa propre impuissance. Mais, à coup sûr, ils sont le prolongement littéraire de la réflexion que les philosophes des Lumières puis les Idéologues ont menée sur la fragilité des passions, les limites de la volonté humaine et les conséquences morales que les amants doivent en tirer.

Dans ses romans, Diderot constatait que le sentiment était éphémère et que la société ne devait pas contraindre l'individu à une absurde fidélité. Partant de la même conviction, Constant croit au contraire – du moins il veut le croire et il l'affirme – que la société doit étayer et protéger le sentiment, parce que « le sentiment le plus passionné ne saurait lutter contre l'ordre des choses » (*Adolphe*, « Lettre à l'éditeur »). Dans sa vie même, Constant n'a cessé, pour lui-même, de rêver au mariage de raison grâce auquel l'obligation sociale suppléerait aux intermittences du cœur. Il s'ensuit surtout, sur le plan des idées, que l'analyse psychologique et individuelle doit être intégrée à une réflexion plus générale sur les institutions sociales capables d'apporter à la personne la liberté et l'appui dont elle a également besoin : chez aucun autre auteur, le lien entre la littérature du sentiment et la théorie politique n'est si clairement explicité.

Ce lien suffisait-il à faire de Constant un philosophe ? Il justifie, en tout cas, son extraordinaire acharnement à écrire. Sur ce point, les textes autobiographiques sont trompeurs, parce qu'ils ont popularisé l'image d'un homme nonchalamment abandonné à ses états d'âme. Rien n'est plus faux : Constant a toujours écrit et pris des notes, travaillant sur ses articles, lisant pour son traité *De la religion*, rapportant maniaquement (ou scrupuleusement) ses ratages sentimentaux. Pour lui à qui toute réalité semble échapper, l'intelligence mise en mouvement par l'écriture reste la meilleure preuve de sa maîtrise de soi et du monde. Bien sûr, cette preuve est fragile et illusoire ; c'est pourquoi Constant a fait paraître peu d'œuvres méditées : il publie, poussé par les événements, des articles de circonstance, ou il ébauche des textes plus ambitieux ou trop intimes, mais qui demeurent inachevés ou à l'état de manuscrit. À l'aube d'un siècle que les écrivains voudront marquer de leurs œuvres comme autant d'actions d'éclat, Constant se contente de vivre, au jour le jour, le bonheur d'écrire.

Bibliographie

• Éditions :
Œuvres, Paris, Gallimard, 1957. – *Recueil d'articles. « Le Mercure ». « La Minerve » et « La Renommée »*, Genève, Droz, 1972, 2 vol. – *Recueil d'articles, 1795-1817*, Genève, Droz, 1978. – *Recueil d'articles, 1820-1824*, Genève, Droz, 1981. – *Adolphe*, Paris, Les Belles Lettres, 1977. – *Amélie et Germaine. Ma vie. Cécile*, Paris, Champion, 1989. – *De la liberté chez les modernes*, Paris, Le Livre de poche, 1980. – *Journaux intimes*, Paris, Gallimard, 1952. – *Wallstein*, Paris, Les Belles Lettres, 1965.

• Biographie :
K. Kloocke, *Benjamin Constant : une biographie intellectuelle*, Genève, Droz, 1984.

• Étude d'ensemble :
G. Poulet, *Benjamin Constant par lui-même*, Paris, Le Seuil, 1968.

• Sélection de travaux critiques :
Benjamin Constant, Madame de Staël et le groupe de Coppet, Oxford, Voltaire Foundation, 1982. – P. Delbouille, *Genèse, structure et destin d'Adolphe*, Paris, Les Belles Lettres, 1971. – E. Hofmann, *« Les Principes de politique » de Constant ; la genèse d'une œuvre et l'évolution de la pensée de leur auteur (1789-1806)*, Genève, Droz, 1980. – P. Thompson, *La Religion de Benjamin Constant : les pouvoirs de l'image,* Pise, Pacini, 1978.

• Périodiques spécialisés :
Annales Benjamin Constant, Cahiers Benjamin Constant.

* * *

Mme de Staël (1766-1817)

Ses célèbres démêlés avec Napoléon Ier, tout en conférant à Germaine de Staël une stature exceptionnelle, ont donné d'elle une image d'Épinal que la critique d'époque, sournoisement misogyne, a su exploiter de façon ambiguë, sinon malveillante. On a fait d'elle une femme à l'intelligence sans doute exceptionnelle, mais excessive, emportée jusqu'au ridicule et à l'éloquence emphatique – vibrionnant bas-bleu que Napoléon, avec une rude sagesse de soldat, aurait eu bien du mal à contenir.

En réalité, elle a eu sur son siècle une influence décisive, au moins comparable à celle de Chateaubriand. Mieux même que lui, elle permet de comprendre l'évolution des esprits qui conduit, avec moins de rupture qu'il n'y paraît, de la philosophie des Lumières au romantisme. Elle a aussi joué ce rôle parce qu'elle a incarné et devancé l'émergence d'une littérature européenne, où les cultures anglaise, allemande, italienne et, à un moindre degré, française, ont pu dialoguer entre elles et, surtout, apprendre à se connaître puis chercher à se comprendre. Enfin, par son œuvre même, elle opère, de texte en texte, la difficile transmutation de la question philosophique et littéraire en recherche esthétique, d'où naîtra la littérature postrévolutionnaire.

C'est que Mme de Staël est une femme-écrivain – et l'une des premières à signer ses livres de son nom – : aussi lui est-il vital, pour exister comme telle, de prouver noir sur blanc que, loin d'entraver l'exercice de la pensée, l'émotion et la passion, qui appartiennent à la sphère traditionelle de la femme, conditionnent la recherche du vrai, si elles se soumettent aux exigences de la logique. Entre la raison qui analyse et l'esprit qui s'enthousiasme, elle pose d'emblée un devoir de réciprocité auquel le romantisme, à son corps défendant, devra souvent renoncer.

Des succès mondains à la gloire

La baronne de Staël-Holstein est née Germaine Necker, fille du brillant et libéral ministre des Finances de Louis XVI et habituée dès son adolescence à fréquenter le salon qu'anime sa mère. Mariée par commodité à un diplomate suédois en poste à Paris, elle prend vite un amant, le comte de Narbonne, premier en date du réseau d'admirateurs, d'amoureux et d'amants qu'elle constituera toute sa vie autour d'elle (parmi d'autres moins connus, Benjamin Constant et August Schlegel). Dès 1788, la publication de ses *Lettres sur le caractère et les écrits de J.-J. Rousseau* lui donne l'occasion de s'exprimer sur les questions qui occuperont toujours sa réflexion : la relation entre la raison et la sensibilité, la nature du lien social avec ses conséquences sur l'organisation politique, la place qu'il convient de reconnaître à la femme.

Dans les premières années de la Révolution, elle défend la monarchie constitutionnelle et la cause girondine, mais doit s'enfuir en Suisse après le 10 août 1792. À partir de cette date, les périodes d'exil et de séjour en France (à Paris ou en province, selon la rigueur répressive du pouvoir) alternent jusqu'à la chute de Napoléon. Après thermidor – et malgré les menaces sur sa sécurité –, elle rouvre son salon parisien, tente d'infléchir l'évolution du pouvoir, favorise en particulier les ambitions de Bonaparte, dont elle croit pouvoir faire le soutien des modérés. Entre-temps, un nouvel exil lui a permis, en 1796, d'écrire et de publier *De l'influence des passions sur le bonheur des individus et des nations*, où l'examen classique des passions débouche sur une méditation politique.

L'accession de Bonaparte au pouvoir personnel coïncide avec l'orientation plus littéraire qu'elle donne désormais à ses écrits. Par crainte de la censure, en partie. Mais cette évolution correspond aussi à un élargissement de la perspective et à un approfondissement de la réflexion. Sans plus intervenir sur le terrain de l'action immédiate, Mme de Staël exprime sa conception de la politique et de l'Histoire dans le cadre de ses œuvres théoriques ou fictionnelles – d'abord dans un essai *De la littérature considérée dans ses rapports avec les institutions sociales* (1800), où, après avoir établi le lien qui unit la culture artistique et le régime politique d'une nation, elle appelle de ses vœux la république pour le peuple, l'essor de l'éloquence et de la philosophie pour la littérature. Suivant une logique qui annonce, à bien des égards, le *Qu'est-ce que la littérature* ?, de Sartre, les aspirations de la citoyenne et de l'auteur trouvent à coïncider dans un même idéal.

Pour la femme, il s'agit en particulier de concilier les droits à l'amour et à la liberté, ce qu'illustrent les romans *Delphine* (1802) et *Corinne ou l'Italie* (1807). Delphine est une jeune veuve d'une parfaite moralité, mais elle ne veut pas contraindre son bon naturel pour respecter les conventions sociales ; Corinne, poétesse italienne, espère être aimée d'un lord anglais, sans renoncer à son indépendance d'artiste. L'une et l'autre échouent et meurent. Les deux romans, où l'auteur a évidemment transfiguré ses propres déceptions sentimentales et illustré sa réflexion sur la femme supérieure (Delphine) ou géniale (Corinne), mènent aussi, chacun à sa manière, l'analyse des subtiles interférences entre le sentiment intime et l'organisation politique. Dans *Delphine*, la Révolution sert seulement de toile de fond ; elle s'impose cependant comme l'événement majeur du roman, à travers les crises morales et sentimentales des protagonistes, qui ne peuvent trouver leur solution que dans une éthique refondée sur la liberté de conscience et le respect d'autrui.

De même, en 1810, le *De l'Allemagne*, où sont exprimés pour la première fois les thèmes majeurs du romantisme, vise implicitement le classicisme étroit et chauvin de l'Empire. Aussi les exemplaires imprimés sont-ils détruits avant la publication et l'ouvrage paraîtra-t-il finalement, en France, en 1814. Napoléon a alors abdiqué et Mme de Staël peut enfin jouir à Paris de sa gloire – pour peu de temps puisqu'elle meurt en 1817. C'est donc à titre posthume que paraissent, en 1818, ses *Considérations sur les principaux événements de la Révolution française* où, une fois encore, elle fait œuvre inaugurale – ici, en ce qui concerne l'histoire de la Révolution.

La littérature, ou la pensée éloquente

Cette même Révolution lui a enseigné que la passion, si elle est l'arme principale dont dispose la vérité pour triompher du mensonge et de l'oppression, risque à son tour de la dévoyer. À la tyrannie de la violence, qu'incarne à ses yeux Napoléon Bonaparte, elle ne cessera d'opposer la force de la littérature, qui n'est rien d'autre que l'enthousiasme du Verbe mis au service de la pensée. C'est pourquoi son style est par essence éloquent, car l'éloquence est le mode d'expression naturel d'un peuple libre : « Dans les peuples libres, la volonté des nations décidant de leur nécessité politique, les hommes recherchent et acquièrent au plus haut degré les moyens d'influer sur cette volonté ; et le premier de tous, c'est l'éloquence » (*De la littérature considérée dans ses rapports avec les institutions sociales*, II, 8).

L'art rhétorique n'est donc pas ici cette surabondance verbale qui viendrait encombrer mal à propos ses œuvres. Au contraire, elle est, comme pour Balzac qui a reconnu cette filiation, la substance même de son écriture. Si *Delphine* a la forme d'un roman épistolaire, ce n'est pas tant à cause de l'exemple de *Julie ou la Nouvelle Héloïse* : dans ce roman bien plus que dans celui de Rousseau, où le souci de disserter est parfois pesant, le discours amoureux et le débat d'idées s'interpénètrent parfaitement, parce que, à l'horizon de toute vie bien menée, penser juste et aimer vraiment devraient finir par se confondre.

La poétique de Mme de Staël repose donc sur le maniement de la parole. Dans *Corinne ou l'Italie*, elle n'hésite pas, au risque de déconcerter son lecteur, à insérer de longs poèmes en prose prétendument traduits de l'italien, ou de volumineuses considérations esthétiques, littéraires et artistiques sur l'Italie, convaincue que le grand écrivain est celui qui ose se laisser emporter par son enthousiasme et parvient à entraîner son lecteur. Telle la poétesse Corinne, à qui on demande sa préférence entre l'œuvre réfléchie et l'improvisation réussie : « [...] L'improvisation est pour moi comme une conversation animée [...]. Quelquefois l'intérêt passionné que m'inspire un entretien où l'on a parlé des grandes et nobles questions qui concernent l'existence morale de l'homme, sa destinée, son but, ses devoirs, ses affections ; quelquefois cet intérêt m'élève au-dessus de mes forces, me fait découvrir dans la nature, dans mon propre cœur, des vérités audacieuses, des expressions pleines de vie, que la réflexion solitaire n'aurait pas fait naître. Je crois éprouver alors un enthousiasme surnaturel, et je sens bien que ce qui parle en moi vaut mieux que moi-même » (*Corinne ou l'Italie*, II, 4).

De fait, moins que le discours public et à effet, le vrai modèle, pour Mme de Staël, est l'entretien où de grands esprits, échangeant librement leurs points de vue, contribuent à une sorte d'entreprise collective. Ses romans reviennent constamment sur les charmes supérieurs de la conversation, et il est bien possible, au-delà de l'anecdote biographique, que sa plus brillante réussite soit d'avoir constitué, avec le groupe de Coppet, la seule œuvre réellement plurielle et dialogique de la littérature moderne, dont les textes isolés des uns et des autres (Schlegel, Constant, Sismondi, Mme de Staël elle-même) ne seraient que les témoignages incomplets, et comme les traces fragmentaires, d'un chef-d'œuvre à jamais disparu.

Bibliographie

• Éditions :
Œuvres complètes et *Œuvres posthumes*, Genève, Slatkine, 1967, 3 vol. [réimp. de l'éd. de 1861]. – *Carnets de voyage de Madame de Staël*, Genève, Droz, 1971. – *Considérations sur la Révolution française*, Paris, Gallimard, 1983. – *Corinne ou l'Italie*, Paris, Galllimard, 1985. – *De l'Allemagne*, Paris, Hachette, 1958-1960, 5 vol. – *De la littérature considérée dans ses rapports avec les institutions sociales*, Genève/Paris, Droz/Minard, 1959. – *Delphine*, Genève, Droz, 1987.

• Biographies :
M. Gutwirth, *Madame de Staël, Novelist. The Emergence of the Artist as Woman*, Chicago, University of Illinois Press, 1978. – A. Lang, *Une vie d'orages, Germaine de Staël*, Paris, Calmann-Lévy, 1958.

• Études d'ensemble :
S. Balayé, *Madame de Staël : lumières et liberté*, Paris, Klincksieck, 1979.

• Sélection de travaux critiques :
Le Groupe de Coppet, Genève/Paris, Slatkine/Champion, 1977. – « Le Groupe de Coppet et la Révolution française », dans *Annales Benjamin Constant*, 1988, n°s 8-9. – *Madame de Staël et l'Europe*, Paris, Klincksieck, 1970. – M.-C. Vallois, *Fictions féminines. Madame de Staël et les voix de la Sibylle*, Stanford, Anma libri, 1987.

Chapitre 2

Chateaubriand

François-René de Chateaubriand fait partie de ces auteurs faussement familiers, dont on a croisé, au détour d'une anthologie scolaire, quelques-uns des morceaux de bravoure : une description de ruine ou de paysage, une envolée lyrique de *René* (« Levez-vous, orages désirés… »), un tableau historique. À force de commentaires admiratifs, on s'est habitué à faire de leur auteur la dernière incarnation de la belle prose française, oubliant parfois que son œuvre, méditée et presque toujours mûrie dans une sorte d'exil intérieur, a tiré sa force d'éloquence d'une réflexion continuée dans les vicissitudes de l'Histoire et de la vie personnelle.

Sa réception dut aussi suivre les modes et l'évolution des idées. Chateaubriand fut d'abord, avec *Le Génie du christianisme*, le grand écrivain chrétien – le restaurateur de la foi et l'inventeur d'une nouvelle forme d'apologétique. Puis, hors de tout contexte catholique, il fut considéré comme le génial créateur de *René*, précurseur des rêveurs mélancoliques du romantisme, tous atteints du mal du siècle. Mais l'image du sombre Breton, les cheveux au vent et le regard fixé sur l'océan, a perdu de sa puissance d'enchantement. La réédition et la relecture des *Mémoires d'outre-tombe* furent cette fois l'occasion de souligner la profondeur de la réflexion historique, le subtil enchevêtrement textuel de l'autobiographie et du destin collectif. Plus récemment encore, une critique décidément en mal de renouvellement a pensé voir dans *La Vie de Rancé*, austère travail hagiographique imposé par un directeur de conscience, le sommet et la clé de l'œuvre.

Chateaubriand n'est certes pas Protée. Mais il est, comme le dieu Janus, un être *bifrons* – à deux visages –, à l'exacte jointure de deux univers et de deux siècles. « Ce siècle avait deux ans », écrit avec orgueil Hugo, à propos de sa date de naissance. Mais, en cette même année 1802, paraît *Le Génie du christianisme*, dont l'auteur tire les leçons d'un siècle de scepticisme philosophique en même temps qu'il s'efforce de jeter les bases d'un spiritualisme moderne : il figure aussi bien la tradition d'examen critique, si nette dans son

Essai sur les révolutions (1797), que le désir d'enthousiasme et d'admiration que porte en elle la littérature nouvelle. Mieux que le produit du XIXe siècle, Chateaubriand, à la fois Voltaire et Hugo, a voulu en être le père tutélaire.

Aussi est-il sans doute celui qui, en France, a assigné les plus hautes ambitions à l'écrivain : non pas à l'intellectuel ou au philosophe, ni au poète, ni à l'artiste, mais à l'écrivain, c'est-à-dire à celui qui, par sa maîtrise supérieure de la pensée et de l'écriture, acquiert le droit et le devoir de contribuer à inventer l'Histoire. Chateaubriand fut admiré (« Chateaubriand ou rien », se promet Hugo), mais il ne fit pas école : une ambition si démesurée, qui passa souvent pour de la fatuité, ne pouvait trouver à s'incarner qu'une seule fois, grâce à un exceptionnel concours de circonstances.

De Combourg à la rue du Bac

Le temps des rêves et des aventures

Né en 1768 dans une famille appartenant à la vieille noblesse malouine, Chateaubriand connut une jeunesse triste et solitaire, entre un père très austère, attaché exclusivement à relever la fortune patrimoniale, et une mère qui s'ennuie. Lorsqu'il ne poursuit pas d'études dans quelque collège de Bretagne, il passe de fréquents séjours au château de Combourg, où il retrouve sa sœur Lucile à qui l'unissent des liens de tendre complicité, peut-être teintée d'amoureuse amitié. Au cours de ses promenades dans les landes sauvages ou de ses longues stations au cœur des forêts, il rêve de femmes idéales, d'aventures lointaines et, déjà, d'inspirations poétiques et de succès littéraires. Ce n'était là, somme toute, sous une forme exacerbée, que le lot commun de bien des adolescences, et il serait peut-être devenu officier de métier ou médiocre versificateur, si la Révolution n'était venue déjouer tous les plans imaginables, sous l'Ancien Régime, par un cadet de famille désargenté.

Après deux années de joyeuse oisiveté à Paris, il s'embarque en 1791 vers l'Amérique, pour un périple de plusieurs mois consacré à l'exploration et, surtout, à la préparation de l'œuvre sur le Nouveau Monde qui doit, espère-t-il, revivifier la littérature. Revenu en France l'année suivante, il n'y reste que le temps d'un mariage de raison – financière – ; il part s'engager dans l'armée des Princes et, blessé, doit s'exiler.

Il reste huit ans hors de France, de 1792 à 1800 à Jersey puis en Angleterre. Il connaît alors la vie précaire des exilés, mais fréquente les milieux littéraires de l'émigration et songe de plus en plus à s'y faire un nom, travaillant aussi bien à l'*Essai sur les révolutions* qu'à ce qui deviendra *Le Génie du christianisme*. Chateaubriand ne fut pas écrivain par accident. Dès sa jeunesse, il a recherché le succès et les moyens de l'obtenir ; du point de vue formel, il a déterminé la voie qu'il entendait ouvrir. Bien avant Balzac, il fut un Rastignac des Lettres et eut à lutter, de fait, avec une impécuniosité chronique. Notons aussi, au passage, qu'il figura toujours comme l'amoureux comblé de belles femmes : son écriture et sa vie révèlent une propension à l'enthousiasme sensible et une volupté gourmande qui viennent d'une même source.

Assomption d'un grand écrivain

En 1799, Bonaparte est Premier consul et Chateaubriand sait qu'il peut bénéficier de la protection de son ami d'exil Fontanes. Il revient donc en France et publie *Atala* en 1801 pour préparer le public au *Génie*. Un vieil Indien, Chactas, y raconte son impossible amour pour la jeune chrétienne Atala, qui préfère se suicider plutôt que d'enfreindre le vœu de virginité que sa mère mourante lui a fait promettre de respecter : elle ne sait pas que son évêque peut la relever de son vœu pour une union légitime. L'histoire, aussi émouvante qu'édifiante, oppose à une religion cruelle et autoritaire le vrai message du christianisme, qui rétablit l'harmonie entre l'homme, la nature et le Dieu d'amour.

La réputation littéraire de Chateaubriand est définitivement établie par la publication du *Génie du christianisme*, en 1802. L'ouvrage, vaste et ambitieux, se fixe pour objectif de prouver l'excellence morale et esthétique du christianisme et, à cette fin, passe en revue dans des discours mi-argumentatifs mi-poétiques les dogmes, les beaux-arts, les rites. En marge du traité, il publie *René* où il fait le récit autobiographique, à peine déguisé, de sa jeunesse et de sa relation privilégiée avec sa sœur, prénommée Amélie dans la fiction. Or, Bonaparte vient de signer le Concordat avec le pape Pie VII : le *Génie* vient à point nommé pour faire de son auteur l'idéologue du nouveau régime. Le Premier consul, pour marquer sa faveur, commence par nommer Chateaubriand dans la diplomatie et l'envoie à Rome.

Mais ce dernier, qui reste fidèle à ses convictions monarchiques et qu'inquiète l'autoritarisme croissant du pouvoir, est pressé de prendre ses distances et démissionne dès l'annonce, en mars 1804, de l'assassinat du duc d'Enghien. Rendu à la littérature, il part en 1806 pour un long voyage en Orient, d'où il revient avec des connaissances géographiques et archéologiques, des images et des émotions. Après deux années de travail dans sa retraite de la Vallée-aux-Loups, il publie le poème en prose (ou roman poétique ?) *Les Martyrs* qui, en vingt-quatre livres comme *L'Iliade* ou *L'Odyssée*, chante le martyre du chrétien Eudore, en conflit avec l'empereur Dioclétien et son cruel conseiller Hiéraclès. Il jugeait dans *Le Génie du christianisme* qu'« il n'y [avait] dans les temps modernes que deux beaux sujets de poème épique : les Croisades et la découverte du Nouveau Monde ». Mais il ne lui déplaît sans doute pas de remontrer au général-dictateur, en train d'écrire les pages triomphales de ses campagnes militaires, que la plus grande épopée est celle du martyre et de la paix des âmes. De même, il achèvera son *Itinéraire de Paris à Jérusalem*, récit de voyage qu'il publie en 1811, par le tableau très édifiant de la mort du bon roi Louis IX, pendant sa dernière croisade.

Dans son *Examen des « Martyrs »*, Chateaubriand affirmait – et il le répéta à la fin de l'*Itinéraire* – vouloir renoncer à produire une œuvre nouvelle : « J'ai passé l'âge des chimères, et je sais à quoi m'en tenir sur la plupart des choses de la vie. » Si l'on excepte les écrits testimoniaux de la vieillesse, il tint à peu près parole : le cycle chrétien – d'*Atala* à l'*Itinéraire* – constitue bien, à ses yeux, le cœur de son entreprise littéraire et le soubassement du travail politique que veut désormais accomplir l'homme mûr, dans le respect et en application de ses convictions.

Dans l'arène politique

Précisément, l'abdication de Napoléon Ier lui offre, pense-t-il, l'occasion de faire triompher ses idées sur le terrain de l'action. En avril 1814, il publie un pamphlet éblouissant de violence partisane, *De Buonaparte et des Bourbons*. Le grand opposant est enfin honoré, nommé pair de France et ministre d'État. Il est alors le hérault de l'aile dure du parti royaliste et ne veut pas du réalisme et de l'esprit pondéré dont fait preuve Louis XVIII. En 1816, faisant paraître *La Monarchie selon la Charte*, il retourne avec éclat dans le camp des contestataires et, à la tête du journal *Le Conservateur*, il mène le combat contre les ministères modérés qui se succèdent jusqu'à l'assassinat du duc de Berry. Son temps paraît alors venu. Les ultras accèdent au pouvoir et le vieux lutteur peut enfin rêver de mettre en application ses vastes conceptions géostratégiques. Il est ambassadeur à Londres, négociateur français au congrès de Vérone avant d'être nommé, en décembre 1822, au ministère des Affaires étrangères. À ce poste, il sera l'âme de la guerre d'Espagne victorieuse de 1824 – « ma guerre d'Espagne », écrira-t-il avec une fierté sans doute excessive, en souvenir de la guerre perdue par Napoléon Ier.

Mais le personnage est encombrant et trop peu maniable. Il est brutalement destitué en juin 1824. À l'exception d'une pause pendant le bref ministère libéral de Martignac, il ne cesse de clamer son hostilité au pouvoir répressif et cauteleux de Charles X. En particulier, non sans courage ni hauteur de vue, il n'a de cesse de réclamer, au nom du vrai royalisme, la liberté d'expression et l'abolition de la censure. Son retrait des affaires lui laisse aussi quelque loisir. À partir de 1826, il revoit et publie ses œuvres complètes, faisant paraître des textes inédits : *Le Voyage en Amérique*, *Les Natchez* – vaste fresque épique dont on ne connaissait que *René* et *Atala* –, *Les Aventures du dernier Abencérage*, récit espagnol écrit en marge de l'*Itinéraire*.

La vieillesse d'un grand seigneur des Lettres

La chute de Charles X termine la carrière du défenseur de la monarchie. Privé de pouvoir et d'une grande part de son influence, il reste une très haute figure de l'histoire littéraire et politique française et jouit, dans les cercles aristocratiques, d'admirations respectueuses. Entouré des tendres attentions de sa vieille amie Juliette Récamier, il occupe la première place dans le salon qu'elle tient à l'Abbaye-aux-Bois, rue du Bac : c'est là qu'il lira, à des fidèles choisis, les premiers extraits des *Mémoires d'outre-tombe*. Cette œuvre est en effet celle à laquelle il consacre ses derniers efforts, hormis *La Vie de Rancé* (1844). Projetée dès 1803, elle est tout entière conçue comme un face-à-face grandiose et héroïque entre le siècle et Chateaubriand, l'Histoire et la littérature. À la suite d'une tractation commerciale qu'il ne put éviter malgré ses efforts, le grand œuvre dévertébré commença à paraître en feuilleton dès octobre 1848, quinze semaines après sa mort. Son auteur, lui, avait été solennellement enseveli, selon son vœu, dans l'îlot du Grand-Bé, devant Saint-Malo.

L'art de la grandeur

L'écrivain face à l'Histoire

Avec une orgueilleuse simplicité, Chateaubriand écrit dans l'avant-propos des *Mémoires d'outre-tombe* : « Il est bien temps que je quitte un monde qui me quitte. » Le temps et l'homme paraissent un vieux couple où chacun n'a cessé de dialoguer avec l'autre. Sur la *tabula rasa* que la Révolution met violemment à nu, l'Histoire en gestation semble devoir, dans le même effort d'invention, se faire et s'écrire, si bien que Chateaubriand est toujours partagé entre le désir de composer l'épopée nouvelle du monde et celui d'en être le principal protagoniste. D'où les tournants et les évolutions d'une œuvre qui, sans être guidée par aucun opportunisme, manifeste le souci de l'écrivain de faire coïncider sa pensée avec les exigences du présent.

Sous la Révolution, le vieux monde s'écroule, l'antique cycle révolutionnaire semble revenu pour mettre à bas la monarchie. L'*Essai sur les révolutions*, rédigé pendant l'exil anglais, est rempli de cette incertitude du lendemain. Chateaubriand ne croit guère à l'avenir, pense que l'Histoire bégaie et condamne le christianisme, impuissant à prévenir l'effondrement.

Or, quelques années plus tard, l'Histoire frémit d'une vie moins sombre ; l'auteur du *Génie du christianisme* est intimement persuadé que cette reviviscence exige des convictions et des idéaux originaux, qui concilient le désir d'harmonie et de bonheur révélé par la crise révolutionnaire, et l'indispensable reconnaissance des traditions séculaires. Il recourt alors à un christianisme épuré et humanisé pour rédiger le poème du Nouveau Monde, qui est comme la métaphore, spatiale et naturelle, de l'ère nouvelle à construire, et dont on mesurera l'étendue à la publication des *Natchez*.

Mais les faits résistent au bonheur entrevu, si bien que le retour à l'antique traduit une sorte de renoncement serein. *Les Martyrs* marquent, on l'a vu, cette rupture entre le temporel et le spirituel et, dans l'*Itinéraire de Paris à Jérusalem*, le pèlerinage paisible de l'écrivain sur les lieux de la sagesse ancienne, païenne ou chrétienne, a valeur de profession de foi, au moment où l'Europe résonne des intrusions violentes des armées impériales. Ce voyage en Orient est aussi le premier d'une longue série où s'illustreront notamment Lamartine, Gautier, Nerval, Fromentin.

Bientôt vient le temps des nostalgies et des bilans. Il est bien possible que Chateaubriand se soit imaginé sous les traits de Rancé, cet abbé mondain du XVIIe siècle qui, au milieu de ses succès, fait le choix d'abandonner le monde et de se retirer à la Trappe. Surtout, dans les *Mémoires d'outre-tombe*, il instruit le jugement de son siècle. Si Hugo s'est évertué, tout au long de sa carrière d'écrivain, à deviner et à précéder le progrès des temps, Chateaubriand a consacré l'imposant monument de ses mémoires, après l'évocation émue de l'adolescence bretonne, à vouloir prouver que, si l'Histoire n'avait pas été au rendez-vous, ce n'était pas de son fait.

Une œuvre vouée à l'autocontemplation

Bien sûr, cette relation forte et profonde à l'événement ne lui est possible que parce qu'elle s'accompagne d'une constante réflexion sur soi, d'un retour presque fasciné, à la fois rétrospectif et prospectif, sur son passé et son devenir. Chez Chateaubriand, le plaisir de la mémoire est inséparable du désir d'être. C'est pourquoi les pages consacrées à la jeunesse de René ont marqué, plus qu'aucune autre, le romantisme. René n'est pas seulement rêveur et mélancolique. Mais, dans les « délires » de ses longues errances, il est désespéré par son irrépressible désir de triompher, où tout le XIXe siècle a vu la préfiguration de sa volonté de se réaliser : l'émotion de se savoir fort ne va pas sans un troublant sentiment de faiblesse.

C'est par ce même souci d'approfondissement de soi qu'il convient d'interpréter chez Chateaubriand la référence chrétienne, quelles que soient la nature et la vigueur des convictions religieuses. Pour lui, il faut sortir d'un mauvais dilemme : exercer sa raison au mépris de l'émotion, ou renoncer à penser et à examiner pour un sentimentalisme dénué de toute vertu critique. Au contraire, le salut – de l'âme, mais aussi de l'esprit et de l'Histoire – passe par l'alliance, librement consentie, de la pensée et de l'enthousiasme que suscite la beauté du monde. Le christianisme constitue, dans le contexte idéologique de l'après-Révolution, la forme que prend, pour ce noble émigré, l'intime adhésion de l'intelligence à la passion et le moyen d'échapper enfin à l'esthétique néoclassique où piétine depuis si longtemps la littérature : « Il est temps de montrer que, loin de rapetisser la pensée, il [le christianisme] se prête merveilleusement aux élans de l'âme, et peut enchanter l'esprit aussi divinement que les dieux de Virgile et d'Homère » (*Le Génie du christianisme*, I, I, 1).

L'art d'écrire

Il n'y a donc pas, à la différence des romantiques à venir, d'abandon de l'écriture à la violence de l'inspiration ou de l'émotion. Chateaubriand scripteur, toujours maître de sa plume et de son style, rédige ses livres avec un soin ostensible. De même, il ne cesse de citer et de critiquer ses sources, de montrer son érudition, comme pour prouver à son lecteur que son ouvrage est le fruit du travail et de la méditation. Mais cette retenue révèle d'autant mieux, lorsque le texte s'attarde sur une scène ou une description remarquable, l'art d'écrire, la volupté presque physique de la *poièsis* artistique. À la manière d'un classique, Chateaubriand choisit alors ses mots et ses tournures, puis compose avec soin ses immenses tableaux : il y a là une démesure dont il éprouve, dans toute sa plénitude et avec jubilation, le vertige.

On a parfois voulu voir dans ces outrances et ce sens de l'effet jamais pris en défaut de l'affectation et de l'insincérité. On a sans doute eu tort, d'un point de vue littéraire. Fait pour *comprendre* toute force d'émotion, l'esprit de l'écrivain est voué d'abord à exprimer, avec ses moyens propres, la beauté des choses et des événements : l'art, comme le christianisme, « sera-t-il moins vrai quand il paraîtra plus beau ? » (*Le Génie du christianisme*, I, I, 1). Aussi les paysages jouent-ils un rôle central dans la poétique de Chateaubriand, parce qu'ils sont comme les justifications naturelles, humaines ou divines du sentiment esthétique, et les lieux sublimes où l'être intime de l'artiste éprouve son existence hors de lui-même. Celui-ci est pareil au navigateur pour qui « l'espace n'[est] plus tendu que du double azur de la mer et du ciel, comme une toile préparée pour recevoir les futures créations de quelque grand peintre » (*Le Génie du christianisme*, I, V, 12). On devine que, pour dérouler le texte magnifique du double infini de la nature et de l'Histoire, de soi et du monde, il fallait que ce peintre fût un écrivain.

Bibliographie

• Éditions :
Essai sur les révolutions et *Génie du christianisme*, M. Regard éd., Paris, Gallimard, 1978. – *Œuvres romanesques et voyages*, M. Regard éd., Paris, Gallimard, 1969, 2 vol. – *Mémoires d'outre-tombe*, M. Levaillant et G. Moulinier éds, Paris, Gallimard, 1976, 2 vol. – *La Vie de Rancé*, M.-F. Guyard éd., Paris, Garnier-Flammarion, 1969. – *Correspondance générale*, P. Riberette éd., Paris, Gallimard, 1977-1986, 5 vol. parus.

• Biographies :
H. Guillemin, *L'Homme des « Mémoires d'outre-tombe »*, Paris, Gallimard, 1965. – A. Maurois, *René ou la vie de Chateaubriand*, Paris, Grasset, 1956. – G. D. Painter, *Chateaubriand, une biographie*, t. I : *1768-1793*, Paris, Gallimard, 1979.

• Études d'ensemble et ouvrages de synthèse :
P. Barbéris, *Chateaubriand. Une réaction au monde moderne*, Paris, Larousse, 1976. – P. Moreau, *Chateaubriand. L'homme et l'œuvre*, Paris, Hatier, 1967. – V.-L. Tapié, *Chateaubriand par lui-même*, Paris, Le Seuil, 1965.

• Sélection de travaux critiques :
M. de Dieguez, *Chateaubriand et le poète face à l'histoire*, Paris, Plon, 1963. – P. Mourot, *Le Génie d'un style. Rythme et sonorité dans les « Mémoires d'outre-tombe »*, Paris, A. Colin, 1969. – J.-P. Richard, *Paysage de Chateaubriand*, Paris, Le Seuil, 1967. – Sainte-Beuve, *Chateaubriand et son groupe littéraire sous l'Empire*, Paris, Garnier, 1861. – A. Vial, *Chateaubriand et le temps perdu*, Paris, Julliard, 1963.

• Périodique spécialisé :
Bulletin de la Société Chateaubriand.

Chapitre 3

L'effervescence philosophique

Le titre de ce chapitre a l'allure d'un paradoxe. Habituellement, les histoires de la philosophie passent sur la production française du XIXe siècle, laissant gaillardement en pointillés toute la période qui s'étend, *grosso modo*, de Rousseau à Bergson. Il semble que, même si on mentionne, pour mémoire, quelques noms connus (Auguste Comte, Victor Cousin, Maine de Biran, etc.), le vrai questionnement soit devenu une spécialité allemande. Depuis peu, l'érudition universitaire a remis en lumière des œuvres sans doute trop méconnues ; mais le jugement porté reste négatif ou, au mieux, condescendant : les penseurs du début du siècle auraient péché par manque de rigueur, se seraient abandonnés au plaisir des mots ou des systèmes abstraits, auraient confondu l'art de la persuasion et les nécessités de la pensée analytique.

Philosophie et littérature

Or cette confusion des genres intéresse au premier chef la littérature. En 1800 déjà, Mme de Staël pensait que le passage d'un régime monarchique à la république allait entraîner le déclin des genres fondés sur l'imagination et le divertissement, au profit d'une littérature de réflexion visant des citoyens libres : « La philosophie s'étend à tous les arts d'imagination, comme à tous les ouvrages de raisonnement ; et l'homme, dans ce siècle, n'a plus de curiosité que pour les passions de l'homme. Au-dehors, tout est vu, tout est jugé ; l'être moral, dans ses mouvements intérieurs, reste seul encore un objet de surprise, peut seul causer une impression forte [...]. La poésie d'imagination ne fera plus de progrès en France : l'on mettra dans les vers des idées philosophiques, ou des sentiments passionnés ; mais l'esprit humain est arrivé, dans notre siècle, à ce degré qui ne permet plus ni les illusions, ni l'enthousiasme qui crée des tableaux et des fables à frapper les esprits » (*De la littérature considérée dans ses rapports avec les institutions sociales*, I, 5, « Des ouvrages d'imagination »).

Cette philosophie nouvelle, précisément parce qu'elle prétend s'adresser à des citoyens libres et égaux, se doit d'être éloquente et de convaincre du vrai : « [...] tout ce qui est éloquent est vrai ; c'est-à-dire que, dans un plaidoyer en faveur d'une mauvaise cause, ce qui est faux, c'est le raisonnement ; mais que l'éloquence proprement dite est toujours fondée sur une vérité » (*ibid.*, I, 8, « De l'éloquence »).

Ce rapprochement entre la méthode et le discours, la science du raisonnement et l'art de la parole, ne laisse pas d'être problématique d'un point de vue philosophique, en ce qu'il risque à chaque instant de corrompre la poursuite heuristique de la cause par la recherche rhétorique de l'effet. Mais il explique pourquoi la philosophie est, à cette époque, si proche de la littérature, et pourquoi celle-ci, en retour, a des ambitions spéculatives si affirmées : de fait, les œuvres majeures du siècle – qu'on songe seulement à Balzac, Hugo, Baudelaire – sont hantées par les grandes questions théoriques du temps, auxquelles elles tentent, chacune à sa manière, d'apporter une réponse originale ou, du moins, originalement formulée.

Cependant il arrive que, à cause d'une erreur de perspective, le fait soit sous-estimé. Car ces questions philosophiques, qui ont pour la plupart disparu de la scène intellectuelle d'aujourd'hui, ne sont pas celles que privilégie, rétrospectivement, l'histoire de la philosophie, intéressée principalement par le criticisme et l'idéalisme allemands. Il ne suffit donc pas, pour estimer à sa juste valeur historique la portée des œuvres du XIXe siècle, de mêler la philosophie d'aujourd'hui à la littérature d'hier ; il faut reconstituer le décor hétéroclite où la pensée classique, née du cartésianisme – de ses partisans ou de ses contestataires – tente encore de contenir des interrogations nouvelles qui n'y ont plus leur place.

Une philosophie protéiforme

Les lieux de la pensée philosophique

La tâche de l'historien est d'autant plus ardue que l'activité philosophique n'est pas enclose, comme aujourd'hui, en des lieux institutionnels et des discours spécialisés. Selon l'ambition du rationalisme, tout homme peut se prétendre philosophe, c'est-à-dire aspirer à penser l'être, le vrai, le bien, le beau. Il s'ensuit que ce que nous appellerions le philosophique, peut-être par habitude académique, contamine de multiples types de parole – d'abord, bien sûr, celle du poète –, naît de sources diverses et, parfois, très hétérodoxes : l'éclectisme philosophique est socioculturel avant de se traduire sur le plan des doctrines.

Le siècle commençant a hérité de l'Ancien Régime et des Lumières quelques personnalités remarquables de la noblesse ou de la haute bourgeoisie, qui perpétuent la culture mondaine de l'aristocratie éclairée, en lui apportant cette gravité qui marque l'après-Révolution. Sa représentante la plus illustre est Mme de Staël, mais le grand salon intellectuel du Consulat est celui de Mme Helvétius, qui réunit à Neuilly les Idéologues. Ces grandes figures ont repris le rôle des égéries du XVIIIe siècle (Mmes Geoffrin, Doublet, du Deffand, d'Épinay…). Par ailleurs, la nouveauté, dans ce monde des élites, est la place grandissante que prennent les hommes politiques et certains grands commis de l'État. D'une part, en un temps où l'exercice du pouvoir, Révolution aidant, paraît exiger de fortes conceptions autant que des capacités de gestion, la sphère de l'action concrète se rapproche de celle de la pensée spéculative ; d'autre part, la succession précipitée des régimes interrompt bien des carrières, laissant à un relatif désœuvrement des hommes tout prêts à reporter sur le terrain de la réflexion leur goût de l'analyse. Destutt de Tracy fut député aux États généraux, Maine de Biran, parlementaire et fonctionnaire du Directoire à la Restauration, Joseph de Maistre, diplomate pour le compte du roi de Savoie, Royer-Collard, député au Conseil des Cinq-Cents sous le Directoire.

Mais les législateurs laissent assez vite la place aux professeurs. Sous le Directoire, la création de l'Institut et des écoles centrales avait fait une place éminente à la philosophie appliquée aux sciences morales ou politiques et à l'histoire. À partir du Consulat, sa place est plus étroitement mesurée : on attend d'elle qu'elle fasse obstacle aux tentatives de réaction religieuse, mais on redoute ses velléités contestataires. Sa position est donc précaire : elle est enseignée à l'École normale supérieure, réorganisée en 1815 ; une chaire d'histoire de la philosophie est créée en 1811, mais les cours de Cousin seront suspendus pendant la vague répressive de 1822, qui fait suite à l'assassinat du duc de Berry. L'étape décisive est franchie en 1828 : Victor Cousin reprend son enseignement à la Sorbonne et, surtout, on crée une agrégation de philosophie distincte de l'agrégation de lettres et bientôt suivie d'une agrégation d'histoire : c'est l'amorce d'une fonctionnarisation de la discipline dirigée, durant les décennies suivantes, par Victor Cousin. Cette montée en puissance est d'ailleurs toute relative : menacé ou consacré, l'enseignement de la philosophie est accueilli dans un très petit nombre d'institutions, prodigué à un public – d'étudiants ou d'amateurs – peu formé à une matière difficile d'accès, coulé dans le moule – séduisant mais peu rigoureux – de la parole magistrale. Dans ces conditions, on comprend que, malgré des qualités individuelles, cette philosophie paraisse aujourd'hui excessivement rhétorique et peu inventive.

La troisième sorte de philosophes est la plus difficilement classable. Elle rassemble tous ceux qui, également éloignés de l'aristocratie des Lumières et de la corporation universitaire, se mêlent de théoriser. Polytechniciens, ingénieurs, cadres de l'industrie ou ouvriers typographes, ils veulent apporter leur contribution au devenir collectif, grâce à d'ambitieuses synthèses qu'on aura tôt fait de dire utopiques. C'est parmi eux qu'on retrouve bien des penseurs politiques du début du siècle : Charles Fourier était commis marchand, Ballanche imprimeur, Pierre Leroux typographe.

Philosophies étrangères

Le tableau qu'offre la philosophie française du XIXe siècle est d'autant plus confus qu'à la diversité sociologique s'ajoute la multiplicité des influences étrangères. Rétrospectivement, on devine ces dernières sans avoir les moyens réels d'en mesurer l'influence. Parce qu'elle se développe dans des cercles restreints et élitaires, la pensée spéculative ignore, en principe, les frontières nationales ; mais, au-delà du principe et de quelques références allusives et de bon ton, il est bien difficile de savoir exactement ce qu'on lisait et, surtout, comment on le lisait.

La philosophie allemande jouit ainsi d'un très grand prestige et l'usage existe déjà, pour le jeune universitaire, d'aller parfaire sa formation à Heidelberg ou à Berlin. Cependant, faute de compétence ou d'intérêt, on se préoccupe peu des questions logiques ou de la philosophie critique. Pendant longtemps, Kant passera en France pour le continuateur du scepticisme anglais : l'espace et le temps étant définis comme des formes *a priori* de la sensibilité, l'entendement n'a en effet à connaître que les apparences des choses telles qu'elles sont perçues, non leur être même. Mais c'est la portée même du criticisme qui est ignorée : alors que Hume concluait aux limites de la raison coupée de la sensation et de l'imagination, Kant fonde sur la notion de phénomène et sa théorie de la connaissance et son refus de la métaphysique.

En fait, les doctrines allemandes les plus connues en France sont celles de l'idéalisme qui s'élabore autour de Fichte, de Schelling et de Hegel. On en retient essentiellement deux aspects liés à la dialectique : d'une part, une théorie de la nature (celle de Schelling, notamment) qui permet de traduire en termes modernes le vieux discours ontologique sur le jeu naturel et universel de forces antagonistes ; d'autre part, à travers Herder et Hegel, une philosophie de l'Histoire qui concilie la perfection de l'Idée et la nécessité du Progrès. Au demeurant, ces diverses conceptions sont moins appréciées pour la rigueur de leurs analyses que pour leur ampleur même, qui donne à penser et, d'abord, à rêver.

Cependant, les philosophes – et, en premier lieu, les philosophes institutionnels – ont une plus grande familiarité avec les Anglo-Saxons, dont les problématiques prolongent, même en en bouleversant les termes, la vieille question du rationalisme dont la France, depuis Descartes, s'est fait une spécialité. Dans ses *Lettres philosophiques* (1734), Voltaire s'était déjà fait l'écho du débat entre cartésiens et empiristes anglais. À la fin du XVIIIe siècle, les théoriciens de l'école écossaise marqueront durablement la doctrine française en matière de psychologie. Pour Thomas Reid, dont l'enseignement sera repris par Dugald-Stewart, la perception des objets extérieurs, comme la croyance aux évidences généralement admises, ne résulte pas d'un effet imprimé par le corps sur l'esprit, toujours révocable par celui-ci, mais d'une action, naturelle et immédiate, de la pensée en direction du réel. Cette action, qui évite l'antagonisme du sujet et de l'objet, de la pensée et de la sensibilité, est la manifestation du *sens commun*. La théorie du sens commun, simple et suggestive, connaîtra de nombreux avatars ; sous toutes ses formes, elle laissera une trace profonde dans la philosophie et la littérature du XIXe siècle, leur permettant de concilier le désir de certitude et la reconnaissance du non-rationnel.

Les provinces de la philosophie

Il va de soi que l'histoire de la philosophie n'est pas plus simple que son objet, lui-même divisé en différents domaines, traditionnels ou nouveaux. S'il existe entre eux des points de contact et que s'ébauchent même parfois des parcours communs, il n'empêche qu'ils ont leurs logiques respectives, leurs rythmes propres, voire des modes d'expression distincts, allant du discours professoral, clair et analytique, de Laromiguière aux formules obscures et inspirées de Ballanche.

Le fait majeur est, encore et toujours, la réticence de la philosophie française à l'égard d'une métaphysique qui ne s'enracine pas dans l'analyse psychologique des facultés de l'homme. Malgré l'ontologie allemande et, bientôt, le développement de la logique anglo-saxonne, l'intérêt continue à se porter sur les questions posées par le cartésianisme et sa critique sceptique, avec lesquelles le public cultivé se sent de plain-pied.

Cependant, la Révolution est passée par là, et a révélé des forces – ou des faiblesses – que la pensée classique ignorait. La première est le poids de l'irrationnel : non pas les errements de la passion qui, suivant la doctrine classique, soumet l'homme aux exigences de son corps, mais le rôle positif de la conviction, de la croyance, de l'enthousiasme. Le philosophe entreprend donc de réévaluer la volonté et toutes les manifestations de la pensée agissante. Quant à la réflexion sur Dieu – ainsi celle que mène Lamennais –, elle se détourne des problèmes traditionnels de la théologie pour affirmer l'utilité du sentiment religieux et de la communauté ecclésiale pour le devenir d'une humanité qui s'est arrogé, à tout jamais, le droit de douter.

Mais, en même temps, découvrant l'Histoire, ses aléas comme sa brutalité, les intellectuels ont désormais l'espoir d'influer sur le cours des choses et le souci de concevoir des systèmes applicables : d'où l'importance grandissante, du moins jusqu'en 1848, de la philosophie politique et de la théorie sociale. Il arrive d'ailleurs souvent, comme chez Auguste Comte, que celles-ci s'appuient sur le développement des sciences expérimentales, qui fournissent des modèles séduisants, sinon toujours légitimes dans l'extension métaphorique qui leur est donnée : le dernier aspect de cette pensée postrévolutionnaire est en effet le développement d'une philosophie des savants ou, du moins, inspirée par les avancées récentes du savoir scientifique.

De l'idéologie à l'éclectisme

Les Idéologues

L'*idéologie* est, par excellence, la philosophie du Directoire, et elle a déjà commencé son déclin à l'aube du XIXe siècle. Pourtant, regardée avec une hostilité grandissante par un Napoléon Bonaparte devenu empereur, combattue dans ses principes par les maîtres à penser de la monarchie restaurée, elle a tenu le premier rôle dans la création des écoles centrales et, par le biais des structures éducatives ou culturelles, a influencé la jeunesse bourgeoise qui allait fournir les cadres de l'État moderne : toute sa vie, Stendhal témoigna ainsi de son admiration pour un mode de pensée qui veut privilégier l'analyse rigoureuse et l'observation concrète.

L'« idéologie » – le mot est de Destutt de Tracy – est la « science des idées » ; la connaissance de la pensée, considérée dans sa diversité effective, ne dépend plus de conceptions métaphysiques, mais de l'examen des facultés humaines : vouloir, juger, sentir, se souvenir. Qu'elle s'applique à la linguistique et à la logique (Destutt de Tracy) ou qu'elle s'appuie sur les découvertes physiologiques (Cabanis), la méthode des Idéologues est inspirée par le refus des affirmations *a priori* et le primat de la description.

Le retour au spiritualisme

C'est aussi de l'analyse psychologique que partent les successeurs des Idéologues, mais avec le souci de retrouver, par-delà la multiplicité des phénomènes observés, un principe unique, de nature spirituelle. Tout le problème résidait, on l'a vu avec Thomas Reid, dans l'opposition de la raison et de la sensation. Soit l'on rapportait la nature humaine à la substance pensante, et tout objet extérieur à l'entendement était entaché, contre l'évidence, d'irréalité ; soit la pensée découlait des sensations reçues et devenait un phénomène corporel et passif, à moins d'être réfléchi dans la conscience par l'entendement. Sur ce point, l'avancée décisive, reprise et approfondie sous l'Empire par Laromiguière, revient encore à un idéologue, Destutt de Tracy. Celui-ci s'avise que la sensation tactile d'un objet ne résulte pas d'une impression passivement enregistrée par le corps, mais de l'obstacle opposé à l'effort musculaire. Autrement dit, la perception extérieure est action. Ou encore : celui qui agit se reconnaît comme sujet en même temps qu'il éprouve l'objet, par la *perception immédiate*. D'une théorie de la raison et des sens, on passe donc à une théorie de la volonté grâce à laquelle l'homme est restauré dans son unité ; de cette unité postulée on infère la cause spirituelle qui l'anime. Enfin, la permanence du moi agissant et percevant, la stabilité de sa conscience et de ses perceptions sont assurées par la mémoire. Volonté, mémoire : on a là déjà en germe Nietzsche et Bergson et, surtout, deux des thèses qui obsédèrent, de Balzac à Nerval, la littérature romantique.

À l'origine de ce mouvement, qui était, il est vrai, dans l'esprit du temps, il y eut Maine de Biran (1766-1824). Celui-ci n'était pas un philosophe professionnel, et la plupart de ses travaux furent publiés à partir de 1834, bien après sa mort, par Victor Cousin. Son influence s'explique donc d'abord par son amitié avec ce dernier et par ses liens avec les milieux intellectuels de la capitale. Quant à sa philosophie, elle naît de la maladie qui, perpétuelle compagne de sa vie, le conduit à une méditation pessimiste ou inquiète sur la nature humaine. Il en ressort qu'il existe, indépendamment des actions conscientes, la sphère, floue et mystérieuse, des sentiments passifs et que, par suite de cette dualité, le « fait primitif » est l'action par laquelle le moi, dans l'effort et par sa volonté, entreprend d'acquérir la conscience de soi et la maîtrise de son corps. Cette doctrine de la volonté aboutit, assez logiquement, à une mystique de l'esprit désincarné, dont le prestige fut immense au XIXe siècle.

Si la postérité intellectuelle de Maine de Biran fut très réelle, Royer-Collard joua, pendant le règne de Louis XVIII, le rôle de philosophe officiel – et rien de plus. Alors qu'il est professeur d'histoire de la philosophie à la faculté des lettres de Paris sous le premier Empire, Napoléon voit en lui un homme qui pourra « [le] débarrasser des Idéologues, en les tuant sur place ». Spiritualiste mais politiquement libéral, il sera le théoricien d'une monarchie modérée par la Charte constitutionnelle de 1814. Sa doctrine philosophique découle de celle de Thomas Reid, dont il s'inspire directement : il croit au sens commun, à la perception immédiate et se réapproprie toutes les notions fondamentales de la métaphysique classique, Dieu y compris. Avec lui, la philosophie s'oriente vers la recherche d'un vaste compromis, qui prépare le terrain à l'éclectisme de Victor Cousin.

Victor Cousin et la philosophie éclectique

Réduite à l'essentiel, la doctrine de Victor Cousin tient en une méthode, un principe historique et une conviction. La méthode que préconise Cousin est l'analyse psychologique, fondée sur l'observation des faits : il est dans la lignée de l'Idéologie et s'oppose radicalement, au moins sur ce point, à la métaphysique allemande. Par cette méthode, il en vient à affirmer l'existence de trois facultés distinctes : la sensibilité, la volonté, l'intelligence. De cette thèse découle le principe historique, où ses détracteurs ont vu une version molle de la dialectique hégélienne. Pour Cousin, la philosophie a fait le tour des systèmes concevables : elle a d'abord été rationaliste ; ensuite, observant les limites de la raison, elle s'est faite sensualiste et sceptique ; enfin, elle a redonné ses prérogatives à la conscience par le biais de la perception immédiate et de l'acte volontaire.

La tâche du penseur moderne n'est donc plus de trouver une nouvelle conception de l'esprit humain, mais de réunir tout ce que les théories du passé contiennent de juste et de pertinent, en séparant le bon grain de l'ivraie. Le philosophe doit se faire historien de la philosophie, et son objectif est la constitution d'une doctrine éclectique, qui concentre les parcelles de vérité formulées ici et là. D'ailleurs, Victor Cousin est convaincu que la vérité n'est pas le privilège de la philosophie. Puisque le savoir découle du sens commun, il est partagé par toute l'humanité, et la chronique des peuples manifeste à celui qui l'étudie le long cheminement du vrai au travers du temps. L'historien offre ainsi au philosophe le matériau dont celui-ci extrait l'histoire de la pensée et qu'exploiteront à leur tour, au cours du siècle, romanciers et poètes. Sans doute Cousin a-t-il trouvé chez Herder et les philosophes allemands l'idée de ce mystérieux parallèle entre le destin des peuples et les progrès d'une pensée qui, incarnée dans des philosophes de génie, dévoile à la conscience ce qui se joue, obscurément mais tout aussi logiquement, dans la vie des hommes ; mais il a, à tout le moins, joué un rôle prépondérant dans la diffusion de cette conception de l'histoire.

La question du divin

Considérant l'utilisation littéraire que poètes et romanciers font du religieux dans leurs œuvres, le lecteur moderne éprouve de la difficulté à distinguer le topos esthétique, le discours obligé, la conviction personnelle. En fait, les trois questions, connexes mais distinctes, du divin, du religieux et du surnaturel restent très présentes dans les esprits, toutes idéologies confondues. Cependant, la Révolution française a entraîné un puissant mouvement de déchristianisation, un affaiblissement de la foi et un relâchement de la pratique. Pour renverser la tendance, il faudra un travail continu de propagande, que l'Église mènera en particulier auprès des femmes et dans les milieux ruraux, en faisant appel à la croyance (mise en valeur des miracles) et à la sensibilité (développement du culte marial). Mais nous sommes très loin, en 1820, de l'Église du second Empire, forte d'un clergé nombreux et respecté, fière de ses processions et de ses calvaires généreusement érigés dans les campagnes, sûre de sa puissance sociale. Au sentiment religieux qui ne sait plus avec certitude où se fixer, deux voies sont ouvertes : soit le déisme teinté de mysticisme qui, à la fin du XVIIIe siècle, a pris le nom d'illuminisme, soit le retour à la plus pure tradition catholique, souvent lié à des questions politiques.

La persistance de l'illuminisme

Spinoza l'avait déjà au moins suggéré : qu'elle soit *naturans* (créatrice) ou *naturata* (créée), la nature, infinie et parfaite, est elle-même dotée des attributs réservés au divin. Rien ni personne ne peut perturber cet ordre naturel, pas même Dieu. Celui-ci n'est plus que la cause subsumée de la perfection observable dans l'univers de la matière. Cette thèse – le déisme – a conduit directement au matérialisme qui progresse au XVIIIe siècle, parallèlement aux sciences expérimentales. Mais, teintée de théologie mystique, elle a aussi permis de concilier, sous le nom d'*illuminisme*, ou de *théosophie*, l'admiration de la nature et le sentiment religieux. Sans exclure Dieu mais sans non plus opposer, comme le faisait la pensée catholique, la chair et l'esprit, la matière et l'âme, l'illuminisme imagine une nature habitée et organisée par les esprits invisibles et, en conséquence, un système subtil de correspondances entre le spirituel et le naturel ainsi que, cette fois sur le plan horizontal, entre les différentes catégories de réalités matérielles. L'idée que la nature est ainsi la manifestation et, à son tour, la source d'une spiritualité invisible mais omniprésente a fasciné depuis le XVIIIe siècle, où vécurent la plupart des grands illuministes : le Suédois Emmanuel Swedenborg (1688-1772), le Français Claude de Saint-Martin (1743-1803), qui s'est inspiré des ouvrages de Jacob Böhme (1575-1624). Ces conceptions, mêmes déformées ou simplifiées, se retrouvent chez beaucoup d'écrivains du premier XIXe siècle. Elles sont à peu près explicites dans les œuvres de Balzac (*cf. Louis Lambert, Séraphîta*), de Nerval (*cf. Aurélia*) ou de Baudelaire (*cf.* le sonnet *Correspondances*). Mais ces quelques résurgences sont presque anecdotiques au regard de deux faits d'une portée très générale. D'une part, la nature des romantiques est une nature sinon mystique, du moins toujours métaphysique : elle se prête à l'exploration de vérités obscures plutôt qu'à l'évocation des réalités familières, et ce n'est pas l'un des moindres charmes des paysages de Lamartine. D'autre part, même si la pensée du siècle est tournée vers l'Histoire, son imagination se nourrit des diverses représentations de l'univers, si bien que, dans les textes, l'histoire des hommes semble se confondre avec le destin de la nature : cette fusion de l'ontologique et de l'historique est au cœur de l'imaginaire de Victor Hugo et tiendra lieu de consolation à un Renan vieillissant et pessimiste.

L'Église catholique : spiritualité et pouvoir temporel

Au XIXe siècle, la réflexion sur la doctrine catholique est inséparable de la question, pratique et urgente, que pose le recul de l'Église en tant qu'institution et puissance sociale. Les partisans de la religion romaine et d'une monarchie de droit divin sont convaincus que la Révolution, à leurs yeux haïssable dans ses principes et ses effets, a eu pour causes principales l'attitude complaisante des clercs à l'égard du rationalisme et de l'individualisme et, corrélativement, leur hésitation coupable à affirmer leur autorité. La spéculation théologique paraît désormais secondaire en comparaison d'un argumentaire simple mais redoutablement efficace. Toute l'histoire de la philosophie, au vu de ses contradictions, prouve que l'homme n'a pas les moyens d'accéder à la vérité par les seules ressources de son entendement personnel. Il doit donc s'en remettre, sans examen, aux idées généralement admises – encore le sens commun – : l'existence du Dieu chrétien est la première d'entre elles. En outre, il lui faut préférer, pour la même raison, la religion où l'individu s'efface le plus devant la communauté des croyants et le pouvoir de ceux qui en ont la charge : ici, le catholicisme l'emporte sur les différents avatars du déisme ou du protestantisme, qui ne reconnaissent pas la force contraignante du dogme, la vertu du rituel ni la fonction médiatrice du prêtre, tous éléments fondamentaux d'un renouveau catholique qui finira par la proclamation des dogmes de l'Immaculée Conception (1854) et de l'infaillibilité papale (1870). Enfin, le régime politique qui assurera le mieux l'humiliation de l'individu devant l'autorité est jugé préférable : il s'agit, bien entendu, du droit divin, où le roi ne tient pas son pouvoir de la volonté des hommes. L'ensemble de ces idées, qui n'est pas encore contrebalancé par le christianisme libéral émergeant autour de 1830, se retrouve chez trois auteurs dont la pensée a marqué, pendant la Restauration et au-delà, le traditionalisme politique ou religieux : Joseph de Maistre, Louis de Bonald, Félicité de Lamennais.

Joseph de Maistre (1753-1821), né à Chambéry, mena une carrière de diplomate au service de la Savoie. D'abord franc-maçon et sensible à l'illuminisme de Saint-Martin, il fut un témoin, aussi attentif que réprobateur, de la Révolution française : pour lui, celle-ci fut un châtiment envoyé par Dieu pour punir les hommes de leurs errements – et, d'abord, du rationalisme des Lumières. Il suggère donc le rétablissement de l'ancienne monarchie, appuyée sur l'autorité du pape. Ses premières œuvres datent de la Révolution, mais ses textes les plus célèbres parurent sous la Restauration, où il fut considéré comme le théoricien du parti ultraroyaliste (*Du pape*, 1819 ; *Les Soirées de Saint-Pétersbourg*, 1821). Enfin, dans un ouvrage posthume (*Lettres à un gentilhomme russe sur l'Inquisition espagnole*, 1822), il en vint à justifier, au nom de ses principes, les exactions de l'Inquisition. Au fond, son œuvre, qui eut à cet égard un rôle inaugural pour tous les traditionalismes à venir, utilisait toutes les ressources de cette pensée nouvelle qui cherchait dans les prestiges du passé une réponse aux incertitudes de l'avenir : une rhétorique brillante jusqu'à la violence, un usage sophistique du raisonnement, un goût pour la généralisation historique.

Louis de Bonald (1754-1840) fut, lui aussi, poussé par la Révolution à intervenir dans le champ des idées. De Heidelberg où il a émigré, il publie en 1796 sa *Théorie du pouvoir politique et religieux dans la société civile*. Son ouvrage fondamental sera, en 1802, la *Législation primitive considérée dans les derniers temps par les seules lumières de la raison*. Récompensé par Napoléon, il connut surtout les honneurs sous la Restauration ; pair de France et académicien, il finit par présider la Commission de censure, et se retira de la vie publique à la chute de Charles X. Pour lui aussi, le principal adversaire est la philosophie des Lumières, faite d'athéisme et de relativisme généralisé : il faut donc réaffirmer l'existence et la toute-puissance de Dieu, et concevoir une théorie des intermédiaires qui lui redonne l'exercice effectif d'une souveraineté que les philosophes du contrat social avait transféré au peuple. Pour Bonald, tout se tient : l'Église est l'intermédiaire entre Dieu et le croyant, le langage entre Dieu et la pensée humaine, le roi entre Dieu et le peuple : le pouvoir absolu se trouve fondé sur la raison supérieure de la transcendance divine.

La vie de Félicité de Lamennais (1782-1854) est, elle aussi, à l'image de ces temps troublés. Fils d'un riche armateur de Saint-Malo, il traversa la Révolution et l'Empire avant d'affirmer son engagement dans l'Église et d'être ordonné prêtre, en 1816 : des années de retraite, dans sa Bretagne natale, l'avaient déjà accoutumé à une méditation solitaire et intransigeante. Dès les années 1817-1823, la parution de son *Essai sur l'indifférence en matière de religion* le rend célèbre, comme théologien et comme polémiste. Rien n'est pire, à ses yeux, que l'indifférence religieuse : oubliant la tentation de l'individualisme et l'agnosticisme qui s'ensuit, l'homme doit s'en remettre au « consentement universel », qui le conduit à la plus universelle – donc la plus indiscutable – des religions, le catholicisme. L'ouvrage a frappé par la vigueur de l'argumentation autant que par sa substance. Ultramontain déclaré – il n'y a de catholicisme universel que celui de Rome –, il s'éloigne bientôt de l'Église de France, comme il le fera du pape lui-même pour prêcher en faveur d'une république sociale, au nom des intérêts supérieurs de la religion.

La philosophie des savants

Malgré la crise du rationalisme, il reste les avancées spectaculaires de la science, dont l'ampleur des hypothèses explicatives attire les écrivains. Plus qu'une doctrine philosophique, un système scientifique agit sur l'imagination, suscite des représentations, conduit à la pensée utopique aussi bien qu'au fantastique. En outre, l'ambition totalisante que manifeste, plus qu'aujourd'hui, la science rejoint l'aspiration de la France révolutionnée à redonner un sens à un monde profondément bouleversé. Pour toutes ces raisons, l'ombre portée par les disciplines scientifiques sur la littérature du XIXe siècle est immense, et mérite qu'on en ébauche les contours.

La médecine, la physiologie et les sciences naturelles

Dès le XVIIIe siècle, le développement de la médecine et de la physiologie, une meilleure connaissance du fonctionnement organique et du système nerveux ont donné à penser que l'exploration de la nature physique permettrait d'élucider bien des mystères laissés à la sagacité du philosophe ou à l'admiration du croyant. Dans *La Comédie humaine*, Bianchon est le type romanesque de ces médecins auxquels leurs pouvoirs sur le corps confèrent l'aura d'un sage.

Historiquement, le savant le plus célèbre, outre l'idéologue Cabanis, est sans doute le physiologue Bichat ; dans ses *Recherches physiologiques sur la vie et la mort* (1800), il propose d'opposer à la vie organique des organes non symétriques (digestion, circulation sanguine, etc.) d'où naissent les passions, à la vie animale des organes symétriques (perception et motricité) à laquelle il rattache la pensée consciente. À ce vaste mouvement de curiosité médicale, il convient d'associer d'une part la physiognomonie, d'autre part le succès des doctrines les plus diverses sur le magnétisme physique ou les phénomènes qu'on dirait aujourd'hui paranormaux : avant de s'intéresser à la folie et à ses causes psychologiques, le XIXe siècle a développé le goût du surnaturel.

En outre, grâce à la zoologie et à la paléontologie, la science et l'histoire du vivant deviennent possibles ; on se met à concevoir l'organisation des espèces, leur organicité et leur devenir. Lamarck, créateur du mot « biologie », formule en outre des thèses sur la transformation des corps vivants qui constituent l'un des premières étapes vers le darwinisme (*Philosophie zoologique*, 1809). De même, Geoffroy Saint-Hilaire, affirmant l'unité des espèces, offre l'instrument scientifique qui permettra d'en penser l'évolution et la diversification dans le temps (*Philosophie anatomique*, 1818-1822).

L'histoire

Le goût pour les récits du passé, plus ou moins romancés, est de tout temps, et il s'accentue dans les moments où on ne sait ce qu'il faut attendre de l'avenir. Ainsi en va-t-il pendant la Restauration, où l'édition voit tout le profit qu'elle peut retirer d'ouvrages réalisés sur commande et faciles à écouler. Quant au nouveau public issu du tiers état et aspirant à la dignité bourgeoise, il est tout prêt à jeter un regard nostalgique sur l'histoire mouvementée de l'Ancien Régime. D'où l'avalanche de chroniques, de faux mémoires, de recueils d'anecdotes héroïques ou frivoles. Mais cette mode, dont tirera parti le théâtre romantique, sert de toile de fond à l'émergence d'une conception philosophique et scientifique de l'Histoire.

Celle-ci naît, bien sûr, du déclin de la théologie catholique : vue de Dieu, la suite des événements enregistre seulement une succession d'accidents qui ne sauraient toucher à l'essence des choses ni induire aucune signification générale, sinon les desseins imprévisibles de la Providence. Une fois levée l'hypothèque de la religion, l'alternative est la même que pour la philosophie : soit l'Histoire manifeste les progrès de la raison humaine et tend régulièrement vers la meilleure forme politique, soit elle est faite de conflits, de ruptures, de retours en arrière au travers desquels, cependant, se laisse entrevoir la marque, immanente ou transcendante, d'un destin.

La première doctrine est celle des historiens libéraux qui, avant d'exercer le pouvoir sous Louis-Philippe, s'efforcent, sous la Restauration, de donner un sens raisonnable et progressiste aux récents événements. Adolphe

Thiers, journaliste politique, publie une *Histoire de la Révolution française* (1823-1827) ; François Guizot, universitaire, enseigne à la Sorbonne l'histoire française et européenne après s'être fait connaître, en 1822, par une *Histoire du gouvernement représentatif*.

L'autre conception caractérise l'histoire romantique, qui prendra son essor après 1830. Mais, dès avant cette date, deux de ses représentants ont fait connaître en France deux théories historiques majeures de l'idéalisme européen : Quinet traduit en 1825 les *Idées sur la philosophie de l'histoire* de l'Allemand Herder, Michelet, en 1827, les *Principes de la philosophie de l'histoire* de l'Italien Vico. L'attention portée aux forces obscures et antagonistes qui animent l'histoire va souvent de pair avec l'exploration des périodes anciennes, où paraissent dominer encore le mythe, la violence, l'irrationnel, le fait collectif. On trouve tout cela au Moyen Âge, abondamment visité par les historiens du XIXe siècle et, en particulier, par Augustin Thierry (*Histoire de la conquête de l'Angleterre par les Normands*, 1825), selon qui l'évolution des peuples s'explique par le conflit, finalement surmonté par le progrès de l'histoire, entre vainqueurs et vaincus. Chez lui comme chez tous les romantiques, la narration des faits s'appuie sur un arrière-plan philosophique, la poésie du mythe, la force de l'épopée.

Parfois enfin, le discours historique sert de prétexte à de vastes visions synthétiques où le déterminisme s'allie à la téléologie mystique. Ballanche, ami de Chateaubriand et auteur de la *Palingénésie sociale* (1827), croit à l'incorruptibilité et à l'éternité de la pensée, d'essence divine. Suivant une conception cyclique inspirée de Vico, l'évolution de l'humanité est donc faite d'une perpétuelle alternance entre des temps de déclin religieux et les époques où, au contraire, on constate sa renaissance (ou, d'après son synonyme d'origine grecque, sa « palingénésie »).

Économie politique et utopies sociales

De son point de vue catholique, Ballanche tente de réunir la reconnaissance de l'histoire et la religiosité, la prise en compte du réel et l'aspiration à une spiritualité qui pût se manifester dans la vie collective. Avec la même préoccupation, des théoriciens élaborent, sous la Restauration, des systèmes d'organisation sociale qui trouveront leur plein écho sous la monarchie de Juillet. Quoiqu'ils s'appuient sur des données économiques ou sociologiques, ils ont tous en tête le modèle du christianisme, qu'ils y voient effectivement un phénomène divin ou, au niveau des hommes, la première formule sociale expressément fondée sur l'amour mutuel et le respect de l'autre.

Saint-Simon (1760-1825), après s'être ruiné dans des spéculations malheureuses, se consacre à la réflexion scientifique et économique. Il entend faire de l'industrie le moteur de la société nouvelle et la source de sa prospérité, dont il espère un progrès moral aussi bien que matériel de l'humanité.

Auteur du *Système industriel* (1821), c'est bien un « nouveau christianisme » qu'il appelle de ses vœux, un christianisme exclusivement « philanthropique » et détaché de ses entours théologiques. D'une société bien organisée – par 3 000 industriels, savants ou artistes, plutôt que par les 30 000 personnes qui détiennent en fait le pouvoir – devrait naître une vraie justice sociale, prévoyant une distribution équitable des biens : « À chacun selon sa capacité ; à chaque capacité selon ses œuvres. » Le saint-simonisme, diffusé par les principaux disciples du maître (Auguste Comte, Olinde Rodrigues, Bazard et Enfantin), jouera un rôle non négligeable au moment de 1830.

Charles Fourier (1772-1837) suggère lui aussi une réorganisation de la société établissant une relation harmonieuse de l'homme à son travail, respectant à la fois la liberté individuelle et l'intérêt de tous (*Le Nouveau Monde industriel et sociétaire*, 1829). Il conçoit à cet effet le phalanstère, cellule collective de 1 620 travailleurs, où chacun trouve, en principe, son bonheur et son utilité.

Une philosophie romantique ?

Il n'est pas inutile de revenir, au risque de se répéter, sur l'activité philosophique de ce premier tiers du siècle. Soulignons d'abord, une nouvelle fois, sa vitalité : du point de vue intellectuel, tout a pris naissance avant 1830 ; le positivisme lui-même, considéré à bon droit comme la philosophie du second Empire, s'est ébauché dans les cours de philosophie positive qu'Auguste Comte a commencé de donner à partir de 1826. On est frappé, en second lieu, par le goût presque général pour les systèmes abstraits où viennent se bousculer, sans grande cohérence parfois, les explications scientifiques et les extrapolations spiritualistes ; dans l'ensemble, le libre plaisir de la spéculation l'emporte très largement sur la démarche empiriste. Enfin, le clivage est net entre la psychologie et l'ontologie (ou la métaphysique) ; cette différence se retrouve dans les idéologies politiques, le libéralisme rationaliste s'opposant à toutes les doctrines qui, dans une perspective conservatrice ou sociale, affirment le primat du fait collectif et la recherche de l'harmonie universelle ; elle se traduit aussi dans le discours historique, qui domine mais que traversent souvent des conceptions métaphysiques de la nature humaine ou de l'univers ne relevant pas, en principe, de son champ de compétence. Toutes ces contradictions forment l'ossature étrange du romantisme français, expliquant ses ambiguïtés idéologiques, mais aussi son ambition philosophique, son goût pour les grandes synthèses, sa poétique hyperbolique et contrastive.

Portraits

Victor Cousin (1792-1867)

Victor Cousin fut, pendant un quart de siècle, le principal philosophe français, et sa destinée extraordinaire est à plus d'un titre exemplaire. S'il régna si haut, c'est d'abord que la concurrence était pauvre : sa réussite révèle, *a contrario*, la précarité et la médiocrité de la philosophie institutionnelle, dans une France qui, contrairement aux pays de tradition protestante, persiste à négliger les études supérieures au profit du secondaire – en particulier, du lycée napoléonien. En outre, l'évolution de l'homme – homme de contestation, de pouvoir, puis de plume – est parallèle à celle du courant libéral dont il est le penseur attitré et qui, après avoir réveillé l'opposition sous la Restauration au nom de la tradition philosophique, a fini par s'en remettre, deux révolutions après, à l'empire autoritaire né d'un coup d'État. Enfin, le dédain de la philosophie contemporaine à l'égard de Victor Cousin et de son éclectisme ne doit pas lui faire oublier, au risque de se méconnaître elle-même, le rôle décisif qu'il a joué personnellement dans le cadre des institutions officielles et qui l'a amené à déterminer, très durablement, non la philosophie elle-même, mais peut-être l'essentiel, à savoir le rapport spécifique que, à sa suite, la culture française entretient avec le philosophique.

Un brillant universitaire

Né en 1792 dans un milieu très modeste, Cousin fut un lycéen surdoué, dans une France impériale qui doit de toute urgence former ses cadres. Remarqué par Fontanes – le grand maître de l'Université, sorte de ministre de l'Éducation nationale –, il est placé en 1811 à l'École normale supérieure, y est nommé en 1812 répétiteur de grec, en 1814, maître de conférences de philosophie ; en 1815, il obtient une chaire d'histoire de la philosophie à la Sorbonne.

Cette brillante carrière s'explique par l'esprit de son enseignement, qui correspondait exactement à ce que Fontanes attendait de lui : perpétuer l'esprit philosophique tout en s'opposant au sensualisme condillacien et au matérialisme des Idéologues – encore très influents au début de l'Empire –, renouer avec la métaphysique classique, qui est compatible avec l'esprit religieux : en somme, fonder un idéalisme spiritualiste qui aurait pu être, en effet, la pensée officielle de la monarchie restaurée, dans la logique de la Charte de 1814. Dans ses cours des années 1817-1820, Cousin diffuse ainsi en France les principes philosophiques de Thomas Reid et de Kant, qui paraissent capables de réfuter la critique sceptique et matérialiste du rationalisme.

Mais l'assassinat du duc de Berry, en 1820, provoque le durcissement du régime : le cours de Cousin à la Sorbonne est suspendu en 1821, l'École normale est fermée en 1822. Comme d'autres, le professeur se tourne vers le livre : il publie Descartes et traduit Platon. Il s'intéresse à l'Allemagne où il part en 1824 pour un séjour d'études ; en fait, il y passera six mois en prison. Séjour capital : il rencontre Hegel et prend connaissance de la dialectique des idéalistes allemands ; en outre, il fait désormais figure de contestataire et de victime. Aussi ses cours de la Sorbonne, qui reprennent en 1827, servent-ils de chambre d'écho à la pensée libérale, comme ceux de ses collègues Villemain et Guizot.

Fort de ce prestige, il sera donc, sous le régime de Juillet, un philosophe officiel, successivement ou simultanément pair de France, directeur de l'École normale supérieure, membre du Conseil d'État et du conseil supérieur de l'Instruction publique ; surtout, président du jury d'agrégation, il est assuré, dans cette fonction, de contrôler les orientations futures de la philosophie d'État. Au reste, son activité théorique, pendant ces années de responsabilités administratives, se limite au remaniement et à la publication de ses anciens cours d'histoire de la philosophie, qu'il a professés sous la Restauration.

Hissé à une position si éminente, il est la cible de toutes les attaques : d'un côté, les républicains socialisants reprochent à son spiritualisme l'absence de toute doctrine sociale ; de l'autre, le parti catholique l'attaque avec virulence, parce qu'il voit en lui l'ennemi de l'enseignement religieux et le premier propagateur de l'anticléricalisme dans l'Université.

Religion contre philosophie : le conflit était assez naturel. Pourtant, en l'occurrence, il visait moins le penseur que le haut responsable de l'Instruction publique. Mis à l'écart après 1848, il apparaît comme un spiritualiste chrétien tout à fait acceptable aux yeux de la théologie officielle, qui a des ennemis autrement dangereux à combattre. En 1853, la réédition, revue et corrigée, de son traité *Du vrai, du beau et du bien*, déjà publié par un de ses disciples en 1836, achève d'intégrer Cousin dans la mouvance libérale du catholicisme français. D'ailleurs, il a terminé, à cette date, de jouer un rôle philosophique actif : il consacre ses dernières années – jusqu'à sa mort, en 1867 – à des travaux d'érudition historique sur les femmes célèbres du XVIIe siècle.

L'œuvre d'un psychologue

On s'est beaucoup moqué de l'éclectisme – cette méthode philosophique qui prétendait, en prenant le meilleur de chacune des philosophies, élaborer une synthèse idéale. Dit ainsi, le procédé paraît pour le moins brutal et, de fait, Cousin manifeste une attitude assez cavalière – ou, du moins, changeante – dans sa méthode philosophique, adaptant l'historicisme allemand – celui de Herder ou de Hegel – à son souci d'aboutir, *in fine*, à des certitudes avérées.

Mais la démarche de Cousin est pédagogique, non investigatrice : il s'agit pour lui d'ordonner en un discours clair des savoirs qui sont nouveaux pour son public et, en grande partie, pour lui-même. Son histoire de la philosophie tire sa netteté de son art de la *dispositio*, plutôt que de sa force critique : après la philosophie mondaine, voici venue celle des professeurs.

D'autre part, cette désinvolture conceptuelle a une raison proprement philosophique. Les conflits entre systèmes théoriques sont d'abord d'ordre métaphysique et reposent sur des définitions divergentes de l'être. Or, pour Cousin, le vrai problème est ailleurs, dans une prise de conscience progressive de l'esprit humain, dans ses facultés et dans les objectifs qu'il doit se fixer (le vrai, le beau, le bien). La philosophie cousinienne conduit donc à une psychologie et, corrélativement, à une réflexion morale sur l'action humaine, qui s'accorde alors le droit de regarder avec quelque distance les enjeux purement spéculatifs.

Un philosophe éloquent

Aux yeux du président du jury d'agrégation, le philosophe est un moraliste, et doit l'être d'autant plus qu'il est un enseignant, chargé de former, l'année du baccalauréat, les futures élites bourgeoises de la nation. Dans cette optique, la philosophie est la discipline majeure, située à la fin du cursus scolaire, qui permettra au sujet responsable de se penser. Ou plutôt de se dire : car Cousin est d'abord un homme éloquent, un rhéteur de la philosophie qui sait séduire un auditoire de non-spécialistes. Savoir propédeutique, l'éclectisme cousinien prépare, comme la sophistique antique dont il partage l'indifférence doctrinale, à la maîtrise de la parole – mais une maîtrise raisonnée et, contrairement à l'enseignement des sophistes, conforme aux valeurs qui assurent la stabilité de l'ordre social.

Au fond, c'est moins la pensée elle-même qui intéresse Cousin que son pouvoir d'influence, sa manière invisible de former et de guider les esprits : l'ultime message du cousinisme réside peut-être bien dans les biographies qu'il a consacrées à Mme de Longueville (1853), Mme de Sablé (1854), Mmes de Chevreuse et de Hautefort (1856), à ces médiatrices intelligentes et lucides qui préfigurent, au XVIIe siècle, le philosophe moderne.

Bibliographie

• Éditions :
Œuvres complètes, Genève, Anthropos, 1968-1971, 12 vol. – *Introduction à l'histoire de la philosophie*, P. Vermeren éd., Paris, Fayard, 1991.

• Biographie :
J. Barthélemy Saint-Hilaire, *Monsieur Victor Cousin, sa vie et sa correspondance*, 1898.

• Études d'ensemble et ouvrages de synthèse :
E. Fauquet éd., *Victor Cousin homo théologico-politicus*, Paris, Kimè, 1997. – P. Janet, *Victor Cousin et son œuvre*, 1885. – P. Vermeren, *Victor Cousin. Le jeu de la Philosophie et de l'État*, Paris, L'Harmattan, 1993. – « Victor Cousin », *Corpus*, nos 18-19, 1991.

* * *

Félicité de Lamennais (1782-1854)

Lamennais est d'abord le produit paradoxal de la rupture révolutionnaire et de la parenthèse, à la fois violente et anarchique, qu'elle représente pour ceux qui, volontaires ou contraints, sont restés en marge du mouvement général. En effet, né en 1782 à Saint-Malo, il y passe toute son enfance dans un milieu catholique et royaliste. En 1805, après une tardive première communion, il se retire à La Chênaie, une propriété familiale où il poursuit seul son éducation, se nourrissant d'une bibliothèque abondamment fournie en ouvrages théologiques. Toute sa vie, il gardera la tournure d'esprit, imprévisible et systématique jusqu'à l'excès, de l'autodidacte passionné.

Ordonné prêtre en 1816, il connaît la célébrité dès l'année suivante, lorsque paraît le premier volume de son *Essai sur l'indifférence en matière de religion* ; trois autres tomes suivront de 1820 à 1823. L'ouvrage est entièrement apologétique : Lamennais veut obliger ses contemporains à sortir de leur indifférence – le pire mal, selon lui, en matière de religion – et à prendre parti. Or, argumente-t-il, réfléchir à la religion conduit nécessairement à s'y soumettre et, plus précisément, à embrasser celle qui s'impose avec le plus d'autorité au sens commun, à savoir la religion catholique : l'autorité de l'Église est l'émanation et l'image de l'autorité divine ; son chef (le pape) est celui auquel tout croyant doit se soumettre absolument.

Cette argumentation, proche de celle d'un Joseph de Maistre, vient du sein de l'Église ; nombre de croyants s'enthousiasment devant cette renaissance de l'éloquence sacrée. Le pape reçoit Lamennais à Rome :

il aurait peut-être même envisagé de l'honorer de la dignité épiscopale. Mais le pouvoir sans partage revendiqué pour l'Église conduit à remettre en cause les autres puissances temporelles. Lamennais heurte d'abord les autorités cléricales françaises, qui voient en lui un ultramontain hostile à la vieille tradition gallicane. Il critique aussi les interventions du pouvoir civil dans le domaine religieux – donc, dans tout ce qui touche au salut des consciences : la notion est vaste…

Cette conduite pouvait conduire soit à l'intégrisme – ainsi lorsqu'il défend l'enseignement religieux contre les efforts de réglementation en matière d'instruction publique –, soit à une sorte de socialisme chrétien. Lamennais emprunte la deuxième voie, aidé par la révolution de Juillet. Entouré d'hommes progressistes comme Montalembert ou Lacordaire, il fonde le journal *L'Avenir* pour défendre ses idées : la soumission à Rome et, sur le plan national, le respect des libertés (de conscience, d'enseignement, de presse, d'association), la séparation totale de l'Église et des pouvoirs et, en conséquence, l'établissement de la République.

Cette fois, Rome ne pouvait cautionner un partisan aussi hétérodoxe. L'encyclique *Mirari vos* (1832) condamne les doctrines de *L'Avenir* ; Lamennais se retire à La Chênaie, amer et blessé dans son apostolat. La rupture est inévitable : après deux années de méditation, il fait paraître en 1834 *Paroles d'un croyant* où, dans un style qui tient à la fois de la prophétie biblique et du psaume liturgique, il réaffirme sa foi chrétienne et condamne violemment tous ceux qui, selon lui, la trahissent (les rois, les princes et la bourgeoisie, mais aussi, désormais, l'Église, qui le rejette une nouvelle fois par l'encyclique *Singulari nos*).

Lamennais prend le parti du Christ contre Rome et le clergé. Hugo fera de même dans *Les Misérables*. *Paroles d'un croyant* et, avant elles, *L'Avenir* inaugurent le vaste mouvement de christianisme social qui, à la fin du siècle, trouvera son prolongement et sa consécration avec *Le Sillon* de Marc Sangnier. Pourtant, à partir de 1834, Lamennais est un homme seul. Il continue à publier (*Le Livre du peuple*, 1837 ; *La Religion*, 1841) ; il sera, en 1848, député à l'Assemblée législative et propagera la pensée révolutionnaire dans son journal *Le Peuple constituant*. Mais son discours, empreint d'une sombre violence, prend trop souvent l'allure d'un réquisitoire désespéré ou mystique et peine à susciter les adhésions, notamment dans les milieux républicains.

Sa mort, en 1854, fut donc accueillie avec une relative indifférence. Reste cependant l'éclat extraordinaire, quoique éphémère, dont a joui sa doctrine. L'un des premiers, il s'est efforcé de dire ensemble, dans un même mouvement d'écriture, le sentiment du sacré et la considération de l'Histoire, l'émotion intérieure et la raison collective : cette étrange confrontation, chacun des grands romantiques s'est efforcé d'en fixer l'image, poétique ou philosophique.

Bibliographie

• Éditions :
Œuvres complètes, L. Le Guillou éd., Genève, Slatkine, 1981. – *Correspondance générale*, L. Le Guillou éd., Paris, A. Colin, 1971-1981, 9 vol.

• Biographie :
G. Hourdin, *Lamennais, prophète et combattant de la liberté*, Paris, Perrin, 1982.

• Études d'ensemble et ouvrages de synthèse :
L. Le Guillou, *L'Évolution de la pensée religieuse de Félicité de Lamennais*, Paris, A. Colin, 1966. – L. Le Guillou, *Lamennais*, Paris, Desclée de Brouwer, 1969.

• Sélection de travaux critiques :
J.-R. Derré, *Lamennais, ses amis et le mouvement des idées romantiques (1824-1834)*, Paris, Klincksieck, 1962. – C. Maréchal, *La Jeunesse de La Mennais, contributions à l'étude des origines du romantisme religieux en France au XIX*[e] *siècle*, Paris, Perrin, 1913.

• Périodique spécialisé :
Cahiers mennaisiens.

* * *

Joseph de Maistre (1753-1821)

Souvent signalé seulement, au passage, comme un des théoriciens de l'ultraroyalisme, Joseph de Maistre reste dédaigné par l'histoire littéraire du XIXe siècle. Celle-ci, qui s'est construite sur l'interprétation de l'événement révolutionnaire et l'émergence d'un monde nouveau, n'a su que faire de ce champion déclaré de l'intolérance et de la réaction. Quant à la IIIe République laïque, qui joua un rôle déterminant dans la constitution de notre mémoire littéraire, elle pouvait encore moins s'accommoder du théoricien, redouté ou admiré, du catholicisme traditionaliste. Ces préventions, qu'on les juge légitimes ou non, ont eu pour première conséquence de sous-estimer l'influence de Maistre et, par-delà cet auteur, d'un courant de pensée, profond et durable, dont il fut sans doute l'initiateur.

Ce n'était d'ailleurs pas tant la doctrine théologique qui retenait les lecteurs : au confluent de la franc-maçonnerie, de l'illuminisme de Saint-Martin et de l'ultramontanisme catholique, Maistre ne pouvait faire figure de référence et il n'eut guère d'autre disciple avoué que le journaliste Louis Veuillot. En revanche, il parvint à fondre dans une même coulée d'écriture la logique et la rhétorique, à utiliser contre elle-même les armes de la pensée philosophique pour exalter, *in fine*, la soumission à l'autorité et la brutalité des faits. Premier idéologue de la droite postrévolutionnaire, il montre ainsi le chemin à une longue lignée d'écrivains-polémistes qui, à chaque spasme de l'Histoire et au nom de quelque droit supérieur, ont utilisé avec une redoutable efficacité les séductions oratoires du raisonnement. On sait aussi quelle influence sur le cours des événements a pu avoir cette sophistique de la violence : elle mérite, pour cette seule raison, qu'on s'y arrête un moment.

Un homme de devoir et de convictions

Né en 1753, appartenant à l'austère et vénérable magistrature savoyarde, Joseph de Maistre n'est pas français, mais sujet francophone du roi de Sardaigne. Son éducation très religieuse ne l'empêche pas de s'intéresser aux débats philosophiques. Surtout, il est attiré par l'illuminisme, les théologiens anglais et la franc-maçonnerie d'obédience chrétienne – toutes formes de pensée qui tendent à concilier la foi religieuse et la pensée rationnelle.

En fait, c'est la Révolution qui va cristalliser sa doctrine. La Savoie est envahie en 1792 ; Maistre, cadre fidèle de cette province, doit s'enfuir à Turin, puis en Suisse. Il connaît alors des années précaires, au milieu des difficultés matérielles et des incertitudes politiques. Privé de pouvoir d'administration, c'est par la plume qu'il défend son roi. Il publie, en 1793, quatre *Lettres d'un royaliste savoyard à ses compatriotes* et surtout, en 1797, ses *Considérations sur la France*. Il y reprend avec éclat l'idée défendue par l'Irlandais Edmund Burke (*Réflexions sur la Révolution de France*, traduites en 1790) : la Révolution n'est pas une monstruosité ni un accident de l'Histoire, mais un acte de la Providence, le châtiment infligé par Dieu à une France depuis trop longtemps pécheresse.

Devenu une figure de la Contre-Révolution, Maistre est chargé de diverses responsabilités en Sardaigne, avant d'être nommé, en 1803, ambassadeur auprès d'Alexandre Ier, à Saint-Pétersbourg. Il y restera douze ans, conseillant le tsar et brillant dans les salons de l'aristocratie russe. Il travaille aussi beaucoup, lisant et écrivant inlassablement. En 1810, il publie l'*Essai sur le principe générateur des Constitutions*, où il réfute avec force le contrat social de Rousseau et toute forme de souveraineté non fondée sur l'autorité divine. Mais c'est de retour à Turin, où il est rappelé en 1815 pour avoir trop soutenu en Russie la cause des jésuites, qu'il fait paraître ses œuvres principales, alors qu'il exerce les fonctions honorifiques de ministre d'État et de grand chancelier du royaume. Dans *Du pape* (1819) et *De l'église gallicane* (1821), il défend l'autorité absolue de l'Église et la prééminence, temporelle et spirituelle, du pape pour qui il réclame l'infaillibilité, bien avant la proclamation du dogme en 1870. Enfin, son œuvre majeure (mais inachevée), *Les Soirées de Saint-Pétersbourg*, paraît en 1821, quelques mois après sa mort. Trois hommes y poursuivent onze entretiens : un sénateur de Saint-Pétersbourg, présenté comme un mystique illuministe ; un jeune émigré français, homme de saine morale et de bonne volonté ; Joseph de Maistre lui-même. Celui-ci revient sur l'idée de Providence et justifie, invoquant l'ordre universel établi par Dieu, les malheurs qui, parfois, accablent les innocents. En particulier, il remet en vigueur et généralise le vieux principe théologique de la *réversibilité*, qui permet aux bons, à l'exemple de Jésus-Christ, de souffrir et de se repentir à la place des méchants. D'autre part, le dialogue fictif qu'il institue entre le sénateur illuministe et le catholique scrupuleux qu'il veut être permet à Maistre de mettre en parallèle les deux doctrines entre lesquelles, sans doute, il n'a cessé d'hésiter.

La logique de la violence

Ce n'est pas le lieu d'examiner la théologie politique de Maistre. Celle-ci, pour l'essentiel, synthétise et systématise un certain état de la réflexion catholique, confrontée directement et à son corps défendant aux tourbillons de l'Histoire. Mais l'originalité du diplomate sarde, comparé par exemple au premier Lamennais ou à un Louis de Bonald, est de se présenter comme un écrivain et un homme de libre réflexion, non comme un théologien ou un philosophe. S'il a longuement médité et appris, c'est sur le terrain de l'écriture ou de la parole éloquente qu'il entend imposer ses convictions. Il ne veut pas être jugé comme spécialiste, mais pour son aptitude à donner voix à ce qu'il estime être la vérité. Ainsi dénie-t-il au philosophe, dans le deuxième entretien des *Soirées*, toute compétence en matière langagière : « Si le droit de créer de nouvelles expressions appartenait à quelqu'un, ce serait aux grands écrivains et non aux philosophes, qui sont sur ce point d'une rare ineptie. » La notion d'« entretien » renvoie d'ailleurs au modèle platonicien, que Maistre a voulu acclimater à l'époque moderne : « […] une conversation n'est point un livre ; peut-être même vaut-elle mieux qu'un livre, précisément parce qu'elle permet de divaguer un peu » (premier entretien). Comme Chateaubriand, il a ainsi voulu être à part entière un écrivain de la pensée, ajoutant le pouvoir de la suggestion verbale à la force persuasive de l'idée même.

À une différence de taille près : Chateaubriand s'efforce de montrer la beauté émouvante de la puissance divine. Maistre, lui, semble fasciné par la violence. Il ne suffit pas de dire, à son propos, qu'il fut un éblouissant polémiste. La polémique ne suppose que l'utilisation habile de la force expressive du langage ; en revanche, la violence est, pour Maistre, non seulement un moyen rhétorique, mais l'objet propre de sa réflexion et le point de fixation de son imaginaire : violence souveraine de Dieu, violence de la nature ou des hommes contre eux-mêmes, violence des mots et, davantage encore, de la pensée. Maistre n'est jamais si éloquent que lorsqu'il en vient, avec une joie sombre, à défendre la guerre, la charge de bourreau ou, comme dans ses *Lettres à un gentilhomme russe* (1822), la parfaite humanité de l'Inquisition. Tel fut le génie maistrien, lié, pour le meilleur ou pour le pire, à l'idéologie post-révolutionnaire : poussant jusqu'aux limites extrêmes de leur déraison ses syllogismes et ses sophismes, Joseph, frère de Xavier de Maistre – auteur de l'aimable et rêveur *Voyage autour de ma chambre* (1795) –, a pris plaisir à dévoyer la logique argumentative pour en faire l'instrument et la justification de la violence. L'humanisme s'y déguise en cruauté : sans doute est-ce pour ce paradoxe qu'il fut l'une des rares admirations avouées du sulfureux Baudelaire.

Bibliographie

• Éditions :
Œuvres complètes, Genève, Slatkine, 1979-1980. – *Considérations sur la France*, Genève, Slatkine, 1980. – *Du pape*, Genève, Droz, 1966. – *Les Soirées de Saint-Pétersbourg*, Paris, La Maisnie, 1980. – *Écrits sur la révolution*, J.-L. Darcel, Paris, PUF, 1989.

• Étude d'ensemble :
R. Triomphe, *Joseph de Maistre. Étude sur la vie et la doctrine d'un matérialiste mystique*, Genève, Droz, 1968.

• Sélection de travaux critiques :
E. M. Cioran, *Essai sur la pensée réactionnaire ; à propos de Joseph de Maistre*, Montpellier, Fata Morgana, 1977. – R. Lebrun, *J. de Maistre. An Intellectual Militant*, Kingston/Montréal, McGill-Queen's University Press, 1988.

• Périodique spécialisé :
Revue des études maistriennes.

Chapitre 4

Contestations littéraires et idéologiques : du classicisme au romantisme

Sur le long terme que privilégie la méthode historique actuelle, on peut considérer que le romantisme français de 1820 doit se comprendre au sein de la nouvelle culture européenne qui a commencé à se constituer dès le XVIIIe siècle ou, au contraire, qu'il marque, au prix de fortes ruptures liées à l'événement révolutionnaire, un pas décisif vers cette modernité dont parlera Baudelaire. Mais les contemporains, qu'ils fussent acteurs ou seulement spectateurs de cette transformation, ne disposaient pas d'une distance suffisante pour en juger ainsi. Ils voyaient se succéder les débats d'école, les contestations de la doctrine établie sans pouvoir discerner ce qui s'y jouait durablement. C'est cette histoire au jour le jour, vécue dans son épaisseur temporelle et son apparence presque journalistique, qu'il faut du moins entrevoir avant d'en venir à des observations d'une portée plus générale.

Le petit royaume des lettres

En lui-même, le caractère anecdotique, pour ainsi dire étriqué, de la chronique des lettres sous l'Empire et la Restauration est instructif. Tout se déroule en effet dans les limites d'un très petit univers. L'opinion publique est constituée par les quelques milliers de lecteurs des revues de l'époque. Dans une même ville, ces bourgeois et ces aristocrates s'observent ou se fréquentent. Avant de songer à entrer dans la carrière, les jeunes auteurs se sont fait remarquer au cours de leurs études, ont une famille connue, sont recommandés et introduits. À Paris, on se croise dans les salons, on se voit au théâtre, on discute, on fait acte d'allégeance ; il s'y respire un sentiment de proximité qui encourage les ambitions et leur permet de cheminer à travers des réseaux de sociabilité.

Ce monde est aussi très proche de la sphère du pouvoir, dont il participe toujours peu ou prou. Avant que ne se développe, sous la monarchie de Juillet, un nouveau milieu culturel centré sur le théâtre et la presse, l'interlocuteur privilégié de l'écrivain est encore l'homme politique. Aussi, dans tous les grands débats littéraires du premier tiers du siècle, les questions proprement esthétiques sont-elles déplacées sur le terrain idéologique, déformées par les conflits d'autorité qu'elles engendrent. Plus que jamais, la littérature paraît politisée, à moins que ce ne soit l'inverse : comme le noteront Balzac et Hugo, le XIXe siècle paraît continuer sur le plan culturel ce que la Révolution a commencé à la tribune des assemblées ou sur les champs de bataille. La littérature y gagne un souffle historique, mais souffre de manœuvres de cabinet, de querelles partisanes, de l'écheveau confus des ralliements et des palinodies. Dans ce décor, l'écrivain fait inévitablement figure d'ambitieux ou d'opposant.

L'Empire : le muselage des oppositions

Il en va du premier Empire comme des dictatures. Napoléon Bonaparte a progressivement acquis son autorité en s'appuyant sur divers secteurs de l'opinion, qu'il a dû se concilier ; puis, ayant conforté son pouvoir, il en a réduit l'influence et la liberté ; enfin, le déclin du régime, sensible à partir de la campagne de Russie en 1812, amène la reprise des contestations, avivées par le silence qui leur a été imposé.

La tradition philosophique

Le premier adversaire de Bonaparte fut la philosophie des Lumières, représentée par les Idéologues et Mme de Staël. Les premiers, encore récompensés et honorés, furent plus ou moins marginalisés. Mme de Staël, elle, fut une ennemie irréductible. Dès le coup d'État du 18 Brumaire, elle rassemble dans son salon les libéraux les plus influents, dont Lucien Bonaparte lui-même. Le Premier consul s'irrite très vite de ce contre-pouvoir littéraire prospérant en plein Paris. En 1800, *De la littérature* de Mme de Staël apparaît comme un long plaidoyer pour l'esprit philosophique et la littérature libre ; en 1802, son roman psychologique *Delphine* s'ouvre à la réflexion sociale et politique. Dès l'année suivante, il lui est interdit d'approcher à moins de quarante lieues de Paris : c'est l'exil, qu'elle partagera entre de longs voyages à l'étranger et son château suisse de Coppet, où elle réunit des figures brillantes de l'intelligentsia parisienne (Benjamin Constant, Schlegel, Sismondi, etc.). Elle y sera d'ailleurs assignée à résidence en 1810 et ses amis seront à leur tour victimes de mesures répressives.

La littérature de l'émigration

Pour contrebalancer cette influence, il était normal qu'un futur empereur cherchât à s'appuyer sur l'ancienne noblesse, revenue nombreuse de l'émigration dès le Directoire : il pouvait en attendre le goût de l'autorité, le sens religieux, le prestige du passé. Certains anciens émigrés, comme Fontanes ou Bonald, se retrouvèrent d'ailleurs aux premières places. Un autre a songé, au moins pendant un temps, à être le chantre du nouveau régime : en 1801, la parution d'*Atala* attire l'attention sur son auteur, François-René de Chateaubriand, qui est rayé à cette occasion de la liste des émigrés. En 1802, la vaste fresque poétique du *Génie du christianisme* paraît venir à point alors que Bonaparte tente de se concilier l'Église catholique, tandis que les libéraux et le parti philosophique s'irritent de cette vogue nouvelle pour l'irrationnel et l'effusion sensible. Son auteur, lui, commence une carrière diplomatique et part à Rome. Mais l'alliance entre un pouvoir féru d'ordre et de classicisme et une littérature mi-rêveuse mi-visionnaire, qui mélange artistiquement les charmes du passé et le pressentiment du lendemain, devait être de courte durée. En 1804, l'exécution du duc d'Enghien, après un très sommaire jugement militaire, accélère les événements : Chateaubriand démissionne et repart pour un voyage dont il tirera, en 1811, l'*Itinéraire de Paris à Jérusalem*. L'ébauche d'une sorte de romantisme impérial a tourné court.

La littérature hors de France

Les héritiers des Lumières poussent à une meilleure reconnaissance des cultures étrangères modernes ; les émigrés se sont sensibilisés aux chefs-d'œuvre anglais ou allemands. Chez les uns comme chez les autres se développe ainsi un mouvement de curiosité à l'égard de la littérature européenne, d'autant qu'il est une manière à peine déguisée d'exprimer le refus de l'impérialisme français et de sa prétention à imposer un modèle universel. Personne n'est dupe : être pour Shakespeare ou Schiller revient évidemment à prendre position contre Napoléon, qui a entrepris de conquérir une bonne part de l'Europe ; inversement, le classicisme est affaire de nationalisme. Cette circonstance explique pourquoi, au moins au début, la réflexion sur les littératures étrangères a tenu une si grande place dans les projets de renouvellement esthétique.

À partir de 1804, la revue *Archives de la littérature européenne* contribue à informer et à sensibiliser le public français. En 1809, Benjamin Constant publie à Genève *Wallstein*, tragédie imitée de Schiller, et Népomucène Lemercier fait représenter à l'Odéon *Christophe Colomb*, « comédie shakespearienne ». Mais le phénomène reste limité. Et pour cause : la critique veille et dénonce, verbeusement ou violemment, toute attaque portée contre la tradition nationale. Les critiques Geoffroy, Hoffman, puis Dussault et Auger sont, pendant l'Empire, les gardiens inlassables du dogme classique. Au milieu du désert que constitue alors la production littéraire, ils argumentent, avec une tranquille assurance, sur la supériorité française, sur la maîtrise et le raffinement de l'art national. Cet échauffement des esprits n'est d'ailleurs pas sans conséquence : à la première de *Christophe Colomb*, les spectateurs en viennent aux mains avec une telle violence que l'empoignade, selon le témoignage de Stendhal, aurait fait un mort.

Le déclin de l'Empire et le réveil des controverses (1813-1814)

Pour Napoléon, l'année 1813 marque le début de la fin, seulement retardée par quelques victoires ponctuelles qu'il ne peut plus exploiter, privé de la Grande Armée qu'il a perdue dans les neiges de Russie. En octobre 1813, il subit une défaite décisive devant Leipzig ; en décembre, le territoire national est envahi ; le 31 mars, Paris capitule ; le 11 avril, l'Empereur est contraint à l'abdication.

C'est dans ce contexte que trois ouvrages considérables viennent à nouveau opposer à la vieille tradition classique le romantisme allemand. En mai-juin 1813, Sismondi, membre de l'Académie de Genève, publie le cours qu'il a fait en 1812, sous le titre *De la littérature du midi de l'Europe*. De style pondéré et d'inspiration universitaire, il se propose, à travers un exposé historique et systématique, d'examiner la littérature du Nord et celle du Midi, il analyse les cultures étrangères – notamment celles de l'Espagne et de l'Italie – et critique les règles trop rigides du théâtre classique français.

La deuxième publication déclenche une polémique beaucoup plus ouverte. Son auteur, A. W. Schlegel, qui s'est déjà fait connaître par une *Comparaison entre la Phèdre de Racine et celle d'Euripide*, est un adversaire déclaré du classicisme et un ami de Mme de Staël. Son *Cours de littérature dramatique*, traduit de l'allemand et paru en décembre 1813, énonce avec force les principes de la poétique romantique, qui privilégie l'inspiration, l'imagination, la liberté de création, et attaque de front le système dramatique français.

Enfin, *De l'Allemagne* de Mme de Staël est publié à Londres en 1813 et à Paris en mai 1814 ; elle y adopte les thèses principales du romantisme allemand, défend elle aussi l'inspiration créatrice contre la raison et l'imitation qui prévalent chez les classiques. Cet ouvrage, connu en France après la chute de Napoléon et signé d'un de ses plus illustres opposants, provoqua des réactions contradictoires : le respect pour l'auteur s'y mêlait souvent à la méfiance qu'inspiraient encore ses idées auprès d'un public et de critiques généralement acquis, au moins par un vague sentiment de devoir, à la tradition. À la fin de l'Empire, l'idée de littérature romantique a donc droit de cité. On en discute ; on en admet l'importance. Mais le sens en est encore restreint à l'influence allemande et, secondairement, anglaise ou espagnole, à la sensibilité chrétienne et à l'évocation médiévale qui, toutes deux, s'opposent à la référence antique des classiques : on y voit une option thématique ou formelle parmi d'autres, plutôt qu'une nouvelle littérature à inventer.

Le débat romantique sous la Restauration : partis politiques et opinion publique

Un problème national

La France de 1814 sort d'un régime puissamment répressif, de décennies de guerres glorieuses mais dévastatrices ; elle est aussi un pays occupé par des armées étrangères. Le romantisme s'empêtre dans le devoir de patriotisme qui semble s'imposer dans les premières années de la Restauration. Quelle position juste adopter après la chute de Napoléon ? Le dilemme paraît insurmontable : être pour le classicisme, c'est défendre l'identité nationale mais, du même coup, adopter la ligne impériale ; accepter le romantisme est un gage d'indépendance à l'égard du régime déchu, et de servilité auprès des vainqueurs. Le débat est constamment faussé par ces considérations politiques. Alexandre Soumet, qui prend en 1814 le parti de Mme de Staël et qu'on retrouvera plus tard auprès de Victor Hugo, prend soin de répondre au grief habituel de germanophilie : « Mais que restera-t-il au talent, si l'on conteste aux âmes impérieuses le droit de se passionner pour lui ? » À l'opposé, Jay défend dans un article du *Spectateur* « l'honneur de notre littérature », mis à mal par « une conjuration formée contre les maîtres de la scène française ». En 1816, le vicomte de Saint-Chamans relance la querelle avec son pamphlet *L'Antiromantique*, où il ne s'agit pas moins que de « repousser les attaques réitérées de la secte germanique » ; il reproche aussi aux romantiques de sacrifier la recherche de la vérité aux charmes spécieux de l'éloquence. Après l'Allemagne, l'Angleterre, en 1817, on traduit les impressions sur *La France* d'une lady Morgan, qui dénonce l'ennui et l'absurdité du théâtre français : les proromantiques se réjouissent, les classiques se scandalisent.

Royalistes et libéraux

En 1818, le territoire national est libéré de toute occupation militaire, la paix est installée, le cours normal des choses a repris : on ne s'attaque donc plus aussi vigoureusement à l'intrusion des littératures étrangères. Pour autant, les débats sur le romantisme n'ont pas perdu de leur virulence idéologique et se cristallisent autour de deux nouveaux arguments. D'une part, on commence à souhaiter l'émergence d'un lyrisme personnel, d'une littérature du sentiment qui fasse une meilleure place à la sensibilité et à la subjectivité. D'autre part, le romantisme apparaît non plus comme un produit d'importation, mais au contraire comme la manifestation littéraire de l'esprit révolutionnaire, de cette fusion de la pensée et du rêve, de l'action et de la poésie qu'a permise l'esprit de 1789. La publication, en 1818, des *Considérations sur la Révolution française* de Mme de Staël contribue à cette interprétation. Nous voilà donc face à trois romantismes : l'un lié à l'Europe et au Moyen Âge, le deuxième voué à l'exploration de la sensibilité intime, le dernier tourné vers la modernité postrévolutionnaire.

Cette apparence protéiforme fait hésiter les politiques. À son origine, le romantisme français appartient à la mouvance royaliste, parce qu'il exalte le christianisme et la sensibilité, contre l'esprit rationaliste des Lumières. Mais, lorsque les écrivains romantiques commencent à s'attaquer trop évidemment à la tradition littéraire, ils suscitent la méfiance et l'hostilité de leurs premiers protecteurs. Inversement, les libéraux ont toutes les raisons de se méfier de poètes qui chantent Dieu, le trône et le sentiment lyrique ; en revanche, ils apprécieront la portée subversive d'une esthétique qui rejette, sur tous les plans, le poids des héritages littéraires et revendique le message révolutionnaire.

De Louis XVIII à Charles X

La variation des opinions suit aussi l'évolution politique de la Restauration. Louis XVIII (1814-1824) est un roi formé par le XVIIIe siècle dont on loue la conversation ironique et nuancée et qui se fie, jusqu'à un certain point, à l'esprit de conciliation et à une application raisonnée des principes monarchiques. Son royalisme tempéré a un temps l'appui des doctrinaires, qui espèrent voir triompher l'esprit assez libéral de la Charte constitutionnelle de 1814. Sa modération rejette dans l'opposition l'aile droite de ses partisans – les ultraroyalistes – et une partie de la noblesse, qui marque sa préférence pour la poésie du sentiment.

Mais, le 14 février 1820, l'assassinat du duc de Berry, neveu du roi, affaiblit considérablement les royalistes libéraux et encourage les tendances les plus réactionnaires de la vieille aristocratie. La mort de Louis XVIII, survenue le 16 septembre 1824, accélère le processus. Le nouveau roi, Charles X, est proche des ultras, a une conception rigide de la fonction royale et est décidé à placer la religion et l'Église au centre du système monarchique. Dans ce cadre étroit, les poètes romantiques, même portés par le seul désir de changer la littérature, ne peuvent trouver leur place ; la plupart amorcent un rapprochement avec les libéraux qui facilite la double émergence d'un romantisme plus turbulent et d'un discours d'opposition aux tonalités plus lyriques.

Le rôle des revues

Bien sûr, il n'existe pas encore de presse de grande diffusion ni aucune des structures de discussion et d'échange que sécrètent les États démocratiques. L'essentiel des débats se déroule par l'intermédiaire des revues : à faible tirage et parfois éphémères, elles constituent pourtant le moyen de communication le plus adapté à la structure des élites françaises sous la Restauration.

Les revues libérales, rationalistes et, pour cette raison, classiques ont le plus à redouter des vagues répressives qui se succèdent à partir de 1820. Pour leur intérêt littéraire, on peut citer parmi elles les *Lettres normandes* (1817-1820) de Léon Thiessé et *La Minerve française* (1818-1820), où se retrouvent des noms connus de la critique classique (Aignan, Jay, Jouy, Tissot...). *Le Mercure du XIX*e *siècle* (1823-1831) essaie, au contraire, d'être fidèle à un relatif éclectisme artistique, pourvu que le libéralisme politique y trouve son compte.

Du côté romantique, l'intérêt des ultras pour la nouvelle sensibilité littéraire se manifeste dans les *Lettres champenoises* (1817-1825) de Mély-Janin. Mais bien plus influentes sont les *Annales de la littérature et des arts*, émanation de la très aristocratique Société des Bonnes-Lettres. On sait en outre que Victor Hugo a lancé sa jeune carrière en s'aidant du journalisme. Avec ses frères Abel et Eugène, il fonde *Le Conservateur littéraire* qui, à côté du *Conservateur* ultraroyaliste de Chateaubriand, veut « propager le royalisme et convertir aux saines doctrines de généreux caractères ». Le titre disparaît en 1821, mais Hugo s'associe avec Émile Deschamps et d'autres royalistes pour lancer, en 1823, *La Muse française*, organe d'un romantisme désormais plus assuré.

Enfin, un journal appartenant à la mouvance des doctrinaires a prêté attention au romantisme et, par là même, a encouragé son cheminement vers la doctrine libérale. Il s'agit du *Globe*, créé en 1824 sous la direction de Dubois, jeune universitaire exclu de l'enseignement. Sainte-Beuve y fait ses premiers pas de journaliste ; au sein de la rédaction, Charles de Rémusat fait figure de théoricien politique et de critique littéraire.

Les balbutiements romantiques autour de 1820

Groupuscules littéraires

À leurs tout débuts, ceux qui apparaîtront comme les rénovateurs de la poésie ne sont que des groupes d'amis peu nombreux, souvent inexpérimentés, somme toute plus soucieux de se faire connaître que déterminés dans leurs choix esthétiques. Nous avons déjà rencontré les frères Hugo, qui ont agrégé autour du *Conservateur littéraire* quelques rédacteurs. Du côté de Toulouse, l'Académie des jeux floraux, où Victor Hugo concourt en 1819, fait se rencontrer de futurs sympathisants du romantisme : Jules de Rességuier, Alexandre Soumet, Alexandre Guiraud. Mais le vrai fédérateur est pour tous Émile Deschamps, qui tient salon à Paris, rue Saint-Florentin : c'est lui qui met en contact Henri de Latouche, Soumet, Guiraud, mais aussi Hugo et Vigny.

Premiers événements poétiques

En 1819, l'édition par Latouche des textes de Chénier marque le début des initiatives romantiques ; mais les poèmes sont trop anciens, trop hétérogènes de style et d'inspiration pour permettre une interprétation littéraire claire. Il faut une œuvre nouvelle : ce seront les *Méditations* de Lamartine, l'année suivante. L'accueil fait au recueil est enthousiaste, d'autant que son auteur est de très bonne souche aristocratique. Comme on peut s'y attendre, le mélange qu'on y trouve de sentimentalité et de métaphysique irrite les libéraux. Ainsi que l'écrit Dupaty dans *La Minerve littéraire* : « Pourquoi s'attacher à ne rien dire comme tout le monde, faire des idées les plus communes des énigmes inintelligibles, les envelopper, pour déguiser leur nullité, de nuages métaphysiques, de vapeurs mystiques et de brouillards mélancoliques ? » Stendhal ne dirait pas autrement. Pourtant, Lamartine n'appartient pas et n'appartiendra jamais au groupe romantique : il s'intéresse peu aux questions purement formelles et reste à distance du royalisme militant qui prévaut chez les amis de Deschamps. Ceux-ci n'ont d'ailleurs encore qu'une audience limitée. La parution des *Poèmes* de Vigny, en mars 1822, passe à peu près inaperçue ; celle des *Odes* de Hugo, deux mois après, n'est guère plus heureuse, malgré la faveur appuyée de l'aristocratie et du roi.

Le théâtre

C'est en fait au théâtre que se passent les événements les plus remarqués. Après l'accueil très politique fait, en 1819, aux tragédies historiques d'Ancelot et de Delavigne (*cf.* p. 92), l'année 1820 est marquée par la représentation très agitée de la *Marie Stuart* de Schiller, adaptée par le libéral Pierre Lebrun. La pièce est un succès et occasionne l'un de ces longs débats de presse dont la chronique dramatique offrira encore bien des exemples. En l'occurrence, la position personnelle de Lebrun lui permet de rallier les suffrages des romantiques comme ceux des libéraux. Une troupe anglaise, venue jouer du Shakespeare au théâtre Saint-Martin, a moins de chance en 1822. Dès les premières représentations, les acteurs sont injuriés et molestés ; le spectacle doit finalement être suspendu. Mais cette bouffée de violence nationaliste vise la patrie de Wellington, le vainqueur de Waterloo, plutôt que celle de Shakespeare. Au même moment, l'éditeur Ladvocat lance avec succès sa collection des « Chefs-d'œuvre du théâtre étranger », qui permet de faire connaître au public français les textes traduits des plus grands auteurs allemands, anglais, espagnols. Toujours en 1822, deux pièces d'auteurs appartenant au groupe Deschamps contribuent à animer la querelle littéraire, *Les Macchabées* de Guiraud et *Clytemnestre* de Soumet.

La vogue romantique

L'anglomanie

Pendant que les porte-parole des différentes tendances échangent leurs arguments dans les revues, le goût du public évolue et commence à adopter la mode romantique. On le voit, d'abord, à l'anglomanie qui déferle. On se laisse fasciner par les *lords* et les *ladies*, le *fashionable* et les *dandies*. On lit aussi les auteurs britanniques. Les romans historiques de Walter Scott, qui connaissent un succès extraordinaire, popularisent le goût pour l'histoire et la dramatisation très expressive du récit : pour ces raisons, ils influenceront en profondeur les romantiques français. En 1819 paraît aussi la traduction d'une nouvelle attribuée à Byron, *Le Vampire* : le vampirisme est lancé, et on en retrouvera la trace jusque dans *Les Fleurs du mal*. Sous le regard intéressé de Nodier, les lecteurs français sont séduits par l'attirail étranger, à la fois pittoresque et surnaturel, du fantastique et de ce qu'on appela le « romantisme frénétique ».

Le romantisme dans le roman

Subrepticement, le romantisme réussit là où on l'attendait moins, par le roman ; grâce à lui, ce n'est plus seulement un lieu commun journalistique mais un vrai phénomène culturel, capable d'atteindre un public nombreux et moins exclusivement parisien. Victor Hugo l'a sans doute compris – et, jeune marié, il a besoin de quelque argent – lorsqu'il publie, en 1823, le très frénétique *Han d'Islande*. Nodier, pourtant l'allié de la nouvelle sensibilité littéraire, parle à son propos des « jeux barbares d'une imagination malade » et Léon Thiessé y voit les « tourments d'un long cauchemar ». Obscurément, on pressent peut-être que le romantisme a trouvé son terrain le plus fertile : après s'être essayé à la philosophie et à la poésie, le débutant Honoré de Balzac décide vers la même époque de songer au roman.

1824

L'ampleur des progrès romantiques appelle une réponse des classiques. L'Académie française s'en charge, à l'occasion – très solennelle et spectaculaire – de sa séance publique annuelle. L'ultra Auger s'en prend avec rudesse aux modèles étrangers, à l'absence de raison, à la poétique barbare. Émile Deschamps répond et prend nettement le parti de l'inspiration et du sentiment. C'est décidément le temps des choix et des ruptures : Soumet, qui brigue un fauteuil à l'Académie, rejoint opportunément la cause des classiques et provoque la disparition de *La Muse française*.

Mais d'autres événements préparent l'avenir : le royaliste romantique Nodier est nommé bibliothécaire à l'Arsenal et y organise de brillantes soirées où il rassemble artistes et intellectuels, romantiques et classiques, écrivains célèbres et débutants. Il apporte au romantisme l'assise mondaine et amicale qui lui manque encore.

Le romantisme triomphant

La conquête de l'indépendance politique

Les romantiques de 1820 restent, pour la plupart, attachés à la cause royaliste, et le sacre de Charles X (1825), auquel assistent Hugo et Nodier, fournit l'occasion de resserrer les liens avec le trône. Pour peu de temps seulement : l'entreprise de rénovation esthétique conduit presque inéluctablement à leur relâchement et provoque aussi des ruptures dans le camp des romantiques dont les plus tièdes ou les plus conservateurs rallient les rangs des classiques.

À l'opposé, les libéraux manifestent un intérêt croissant pour ces efforts artistiques ; *Le Globe*, malgré son inspiration politique et philosophique, y consacre de longs articles. En mai 1825, un jeune auteur illustre avec brio la conception stendhalienne d'un théâtre moderne : *Le Théâtre de Clara Gazul* de Mérimée n'est pas joué mais bénéficie d'une presse élogieuse. Quelques semaines après, les classiques perdent un de leurs bastions lorsque le baron Taylor, ami des romantiques, est nommé commissaire royal de la Comédie-Française : son rôle sera décisif pour imposer aux censeurs et aux acteurs les premiers drames romantiques et pour les sortir du Boulevard où ils étaient confinés jusque-là.

Le romantisme étend aussi son audience auprès des lecteurs de romans. Avec *Cinq-Mars*, qui raconte l'histoire romancée d'une conspiration sous Louis XIII, Vigny se met à son tour à l'école de Walter Scott. Publiant *Bug-Jargal* (janvier 1826), Hugo persiste dans son esthétique expressive jusqu'à l'outrance, inspirée à la fois par le roman noir, le mélodrame et la littérature frénétique : il n'est apparemment pas décidé à donner des gages aux romantiques modérés, qui vont peu à peu s'éloigner de lui.

À cause de la stature de chef d'école qui sera bientôt la sienne, l'évolution personnelle de Hugo participe de l'histoire collective du romantisme. Préfaçant en 1826 la troisième édition des *Odes et Ballades*, il prend position, bien plus nettement qu'il ne l'a fait jusqu'alors, pour la liberté créatrice et contre toutes les prescriptions, d'où qu'elles viennent. Il a désormais les ressources et l'autorité suffisantes pour recevoir chez lui, rue de Vaugirard puis rue Notre-Dame-des-Champs. Mais, à la différence de Nodier, il rassemble essentiellement des jeunes gens – étudiants, poètes, artistes –, qui lui apportent leur faculté d'admiration, leur fougue, mais aussi leurs préoccupations, moins vaporeuses que celles de 1820. Le groupe des hugoliens, constitué alors en « Cénacle », acquiert une force contestataire et mobilisatrice qui assurera le succès d'*Hernani* et pousse le jeune maître à de nouvelles audaces.

L'affirmation de la doctrine poétique

Désormais, les romantiques savent ce qu'ils veulent faire et osent le dire. *Cromwell* et sa préface, publiés en décembre 1827, développent un ambitieux programme qui a valeur de manifeste. En 1828, c'est au tour d'Émile Deschamps de rassembler, en tête de ses *Études françaises et étrangères*, ses conceptions sur la littérature nouvelle. Les deux auteurs ne répondent plus à des attaques de circonstance ni ne cherchent à obtenir l'approbation de leurs critiques. La confiance et les certitudes qu'ils ont acquises leur permettent de proposer un vaste panorama historique proche des visions synthétiques de la pensée allemande et où le romantisme vient trouver sa place dans le cadre d'une modernité précisément caractérisée. De plus, ils tirent de leurs principes des conséquences esthétiques concrètes, autant pour la poésie que pour la scène.

Reste la question politique. Sans doute y a-t-il toujours, au sein du romantisme, des royalistes et des libéraux. Mais les poètes, bien avant la génération de 1840, commencent à revendiquer l'autonomie pour l'écrivain, son droit à se fixer ses fins et à traiter la forme poétique comme un pur matériau artistique. À ce titre, la parution des *Orientales*, en janvier 1829, apparaît comme une magnifique provocation : leur succès est brillant mais scandalise les critiques libéraux, pour qui « le monde intellectuel, le monde des idées existe à peine pour M. Hugo » (Guizard). Il est vrai que, aussitôt après, Hugo prouve le contraire avec *Le Dernier Jour d'un condamné*. Mais la suprême inconvenance sera, un an après les *Orientales*, l'œuvre décousue, bavarde et jubilatoire du tout jeune Musset (*Contes d'Espagne et d'Italie*) qui paraît avoir atteint d'emblée les limites, charmeuses et fantaisistes, de l'incohérence : autre succès, autre scandale.

La bataille théâtrale

Il faut, aussi et surtout, gagner à la scène. Persévérant, le théâtre de la Porte-Saint-Martin fait à nouveau représenter en 1826, en anglais et par des acteurs anglais, les pièces les plus célèbres de Shakespeare, effaçant le désastre de 1822. En 1828, Hugo fait à son tour l'épreuve de la scène avec *Amy Robsart*, une pièce qu'il a écrite avec son beau-frère Paul Foucher, mais qui tombe après quelques représentations à l'Odéon. Le premier succès sera, en février 1829, celui d'*Henri III et sa cour* d'Alexandre Dumas ; son talent théâtral, proche de la comédie et du mélodrame, offrait de plus immédiates séductions, quoique la pièce fût en prose et l'histoire assez mal traitée selon la critique qui, il est vrai, ressert l'argument contre tous les drames romantiques.

Le moment semble venu pour Hugo, qui se dépêche d'écrire *Marion Delorme*. Mais le portrait du roi y est peu flatteur et la pièce est interdite. L'ambiance est alors de plus en plus enfiévrée. Les jeunes partisans de Hugo manifestent avec une ardeur croissante leur impatiente admiration. Henri de Latouche, romantique libéral, dénonce dans un article très vigoureux de la *Revue de Paris* la « camaraderie littéraire » et le culte rendu au chef du Cénacle. Dans le même temps, Paris est bruissant de l'écho des crises ministérielles, des rumeurs de révolte ou de coup d'État, des querelles de la Cour.

Assez paradoxalement, c'est le légitimiste Vigny qui prépare le terrain à la victoire. Sa traduction de l'*Othello* de Shakespeare, jouée à la Comédie-Française le 24 octobre 1829, lui vaut de nombreuses approbations, sinon un très grand succès public ; en revanche, il provoque l'irritation des classiques, notamment pour avoir osé faire prononcer le mot « mouchoir ». Le vrai scandale – donc le vrai triomphe – revient à Hugo et à son drame *Hernani*, achevé dès octobre 1829 ; les censeurs n'ont pas cette fois interdit la pièce, parce que, prétextent-ils, « il est bon que le public voie jusqu'à quel point d'égarement peut aller l'esprit humain affranchi de toute règle ». Les péripéties même de la bataille d'Hernani sont connues. Plusieurs semaines à l'avance, il se murmure qu'un événement se prépare. Hugo redoute les manœuvres des classiques et la trahison de la claque, qui est habituellement rémunérée pour aider au succès, à l'occasion des premières ; à sa place, il trouve des claqueurs amateurs parmi la jeunesse du Quartier latin et des ateliers d'artiste. La représentation a lieu le 25 février 1830. Théophile Gautier y trône avec son gilet rouge (ou rose) ; la soirée est houleuse mais les romantiques l'emportent aux acclamations. En termes divers, la critique reconnaît l'importance de la pièce et le public suit. Mais, la littérature s'efface devant l'Histoire. Le 25 juillet, Charles X signe quatre ordonnances liberticides ; le 27, les combats de rue commencent dans Paris et la contestation passe du théâtre à la vie réelle. Le 29, Charles X abdique et, le 7 août, Louis-Philippe d'Orléans, malgré les efforts des républicains, accepte le titre de « roi des Français » que lui offrent les deux chambres réunies.

Chapitre 5

Le renouveau poétique

L'homme du XIXe siècle, encore sous le choc de la Révolution et de son cortège de violences civiles et de guerres extérieures, éprouve le besoin de comprendre le monde dans lequel il se débat, de donner un sens à la succession des événements passés ou présents, publics ou privés. On admet donc sans peine que son siècle ait été celui de l'histoire ou, sur le versant de la fiction, celui du roman. En revanche, il est surprenant de constater que, pour ainsi dire à contre-courant, le XIXe siècle fut aussi celui de la poésie, léguant à la création contemporaine toutes ses figures tutélaires, de Hugo à Rimbaud, de Vigny à Mallarmé.

Le XIXe siècle et la poésie

Poésie et marginalité

Au demeurant, c'est aussi parce que l'époque se prêtait peu à la poésie qu'elle lui fut finalement propice. Nous entrons en effet dans l'ère des avant-gardes, même si le terme, appliqué à la littérature, apparaît plus tardivement. Avant lui, on a parlé successivement de cénacle, de mouvement, d'école, de poètes maudits ; mais le phénomène reste à peu près identique sous ses différents vocables et caractérise le siècle. Comme on a commencé à le voir, celui-ci est marqué par l'instauration d'une culture médiatique, c'est-à-dire d'un système social où la force contraignante des médiations se substitue à la logique de la production intellectuelle ou artistique. Or, plus cette culture, marquée alors par le triomphe du livre imprimé puis du journal, paraît l'emporter, plus l'invention littéraire prend appui contre elle et acquiert l'apparence d'une contre-culture.

Encore faut-il, cependant, que cette culture médiatique semble assez récente et illégitime pour ne pas s'imposer de façon exclusive, mais laisser la place à des initiatives réellement déviantes. Cette période intermédiaire, hésitant entre Belles Lettres traditionnelles et modernité culturelle, s'achève sans doute autour de la Première Guerre mondiale ; le mouvement surréaliste constitue peut-être, à cet égard, le dernier moment d'un épisode privilégié de l'histoire littéraire française.

Le XIXe siècle n'est donc pas histoire ou nature, roman ou poésie mais, structurellement et dialectiquement unis, histoire *vs* nature, roman *vs* poésie. Bien sûr, chaque lecteur et chaque spécialiste se construit son propre XIXe siècle, selon ses dilections et ses dégoûts. Cependant, il doit prendre garde que sa vision partielle préserve la trace de tout ce qu'elle laisse dans ses marges et, en particulier, qu'elle laisse sa place, parfois souterraine mais toujours immense et continue, à la poésie.

Le romantisme en poésie, ou le triomphe du vers

Il est tentant de se représenter, de Lamartine à Baudelaire, puis de Baudelaire à Rimbaud ou à Mallarmé voire jusqu'aux surréalistes, une évolution, tendancielle sinon régulière, menant à la libération du vers, d'un vers progressivement débarrassé des oripeaux classiques. Suivant ce schéma, les œuvres du premier tiers du siècle, qui nous intéressent dans ce chapitre, auraient à peine commencé cette mue, malgré les déclarations d'intention des poètes romantiques : au fond, ceux-ci n'auraient pas conformé leurs actes à leurs programmes et auraient mené avec une timidité excessive le travail de sape auquel il convenait de soumettre la poétique et la métrique traditionnelles.

Historiquement, rien n'est plus faux. Au début du XIXe siècle, le vers régulier est déjà moribond et les poètes impériaux ne font qu'aggraver la situation. S'il est toujours des auteurs pour rimer des vers, on ne croit plus guère aux capacités du genre, à son pouvoir d'évocation – peut-être même à son sérieux. Pourtant, Lamartine, Vigny, Hugo furent des poètes : malgré le succès des proses poétiques – celles, déjà, de Rousseau, de Bernardin de Saint-Pierre, de Chateaubriand –, le premier mérite de la génération romantique fut, autour de 1820, de ressusciter le vers, de croire en la singularité du rythme poétique dont les vertus paraissaient si usées. Conscients, notamment dans le domaine théâtral, qu'une lutte décisive se jouait entre la prose et la poésie, ces auteurs ont pris le parti de cette dernière, jugeant que la pratique du vers régulier assurerait la pérennité de l'*esthétique* littéraire et que le maintien de la contrainte formelle suppléerait à la reconnaissance claire et universelle du Beau.

En ce sens, les romantiques dominent leur siècle. Régénérant la poésie syllabique, ils redonnent sens au rythme, chair à la parole du poète. Contre le développement de l'imprimé, ils rappellent que la littérature est, d'abord, un Verbe en acte. À ce titre – parce qu'ils ont servi la poésie régulière et non pour les quelques entorses qu'ils lui ont faites –, ils permettent et annoncent les innovations de leurs successeurs : le vers-librisme lui-même s'abstiendra du compte syllabique parce qu'il aura appris du romantisme à disséminer le rythme dans la totalité du matériau poétique.

Mais, en matière littéraire, rien n'est totalement nouveau. L'irruption du mouvement romantique résulte de la conjonction rare entre les rythmes lents de l'évolution culturelle et l'histoire récente de la France. Il est indéniable que l'émotion devant le spectacle naturel, le goût pour l'introspection sentimentale, l'exacerbation de la sensibilité sont hérités du XVIIIe siècle. Cette face intime du romantisme est ancienne et liée à des changements profonds de la mentalité européenne ; mais elle s'était exprimée sous forme de rêveries, de confessions, de romans, de proses diverses à forte dominante autobiographique. Brutalement, cette exploration du moi sensible a été perturbée en France par l'irruption la plus violente du fait collectif, la Révolution. Requise par les événements, l'écriture s'est faite discours, appel au peuple, proclamation – dans tous les cas, acte *public* visant la communauté des hommes. Né de cette circonstance qui le distingue fondamentalement de ses homologues européens, le romantisme français porte en lui la volonté utopique de concilier l'intimité du *je*, gage de sincérité, et l'universalité du public, qui confère à l'œuvre littéraire son sens historique. De là sa prédilection pour le vers qui sacralise l'éloquence profane de l'écrivain et sa façon, irrépressible et reconnaissable, d'infléchir le lyrisme personnel vers la forme épique : à l'aube de l'époque moderne, la poésie se présente comme la première réponse à cette dialectique nouvelle de l'un et du multiple.

Permanences et traditions

La poésie et son public

À lire la masse des vers péniblement rimés qui encombrent la plupart des recueils poétiques, on a du mal à comprendre la patience du public ou l'obstination des auteurs. C'est que cette poésie versifiée, où l'usage des figures et des rythmes est rigoureusement prescrit, n'appartient plus à notre culture familière. L'enfant de 1800, lui, était nourri de poésie. Non seulement le ressassement des grands modèles littéraires tenait lieu de formation linguistique, mais encore, au sein de la littérature, la lecture des poètes formait prioritairement à la maîtrise de la rhétorique. Les poètes français que les collégiens ou les lycéens étudiaient dans les classes étaient les classiques : La Fontaine pour la morale, Boileau pour l'*Art poétique* et, surtout, les dramaturges du XVIIe siècle (Corneille, Molière, Racine) qui présentaient l'insigne avantage de former également à l'éloquence délibérative et au maniement des tropes. Mais, avant même les auteurs français, ils étudiaient, admiraient et imitaient ceux de la Rome antique dans des exercices de vers latins où, suivant tous les témoignages, la part de l'invention était négligeable. En fait, il s'agissait de coller bout à bout des morceaux de vers trouvés dans des sortes de dictionnaires composés expressément à cet usage, les *Gradus ad Parnassum*. Voici, par exemple, en quels termes Stendhal parle de cet apprentissage, qui lui laissera le dégoût définitif de toute poésie et de tout effet artificiel d'éloquence : « Pour développer en moi le génie poétique, M. Durand apporta un grand in-12 dont la reliure noire était horriblement grasse et sale [...]. Ce volume contenait le poème d'un jésuite sur une mouche qui se noie dans une jatte de lait. [...] On me dictait ces vers en supprimant les épithètes, par exemple :

Musca (épit.) *duxerit annos* (ép.) *multos* (synonyme).

J'ouvrais le *Gradus ad Parnassum*, je lisais toutes les épithètes de la mouche : *volucris, acris, nigra*, et je choisissais, pour faire la mesure de mes hexamètres » (*Vie de Henry Brulard*).

La poésie est donc une excroissance de l'école : on le vérifie aussi au nombre de poètes-professeurs, qui mettent en application dans leurs œuvres les préceptes qu'ils enseignent ; celles-ci en retirent sans doute cet air d'application, ce ton à la fois solennel et policé qui lassent aujourd'hui. Chez tous – auteurs ou lecteurs –, on imagine aisément que cette formation précoce a inculqué des réflexes indélébiles dans la façon d'assembler les vers, de se fier à des régularités de rythme pour ainsi dire mécaniques, enfin de les écouter avec le plaisir que sont censés procurer, auprès d'un public cultivé, une noble déclamation et un style élevé.

Ce public ne discute pas non plus la hiérarchie des genres, fixée depuis l'Antiquité. Au sommet, l'épopée ; puis la poésie dramatique, tragique ou comique, et les genres graves de moindre importance (l'ode et la poésie didactique) ; enfin, les diverses catégories du lyrisme (élégie, églogue), les vers de circonstance (madrigal, épigramme) et les formes fixes (sonnet, rondeau, ballade, etc.). Plus un genre est élevé, plus il est strictement codifié : suivant cette regrettable logique, les poètes les plus ambitieux sont donc ceux dont la liberté de création est aussi la plus limitée. Sur ce point, l'une des initiatives heureuses des romantiques sera de privilégier l'élégie, réputée mineure, et de se ménager ainsi, vis-vis de la critique, un espace d'invention formelle.

Quant aux thèmes, les lecteurs sont d'autant plus bienveillants à l'égard de la poésie qu'ils en attendent peu. Hormis la parenthèse révolutionnaire, la littérature est soumise à la censure morale (le respect des bienséances) et à la répression politique. Aussi la poésie est-elle vouée, par nécessité autant que par destination naturelle, à la description embellissante, à la futilité et, surtout, à l'éloge : elle assemble, de manière aussi habile que possible, les *lieux communs* (*topoï*) dont les traités scolaires fournissent les listes et elle les rythme au moyen de la métrique.

Or, le patron métrique de la poésie française, constitué par le syllabisme et la rime, est familier à chacun, toutes classes confondues. Alors que le code des figures nécessite un long apprentissage, auquel sont naturellement attachés les gens de lettres et les professeurs, la chanson ne cesse d'étendre l'usage de la parole rythmée et manifeste la popularité réelle d'une poésie plus ou moins spontanée, très éloignée de celle dont les histoires littéraires témoignent. De fait, c'est sous l'Empire qu'apparurent les premières *goguettes*, sociétés chantantes qui, surtout à partir de la Restauration, contribuèrent à la diffusion des idées républicaines et à l'ambiance de joyeuse contestation qui présida aux journées de juillet 1830. Pour la postérité, Béranger illustre à lui seul la vitalité du genre. Après des essais dramatiques et poétiques infructueux sous Napoléon Ier, il publie son premier recueil de *Chansons* en 1815 et y exploite les deux veines qui feront son succès : la grivoiserie et le bonapartisme d'opposition. Ses deux condamnations, en 1821 et en 1828, en feront un extraordinaire symbole politique et lui vaudront d'être reconnu comme un égal par les plus grands poètes romantiques, qui appréciaient, du moins, la fière allure de ses couplets.

Au demeurant, poèmes et chansons sont faits pour être écoutés plutôt que pour être parcourus des yeux. Avant l'impression en recueil, ils sont déclamés ou chantés. Leur succès tient alors à des rimes heureuses, un rythme soutenu, une tonalité diffuse que ne restitue jamais totalement la lecture silencieuse. Pour l'auteur-récitant, il y a là un plaisir musculaire résultant de la tension de la voix et de la diction qui porte les mots quels qu'ils soient. Il faut s'efforcer d'imaginer ce phénomène difficilement analysable, si l'on veut rendre justice à ce qu'on a trop vite qualifié de « vers de mirliton ».

Une relation ambiguë à la tradition classique

Le poids très lourd de ces diverses traditions conduit à considérer avec prudence la question du classicisme. En réalité, celle-ci s'était posée très vite, bien avant le romantisme. Si l'on s'accordait unanimement à reconnaître la prééminence des auteurs consacrés du XVIIe siècle, on mesurait aussi le risque que faisait courir une excessive révérence. Le principal suspect était le vers, accusé de réduire l'art poétique à une médiocre technique de versification. La deuxième cible était le code des figures, qui aboutissait à l'abus de la périphrase, à l'emploi systématique du style noble et, enfin, à une conception purement décorative de la beauté littéraire. Dès 1715, Fénelon avait préconisé la prose, mais une prose à laquelle on autoriserait toutes les ressources de l'image. On connaît aussi la formule de Diderot, devenue célèbre pour ses allures prophétiques : « La poésie veut quelque chose d'énorme, de barbare et de sauvage [...]. Quand verra-t-on naître des poètes ? Ce sera après les temps de désastre et de grands malheurs, lorsque les peuples harassés commenceront à respirer. »

La poésie regarde alors dans les deux directions qu'empruntera le romantisme. D'une part, s'éloignant aussi bien de l'épopée que du bavardage mondain qui constitue l'essentiel des vers de circonstance, elle cherche à se ressourcer dans l'art de la description, qui permet de faire voir les choses, d'émouvoir le lecteur en lui présentant l'apparence, exacte ou embellie, du réel et, en conséquence, de s'échapper du cercle stérile de la rhétorique. Delille, traducteur des *Géorgiques* de Virgile (1769), fut le théoricien et le praticien de cette poésie descriptive. Devançant Victor Hugo, il se proposa de démocratiser le vocabulaire poétique : « Les préjugés ont avili les mots comme les hommes, et il y a eu, pour ainsi dire, des termes nobles et des termes roturiers. » D'autre part, le domaine du sentiment personnel et de la passion intime est largement exploité par l'élégie, qui connaît un remarquable essor à partir des années 1770. La fin tragique de Chénier, guillotiné sous la Révolution française, lui conférera sous la Restauration un prestige exceptionnel, mais le maître incontesté du genre reste, pour le XVIIIe siècle, Parny dont les *Poésies érotiques* (1778) fournissent pour longtemps le modèle de la plainte amoureuse.

Il n'empêche que Delille et Parny, parmi les premiers, servirent de repoussoirs et de boucs émissaires aux poètes de 1820. Le désaccord ne portait pas sur les principes déclarés, mais sur leur mise en œuvre. La vérité est que tous ces poètes de transition, même s'ils prétendaient rompre avec un certain héritage du passé, n'en continuaient pas moins, pour ainsi dire involontairement, à appliquer les mêmes vieilles recettes. Car ces vieilleries ne manquaient pas de charme pour qui s'y était tôt accoutumé et, plus radicalement encore, il ne semblait pas possible d'imaginer un autre univers poétique : métaphores, périphrases, euphémismes, apostrophes, mythologismes, allégories formaient comme un second langage qui, s'interposant entre le poète et la réalité, finissait par constituer un cadre factice dont l'irréalité même devenait séduisante : à force de comparer le soleil à Phoebus, on finissait par devoir penser à Phoebus pour s'émouvoir au spectacle de la lumière naturelle. Cette confusion, acquise puis cultivée, entre la nature et l'artifice, le littéral et le figuré, explique en grande part la pérennité des procédés classiques, puis leur résurgence chaque fois que, au cours du XIXe siècle, l'innovation poétique paraît faire long feu.

Aussi fallait-il la conjonction de nombreuses circonstances pour que la poétique du vers changeât sensiblement sous la Restauration. Mais, avant tout, l'impulsion décisive est venue d'un mouvement salutaire de rejet à l'égard de la régression poétique dont le premier Empire avait menacé autoritairement la littérature française.

Les poètes impériaux

On a eu raison de souligner que les jeunes ambitieux qui feraient, une génération après, les Balzac ou les Hugo, étaient occupés, sous Napoléon Ier, à conquérir leurs galons sur les champs de bataille ou, plus souvent, dans la haute administration française : il restait pour la littérature des hommes studieux ou laborieusement arrivistes. Mais, de surcroît, à cause des choix personnels de l'Empereur, le pire est presque toujours advenu pour la poésie.

Par goût, Napoléon a marqué sa faveur pour les formes les plus figées de la rhétorique et a favorisé un néoclassicisme impérial dont le peintre David offrait l'équivalent plastique. Les gloires de l'Ancien Régime connurent ainsi une vieillesse honorée. Delille adapta *Les Géorgiques* (*L'Homme des champs*, 1802) et traduisit *L'Énéide* (1804) ; on compte aussi, parmi ses dernières œuvres de longue haleine, deux poèmes philosophiques (*L'Imagination*, 1806 ; *Les Trois Règnes de la nature*, 1809). Cet infatigable versificateur mourut, en 1813, avec tout le prestige d'un poète national. Sans jouir d'une telle réputation, Parny fut néanmoins nommé à l'Institut en 1803 ; c'est aussi à la protection du régime que le vieil Écouchard-Lebrun, surnommé Lebrun-Pindare (1729-1807), dut d'appartenir à l'Académie et d'échapper au dénuement.

En outre, par conviction philosophique et rationaliste, Napoléon a privilégié la poésie didactique ou argumentative, au détriment de la littérature du sentiment. Il encouragea ainsi de pénibles exercices de versification, qui firent le renom d'auteurs à peu près oubliés aujourd'hui. Outre ses tragédies, Népomucène Lemercier publia, en 1812, *L'Atlantide ou la Théologie newtonienne* ; Chênedollé disserta en 1807 sur *Le Génie de l'homme*. Quant à Gabriel Legouvé, il conclut son poème sur *Le Mérite des femmes* par un de ces vers qui faisaient jadis le bonheur des potaches :

« Tombe aux pieds de ce sexe à qui tu dois ta mère. »

Enfin, comme aux pires moments du règne de Louis XIV, la dictature militaire faisait proliférer une poésie courtisane dont les allures faussement martiales achevaient de déconsidérer l'épopée. Pierre-Antoine Lebrun, entrant brillamment dans la carrière, rima une *Ode à la Grande Armée* et Cauchy un *Dithyrambe sur la bataille d'Austerlitz*. Exercices d'école plutôt que d'éloquence, ces compositions noyaient dans d'interminables longueurs quelques trouvailles de versification et n'offraient plus que le pâle reflet des grands chants révolutionnaires. Par une sorte de patriotisme inopportun, le pouvoir tenait d'autant plus à cette poésie laborieuse, stricte et sans état d'âme, qu'elle devait figurer aux yeux des ennemis coalisés, au-delà des champs de bataille, la supériorité française, faite de clarté, de rigueur et de raison. Il était normal, dans ces conditions, que l'innovation vînt de l'étranger.

Influences étrangères

En matière littéraire, la connaissance effective de langues et d'œuvres étrangères n'explique pas seule le jeu des influences. Un mythe culturel – celui de Shakespeare ou de Dante, par exemple – peut jouer un rôle déterminant par les seules images qu'il suscite, et ce faisceau d'impressions, aussi imprécises ou erronées soient-elles, suffit à structurer en profondeur l'imaginaire d'un poète. Pour beaucoup, les littératures étrangères se limitent à des noms d'auteurs et d'œuvres entourés d'une aura prestigieuse dont l'influence, parfois d'ordre fantasmatique, n'en est pas moins très tangible.

D'ailleurs, ainsi que nous le rappelle le *William Shakespeare* de Hugo ou « Les Phares » de Baudelaire, le XIXe siècle a l'habitude, à cause de la tradition scolaire des *exempla*, de focaliser son attention sur les grands hommes et les génies. Il continue à révérer le panthéon antique (Homère, Virgile, Horace, Ovide…) ; mais, en concurrence avec ce dernier, apparaît alors une ébauche de « littérature mondiale », ou plutôt européenne : Dante et Manzoni pour l'Italie, Cervantès et Calderon pour l'Espagne, Goethe pour l'Allemagne, Shakespeare et Byron pour l'Angleterre.

Il est vrai que, dès le XVIIIe siècle, les échanges culturels s'étaient intensifiés d'un pays à l'autre, au-delà de l'univers des érudits et des savants ; mais le phénomène restait encore limité au monde aristocratique. La Révolution, puis les guerres, l'émigration et, un peu partout en Europe, l'éveil des consciences nationales et des peuples développent une curiosité réelle à l'égard des cultures étrangères et le désir de mieux comprendre, dans sa diversité géographique, le temps présent ; cela favorise aussi la reconnaissance de l'autre. Cette sensibilité nouvelle, même si elle ne s'est pas tout de suite manifestée aussi nettement, accélère l'obsolescence de la doctrine classique, seulement retardée par le premier Empire.

L'influence anglaise

Au moins par son ancienneté, l'influence la plus profonde est sans doute celle de la littérature anglaise. D'elle sont venus, avant la Révolution, le goût pour les ruines et les cimetières (*Élégie écrite dans un cimetière campagnard* de Thomas Gray, 1750), les ambiances nocturnes (*Les Nuits* de Young, traduites par Letourneur en 1769), les évocations mélancoliques. Plus tard, l'histoire personnelle et l'œuvre de Byron jouèrent le rôle d'un extraordinaire catalyseur pour la jeunesse romantique. Elles favorisèrent non seulement des thèmes ou des motifs poétiques, mais une attitude générale à l'égard du monde et de la société, où se mêlaient le désespoir, le dandysme, l'ostentation de la révolte et du libertinage, un humour provocateur. Dès 1812, la publication en Angleterre du *Pèlerinage de Childe Harold* lui avait assuré une immense célébrité. En France, ses œuvres complètes parurent chez le célèbre éditeur du romantisme Ladvocat, à partir de 1818 en langue originale et de 1819 pour la traduction Pichot. Enfin, sa mort en 1824 aux côtés des insurgés grecs paracheva son image de héros romantique.

Aux Britanniques aussi – en l'occurrence à l'Écossais Macpherson (1736-1796) –, on doit les textes apocryphes attribués au barde Ossian et dont la vogue déferla en France sous l'Empire. Cette mode coïncidait avec l'intérêt nouveau que manifestaient le public et les lettrés pour le Moyen Âge, comme si la rupture révolutionnaire permettait de jeter un regard nostalgique sur un passé décidément révolu. Napoléon se méfiant de l'évocation de la monarchie moderne, l'intérêt se fixa à la période médiévale, mais ce mouvement de réappropriation de l'histoire littéraire se poursuivit durant plusieurs décennies, et redescendit les siècles jusqu'à atteindre le XVIIIe siècle sous le second Empire, qui en apprécia la culture libertine, ironique et précieuse.

L'influence allemande

Le *De l'Allemagne* de Mme de Staël (1813) aida à créer une curiosité souvent fascinée à l'égard de la littérature et de la mentalité allemandes, au moins telles qu'on se les représentait. Deux de leurs traits ont particulièrement marqué la poésie française. Si le dandy révolté, mais toujours un peu poseur et décalé, a des modèles anglais, le jeune homme rêveur et blessé dans son idéalisme est plutôt germanique : le Werther de Goethe, les tristes élégies d'Hölderlin, l'instabilité inquiète et ironique de Jean-Paul sont passés dans le romantisme de Musset ou de Nerval. En outre, cette poésie d'outre-Rhin était particulièrement encline à la méditation mystique ou métaphysique ; ses songeurs mélancoliques y contemplaient autant la nature invisible des choses que les paysages tourmentés offerts à leurs regards. C'est en pensant à eux, en particulier, que les défenseurs catholiques du classicisme ont obstinément répété que le romantisme était le protestantisme en littérature.

L'influence italienne et espagnole

Le rêve métaphysique offrait le moyen d'échapper à l'étroitesse de la description classique. Mais le poète romantique aspire aussi à dire le réel, à rendre compte de la diversité des personnes et des climats, à sortir de cette humanité de convention dont la littérature gréco-latine semblait avoir imposé le modèle définitif. Il recherche la *couleur locale*, et ce désir coïncide avec le développement des voyages autour de la Méditerranée – dans l'Orient arabe, en Italie et en Espagne. Sans doute les guerres révolutionnaires et les conquêtes impériales y ont aidé ; en outre, la naissance de l'archéologie moderne permet de resituer dans l'espace réel de l'histoire et de la géographie le décor familier de la poésie antique. En particulier, la référence à l'Italie et à l'Espagne favorise, pour ce qu'elle induit de violence, de contraste et d'excès, le goût réaliste et pictural de la *chose vue* (ou imaginée) qui viendra contrebalancer, chez un Hugo (*Les Orientales*, 1828) ou un Musset (*Contes d'Espagne et d'Italie*, 1829), l'évocation de la pensée intime.

La poétique nouvelle du romantisme

Une poétique de l'énonciation

Contrairement à une idée généralement admise, le *je* d'auteur – ou présumé tel – n'est pas plus présent à la période romantique qu'auparavant, mais il a changé de nature. Dans le cadre de la culture classique, le *je* se met en scène, mime la conversation mondaine et se présente, sous des apparences plus ou moins ludiques, comme un *je* anecdotique. Doté d'une si pauvre existence, il ne saurait *a fortiori* parler pour autre que pour lui-même : c'est pourquoi le lyrisme traditionnel est toujours entaché de bavardage ou d'inanité. À l'opposé, le *je* romantique est à la fois sujet et objet ; il emploie la première personne pour parler de lui et, s'offrant au regard de ses lecteurs, il a l'ambition de figurer l'homme universel.

Par ailleurs, le *je* de l'intimité poétique ne se confond pas avec le *moi* de l'individualité bourgeoise, qui est pourtant son contemporain et sa caricature ; aussi s'y oppose-t-il constamment, donnant contre lui de sa voix solennelle, plaintive ou ironique. À l'extrême, il devient une figure sacrificielle, comme le poète-pélican de Musset donnant ses entrailles à dévorer à ses petits. Mais, au-delà des représentations et des idéologies, ce déplacement de la poésie du dit au dire, de l'énoncé à l'énonciation, donc du poème à la vision personnelle qui le sous-tend est la nouveauté historique d'où découlent tous les autres traits du romantisme.

La veine élégiaque

La transformation du discours poétique permet de mieux comprendre le renouvellement de l'élégie à partir de Lamartine. Comme on l'a vu, le XVIIIe siècle avait eu ses élégiaques. Sous Napoléon Ier même, Millevoye, qui mourut accidentellement en 1816 à trente-trois ans, est l'un des maillons qui expliquent la floraison de 1820. Les titres de ses poèmes permettent de parcourir la topique du genre : « La Demeure abandonnée », « Le Souvenir », « L'Inquiétude », « Prière à la Nuit », « La Soirée », ou encore, seuls à être passés à la postérité, « Le Poète mourant » et « La Chute des feuilles ». Mais le ton reste mièvre et très XVIIIe siècle ; son œuvre n'aura guère qu'un succès d'estime.

L'autre grand précurseur fut André Chénier, dont les poésies furent publiées pour la première fois, en 1819, par Henri de Latouche.

Le succès de l'œuvre est amplifié par le destin tragique de son auteur, exécuté le 25 juillet 1794, deux jours avant la chute de Robespierre. Car le poète lyrique n'est plus un faiseur de vers : il doit éprouver les sentiments pour les traduire. Désormais, la poésie sera une expérience existentielle avant de se former et de se figer en texte. L'épreuve amoureuse, la tentation du désespoir, la transfiguration des illusions perdues en idéal constituent par elles-mêmes le travail poétique, au même titre que la maîtrise de la rhétorique et du rythme. Derrière les protestations parfois lassantes de sincérité, se profile une nouvelle éthique de l'écriture, ainsi qu'une esthétique qui prend en compte la genèse de l'œuvre autant que le produit fini. D'où le dialogue de sourds entre les poètes romantiques et les critiques traditionnels dont les règles normatives étaient évidemment incapables de juger des trajectoires individuelles.

D'ailleurs, pour personnelles qu'elles apparussent, ces amours malheureuses et ces promenades dans des campagnes désertes participaient de l'histoire collective et du « mal du siècle ». Les poètes romantiques sont jeunes ; tous ont commencé leur vie sous la Révolution ou sous l'Empire, puis ont vu leur jeunesse s'enliser dans les débuts de la Restauration, ternes et humiliants au regard de la gloire nationale. Au plus profond d'elle-même, l'élégie romantique est forte de ce qu'elle laisse entendre plutôt que de ce qu'elle dit explicitement : la privation d'Histoire s'y marque par cette perception exacerbée des choses qui caractérise les temps arrêtés.

Le poète dans la cité

Aussi est-il paradoxal que le romantisme soit pour certains synonyme d'épanchement sentimental. Sa première ambition, favorisée d'abord par les ultraroyalistes, fut au contraire de restaurer la poésie épique. Dans cette voie où s'est avancé le Victor Hugo des *Odes*, le poète ne s'efface plus derrière l'événement allégorique qu'il raconte et met en vers. Casimir Delavigne procédait encore ainsi dans *Les Messéniennes* (1818-1820), où les malheurs des Messéniens faisaient clairement allusion à une France vaincue et partiellement occupée : le contexte politique suffit alors à faire de l'auteur le poète de la résistance patriotique, comme cela arrivera à Béranger en 1821. Le romantique, lui, apostrophe son siècle au nom de son autorité littéraire ; malgré les premières tentations courtisanes, il se refuse à être historiographe ou thuriféraire. Presque tous les *Poèmes antiques et modernes* de Vigny (1826) sont ainsi construits sur le même schéma : après une brève introduction qui met en situation les protagonistes et installe le décor, un héros, transparent porte-parole de l'auteur, adresse au peuple quelques mots testamentaires ou prophétiques. Pour quelque temps, la poésie devient le vecteur privilégié de l'utopie sociale, réactionnaire ou progressiste. Cette tendance culminera autour de 1830, lorsque poètes et saint-simoniens se retrouveront autour d'une même mystique de la parole politique.

Au reste, loin de s'opposer, confidence intimiste et prédiction épique sont complémentaires, dans la mesure où elles résultent de la même redéfinition du sujet poétique. Elles se succèdent chez Lamartine, suivant une évolution qui traduit la maturation de l'homme ; elles se confondent chez Vigny dans la posture hiératique du poète solitaire, face à tous ; elles alternent, en une sorte de respiration vitale, pendant la vie entière de Hugo. Quant aux autres romantiques de la première génération, ils se répartissent entre ces deux sources d'inspiration, selon leurs goûts ou leurs capacités : citons, parmi beaucoup d'autres, Émile Deschamps (*Études françaises et étrangères*, 1828), Jules de Rességuier (*Tableaux poétiques*, 1829), Ulric Guttinguer, au moins connu pour ses déceptions sentimentales (*Mélanges poétiques*, 1824), Saint-Valry (*Les Ruines de Montfort-l'Amaury*, 1826).

Une poésie philosophique

Les poètes impériaux mettaient laborieusement en vers les doctrines philosophiques et scientifiques. Les romantiques avaient d'autant moins de raisons de suivre cet exemple qu'ils étaient idéologiquement opposés aux systèmes rationnellement constitués de la pensée classique. Pourtant, avec eux, le philosophique devient part entière du poétique : il réside dans la manière de faire éprouver la métaphysique du monde par une image ou un rythme, dans le jeu des facultés humaines derrière le récit sentimental. Établissant d'infinies correspondances entre le visible et l'invisible, l'intérieur et l'extérieur, le poète imagine et, se les imaginant, tente de figurer les analogies qui ordonnent l'univers. Dès 1829, Sainte-Beuve analyse dans *Vie, poésies et pensées de Joseph Delorme* cette voyance particulière au poète, et il le fait dans des termes qui annoncent Baudelaire ou Rimbaud : « Le sentiment de l'art implique un sentiment vif et intime des choses. Tandis que la majorité des hommes s'en tient aux surfaces et aux apparences, tandis que les philosophes proprement dits reconnaissent et constatent un *je ne sais quoi* au-delà des phénomènes, sans pouvoir déterminer la nature de ce *je ne sais quoi*, l'artiste [...] assiste au jeu invisible des forces, et sympathise avec elles comme avec des âmes. »

Il est difficile de départager ce qui, selon les cas, appartient au catholicisme mennaisien, à un christianisme plus diffus, à la tradition métaphysique ou à l'idéalisme allemand. Toutes ces idées sont mêlées à l'air du temps ; du point de vue littéraire, il s'ensuit un double mouvement de spiritualisation du réel et d'incarnation sensible de la pensée. Comme le souligne justement Sainte-Beuve, l'outil privilégié de cette poésie est le symbole : son objet n'est plus de décrire, mais de mettre en relation et de représenter ces liaisons au moyen de figures qui servent désormais non à embellir, mais à comprendre le monde.

Enfin, avant de se tourner vers l'histoire et le progrès humain, la philosophie de la poésie romantique est plutôt ontologique. Elle y gagne la dimension orphique qui justifie à la fois le prestige qu'elle a eu naguère et la rapidité avec laquelle les lecteurs d'aujourd'hui s'en sont dépris, n'y voyant à leur tour qu'une rhétorique creuse.

La poétique du vers

Outre le songe métaphysique, le romantisme s'intéresse au travail du vers, à la maîtrise artistique de toutes ses composantes. Suivant le Joseph Delorme de Sainte-Beuve, qui le dit à sa manière plaintive et déjà aigrie : « Il [le poète lyrique] en reviendra aux choses de l'âme, à cette éternelle nature, si antique et chaque matin si nouvelle, si paisible à jamais et si peu muette [...] il traduira tous ces bruits, toutes ces voix, en langage humain, et s'enchantera de ses propres chants. Et comme il y a des heures dans la vie où la contemplation accable, où la voix se refuse au chant, où une tristesse froide et grise passe sur l'âme sans la féconder, l'artiste alors, pour échapper à cet ennui stérile et désolé, cherchera une distraction ingénieuse dans les questions d'art pur [...] ; il se complaira aux détails techniques, aux rapports finement saisis, aux analyses du *style* et de la *forme.* » La deuxième attitude est le contrepoint de l'autre, mais toutes deux ont pour ennemi commun le néoclassicisme à la Delille, périphrastique et prosaïquement versifié. L'innovation devait donc porter sur les images et sur le rythme.

Pour le vocabulaire, suivons à nouveau la leçon de Sainte-Beuve : « Le procédé de couleur dans le style d'André Chénier et de ses successeurs roule presque en entier sur deux points. 1° Au lieu du mot vaguement abstrait, métaphysique et sentimental, employer le mot propre et pittoresque [...]. 2° Tout en usant habituellement du mot propre et pittoresque, tout en rejetant sévèrement le mot vague et général, employer à l'occasion et placer à propos quelques-uns de ces mots indéfinis, inexpliqués, flottants, qui laissent deviner la pensée sous leur ampleur [...]. C'est comme une grande et verte forêt dans laquelle on se promène : à chaque pas, des fleurs, des fruits, des feuillages nouveaux [...] ; et çà et là de soudaines échappées de vue, de larges clairières ouvrant des perspectives mystérieuses et montrant à nu le ciel. » Les deux tendances coexistent en effet. Soit les romantiques tendent à l'emploi du mot propre et privilégient le simple, le concret, le pittoresque : on parlera alors de leur sens du réel. Soit ils recourent à l'abstraction suggestive, qui évoque l'état d'esprit de celui qui voit plutôt qu'elle ne désigne ce qui est vu. Dans les deux cas, le système classique des figures est inadapté à ces nouveaux usages.

On retrouve une alternative analogue pour le vers. L'objectif est ici d'éviter la charpente, pesante et trop nettement découpée, de la versification scolaire. Ou bien les fins de vers sont gommées ; le rythme devient plus fluide et se laisse porter par le flot abondant de grandes suites d'alexandrins, telles qu'on les rencontre dans les longs poèmes de Lamartine. Ou, au contraire, on feint de disloquer le vers en découplant le mètre et la syntaxe ; on multiplie les enjambements, on atténue la césure médiane, on joue sur les mètres brefs ; on laisse apparaître, jusqu'à l'excès autoparodique, la machinerie poétique, on travaille le vers au lieu de s'en servir à des fins rhétoriques. Sainte-Beuve contribue à cet effort en remettant en pleine lumière la virtuosité de la Pléiade (*Tableau historique et critique de la poésie française et du théâtre français au XVIe siècle*, 1828). Surtout, cette poésie d'apparence plus humble triomphe dans les jeux formels de Hugo (« Les Djinns ») ou d'Alfred de Musset (« Ballade à la lune »), qui annoncent les compositions savantes mais ludiques de Verlaine ou d'Apollinaire.

Chapitre 6

Le théâtre : une mutation difficile

Entre littérature et spectacle

Le théâtre est une forme d'expression mixte, qui tient à la fois de la littérature écrite et du spectacle. Cette ambiguïté, qui est inhérente à la nature du genre, est aggravée en France du fait de son histoire. Pour des raisons complexes qui tiennent à la culture monarchique du XVIIe siècle, la littérature française s'est donnée comme modèle de référence le théâtre comique et tragique du règne de Louis XIV. Plus que dans tout autre pays, on a eu ainsi tendance à considérer le théâtre comme la manifestation d'un texte plutôt que comme un art *sui generis*. Il est d'ailleurs probable que de cette confusion initiale sont venues les grandes difficultés que, depuis, les dramaturges français ont rencontrées dans leurs efforts de renouvellement. Cette prééminence du théâtre aide aussi à comprendre pourquoi les romantiques ont désiré imposer leurs conceptions par la poésie et le roman, mais surtout par le drame : ils avaient bien conscience que le succès sur scène ferait seul apparaître leur esthétique comme une alternative durable au classicisme.

Or, la dichotomie entre la littérature et le spectacle ne fut jamais aussi nette qu'au XIXe siècle. Du point de vue des textes, on s'accorde à constater la très grande médiocrité de la production. À l'exception de l'éphémère drame romantique et des essais de la fin de siècle, on a généralement affaire à des pièces hâtivement composées, répétitives dans leur construction, grossières dans leurs effets. L'historien de la littérature est donc enclin à conclure à l'obsolescence de la production dramatique. Cependant, en tant que culture vivante, le théâtre est sans doute à son sommet. Il est vrai que, au XVIIIe siècle, les dramaturges avaient tiré parti de l'engouement de l'aristocratie et des élites pour la scène : la tragédie classique avait pu se survivre brillamment et la comédie avait gagné en fantaisie et en finesse. Mais, après la Révolution, le théâtre prend une tout autre ampleur et devient le divertissement populaire par excellence, le lieu où se côtoient, du moins à Paris, toutes les couches sociales et où les hommes et les femmes partagent les mêmes émotions, le moyen détourné par lequel s'expriment aussi les contestations et les rancœurs politiques. À une époque où n'existe ni le cinéma ni aucun des loisirs individuels modernes et où, d'autre part, le droit de réunion est strictement limité, le théâtre joue un rôle social, culturel et politique fondamental qui a peu de choses à voir avec les pièces qui y sont représentées. De cette cérémonie profane et urbaine – de fait, plutôt parisienne –, on trouvera l'image idéalisée dans le film de Marcel Carné *Les Enfants du paradis*.

Le répertoire et le Boulevard

Il existe donc non pas *un*, mais *deux* théâtres. Cette séparation est institutionnalisée et inscrite dans l'espace de Paris par la spécialisation des salles. Sous l'Ancien Régime, le théâtre était soumis à privilège et trois salles fixes seulement existaient à Paris : l'Opéra, les Italiens et, surtout, la Comédie-Française à qui revenait le droit exclusif de jouer les classiques. Les autres spectacles étaient forains et préféraient les jeux de scène et le mouvement au plaisir des mots ; y dominaient les pantomimes, les parades, la danse, les comédies poissardes, les pièces à couplets chantés (ou *vaudevilles*), les marionnettes, les ombres chinoises. À la fin de son règne, Louis XVI autorisa l'établissement de théâtres non privilégiés, qui apparurent au Palais-Royal et au « Boulevard », c'est-à-dire sur les boulevards allant de la porte Saint-Antoine à la porte Saint-Martin. Les spectacles qui y étaient donnés présentaient tous, à des degrés divers, des formules de compromis entre le théâtre traditionnel et les divertissements populaires dont ils étaient issus.

Mais, dès le 3 janvier 1791, la Constituante a totalement libéré l'activité théâtrale. Cette mesure entraîna une prolifération de salles qui furent autant de chambres d'écho pour les événements révolutionnaires. Devant un public populaire qui vivait au jour le jour l'Histoire se montraient ainsi sur scène, que ce soit sur un mode comique ou mélodramatique, les haines ou les admirations, les hauts faits ou les basses manœuvres de la Révolution. Par une extraordinaire symbiose, mais sans grand souci de l'art dramatique classique, le théâtre représentait, en les transfigurant ou en les caricaturant, les événements contemporains de la rue ou de la tribune : il faisait voir, plutôt qu'il ne donnait à entendre, à un public lui-même bruyant et interrupteur.

Aussi, dès le Directoire, le pouvoir s'est-il efforcé de canaliser la production théâtrale, songeant à limiter le nombre des salles. Napoléon Ier, après quelques atermoiements, mena ce projet à son terme. Par décret impérial du 29 juillet 1807, il limitait à huit les salles de la capitale. Il maintenait bien sûr dans leurs prérogatives les quatre « grands théâtres », auxquels allait sa préférence (la Comédie-Française, l'Odéon rebaptisé théâtre de l'Impératrice, l'Opéra, l'Opéra comique) ; en outre, il assignait des spécialités bien précises aux quatre théâtres du Boulevard subsistants : le vaudeville aux Variétés et au Vaudeville, le mélodrame à l'Ambigu-comique et à la Gaîté.

Les motivations de l'Empereur sont claires : classique par goût, il désire aussi la renaissance d'un théâtre de prestige et, parmi le répertoire, il préfère la tragédie à la comédie, Corneille à Racine. Par ailleurs, s'il ne peut être question d'éradiquer le théâtre de Boulevard, il entend utiliser les bons sentiments – joyeux ou larmoyants – dont celui-ci fait l'étalage. Il rétablit donc, en le soumettant à une censure plus étroite, le double régime théâtral d'avant 1791.

La Restauration conserve ce schéma dual, tout en autorisant l'ouverture de nouvelles salles. Celle de la porte Saint-Martin, cantonnée par Napoléon Ier aux pièces lyriques à machines, redevient théâtre de plein droit et jouera un rôle essentiel dans l'essor du drame romantique. Le Gymnase, d'abord conçu pour le perfectionnement de jeunes acteurs désireux d'entrer à la Comédie-Française, connaît vite le succès grâce à son auteur vedette, Eugène Scribe. Signalons enfin la renaissance des spectacles les plus populaires : les ombres chinoises de Séraphin, les pantomimes du célèbre Deburau au théâtre des Funambules.

L'histoire théâtrale est ainsi faite de la concurrence constante que se font les théâtres officiels, attachés aux œuvres classiques et à leur propre dignité, et le Boulevard : le sort dévolu à chaque forme d'expression dramaturgique s'en ressent directement.

Stagnation de la tragédie

La tragédie est décidément moribonde. Aveuglément attachée aux règles classiques, faite d'indigestes accumulations de tirades pesamment versifiées, elle est fermée à toute velléité de vrai renouvellement. Mais le prestige du genre est immense, et les successeurs de Racine ou de Voltaire ont apparemment plus le droit d'ennuyer que d'autres. D'ailleurs, l'application mécanique des mêmes recettes littéraires est compensée par le renouvellement du jeu qu'on doit alors au plus illustre acteur tragique du siècle, François-Joseph Talma (1763-1826). Comédien du Théâtre-Français et protégé de Napoléon Ier, il jouit à ce titre d'un immense pouvoir. Il réforme la diction qu'il juge trop déclamatoire, impose des décors et des costumes plus conformes à la vérité historique, introduit plus de mouvement et d'expressivité dans la mise en scène. Enfin, comme il est fréquent à l'époque, il participe effectivement, par ses conseils ou ses corrections, à l'écriture des pièces. Mais, par ses qualités mêmes, il contribue à pérenniser la tragédie classique et s'oppose, vers la fin de sa carrière, aux premières tentatives de théâtre romantique.

Classique ou non, la tragédie magnifie les grands hommes, et la posture héroïque convient à l'idéologie révolutionnaire ou impériale. Se détournant de l'Antiquité, la tragédie s'intéresse désormais aux grands moments de l'histoire nationale mais fait l'économie d'une réflexion sur sa forme. La redécouverte du passé sert à exalter la France ou à suggérer des parallèles instructifs entre hier et aujourd'hui. On peut citer, parmi les œuvres les plus remarquées, *La Mort de Henri IV* de Legouvé (1806), *Les Templiers* de Raynouard (1805), *Charlemagne* de Lemercier (1816). Cette dernière pièce, composée dès 1804, avait été interdite de représentation par le Premier consul qui se préparait à son propre couronnement. Car de telles pièces à sujet historique se prêtaient naturellement bien aux interprétations politiques, et le public applaudissait d'abord au courage présumé de leurs auteurs. C'est ainsi que *Les Vêpres siciliennes* de Casimir Delavigne, jouées à l'Odéon le 23 octobre 1819, parurent magnifier, au-delà de la résistance des Siciliens aux occupants français, la légitime révolte des peuples contre le pouvoir : l'approbation des libéraux fit son succès. Les ultras répliquaient quelques jours plus tard en faisant un triomphe au *Louis IX* de Jacques Ancelot. Cette confusion du politique et du littéraire provoquait bien des succès éphémères et des malentendus, qui ne résistèrent pas à l'apparition du drame romantique.

La tradition du rire : comédie et vaudeville

Comme la tragédie, la comédie classique en cinq actes et en vers suit son chemin paisible dans les théâtres nationaux. Les auteurs les plus connus, qui exploitent tous la veine de la comédie de mœurs, peuvent espérer terminer leur carrière à l'Académie française : ainsi en va-t-il pour Louis Picard (1769-1828) et Charles Étienne (1778-1845).

Mais la fantaisie triomphe surtout dans le vaudeville, pièce à parties chantées où la recherche du rythme compte plus que la psychologie des personnages. Les vaudevilles ne brillent d'ailleurs pas par leur originalité : les situations sont archétypales, les airs empruntés à des chansons connues, les dialogues presque improvisés ; les ressorts dramatiques sont grossiers et l'intrigue avance tant bien que mal d'une chanson à l'autre. Du reste, les conditions mêmes de la représentation interdisent le raffinement. Le spectacle commence généralement entre cinq et six heures de l'après-midi ; il comporte de deux à quatre vaudevilles, selon leur longueur (d'un à trois actes). Les acteurs, médiocrement payés et appartenant à la troupe permanente du théâtre où ils jouent, doivent être capables d'enchaîner rapidement des rôles, chaque pièce restant peu de temps à l'affiche ; il leur faut attirer par leurs mimiques un public divers et agité, suppléer au besoin par leurs jeux de scène à une mémoire très sollicitée, mettre en valeur les morceaux de bravoure qu'attendent les spectateurs.

Sous l'Empire, le genre reste dominé par Antoine Désaugiers (1772-1827), qui crée le personnage de M. Dumolet. Sous la Restauration, Eugène Scribe commence brillamment sa carrière et s'illustre d'ailleurs dans tous les genres comiques. Auteur très prolifique, il s'impose d'emblée par la diversité de son œuvre et par la qualité de ses intrigues, très éloignée de la manière désinvolte ou maladroite de ses confrères.

Le triomphe du mélodrame

Malgré le discrédit dans lequel, dès son apparition, les élites tiennent le nouveau genre, l'extraordinaire succès du mélodrame est sans doute l'un des faits majeurs de l'histoire culturelle du XIXe siècle. Cette nouvelle formule dramatique marqua de son empreinte le drame romantique mais, bien au-delà, tout l'univers de la fiction populaire : le roman, le roman-feuilleton et, au XXe siècle, une majeure part de la production cinématographique ou télévisuelle pour le grand public. On sait, par exemple, que le western classique a consisté pour l'essentiel à adapter au décor de l'Ouest américain les procédés et les catégories du mélodrame.

La structure d'un mélodrame

Le schéma de l'intrigue est élémentaire et terriblement efficace. Une jeune femme, innocente mais malheureusement déclassée par les hasards de l'existence, est persécutée – dépravée ou menacée de l'être – par un homme malhonnête, violent et sournois. La situation est sauvée *in extremis* à l'avantage de la femme et du beau chevalier servant qui, après l'avoir secourue, ne manquera pas de l'épouser. Le quatrième protagoniste habituel du mélodrame est le gentil imbécile qui, s'il participe peu à l'heureux dénouement, a le bon goût de susciter le rire et de s'apitoyer sur les malheurs des personnages vertueux.

Du moins jusqu'à la Restauration, le mélodrame comporte trois actes dont chacun remplit une fonction très précisément définie. Le premier, consacré à l'exposition et, en particulier, au sentiment extrême qui unit, malgré les épreuves, les deux amoureux, sert à obtenir du public une adhésion attendrie et apitoyée. Le deuxième, passant en revue les ruses ourdies par le méchant, relève d'un sadomasochisme voilé et, parfois, du harcèlement sexuel le plus imaginatif. Les meilleures choses ayant une fin, le dernier acte châtie les coupables, fait triompher la justice et l'amour. Enfin, les épisodes qui constituent habituellement les péripéties de l'action sont les enlèvements de l'enfant, les scènes de reconnaissance (« Mon père ! », « Mon fils ! », « Ma fille ! », etc.) qui, le cas échéant, arrivent à point pour éviter de regrettables incestes, l'intervention de brigands et de pirates dont une jeune fille pure a tout à craindre, la séquestration, les scènes de torture, l'usage de drogues, etc.

Auteurs et pièces célèbres

Le maître incontesté du genre est Guilbert de Pixerécourt (1773-1844). Après avoir émigré et servi dans l'armée de Condé à Coblence, il revient en France dans des conditions assez rocambolesques. Pour survivre dans le Paris révolutionnaire, il s'essaie dans plusieurs genres dramatiques mais connaît un premier succès, en 1797, avec *Victor ou l'Enfant de la forêt*, adapté d'un roman de Ducray-Duminil. Le jeune Victor, après de nombreuses péripéties, finit bien sûr par épouser celle qu'il aime – une fille de baron, par un heureux hasard. Trois ans après, le triomphe vient à Pixerécourt avec une pièce qui impose d'emblée le modèle du genre, *Cœlina ou l'Enfant du mystère*. L'intrigue est aussi reprise de Ducray-Duminil. Dans cette histoire trop complexe pour être résumée, la jeune Cœlina est recueillie par celui qu'elle croit son oncle et dont, bien sûr, elle aime le fils. Mais son vrai père est lui-même la victime de l'infâme Truguelin, qui cherche à nuire à l'une comme à l'autre. Finalement, le dénouement assignera à chacun le sort qu'il mérite. En 1801, l'accueil fait à *L'Homme à trois visages* popularise l'atmosphère vénitienne, ses conspirateurs et ses conflits sur fond de gondoles.

Suivant de près Pixerécourt, Caigniez (1762-1842) contribue avec lui à fixer les lois du genre. Il commence en 1802 par une pièce biblique, *Le Jugement de Salomon*, dont le thème invite évidemment à l'exploitation mélodramatique du sentiment maternel. En 1815, sa pièce *La Pie voleuse ou la Servante de Palaiseau* est elle aussi assez applaudie pour inspirer l'opéra de Rossini : elle met en scène l'histoire d'une servante injustement accusée de vol à cause d'une pie et d'un père en fuite.

Sous la Restauration, le libéral Victor Ducange utilise le mélodrame pour s'opposer au pouvoir et vulgariser la nouvelle sensibilité littéraire. En 1819, *Calas* lui donne l'occasion d'exalter le souvenir de Voltaire, assurément le philosophe le plus détesté du parti royaliste. Les années suivantes, il transpose sur scène les romans de Walter Scott (*La Sorcière, La Prisonnière de Lamermoor*). En 1827, son œuvre majeure, *Trente Ans ou la Vie d'un joueur*, est interprétée par les deux plus grands acteurs du Boulevard, Frédérick Lemaître et la jeune Marie Dorval, révélée à cette occasion. Elle présente un condensé spectaculaire des thèmes romantiques : le jeu et son absurde pouvoir destructeur, la déchéance sociale, la chute inexorable de l'homme que rien n'arrête au bord du gouffre. Contrairement aux règles habituelles du mélodrame, Ducange renonce au *happy end* : son héros se suicide, non sans avoir assassiné son propre fils ; par cette fin qui ne satisfait pas la morale sociale, la pièce marque à la fois un sommet dans l'histoire du mélodrame et l'amorce de son inévitable transformation.

Sens et valeur du mélodrame

Il serait aussi absurde de condamner le mélodrame à partir de critères littéraires que de défendre son abus des stéréotypes, ses tirades emphatiques, ses cascades d'apostrophes exclamatives. Pour autant, il offre mieux qu'un agrégat de bons sentiments et de scènes larmoyantes. Le mélodrame n'est ni insignifiant ni innocent : c'est pourquoi il a provoqué, dans les milieux cultivés et auprès des écrivains reconnus, de si véhémentes condamnations. En fait, il comporte deux éléments, d'ailleurs contradictoires, qui atteignent les couches les plus profondes de la mentalité collective et lui permettent, en retour, d'agir sur elles.

Le mélodrame est né de la Révolution et de ses débordements. Pour la première fois, une forme publique d'expression dramatique ou littéraire se donne pour objet l'évocation de la violence et le fait avec une sorte d'énergie jubilatoire. Ses racines se prolongent dans les zones obscures de la pensée où la hantise de la mort colore de ses teintes sombres les configurations diverses de l'imaginaire sexuel. Dans ses modes de représentation au XIXe siècle, il offre un spectacle barbare et trouble ; par les forces primaires qu'il met en branle, il se rapproche de la sphère artistique à laquelle appartiendront les écrivains frénétiques, Lautréamont, les surréalistes. Grâce à lui, ses détracteurs comme ses admirateurs se rendent compte que la culture peut se passer de la réflexivité et que la représentation expressive du sentiment, aussi fruste soit-elle, a un pouvoir dont ne dispose pas le langage policé de la littérature.

Cependant, le mélodrame voit précisément le jour au moment du reflux révolutionnaire, sous le Directoire et le Consulat qui internera le marquis de Sade. Car le mélodrame est le contraire du sadisme. La violence, toujours menaçante, est en principe évitée : bienséance oblige. D'autre part, la morale n'est pas effacée par quelque cynisme aristocratique ; au contraire, le mélodrame, au moyen d'une sémiotique très explicite (vêtements, gestes, paroles), désigne clairement les bons et les méchants, offrant une version profane de la morale religieuse. S'offre ainsi, par le biais du théâtre, la possibilité de récupérer idéologiquement l'émotion populaire, et Pixerécourt est le premier à s'en rendre compte et à le souligner. Préfaçant en 1832 une sélection de ses pièces, il osera même cette profession de foi : « C'est avec des idées religieuses et morales que je me suis lancé dans la carrière du théâtre. » Nodier, un des rares écrivains à défendre le genre, est aussi péremptoire : « Qu'on n'aille pas s'y tromper, ce n'était pas peu de chose que le mélodrame ; c'était la moralité de la Révolution ! » Mais il dit aussi, plus ironiquement : « La guillotine ayant fait relâche, la nécessité des spectacles émouvants et des émotions fortes se faisait sentir encore. »

Les hommes de pouvoir, à commencer par Napoléon Ier, ont donc rapidement perçu le profit qu'on pouvait tirer de pièces jugées par ailleurs si méprisables. Exaltant la vertu, l'honneur, le respect filial et le dévouement, le mélodrame ancre dans les sensibilités cette morale de la compassion qui finit toujours par confondre la volonté de justice et le plaisir de l'attendrissement. Ce moralisme convenu et sommaire provoqua plus sûrement le déclin du genre que la médiocrité du style lorsqu'on se fut avisé, autour de 1830, que le bien ne pouvait être si facilement distingué du mal et que le premier n'était pas assuré de triompher du second : le romantisme fut aussi cette prise de conscience.

Le drame romantique

Comparé à la déferlante du mélodrame, le drame romantique occupe peu d'espace dans l'histoire du théâtre et, à moins qu'on en étende arbitrairement la définition – par exemple aux formules dramaturgiques de Claudel ou de Sartre –, son existence a été éphémère : la représentation tumultueuse d'*Hernani*, le 25 février 1830, consacre sa naissance et la chute des *Burgraves*, le 7 mars 1843, achève déjà de le condamner. Les péripéties de cette vie brève sont rapportées au chapitre dix-sept ; dans la perspective générique que nous adoptons ici, il importe d'examiner moins le poids culturel du drame romantique que sa forme littéraire, moins même la forme à laquelle il a effectivement abouti que celle dont il a sans cesse rêvé, malgré des réussites très inégales.

La rupture avec la tradition classique

Pour la scène, l'ambition des romantiques est simple mais immense. Leur projet est de reconstituer l'unité du théâtre, de dépasser l'étrange scission entre un théâtre-littérature, fidèle à la tradition classique et obtenant, tout au plus, un succès d'estime auprès des lettrés, et un théâtre-spectacle, attirant vers lui le public mais peu considéré. Reprochant à la production courante son attachement excessif aux vieux préceptes du XVIIe siècle, ils ne visent pas moins qu'à refuser la prééminence de toute tradition sur le jugement du public. Bien qu'ils n'en soient pas tous immédiatement conscients, la conception même du théâtre et, par extension, de la littérature est ainsi mise en jeu : le romantisme est bien, suivant le mot de Victor Hugo, la « liberté en littérature ».

Le drame romantique a des antécédents, en France comme à l'étranger. Contre la solennité artificielle de la tragédie racinienne, des théoriciens et des praticiens du XVIIIe siècle avaient déjà prôné le drame, qualifié de *sérieux* ou de *bourgeois*. Diderot avait ainsi publié en 1757 *Le Fils naturel*, accompagné d'*Entretiens avec Dorval* qui, sur le mode conversationnel qui lui était coutumier, faisaient figure de manifeste ; à la veille de 1789, Louis-Sébastien Mercier, l'auteur du *Tableau de Paris*, avait à son tour insisté sur la valeur sociale et politique du drame. Dans leur esprit, ce dernier devait représenter le vrai, parler des préoccupations concrètes de chacun, provoquer la connivence plutôt que la crainte.

Mais il lui manque encore la part du rêve : celle-ci lui vient d'autres horizons. Le théâtre baroque espagnol – celui de Lope de Vega, de Molina et, surtout, de Calderon – se fait aimer du public français par son style chatoyant, ses décors exotiques, la violence de ses sentiments. En pleine Révolution, *Les Brigands* de Schiller, présentés à Paris en 1792, illustrent la vogue du théâtre national, inaugurée sous l'Ancien Régime par *Le Siège de Calais* de Belloy

(1765) et le *Guillaume Tell* de Lemierre (1766). Enfin, le grand modèle est William Shakespeare qui paraît avoir réalisé la synthèse à laquelle aspirent les dramaturges français : celle de la poésie et de l'action, de l'efficacité scénique et de l'élévation philosophique, du rire et des larmes, du peuple et des élites.

Un théâtre actuel

Le drame romantique hésite ainsi constamment entre deux voies, et il est possible que cette hésitation ait contribué à son rapide déclin. La première voie est celle de l'observation vraie et de l'efficacité dramatique. Il s'agit, sans s'encombrer d'inutiles préoccupations esthétiques, de frapper juste et fort. Sur ce terrain, le maître sera Alexandre Dumas (*Henri III et sa cour*, 1829), le théoricien, Stendhal (*Racine et Shakespeare*, 1823-1825).

Dans son pamphlet, Stendhal commence par distinguer formellement le « plaisir épique » – disons littéraire – que procure l'audition de beaux vers et le seul vrai « plaisir dramatique », qui amène à un degré d'illusion inaccessible à la poésie : « Le public, qui ne jouit pas d'ailleurs d'une extrême liberté, aime à entendre réciter des sentiments généreux exprimés en beaux vers.

Mais c'est là un plaisir *épique*, et non pas dramatique. Il n'y a jamais ce degré d'illusion nécessaire à une émotion profonde [...] car à vingt ans, quoi qu'on en dise, l'on veut jouir, et non pas raisonner, et l'on fait bien. » Cette confusion entre deux plaisirs si différents en nature et en intensité s'expliquerait par la rémanence des souvenirs scolaires, qui déforment le jugement et, surtout, la sensibilité : « Nos cours de littérature nous ont dit au collège que l'on rit à Molière, et nous le croyons, parce que nous restons toute notre vie, en France, des hommes de collège pour la littérature. » La vraie question n'est donc pas celle du beau – débat spécieux pour professeurs ou pour collégiens – mais celle du plaisir et de l'ennui : « Je ne nierai point que l'on puisse créer de belles choses, même aujourd'hui, en suivant le système *classique* ; mais elles seront *ennuyeuses*. »

Pour Stendhal, le critère du plaisir a quatre conséquences. L'une porte sur le fond, les trois autres sur la forme. Le sujet d'une « tragédie romantique » doit intéresser le public et porter sur des problèmes qui, moralement et socialement, le touchent. Or, on ne peut faire comme si la Révolution n'avait pas eu lieu : l'accent sera donc mis sur l'histoire nationale. D'autre part, il convient d'écarter tout ce qui donnerait à la pièce une allure artificielle, donc de sacrifier l'unité de temps, l'unité de lieu et l'alexandrin. Stendhal en arrive ainsi à cette « idée claire » :

« Une tragédie romantique est écrite en prose, la succession des événements qu'elle présente aux yeux des spectateurs dure plusieurs mois, et ils se passent en des lieux différents. »

Un théâtre poétique

L'autre voie possible avait la préférence des poètes et Victor Hugo lui apporta en 1827, avec la *Préface de Cromwell*, la force de sa jeune autorité. Lui aussi se tourne vers l'histoire moderne des peuples européens et réclame la liberté pour la littérature, que cherchent toujours à opprimer les représentants de l'Ancien Régime : « Il y a aujourd'hui l'ancien régime littéraire comme l'ancien régime politique. Le dernier siècle pèse presque de tout son poids sur le nouveau. » Mais la conception historique de Hugo dépasse, et de très loin, l'actualité la plus récente. Pour lui, la poésie, considérée depuis ses origines, se divise en trois âges : « Les temps primitifs sont lyriques, les temps antiques sont épiques, les temps modernes sont dramatiques. L'ode chante l'éternité, l'épopée solennise l'histoire, le drame peint la vie. Le caractère de la première poésie est la naïveté, le caractère de la deuxième est la simplicité, le caractère de la troisième, la vérité. »

Loin de marquer une rupture avec la poésie, le drame est à la fois l'aboutissement et la synthèse de tout. Il est la forme adaptée aux temps modernes, parce que l'homme du XIXe siècle peut accéder au savoir et à la vérité. Mais, héritier des genres qui l'ont précédé, il appartient autant qu'eux à la sphère de l'art et du beau. Sur ce point, l'opposition est totale entre Stendhal et Hugo. Celui-ci n'entend pas abdiquer, au nom du vrai, du naturel ou du réel, ses droits de créateur, son pouvoir de concentration et de transfiguration : « On doit donc reconnaître, sous peine de l'absurde, que le domaine de l'art et celui de la nature sont parfaitement distincts [...]. Le théâtre est un point d'optique. Tout ce qui existe dans le monde, dans l'histoire, dans la vie, dans l'homme, tout doit et peut s'y réfléchir, mais sous la baguette magique de l'art. L'art [...] revêt le tout d'une forme poétique et naturelle à la fois. »

Bien sûr, derrière cette querelle sur l'art et la nature se profile la question du vers que Hugo, au nom de ses principes poétiques, ne songe pas à abandonner. Mais le vers qu'il défend, il le veut protéiforme, apte à tout dire et à tout faire éprouver, aussi beau que vrai, « lyrique, épique, dramatique, selon le besoin ; pouvant parcourir toute la gamme poétique, aller de haut en bas, des idées les plus élevées aux plus vulgaires, des plus bouffones aux plus graves, des plus extérieures aux plus abstraites, sans jamais sortir des limites d'une scène parlée ». Stendhal voulait transformer le théâtre en l'éloignant de la poésie ; Hugo parcourt le chemin inverse et l'idéal qu'il fixe est si haut qu'il court le risque de rejoindre les autres utopies que l'après-1830 se hâtera de mépriser.

Mais nous sommes encore, au moment de *Cromwell* (1827) ou d'*Hernani* (1830), dans l'ambiance exaltée que favorise le romantisme flamboyant et inventif des débuts. Apparu dans ce contexte et ragaillardi par les manœuvres de la critique et de la censure, le drame romantique est le premier projet de théâtre total que conçoit l'après-Révolution. Qu'on y parle en vers ou en prose, le style des dialogues cherche à brusquer, à dire la brutalité des passions sans le convenu du registre tragique ; il mêle l'emphase et le mot concret, la tirade et l'enchaînement de courtes répliques prosaïques. Si les unités de temps et d'action ne sont pas respectées, l'intrigue est fortement nouée autour des conflits du pouvoir et du sentiment, et enseigne que le principe de réalité, qui s'appuie sur la force et les ambitions personnelles, l'emporte souvent sur les meilleures intentions ; à l'opposé de la simplicité hiératique de la tragédie, elle dévoile les inextricables contradictions de l'histoire moderne, le combat incessamment renouvelé de la politique et de la morale, de l'action collective et du rêve intime. Cette irruption du réel est signifiée, sur le plan dramaturgique, par la présence forte du décor et des accessoires (poisons, poignards, portes dérobées, etc.), par le recours au pathétique le plus spectaculaire, par le déploiement du corps dans l'espace scénique. Pour s'imposer et réaliser l'illusion dramatique réclamée par Stendhal, cette esthétique de mélodrame a besoin de l'adhésion du public : à la fin de la Restauration, les auteurs romantiques peuvent croire qu'ils l'ont obtenue et que la cause du drame est en passe d'être gagnée.

Chapitre 7

Le roman de 1800 à 1830 : un genre en quête d'identité et de sujet

En matière de romans, à feuilleter certains manuels, les années 1800 à 1830 semblent présenter une sorte de blanc sur lequel ne se détacheraient guère que les noms de Chateaubriand, de Mme de Staël et de Benjamin Constant, avec une escorte de prénoms en guise de titres (*Atala, René, Corinne, Delphine* et *Adolphe*). Le roman de début de siècle serait passionné, romantique et aristocratique. Mais l'âge d'or, dominé et symbolisé par Balzac, ne commencerait pas avant 1830. Cette vision est passablement fausse. Elle est en grande partie imputable à une histoire littéraire encline par principe à n'enregistrer que les rares textes passés à travers les filtres successifs de générations de lecteurs, imbue de ses valeurs au point de confondre ses jugements esthétiques avec un exposé objectif des réalités, congénitalement aveugle sur des mécanismes sociaux de sélection qui finissent par transformer le défilé des grands auteurs en une sorte de galerie des ancêtres du (bon) esprit national.

Du début du siècle jusqu'à la mode du roman historique, mise en branle par l'importation triomphale de Walter Scott, autrement dit de la fin du Consulat aux suites immédiates de l'effondrement de l'Empire, le roman en effet végète au bas de la hiérarchie des genres. Est-ce même un genre ? Lorsqu'il s'essaie à se fabriquer une « idée sur les romans » à l'appui de ses *Crimes de l'amour*, en l'an VIII de la République (1800), Sade ne parvient pas à une formulation plus précise que celle-ci : « On appelle roman l'ouvrage fabuleux composé d'après les plus singulières aventures de la vie des hommes. » Sa référence sur le sujet demeure l'*Encyclopédie*, article « Conte » : « Une histoire fausse et courte qui n'a rien d'impossible ou une fable sans but moral. » Et le roman ? Le mot ne contiendrait guère que son étymologie, laquelle renvoie simplement à la langue *romane*, celle des conteurs médiévaux du sud de la France (article « Poésie provençale »). Un roman, ce ne serait rien d'autre qu'« un long conte ».

Premiers effets de la Révolution

Les réalités de la production

Dans ses années les plus difficiles, la Révolution elle-même n'a fait que ralentir le commerce de cette sorte de contes : vingt titres nouveaux en 1793, et une centaine de rééditions, dont deux traductions différentes du *Werther* de Goethe, trois rééditions de *La Nouvelle Héloïse* de Rousseau, une traduction de Richardson (*Paméla ou la Vertu récompensée*). Au sortir de ce creux, le Consulat marque le retour au niveau des dernières années de l'Ancien Régime : 155 nouveautés en 1800, y compris les traductions, et 94 rééditions, y compris les rééditions de traductions (*Werther* encore, en compagnie, entre autres, cette année-là, d'Ann Radcliffe, de George Walker et de Jane West). Rien de changé, ou presque, au sortir de l'Empire et au début de la seconde Restauration : 159 titres en 1816. Dans sa « Statistique littéraire et intellectuelle de la France, pendant l'année 1828 », Philarète Chasles note que sur environ 6 000 ouvrages publiés cette année-là, 267 sont des romans, contre 736 livres d'histoire (record toutes catégories), 463 pièces ou recueils de poésie, 308 drames, 214 essais ou traités de « littérature, rhétorique, critique ». Même si le décompte des titres masque d'importantes évolutions dans les tirages, le constat d'une progression sensible en valeur absolue (environ 70 % de 1816 à 1828) est trompeur. Car on observe à l'inverse qu'à l'intérieur de l'ensemble de la production de livres, il y a, en proportion, une stabilité relative de la création romanesque à un niveau à peu près égal à celui du théâtre, mais de loin inférieur aux pics atteints par l'histoire et par la poésie.

Le roman noir

La grande nouveauté du début du siècle, ce qui fait que le roman d'après 1789 ressemble de moins en moins au roman d'avant la prise de la Bastille, c'est le *roman noir*. Importé d'Angleterre, entré en France à la faveur des troubles révolutionnaires et en harmonie avec les atrocités de la Terreur, il peuple de fantômes des châteaux gothiques délabrés ou met la bonne société et d'innocentes jeunes filles aux prises avec des bandes de brigands surgis des forêts. Entre autres succès d'importation, *Les Mystères d'Udolphe* d'Ann Radcliffe et surtout *Le Moine* de Matthew Gregory Lewis, traduits et retraduits à partir de 1797 (avant *Melmoth* de Maturin, traduit en 1821), multiplient les péripéties tantôt surnaturelles, tantôt criminelles, sans autre règle que de soutenir l'intérêt jusqu'à la dernière page. Animé par un anticatholicisme ouvert et outré, qui, dans la France de cette époque, trouve un milieu plus que réceptif, *Le Moine*, à sa manière, pousse même l'utilisation du poison, des spectres, des galeries souterraines, des sépulcres, du satanisme, du viol, de la nécrophilie, de l'inceste et du matricide jusqu'à l'exploration des profondeurs de l'âme. Une fois initié au plaisir par une créature diabolique, le héros, donné comme un « jacobin espagnol » dans la traduction parue sous la Révolution, oublie sa piété et ses vertus exemplaires pour laisser libre cours à une lubricité dévastatrice. Il faut une irruption vengeresse du peuple dans le monastère pour mettre fin au système claustral dont les excès de rigueur l'ont par réaction jeté, lui et quelques autres, dans l'inhumanité. Tenu en marge de la littérature avouable, malgré des rééditions régulières jusqu'en 1878, ce roman noir qui fut célèbre gagne à être mis en perspective avec Sade. Son efficacité a suffisamment retenu l'attention des surréalistes pour qu'Antonin Artaud, en 1931, ait jugé utile d'en réécrire lui-même une traduction intégrale. Mais pour en revenir au Directoire, au Consulat et à l'Empire, il y a fort à parier que le succès du roman noir en général n'y est pas dû à la seule satisfaction des pulsions de mort qu'il exprime et libère. La violence des rapports humains qu'il met en scène, les catastrophes individuelles qu'il multiplie à plaisir (ruines subites, enlèvements, séquestrations, etc.), les revenants et les souterrains dont il menace les bonheurs les plus innocents, reflètent, pour des esprits encore sous le choc de la Révolution, la violence sans précédent de ses affrontements sociaux et politiques. Ce qui au fond fait la mode du roman noir anglais en France, ce n'est pas seulement la découverte que la souffrance et l'effroi font jouir, mais l'accord entre la vision du monde qu'il propose, absurde et placée sous le règne du Mal, et la représentation alors dominante de la Révolution française comme déchaînement de passions mauvaises, comme histoire dépourvue de morale et de sens, indéchiffrable tant en termes de Providence qu'en termes de Progrès.

Le roman populaire, déjà

De fait, les in-12 médiocrement imprimés et rapidement brochés que l'homme du peuple et le bourgois achètent au colporteur qui passe, les exemplaires fatigués que les Parisiens, mais aussi les provinciaux citadins, vont lire ou louer dans un nombre croissant de cabinets de lecture, visent à repaître l'imagination d'aventures sans queue ni tête bien plus qu'à édifier. Dans cette catégorie, les auteurs les plus lus de l'Empire sont Pigault-Lebrun (1753-1835) et Ducray-Duminil (1761-1819).

L'un et l'autre ont débuté par le théâtre en 1789 ou peu avant : Ducray-Duminil par une comédie contre la chicane, au théâtre de la Foire Saint-Germain (*Les Deux Martines ou le Procureur dupé*), et Pigault-Lebrun, sur la scène du Palais-Royal, par une parodie (*Le Pessimiste*) d'un triomphe représenté à la Comédie-Française (*L'Optimiste*). Ils continueront, le second surtout, à écrire tantôt du boulevard, tantôt du roman bas de gamme. Des professionnels de l'écriture dramatique se chargeront au besoin d'adapter leurs fictions à la scène (voir p. 94). Tout se passe comme si les deux genres étaient réversibles à volonté, dès lors que le public visé est le même.

Les nombreuses productions de Pigault-Lebrun, fréquemment rééditées, séparément ou en œuvres complètes, jusque dans les années 1870, se caractérisent par une verve comique typiquement populaire et par une vive allergie à tout ce qui rappelle l'Ancien Régime, la noblesse et le clergé. Héritier du roman comique à la Scarron et du roman picaresque tel que Lesage l'a introduit en France, Pigault-Lebrun raconte les exploits de plébéiens ripailleurs et assoiffés, toujours prêts à s'attendrir pour le premier jupon entrevu ou à se jeter dans de rudes bagarres. À l'image de ce point de vue démocratique affirmé, son style est fait d'un mélange de trivialité joyeusement assumée et de tournures nobles prises en dérision. Ainsi, en guise d'échantillon et sans prétendre faire mesurer combien Balzac, Dumas ou Gautier ont par endroits plagié le style Pigault-Lebrun et ainsi tenté de récupérer cette forme de roman, l'anecdote rabelaisienne de l'élection du prieur d'une abbaye par le procédé du *pou séraphique* : l'élu est celui dont la barbe laisse sortir « le pou le plus gros, le plus gras, le plus appétissant » – étant entendu que chaque religieux s'est préparé au concours en « soign[ant], aliment[ant], engraiss[ant] les insectes aimables à qui il pouvait devoir la prééminence » (*La Petite Sœur Éléonore*).

Quant à Ducray-Duminil, qui paraît avoir eu quelque admiration pour Napoléon, son registre est au contraire celui de la décence et des bons sentiments. Mais ce ton et ce point de vue qui autorisent sa lecture par les jeunes filles ne l'empêchent pas d'exploiter la tradition du conte populaire, relevée par un apport massif des piments du roman noir. Le titre de son premier roman à succès (six réimpressions de 1788 à 1861) affiche le mélange en toute clarté : *Lolotte et Fanfan ou les Aventures de deux enfants abandonnés dans une isle déserte, rédigées… sur des manuscrits anglais*. Outre divers *Contes des fées, Veillées de mon père* et autres *Soirées de la chaumière*, les ouvrages qui font sa gloire sont *Cœlina ou l'Enfant du mystère* (plus de vingt réimpressions de 1799 à 1876) et surtout *Victor ou l'Enfant de la forêt* (trente-sept réimpressions au moins de 1797 à 1893). Intrigue à tiroirs, décor exotique de la Bohême et d'un château gothique, souterrains secrets, forêts profondes, sombres brigands, enfants trouvés, vierge sans tache, femme séduite et abandonnée, noble vieillard, jeune héros placé dans la situation d'un « nouvel Œdipe », reconnaissances et rebondissements composent une histoire parfaitement invraisemblable, moralement irréprochable, terrifiante à souhait. Enfin débarrassé du chef des brigands, qui n'était autre que son père, Victor épouse Clémence, « seule héritière du nom et des grands biens d'un des plus riches seigneurs de l'Allemagne » : ce dénouement conservateur qui intègre et associe l'ex-enfant trouvé à l'aristocratie menacée par le brigandage n'intervient, il est vrai, qu'au terme d'une cascade d'aventures qui font toute leur place au mérite. Les partisans de l'égalité des individus et les tenants du privilège de la naissance trouvent pareillement leur compte dans un tel compromis, bien représentatif des équilibres dont joue ce type de romans. George

Sand, dans *Consuelo* ou dans *Mauprat*, par exemple, ne se privera pas de réemployer ces procédés, voire, peu ou prou, cette idéologie.

Ce n'est pas un hasard si Ducray-Duminil et Pigault-Lebrun, tous deux apparus sous la Révolution, perdurent, à en juger par la fréquence de leurs rééditions posthumes, jusqu'à l'instauration de la IIIe République, dans les années 1880. Ils inventent en fait ce que nul ne songe encore à appeler le *roman populaire*. C'est dire que leur *popularité* – leur caractère populaire, confirmé par leur audience populaire – n'est pas sans rapport avec la marche du siècle vers la démocratie.

Le roman sentimental

La formation d'une opinion et d'une attente

Cette révolution littéraire sans tambour ni trompette, qui traduit d'une certaine manière l'irruption politique des barbares de l'intérieur dans l'espace public d'après 1789, ne passe pas inaperçue et entraîne plus d'une levée de boucliers. En réponse à l'Athénée de Lyon, qui a mis le sujet au concours, le poète Charles Millevoye compose une *Satire des romans du jour, considérés dans leur influence sur le goût et les mœurs de la Nation* (1802). Accusant le seul roman noir, d'abord, d'avoir donné naissance au « drame » et de la sorte évincé Molière et Racine, Millevoye lui fait grief d'avoir « immolé le bon goût, et la raison et l'art ». Aiguillonnée par les besoins d'argent de toute une classe de « libellistes » et de « petits romanciers », la production de romans immoraux serait en somme un puissant facteur de la corruption des mœurs. Immoralité, mauvais goût, caractère mercantile, voilà déjà le fond de l'opinion du siècle sur l'ensemble du genre, sans cesse ressassée par la suite.

Mais un enjeu essentiel de cette creuse discussion n'est autre que la reconnaissance du droit et de l'aptitude du roman à traiter des réalités de l'âme humaine, autrement dit, à pratiquer la *psychologie*, bien avant l'invention de cette science. Revenons encore à Sade, qui se réclame, sur ce point, d'une autre école anglaise, celle de Richardson (*Clarisse Harlowe*) et de Fielding (*Tom Jones*), acclimatée par les traductions de l'abbé Prévost au XVIIIe siècle. Si Lovelace épousait Clarisse au lieu de la séduire et de l'abandonner, Richardson, comme Sade le remarque avec bon sens, n'aurait tiré de larmes à personne. Tant il est vrai que « ce n'est pas toujours avec de la vertu qu'on intéresse le lecteur ». La fonction du romancier, poursuit l'auteur de *Justine*, ce n'est donc nullement l'enseignement de la morale, mais bel et bien « l'étude profonde du cœur de l'homme, véritable dédale de la nature [...], tel que doivent le rendre les modifications du vice, et toutes les secousses des passions » (*Idée sur les romans*). De son côté, Mme de Staël, dans son *Essai sur les fictions* (1795), constate elle aussi que le roman est arrivé à un point de rupture avec son passé. C'en est fini, estime-t-elle, du merveilleux mythologique ou chevaleresque qui, comme dans les épopées antiques et médiévales, a pour ressort l'intervention de la divinité dans les affaires humaines. De même, selon elle, seraient frappés de caducité, tout à la fois, les fictions allégoriques, qui, comme le *Zadig* de Voltaire, ignorent les êtres réels au profit d'abstractions personnifiées ou de purs rôles, les « ouvrages d'allusions », dont les contemporains sont presque les seuls à pouvoir trouver les clés, ou encore les « romans entés sur l'histoire », qui prétendent expliquer des événements fameux par des anecdotes privées inventées de toutes pièces. La seule catégorie à cultiver serait celle des fictions « naturelles, où tout est à la fois inventé et imité, où rien n'est vrai, mais où tout est vraisemblable », sur le modèle de Richardson et de Fielding. Alors que l'Histoire « n'atteint point à la vie des hommes privés, aux sentiments, aux caractères dont il n'est point résulté d'événements publics », « le genre seul des romans modernes » serait en mesure d'« atteindre » à « cette utilité constante et détaillée qu'on peut retirer de la peinture de nos sentiments habituels ».

Cette intuition lumineuse tient certes à une juste appréciation des contraintes de la scène. Les « convenances théâtrales », explique l'*Essai sur les fictions*, empêchent que la comédie et le drame, dont les sujets sont pourtant eux aussi tirés de la vie privée et des circonstances ordinaires, ne fournissent comme le roman « des développements qui particularisent les exemples et les réflexions ».

Mais cette esthétique de la *particularisation* ou de l'*individualisation* est aussi à mettre en relation, avec l'élargissement du public distingué, qui ne se reconnaît plus dans les personnages ni dans les préoccupations de la tragédie, et avec la révolution idéologique des droits de l'homme, qui consacre la prééminence de l'individu sur la société. À la différence du roman, les tragédies, déplore en effet Mme de Staël, « peignent une nature relevée, un rang, une situation extraordinaire ». Leur vraisemblance « dépend d'événements très rares, et dont la morale ne peut s'appliquer qu'à un très petit nombre d'hommes ». Les conclusions à en tirer se lisent entre les lignes : alors que le déclin de la tragédie est inéluctable du fait de la disparition de la société de cour, l'avènement du roman est prévisible en raison de l'émergence d'une société civile plus nombreuse, formée d'individus libres et égaux, désireux de voir leur vie privée accéder à la dignité de la représentation littéraire. Le vœu somme toute *réaliste* (bien avant la lettre) de « romans qui prendraient la vie telle qu'elle est, avec finesse, éloquence, profondeur et moralité », traduit les ambitions et les goûts des élites émancipées par la Révolution.

Le roman par lettres, ou l'aristocratie du roman

Car cet individualisme n'est encore, au début du siècle, qu'un luxe d'anciens et de nouveaux privilégiés. Libres et égaux, les auteurs et les lecteurs de ce type de romans le sont entre eux, dans leur petit monde clos, sans égard à la masse de ceux qui demeurent extérieurs à leur sphère.

Établie dès les années 1760-1780, la domination du roman par lettres, construit selon le modèle de *Clarisse Harlowe* et de *La Nouvelle Héloïse*, correspond parfaitement à l'idée avantageuse que se font d'eux-mêmes les membres de cette caste et aux pratiques de communication qui sont les leurs. La fiction d'une correspondance intime autorise en effet l'expression sélective, sur un pied d'égalité, d'une poignée d'individus des deux sexes en quête d'une sorte de contrat social à leur échelle : comment, dans telle situation et compte tenu des aspirations de chacun, parvenir à un *modus vivendi* acceptable et durable ? Par ailleurs, l'analyse épistolaire prolongée de sentiments qui n'intéressent que les personnages et leurs semblables, requiert des épistoliers supposés et de leurs lecteurs qu'ils jouissent en partage d'une éducation raffinée et d'une honnête oisiveté. Sans quoi il y aurait invraisemblance à ce que les personnages disposent du talent et des loisirs nécessaires pour s'analyser et calculer leurs effets de plume, alors que les lecteurs, eux, manqueraient de la subtilité, de la sympathie et du temps nécessaires pour débrouiller et apprécier les méandres sentimentaux et les tactiques des personnages. La lettre, en somme, suppose et transpose la sociabilité et l'art de la conversation de salon : même caractère performatif (les mots sont autant d'actes), même obligation de briller par l'esprit, même présence du regard social dans et sur l'intimité. Auteurs, héros et héroïnes arborent donc souvent la particule nobiliaire. Hérité de Rousseau et de la fin du XVIIIe siècle, l'idéal postulé et requis par le roman par lettres est celui de *l'homme* ou de *la femme sensible*, autrement dit de l'individu passionné, à l'écoute de ses sentiments et de ceux qu'il suscite, capable de sacrifier ses intérêts de fortune et sa position dans le monde pour suivre ses inclinations.

Aussi bien les événements extérieurs ont-ils dans le roman par lettres une importance aussi réduite qu'elle est envahissante dans le roman noir. Ce qui retient l'attention ici, c'est l'objet, les modalités et les étapes de la transgression tentée ou refusée par le personnage placé au centre du réseau épistolaire fictif : l'homme va-t-il ou non, comme Saint-Preux chez Rousseau, oser se déclarer à une femme dont la société exclut qu'il devienne le mari ou l'amant ? la femme va-t-elle ou non, comme Julie, la nouvelle Héloïse, trahir ou rompre ses liens antérieurs pour écouter cet amour ? Que la morale en sorte victorieuse ou vaincue, la qualité du plaisir de la lecture dépend non pas de l'issue, mais bel et bien de la complexité et des ambiguïtés de la situation inventée, de l'originalité et de l'intensité des sentiments impliqués, de la profondeur et du raffinement des analyses proposées. Il n'est qu'à songer, après 1830, aux échanges épistolaires ou aux récits d'échanges épistolaires introduits dans leurs romans par un Balzac (*Le Lys dans la vallée*) et un Stendhal (*Le Rouge et le Noir*), ou encore à la résurrection du genre par George Sand (*Jacques*), pour mesurer la distinction aristocratique et la tonalité féminine-sentimentale connotées par ce type de romans.

Le roman d'analyse sentimentale

Le roman par lettres, cela va sans dire, doit une bonne partie de son succès aux clés que le public des salons croit pouvoir y reconnaître. Ce qui lance la vente de ces petits livres soigneusement imprimés, joliment reliés et fréquemment ornés d'une ou deux vignettes, c'est d'abord l'appât des *allusions*. Bien que les auteurs s'en défendent et mêlent les fausses pistes aux vraies, les lecteurs contemporains de *Delphine* (1802), de *Corinne* (1807) et d'*Adolphe* (écrit en 1810, publié en 1816) veulent entrer dans l'intimité orageuse et célèbre du couple d'écrivains-amants formé par Mme de Staël, la fille de Necker, la reine des salons et l'opposante que l'on sait à Napoléon, et par Benjamin Constant, le penseur libéral et le chef de parti. Le roman, en ce sens, alimente en retour la conversation, dont il est le prolongement et l'amplification silencieuse. Mais moins l'auteur est connu, moins compte le facteur de la curiosité indiscrète. Dans le cas d'*Oberman* (1804), de Senancour, par exemple, l'effacement de la personne de l'auteur garantit que les sources privées n'ont été en rien à l'origine de son lent accès à une notoriété purement littéraire. C'est que la formule du roman par lettres se démocratise en se fondant dans la catégorie plus générale du *roman sentimental*, selon l'expression consacrée, semble-t-il, par Mme de Flahaut dans la préface de son *Adèle de Sénange* (1798), ou, plus exactement, comme dit Sainte-Beuve, du *roman d'analyse sentimentale*, du *roman intime*.

La plus modeste ambition de ce type de romans n'est autre, en effet, selon Mme de Flahaut, que de « décrire ces mouvements ordinaires du cœur qui composent l'histoire de chaque jour ». *Claire d'Albe* (1799), de Mme Cottin, montre au jour le jour, par lettres encore, la longue résistance à l'amour d'une jeune héroïne mariée à un homme trop âgé, puis sa « chute », immédiatement suivie d'un repentir mortel. Née Risteau et précocément veuve d'un banquier, Mme Cottin (1770-1807) connaît un tel succès que ses œuvres complètes (de huit à treize volumes selon le format) sont quatorze fois rééditées de 1817 à 1847. De même Sophie Gay (1776-1852) finira-t-elle par vivre de sa plume après s'être conquis un public grâce à *Léonie de Montbreuse* (1813). Certains signes ne trompent pas : l'appartenance sociale parfois bourgeoise des auteurs, le nombre et la médiocre qualité matérielle de beaucoup d'éditions attestent que, en dépit de ses origines aristocratiques, le roman sentimental, selon la prédiction de Mme de Staël (préface de *Delphine*, 1803) atteint progressivement au « succès populaire » promis par sa définition.

Le fait que les personnages centraux et les auteurs en soient fréquemment des femmes (mentionnons encore la duchesse de Duras, Mme de Genlis, Mme de Krüdener et Mme de Montolieu) a pu inciter, de nos jours, à qualifier le roman sentimental de *roman féminin*. L'appellation se justifie d'autant plus que, par contraste avec les passions politiques et guerrières de la Révolution et de l'Empire, l'accent mis sur l'importance de la vie privée, le simple rappel de l'existence de l'autre moitié de l'humanité, l'exaltation ou la déploration d'une prétendue vocation féminine au sacrifice prennent en effet valeur de protestation du sexe opprimé. Avec *Oberman, Adolphe*, de Benjamin Constant, est à peu près l'unique contre-exemple de roman sentimental de cette période écrit par un homme. À l'inverse, il est vrai, cette féminisation du roman pourrait aussi se lire comme une conséquence du Code civil napoléonien et de l'enfermement dans la vie privée auquel il condamne les femmes. Au moins est-il clair que, d'une certaine manière, l'intérêt du roman sentimental pour la quotidienneté prépare le roman de la vie réelle qui tiendra le haut du pavé dans la seconde moitié du siècle.

Le roman historique

La naissance d'une conscience historique

Mais, dans les années 1820, le formidable succès de Walter Scott relance plutôt en parallèle l'autre voie du roman, celle qui raconte des histoires en rapport plus ou moins étroit avec l'Histoire. De même que celle du *roman noir*, la vogue, elle aussi importée, du *roman historique*, s'explique par un changement national de conjoncture idéologique. Passé le désarroi consécutif au choc de la Terreur, les Français ont appris par l'expérience à lire leur histoire politique comme une succession d'avancées et de reculs, de révolutions et de restaurations. Le retour des Bourbons en 1813 s'affiche explicitement comme une « Restauration » de l'ordre ancien, avant que le retour de Napoléon, en 1815, ne laisse espérer une restauration de la Révolution, si l'on peut dire. Retour de flamme à nouveau bientôt étouffé, après la seconde chute de l'Empereur, par une « seconde Restauration ». Les choix politiques qui s'opposent et alternent, éclairent crûment certains enjeux sociaux, en particulier la question du rétablissement ou non des émigrés dans leurs propriétés foncières et à la direction de la société. Ils accentuent le fossé entre partisans de la liberté de conscience et tenants du catholicisme comme religion d'État. Une floraison d'essais historiques atteste que l'on cherche désormais une logique et un sens aux événements plutôt que de s'obnubiler sur la folie ou la méchanceté des hommes : *Considérations sur les principaux événements de la Révolution française* de Mme de Staël (1818) ; *Histoire des ducs de Bourgogne* de Barante (1824) ; *Histoire de la Révolution française* de Mignet (1824) et, sous le même titre, à partir de la même année, de Thiers ; *Histoire de la conquête de l'Angleterre par les Normands* d'Augustin Thierry (1825) ; *Histoire de la révolution d'Angleterre* de Guizot (1828)… Le temps est venu, pense-t-on de plus en plus (en référence à l'exemple allemand, de Herder à Hegel), de travailler à une philosophie de l'histoire dont la tâche serait de mettre en évidence les lois du développement de l'humanité.

L'Histoire comme matière romanesque

En soi, la mise en scène d'événements et de personnages historiques n'est certes pas une innovation absolue. Depuis le XVIIe siècle, il ne manque pas de tragédies et de récits qui s'évertuent à reconstituer psychologiquement le processus de telle ou telle décision d'État, ou à imaginer tout un tissu d'historiettes susceptibles d'avoir déterminé telle fronde ou telle guerre. Mais une chose est de prendre prétexte de faits célèbres pour analyser des passions humaines, pour rapporter ou pour inventer des anecdotes piquantes, autre chose d'appliquer les ressources de la fiction à reconstituer méthodiquement une époque, ses mœurs, ses tensions religieuses ou idéologiques, ses antagonismes ethniques ou sociaux. La révolution intellectuelle opérée et vulgarisée par le roman historique, conjointement avec la science historique naissante, est un changement focal : le regard s'étend à la dimension collective des faits et gestes les plus menus et les plus individuels.

Ce sont les prémices de cette révolution qui, à y bien regarder, sont à l'œuvre dans *Atala* (1801) et *René* (1805), que nous désignons aujourd'hui comme les premiers *romans* de Chateaubriand. Leur auteur, lui, insistait pour que l'on lût ces textes alors inclassables comme les fragments d'une épopée amérindienne. Il n'est pas sûr, contrairement aux affirmations de l'histoire littéraire, que le premier public de Chateaubriand ne les ait pas reçus essentiellement comme tels, plus que comme l'expression de sentiments après coup qualifiés de *romantiques*. Une preuve de la persistance de Chateaubriand et de son public dans ce besoin de rêver les origines du christianisme réside dans la publication ultérieure des *Martyrs* (1809), qui évoquent eux aussi sur le mode épique « l'époque historique de l'alliance des deux religions » – paganisme gaulois et christianisme romain.

Le roman historique comme moyen de réussite sociale

On sait la notoriété et la carrière politique que Chateaubriand sut ainsi conquérir à la pointe de la plume. Plutôt qu'un manifeste esthétique, le mot du jeune Victor Hugo, « être Chateaubriand ou rien », exprime les appétits éveillés par sa réussite. Survenant après ce précédent fameux, le phénomène de librairie créé par Walter Scott relance et amplifie l'ambition littéraire. Journaux et revues rapportent à l'envi les tirages, fabuleux pour l'époque, atteints par le romancier anglais en sa patrie. À ne les considérer qu'en France même, les profits des éditeurs de Walter Scott et ceux de Walter Scott lui-même enfièvrent les imaginations autant que ses récits. Toute une jeunesse instruite mais tenue à l'écart des emplois et du débat politique se prend, comme Lucien de Rubempré dans les *Illusions perdues* de Balzac, à miser des espoirs de gloire et de fortune sur le manuscrit d'un quelconque *Archer de Charles IX*.

De la lecture historique du passé à la lecture historique du présent

Quelle est donc la recette de Walter Scott ? Il ne suffit pas de constater sa prédilection pour les représentations gothiques et les héroïnes malheureuses, dans le prolongement du roman noir. *Quentin Durward*, le modèle visé par Rubempré, raconte les illusions perdues d'un jeune noble écossais du XVe siècle qui, sa famille détruite et son fief passé dans des mains étrangères, s'engage dans la garde personnelle de Louis XI – formée d'« archers écossais » – pour retrouver une position sociale conforme à ses origines. Les aventures du jeune Quentin servent à évoquer la lutte opiniâtre du monarque français pour réduire à sa merci le système féodal incarné par la généreuse et violente figure de son rival, Charles le Téméraire, duc de Bourgogne. Tout en présentant sous un jour sympathique l'esprit chevaleresque qui anime le jeune archer et le Téméraire, ainsi que le rôle moral de l'Église, Scott montre l'irrésistible progression de la couronne de France, appuyée sur la puissance montante de l'or et des intérêts commerciaux qu'incarnent les bourgeois de Liège et une bande de Bohémiens : le héros s'aperçoit bien vite qu'il n'est qu'un instrument aux mains de Louis XI, un fétu de paille ballotté par des forces sociales transcendantes à sa pauvre individualité. *Quentin Durward* déplore et décrit ainsi à la fois l'avènement d'une modernité destinée à ruiner châteaux et châtelains, à rejeter ensemble dans le passé valeurs aristocratiques et valeurs religieuses. C'est dans cette vision du monde, dans le débat qu'il suscite sur le sens de l'Histoire, que Scott puise la vraie substance de récits au demeurant bien ficelés.

Beaucoup lient l'originalité du modèle scottien à son parti pris de ne pas faire figurer de personnages historiques connus sur le devant de la scène. C'est parce que Richard Cœur de Lion n'intervient qu'à la fin d'*Ivanhoé*, pour parachever seulement une issue déjà acquise, qu'*Ivanhoé*, Cédric, lady Rowena, la Juive Rébecca, le fou Wamba et le porcher Gurth peuvent être désignés comme les vrais acteurs de l'Histoire, et à travers eux, les forces sociales qu'ils représentent, à savoir la noblesse saxonne, les marchands et les serfs ligués contre la tyrannie normande. Il faudrait tenir pour une exception le cas de *Quentin Durward*, où Louis XI joue les premiers rôles, même s'il fait son entrée déguisé sous les traits d'un riche marchand, en membre de la classe dont il est le représentant politique. Mérimée, pour son compte, campe sur ce principe, expliquant qu'il « n'aime dans l'histoire que les anecdotes », particulièrement celles où il croit « trouver une peinture vraie des mœurs et des caractères à une époque donnée » (préface à la *Chronique du règne de Charles IX*, 1829). Vigny, au contraire, se targue de ne pas « imiter les étrangers qui, dans leurs tableaux, montrent à peine à l'horizon les hommes dominants de leur histoire » (*Réflexions sur la vérité dans l'art*, 1827). Et de fait, dans *Cinq-Mars*, les mésententes et les réconciliations de Richelieu et de Louis XIII conditionnent directement la formation et l'échec de la conjuration nobiliaire. Reste que *Cinq-Mars* n'a, semble-t-il, pas moins marqué les contemporains que la *Chronique du règne de Charles IX*. C'est peut-être qu'infidèle à son intention, Vigny y dessine nettement lui aussi, à la manière scottienne, un certain nombre d'oppositions et d'enjeux de classe qui donnent corps et sens à la tentative de son héros.

Sous une forme moins austère que l'histoire savante, et à l'abri de la censure qui sévit sur les journaux, le mérite du roman historique pour les contemporains, c'est bien moins de proposer une représentation authentique du passé que d'offrir par analogie, à bonne distance des implications partisanes, un moyen de réfléchir aux enjeux de leur présent. Ce qui détermine l'intérêt français pour la peinture de l'antagonisme entre Saxons et Normands chez Scott, ou entre Mohicans et Anglais chez Fenimore Cooper, c'est, explicitée par l'historien Augustin Thierry, l'interprétation de l'histoire de France comme d'une lutte entre vaincus et conquérants, entre Gaulois et Francs. La thèse politique qui sous-tend *Cinq-Mars*, c'est la thèse ultraroyaliste que la monarchie française a sapé ses propres bases sociales en décapitant sa noblesse avant même que la Révolution ne s'en charge à plus grande échelle. Mérimée, de son côté, en soulignant la vanité des guerres de religion du XVIe siècle, ne se prive pas de suggérer l'athéisme comme solution aux déchirements manifestés par la Saint-Barthélemy. Quant au *Solitaire* du vicomte d'Arlincourt, le roman historique peut-être le plus lu de l'époque, qui suppose un Charles le Téméraire ayant survécu et devenu une sorte d'ermite occupé à racheter par des bienfaits les violences de sa vie passée, son charme paraît bien tenir, outre un style pompeux imité de Chateaubriand, dans l'utopie d'une féodalité qui aurait été assez sage et religieuse pour ne pas abuser de sa domination. Il y a, en somme, un paradoxe du roman en ces années 1820 où la question d'un possible retour à l'ancien ordre de choses n'est pas encore écartée : plus il est historique, plus il est actuel. De là à concevoir une forme de roman traitant historiquement du passé récent, voire du présent, le pas n'est pas grand. Hugo, en racontant la révolte des Noirs de Saint-Domingue de 1791 (*Bug-Jargal*, 1825), puis surtout Balzac, en s'attaquant à la Révolution française par le biais de la révolte des paysans de l'Ouest (*Le Dernier Chouan*, 1829, au titre imité du *Dernier des Mohicans* de F. Cooper) sont parmi les premiers à le franchir – à la manière de Scott et de Cooper, le regard tourné non pas vers les sommets, vers les vedettes de l'Histoire, mais vers le bas, vers la foule des sans-nom.

Le bilan, à la veille de 1830, est à la fois important et complexe. Il existe non pas un roman, mais des romans, non pas un genre romanesque, avec ce que cela suppose de normes faites pour être repectées ou violées, mais *des* genres romanesques distincts (le *roman d'analyse sentimentale* et le *roman historique*, principalement, qui tend à absorber le *roman noir* et ce qui n'est pas encore le *roman populaire*), avec *des* publics en nombre croissant, socialement et sexuellement hiérarchisés et différenciés (plus aristocratique et plus féminin dans un cas, plus masculin et plus large dans l'autre), et toute une réserve de jeunes auteurs appâtés par l'ampleur des gains. Il n'empêche. Malgré ces évidentes inégalités et disparités, les potentialités de ce mode d'écriture mal défini ont été suffisamment démontrées depuis 1800 pour qu'en 1827, dans *Le Globe*, le journal d'opposition de la jeunesse intellectuelle du temps, un critique déclare sans tergiverser, à propos de la littérature américaine et de Fenimore Cooper en particulier (ô, déjà, le modèle américain !) : « Nous regardons le roman comme la forme littéraire la plus raisonnable et la plus féconde. »

Portraits

Charles Nodier (1780-1844)

Charles Nodier, pour les historiens de la littérature, ne fut longtemps que l'hôte des romantiques, qu'il recevait dans ses salons de la bibliothèque de l'Arsenal et, secondairement, l'auteur raffiné de nouvelles aussi ironiques qu'étranges. Plus récemment, la critique, aidée du concours de la psychanalyse, a considérablement réévalué la part de l'onirisme et de la folie dans ses contes, au point de voir parfois dans cet auteur au style presque classique le précurseur de Nerval et des bizarreries littéraires de la fin de siècle. Assurément, l'impression ambiguë ou en demi-teinte qui se dégage des textes nombreux et protéiformes de Nodier doit inviter à relire une œuvre qui, encore largement méconnue à l'exception des récits fantastiques, n'a pas fini de livrer ses secrets.

Des clubs révolutionnaires à l'Arsenal

Né en 1780, Charles Nodier fut, par les circonstances de son enfance, un témoin privilégié de la Révolution et de ses violences. Son père était, sous la Convention jacobine, juge au tribunal révolutionnaire de Besançon et Charles, qui fit à douze ans de brillants débuts d'orateur dans la Société des amis de la Constitution, eut aussi l'occasion d'observer la redoutable efficacité de la guillotine : de là, sans doute, son obsession de la mort et de l'exécution capitale, qui ressort de tous ses récits. En 1794, son père l'envoie d'ailleurs chez un ami entomologiste, pour le mettre à l'abri des événements : l'érudition et le savoir lui serviront toujours à se protéger des troubles et des désillusions de l'Histoire.

De fait, Nodier, qui participe à l'effervescence politique du Directoire puis complote contre Napoléon, se retranche bien vite de la vie publique. Sous l'Empire, il s'intéresse aux littératures anglaise et allemande, découvre la poésie populaire en Illyrie, où il occupe pendant une année les fonctions de bibliothécaire impérial, écrit des œuvres mélancoliques où pointe déjà le mal du siècle (*Le Peintre de Salzbourg, journal des émotions d'un cœur souffrant, 1803 ; Les Tristes ou Mélanges tirés des tablettes d'un suicidé*, 1806). Journaliste et critique littéraire à partir de 1813, il devient sous la Restauration l'une des plumes de la presse royaliste. Après quelques hésitations, il prend le parti des romantiques, dont la sensibilité malheureuse et les bizarreries poétiques lui paraissent conformes au monde bouleversé de l'après-Révolution. Sensible à l'« imagination maladive » d'*Han d'Islande* et à la mode vampirique qu'il contribue à lancer en France, il publie lui-même à partir de 1818 ses sombres récits, marqués par la mort ou l'étrange : *Jean Sbogar* (1818), *Smarra ou les Démons de la nuit* (1821), *Trilby ou le Lutin d'Argail* (1822).

La fin de la Restauration sera pour l'homme une période faste : bibliothécaire à l'Arsenal à partir de 1824, il est honoré par les romantiques ; il approfondit par ailleurs avec sa fille Marie les doux plaisirs de la tendresse paternelle ; enfin, il continue à publier des textes d'inspiration variée – en 1830, l'*Histoire du roi de Bohème et de ses sept châteaux*. Mais la roue tourne. Légitimiste, il observe avec amertume et scepticisme, après la révolution de Juillet, le retour à l'instabilité politique et l'éloignement de ses amis romantiques. Surtout, le mariage de sa fille (1830) suscite en lui un inextinguible désarroi affectif. Le fantastique prend une place grandissante dans sa production narrative, dont plusieurs des textes les plus célèbres paraissent alors : *La Fée aux miettes* (1832), *Jean-François les bas bleus* (1833), *Inès de las Sierras* (1837), *Franciscus Columna* (1844). Œuvres d'autant plus étranges et déconcertantes que, élu à l'Académie en 1833, il a publié parallèlement des textes d'une allure plus austère. Aussi est-ce un notable des Lettres, déjà un peu oublié des romantiques auxquels il a ouvert tant de voies, qui meurt en 1844, dans cette bibliothèque de l'Arsenal où il a connu ses joies les plus pures de bibliophile.

Une fantaisie érudite au service du fantastique

Antonia, amoureuse d'un Lothario derrière lequel se cache le brigand Jean Sbogar, meurt folle lorsqu'elle découvre la véritable identité de celui dont elle est éprise et qu'elle assiste à son exécution. Le dormeur Smarra voit s'abattre sur lui, pendant son sommeil, tous les « démons de la nuit ». L'Écossaise Jeannie se prend d'amour fou pour le lutin Trilby et finit par se suicider, désespérée par la malédiction dont celui-ci est victime. Le charpentier Michel, enfermé dans un asile de fous, vit un amour fantastique – ou fantasmatique, du point de vue réaliste – avec la « fée aux miettes ». On n'aurait pas fini d'énumérer les références à la folie, au meurtre, à l'onirisme, comme s'il n'y avait d'histoire digne d'être racontée qu'en dehors du champ de l'expérience quotidienne. D'obscures obsessions de violence ou de démence paraissent avoir fixé l'imaginaire de Nodier et lui interdire, par un processus régressif qui a pu en effet intéresser la psychanalyse, de prendre en compte le monde comme il va.

Pourtant, son écriture distanciée reste très sage. Elle n'a rien des excès pittoresques des écrivains frénétiques du « petit romantisme », ni même des sereines aberrations de Nerval. Nodier emprunte ses motifs à l'Antiquité (à Apulée, pour *Smarra*) ou au réservoir du conte populaire (fées, lutins…) ; il ne se départit jamais d'un style où la légèreté du trait et les jeux d'ironie ramènent à la meilleure tradition du

XVIIIe siècle. Si Nodier a rêvé d'être fou, jamais un fou ne s'est autant gardé de passer pour tel. Ne serait-il donc qu'un écrivain de second ordre, incapable d'aller au bout de ses tentations littéraires et passant, comme le dit très dédaigneusement Sainte-Beuve, « d'engouements en engouements, mais à la superficie et sans y tenir » ?

Mais c'est que Nodier éprouve un engouement plus profond que celui de la folie ou du fantastique, et trop secret pour se révéler au fil d'une intrigue. Son style ne lui est dicté ni par son éducation classique, ni par prudence à l'égard de son public, mais parce que, dès ses premiers écrits, il s'est pris de passion pour les mots et leur usage. Auteur en 1808 d'un curieux *Dictionnaire raisonné des onomatopées françaises*, il manifestera dans toute son œuvre une attention d'entomologiste pour le vocabulaire, bientôt prolongée par l'amour des livres rares, qu'il comblera en 1834, avec la création du *Bulletin du bibliophile*. Si la folie est bien la métaphore de l'écriture – mais seulement cela –, Nodier n'est peut-être pas celui que ses fictions font paraître, mais un écrivain fantasque, jouissant d'écrire autant que d'imaginer, et heureux, grâce au jeu subtil de reflets et d'illusions qu'institue chacune de ses œuvres, d'avoir su élégamment tromper son monde.

BIBLIOGRAPHIE

• Éditions :
Œuvres, Genève, Slatkine, 1968, 12 vol. [réimp. de l'éd. Renduel de 1832-1837]. – *Contes*, Paris, Garnier, 1961. – *Portraits de la Révolution et de l'Empire*, Paris, Tallandier, 1988, 2 vol. – *Dictionnaire raisonné des onomatopées françaises*, Mauzevin, Trans-Europ-Repress, 1984. – *Histoire du roi de Bohème et de ses sept châteaux*, Paris, Éd. d'aujourd'hui, 1977. – *Jean Sbogar*, Paris, Champion, 1987. – *Moi-même, Roman qui n'en est pas un, tiré de mon portefeuille gris-de-lin*, Paris, J. Corti, 1985. – *Correspondance croisée : Victor Hugo, Charles Nodier*, Bassac, Plein chant, 1987.

• Études d'ensemble et ouvrages de synthèse :
H. JUIN, *Charles Nodier*, Paris, Seghers, 1970. – B. ROGERS, *Nodier et la tentation de la folie*, Genève, Slatkine, 1985.

• Sélection de travaux critiques :
J. LARAT, *La Tradition et l'exotisme dans l'œuvre de Charles Nodier (1780-1844) : études sur les origines du romantisme français*, Genève, Slatkine, 1973 [réimp. de l'éd. de 1923]. – H. P. LUND, *La Critique du siècle chez Nodier*, Copenhague, Akademisk Forlag, 1978. – D. SANGSUE, *Le Récit excentrique*, Paris, J. Corti, 1987. – R. SETBON, *Liberté d'une écriture critique, Charles Nodier*, Paris, Nizet, 1981.

* * *

Étienne Pivert de Senancour (1770-1846)

Étienne Pivert de Senancour serait probablement resté un obscur représentant de la littérature révolutionnaire et impériale si Sainte-Beuve, en 1833, n'avait appuyé de sa jeune autorité la réédition d'*Oberman*, qui apparut comme une préfiguration du « mal du siècle » ; triste, mélancolique, ennuyé de tout, le héros de Senancour partageait en effet le désespoir tragique dans lequel se reconnaissaient bien des Werther français. Mais il le faisait avec une gravité austère, une écriture atone qui, du point de vue littéraire, allait à l'encontre de la mode romantique. Auteur sévère, tout comme Sainte-Beuve ; on comprend que le critique de la *Revue des Deux-Mondes* ait vu dans le vieux poète-philosophe, qui finissait de traîner sa morne existence d'écrivain déçu, le précurseur de la littérature sérieuse qu'il essaya d'imposer et d'opposer à celui qui fut le concurrent victorieux de Senancour, Chateaubriand : « Oh ! Qu'on ne me dise pas qu'*Oberman* et *René* ne sont que deux formes inégalement belles d'une identité fondamentale ; que l'un n'est qu'un développement en deux volumes, tandis que l'autre est une expression plus illustre et plus concise ; qu'on ne me dise pas cela ! René est grand, et je l'admire ; mais René est autre qu'Oberman [...]. Oberman est sourd, immobile, étouffé, replié sur lui, foudroyé sans éclair, profond plutôt que beau [...]. La destinée d'*Oberman*, comme livre, fut parfaitement conforme à la destinée d'Oberman comme homme. Point de gloire, point d'éclat, point d'injustice vive et criante, rien qu'une injustice muette, pesante et durable » (Préface à l'édition de 1833).

Une vie vouée à l'échec

La morne existence de Senancour ne fut de fait qu'une longue suite de défaites et d'amertumes. Né en 1770 de parents dévots et désaccordés, il part (s'enfuit ?) en 1789 pour la Suisse où, à plusieurs reprises, il rêvera de s'installer pour jouir d'une solitude paisible. Mais une expédition imprudente dans les Alpes et un séjour prolongé dans un torrent glacé troublent définitivement sa santé physique et nerveuse. Un mariage contracté, en 1790, sans conviction et un peu par hasard se révèle une catastrophe, dont il ressent péniblement les conséquences matérielles et psychologiques. Enfin, alors qu'il pouvait attendre sans inquiétude d'hériter d'une fortune considérable, il est ruiné en 1795 par la dévaluation vertigineuse des assignats révolutionnaires : il souffrira toute sa vie d'une précarité à laquelle il n'était pas préparé.

Il lui reste la littérature, où, dans la lignée des écrivains du XVIIIe siècle – notamment de Rousseau et de Bernardin de Saint-

Pierre –, il veut faire œuvre de penseur et de moraliste. En 1792 et 1793, il publie, dans l'indifférence générale, deux essais signés du « Rêveur des Alpes », *Les Premiers Âges* et *Sur les générations actuelles*. Même insuccès, en 1794, pour un roman épistolaire, *Aldomen ou le Bonheur dans l'obscurité*. En 1799, la parution des *Rêveries sur la nature primitive de l'homme* précise les conceptions philosophiques de Senancour, qui renvoie la connaissance de la condition de l'homme – si incertaine en ces temps troublés – à l'examen de sa nature primitive. En 1804, après un nouveau séjour en Suisse, il s'essaie à un deuxième roman épistolaire, *Oberman*, beaucoup plus vaste et ambitieux que le précédent. Nouvel échec pour cette œuvre qui vient trop tard, deux ans après le *René* de Chateaubriand. Dans ces années, Senancour paraît décidé à tenter le sort, quitte à abandonner le strict registre philosophique : en 1807, il hasarde même – vainement – une comédie, *Valombré*, tentative d'actualisation du *Misanthrope*. En fait, seul son *De l'amour* connaît, en 1806, une petite notoriété de scandale, parce qu'il prend parti pour le divorce et certaines libertés d'ordre sexuel.

Autour de 1811, Senancour paraît renoncer à la brillante reconnaissance qu'il est pourtant persuadé de mériter. Il se fait homme de lettres et journaliste professionnel, tout en travaillant à son grand œuvre (*Libres Méditations d'un solitaire inconnu, sur le détachement du monde et sur d'autres objets de la morale religieuse*, 1819). Mais, on l'a dit, la faveur du public, d'ailleurs éphémère, ne vient qu'en 1833 ; ce succès tardif d'*Oberman*, offrant l'image séduisante d'un auteur romantique, consacre d'ailleurs un malentendu dont Senancour souffrira, même s'il adoucit matériellement les dernières années de sa vie, qui s'achève discrètement en 1846.

Entre illuminisme et esprit philosophique

Quelque raison psychologique ou littéraire qu'on puisse trouver à cette longue suite de déconvenues, l'incompréhension des lecteurs était pour ainsi dire programmée par l'écrivain. Dans ses *Rêveries sur la nature primitive de l'homme*, il annonce dans les « Préliminaires » : « Ce ne sont ici que des essais informes. J'écrivis sans art et presque sans choix ce que rencontra ma pensée [...]. Je voudrais écrire des choses utiles, et renoncerais volontiers à la gloire de produire un ouvrage fini. » Il se veut penseur – et penseur « utile » –, soumettant toute réalité naturelle ou humaine et toute doctrine à sa pensée critique. L'exigence d'honnêteté intellectuelle qui en découle conduit à une réflexion qui, dans sa forme, manque singulièrement, parfois, de séductions.

Sans doute est-il possible de repérer, au travers des textes, une évolution significative. Senancour apparaît d'abord comme un matérialiste en métaphysique et un stoïcien en morale : à première lecture, comme un épigone de la philosophie des Lumières, qui connaît une nouvelle vigueur sous le Directoire. Dans *Oberman*, dont le style est teinté de couleurs plus poétiques, il se montre plus sensible au principe d'harmonie universelle, que l'homme doit retrouver en établissant une relation équilibrée avec la nature – la sienne et celle qui l'entoure. Plus tard, il paraît reprendre à son compte certaines thèses du courant illuministe et mystique qui, en effet, s'épanouit sous la Restauration : ainsi le titre *Libres Méditations d'un solitaire inconnu* constitue-t-il une référence explicite au *Philosophe inconnu* de Saint-Martin.

Cependant, Senancour n'opte jamais pour une pensée exclusive. Au milieu de ses descriptions émues et exaltées des paysages alpestres, le narrateur d'*Oberman* s'interroge, longuement et minutieusement, sur les effets du café, du thé et du vin. Inversement, ses considérations physiologiques ou économiques ne l'empêchent pas d'écrire de très belles pages, parce que réfléchies et mesurées, sur le sentiment amoureux. De plus, à mesure que le temps passe et le délivre, malheureusement, de l'espoir d'un succès, il s'affirme de plus en plus nettement comme un moraliste austère – aussi exigeant qu'un Montaigne en matière de sincérité, mais sans le charme de sa marche fantaisiste. Il réalise en fait une étrange synthèse entre l'esprit analytique des Idéologues et les doctrines illuministes qui émanent, à la fin du XVIIIe siècle, du protestantisme. Cette synthèse, qui ne va pas quelquefois sans quelques ambiguïtés conceptuelles, est le ferment d'une entreprise littéraire originale qui, par ses apories mêmes, a retenu l'attention de ses rares admirateurs (Sainte-Beuve, Balzac, Proust…).

Une poétique de l'informe

Avouons-le : *Oberman* (ou *Obermann*, selon les éditions) est une œuvre difficile à lire – et cependant la plus « lisible » de Senancour ! – : un narrateur, dont on ne saura pas grand-chose, écrit à un correspondant, dont on ignore tout, des lettres qui alternent, pendant dix années, les anecdotes biographiques (mais si anodines !), les digressions philosophiques, les considérations pratiques – sans jamais faire effort pour intéresser un destinataire auquel le lient des sentiments profonds d'amitié et d'estime. Le décousu, les longueurs et la ténuité de la fiction découragent le lecteur habituel de roman.

On ne peut pourtant pas dire que le texte soit une autobiographie, même si l'on reconnaît, à certaines allusions vagues ou contournées, l'ombre de Senancour. Ce n'est pas non plus un traité philosophique, puisque l'évolution des idées générales d'Oberman finit par dessiner un portrait psychologique étrangement personnel : peut-être, d'ailleurs, est-ce cet intimisme paradoxal que visait Senancour et qui constitue sa principale réussite. Il s'agit plutôt d'une œuvre multiforme – ou informe –, où l'auteur paraît essayer différents styles ou genres sans rien achever, s'évertuant à égarer son lecteur dans le labyrinthe très introverti de son jeu épistolaire.

Non pas que Senancour écrive mal ou, du moins, qu'il ignore les contraintes spécifiques de l'écriture : il a eu, en particulier, l'ambition de faire œuvre dans le genre de la « description de paysage ». Mais il a la conviction qu'un écrivain ne doit jamais sacrifier les exigences de mesure et d'exactitude à la recherche de l'effet : ainsi s'en prend-il au « vague » de telle description de Rousseau ou aux métaphores devenues « triviales », comme « le cristal des eaux, les tapis de verdure, les nuages semblables à des flocons de laine cardée, ou à des réseaux de soie » (*Du style dans les descriptions*). De même, s'adressant à la femme, s'en prend-il au « jargon romanesque » de la rhétorique amoureuse de l'homme et à ses « expressions dont une seule suffirait pour déceler la mince estime qu'il a pour vous, et la bassesse dans laquelle il se tient lui-même ».

En fait, Senancour rêve d'un espace mixte, à la jointure du littéraire et du philosophique, où l'un et l'autre renonceraient à leurs propres logiques et où s'élaborerait un livre d'une rigoureuse moralité : « Il ne suffit pas qu'une chose soit dite, il faut qu'elle soit publiée, prouvée, persuadée à tous, universellement reconnue. Il n'y a rien de fait tant que la loi expresse n'est pas soumise aux lois de la morale, tant que l'opinion ne voit pas les choses sous leurs véritables rapports » (*Oberman*). Au sein de la nébuleuse romantique, Senancour a pensé, plus qu'aucun autre, que la littérature résidait, essentiellement, dans ce qu'elle avait à dire et que de cette vocation philosophique devaient découler tous les choix formels. Aussi est-il vain de se demander si Oberman est Senancour ou non. Il l'est et ne l'est pas tout à la fois ; ou plutôt, le vrai sujet du roman est le dialogue raidi de sincérité et noyé de silences que l'écrivain, l'homme privé et le philosophe poursuivent ensemble dans un cadre vaguement fictionnel.

Bibliographie

• Éditions :
Aldomen, A. Monglond éd., Paris, Les Presses françaises, 1925. – *De l'amour*, Paris, Club français du livre, 1955. – *Libres Méditations d'un solitaire inconnu*, B. Le Gall éd., Genève, Droz, 1970. – *Oberman*, Genève, Droz, 1931. *Les Premiers Âges*, R. Braunschweig éd., Genève, Slatkine, 1968. – *Rêveries sur la*

nature primitive de l'homme, G. Saintville éd., Paris, Droz, 1939. – *Sur les générations actuelles*, M. Raymond éd., Genève, Droz, 1963. – *Valombré*, Z. Lévy éd., Genève, Droz, 1972.

• Biographie :
G. MICHAUT, *Senancour : ses amis et ses ennemis*, Paris, Sansot, 1909.

• Études d'ensemble :
B. DIDIER, *L'Imaginaire chez Senancour*, Paris, J. Corti, 1966.

• Sélection de travaux critiques :
B. DIDIER, *Senancour romancier*, Paris, SEDES, 1985. – A. MONGLOND, *Le Journal intime d'Oberman*, Genève, Arthaud, 1947. – M. RAYMOND, *Senancour ; sensations et révélations*, Paris, J. Corti, 1965.

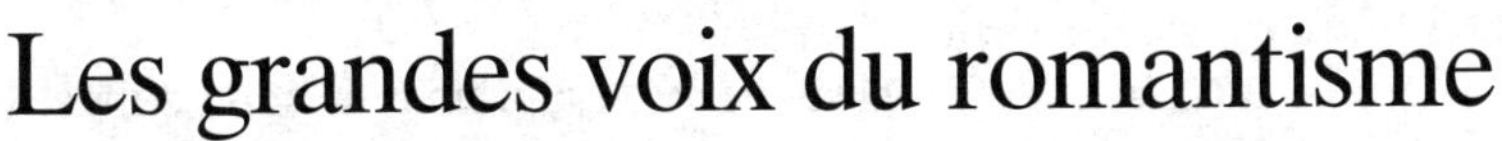

Les grandes voix du romantisme

Comme on l'a souligné en introduction, cette partie consacrée aux principaux romantiques ne correspond nullement au désir d'ébaucher un quelconque palmarès, mais à la nécessité de faire place à tous ceux dont l'œuvre, s'élaborant de part et d'autre de 1830, pouvait également figurer dans notre première ou dans notre troisième partie.

Nécessité fait loi ; elle a aussi ses vertus. La première est de donner l'occasion de rappeler que les grands auteurs du romantisme furent d'abord des « voix », des hommes pour qui l'acte d'écrire prolongeait, en la magnifiant, la prise de parole : on dira, dans le vocabulaire descriptif d'aujourd'hui, que l'invention littéraire passait de l'énoncé à l'énonciation.

Aussi l'initiative de la parole importait-elle plus que le genre du discours. Hugo, Vigny, Musset furent poètes, romanciers et dramaturges. Lamartine, poète et orateur, parfois même romancier. Dumas, dramaturge et romancier. Stendhal, journaliste, essayiste et romancier. Balzac, romancier, dramaturge et journaliste ; et, s'il fut surtout romancier, c'est qu'il avait su faire du roman à la fois un poème, un traité de philosophie, un livre d'histoire. Chacun à sa manière, ils imposent cette poétique du *je* d'où procèdent tous leurs excès et dont aucune classification ni aucune description formelle ne sauraient rendre compte.

Même Sainte-Beuve fut poète avant de se consacrer à l'analyse des œuvres des autres. Et, s'il n'avait été que critique, il mériterait sa place ici pour rappeler que le romantisme n'aurait été ce qu'il est sans la réflexion, indifféremment prospective et historique, que le XIXe siècle a toujours menée sur la littérature.

Chapitre 8

Lamartine

Célébré dès 1820 comme « l'amant d'Elvire », Lamartine l'est resté pour la postérité, émouvante incarnation de la sensibilité romantique. Sans doute est-il injuste de réduire à un seul trait, qui prête d'ailleurs aisément à la caricature, la production nombreuse et la carrière variée, aussi bien politique que littéraire, de celui à qui le XIXe siècle doit la reviviscence de sa poésie. Cependant, Lamartine n'est pas Hugo, son concurrent et pair au regard de la gloire. Ce dernier s'est imposé par la puissance de son verbe et l'étendue de ses écrits, par l'élaboration monumentale d'une œuvre qui, qu'on l'aime ou non, pèse sur son siècle. Lamartine, lui, vaut surtout par la tonalité très personnelle de son écriture, par l'atmosphère, prégnante mais informulée, dont il enveloppe son univers poétique. « Le vain de Mâcon » : tel fut le sobriquet dont on l'avait affublé, au prix d'un méchant calembour qui s'en prenait à ses manières aristocratiques. Au-delà de la charge, il est vrai que le génie de Lamartine tient à une forme très précieuse d'inconsistance qui, paradoxalement, exprime une authentique entreprise littéraire.

Grandeur et décadence d'un aristocrate

De l'adolescent ennuyé à l'amant exemplaire

Alphonse de Lamartine naît en 1790 – soit sept ans avant Vigny, douze avant Hugo, vingt avant Musset : il est, beaucoup plus que les autres romantiques, homme du XVIIIe siècle, dont l'élégance policée se fond étrangement, dans son œuvre, avec la nouvelle veine élégiaque. Héritier mâle d'une famille de bonne et vieille noblesse, il est élevé dans le respect de ce qu'il représente – et de lui-même. Mais son éducation subit le contrecoup des événements historiques. Si la Révolution et l'Empire épargnent sa famille, ils le contraignent à l'oisiveté, qu'il meuble très agréablement avec des séjours dans la propriété familiale de Milly et des aventures sentimentales que lui facilitent son rang et un physique avantageux. Très jeune, il cultive ainsi cet épicurisme du sentiment qui est la constante de sa vie et, peut-être, de son œuvre.

En 1812, à l'occasion d'un voyage en Italie, il fait la connaissance d'une jeune Napolitaine, Antonella, première Elvire des *Méditations* et premier avatar, populaire et solaire, de son idéal amoureux. En 1816-1817, la rencontre puis la mort de Mme Julie Charles donneront naissance à la deuxième Elvire, symbole très romantique d'un amour éthéré et tragique : amour d'emblée irréel, que Lamartine constitue en mythe personnel avant d'en faire des poèmes. Presque trentenaire et lesté de ce souvenir romanesque, il se marie trois ans plus tard avec une Anglaise convenablement dotée ; il se consacrera désormais à ses projets littéraires et à des ambitions politiques qu'il a nourries dès sa jeunesse. En mars 1820, la parution des *Premières Méditations poétiques* fait connaître au public un auteur dont les textes et le visage étaient déjà admirés dans les salons aristocratiques. Le succès est prodigieux, à la mesure d'une œuvre qui, malgré sa brièveté, révolutionne la poésie en vers, lui insufflant la force d'émotion et de suggestion qui, depuis Rousseau et Chateaubriand, paraissait l'apanage de la prose. La même année, il obtient son premier poste diplomatique, en Italie : la voie est désormais tracée.

Le poète à l'épreuve de la politique

Cependant, Lamartine rêve d'un autre avenir. Le rôle, estimable mais secondaire, de grand poète élégiaque ne le satisfait guère ; politiquement, il se détache du parti ultraroyaliste qui l'a d'abord accueilli ; enfin, lui qui aime par-dessus tout rêver en quelque noble retraite, il se soucie encore moins de s'agréger aux jeunes écrivains romantiques qui s'impatientent aux portes de la littérature.

Progressivement, sa poésie prend plus d'ampleur et laisse place à des préoccupations métaphysiques marquées : celles-ci l'entraînent du catholicisme orthodoxe vers le christianisme abstrait, mêlé d'idéalisme allemand, que l'éclectique Victor Cousin commence à populariser en France. En 1823, les *Nouvelles Méditations poétiques* ne constituent qu'un ouvrage hâtif : il faut occuper le terrain conquis avec le premier recueil. Mais il n'en est pas de même avec le vaste récit philosophique que Lamartine consacre à *La Mort de Socrate*. En 1825, l'année même où il honore d'un *Chant du sacre* l'avènement de Charles X, il rend hommage dans un long poème de 1 750 vers à Lord Byron, qui vient de mourir à Missolonghi pour la défense et la liberté du peuple grec (*Le Dernier Chant du pèlerinage de Childe Harold*). En 1830, six semaines avant la révolution de Juillet, il fait paraître les deux volumes de ses *Harmonies poétiques et religieuses*, où il orchestre les principaux thèmes de sa doctrine et sa vision d'un univers harmonisé par les correspondances subtiles qu'il imagine entre l'homme, la nature et Dieu, en y mêlant l'évocation de souvenirs plus personnels.

La chute de Charles X précipite son entrée en politique. Après un long voyage en Orient dont il tirera un ouvrage en 1835, il participe comme député aux débats publics et s'impose peu à peu comme un des – rares ! – grands orateurs du nouveau régime. Du poète au parlementaire, il n'y a pas de solution de continuité : avec cet idéalisme policé qui caractérise sa manière, il étend à l'action collective son rêve d'une concorde universelle qui, sur le terrain social, doit concilier la raison et le sentiment d'humanité. L'Histoire se teinte de la douce lumière qui irise toute son œuvre : on le traite d'abord de rêveur impénitent, jusqu'au moment où sa ferme intransigeance lui gagne le respect de l'opposition.

Ce penseur politique ne renonce pas tout à fait à la poésie ; il rêve d'une vaste épopée et en rédige deux épisodes. En 1836, il publie *Jocelyn*, qui, en neuf époques et 1 615 vers, alterne, sous couvert d'une idylle impossible entre un curé de campagne et la jeune fille qu'il aime, les évocations naturelles et les perspectives sociales. Le succès public est immense et consacre l'auteur comme poète du peuple. En 1838, le poème biblique *La Chute d'un ange*, qui raconte les amours de l'ange Cedar et de l'humaine Daïdha, ne suscite pas le même intérêt d'émotion. Échec encore pour un nouvel et dernier recueil en 1839, les *Recueillements poétiques*.

La poésie passe désormais au second plan ; l'orateur fait alors appel à la prose et à l'histoire, où il connaît le plus grand triomphe de sa carrière d'écrivain engagé. En 1847, il publie l'*Histoire des Girondins*, où il défend sa conception girondine du Progrès, respectueuse de la liberté et de la paix civile. Sa popularité est prodigieuse, ainsi que l'autorité qui émane de sa parole. Aussi apparaîtra-t-il naturellement comme un recours, pour tous ceux qu'inquiètent les socialistes et l'effervescence insurrectionnelle qui règne à Paris : désigné à la chute de Louis-Philippe comme chef du gouvernement provisoire, il peut légitimement s'enorgueillir d'être le seul romantique qui ait concrètement imposé à l'Histoire les exigences visionnaires de la poésie.

Le déclin

Le triomphe est éphémère, brutalement effacé par le retour au jeu normal des affrontements politiques. Aux élections présidentielles de décembre 1848, Lamartine obtient le score dérisoire de 18 000 voix, sur plus de sept millions de votants. L'anéantissement de son crédit politique rejaillit sur sa situation matérielle, qui menace ruine. Jusqu'alors, il avait, avec beaucoup d'insouciance, adopté le train de vie d'un grand seigneur, s'endettant constamment pour tenir son rang, accroître ses terres, entretenir ses domaines. Il s'était ensuivi un déséquilibre croissant qui, d'ailleurs, amenait l'écrivain, obligé de trouver de l'argent frais, à hâter la composition et la publication de ses œuvres : d'où cette impression de bâclé où il est bien difficile de faire la part de la nécessité et celle de la désinvolture volontaire.

Mais l'avenir était riche de promesses. Après 1848 au contraire, il ne reste plus que le gouffre financier, impossible à combler. Aussi la fin sera-t-elle consacrée à la recherche morose de subsides insuffisants, offrant une image du poète guère conforme à celle qu'il avait voulu forger avec tant de ténacité : s'y substitue le tableau, familial et vaguement pathétique, d'un homme vieillissant, veuf, sans enfant depuis la mort de sa fille en 1832, mais entouré des soins attentifs de sa nièce Valentine, à qui une amoureuse tendresse inspire un total dévouement de soi.

L'heure est donc à la nostalgie : contraint à la retraite, Lamartine raconte dans deux récits autobiographiques l'histoire de ses deux Elvire, la Napolitaine (*Graziella*, 1849) et la phtisique (*Raphaël*, 1849). Puis il étend ce regard sentimental au monde extérieur dans des romans sociaux où l'ancien défenseur des poètes issus du peuple décrit avec une émotion attendrie la vie des simples (*Geneviève* et *Le Tailleur de pierre de Saint-Point*, 1851).

Il est resté un auteur populaire : ses ouvrages, si remplis de ce qui l'a fait aimer, se vendent bien. Mais ces succès de librairie ne suffisent pas à le renflouer. Il lui faut, encore et toujours, noircir du papier, publier régulièrement et abondamment. Il se résigne à la compilation et au remplissage dans de très bavardes histoires de la Restauration, des Constituants, de la Turquie et, enfin, de la Russie, dans son journal *Le Civilisateur* et, de 1856 jusqu'à sa mort en 1869, dans son *Cours familier de littérature*. Malgré l'idéal sincère d'éducation populaire qui l'anime, il est bien devenu, selon sa propre expression, un « galérien des Lettres », réduit au petit commerce de sa gloire.

Une poétique de la belle pensée

L'art de la méditation harmonieuse

Au cœur même du romantisme est ancrée cette conviction forte, qui le distingue radicalement des mouvements postérieurs : la fin ultime de la pensée, par-delà les vérités qu'elle met au jour, est d'accroître la sphère du Beau. Le poète doit donc appliquer son intelligence à la conception et à la réalisation de son idéal d'harmonie. Aussi toutes les grandes utopies du XIXe siècle sont-elles, à bien les regarder, des utopies esthétiques : utopie de la Nature selon laquelle l'homme, infiniment ému par de subtiles correspondances, résonnerait des vibrations mystérieuses du monde qui l'entoure ; utopie de l'Histoire où, grâce à une meilleure compréhension des droits et des devoirs mutuels, il édifierait une société parfaitement équilibrée et proportionnée ; utopie de l'Amour, qui substituerait à la violence du désir, perturbatrice et négatrice de l'autre, la beauté du sentiment partagé ; utopie de l'Art grâce à laquelle l'artiste se forge pour lui-même, contre les tristes réalités, des beautés imaginaires et artificielles.

Or, pour les trois premières de ces quatre utopies, Lamartine fut un des grands initiateurs – lui qui a construit sa vie, son action, son œuvre comme une perpétuelle entreprise d'*embellissement.* Absurdement optimiste et déceptive selon ses détracteurs, on ne pouvait nier qu'elle procédât de la philosophie esthétique la plus exigeante, où Mallarmé, au moins à ses débuts, a pu trouver l'écho de ses propres préoccupations. Mais, faisant corps avec cette doctrine romantique du Beau, on comprend aussi que l'œuvre de Lamartine ait mal survécu au triomphe de la poétique moderne, violemment proclamé par Rimbaud.

Quelque sujet ou genre qu'elle aborde, chacune de ses œuvres tourne à la méditation harmonieuse, à l'éloquente songerie d'une âme sensible : il s'agit d'une écriture essentiellement contemplative, où les réalités matérielles et spirituelles valent pour les spectacles qu'elles offrent au regard. Dans les romans ou les récits historiques, même les événements les plus terribles sont racontés avec une distance poétique, qui transforme la narration en fable émouvante et, à ce titre, séduisante.

Lamartine, poète du paysage

Dans cette œuvre où tout finit par faire tableau, le paysage constitue le motif privilégié. Il ne représente pas, comme chez Hugo, un point de passage, fascinant ou terrifiant, entre l'homme et les mystères invisibles de l'être ; le lecteur n'est pas invité à y deviner des abîmes insondables face auxquels il serait saisi, par la vertu d'une parole tempétueuse, d'un frisson métaphysique. Au contraire, même privé de l'espérance ou de la femme qu'il aime, le promeneur lamartinien jouit, avec une gourmandise mélancolique, du murmure des eaux – lac ou rivière qui serpente –, de la fraîcheur d'un bois, de la rumeur lointaine d'un village, des jeux d'ombre et de lumière. Cette vision paisible offre l'une des clés de la poétique lamartinienne, si mal désignée par le terme de néoclassicisme.

L'auteur du « Lac » reproduit bien le vieux topos du *locus amœnus*, mais l'avatar romantique qu'il en propose n'a plus rien à voir, malgré les apparences, avec la sèche caricature à laquelle l'avait réduit la poésie du XVIIIe siècle. En effet, par un syncrétisme original, il ressuscite le charme perdu de la poésie virgilienne – autre grand mythe romantique – en remplaçant le sensualisme païen, dont la vertu d'évocation s'est érodée au cours du temps, par la nouvelle émotion philosophique qu'éprouve l'homme postrévolutionnaire : en somme, il recrée le cadre idyllique de l'églogue antique, mais il l'éclaire d'une étrange et diaphane lumière métaphysique.

Une écriture classique ?

Aussi a-t-on raison de souligner chez lui le poids de la tradition, le convenu des images, les facilités rhétoriques, les emprunts au siècle précédent : ainsi des célèbres « Ô Temps, suspends ton vol » et « Un seul être vous manque, et tout est dépeuplé », pris, littéralement ou à un mot près, aux obscurs poètes d'Ancien Régime Thomas et Léonard. Car la valeur inappréciable de son écriture tient, précisément, à ce discret miracle : par la seule force de présence du *je* lamartinien, la rhétorique poétique, sans les transgressions qu'invente alors Hugo, redevient éloquence, si bien que la facticité même de l'univers créé ou des moyens employés semble miraculeusement proportionnée à l'authenticité du discours.

Si le *je* fait entendre sa voix singulière, il y parvient sans hausser le ton, sans emphase excessive, sans se départir en prose d'un style limpide et en poésie de cette prosodie charmeuse et de cette musique du vers sur lesquelles on a tant écrit sans jamais en proposer de description rigoureuse. Pourtant, on est frappé d'emblée par sa prédilection pour la syntaxe sobre du XVIIIe siècle, pour les voyelles claires et les consonnes faiblement appuyées comme les dentales – toutes choses où il s'oppose encore, trait pour trait, au Verbe hugolien : sa parole est toujours accompagnée d'un discret alanguissement et laisse entendre, même dans les discours publics, le chuchotement intime d'une confidence ou d'une conversation, pareil au bruissement régulier de la vague qui, dans « Le Lac », paraît servir de métaphore pour désigner à la fois l'émotion du poète et son mode d'écriture :

> « On n'entendait au loin, sur l'onde et sous les cieux,
> Que le bruit des rameurs qui frappaient en cadence
> Tes flots harmonieux. »

Le poète en représentation

Dans ce qu'elle fait voir ou entendre, l'œuvre paraît ainsi en retrait, renonçant à recourir aux ressources de l'expressivité romantique. Car son véritable objet n'est pas d'expliquer et de raconter, mais de recréer un état d'esprit en suggérant le sentiment qu'a fait naître chez le poète une idée ou une situation particulière : peu importe que les descriptions soient parfois abstraites ou stéréotypées, puisqu'elles visent à réfléchir en elles l'émotion du *je* lyrique, plutôt qu'à figurer sa cause objective.

Il s'agit donc d'une expressivité au second degré, où, parvenu au point extrême du lyrisme, le poète en autoreprésentation substitue son image à celle du monde. Cette littérature où le sujet vient contempler son reflet implique, partout et toujours, la mise en scène de soi-même. Le lieu lamartinien par excellence est décidément le lac, où la nature elle-même est conviée à témoigner de ces moments de conscience privilégiés : ses rives servent de chambre d'écho, sa surface d'immense réflecteur ; et les montagnes ellesmêmes, faisant cercle à son bord, deviennent les spectateurs du poète offert aux regards de l'univers.

Idéalisme et littérature

Lamartine est, à sa manière, un poseur, tel que le montre son portrait en pied par le peintre Decaisne : grand, le regard sérieux et vaguement condescendant, le maintien hésitant entre l'élégance et l'abandon. Mais c'est le poète qui pose, non l'homme. À Musset, le poète-pélican, qui avait osé comparer dans une épître en vers ses propres histoires sentimentales avec les malheurs exemplaires de son aîné, celui-ci avait répondu, d'ailleurs très injustement, par des vers cinglants :

> « Enfant aux blonds cheveux, jeune homme au cœur de cire,
> Dont la lèvre a le pli des larmes ou du rire,
> Selon que la beauté qui règne sur tes yeux
> Eut un regard hier sévère ou gracieux ;
> Poétique jouet de molle poésie,
> Qui prends pour passion ta vague fantaisie,
> Bulle d'air coloré dans une bulle d'eau… »
>
> (« À M. de Musset, en réponse à ses vers »)

Pour Lamartine, les vrais sentiments sont ceux de l'âme, non du cœur. De même, le poète doit habiter exclusivement le monde des idées, dont il est le sublime interprète. Quant à ces idées, elles constituent, à quelques singularités près, le fonds commun du romantisme : un déisme proche de l'illuminisme, une philosophie progressiste de l'Histoire, une psychologie spiritualiste. Mais Lamartine n'a pas l'ambition d'innover sur le plan théorique ; il ne veut pas non plus vulgariser une doctrine, à la manière d'un Delille, mais communiquer à son lecteur l'émotion que procure le questionnement philosophique, et dont aucun exposé rationnel ne peut faire éprouver le frémissement.

L'idéalisme de l'écrivain lui impose sa méthode de travail (ou de non-travail !). Non pas forger des beautés dont les vaines apparences risquent d'excéder la pensée qu'elles habillent, mais laisser les vers s'échapper, comme des fruits mûrs, d'un esprit rêveur :

> « Quelquefois seulement, quand mon âme oppressée
> Sent en rythmes nombreux déborder ma pensée,
> Au souffle inspirateur du soir dans les déserts,
> Ma lyre abandonnée expire encor des vers !
> J'aime à sentir ces fruits d'une sève plus mûre,
> Tomber sans qu'on les cueille, au gré de la nature… »
>
> (« Philosophie »)

Unies harmonieusement, la métaphysique et l'esthétique n'ont pas fini de s'appeler l'une l'autre : si la pensée se mesure aux beautés qu'elle engendre, la beauté est à son tour la forme que revêt l'intelligence, lorsqu'elle s'émeut d'elle-même et se déploie magnifiquement à la faveur de ce narcissisme attendri de l'âme qui est la marque, reconnaissable entre toutes, du génie lamartinien.

Bibliographie

• Éditions :
Œuvres poétiques complètes, M.-F. Guyard éd., Paris, Gallimard, 1963. – *Histoire des Girondins*, Paris, Plon, 1984. – *Méditations*, F. Letessier éd., Paris, Garnier, 1968. – *La Politique et l'Histoire* [choix de textes], R. David éd., Paris, Imprimerie nationale, 1993. – *Voyage en Orient*, Paris, Furne-Daguerre, 1855. – *Correspondance générale de 1830 à 1848*, M. Levaillant dir., Genève, Droz, 1943-1948, 2 vol. – *Correspondance Lamartine-Virieu*, M.-R. Morin éd., Paris, PUF, 1987.

• Biographies :
H. Guillemin, *Lamartine en 1848*, Paris, PUF, 1948. – de Luppé, *Les Travaux et les Jours de Lamartine*, Paris, Albin Michel, 1942. – M. Tœsca, *Lamartine ou l'Amour de la vie*, Paris, Albin Michel, 1969.

• Études d'ensemble et ouvrages de synthèse :
H. Guillemin, *Lamartine*, Paris, Le Seuil, 1987. – M.-F. Guyard, *Lamartine*, Paris, Éditions universitaires, 1956.

• Sélection de travaux critiques :
L'Année 1820, année des « Méditations », Clermont-Ferrand, Centre de recherches révolutionnaires et romantiques de l'université Blaise-Pascal, 1994. – *Lamartine : le livre du centenaire*, P. Viallaneix dir., Paris, Flammarion, 1971. – « Lamartine », numéros spéciaux d'*Europe* et de la *Revue des sciences humaines*, à l'occasion du centenaire (1969).

Chapitre 9

Vigny

Quelle image faut-il garder de Vigny ? Celle du poète presque déjà mallarméen et consacrant son art rigoureux à l'expression de la pensée pure ou bien le portrait de l'homme réduit au silence, raidi par l'ennui et les insatisfactions personnelles, arc-bouté sur des positions aristocratiques et réactionnaires ? Les deux sans doute ; cette discordance confère aux textes une profondeur paradoxale, où chaque lecteur est libre de faire la part du génie et de la fragilité intime. Sort étrange, assurément, que celui de ce poète qui, après avoir créé le roman historique français (*Cinq-Mars*), publié l'un des recueils les plus admirés du premier romantisme (*Poèmes antiques et modernes*), obtenu sur scène l'un des très rares triomphes incontestables de la nouvelle école (*Chatterton*), a passé la seconde moitié de sa vie éloigné de la littérature, ne rédigeant plus, de façon très espacée, que des poèmes isolés. Sur un point essentiel, Vigny est cependant parvenu à son but : son œuvre ne saurait être estimée en fonction de purs critères littéraires, mais, en dernière analyse et quels que soient les défauts ou les lacunes de l'écrivain, selon le sens et la valeur philosophique qu'on accordera à cette entreprise solitaire.

Soldat, poète et notable

Né en 1797 de parents âgés et austères, issu d'une noblesse d'épée fière de ses traditions et de ses devoirs, Alfred de Vigny est élevé dans les principes monarchistes les plus rigoureux. Officier au service de Louis XVIII dès 1814, il connaît l'humiliation de la fuite pendant les Cent-Jours, puis le désœuvrement de la vie de garnison : il gardera toujours le regret d'avoir manqué son destin de soldat.

En revanche, lié par son père aux familles ultraroyalistes, il est au cœur du milieu où éclôt le romantisme. Il connaît les frères Deschamps et, par leur intermédiaire, rencontre Victor Hugo. En 1822, il publie un premier recueil anonyme de *Poèmes*. Après son mariage avec une jeune Anglaise avec qui il partagera une existence triste et terne – agrémentée, durant les années 1830-1838, d'une liaison avec l'actrice Marie Dorval –, il quitte en 1825 le service de l'armée et se consacre à la littérature. En 1826, il fait paraître coup sur coup *Cinq-Mars* et les *Poèmes antiques et modernes*. Sa connaissance de l'anglais l'aide à traduire puis à faire jouer Shakespeare ; il se trouve ainsi au premier plan de la querelle théâtrale et fait applaudir bientôt ses propres pièces : *La Maréchale d'Ancre* (première à l'Odéon, le 25 juin 1831), *Quitte pour la peur* (le 30 mai 1833, à l'Opéra), *Chatterton* (le 12 février 1835, à la Comédie-Française). D'autre part, avec *Stello* (1832) et *Servitude et grandeur militaires* (1835), il confirme ses qualités de prosateur. Cet ouvrage, qui réunit trois récits de vie militaire, sera le dernier publié du vivant de Vigny. Après dix ans d'une féconde activité littéraire, le poète semble se mettre en retrait, se signalant épisodiquement à l'occasion de ses campagnes académiques. Car il lui faudra six tentatives pour être élu, en 1845, sous la Coupole.

De fait, Vigny reporte sur la politique et les honneurs officiels l'attente d'une dignité que, juge-t-il, la littérature dévoyée ne saurait plus conférer. Mais il va d'échec en échec. La chute de Louis-Philippe lui fait espérer le début d'une nouvelle carrière dans les rangs des conservateurs. Or, il est battu par deux fois à la députation et, malgré des signes appuyés d'allégeance à l'égard de Napoléon III, il n'obtient pas davantage le poste de sénateur qu'il convoite. Amer, malade, il meurt le 17 septembre 1863 : c'est donc à titre posthume que paraîtront le mince recueil des *Destinées* (1864) et le *Journal d'un poète*, édité en 1867 par son ami et exécuteur testamentaire Louis Ratisbonne.

Écrivain-philosophe

Pour Vigny, la littérature est au service de la philosophie – pour l'expliquer ou l'illustrer dans le cas du roman et du théâtre, pour la condenser en poésie. Le poème, tel qu'il le conçoit, est donc une cristallisation de pensée pure, et doit se débarrasser de tout ornement inutile. De là cette formule célèbre du *Journal d'un poète*, qui résonne d'une vraie modernité : « Le silence est la poésie même pour moi. »

En outre, cet ascétisme de l'écriture est lié non seulement à l'éthique littéraire de Vigny, mais à ses choix philosophiques. Contrairement aux autres romantiques, qui paraissent souvent fascinés par la métaphysique, il s'intéresse presque exclusivement à la question morale et s'inscrit, pour l'essentiel, dans la vieille tradition du stoïcisme : le sage doit apprendre à accepter son sort – ou sa « destinée » –, grâce à la conscience lucide des forces extérieures qu'il ne maîtrise pas. Or, si la métaphysique est née chez les présocratiques de la poésie et y retourne aisément, par exemple chez Hugo, une doctrine morale ne peut se débarrasser de sa raideur prescriptive.

À l'exception de certaines pièces anciennes des *Poèmes antiques et modernes*, tous les textes de Vigny transmettent le même message de résignation et de courage. Même abandonné de tous et plongé dans la tourmente, l'homme doit se taire, faire face et se sacrifier : ainsi Moïse sur le mont Sinaï (*Moïse*), Cinq-Mars face à Richelieu (*Cinq-Mars*), Jésus à la veille de son arrestation (« Le Mont des Oliviers »), Samson trahi par sa maîtresse (« Samson et Dalila »), etc. Dans « La Mort du loup », c'est le loup mourant lui-même qui se charge, grâce à son regard éloquent, de délivrer à son chasseur l'ultime vérité :

> « Gémir, pleurer, prier est également lâche.
> Fais énergiquement ta longue et lourde tâche
> Dans la voie où le sort a voulu t'appeler,
> Puis après, comme moi, souffre et meurs sans parler. »

Gloire et misère de la littérature

Dans cette phalange de grands solitaires, l'écrivain figure au premier rang, à l'égal de Jésus, à la fois à cause de sa vocation sacrificielle et du don de Vérité qu'il fait aux hommes. Plusieurs œuvres traitent explicitement cette question de l'auteur : *Stello*, qui réunit les destinées également malheureuses des poètes Gilbert, Chatterton, Chénier ; *Chatterton*, consacré au poète poussé au suicide par la bonne société londonienne ; « La Bouteille à la mer », où l'œuvre nouvelle est comparée à la bouteille que le capitaine naufragé abandonne au hasard des flots.

Plus généralement, tous les textes métaphorisent à leur manière cette tragédie universelle du penseur que Vigny a vécue comme un drame personnel. Bien sûr, celui-ci n'est pas le seul romantique à s'être plaint de l'indifférence du public ou des pouvoirs, mais il en tire les conséquences les plus radicales. Pour lui, il demeure une incompatibilité de nature entre le travail d'élaboration d'une œuvre réfléchie et les lecteurs, qui attendent des livres littéraires une imagerie divertissante. Le poète ne doit donc pas se plaindre d'être incompris, ni chercher à attirer les lecteurs, mais accepter une fois pour toutes que cette incompréhension constitue sa vraie dignité.

Inversement, le public n'a pas à reprocher aux auteurs de ne pas partager leurs préoccupations. C'est dans cet esprit que Vigny se lance, avec beaucoup de détermination, dans la discussion sur la propriété littéraire qui échoue, en 1841, à cause des réticences des députés. Puisque auteurs et lecteurs appartiennent à deux sphères distinctes et séparées, il revient aux pouvoirs publics, par des mesures législatives et juridiques, de protéger les premiers et de leur assurer une position sociale qui, sans les récompenser à la mesure de leurs sacrifices, leur éviterait une excessive précarité.

Poétique du symbole ou de l'allégorie ?

Il faut cependant admettre qu'il y a quelque inconséquence apparente à vouloir toujours convaincre le lecteur de son incapacité à comprendre et les critiques se sont parfois amusés de cette obstination bavarde de Vigny à protester de sa volonté inébranlable de garder le silence. Hors de toute considération psychologique, cette position conduit à une difficulté littéraire, qui explique en grande partie le sentiment d'impuissance à créer et à inventer qui semble avoir gagné le poète. Car si la Pensée ne peut que perdre à se communiquer, quelle valeur accorder à la parole poétique ? Comment concevoir la mise en mots de l'Idée ? Contrairement à Lamartine ou à Hugo, Vigny n'admet pas que le travail proprement littéraire de la métaphore ou du rythme apporte à la thèse philosophique un supplément d'âme ou de profondeur. Mais, dans ce cas, à quoi bon écrire ? Il vaut mieux, en effet, se taire et jouir de la pensée sans risque de l'aliéner.

Afin de résoudre cette aporie, Vigny élabore une théorie du *symbole*. Pour lui, le poète doit être capable de former, avec ses moyens propres, un symbole de l'idée qui reproduise sur le plan formel les relations idéales qui existent dans le monde de la pensée pure, et leur confère la dureté et la permanence de l'art. Le poème devient alors « perle », « diamant », toutes choses qui allient la force, la perfection, la lumière. Cette conception est, par exemple, abondamment thématisée dans « La Maison du Berger », sans doute le poème le plus connu de Vigny :

> « Comment se garderaient les profondes pensées
> Sans rassembler leurs feux dans ton diamant pur [celui de la poésie]
> Qui conserve si bien leurs splendeurs condensées ? »

Cette idée du poème-symbole, mystérieux et immarcescible, en a séduit beaucoup – notamment Baudelaire, qui professait de l'admiration pour son aîné. Mais, pour que le poème fût symbole *stricto sensu*, il aurait fallu, comme chez Mallarmé, qu'il entretînt avec l'idée qu'il porte en lui des rapports purement implicites et analogiques. Le plus souvent, ce n'est pas le cas : après la mise en place d'un décor grandiose et solennel (une montagne, le désert, la forêt, l'océan…), un orateur vient prendre la parole et apostropher, avec beaucoup d'éloquence, Dieu, les hommes ou le sort. Plutôt que de symbolisation, il faudrait ici parler à la fois d'allégorisation et de théâtralisation de la pensée – les deux vont souvent de pair en littérature.

Cherchant dans le même texte à élaborer un symbole et une allégorie, Vigny obéit ainsi à une logique complexe, aussi bien esthétisante qu'argumentative. Lorsqu'il y réussit le mieux, il offre à lire des poèmes à l'allure hiératique, où des formules percutantes sont serties dans un texte aux dimensions monumentales. Mais il arrive aussi parfois que la visée démonstrative conduise à un prosaïsme empesé et maladroit, comme dans « La

Flûte », où Vigny vient en personne conseiller et consoler un joueur de flûte, qui a le bon goût de ne pas céder à la facilité de la révolte et de l'orgueil :

> « J'approchais une main du vieux chapeau d'artiste
> Sans attendre un regard de son œil doux et triste
> En ce temps, de révolte et d'orgueil si rempli ;
> Mais, quoique pauvre, il fut modeste et très poli ».

Au demeurant, ces maladresses, volontaires ou non, sont le fait d'une pensée qui ne veut pas ou ne sait pas se grimer pour attirer et persuader. Plus que pour ces morceaux d'anthologie qui firent naguère les beaux jours des récitations scolaires, plus encore que pour son rêve caressé de poésie symbolique, Vigny nous importe, aujourd'hui, pour avoir expérimenté ce que pouvait être une écriture de la morale – de quelque morale que ce soit – et pour en avoir parfois, malgré lui, entrevu les limites. Il ouvre ainsi la voie à tous ceux qui, avec Baudelaire, se convaincront qu'il n'y a pour le poète d'autre morale concevable que de l'écriture elle-même.

Bibliographie

• Éditions :
Œuvres complètes, F. Baldensperger éd., Paris, Conard, 1914-1945, 8 vol. – *Œuvres complètes*, t. I : « Poésie, théâtre », F. Germain et A. Jarry éds, Paris, Gallimard, 1986. – *Les Destinées*, V. L. Saulnier éd., Genève, Droz, 1963. – *Servitude et grandeur militaires*, F. Germain éd., Paris, Garnier, 1965. – *Stello. Daphné*, F. Germain éd., Garnier, 1970.

• Biographies :
H. Guillemin, M. *de Vigny, homme d'ordre et poète*, Paris, Gallimard, 1955. – La Salle, *Alfred de Vigny*, Paris, Fayard, 1963.

• Études d'ensemble et ouvrages de synthèse :
P.-G. Castex, *Vigny, l'homme et l'œuvre*, Paris, Hatier, 1952. – P. Viallaneix, *Vigny par lui-même*, Paris, Le Seuil, 1964.

• Sélection de travaux critiques :
G. Bonnefoy, *La Pensée religieuse et morale d'Alfred de Vigny*, Paris, Hachette, 1944. – F. Germain, *L'Imagination d'Alfred de Vigny*, Paris, J. Corti, 1961. – J.-P. Saint-Gérand, *L'Intelligence et l'Émotion. Fragments d'une esthétique vignyenne*, Paris, Société pour l'information grammaticale, 1988. – J.-P. Saint-Gérand, *Alfred de Vigny. Vivre, écrire*, Nancy, Presses universitaires de Nancy, 1994.

• Périodique spécialisé :
Les Amis d'Alfred de Vigny.

Chapitre 10

Hugo

Difficile d'aborder le monument « Victor Hugo » sans éprouver l'impression de Bonaparte au pied des pyramides : du sommet de cette œuvre, c'est un siècle qui nous contemple. Hugo est le poète national et populaire par excellence, celui pour qui la République a tout exprès rouvert le Panthéon au culte des grands hommes, l'auteur de maintes récitations d'école primaire, le créateur de Cosette et de Jean Valjean, quelque chose, avec sa barbe blanche, comme le Dieu-le-Père de la laïcité.

La rançon d'une pareille gloire, c'est qu'elle s'accompagne depuis longtemps du préjugé d'une écriture simple et d'une pensée simpliste. À quoi bon lire Hugo, puisqu'on le connaît de toujours ? On sait le mot mi-admiratif, mi-condescendant commis par Leconte de Lisle, en 1872, pour dire cette puissance créatrice si évidente qu'elle en paraît naturelle et irréfléchie : « bête comme l'Himalaya ». C'est que, pour les esthètes et depuis Horace, un poète qui se respecte se doit de haïr le *profanum vulgus*. En écrivant pour être compris de tout le monde, surabondamment et au nom des bons sentiments, Hugo aurait gâché le métier.

Pourtant ce poète populaire, ou plutôt popularisé, n'est pas un poète facile. Une preuve en est l'abondance et l'inventivité des études qui, depuis plus de trois décennies, sondent à nouveau les profondeurs de son œuvre.

La vie semblable à l'œuvre ?

Les débuts sous la Restauration

Hugo entre en littérature sous les traits d'un enfant-prodige : à quinze ans, il rate de peu un prix de l'Académie française et, à dix-sept ans (en 1819), il décroche la récompense suprême, le *lys d'or* aux Jeux floraux de Toulouse. L'année suivante, pour une *Ode sur la mort du duc de Berry*, Chateaubriand en personne le déclare un « enfant sublime », et Louis XVIII le récompense en bon argent. D'autres odes pareillement récompensées célébreront la naissance, puis le baptême du duc de Bordeaux, puis les funérailles de Louis XVIII, puis le sacre de Charles X. De quoi subsister et la gloire, voilà ce que, pauvre, ambitieux et sincèrement royaliste, le débutant attend de la carrière poétique. Pour lui alors, être poète, c'est chanter la monarchie légitime et, en échange de rimes pompeuses, recevoir d'honorables subsides.

Ce circuit étroit de la poésie officielle, Hugo l'élargit cependant bientôt au prix d'une activité surabondante et tous azimuts. Coup sur coup, il lance une revue (*Le Conservateur littéraire*, 1820), tâte du roman (*Bug-Jargal*, 1820 ; *Han d'Islande*, 1824 ; nouvelle version de *Bug-Jargal*, 1826 ; *Le Dernier Jour d'un condamné*, 1829), recueille ses pièces poétiques (*Odes et Poésies diverses*, 1822 ; *Nouvelles Odes*, 1824 ; *Odes et Ballades*, 1826, augmentées et rééditées en 1828), compose un *livre* de poésie (*Les Orientales*, 1829) et essaie ce contact plus direct encore avec le *public* qu'est le théâtre (*Cromwell*, 1827 ; *Marion Delorme*, 1829 ; *Hernani*, février 1830). Les faveurs voyantes du pouvoir nourrissent en fait un tempérament foncièrement indépendant. Légitimiste, certes, et jusqu'au bout, mais de la tendance Chateaubriand, qui aime la liberté par-dessus tout, en politique comme en littérature. Pour lui, la littérature nouvelle « telle que l'ont créée les Chateaubriand, les Staël, les La Mennais [...] est l'expression anticipée de la société religieuse et monarchique qui sortira sans doute du milieu de tant d'anciens débris, de tant de ruines récentes » (préface de 1824 aux *Odes et Ballades*). Implicite, la critique, condensée dans le contraste entre le futur du verbe et le tableau d'un présent en ruines, dénonce l'immobilisme du régime. C'est, de plus, un pari sur la capacité de la littérature à réveiller les énergies. Non content de passer pour *romantique*, le jeune Hugo laisse également percer un patriotisme bonapartiste grandissant. À l'ode aux « deux îles » (la Corse et Sainte-Hélène), nostalgiquement composée au lendemain du sacre de Charles X, succède l'ode « à la colonne de la place Vendôme », adressée aux journaux, en février 1827, contre une offense autrichienne à la dignité nationale. L'héroïsation du régicide anglais Cromwell, la même année, puis, deux ans plus tard, le refus de laisser censurer *Marion Delorme* et le dédain de la pension offerte par Charles X en dédommagement de l'interdiction de la pièce, accentuent la dissidence. Sur cette lancée, la bataille d'*Hernani*, livrée de février à juin 1830, constitue une sorte d'avant-première de la révolution des 27, 28 et 29 juillet suivants.

Réussite bourgeoise et gouffres intimes

Après l'avènement de Louis-Philippe, Hugo est un homme installé. Il a trouvé son public naturel et son public l'a reconnu : l'ode « à la Jeune France », parue dans *Le Globe* le 19 août, consacre l'alliance au grand jour. Marié, père de quatre enfants, considéré comme le chef du mouvement littéraire, il continue à enchaîner les succès, pendant une pleine décennie, dans tous les genres à la fois et à un rythme proprement écœurant pour les rivaux : en poésie (*Les Feuilles d'automne*, 1831 ; *Les Chants du crépuscule*, 1835 ; *Les Voix intérieures*, 1837 ; *Les Rayons et les Ombres*, 1840) ; au théâtre (*Le roi s'amuse*, 1832 ; *Lucrèce Borgia* et *Marie Tudor*, 1833 ; *Angelo*, 1835 ; *Ruy Blas*, 1838) ; et même, quoique dans une moindre mesure, sur le front du roman (*Notre-Dame de Paris*, 1831 ; *Claude Gueux*, 1834). Son indépendance matérielle assurée, il commence à capitaliser : environ 238 000 francs-or, déjà, en 1851. Élu à l'Académie française en 1841, proche de la famille royale, quoique toujours indépendant des partis, il accède à la pairie en 1845. Une carrière politique s'ouvre opportunément à lui après que la chute des *Burgraves*, en 1843, a semblé sonner la fin du romantisme et, en ce qui le concerne, de sa carrière dramaturgique, voire de sa carrière littéraire.

La surface recouvre cependant de multiples contradictions, de graves souffrances et de lumineuses amours. Il faut y revenir.

Le vers final de « Ce siècle avait deux ans… » : « Mon père vieux soldat, ma mère vendéenne » attire l'attention sur une éducation ballottée entre un père ancien volontaire de la République, promu général et comte sous l'Empire, et une mère impliquée dans une conspiration royaliste contre Napoléon. Élevés par leur mère, séparée, les trois frères, Abel, Eugène et Victor, le cadet, ont vraisemblablement compris, tôt ou tard, la nature de sa relation avec le proscrit qu'elle cachait aux Feuillantines, le jardin paradisiaque de leur enfance, jusqu'à l'arrestation de ce dernier, en 1810, suivi de son exécution en 1812. Or, cet homme, le général Lahorie, ex-ami et protecteur du général Hugo, était le parrain de Victor et avait su se faire apprécier des enfants.

Sont ensuite venus les drames de la fin de l'adolescence. Le jeune homme brûle pour Adèle Foucher, la compagne de jeu des Feuillantines. Veto absolu de Mme Hugo, qui meurt en 1821 : deuil et espoir à la fois. L'année suivante, le jour même du mariage de Victor avec Adèle, Eugène sombre définitivement dans la folie. C'est, au profit du cadet, l'épilogue d'une rivalité fratricide, puisque les deux frères, très proches par l'âge et par l'affection, ont partagé les mêmes ambitions littéraires et aimé la même jeune fille.

Quelques années d'harmonie conjugale, et le destin de ses parents rattrapait Hugo. À partir de 1830, Adèle, épuisée par cinq grossesses, quelque peu négligée par un mari suroccupé, trouve des consolations auprès de l'ami intime du couple, Sainte-Beuve. Connue de Hugo, qui l'étouffe sous un silence de plomb, la liaison, poursuivie jusqu'en 1842, sonne le glas de sa jeunesse et explique le ton désabusé de certaines « feuilles d'automne ». Son système de vie en sort bouleversé. Non sans préserver l'unité familiale, Hugo, en 1833, se lie à la comédienne Juliette Drouet. C'est au beau milieu d'un voyage avec elle, en 1843, qu'il apprend la noyade accidentelle de Léopoldine, l'aînée de ses deux filles, mariée depuis six mois et à qui, pour Juliette, il a faussé compagnie au début de l'été. Sous l'effet du deuil, aggravé par le contexte, la fuite en avant s'accélère. Ce n'est plus une double, mais une triple vie qui manque d'exploser au grand jour lorsque, en 1845, le pair de France est surpris en flagrant délit d'adultère avec Léonie Biard, une femme mariée, dont il s'est passionnément épris fin 1843, sans cesser – il ne cessera jamais – d'aimer Juliette. L'affaire dénouée (par le roi en personne), Hugo continue à louvoyer entre les trois femmes, plus quelques autres.

De l'exil à l'apothéose

L'homme politique n'est pas moins difficile à cerner. La révolution de février 1848 le voit d'abord haranguer la foule en faveur d'une régence de la duchesse d'Orléans. Élu à l'Assemblée constituante sur les bancs de la droite modérée, il figure activement, lors des journées de juin, parmi les députés mandatés pour veiller au *rétablissement de l'ordre*. Mais le même homme prend sous sa protection les insurgés qu'il rencontre en passe d'être fusillés, met sur pied un bureau d'aide aux déportés et proteste contre les atteintes aux libertés consécutives à l'état de siège. En 1849, à l'Assemblée législative, il soulève les clameurs de la droite en dénonçant l'inertie parlementaire devant la misère ouvrière. Son autorité morale en France et au-delà lui vaut alors la présidence du Congrès de la paix. Initialement enclin à miser sur Louis Napoléon Bonaparte, pour qui il a fait voter, il s'en démarque dès l'automne de la même année 1849 au vu de son alignement sur le parti clérical dans la question italienne et en matière d'enseignement. Quitte à soulever des rires d'incrédulité, le député Hugo prédit à la tribune que la République française sera « la première assise de cet immense édifice de l'avenir qui s'appellera un jour les États-Unis d'Europe ». Il met en garde dès juillet 1851 contre l'hypothèse d'un « Napoléon-le-Petit » et, lors du coup d'État, se range en première ligne, avec la gauche, dans le comité de résistance.

L'exil dure près de vingt ans : du 11 décembre 1851 au 5 septembre 1870, de la Belgique à Jersey (1852-1855), puis à Guernesey. Le clan suit : officieusement, mais la première, Juliette ; puis, officiellement, les deux Adèle (mère et fille), les deux fils (Charles et François-Victor) et Auguste Vacquerie (le frère du mari de Léopoldine). La famille élargie tourne à l'atelier littéraire, tous et tout s'organisant autour du patriarche écrivant. L'expérience collective la plus fascinante, de ce point de vue, est la période spirite des tables parlantes (1853-1855) : les esprits, comme de juste, dictent du Hugo, en plus délirant, et entrent en dialogue avec l'œuvre en train de s'écrire. Tout se passe comme si les assauts politiques antérieurs avaient déchaîné la parole hugolienne. Il suffit pour prendre idée du phénomène d'égrener un bilan grossier des livres parus, en sachant que la chronologie éditoriale de cette seconde carrière masque un chaos où des morceaux aussi décisifs que *La Fin de Satan* ou *Dieu*, publiés *post mortem*, sont en fait à replacer au tout début de la chronologie de l'écriture, juste après le pamphlet antibonapartiste des *Châtiments*

(1853) : *Les Contemplations* (1856) ; *La Légende des siècles* (1859) ; *Les Misérables* (1862) ; *Chansons des rues et des bois* (1865) ; *Les Travailleurs de la mer* (1866) ; *L'Homme qui rit* (1869)…

De retour à Paris au lendemain même de la proclamation de la République, Hugo reçoit un accueil triomphal, cumulant gloire littéraire et prestige de l'intransigeance. Incarnation de la légitimité républicaine, il ne dévie pas de son rôle, depuis le rejet – manifesté par sa démission de l'Assemblée de Bordeaux – des conditions de paix déshonorantes exigées par la Prusse, jusqu'à sa lutte opiniâtre pour obtenir l'amnistie des communards. L'ascension de sa popularité accompagne celle des républicains, ponctuée de publications qui font événement (*L'Année terrible*, 1872 ; *Quatrevingt-Treize*, 1874 ; *L'Art d'être grand-père*, 1877 ; *Religions et Religions*, et *L'Âne*, 1880 ; *Torquemada*, 1882). Sa mort, en 1885, donne lieu à des funérailles laïques inoubliables : catafalque monumental sous un Arc de Triomphe barré de noir et foule sans nombre pour suivre le corbillard du pauvre voulu par le poète jusqu'à son entrée au Panthéon.

Une refondation du romantisme

Mélange des genres et démocratisation de la poésie

Après avoir été à l'école de Chateaubriand pour la renaissance du christianisme et de Nodier pour la fantaisie frénétique, Hugo redéfinit le romantisme à son usage et en porte le flambeau durant le reste du siècle.

L'esthétique de la *Préface* de *Cromwell* (1827) ne pose pas seulement une loi des trois états de la littérature (voir p. 98). Elle jette les bases d'une relance démocratique du romantisme. Le mélange prôné du *grotesque* et du *sublime* n'a certes pour but explicite que d'assurer la présence du laid et du divers en contrepoint du Beau et de l'Un, de montrer la « bête humaine » en lutte avec l'âme. Mais le grotesque se confondant à peu près avec la tradition comique populaire, son introduction a pour effet de dynamiter le genre *sublime*, considéré comme le genre noble et par conséquent le seul convenable à la tragédie et à ses personnages aristocratiques et princiers. Présent à l'état pur dans la fête des fous de *Notre-Dame de Paris,* chez Quasimodo ou chez le bouffon Triboulet de *Le roi s'amuse*, le grotesque l'est plus insidieusement dans la démolition de l'alexandrin par le déplacement de la césure ou la multiplication des rejets, dans l'outrance caricaturale (« mon lion superbe et généreux »), dans l'introduction de mots triviaux ou dans les honneurs faits à un bestiaire infâme (vache, crapaud, ver…). Le code esthétique s'en trouve subverti et ouvert aux publics non formés ou rebelles aux conventions classiques.

Le destinataire visé n'est toutefois ni le public bourgeois du mélodrame ni la multitude encore inéduquée de la rue, mais le *peuple souverain* de l'idéal républicain. Au théâtre – mais il n'y a pas de raison de ne pas penser que cette position vaut *a fortiori* pour les autres domaines –, Hugo tient au vers, entre autres motifs, comme à l'« une des digues les plus puissantes contre l'irruption du *commun* ». À défaut, la même fonction de distinction est assurée par une « prosodie particulière » de la prose « et toutes sortes de petites règles intérieures connues seulement de ceux qui pratiquent, et sans lesquelles il n'y a pas plus de prose que de vers » (*Littérature et philosophie mêlées,* 1834). Ce souci de ne pas déroger devant la postérité, de « s'adresser encore plus aux siècles qu'aux multitudes » (*ibid.*), est une des raisons qui font des *Misérables* un roman populaire à part : la vulgarité du feuilleton à la manière d'Eugène Sue est évitée par l'invention d'un régime poétique du roman, remarquablement absent des œuvres antérieures, mais tout aussi remarquablement appliqué aux trois romans ultérieurs. Plus généralement, la notion de « poésie complète » avancée par la *Préface* de *Cromwell* implique une contamination réciproque des trois formes fondamentales, lyrisme, épopée et drame. À preuve la polyphonie dramatique inscrite dans le titre du recueil lyrique des *Voix intérieures*, les dialogues et les scènes foisonnant dans l'épopée de la *Légende des siècles,* les « voix » mystérieuses qui démultiplient le Verbe dans *Dieu*, ou encore le « Livre dramatique » des *Quatre Vents de l'esprit.* L'objectif, au bout du compte, est une reconquête de la parole banalisée par la désacralisation consécutive à la Révolution, une repoétisation de la littérature dans tous ses secteurs.

La mission sociale de l'art

Point question, avec de telles ambitions, de s'enfermer dans une tour d'ivoire à la Vigny. Hugo, fondamentalement, n'est pas porté au repli, mais à l'expansion sans fin. Dans la controverse de *l'art pour l'art* lancée au début des années 1830, il se trouve soumis à la double pression contradictoire des cénacles romantiques, jaloux de l'autonomie de l'art et de la leur propre, et des « sectes philosophiques », à commencer par les saint-simoniens, qui le verraient bien dans le rôle d'un porte-parole. Il choisit de conserver sa propre liberté en se rangeant, en 1833, du côté des partisans de l'*utilité* tout en spécifiant que l'œuvre d'art doit « rester dans ses conditions d'art » (*sic*, sans autre précision) et se tenir indépendante des « vérités politiques » partisanes, sous peine de se trouver « hors de service » après la victoire. C'est en pensant surtout au théâtre qu'il déclare alors que « le poète aussi a charge d'âmes », en sorte que sa fonction serait « plus qu'une magistrature et presque un sacerdoce ». Avec l'expérience de mandats politiques exercés souverainement, puis celle des *Châtiments* assénés en son nom propre, et au fur et à mesure, enfin, des effets politiques spécifiques, au-dessus des partis, produits dans la France du second Empire par la parution de ses livres en vers et en prose, Hugo parfait sa maîtrise dans l'art de gérer ensemble et de conforter en les croisant ses positions littéraires et politiques. C'est ainsi qu'il en arrive, en 1864, à son dernier mot en la matière : « l'art pour le progrès » (*William Shakespeare*).

La littérature entre science et utopie

L'art littéraire comme mode de réflexion

Loin d'être décoratives et de relever d'un jeu gratuit avec les mots, les images tant reprochées à Hugo comme une marque de matérialisme artistique constituent une méthode. En termes néoplatoniciens, il avertit dès 1822 que son objet est « le monde idéal, qui se montre resplendissant à l'œil de ceux que des méditations graves ont accoutumés à voir dans les choses plus que les choses ». Regarder l'invisible à travers le visible, plonger « sous ce flot inconnu » pour, « au fond, trouv[er] l'éternité » (« La Pente de la rêverie », 1830) au lieu, comme le rameur du « Lac », de discourir vainement en surface, c'est ce qui distingue la *contemplation* hugolienne de la *méditation* lamartinienne. Dans la mesure où elle est en permanence susceptible d'une double lecture, littérale ou allégorique, selon les sens ou selon l'esprit, la figure de la métaphore s'impose d'elle-même comme l'outil privilégié de telles investigations et de leur expression. Il y a dans sa généralisation, comme l'explique Pierre Leroux, une « révolution de style » qui fait de la poésie un langage « symbolique ».

L'observation de Leroux, avancée dans *Le Globe* de 1829, renvoie aux travaux alors récemment traduits en France de l'histoire des religions allemande. Mais c'est seulement à partir de ses premières années d'exil que Hugo, confronté à la difficulté de traiter poétiquement les questions métaphysiques qui l'envahissent alors, s'engage dans la perspective quelque peu sacrilège d'une production symbolique moderne. Alors que la mythologie, dans la tradition poétique française, demeurait jusque-là une sorte de langue morte servant principalement à appeler à la rescousse le beau antique, Hugo, de fait, s'enhardit jusqu'à en refaire une langue vivante. Il réécrit des mythes bibliques, comme celui de Caïn (*La Légende des siècles*). Ou antiques, comme la guerre des Titans et l'épopée individuelle de Nemrod cherchant à conquérir le ciel au moyen d'une machine tirée par quatre aigles, « symbole de nos sens lorsqu'allant vers la femme, / Éperdus, dans l'amour ils précipitent l'âme » (*La Fin de Satan*).

Postulant un lien exclusif et consubstantiel entre l'idée et la forme « qui jaillit toujours en bloc avec elle du cerveau de l'homme de génie », Hugo attend des surprises de l'écriture qu'elles saisissent des instantanés de vérité. Le vers n'est donc pas pour lui une mise en forme, mais bien, d'emblée, la forme sensible de l'idée. Il n'est pas fortuit que vienne sous sa plume, pour le dire, un alexandrin blanc : « Le vers est la forme optique de la pensée » (*Préface* de *Cromwell*). La même recherche d'un instrument de lecture du réel inspire le rêve, caressé dès 1823, d'une fusion du roman par lettres et du « roman narratif » en un « roman dramatique », évitant les longueurs des récits minutieux aussi bien que celles des explications épistolaires. L'inventeur de ce « genre nouveau », fait valoir Hugo, serait à même de multiplier « ces traits profonds et soudains, plus féconds en méditation que des pages entières, que fait jaillir le mouvement d'une scène, mais qu'exclut la rapidité d'un récit » (« Sur Walter Scott »). Déconcertante par ses ruptures du fil de l'histoire, par ses digressions, ses changements inopinés de lieux et de temps, l'écriture verticale des *Misérables,* mise au point dans la période à tous égards critique pour Hugo de la fin des années 1840, découle directement de ces vues. Alors que Balzac s'immerge dans le réel au risque d'y noyer ses idéaux, Hugo s'en sert, de haut, comme d'un signifiant. Personnages, faits et gestes, évocations historiques même prennent chez lui valeur de symboles. Effet délibéré : il estime, dans un commentaire finalement non inséré dans l'œuvre, qu'« il faut, la misère étant matérialiste, que le livre de la misère soit spiritualiste ». C'est le même parti pris artistique de révolte contre l'ordre existant qui conduit Hugo à recommander aux historiens – bien que Michelet, notamment, n'ait pas attendu le conseil – de « refaire » l'histoire « au point de vue du principe » (*William Shakespeare*). Si la fiction romanesque se prête mieux que l'histoire réelle à la mise en évidence d'un sens dans les faits, la poésie autorise bien plus de liberté encore. Tout bien considéré, *La Légende des siècles* et l'ensemble des vers métaphysico-épiques de la même veine, y compris *Les Châtiments*, sont quelque chose comme le point de fuite de cet horizon.

Parole d'exil, parole de nulle part, parole universelle

Outre l'instrument d'optique qu'il se fabrique à partir des formes existantes, décisif est donc, pour le poète, le choix du lieu d'où il regarde et d'où il parle. Longtemps, les exégètes, impressionnés par la biographie et perplexes devant la chute de production des années 1844-1851 et la puissance du second souffle trouvé hors de France, se sont principalement préoccupés de distinguer un avant et un après la mort de Léopoldine, ou un avant et un après 1851. L'observation de l'énonciation hugolienne incite à combiner cette approche chronologique avec une approche structurelle plus attentive aux instances et aux destinataires de la parole hugolienne. Entre autres traces, l'*incipit* du texte qui ouvre *Les Rayons et les Ombres* invite, en 1839, le poète à s'en aller chercher en dehors du siècle le lieu convenable à sa nature particulière : « Pourquoi t'exiler, ô poète, / Dans la foule où nous te voyons ? » La solitude face à la création, doit-on déduire *a contrario*, est préférable à la fausse société des hommes. Thème romantique s'il en est. Certes. Mais à ce point pris au pied de la lettre par Hugo qu'il finit par commander sa posture d'écrivain, fixer la représentation qu'il en donne et presque déterminer un destin auquel il se conformerait. Le poète, poursuit le même texte, « est l'homme des utopies ».

Étymologiquement, l'homme de *nulle part*. Comment, de quelque part, pourrait-il sans encourir la suspicion, le « rêveur sacré », « pareil au prophète [...] / Faire flamboyer l'avenir » ? En se posant (dans ses écrits) et en posant (sur les photographies) avec ostentation comme « proscrit » sur son rocher et face à l'océan, Hugo établit la distance nécessaire à son dialogue avec les hommes, avec la nature et avec Dieu. Qu'il y ait là un formidable désir de pouvoir, c'est ce que traduit son identification avec l'Empereur exilé à Sainte-Hélène, dont, en décembre 1840, il rêve le sommeil, les pensées et le retour triomphal après la mort (« Vingt ans, il a dormi sous une dalle obscure, / Seul avec l'Océan, seul avec la nature, seul avec vous, Seigneur ! » – *La Légende des siècles*).

Le pouvoir recherché, c'est, bien sûr, le pouvoir spirituel. Encore faut-il, de plus, ne pas se laisser abuser par la gesticulation et les apparences d'une ambition ou d'une monomanie personnelle. L'égocentrisme hugolien, qui en a agacé et en agace encore plus d'un, est le fait d'un écrivain partageant avec ses contemporains la conviction que, selon le mot prêté à de Bonald, « la littérature est l'expression de la société ». Le préfacier des *Rayons et les Ombres* ne répète pas autre chose lorsqu'il avoue penser « que tout poète véritable [...] doit contenir la somme des idées de son temps ». Tout dire au nom de tous ! Il n'est d'autre position géométrique pour y parvenir qu'une parfaite équidistance. Aussi bien Hugo, pour justifier sa vocation à être « l'écho sonore » du siècle avec lequel il est né, imagine-t-il que « Dieu », pour lui faciliter la tâche, l'a mis « au centre de tout » (« Ce siècle avait deux ans... »). De là à être contraint de se prendre – fictivement – pour Napoléon, voire pour Dieu, afin d'en emprunter le point de vue, il n'y a qu'un pas. « Ô proscrit de l'azur [...] / Deviens le grand œil fixe ouvert sur le grand tout », se dit à lui-même le contemplateur (« À celle qui est restée en France », 1855). Le plus fou n'est pas celui qu'on pense, mais le lecteur qui ne comprendrait pas le je(u) du lyrisme : « Ma vie est la vôtre, votre vie est la mienne [...]. Prenez donc ce miroir, et regardez-vous-y. On se plaint quelquefois des écrivains qui disent moi. [...] Hélas, quand je vous parle de moi, je vous parle de vous. Comment ne le sentez-vous pas ? Ah ! insensé qui crois que je ne suis pas toi ! » (préface des *Contemplations*).

La philosophie d'un poète

D'autres malentendus naissent du décalage croissant entre les orientations philosophiques de Hugo et le positivisme teinté de criticisme néokantien qui s'empare de son public naturel (l'opposition antibonapartiste, peut-on penser) dans la période où il leur donne leur plein développement et les publie (à partir des *Contemplations*). Sans doute la tendance panthéiste affichée dès *Les Feuilles d'automne* (« Pan ») s'accorde-t-elle bien à un ensemble d'idées de provenance allemande que cultivent alors, plus encore que Victor Cousin, les saint-simoniens. Il en va pareillement de la réserve capitale qu'il formule et qui vise à maintenir l'hypothèse d'un Dieu personnel quoique diffus dans sa création : les mêmes ont aussi cette prudence. Mais une chose est de déifier la nature dans les années 1830, une autre de continuer de plus belle alors que la réaction catholique, d'une part, s'est faite plus virulente, et que les anticléricaux, d'autre part, se sont avancés jusqu'à la libre pensée, sinon jusqu'à l'athéisme. Lorsqu'il réaffirme la personnalité de Dieu (« Dieu invisible au philosophe », *La Légende des siècles*) tout en le définissant « l'infini vivant » de façon typiquement panthéiste (*William Shakespeare*), Hugo prend le risque d'être pareillement incompris sur les deux fronts et taxé d'illogisme par les philosophes de métier.

Sans doute conviendrait-il de réévaluer à la hausse la qualité de l'information philosophique et scientifique sous-jacente aux prises de position poétiques de Hugo en philosophie : elle est, malgré sa réputation, de tout premier ordre. Mais peut-être convient-il surtout de prendre au sérieux sa méditation sur la spécificité de la connaissance poétique. Par-delà en effet la discussion de circonstance soutenue contre l'agnosticisme, la définition, dans *Les Contemplations*, des « mages » que seraient les poètes en fait bien moins des révélateurs en possession d'un dogme que des « chercheurs » voués à explorer la zone d'inconnu qui s'offre et se dérobe sans cesse à l'extrême pointe des connaissances positives. Symbolisée par Satan tombant sans cesse « plus bas » dans l'infini pour retrouver la lumière (*La Fin de Satan*), cette quête d'un savoir absolu et synthétique, jugé supérieur aux savoirs exacts, mais relatifs et parcellaires, des sciences, affirme jusqu'à un vertige somme toute assez sain la vertu heuristique de l'ignorance.

C'est bien pourquoi le Hugo, tel qu'il s'est de lui-même intentionnellement offert à la lecture de la postérité par le legs de ses manuscrits à la Bibliothèque nationale, incite moins à l'admiration passive qu'à une déconstruction active de l'organisation de son œuvre et de la composition de ses textes dans l'état où ses propres stratégies conjoncturelles et les calculs intéressés de ses éditeurs les ont livrés à ses contemporains. Observables en particulier dans le processus d'écriture de *Dieu*, l'inachèvement du récit, l'écriture par fragments, l'éclatement de l'instance d'énonciation en voix antagonistes, paraissent sous ce jour non pas accidentels, mais bien essentiels au projet littéraire utopique, par définition voué à l'échec et à d'incessants remaniements, d'une « grande épopée mystérieuse » (préface des *Rayons et les Ombres*) appelée à devenir une nouvelle Bible aussi composite que l'ancienne ou que ces villes médiévales, ces cathédrales gothiques et ces mosaïques avec lesquelles *Notre-Dame de Paris* ou *Les Orientales* entendent rivaliser.

Heureux le lecteur qui, confiant dans la sérénité propre aux grands monuments, se laissera surprendre par l'une de ces failles :

> « Il faut que, par instants, on frissonne et qu'on voie
> Tout à coup, sombre, grave et terrible au passant,
> Un vers fauve sortir de l'ombre en rugissant ! »

Bibliographie

• Éditions :
Œuvres complètes, édition chronologique sous la dir. de J. Massin, Club français du livre, 1967-1970, 18 vol. – *Œuvres complètes*, édition établie sous la dir. de J. Seebacher et de G. Rosa, Paris, R. Laffont, coll. « Bouquins », 1985-1991, 17 vol., y compris les deux premiers vol. de la *Correspondance familiale et écrits intimes*, sous la dir. de J. Gaudon, S. Gaudon et B. Leuilliot, parue jusqu'à l'année 1839.

• Biographies :
A. Decaux, *Victor Hugo*, Paris, Perrin, 1985. – *Adèle Hugo, Victor Hugo racontés par…*, G. Rosa et A. Ubersfeld éds, Paris, Plon, 1985. – H. Juin, *Victor Hugo*, Paris, Flammarion, 1980 (t. I : *1802-1843*) et 1985 (t. II : *1843-1852*).

• Études d'ensemble et ouvrages de synthèse :
P. Albouy, *La Création mythologique chez Victor Hugo*, Paris, J. Corti, 1963. – C. Baudouin, *Psychanalyse de Victor Hugo*, Paris, A. Colin, coll. « U2 », 1972. – D. Charles, *La Pensée technique dans l'œuvre de Victor Hugo : le bricolage de l'infini,* PUF, 1997. – L. Charles-Wurtz, *Poétique du sujet lyrique dans l'œuvre de Victor Hugo*, Champion, 1998. – J. Gaudon, *Le Temps de la contemplation, L'œuvre poétique de Victor Hugo des « Misères » au « Seuil du gouffre » (1845-1856),* Paris, Flammarion, 1969. – Y. Gohin, *Victor Hugo*, Paris, PUF, coll. « Que sais-je ? », 1986. – A. Ubersfeld, *Le Roi et le Bouffon. Étude sur le théâtre de Hugo de 1830 à 1839*, Paris, J. Corti, 1974. – C. Villiers, *L'Univers métaphysique de Victor Hugo*, Paris, Vrin, 1970.

• Sélection de travaux critiques :
V. Brombert, *Victor Hugo et le roman visionnaire*, Paris, PUF, 1985. – Collectif, « *L'Homme qui rit, ou la parole-monstre de Victor Hugo* », Paris, SEDES, 1985. – *G comme Hugo*, A. Court et R. Bellet éds, Travaux LV de l'université de Saint-Étienne, 1987. – *Victor Hugo, « Les Misérables ». La preuve par les abîmes*, J.-L. Diaz éd., Paris, SEDES, 1994. – H. Meschonnic, *Pour la poétique IV. Écrire Hugo*, Paris, Gallimard, 1977. – *Lire « Les Misérables »,* G. Rosa et A. Ubersfeld éds, Paris, J. Corti, 1985. – *Hugo le fabuleux*, J. Seebacher et A. Ubersfeld éds, Paris, Seghers, 1985.

• Numéros spéciaux de revues :
Cahiers de l'Association internationale des études françaises, n° 19, mars 1967. – *Europe*, n° 671, mars 1985. – *Revue d'histoire littéraire de la France*, nov.-déc. 1986. – *Romantisme*, n° 60, 1988.

Chapitre 11

Musset

Alfred de Musset fut applaudi à dix-huit ans, pour ses jeux virtuoses des *Contes d'Espagne et d'Italie*, puis tenu à l'écart du clan romantique, une fois qu'on eut compris que son habileté cachait beaucoup d'impertinente désinvolture. Plus tard, sous le second Empire, ses grands poèmes d'amour devinrent des œuvres cultes pour la jeunesse des écoles, qui s'enivrait de leur éloquence flamboyante mais sincère.

Mais cette assomption fut éphémère. En quelques formules méprisantes, Rimbaud liquide l'héritage de Musset, dans sa « Lettre du Voyant » (15 mai 1871) : « Musset est quatorze fois exécrable pour nous, générations douloureuses et prises de visions, — que sa paresse d'ange a insultées ! Ô ! les contes et les proverbes fadasses ! ô les nuits ! ô Rolla, ô Namouna, ô la Coupe ! tout est français, c'est-à-dire haïssable au suprême degré [...] Tout garçon épicier est en mesure de débobiner une apostrophe Rollaque ; tout séminariste en porte les cinq cents rimes dans le secret d'un carnet. À quinze ans, ces élans de passion mettent les jeunes en rut [...] Musset n'a rien su faire : il y avait des visions derrière la gaze des rideaux : il a fermé les yeux. »

Pour beaucoup de jeunes poètes, Musset sert désormais de repoussoir, archétype détestable du poète bavard et larmoyant, indigne du nom d'artiste. Aujourd'hui, on ne lit plus guère ses poèmes, sinon avec une curiosité teintée de condescendance. En revanche, son théâtre, si mal compris au temps de sa publication, est considéré comme l'une des réussites les plus incontestables de notre tradition dramatique, et comme l'un des très rares à mériter de survivre au naufrage de la production romantique.

Il est bien possible que, demain, l'attention de la critique se porte sur les nouvelles subtiles et légères de Musset. De fait, un charme incontestable émane de son œuvre diverse, sans que le lecteur puisse toujours en déterminer la nature ni l'origine textuelle. L'impression mêlée de force et de fragilité qui en découle ajoute, paradoxalement, à la modernité d'un projet littéraire qui, malgré un ton faussement classique et les critiques de ses détracteurs, procède d'une définition rigoureuse et exigeante du poétique – comparable, dans son esprit sinon dans ses conséquences formelles, à la démarche d'un Baudelaire.

La vie dilapidée d'un enfant prodige

Alfred, né en 1810, fut un enfant choyé, heureux au milieu de ses parents, admiré pour les talents précoces qu'il révèle au cours de ses études – notamment par son frère Paul qui, tout en faisant une honnête carrière de romancier, gardera sur lui un œil protecteur. Quant à son père, de petite mais bonne noblesse, il a été lui-même un auteur et l'éditeur des œuvres complètes de Jean-Jacques Rousseau. Le jeune homme fut ainsi élevé dans un milieu protégé et propice à l'éveil de la sensibilité littéraire. Il n'est pas interdit d'imaginer que sa fragilité psychologique ait trouvé ses origines dans ce cocon trop douillet, ni que la mort prématurée du père, pendant l'épidémie de choléra de 1832, en ait accentué les manifestations.

Parmi les romantiques, Musset est en outre un des seuls vrais Parisiens, familier dès l'enfance de l'aristocratique Saint-Germain et du Quartier latin. La capitale ne saurait donc être pour lui, comme dans *La Comédie humaine*, un mythe de formation ; il ne dispose pas non plus d'une province qui puisse structurer et cristalliser son imaginaire personnel, comme la Bretagne de Chateaubriand, la Touraine de Balzac, la Bourgogne de Lamartine ; d'où la fantaisie abstraite et joyeusement artificielle de ses descriptions et de ses paysages.

Après de brillantes études secondaires, Musset, reçu chez Victor Hugo, fait ses premiers pas dans le monde littéraire. En 1829, ses *Contes d'Espagne et d'Italie* étourdissent par leur virtuosité et ravissent, pour un temps, les romantiques : assurément, un versificateur si doué pour l'impertinence formelle devait être un adversaire du classicisme. Ce premier malentendu laissera des traces dans le clan des novateurs, qui pardonnera mal d'avoir été déçu. Le fossé s'élargit en 1830, lorsque Musset fait représenter sa première pièce à l'Odéon, *La Nuit vénitienne*. Bien sûr, les classiques font mauvais accueil à ce trouble marivaudage ; mais les partisans de Victor Hugo n'acceptent pas mieux ce théâtre délicat, qui prend le contre-pied de leur esthétique mélodramatique. Après une seule représentation, Musset, blessé à vif, retire sa pièce et renonce pour longtemps à la scène : toutes ses œuvres dramatiques seront désormais destinées à la lecture, en revue ou en recueil, sous les titres d'*Un spectacle dans un fauteuil* (1832 et 1834) et de *Comédies et Proverbes* (1840, 1850).

Musset ne se mêle d'ailleurs pas vraiment au milieu romantique : il n'apprécie guère l'embrigadement de jeunes enthousiasmes qu'impose le culte de Victor Hugo, et préfère la compagnie de la jeunesse dorée qui mène à grands frais une vie divertissante mais dissolue. En fait, il a choisi d'être mondain plutôt qu'artiste : aussi restera-t-il toujours un poète isolé parmi les siens. Cette existence débridée prend aussi la forme de ce qu'on appelle alors la débauche : le recours aux plaisirs faciles de la prostitution et, surtout, l'alcool. Très tôt, Musset a pris le goût de boire avec excès et d'entretenir une exaltation artificielle qui favorise à la fois l'éclat et les incohérences de ses longs poèmes. Il traversait ainsi des phases de folie alcoolique auxquelles succédaient, aux dires mêmes de son frère, des périodes de prostration morbide.

En 1833, c'est encore le Musset flamboyant qui l'emporte. Au mois d'août, son poème *Rolla* connaît un succès extraordinaire et constitue en effet l'un de ses textes les plus inspirés : un jeune débauché, las de vivre, y meurt après avoir connu l'amour vrai auprès d'une fille prostituée par sa mère. Car l'amour est le grand thème de son œuvre, et l'occupation principale de sa vie. De 1833 à 1835, il entretient une liaison passionnée et violente avec George Sand, dont l'épisode le plus célèbre reste le séjour à Venise où le poète, déjà malade de ses excès, voit sa maîtresse s'éloigner de lui et trouver réconfort auprès de son médecin Pagello. Peu importent le détail de l'intrigue et les aventures annexes qui viennent brouiller la grande histoire d'amour. Il est sûr que, tout au long des années 1830, Musset s'est efforcé de contrarier par d'épisodiques élancements amoureux l'affaissement physique et moral. C'est l'époque où son éloquence du cœur se déploie dans des œuvres particulièrement ambitieuses et soutenues : pour la poésie, la série des *Nuits* (1835-1837), la *Lettre à Monsieur de Lamartine* (1836), *L'Espoir en Dieu* (1838) ; au théâtre, *Les Caprices de Marianne* (1833), *Lorenzaccio* (1834), *On ne badine pas avec l'amour* (1834) ; en prose narrative, *La Confession d'un enfant du siècle* (1836), sans compter les nouvelles qui paraissent de temps à autre dans la *Revue des Deux-Mondes*.

Mais la maladie creuse son sillon ; l'homme est de plus en plus souvent abattu, fatigué et désabusé. Sa vie est désormais scandée par les troubles cardiaques et les crises d'alcoolisme. Son œuvre, plus rare et terne, s'en ressent. Arrive déjà le temps des bilans et des nostalgies : en 1840, il publie une première édition de ses *Poésies complètes*, qu'il augmente et refond en 1852 (sous le double titre *Premières Poésies* et *Poésies nouvelles*). À partir de 1847, il fait assez figure de classique pour faire jouer ses pièces à la Comédie-Française, avec quelque succès. Mais il ne publie plus guère et son délabrement physique est profond. Il meurt le 2 mai 1857, à l'âge de quarante-six ans.

Scepticisme et désinvolture

Il ne faut pas se laisser prendre à la frivolité prétendue de l'écriture. Musset appartient à la famille des mélancoliques. Il est convaincu que le ressort de l'Histoire s'est jadis rompu et qu'il n'est définitivement plus temps d'espérer, de pérorer, de revendiquer. Sur ce point, on peut le comparer à Flaubert et à Gautier, mais en plus désespéré. Car il n'a, à aucun moment, tiré une quelconque consolation d'une rêverie esthétique, politique ou mystique : il est né écrivain en pensant d'emblée qu'il ne fallait rien attendre de la philosophie ni de la littérature. Même les intrigues de ses pièces à décor historique se situent dans des royaumes de fantaisie, où des personnages fantomatiques agissent au gré de leurs caprices amoureux ou de leurs désespoirs d'après boire : cette étrange déshistoricisation du passé n'est pas le moindre charme de son théâtre, pour le public d'aujourd'hui.

La critique de Musset ne vise pas seulement la vie politique – ses acteurs ou ses théoriciens de tout poil. Elle concerne aussi, et peut-être prioritairement, les entreprises et les formes littéraires qui ont pour effet de cacher aux hommes l'insignifiance de leur existence. Sur ce plan, ses cibles principales sont la presse et le roman. Dans son poème « Sur la paresse », il attaque pêle-mêle « le Seigneur Journalisme et ses pantalonnades », « le règne du papier, l'abus de l'écriture », « nos livres mort-nés, nos poussives chimères ». Sans doute regrette-t-il, comme d'autres, l'intrusion du commerce et de la rentabilité, la superficialité des modes. Mais, plus profondément, il reproche à la culture imprimée l'obligation de noircir des pages, alors même qu'il n'y a rien à dire : le journaliste qui remplit ses colonnes, le romancier qui échafaude son récit sont contraints, par fonction, d'intéresser à de faux enjeux. La poésie, elle, a l'immense mérite, selon le narrateur de *Namouna*, d'afficher son inutilité :

« J'aime surtout les vers, cette langue immortelle.
C'est peut-être un blasphème, et je le dis tout bas.
Mais je l'aime à la rage. Elle a cela pour elle
Que les mots d'aucun temps n'en ont pu faire cas. »

Boccace, que Musset entreprend d'adapter dans *Simone*, est grand écrivain précisément parce qu'il a consacré son œuvre à ne rien raconter :

« Croyez-vous qu'elle [l'âme de Boccace] n'eût pu faire
Un roman comme Scudéry ?
Elle aima mieux mettre en lumière
Une larme qui lui fût chère,
Un bon mot dont elle avait ri.
Et ceux qui lisaient son doux livre
Pouvaient passer pour connaisseurs. »

Toute recherche d'expressivité est par elle-même fautive, parce qu'elle donne relief et volume à ce qui est, dans les faits, désespérément vide. Musset théorise ainsi ce que Barthes appellera le « degré zéro de l'écriture », dans une formule magistrale de la « Quatrième lettre de Dupuis et Cotonet » (1837) : « Bornons-nous à reconnaître, sans le juger, un fait incontestable, et tâchons de parler simplement à propos de simplicité : il n'y a plus, en France, de préjugés. » « Préjugés » : on dirait, aujourd'hui, principes, idéaux ou idéologies. Le rimeur impertinent de la « Ballade à la lune » prône donc désormais une poétique de la simplicité et de la neutralité, conforme à l'atonie du monde réel.

Sur ce point, il s'oppose frontalement à l'esthétique romantique, du moins telle que la conçoit et la met en œuvre Victor Hugo. Dans sa « Première lettre de Dupuis et Cotonet » (1836), il réduit ironiquement le romantisme à l'excès d'adjectifs, qui révèlerait le besoin irrépressible d'en faire trop : « [...] le romantisme consiste à employer tous ces adjectifs, et non autre chose. » Tout en refusant aussi les préceptes encombrants de la rhétorique traditionnelle, Musset évolue vers le vieux dogme classique de la mesure et de la discrétion. Enfin, il adopte une attitude distanciée à l'égard de toute mise en forme esthétique et, en particulier, des contraintes génériques. Peu importe si, à la fin de *Namouna*, il s'aperçoit que ses digressions lui ont fait perdre le fil d'une histoire que, en réalité, il n'a jamais eu l'intention d'écrire :

> « Mais j'ai dit que l'histoire existait, – la voilà.
> Puisqu'en son temps et lieu je n'ai pas pu l'écrire,
> Je vais la raconter ; l'écrira qui voudra. »

Sa poésie, selon les inflexions de la rêverie de l'auteur, suit un cours sinueux, imprévisible, où le plaisir de bavarder l'emporte sur le souci de construire. Son apparence logorrhéique et invertébrée, parfois à la limite du prosaïsme, a pu passer pour un défaut d'ambition et de rigueur. Flaubert ne le lui a pas pardonné : « Personne n'a fait de plus beaux fragments que Musset, mais rien que des fragments ; pas une œuvre ! Son inspiration est toujours trop personnelle, elle sent le terroir, le Parisien, le gentilhomme ; il a à la fois le sous-pied tendu et la poitrine débraillée. Charmant poète, d'accord ; mais grand, non !» (lettre à Louise Colet, 23 septembre 1852).

Pourtant, cette nonchalance charmeuse – qui correspond, on l'a vu, à une authentique ascèse de l'écriture – a permis d'inventer une forme nouvelle de théâtre. En effet, le drame bute à cette époque sur deux obstacles : l'intrigue y est grossièrement charpentée par une succession de coups de théâtre et le dialogue est saturé de répliques cinglantes et sonores – des « mots d'auteur ». Au contraire, les personnages de Musset poursuivent sur un ton de bonne compagnie des conversations alanguies ou amusées, sans paraître se soucier de l'effet à produire. Les dialogues, en vers ou en prose, sont écrits avec beaucoup de finesse, de lyrisme ou de fantaisie ; mais ils ne sont pas, au sens où on l'entendait au XIXe siècle, des textes de théâtre. Au drame, Musset préfère d'ailleurs les genres apparemment mineurs : la comédie en deux, trois ou quatre actes, et le proverbe, à l'imitation des *Proverbes* de Carmontelle, qu'appréciait son grand-père.

Avec lui, la poésie confine donc à la prose, le théâtre à la confidence intime, la nouvelle à l'anecdote sentimentale. Son originalité réside en ceci que l'écriture se situe toujours en deçà de ce que la convention générique faisait attendre – ou plutôt, à mi-chemin entre l'art littéraire et le langage conversationnel, dans un ailleurs dont l'allure aristocratique a fait méconnaître la radicalité.

L'écrivain de l'amour

Puisque tout est insignifiant (la philosophie, l'histoire, l'art), il ne reste à l'homme que l'amour :

> « Ce que l'homme ici-bas appelle le génie,
> C'est le besoin d'aimer, hors de là tout est vain. »
>
> (« À la Malibran »)

Non que l'amour soit plus vrai ou plus substantiel que toute autre chose. Mais, aussi illusoire soit-il, on ne peut nier les émotions intenses qu'il procure à celui ou à celle qui l'éprouve et qui suspendent, au moins provisoirement, la question du sens. Aussi faut-il remercier même la femme oublieuse ou infidèle :

> « Poète, c'est assez. Auprès d'une infidèle,
> Quand ton illusion n'aurait duré qu'un jour,
> N'outrage pas ce jour lorsque tu parles d'elle ;
> Si tu veux être aimé, respecte ton amour [...]
> Dans ses larmes, crois-moi, tout n'était pas mensonge.
> Quand tout l'aurait été, plains-la ! Tu sais aimer. »
>
> (« La Nuit d'octobre »)

Balzac, Lamartine, Hugo ont, eux aussi, accordé une place centrale au sentiment amoureux, mais en lui supposant la vertu propédeutique de mettre l'homme en relation avec quelque vérité éternelle. Musset sait que l'amour n'est rien d'autre qu'un sentiment passager, et toute son œuvre est vouée à en décrire les phases :

> « Sachez-le, c'est le cœur qui parle et qui soupire
> Lorsque la main écrit, c'est le cœur qui se fond. »

On s'est souvent moqué de l'image du poète-pélican (« La Nuit de mai »), parce qu'on la comprend mal. Si l'écrivain offre comme l'oiseau ses entrailles en pâture à son public, c'est peut-être par vocation sacrificielle, mais surtout parce qu'il n'a strictement rien de plus ragoûtant à lui offrir : redonnons du moins à la fable sa valeur ironique.

Sur ce point encore, Musset prend son siècle à rebrousse-poil. Alors qu'une génération d'écrivains nés vers 1820 (Flaubert, Baudelaire...) mettra son point d'honneur à se tenir à distance artistique de l'effusion sentimentale des romantiques, il déclare de son côté haïr, dans la « Dédicace » de *La Coupe et les Lèvres*,

> « [...] Les pleurards, les rêveurs à nacelles,
> Les amants de la nuit, des lacs, des cascatelles,
> Cette engeance sans nom, qui ne peut faire un pas
> Sans s'inonder de vers, de pleurs et d'agendas. »

Mais il met au rebut l'attirail inutile du romanesque pour mieux dire, sérieusement et exclusivement, la vie du cœur :

> « De ton cœur ou de toi lequel est le poète ?
> C'est ton cœur… »
>
> (« La Nuit d'août »)

Puisque la littérature naît de l'amour, celui-ci doit valoir plus que celle-là : l'écrivain s'humilie devant l'homme aimant, et, dans chacun de ses textes, Musset réitère cet acte d'allégeance. Il sait bien, pourtant, que l'amour est une belle hallucination, semblable à celles que suscitent l'ivresse et la fête. L'amour ou la débauche ? Inspiré sans doute par ses propres obsessions de viveur, qu'on trouve aussi dans *La Confession d'un enfant du siècle*, il revient toujours à ce dilemme et l'illustre par la figure, pathologique et tragique, du double, où l'amoureux et le séducteur se complètent en s'opposant : le prince d'Eysenach et Razetta (*La Nuit vénitienne*), André del Sarto et Cordiani (*André del Sarto*), Cœlio et Octave (*Les Caprices de Marianne*), Fortunio et Clavaroche (*Le Chandelier*), etc. Le procédé du dédoublement peut aussi concerner les femmes : Ninon et Ninette (*À quoi rêvent les jeunes filles ?*), Deidamia et Belcolore (*La Coupe et les Lèvres*), Camille et Rosette (*On ne badine pas avec l'amour*).

Une esthétique du discontinu

La matière dramaturgique du théâtre de Musset est donc très simple et vise à la stylisation : un personnage hésite entre deux voies et laisse les circonstances, heureuses ou funestes, décider pour lui. Il ne s'agit pas d'approfondir des psychologies, mais d'esquisser en quelques traits un conte, de suggérer une morale, puis de fondre l'ensemble dans un décor irréel et poétique.

Dans la vie de tous les jours, ce n'est pas davantage la durée qui importe, mais quelques instants d'émotion fugace. Comme écrivain, Musset semble s'être donné pour mission de donner forme et voix à ces moments privilégiés de la pensée. Aussi se garde-t-il bien de *composer* une œuvre ; au contraire, fidèle à son esthétique du discontinu, il veille, comme le note Flaubert, à n'écrire que des fragments, délestant ses textes des liaisons inutiles et artificielles qu'implique la recherche de cohérence.

Tous les commentateurs ont noté les ruptures narratives ou discursives, voire grammaticales, qui émaillent les poèmes ou les pièces de Musset. Les plus médisants les ont attribuées à son ébriété ; ainsi de Sainte-Beuve, cette remarque publiée dans *Mes poisons* : « La plupart des compositions ou même des pièces de Musset n'ont ni queue ni tête ; entre le commencement et la fin des choses, même les plus courtes qu'il ait faites, on sent qu'il y a toujours une saoulerie. » Mais cet inaboutissement est d'emblée impliqué par une poétique dont l'objet fut d'« éterniser peut-être un rêve d'un instant » (« Impromptu en réponse à cette question : qu'est-ce que la poésie ? ») et qui produisit des pages d'un lyrisme inégalable.

Le théâtre de Musset est à l'image de son univers intérieur. Des êtres, rêveurs mais délicats, s'y croisent ; les tableaux se succèdent – halos de lumière, de fantaisie ou de mystère – ; des crimes s'y commettent presque par étourderie, sans jamais briser le charme poétique d'une ombre d'intrigue. Enfin, les pièces s'achèvent sur des mots guère plus définitifs que le reste des dialogues, puisqu'il faut bien que continue le triste cours de la vie humaine. Comme le conclut le marquis dans *L'Âne et le Ruisseau*, – la dernière œuvre théâtrale de Musset : « Allons, tâchons de nous consoler de tout le chagrin que nous nous sommes fait. »

BIBLIOGRAPHIE

• Éditions :
Œuvres complètes, M. Allem éd., Paris, Gallimard, 1957-1960, 3 vol. – *Correspondance*, t. I, L. Chotard, M. Cordroc'h et R. Pierrot éds, Paris, PUF, 1985.

• Biographies :
J. POMMIER, *Autour du drame de Venise*, Paris, Nizet, 1958. – M. TOESCA, *Alfred de Musset ou l'Amour de la mort*, Paris, Hachette, 1970.

• Études d'ensemble et ouvrages de synthèse :
P. GASTINEL, *Le Romantisme d'Alfred de Musset*, Paris, Hachette, 1933. – H. LEFEBVRE, *Musset*, Paris, L'Arche, 1970. – P. VAN TIEGHEM, *Musset, l'homme et l'œuvre*, Paris, Hatier, 1969.

• Sélection de travaux critiques :
Alfred de Musset, poésies, Paris, SEDES, 1995. – A. HEYVAERT, *L'Esthétique de Musset*, Paris, SEDES, 1996. – L. LAFOSCADE, *Le Théâtre d'Alfred de Musset*, Paris, Hachette, 1901. – Y. LAINEY, *Musset ou la Difficulté d'aimer*, Paris, SEDES, 1978. – B. MASSON, *Théâtre et Langage. Essai sur le dialogue dans les comédies de Musset*, Paris, Minard, 1977.

Chapitre 12

Stendhal

Stendhal, qui a été adulé au XXe siècle depuis l'entre-deux-guerres jusqu'à une période récente, passe, bien à tort, pour avoir été méconnu en son siècle, ou du moins tardivement reconnu, vers 1880 seulement, à l'époque où lui-même se plaisait à penser qu'il le serait. Il paraissait en effet peu probable qu'un « faiseur de paradoxes » de son espèce (*dixit* Jules Janin, en 1830) pût être un romancier lu en dehors des salons conquis par le brio et la causticité de sa conversation. Le fait est cependant que la révolution de Juillet, survenue peu avant la parution de son roman *Le Rouge et le Noir*, n'a pas suffi à submerger ce livre, tout au contraire : il est reçu comme un « roman politique » (*Le Globe*), et une seconde édition en est donnée dès 1831. Quant à *La Chartreuse de Parme*, sa célébration immédiate par Balzac, dans un article devenu canonique, ne signifie pas que seul le génie pouvait saluer le génie. D'autres que l'auteur de *La Comédie humaine* le tenaient déjà en très haute estime.

La vérité, c'est que Stendhal est une création continue de son siècle, depuis l'inclassable romantique au nom impossible des années 1830 jusqu'à l'ancêtre revendiqué par Barrès à son *culte du moi,* à l'extrême fin du siècle, en passant par le *réaliste* découvert par le groupe de Champfleury dans les années 1850 et le psychologue positif chez qui Taine croyait découvrir une « divination » de son approche « naturaliste » de l'humain. Comment et pourquoi choisirait-on un moment stendhalien plutôt qu'un autre ? Le mieux est encore de revenir à la stratégie littéraire à l'origine de cette percée.

De Beyle en Stendhal

Les origines d'une révolte

La *Vie de Henry Brulard* ramène l'histoire de la personnalité de Henri Beyle (Grenoble, 1783-Paris, 1842) à un scénario dont l'analyse introspective et l'aveu attestent une lucidité et une liberté d'esprit sans égales à une époque où Freud n'était pas né : « Ma mère, madame Henriette Gagnon, était une femme charmante et j'étais amoureux de ma mère. Je me hâte d'ajouter que je la perdis quand j'avais sept ans. [...] J'abhorrais mon père quand il venait interrompre nos baisers, que je voulais toujours lui donner à la gorge. » Mais ce complexe d'Œdipe ne vaudrait pas d'être noté s'il n'était aussi la grille de lecture à travers laquelle l'écrivain perçoit l'histoire sociale et politique de son temps. Ainsi décrit-il le père détesté comme un homme de très bonne bourgeoisie, adjoint au maire, « extrêmement ultra, partisan des prêtres et des nobles », dont la passion aurait été de « vendre un champ à un paysan en finassant pendant huit jours à l'effet de gagner 300 francs ». C'est par réaction que le futur Stendhal aurait voué « un amour filial » à la République.

Napoléon, l'Italie, les salons de la Restauration

La jeunesse de Beyle est typique du modèle de réussite de sa génération. Il bûche les mathématiques en vue de Polytechnique, monte à Paris pour en préparer le concours, se laisse en fait introduire au ministère de la Guerre par un parent bien placé, et le suit en Italie, sur les talons de Bonaparte. Sous-lieutenant de cavalerie en 1801, il bifurque en 1802 vers la vie civile et parisienne, tourne autour du théâtre. Son ambition hésite entre le projet d'écrire des comédies et la perspective de devenir un grand serviteur de l'Empereur. C'est en fin de compte Napoléon qui l'emporte. Pour le compte de son administration, Beyle, lorsqu'il ne se comporte pas en dandy à Paris, se rend en différentes régions d'Allemagne, à Vienne, en Italie, en Russie...

À la chute de l'Empire, en 1814, son ralliement, de pure hypocrisie, ne lui permet pas de retrouver un poste. Il traduit et réécrit un livre italien, les *Lettres sur Haydn* (1815), et part pour Milan dans l'espoir d'y renouer avec Angela Pietragrua, connue trois ans plus tôt, et qui lui servira de modèle pour imaginer la duchesse de Parme. La fin de ces amours ne le détourne pas de l'Italie, où il séjourne, avec quelques interruptions, jusqu'en 1821. La rencontre de Byron, celle de romantiques milanais modifient son opinion sur le romantisme. Pour se distraire et pour subvenir à ses dépenses, il mène à bien la même année, sans se priver de recourir à maints plagiats, deux ouvrages ressortissant à la littérature de consommation touristique, *Rome, Naples et Florence en 1817* et, sous la signature de « M. de Stendhal, officier de cavalerie », *Histoire de la peinture en Italie* (1817). Une passion folle pour Métilde Dembowski, courtisée en vain durant cinq ans (et reconnaissable dans Mathilde de la Mole), lui inspire son essai *De l'amour* (1822) et le décide à rentrer à Paris.

À son retour, « Stendhal » entre définitivement dans le rôle d'un « homme d'esprit », brillant causeur de salon, cynique et affecté, affichant un libéralisme jacobin et un romantisme provocant. Pour gagner sa vie, il se fait le correspondant de deux revues londoniennes et donne des comptes rendus picturaux ou musicaux au *Journal de Paris*. De la même veine journalistique d'information et de polémique procèdent *Racine et Shakespeare* et *La Vie de Rossini* (1823), ou encore le pamphlet anti-saint-simonien *D'un nouveau complot contre les industriels* (1825). On parle de lui à cause de l'énigme de son pseudonyme, de sa position de « hussard » romantique, de sa *Vie de Rossini*, concomitante à la présence du compositeur à Paris, et de la réédition de son *Rome, Naples et Florence* (1826). Son premier roman, *Armance* (1826), est néanmoins peu et mal reçu. Outrant sa manière paradoxale, Stendhal y conserve un silence déconcertant sur l'inavouable secret dont il a choisi d'accabler son héros, l'impuissance sexuelle. Échec sans conséquence. Désormais connu, Stendhal écoule sans peine sa production : il exploite sa réputation de spécialiste du tourisme en Italie avec un nouveau *voyage*, les *Promenades dans Rome* (1829), s'essaie au genre de la nouvelle (*Vanina Vanini,* dans la *Revue de Paris* en 1829) et revient au roman avec, cette fois, un succès immédiat (*Le Rouge et le Noir,* novembre 1830).

Romancier et consul

Après la révolution de juillet 1830, Stendhal, trop indépendant d'esprit pour n'être pas suspect à ses amis libéraux, n'obtient qu'un poste de consul en Italie. Encore l'Autriche, puissance dominante dans la péninsule, soulève-t-elle des difficultés en raison de l'impertinence notoire de l'écrivain envers sa politique conservatrice et de soupçons anciens quant à sa possible implication dans un complot milanais. Il échoue dans un petit port de la région de Rome, Civitavecchia. Sans vraiment viser à une publication, puisque sa subsistance n'en dépend plus, il entreprend successivement et laisse en chantier les *Souvenirs d'égotisme* (1832), *Lucien Leuwen* (1834), la *Vie de Henry Brulard* (1835), des *Mémoires sur Napoléon* et *Le Rose et le Vert* (1837). Un congé obtenu pour sortir de l'ennui de Civitavecchia le relance. En 1838 paraissent les *Mémoires d'un touriste,* quelques « chroniques italiennes » fournies à la *Revue des Deux-Mondes*, et *La Chartreuse de Parme*.

« Romanticisme » et égotisme

Un romantisme de franc-tireur

Comparé au *Génie du christianisme* de Chateaubriand ou à *De l'Allemagne* de Mme de Staël, qui le précèdent, et à la *Préface de Cromwell*, qui lui succède, *Racine et Shakespeare* adopte des allures à la fois plus modestes et beaucoup plus polémiques. Le texte se présente, dans sa première partie, comme la simple reproduction d'articles d'une revue anglaise, dus à un auteur « éloigné, par état, de toute prétention littéraire ». Se réclamer ainsi du public et de l'Angleterre, où le romantisme est libéral, antichrétien, partisan de la vérité de l'observation et de l'énergie des passions, c'est, d'emblée, se dégager des tendances conservatrices du romantisme tel qu'il se développe sous la Restauration. Mais le moyen est bon aussi pour aller droit au but : « Je prétends qu'il faut désormais faire des tragédies pour nous, jeunes gens raisonneurs, sérieux et un peu envieux de l'an de grâce 1823. Ces tragédies-là doivent être en prose. De nos jours, le vers alexandrin n'est le plus souvent qu'un cache-sottise. » Un public est défini, la jeunesse instruite et socialement frustrée, qui constituera un peu plus tard le lectorat du *Globe*. Et la barrière de l'alexandrin est abolie sans précaution. Un peu plus tard, se faisant passer cette fois pour un Italien, Stendhal sera encore plus explicite en réclamant « une littérature faite pour un *peuple* », non pas « arrangée pour une *cour* ».

Voilà donc un ardent « défenseur du *genre romantique* » qui ne craint pas de combattre sur deux fronts et d'envoyer plus d'une pique dans son camp. Ainsi l'affirmation que « le populaire Pigault-Lebrun [voir p. 102-103] est beaucoup plus romantique que le sensible auteur de *Trilby* » – soit Nodier en personne. Quant à « Chateaubriand, Marchangy, d'Arlincourt et leur école », il les voue aux oubliettes avec tout le pittoresque pompeux et larmoyant d'*Atala*.

Sa propre définition du « romanticisme » (suffixe adopté par analogie avec *classicisme*) a la précision d'une loi de physique : « L'art de présenter aux peuples les œuvres littéraires qui, dans l'état actuel de leurs habitudes et de leurs croyances, sont susceptibles de leur donner le plus de plaisir possible. »

Les ressources littéraires de l'égotisme

C'est à partir de cette définition épicurienne que, pour Stendhal, commence la difficulté. Estimant, avec une apparence de raison, que l'amour est la grande affaire de la vie, du moins celle qui peut « donner le plus de plaisir possible », il ne saurait choisir d'autre objet. Mais, constate-t-il d'autre part, « l'homme qui raconte ses émotions est le plus souvent ridicule ; car si cette émotion lui a donné le bonheur, et s'il ne parle pas de manière à reproduire cette émotion chez ses auditeurs (comme J.-J. Rousseau dans les *Confessions*), il excite l'envie ; et plus il aura affaire à des âmes communes, plus il sera ridicule ». Comment ne pas en déduire que le *romanticisme* stendhalien serait une contradiction dans les termes ? que l'écrivain décidé à parler d'amour se condamnerait par là même soit au ridicule soit à l'isolement par rapport à tout public populaire ? Sachant de plus que, toujours selon *Racine et Shakespeare*, le culte de l'amour-passion requiert la liberté donnée par l'« oisiveté », donc une forme d'aristocratie, il faudrait décidément penser que le pari est impossible à tenir. Le repli sur un *moi* aristocratique paraît la seule solution : être à soi seul son sujet, son objet et son public.

De l'amour en découle. Mais sa confidentialité, constatée sur le coup par sa mévente, ne va pas sans problème. Cette limite idéale, mais stérilisante, de la littérature sera recherchée et atteinte dans les œuvres autobiographiques, non publiées du vivant de l'auteur. L'étude du moi finit par y être pourvue d'un nom qui la consacre : l'*égotisme*. Si Stendhal n'avait pas été le romancier que l'on sait, il est cependant plus que probable que ses œuvres égotistes n'auraient jamais été incorporées à la littérature, comme ce fut le cas à partir de leur édition dans les années 1888-1892.

Le roman comme un jeu de stratégie

Le choix du roman

Ayant fait le choix du roman comme moyen d'expression publique de son *ego*, Stendhal y applique au pied de la lettre l'équation *romantisme = contemporain*. *Armance* est sous-titrée « Quelques scènes d'un salon de Paris en 1827 », *Le Rouge et le Noir* se donne pour une « chronique de 1830 », *Lucien Leuwen* commence en « 1832 ou 1834 », et l'espèce d'intemporalité produite par sa localisation dans un duché italien de fantaisie permet à *La Chartreuse de Parme* d'évoquer en substance l'histoire du siècle depuis la Révolution. La méthode est absolument semblable à celle de Walter Scott évoquant l'histoire médiévale par des traits caractéristiques plutôt que par la mise en scène de personnages célèbres et d'événements historiques réels (voir p. 110). En même temps que Balzac, et même un peu avant ses *Chouans*, Stendhal inaugure le roman historique du présent.

Stratégies politiques et amoureuses

Les batailles de ses romans, ce ne sont donc pas les vraies et grandes batailles de l'histoire, mais les petites et dures batailles du quotidien. Le traitement de Waterloo dans *La Chartreuse* mérite à cet égard sa célébrité. Que Fabrice ne voie ni ne comprenne les manœuvres de Napoléon, mais essaie vainement de prendre sa part du combat et s'endorme, pour finir, comme un enfant, importe bien davantage à la représentation historique que l'exactitude des faits militaires. Le temps de Fabrice n'est plus celui de l'épopée impériale, mais celui de ses lendemains. Sa bataille à lui, ce sera son évasion de la prison de Parme, et les enjeux n'en sont autres que sa vie individuelle, sa dignité et son bonheur. Encore est-ce une femme, la duchesse, qui s'avère le stratège le plus lucide et le plus efficace contre le souverain abolu du petit État-symbole, la seule capable, aussi, de mobiliser Ferrante Palla, le dernier républicain.

L'intrication des enjeux politiques et sentimentaux amène ainsi à les lire en quelque sorte les uns dans les autres. Pour Julien Sorel, par exemple, dont l'appartenance plébéienne est rappelée avec insistance, les conquêtes de Mme de Rênal et de Mathilde de la Mole sont des enjeux à la fois amoureux et sociaux. Aussi cet admirateur de Napoléon tâche-t-il aussi de se comporter comme les roués des *Liaisons dangereuses* de Laclos, étudiant le terrain et calculant ses attaques amoureuses avec une froideur toute militaire.

Une écriture en campagne

Cette lucidité stratégique à laquelle Henri Beyle s'exerce dans la vie (on aura compris qu'il s'est pris plus d'une fois pour Valmont), « M. de Stendhal, officier de cavalerie » (voir ci-dessus) y prétend pour son compte de narrateur et l'offre en partage à ses héros, qu'il évalue sous ce rapport. C'est pourquoi l'esthétique stendhalienne repose moins sur le choix d'un genre (le *sublime*, nommé l'espagnolisme par Brulard, en souvenir du *Cid* et de l'atavisme hispanique supposé de sa famille) que sur celui d'un point de vue stratégique et sur son exploitation rigoureuse. L'avant-propos d'*Armance* explique ainsi, dans l'esprit d'une philosophie toute matérialiste, que « la même chose, chacun la juge d'après sa position ». Les personnages, en conséquence, des plus haut placés aux canailles les plus sordides, sont toujours montrés agissant en fonction d'intérêts et de critères explicites enracinés dans leur appartenance sociale. Quant à l'auteur-narrateur, s'il intervient en son nom propre pour se justifier de sa conduite du récit, il ne le fait que pour faciliter l'interprétation par le lecteur de l'ironie discrète dont il accompagne et commente le parcours des personnages, en attirant l'attention sur leurs œillères respectives. On pourrait dire, s'il n'était athée, que son point de vue à lui est celui d'un Dieu-général surplombant le champ de bataille et observant à la lunette, avec une sympathie amusée, ses humains préférés, ceux que leur sens de l'honneur et de la « chasse du bonheur » distingue du vulgaire. Répétée avec constance, sa doctrine du « miroir » promené le long du chemin exclut les longs commentaires à la Balzac, mais n'implique aucunement la fausse neutralité derrière laquelle se retranche un Flaubert. C'est affaire non d'art, mais d'efficacité.

Raconter avec une exactitude scientifique et une lucidité historique toute militaire des luttes d'intérêts, des manœuvres amoureuses, des intrigues de cour ou de salon, suivre à nu, étape par étape, le développement de rapports de force, requiert une écriture concentrée sur les faits, aussi peu digressive et descriptive que possible. À l'échelle de la phrase, cet impératif se traduit par un style tendu, bannissant la périphrase, abhorrant l'« emphase », visant au « naturel ». La revendication des modèles napoléoniens du Code civil et des bulletins de la Grande Armée caricature à peine l'effet de simplicité et de vérité informative produit par le style de Stendhal par rapport à la pompe ordinaire qui, depuis Chateaubriand, est la norme du romanesque romantique.

C'est bien pourquoi la vraie gloire de Stendhal ne commence qu'une fois le romantisme mort et enterré.

Libre ensuite aux amateurs, qui ne s'en privent pas depuis lors, de goûter, à même ce style sec, la tension vibrante d'une âme sensible et bien plus habitée par le sacré qu'elle ne se l'avoue, heureuse, ainsi que Julien et Fabrice en leurs diverses prisons, de se faire elle-même la captive enchantée de ses propres mythes.

Bibliographie

• Éditions :
Œuvres complètes, sous la dir. de V. del Litto et E. Abravanel, Cercle du Bibliophile, Aran (Suisse), Éd. du Grand Chêne, 1967-1973, 50 vol. – *Romans et Nouvelles*, H. Martineau et V. del Litto éds, Paris, Gallimard, coll. « Bibliothèque de la Pléiade », 1984. – *Œuvres intimes*, H. Martineau éd., *ibid.*, 1955. – *Correspondance*, H. Martineau et V. del Litto éds, *ibid.*, 1972-1978, 3 vol. – *Voyages en Italie*, V. del Litto éd., *ibid.*, 1973. – *Voyages en France*, V. del Litto éd., *ibid.*, 1992. – *Chroniques pour l'Angleterre : contributions à la presse britannique*, Grenoble, Publications de l'université des langues et lettres, 1988-1995, 8 vol. – *Lettres à Pauline*, Paris, Le Seuil, 1994. – *Vie de Henry Brulard*, édition génétique du manuscrit par G. Rannaud, Paris, Klincksieck, 1997, 2 vol. parus, suite en cours de parution. – *Paris-Londres. Chroniques*, R. Dénier éd., Paris, Stock, 1997.

• Biographie :
M. Crouzet, *Stendhal, Monsieur Moi-Même*, Paris, Flammarion, 1990.

• Bibliographie critique :
– Ouvrages de synthèse :
Ph. Berthier, *Stendhal et la sainte famille*, Genève, Droz, 1983. – G. Blin, *Stendhal et les problèmes du roman*, Paris, J. Corti, 1973. – M. Crouzet, *Stendhal et le langage*, Paris, Gallimard, coll. « Bibliothèque des idées », 1981. – M. Crouzet, *Le Roman stendhalien. « La Chartreuse de Parme »*, Orléans, Paradigme, coll. « Modernités », 1996. – M. Crouzet, *Stendhal et l'italianité*, Paris, J. Corti, 1982. – M. Crouzet, *Le Héros fourbe chez Stendhal*, Paris, SEDES, 1987. – B. Didier, *Stendhal autobiographe*, Paris, PUF, 1983. – G. Durand, *Le Décor mythique de « La Chartreuse de Parme »*, Paris, J. Corti, 1961. – J. Prévost, *La Création chez Stendhal*, Paris, Gallimard, 1975. – P.-L. Rey, *Stendhal, « La Chartreuse de Parme »*, Paris, PUF, 1992. – J.-P. Richard, *Littérature et Sensation*, Paris, Le Seuil, coll. « Points », 1990.

– Ouvrages collectifs :
Stendhal. « La Chartreuse de Parme », M. Crouzet dir., Paris, Éditions interuniversitaires, 1996. – *Stendhal*, M. Crouzet dir., Paris, PU de Paris-Sorbonne, coll. « Mémoire de la critique », 1996. – *Stendhal. « La Chartreuse de Parme » ou la Chimère absente*, J.-L. Diaz dir., Paris, SEDES, 1996.

Revues spécialisées :
Revue du Stendhal-Club, Grenoble. – *Cahiers Stendhal. L'Année Stendhal,* Klincksieck.

Chapitre 13

Balzac

On ne peut parler de Balzac sans être fasciné, à son tour, par la silhouette titanesque du moine écrivain et par l'ampleur de l'œuvre monumentale – ce mythe que le romancier à la peine édifie pour l'opposer à ses détracteurs et, parfois, à ses propres doutes. On ne peut le comprendre ni l'aimer sans accepter que les romans n'ont pas toujours à tenir les promesses qu'ils font, parce que la part du rêve est, finalement, le meilleur de la littérature. Car son génie – génie rusé ou naïf – consiste à avoir fondu inextricablement, dans cette *Comédie humaine* vouée à l'inachèvement et, pour cette raison, toujours tournée vers son devenir, le projet fantasmé et la réalité du texte, le virtuel et l'actuel.

Dans des termes très lucides malgré l'image mythologique, l'*Avant-propos* de *La Comédie humaine* décrit cette rencontre féconde entre l'idéal et les contraintes de l'écriture : « L'idée première de *La Comédie humaine* fut d'abord chez moi comme un rêve, comme un de ces projets impossibles que l'on caresse et qu'on laisse s'envoler ; une chimère qui sourit, qui montre son visage de femme et qui déploie aussitôt ses ailes en remontant dans un ciel fantastique. Mais la chimère, comme beaucoup de chimères, se change en réalité, elle a ses commandements et sa tyrannie auxquels il faut céder. »

Il y aurait donc deux Balzac – le chimérique et le réel –, comme il y a deux critiques balzaciennes : l'une fidèle à l'image prométhéenne du philosophe de la volonté qui épuise son énergie vitale à force de pensée et de labeur, l'autre déconstruisant la première et montrant, à travers les « failles » ou les « plis » du texte même, comment le réel mine les certitudes de l'imagination. Ou, si l'on veut, un Balzac idéaliste et un Balzac matérialiste, qu'il est loisible de réunir dans la notion de « mythe ».

Mais, ici comme ailleurs, méfions-nous des synthèses trop commodes. Assurément ces deux Balzac sont indispensables l'un à l'autre : la philosophie balzacienne n'existe pas hors des romans qui la réalisent. Mais ils sont aussi absolument inconciliables : cette contradiction fut le drame intime de l'homme, depuis les enthousiasmes de jeunesse jusqu'à la mort pitoyable en 1850, cinq mois après un mariage hâtivement consacré, en Ukraine, entre l'Étrangère et l'écrivain presque moribond.

D'une formule heureuse, Proust écrit dans le *Contre Sainte-Beuve* qu'un livre de Balzac est d'abord une « idée de livre ». C'est vrai de l'auteur lui-même : malgré tous les obstacles, intérieurs ou extérieurs, dont il apprend, année après année, à mesurer le poids, Balzac n'a jamais renoncé à concrétiser hors de lui, dans sa vie et dans son œuvre, l'idée de Balzac que, dès son adolescence, il s'est forgée. Comme si l'immense travail accompli avait pour ultime fonction de justifier, aux yeux des contemporains, des femmes aimées comme pour la postérité, l'illusion dont il se nourrit : dès 1850, Victor Hugo, l'autre géant du romantisme, avait su distinguer dans son hommage funèbre, entre les lignes du « livre vivant, lumineux, profond [de *La Comédie humaine*], où l'on voit aller et venir et se marcher et se mouvoir, avec je ne sais quoi d'effacé et de terrible mêlé au réel, toute notre civilisation humaine », « le plus sombre et le plus tragique idéal ».

Une vie d'écrivain

Le temps des apprentissages

Seul parmi les grands noms de la première génération romantique, Balzac a manqué son entrée en littérature et a dû s'obstiner pendant près de dix ans, au milieu des difficultés matérielles et après des échecs répétés, pour connaître la notoriété.

Il est vrai qu'il est roturier malgré la particule que son père s'est arrogée, issu de cette paysannerie qui s'embourgeoise à la faveur de la Révolution. Né en 1799 dans un couple désuni, il souffrira pendant toute son enfance de l'indifférence de sa mère, qui lui préfère son demi-frère adultérin, « l'enfant de l'amour ». Il passe la plupart de son temps dans diverses pensions où, livré à une solitude ennuyée et rêveuse, il refait le monde et la philosophie – du moins à en croire *Louis Lambert*, un des ses romans les plus autobiographiques.

De 1816 à 1819, il fait des études de droit et semble suivre le parcours normal d'un jeune bourgeois. Mais il se veut écrivain ou, plus encore, penseur. Moyennant une petite pension versée par ses parents, il tente vainement de forcer le destin : pendant deux années, il ébauche des traités philosophiques, compose une tragédie, s'essaie au roman philosophique ou historique. De cet ensemble inégal, deux traits fondamentaux de l'œuvre à venir se dégagent d'emblée : d'une part, la démesure de l'auteur autodidacte, dont le dessein paraît toujours en décalage et en excès par rapport à la réalisation ; d'autre part, l'indifférence à l'égard des formes et des genres, pourvu que l'idée trouve un espace où s'épanouir.

À partir de 1822, Honoré doit gagner sa vie. Sous les pseudonymes de Lord R'hoone et d'Horace de Saint-Aubin, il publie ses « cochonneries littéraires », des romans sentimentaux pour cabinets de lecture que la critique aujourd'hui commence à redécouvrir ; il rédige des pamphlets politiques, pour l'argent ou par conviction ; en 1825, ayant apparemment renoncé à une réussite rapide et éclatante, il se lance dans les métiers du livre (édition, imprimerie, fonderie de caractères) : mais l'affaire se termine par la faillite et un lourd endettement personnel. Cette dette, accrue par l'impécuniosité et le cumul des intérêts, sera le tonneau des Danaïdes qui, selon Balzac, fera obstacle à ses projets littéraires les plus chers – à moins que, au contraire, elle ne le ramène impérieusement au réel et à ce roman nouveau qu'il lui revenait d'inventer.

D'ailleurs, tout n'est pas négatif en cette fin de Restauration. Balzac est désormais connu dans les milieux de l'édition qui gravitent autour de la littérature. Sur le plan intime, il a rencontré sa première femme idéale : Mme de Berny, sa *dilecta*, qui, de vingt-deux ans son aînée, est à la fois son initiatrice sexuelle, sa mère de substitution, sa conseillère littéraire et sa directrice de conscience.

Balzac, auteur à succès

Coup sur coup (en mars et décembre 1829) paraissent *Le Dernier Chouan* et *La Physiologie du mariage*, dans une période d'effervescence littéraire et intellectuelle : Balzac devient soudain un écrivain en vogue, une figure du Tout-Paris artistique, un journaliste brillant que le patron de presse Émile de Girardin, alors en pleine ascension, associe à ses entreprises. Il publie, entre autres, *La Peau de chagrin* (1831) et *Le Colonel Chabert* (1832), mais le roman n'est encore pour lui qu'une des possibilités qu'il envisage. Il est probable que, au lendemain de la révolution de 1830, la tentation politique a été très forte parce que, sur ce terrain, il pense pouvoir s'imposer comme homme de conviction et de pensée, non plus comme professionnel de la presse et de la « librairie ». Il rallie à cette occasion le parti légitimiste, qui rassemble les nostalgiques de l'ancienne monarchie de droit divin et dont il partage, du moins, les convictions anticapitalistes et le souci d'ordre social.

Mais la politique ne veut pas de lui : pour se hisser au-dessus du monde séduisant mais frivole des Lettres parisiennes, il reste le grand œuvre à écrire. Balzac s'attelle à la tâche, s'isole de plus en plus, s'immerge dans un travail vertigineux auquel il fait face, à force de nuits blanches abreuvées de café. C'est la grande période de production, où le projet général se précise au travers de romans divers mais également ambitieux. En 1835, il crée avec *Le Père Goriot* la formule du retour des personnages, matrice de *La Comédie humaine*. Dès 1833, il a d'ailleurs passé contrat pour la publication des *Études de mœurs au XIXe siècle*. La même année, la liaison, presque exclusivement épistolaire, qu'il noue avec l'Étrangère, la comtesse polonaise Ève Hanska, lui permet de connnaître l'exaltation de l'amour sans perturber son plan de travail ; dans une lettre datée du 26 octobre 1834, il lui détaille d'ailleurs le plan du monument à venir. C'est aussi le temps des textes les plus autobiographiques : *Louis Lambert* (1833), *Le Lys dans la vallée* (1836), les deux premières parties d'*Illusions perdues* (1837 et 1839).

Balzac s'impose comme le grand romancier des années 1830. C'est avec lui que Gervais Charpentier entreprend, en 1838, de lancer sa célèbre collection in-18 ; c'est à lui encore que la toute jeune Société des gens de Lettres confiera, après Victor Hugo, l'honneur de défendre comme président les intérêts matériels et moraux des écrivains.

La gloire, l'amour, la mort

Mais les temps changent vite. Le succès du feuilleton favorise la concurrence de romanciers nouveaux, capables d'entretenir indéfiniment le suspens qu'impose la contrainte journalière de l'*à suivre*: Dumas, Sand et, surtout, Sue. Balzac, dont l'œuvre tire sa consistance des masses digressives et descriptives, ne peut ni ne voudrait les suivre sur le terrain de la pure fiction. S'il tente de concurrencer Sue dans la peinture romanesque des bas-fonds (*Splendeurs et misères des courtisanes*, 1843-1847), il sait bien qu'il est mieux qu'un auteur à succès: en 1841, il passe contrat pour l'édition de *La Comédie humaine*, dont les dix-sept volumes paraîtront de 1842 à 1847.

Cette initiative assure la postérité de Balzac. Mais elle ne suffit pas à le préserver des difficultés matérielles. Avec le recul, les années 1840 apparaissent comme une retraite en bon ordre, où l'écrivain doit lutter davantage alors même que sa force et son énergie s'épuisent. Il ne parvient pas, malgré ses tentatives réitérées, à obtenir au théâtre le succès dont il rêve. Ses romans se teintent d'une tonalité sombre et amère, s'attardent aux pathologies sociales ou morales – jusqu'aux terribles mais magnifiques *Parents pauvres* (*La Cousine Bette*, 1846 ; *Le Cousin Pons*, 1847).

Balzac est las et malade ; il trouve, avec quelque raison, que la gloire lui est chèrement comptée. Il lui faudrait décidément une belle et heureuse histoire d'amour pour compenser cette vie harassante. Justement, la mort du comte Hanski, en 1841, lui permet d'espérer le mariage – et, par conséquent, la paix et la richesse. Mais les obstacles surgissent et l'avenir tant convoité se dérobe. Balzac s'obstine dans son projet alors que sa santé décline et que sa puissance de travail, qui fut longtemps sa seule certitude, connaît de longues éclipses. L'empressement amoureux a désormais l'allure pathétique d'une course contre la montre. Le 14 mars 1850, c'est un homme prématurément vieilli et déformé par la maladie qu'épouse finalement Ève Hanska dans sa résidence russe de Wierzschownia. Le couple n'a plus que le temps de revenir en France pour s'installer dans l'hôtel aménagé à grands frais par Honoré, qui meurt le 18 août.

Un réalisme romanesque

Les vieux clichés de la critique ont décidément la vie bien dure, pour qu'il soit encore nécessaire, aujourd'hui, d'écarter de Balzac l'image convenue d'un écrivain ennuyeux qui alignerait d'interminables descriptions, avec le souci maniaque de la précision documentaire. Même s'il n'emploie pas le mot, Balzac est avant tout romancier – à la fois scénariste, créateur de personnages, dramaturge. D'œuvre en œuvre, il expérimente des formules nouvelles et trace, à l'intérieur du cadre stable dont il s'est doté dès les *Études de mœurs* en 1833, les arabesques croisées des destins individuels qu'il imagine.

À cet égard, la puissance romanesque de Balzac est inséparable de « l'effet *Comédie humaine* ». Grâce à lui, le lecteur – celui, du moins, qui ne se contente pas de parcourir, par acquit de conscience, les textes les plus connus – s'immerge dans un monde fictif qui finit, presque à son insu, par se substituer au monde réel : un monde fictif dont les habitants se connaissent et se recroisent au hasard de fausses vies mais dont, cependant, les décors, les références culturelles, l'arrière-plan social et politique sont empruntés à la réalité contemporaine ou à l'histoire récente, si bien qu'il s'opère une troublante hybridation qui nous entraîne dans un semblant de réalité aussi familier que fantastique. Incidemment, il s'accomplit ainsi une révolution littéraire dont tous les successeurs de Balzac tireront profit : tirant sa cohérence ou sa beauté de lui-même, à mesure qu'il se crée, le roman (à la fois forme et matière) n'a plus à être défini ou jugé selon sa conformité à une norme extérieure – réelle, idéologique ou esthétique.

Les données purement narratologiques ne sauraient donc expliquer à elles seules la manière balzacienne. Rappelons les principales. D'une part, les romans de *La Comédie humaine* tendent à privilégier, avec de multiples variantes, une organisation tripartite : d'abord une longue exposition qui, de préférence précédée d'un début *in medias res*, permet d'expliquer ou de suggérer les vrais enjeux du récit ; ensuite, une partie centrale consacrée aux moments forts de l'histoire, qui s'inscrivent dans une chronologie resserrée afin d'accroître la tension dramatique ; enfin, une avancée plus rapide vers l'ultime dénouement. D'autre part, Balzac recourt assez systématiquement à des procédés de théâtralisation : effets spectaculaires de mise en scène, dialogues cinglants – et, si possible, échangés devant un public attentif –, expressivité des gestes, des regards, des comportements.

Mais ces formules que Balzac, il est vrai, contribue à élaborer sont celles du roman romantique (notamment fantastique ou historique), où, en effet, se déroulent des événements extraordinaires. Le remarquable est ici que cette esthétique de la dramatisation et de l'hyperbole s'applique à des événements le plus souvent banals. Considérées en elles-mêmes, les intrigues se réduisent à peu de chose : les poètes de province se ridiculisent à Paris, les deux sexes se séduisent mutuellement dans les salons, les épouses trompent leur mari ou souffrent de n'oser le faire, les notables sont mesquins, les financiers cupides, etc. Mais, derrière chacun des incidents qui remplissent, sans éclat, une vie de femme ou d'homme, Balzac devine des tragédies secrètes, des fatalités historiques, des conflits d'une violence inouïe. La force de son écriture réside, précisément, dans cet écart entre l'anecdote et sa transfiguration par l'imaginaire du texte. Quant à la théâtralisation, qui implique une schématisation expressive, elle n'est que le moyen de déployer, dans ce lieu fantasmagorique que devient l'espace social, une écriture onirique.

L'activité imaginative ne sert donc pas à se projeter, comme chez Gautier, dans un ailleurs improbable. Balzac applique au réel un regard scrutateur et fasciné, convaincu que les apparences offertes à la vue masquent et manifestent à la fois des forces élémentaires et obscures dont le terrible affrontement déciderait des histoires individuelles ou collectives. Mais il faut savoir pénétrer les objets, les visages, les règles policées du jeu mondain. Appliquant au monde de l'action l'acuité d'analyse que le roman psychologique staëlien réservait à l'introspection des esprits, Balzac fait œuvre de dévoilement : il rappelle que la passion implique la physiologie du désir et de la frustration, l'enrichissement, le recours à l'appropriation et au vol. Il donne ainsi droit de cité littéraire aux réalités triviales ; les choses du réel ne sont plus noyées dans un décor élégamment estompé : elles participent de la fiction – désormais pensables, racontables, descriptibles.

Balzac journaliste, philosophe et savant

Révélant à son lecteur la France telle qu'elle est – l'opposition Paris/province, les dessous du Paris mondain, du théâtre ou du Saint-Germain aristocratique –, Balzac opère à la manière d'un journaliste, jetant un regard ironique et désabusé sur une scène sociale dont il est à la fois acteur et témoin. De fait, l'auteur de la *Physiologie de la presse*, qui a dénoncé avec une telle violence les bavardages insincères du journal, projette dans la sphère de la fiction l'éloquence ambiguë de l'homme de presse, mystificatrice mais démythifiante. Journaliste malgré lui, Balzac paraît parfois entraîné dans une logique de la dénégation ou de la sublimation, juxtaposant ainsi, dans *La Peau de chagrin*, l'esthétique du conte fantastique et la joyeuse satire de l'avant 1830.

Car le journaliste, tout beau parleur qu'il est, a du moins le mérite d'être lucide, de garder en éveil son sens critique lorsque paradent les poètes de salon et tous les faux idéalistes ; à sa manière désinvolte, il est aussi un vrai travailleur des lettres, qui a trop besoin d'argent pour se payer de mots, et mérite l'estime professionnelle. De même, malgré les apparences, le Balzac satiriste, rieur et pasticheur de langages (*Les Contes drolatiques, Le Cousin Pons, Gobseck*...) travaille aussi, sur le mode mineur qu'il a choisi, pour le Balzac penseur, qui a fini par trouver dans le roman la forme qui lui convient.

Immense et orgueilleusement affirmée dans l'*Introduction* aux *Études de mœurs au XIX*e *siècle* signée par Félix Davin et dans l'*Avant-propos*, l'ambition originelle de Balzac est en effet scientifique et totalisatrice. Comme Geoffroy Saint-Hilaire, il croit à l'unité de composition du vivant et veut passer en revue les « espèces sociales comme il y a des espèces zoologiques », appliquant à l'histoire humaine les méthodes des sciences naturelles. Mais, s'intéressant à l'homme plutôt qu'aux événements ou aux personnages d'exception, il doit concevoir une histoire nouvelle, où l'écrivain ne soit plus que le « secrétaire » (et non l'historien) de la « Société française » : transcripteur du réel divers, non pas ordonnateur de faits.

Balzac ne se contente pas de dire les choses : il veut influer sur leur cours, sinon par son action directe, du moins par sa pensée. Derrière le savant et l'historien se tient donc un philosophe, qui incorpore à la matière romanesque ses conceptions métaphysiques, morales et politiques : « La loi de l'écrivain [...] est une décision quelconque sur les choses humaines, un dévouement absolu à des principes. » Balzac, pour sa part, a choisi d'écrire « à la lumière de deux Vérités éternelles : la Religion, la Monarchie, deux nécessités que les événements contemporains proclament, et vers lesquelles tout écrivain de bon sens doit essayer de ramener notre pays » (citations de l'*Avant-propos*).

Aucun aspect de la condition humaine ne doit ainsi échapper à un auteur, et *La Comédie humaine* reflète ce souci d'exhaustivité et cet esprit de système. La première partie – de loin la plus importante quantitativement – est constituée par les *Études de mœurs*, qui présentent les « effets sociaux ». La deuxième partie – les *Études philosophiques* – s'attache aux causes métaphysiques et psychologiques qui déterminent les situations sociales. Enfin, les *Études analytiques*, qui resteront à l'état embryonnaire, visent à l'examen des principes qui régissent toute activité humaine en société.

Le socle de *La Comédie humaine* (les *Études de mœurs*) est à son tour divisé en deux séries de trois parties. La première porte sur les comportements individuels : la jeunesse et ses passions (*Scènes de la vie privée*), la maturité et ses ambitions (*Scènes de la vie de province*), la vieillesse et ses vices (*Scènes de la vie parisienne*). La deuxième envisage les problèmes de la vie sociale et politique (*Scènes de la vie politique*, *Scènes de la vie militaire*, *Scènes de la vie de campagne*).

Il va de soi, au demeurant, que chaque roman de *La Comédie humaine*, considéré isolément, a du mal à se tenir à la place qui lui a été assignée, parfois après quelques hésitations. Le plan général, plutôt que d'imposer un schéma fixe de distribution des textes, suggère un mode de lecture qui prenne également en compte la partie et le tout ; elle désigne un horizon d'attente, sans prétendre limiter ni compartimenter l'espace de la fiction.

Le roman de la volonté

Il est donc impossible de voir dans *La Comédie humaine* le moyen d'ordonner artificiellement une production hétérogène. Au contraire, la pensée du jeune Balzac paraît d'emblée synthétique et systématique, et son génie obstiné a consisté à traduire en récits une conception unitaire de l'être qui, au passage, a probablement gagné en profondeur et en précision : si Balzac est, comme il aime à s'imaginer lui-même, un philosophe devenu romancier, c'est assurément le roman seul qui fait aboutir, sous une forme recevable, le projet philosophique.

Mais il faut d'abord prendre au sérieux l'écrivain, lorsqu'il fait allusion à un *Traité de la volonté* qu'il aurait rédigé dans ses années d'apprentissage ou lorsqu'il annonce à Ève Hanska un *Essai sur les forces humaines* qui serait la clé de voûte de l'œuvre. L'existence du premier est très douteuse ; le deuxième n'a jamais été ébauché. Mais qu'importe : les entreprises les plus chères sont souvent celles qu'on ne mène pas à bien. Car nous sommes ici au cœur théorique de la pensée et de l'imaginaire de Balzac. Pour lui, le moteur de l'action humaine est la volonté, conçue à la fois comme faculté de l'entendement et comme énergie vitale. Cette volonté peut se déployer librement dans le domaine des idées et de la pensée spéculative : l'homme devient pur esprit et, vivant en lui-même d'indicibles luttes intellectuelles, s'exclut du monde (Louis Lambert). À l'inverse, l'être de vouloir désire parfois se confronter à la matière inerte pour la dominer et lui imposer sa maîtrise, au risque de servir les intérêts du mal (Vautrin, Gobseck...). Du reste, cette psychologie de la volonté est conforme à la philosophie française du début du siècle (*cf.* Maine de Biran, Laromiguière). Mais Balzac lui adjoint deux croyances qui, elles, reflètent plus intimement ses obsessions fondamentales.

Pour lui, qui invoque ici les thèses illuministes de Saint-Martin et de Swedenborg, l'énergie psychique de l'homme participe des forces spirituelles qui régissent l'univers. Au-delà du visible se devine une harmonie universelle dont le « Poète » aurait pour vocation de pénétrer les secrets : sur le plan de l'écriture, les descriptions de paysage et les analyses sentimentales y gagnent, notamment dans la section des *Études philosophiques*, ces vibrations mystiques et sensualistes qui annoncent, sur le mode optimiste, la synesthésie baudelairienne.

Mais, d'un point de vue strictement humain, cette énergie vitale dont dispose chacun en fait un héros tragique, parce qu'elle est limitée et condamnée à l'extinction. Les personnages balzaciens deviennent, à plus ou moins long terme, les témoins de leur propre dépérissement, soit qu'ils se détruisent eux-mêmes dans l'exaltation de leur esprit, soit qu'ils usent leurs forces contre les réalités sociales, brutales et oppressantes. *In fine*, la vie perd les illusions, consume les ambitions. L'envers déprimant du spiritualisme balzacien est cette certitude que toute force engendre sa propre perte.

La réalité sociale est triplement impliquée dans ce processus de destruction. Elle est d'abord le décor des déroutes individuelles : Balzac aime les effets de groupe – journalistes, spectateurs de théâtre, aristocrates mondains dont le regard indifférent renvoie au protagoniste le reflet de son échec et de sa solitude. L'abondance proliférante et la précision des descriptions ajoutent à cette impression de menace, comme si l'espace embarrassé d'objets ou de corps encombrants interdisait toute échappée vers un ailleurs salvateur. À moins que le héros ne s'aide du réel pour éprouver son énergie ; afin d'étendre sa domination sur d'autres moins puissants que lui, il tente de s'emparer du monde – c'est-à-dire, en dernière analyse, de l'argent, qui est pour l'univers matériel ce que la volonté représente pour l'esprit. Mais on ne peut s'enrichir qu'au détriment d'autrui : appliquée à la vie sociale, toute force dégénère en violence. Les corps malades, les maisons lézardées, les laideurs de la pauvreté ou du vice traduisent, dans la fiction, cette universelle mortification.

Balzac tire ainsi de sa psychologie un pessimisme politique profond : à ses yeux, toute volonté de puissance sociale est illégitime, sur quelque doctrine qu'elle se fonde, et conduit à la destruction mutuelle. La collectivité doit donc s'organiser exclusivement en se fondant sur le principe d'ordre, dont la fonction est de préserver l'intégrité des personnes et de prévenir les conflits d'intérêt : d'où le recours nécessaire à Dieu et au roi de droit divin, seuls capables, *de jure*, d'étendre à la vie sociale l'harmonie universelle. Psychologie, métaphysique et politique se convoquent les unes les autres et sont en effet toutes trois présentes, sous de multiples apparences, dans les romans de *La Comédie humaine*.

Une poétique du *je* amoureux

Balzac n'est donc pas plus le romancier de l'esprit que celui de la réalité sociale. Son objet, indéfiniment repris d'œuvre en œuvre, est la rencontre entre ces deux sphères d'activité humaine, le moment où la pensée intime prend le risque de se traduire en faits, en actes et en significations. Or, l'amour, du moins tel qu'il est vécu et représenté au XIXe siècle, est le domaine par excellence où l'être humain éprouve les difficultés de cette confrontation et l'aporie à laquelle, de fait, elle conduit. Aussi Balzac analyse-t-il avec tant de minutie et de solennité le sentiment amoureux, généralement placé au centre de ses œuvres. Il se veut comme écrivain le spécialiste de la femme et de l'amour, pénétrant « intimement dans les mystères de l'amour, dans tout ce qu'ils ont de voluptés choisies, de délicatesses spiritualistes » (*Avant-propos* des *Études de mœurs*). Il y a là plus qu'un hommage opportuniste rendu à son public majoritairement féminin. L'amoureux balzacien, qui se détermine en fonction de sa volonté et qui prétend l'imposer au monde, postule la possibilité d'une relation sincère et harmonieuse « d'âme à âme », malgré la divergence des désirs, l'obstacle de l'argent ou de la morale, les intérêts familiaux. Même si la plupart des histoires d'amour se terminent mal – comment en serait-il autrement ? –, l'utopie amoureuse, qui sous-tend la fiction et trouve sa forme la plus magnifiquement improbable dans *Le Lys dans la vallée*, sauvegarde l'espoir que le vouloir être puisse faire pièce à la logique sociale et que, par induction, il reste, entre la pure spéculation du philosophe et l'enregistrement exact des causes et des effets, un espace d'écriture véridique pour le sujet libre, réel et aimant, qui s'appellerait le roman balzacien.

Bien sûr, cet espoir était exorbitant, et Balzac le premier en fut conscient. Aussi avait-il besoin, pour le parachèvement de son œuvre autant que pour lui-même, de son mariage avec Ève Hanska, qui venait racheter, sur le terrain de la vie réelle, toutes les illusions perdues par ses personnages. Le *happy end* matrimonial fournit donc à Balzac, *in extremis*, la morale de son œuvre. Cela prouve au passage que l'aventure personnelle n'est pas moins littéraire ni plus réelle que le travail d'écriture : « Les Lettres à l'Étrangère » nous racontent, assurément, une histoire belle et éloquente, en marge de ce texte bien plus authentiquement autobiographique qu'est *La Comédie humaine*, où l'écrivain acharné joue sa vie et se dit passionnément tout en donnant à voir le monde.

Voilà pourquoi il reprend ses textes, les modifie, les amplifie monstrueusement jusqu'à faire perdre le fil de l'intrigue : épuisé de fatigue et placé depuis longtemps face à lui-même, il ne peut renoncer à parler, emplissant le silence de ses nuits laborieuses par son discours inextinguible. Rendu illisible pour les lecteurs de romans-feuilletons qui se détournent de lui, le roman balzacien devient enfin ce qu'il aspirait à être dès les premiers essais de 1823 : une extraordinaire machine à convertir l'énonciation lyrique en énoncé fictionnel. Offrant à toutes les poétiques futures du genre son assise indispensable, Balzac déplace et dissémine le *je* du poème romantique dans la texture opaque, complexe et polyphonique du roman réaliste.

Bibliographie

• Éditions :
La Comédie humaine, P.-G. Castex dir., Paris, Gallimard, 1976-1981, 12 vol. – *Œuvres diverses*, P.-G. Castex dir., Paris, Gallimard, 2 vol. parus depuis 1990. – *Romans de jeunesse*, P. Barbéris éd. ; *Théâtre*, R. Guise éd., Paris, Bibliophiles de l'Originale, 1969-1970. – *Correspondance*, R. Pierrot éd., Paris, Garnier, 1960-1969, 5 vol. – *Lettres à Madame Hanska*, Paris, Laffont, 1990, 2 vol.

• Biographies :
A. Billy, *Vie de Balzac*, Paris, Flammarion, 1944. – A. Maurois, *Prométhée ou la Vie de Balzac*, Paris, Hachette, 1965. – R. Pierrot, *Honoré de Balzac*, Paris, Fayard, 1994.

• Études d'ensemble et ouvrages de synthèse :
Alain, *Avec Balzac*, Paris, Gallimard, 1937. – M. Bardèche, *Balzac romancier*, Paris, Plon, 1940 (réimp. chez Slatkine en 1967). – P. Barbéris, *Balzac, une mythologie réaliste*, Paris, Larousse, 1971. – J. Grange, *L'Argent, la prose, les anges*, Paris, La Différence, 1990. – G. Picon, *Balzac par lui-même*, Paris, Le Seuil, 1956. – J. Paris, *Balzac, une vie, une œuvre, une époque*, Paris, Balland, 1986. – A. Rosa et I. Tournier, *Balzac*, Paris, A. Colin, 1992.

• Sélection de travaux critiques :
M. Andréoli, *Le Système balzacien*, thèse inédite, 1979. – P. Barbéris, *Balzac et le mal du siècle*, Paris, Gallimard, 1970. – *Balzac, l'invention du roman*, C. Duchet et J. Neefs dir., Paris, Belfond, 1982. – *Balzac. Une poétique du roman*, S. Vachon dir., Montréal, XYZ éd., 1996. – A. Béguin, *Balzac visionnaire*, Genève, Skira, 1946. – R. Chollet, *Balzac journaliste. Le tournant de 1830*, Paris, Klincksieck, 1983. – P. Citron, *Dans Balzac*, Paris, Le Seuil, 1986. – M. Fargeaud-Ambrière, *Balzac et la recherche de l'Absolu*, Paris, Hachette, 1968. – L. Frappier-Mazur, *L'Expression métaphorique dans « La Comédie humaine »*, Paris, Klincksieck, 1974. – B. Guyon, *La Pensée politique et sociale de Balzac*, Paris, A. Colin, 1947. – R. Le Huenen et P. Perron, *Balzac. Sémiotique du personnage romanesque*, Presses de l'université de Montréal, 1980. – A. Michel, *Le Mariage chez Honoré de Balzac : amour et féminisme*, Paris, Les Belles Lettres, 1978. – *Le Moment de « La Comédie humaine »*, C. Duchet et I. Tournier dir., Saint-Denis, Presses universitaires de Vincennes, 1993. – N. Mozet, *La Ville de province dans l'œuvre de Balzac*, Paris, SEDES, 1982. – S. Vachon, *Les Travaux et les jours d'Honoré de Balzac*, Saint-Denis / Paris / Montréal, PU de Vincennes / Presses du CNRS/Presses de l'université de Montréal, 1992. – B. Vannier, *L'Inscription du corps. Pour une sémiotique du portrait balzacien*, Paris, Klincksieck, 1972.

• Périodiques spécialisés :
L'Année balzacienne. – *Le Courrier balzacien*.

Chapitre 14

Sainte-Beuve

Lorsque, au cours des années 1960, la critique littéraire française s'est renouvelée en se modelant sur les sciences sociales, le biographisme, auquel on réduisait caricaturalement la méthode de Sainte-Beuve, fut la première victime de ce rajeunissement, et Proust, par la grâce d'un titre dont il n'était d'ailleurs pas le responsable (*Contre Sainte-Beuve*), servit à cautionner cette exécution posthume du plus grand critique du XIXe siècle. Le développement de la sociologie littéraire et un retour au biographique qui s'efforce, cette fois, de se raisonner ont récemment conduit à réviser ce jugement et à souligner les enseignements très actuels qu'il est possible de tirer de Sainte-Beuve, d'une part pour caractériser les rapports entre l'homme et l'œuvre – jamais négligeables ni unilatéraux –, d'autre part pour mieux penser, en termes de création littéraire, le jeu complexe qui s'instaure entre les déterminations internes et externes au texte.

Ce travail de réhabilitation ne doit cependant pas conduire jusqu'à l'anachronisme : la réflexion beuvienne, toute en demi-teintes, baigne dans une ambiance de clair-obscur qui tient à la fois à la complexion psychologique de l'homme et au contexte culturel de l'époque. Cette atmosphère marque sans doute les limites de la démarche intellectuelle, mais elle est précisément ce qui signe les écrits de Sainte-Beuve et qui, malgré leur masse, leur diversité et leur origine journalistique ou professorale, les constitue en œuvre littéraire.

Une vie au fil de l'Histoire

Le principe de réalité est l'une des clés de la pensée et du comportement de Sainte-Beuve, qui ne croit pas qu'aucune illusion, aussi séduisante soit-elle, puisse l'emporter sur l'observation des faits. Aussi ne doit-on pas s'étonner que la vie de l'homme reflète, assez exactement, les évolutions – idéologiques, culturelles, politiques… – de son temps, sans qu'il y ait lieu d'incriminer un opportunisme de mauvais aloi.

Né en 1804 dans la petite bourgeoisie de Boulogne-sur-Mer et orphelin de père, il connaît une jeunesse austère et studieuse, dans le Pas-de-Calais puis à Paris. Assez bon élève pour être remarqué par son professeur Paul Dubois – co-fondateur, avec Pierre Leroux, du *Globe* –, il lui doit la publication de ses premiers articles de critique et d'érudition. En 1827, ses comptes rendus favorables d'*Odes et Ballades* marquent le début de sa première époque : il devient un familier et un disciple enthousiaste de Victor Hugo, établit sa réputation de critique et se sent assez sûr de son devenir pour abandonner les études de médecine commencées en 1823. Avec ses premiers livres (*Tableau historique et critique de la poésie française et du théâtre français au XVI*e *siècle*, 1828 ; *Vie, poésies et pensées de Joseph Delorme*, 1829), il conquiert une place privilégiée au sein du mouvement romantique, comme historien de la poésie et vrai spécialiste du vers. Sa jeune autorité lui permet, dès 1831, d'entrer à la *Revue des Deux-Mondes* dont il sera jusqu'en 1849, avec Gustave Planche, l'un des deux critiques attitrés. Autour de 1830, il adhère avec passion aux courants intellectuels qui se répandent dans l'opinion publique. Pour un temps encore l'ami de Victor Hugo, avant de reporter son affection sur la femme du poète, il sera aussi tour à tour spiritualiste, républicain et saint-simonien, adepte du catholicisme social de Lamennais, légitimiste.

En fait, comme beaucoup d'autres, il tend à prendre ses distances avec la vogue romantique. Il ne se sent à l'aise ni à l'égard du culte rendu au chef d'école, ni devant la fièvre artificielle qu'entretient la presse parisienne ; il désapprouve l'apparition, avec le roman-feuilleton (1836) et la Société des gens de lettres (1838), de la « littérature industrielle ». Pour se protéger de ces dérives, il voudrait asseoir plus solidement le magistère qu'il se sent capable d'exercer. En 1837-1838, il part en Suisse donner un cours d'histoire littéraire dont il tirera son *Port-Royal* ; en 1840, il est nommé conservateur à la Mazarine ; en 1844, il est élu à l'Académie française ; en 1848-1849, il repart enseigner à l'étranger, cette fois en Belgique, où il donnera la substance de sa future étude sur *Chateaubriand et son groupe littéraire sous l'Empire*.

Sous la monarchie de Juillet, Sainte-Beuve est donc un critique éminent, mais un peu à l'écart. Sa situation change avec le virage conservateur de la IIe République et surtout à la faveur du coup d'État de Louis Napoléon Bonaparte, qu'il soutient. Son clair ralliement lui vaut charges et honneurs ; il devient le critique du *Moniteur* ; il enseigne – très brièvement – au Collège de France, puis à l'École normale supérieure ; il est nommé sénateur en 1865. Il fait alors office de critique officiel, et ses avis ont valeur de sentences.

Mais l'homme vieillissant laisse de plus en plus paraître sa vision sceptique du monde, et son anticléricalisme, que partagent beaucoup d'intellectuels de l'époque, devient virulent et souvent provocateur. Il se libéralise, au moment où, d'ailleurs, le pouvoir allège sa pression : il passe du *Moniteur* – le *Journal officiel* de l'époque – au *Constitutionnel* – organe pro-gouvernemental

– puis, en 1869, au *Temps* – journal d'opposition. Il meurt le 13 octobre 1869, quelques mois avant la chute de l'Empire.

Écrivain secondaire ou précurseur ?

Hormis ses textes critiques, les œuvres de Sainte-Beuve ne sont plus guère lues aujourd'hui : il est à peu près entendu que, ayant quelques bonnes idées, il lui a manqué l'énergie et la force créatrice pour leur donner forme et qu'il demeura, tout bien considéré, un auteur secondaire. Pourtant, tandis que Gustave Planche tenait le rôle ingrat de censeur, il a joui, lui, d'une autorité remarquable, non seulement aux yeux du public, mais auprès des écrivains, qui reconnaissaient en lui un des leurs et qui ont vu dans ses œuvres de jeunesse la préfiguration, même incomplète, d'une littérature à venir.

Par tempérament, Sainte-Beuve fut viscéralement hostile à toutes les formes d'excès littéraire (emphase, abondance verbale, débordements de l'imagination, etc.), qui sont pour lui des négligences et, pis encore, les manifestations d'une coupable complaisance à l'égard de soi : de là certains malentendus critiques et ses réticences devant le romantisme le plus flamboyant.

Pour son usage personnel, il en a tiré la conviction que la littérature, tout en approfondissant les idées ou les sentiments, ne devait pas s'exempter du réel et du raisonnable. De manière très significative, sa première œuvre personnelle (*Vie, poésies et pensées de Joseph Delorme*) mêle le récit biographique, des poèmes et des réflexions théoriques, comme s'il n'y avait pas solution de continuité entre la poésie et la vie, le littéraire et le métalittéraire. De même, ses autres recueils poétiques (*Les Consolations*, 1830 ; *Pensées d'août*, 1837) mêlent curieusement le prosaïsme et la solennité : prosaïsme pour dire les choses, solennité, parfois embarrassée, pour expliquer leur répercussion dans la conscience intime. Sainte-Beuve est ainsi un des premiers – du moins revendiquera-t-il toujours ce rôle de précurseur – à essayer de formuler la poésie du quotidien et du banal, annonçant un courant littéraire qui s'épanouira sous le second Empire.

D'autre part, alors que tant d'écrivains d'imagination s'aventurent sur le terrain des idées, la poésie beuvienne apparaît comme la tentative d'un intellectuel de prendre pied en littérature – avec toute la force d'inhibition que cela suppose à l'égard de la fiction. D'où la résonance originale de son roman *Volupté* (1834), avec lequel Balzac voudra rivaliser dans *Le Lys dans la vallée* : on y lit le récit de vie d'un évêque, qui s'est consacré à la religion après avoir successivement renoncé aux trois modèles féminins canoniques : la jeune fille (qui implique le mariage et le calme du foyer), la femme mariée (qu'on ne saurait déshonorer), la mondaine (dont l'affection est feinte et superficielle). L'histoire a de fortes connotations autobiographiques : le monde parisien reconnaît sans peine, derrière la marquise de Couaën (l'épouse), la silhouette de Mme Hugo. Surtout, l'histoire est traversée de longues considérations psychologiques et mystiques, où paraissent s'engluer l'histoire et jusqu'aux sentiments eux-mêmes.

Une critique multiforme

Sainte-Beuve a beaucoup écrit et publié de critiques ; il l'a fait avec une remarquable régularité. Son abondance parfois verbeuse, qui nuit sans doute, aujourd'hui, à la pérennité de l'œuvre, tient d'abord à la place incertaine qui est faite au critique au sein des institutions littéraires du XIXe siècle.

Sainte-Beuve, qui a le plus fait pour constituer et imposer la figure du critique, est amené à cumuler trois fonctions. Il est, d'abord et surtout, un journaliste qui doit remplir les colonnes de son journal ou de sa revue et respecter les délais : ainsi de cette abondante production de la monarchie de Juillet, qu'il réunit en volumes sous le titre général de *Portraits*. Il aspire d'autre part à l'autorité magistrale, à étendre ses analyses dans des ouvrages de plus longue haleine : *Port-Royal* (1840-1859), consacré au mouvement janséniste ; *Chateaubriand et son groupe littéraire sous l'Empire* (1860), où il jette un regard mitigé sur le grand homme du romantisme naissant.

Enfin, le modèle auquel il aspire plus ou moins explicitement est celui de la parole mondaine, de ces jugements lâchés dans un salon et au détour d'une phrase subtile et retorse, de cette éloquence ironique par nature, qui signifie toujours plus qu'elle ne dit. D'où le terme de « causerie », employé par Sainte-Beuve pour ses articles publiés sous l'Empire (*Causeries du lundi*, 1849-1861 ; *Nouvelles Causeries du lundi*, 1861-1869). Le titre est sans doute là pour rassurer le public, sûr de trouver dans ses textes un ton de bonne compagnie. Mais il correspond aussi au désir personnel de Sainte-Beuve, qu'il exprimait en ces termes, dans une lettre datée du 15 mars 1850, à George Sand : « Je n'ai qu'un goût qui devient plus difficile et qui me procure un plaisir aride, celui de juger ; pour en jouir, j'aimerais à en user pour moi seul et pour mes amis, en causant. Mais la nécessité, cette suprême Muse, me force de crier mes jugements au coin d'un carrefour. »

Le beuvisme, principes et méthode

Quel bilan tirer de cette production ? Il est trop facile, à son propos comme à celui de tout autre critique, de relever ce qui nous apparaît comme des erreurs de jugement, des sous-estimations au regard de la postérité (Balzac, Stendhal, Baudelaire, Nerval, etc.) ou la surévaluation de nombreux *minores*. Critique de presse, Sainte-Beuve suit la littérature vivante telle qu'elle se fait : non seulement il est à l'occasion victime d'une certaine myopie, mais ses critères ne peuvent être ceux de l'histoire littéraire, qui n'a pas à peser les qualités et les défauts de chaque œuvre, et qui doit même se l'interdire.

Il est d'ailleurs un domaine où il possède une compétence qu'on ne lui discute pas : il est poète et spécialiste de poésie. Il a réintroduit en France la poésie du XVIe siècle et les anciennes formes fixes ; il a reposé, dans des termes justes, la question du vers et de la rime ; au travers de ses articles, il a mené une réflexion continue sur la relation, fragile et antagoniste, entre le travail et l'émotion poétique. Son évolution même témoigne de l'histoire d'un genre dont il a pressenti, au moins dans leurs principes, les grandes avancées du siècle vers davantage de dénuement et de réalisme, même si, au passage, il s'est intéressé ou a feint de s'intéresser à des auteurs qui ne le méritaient peut-être pas.

Or, c'est aussi en poète qu'il juge de la littérature en général, des textes et des institutions. Aimant de la poésie l'agencement contraint des mots et des formes et son art nécessaire de la litote, il se méfie du paraître : du paraître trop splendide d'une œuvre qui donnerait trop à voir pour ne rien cacher de sérieux (de là sa réticence pour Balzac), du paraître social d'un auteur (Hugo, puis Musset), dont la gloire bruyante se mêle inévitablement, de la part du public, à de l'aveuglement. Cette double réaction lui a inspiré parfois quelque malignité, dont on trouvera le reflet dans ses écrits intimes (*Mes poisons*, publiés en 1926). Elle n'en repose pas moins sur une vraie conviction, et débouche sur une méthode.

La conviction, en faveur de laquelle on pourrait évoquer les figures de Socrate ou de Valéry, est que le meilleur de la pensée ne se donne pas à lire dans les textes, mais en deçà ou à côté, au stade de la réflexion informe ou dans le jeu conversationnel où des intelligences, entre soi, jouissent de leur inventivité : « Il y a deux littératures : [...] une littérature officielle, écrite, conventionnelle, professée, cicéronienne, admirative ; l'autre orale, en causeries de coin de feu, anecdotique, moqueuse, irrévérente, corrigeant et souvent défaisant la première, mourant quelquefois presque en entier avec les contemporains » (*Mes poisons*).

Puisque l'essence même de la littérature n'est pas dans les œuvres publiées, qui fonctionnent comme des leurres, le travail de l'historien voire du critique ne consiste plus à scruter les textes, mais à reconstituer les groupes restreints auxquels appartiennent les auteurs, à ressusciter l'ambiance des salons et des camaraderies, l'esprit des bavardages et des correspondances, etc. Au moment où Taine élabore son histoire positive de la littérature sur les notions abstraites de race et de milieu, l'approche beuvienne, attentive aux forces concrètes qui structurent le champ littéraire, présente de réelles affinités avec la sociologie culturelle que nous pratiquons aujourd'hui.

Pourquoi, dans ces conditions, l'indifférence persistante à l'égard de Sainte-Beuve et l'irritation de Proust ? C'est que l'ancien admirateur de Hugo avait fini par mettre ses facultés d'analyse au service d'un scepticisme grandissant et par douter de la littérature même. Cette attitude était familière à beaucoup de ses confrères et notamment à ceux qu'il fréquentait aux célèbres dîners Magny (Flaubert, Renan, Gautier, les Goncourt…) ; mais sans doute a-t-on jugé que cette distance ironique convenait mal au critique impérial, dont l'autorité dépendait, malgré qu'il en eût, de son influence journalistique et magistrale.

Bibliographie

• Éditions :
Le Cahier vert, R. Molho éd., Paris, Gallimard, 1973. – *Causeries du lundi*, Paris, Garnier, 1862, 12 vol. – *Chateaubriand et son groupe littéraire sous l'Empire*, M. Allem éd., Paris, Garnier, 1948, 2 vol. – *Mes poisons*, Paris, J. Corti, 1989. – *Nouveaux Lundis*, Paris, M. Lévy, 1863-1870, 13 vol. – *Port-Royal*, M. Leroy éd., Paris, Gallimard, 1953-1955, 3 vol. – *Premiers Lundis, Portraits littéraires, Portraits de femmes*, M. Leroy éd., Paris, Gallimard, 1949-1951, 2 vol. – *Vie, poésies et pensées de J. Delorme*, G. Antoine éd., Paris, Nouvelles Éditions latines, 1956. – *Volupté*, M. Regard éd., Paris, Imprimerie nationale, 1984. – *Correspondance générale*, J. Pius A. Bonnerot éds, Paris et Toulouse, Stock puis Privat et Didier, 20 vol. parus depuis 1935.

• Biographie :
A. Billy, *Sainte-Beuve, sa vie et son temps*, Paris, Flammarion, 1952.

• Ouvrage de synthèse :
M. Regard, *Sainte-Beuve*, Paris, Hatier, 1959.

• Sélection de travaux critiques :
R. Fayolle, *Sainte-Beuve et le XVIIIe siècle ou Comment des révolutions arrivent*, Paris, A. Colin, 1972. – R. Molho, *L'Ordre et les Ténèbres. Essai sur la formation d'une image du XVIIe siècle dans l'œuvre de Sainte-Beuve*, Paris, A. Colin, 1972. – P. Moreau, *La Critique selon Sainte-Beuve*, Paris, SEDES, 1964.

Chapitre 15

Dumas père

Il existe, dans la littérature française, un vrai mystère Dumas. Il n'est pas de lecteur, aussi accoutumé soit-il à fréquenter les grands textes, qui ne se soit avoué que, décidément, aucune œuvre ne lui apportait autant de plaisir ou d'émotion que *Les Trois Mousquetaires* ou *Le Comte de Monte-Cristo*. Or, on aura beau souligner, comme on le fera encore ici, la rapidité du récit, l'efficacité de l'intrigue, la vivacité du dialogue : ces traits formels, même combinés ensemble, ne suffisent pas à expliquer un tel bonheur de lecture. On aurait tort de sous-estimer le phénomène, de l'expliquer par une utilisation habile des ficelles du roman-feuilleton ou du mélodrame. Quels que soient les moyens employés, Dumas touche aux fibres les plus profondes de notre imagination et de notre sensibilité. Il est d'ailleurs le seul écrivain français à avoir créé un héros absolument universel : d'Artagnan, qui est probablement le prototype de la plupart des héros d'aventure modernes.

Le roman d'une vie

Il est banal de le dire : la vie d'Alexandre Dumas s'est déroulée comme un roman – d'autant que nous la connaissons d'abord par les *Mémoires* qu'il a publiés de 1852 à 1854 et où, pour son plaisir autant que pour celui de son public, il accorde la meilleure place à l'édification de son mythe personnel, de cette puissance à la fois surhumaine et animale qui semble l'avoir conduit à tout désirer et à tout obtenir. D'autre part, Dumas est par son père le petit-fils d'une esclave noire des Antilles. Ces origines africaines nourrissent les fantasmes de ses contemporains, lorsqu'elles ne provoquent pas des réactions ouvertement racistes, encourageant l'idée que, s'il émane de ses œuvres une indubitable impression de puissance, celle-ci ne relèverait pas du génie littéraire, mais d'une atavique inconscience heureuse dont les Lettres françaises auraient subrepticement profité. Comme le dira Dumas fils lui-même à la mort de son père, « il est mort comme il a vécu, sans s'en apercevoir ».

Il n'empêche. On ne peut qu'être frappé, à suivre le cours de son existence tumultueuse, par l'irrépressible énergie de l'homme ; par sa gourmandise de vie, de gloire, d'honneur, de littérature, de femmes ; par le cours à la fois héroï-comique des événements qui mêlent constamment le fantasme et la réalité ; par sa capacité à dilapider les fortunes qu'il regagne aussitôt ; par son extravagance de tous les instants. Dumas fut, en somme, un Balzac heureux et optimiste qui a vécu ce que le vrai Balzac, « galérien des Lettres », s'est contenté de rêver par compensation.

Comme Hugo, il naît en 1802 d'un général de Bonaparte. Mais le général Dumas est républicain, disgracié et malade ; il meurt en 1806. Le fils devra réussir seul ; de préférence au théâtre, car il est, dès 1820, passionné de vaudeville et de mélodrame. Employé en 1823 au secrétariat du duc d'Orléans pour y faire des écritures, il fréquente les salles parisiennes et commence à se faire connaître. En 1829, le Théâtre-Français accepte de représenter son drame *Henri III et sa cour* : le succès est éclatant, et considéré comme la première grande victoire de la dramaturgie romantique – avant *Hernani* l'année suivante. Si Victor Hugo apparaît comme le chef de file et le poète de la nouvelle école théâtrale, Dumas est, sans conteste possible, l'auteur à succès, qui triomphe sur le Boulevard parisien. Parmi ses pièces les plus applaudies : *Antony* (1831), où la salle pleure immanquablement à la réplique finale, très mélodramatique (« Elle me résistait. Je l'ai assassinée »), *La Tour de Nesle* (1832), *Kean ou Désordre et génie* (1836).

À partir de 1835, Dumas commence à publier des récits historiques. Surtout, l'apparition du roman-feuilleton, en 1836, impose une nouvelle technique narrative et, en particulier, le découpage du récit en brèves séquences mélodramatiques. Cette formule convient parfaitement à l'univers dumasien. Une deuxième carrière commence, extraordinairement brillante ; presque tous les grands romans paraissent de 1844 à 1848 : *Les Trois Mousquetaires* (1844), *Le Comte de Monte-Cristo* (1844-47), *Vingt Ans après*, *La Reine Margot* (1845), *Le Chevalier de Maison-Rouge* (1845-46), *La Dame de Montsoreau* (1846), *Joseph Balsamo* (1846-48) – pour ne citer que les plus connus.

Parallèlement, beaucoup de ces romans sont transformés en drames, assurés du meilleur accueil auprès du public populaire du Boulevard. En 1847, Dumas crée son propre théâtre, le Théâtre historique, et commence par y faire jouer un drame de neuf heures, *La Reine Margot*. En février 1848, *Monte-Cristo* exige deux soirées et douze heures de représentation. La même année, Dumas se fait construire, à grands frais, un château, bizarre mosaïque de tous les styles : il l'appelle, bien sûr, le « château de Monte-Cristo ».

Mais la révolution de 1848 est fatale à Dumas, beaucoup trop endetté pour supporter la crise du théâtre qu'occasionnent les troubles politiques. Ruiné, il doit s'exiler en Belgique pour échapper à ses créanciers. Désormais, l'écrivain, illustre mais si pittoresque en faune vieillissant entouré de nymphettes, n'est plus dissociable de l'homme public. Il publie toujours beaucoup (*Ange Pitou*, *La Comtesse de Charny*, *Les Mohicans de Paris*, *Les Compa-*

gnons de Jéhu, etc.). Revenu en France en 1853, il lance des journaux (successivement : *Le Mousquetaire*, *Le Monte-Cristo*, *Le d'Artagnan*), fait jouer drames et comédies. Il voyage aussi : en Angleterre, en Russie, en Italie où, pendant quatre ans, il va, dans des conditions rocambolesques, soutenir la cause garibaldienne, mi-Machiavel, mi-Matamore.

À vrai dire, l'aura du personnage décline – surtout à Paris, où le fils a supplanté le père au théâtre. La fatigue se fait enfin sentir, au terme d'une vie d'excès de toutes sortes, qui se termine en 1870, trois mois après la chute de l'Empire.

Les ingrédients du succès

En apparence, l'art de Dumas est seulement celui d'un amateur de mélodrames ; de ce genre né de la Révolution, il a su retenir toutes les qualités : la succession rapide et mouvementée de coups de théâtre, le goût pour les tableaux spectaculaires, la recherche du pathétique et une pointe de sadisme, le sens de la réplique et du dialogue éblouissant. Mais, s'il reprend la technique mélodramatique, il la mène à son point de perfection. Malgré les invraisemblances, ses intrigues complexes imposent un tel rythme qu'elles entraînent le lecteur ou le spectateur vers le devenir de l'histoire : l'une de ses principales étrangetés est d'être parvenu, sans le recours aux descriptions et aux analyses psychologiques, à créer son univers personnel.

C'est qu'il s'agit, en fait, d'un univers au second degré. La position du scripteur, chez Dumas, est moins celle d'un auteur de mélodrames que du spectateur, qui s'amuse de l'histoire représentée sous ses yeux et qui invite les autres à s'associer à son bonheur. Il s'ensuit, formellement, une jubilation textuelle qui, sans être de l'ironie, institue avec le lecteur une relation de connivence – comme saura le créer, dans sa meilleure période, le cinéma d'aventures américain. Les bons mots y apparaissent, franchement, comme des mots d'auteur. Tout ce qui, dans le mélodrame traditionnel, semblait de la mauvaise et rudimentaire grandiloquence est ici reversé au crédit d'une saine et joyeuse théâtralité. En somme, la poétique de Dumas, c'est le mélodrame vu par les yeux d'un romantique de 1830 : si l'on veut, Népomucène Lemercier applaudi par Théophile Gautier.

De ce dédoublement, les personnages tirent une profondeur particulière. Le comte de Monte-Cristo est, comme le Rodolphe des *Mystères de Paris* dont il s'inspire, le type du héros invulnérable capable de se tirer de toutes les situations et de punir les criminels, donc absolument improbable. Mais il est plus et mieux que cela, parce qu'il vit du regard que Dumas porte sur lui et par lequel il se projette en lui. S'identifier à Monte-Cristo, ce n'est plus alors pour le lecteur s'identifier seulement à un être de papier, comme tous les personnages de romans d'aventures, mais s'identifier à Dumas s'identifiant à Monte-Cristo, et retrouver ainsi, au travers du texte et de ses stéréotypes, une réalité vivante de désir et d'imagination.

Fabrique de romans. Maison Alexandre Dumas et Cie

Une œuvre de Dumas fonctionne donc comme une machine fictionnelle qui met en communication le rêve de l'auteur et celui du lecteur : c'est pourquoi l'auteur est celui du rêve plutôt que celui de l'œuvre écrite, et qu'il peut employer des collaborateurs, sans cesser de faire entendre sa voix originale au moyen de textes qu'il n'a pas écrits lui-même.

En effet, Dumas a organisé sur une grande échelle le système des « nègres » littéraires, qui lui permettait d'apposer sa signature sur des romans ou des pièces de théâtre pour lesquelles, parfois, il est bien difficile de repérer son intervention. Souvent, ses aides – dont le principal est Auguste Maquet – développaient un canevas fourni par Dumas, à qui revenait, en fin de parcours, le soin de peaufiner les dialogues. Mais il est aussi probable que, dans bien des cas, son rôle était à peu près nul. Tricherie à l'égard du public, protestera Eugène de Mirecourt dans son pamphlet *Fabrique de romans. Maison Alexandre Dumas et Cie* (1845) ; tricherie du point de vue de la propriété littéraire, plaidera vainement Maquet en 1858. Mais, à cette époque où le droit d'auteur n'est pas encore fixé, les collaborations multiples et les signatures déguisées sont monnaie courante. La seule originalité de Dumas – mais de taille – est d'avoir transformé un procédé éditorial en mode de création. En fait, plutôt qu'exploiteur, il joue ici un rôle analogue aux grands producteurs de films d'Hollywood : il a forgé un esprit et un style, auxquels ses collaborateurs se conforment d'eux-mêmes, participant d'une œuvre collective où le lecteur reconnaît immédiatement la patte de l'inspirateur.

L'invention d'un merveilleux moderne

Quelle est cette formule, à la fois élémentaire et géniale, qui rend à ce point reconnaissable une fiction à la Dumas ? Celui-ci a projeté la logique du merveilleux dans le domaine de l'Histoire. On connaissait avant lui les merveilleux païen, chrétien, celtique ; on avait aussi découvert, depuis moins longtemps, le fantastique du roman noir ou frénétique. Dans tous les cas, il s'agissait de laisser voir, à côté du réel observable, un monde parallèle dominé par l'irrationnel, la magie ou le surnaturel, donc de construire un univers clivé, source de bonheur ou de souffrance. Avec Dumas, nous restons dans le domaine de l'Histoire, des événements connus et des hommes célèbres ; pourtant, tout se passe comme si certaines personnes avaient les prérogatives et les pouvoirs appartenant au merveilleux. D'autres héros du XIXe siècle – Vautrin, Rodolphe, Jean Valjean… – sont dotés eux aussi de pouvoirs mystérieux. Mais ils agissent dans les marges de la société, dans ces bas-fonds qui apparaissent comme l'envers du monde réel ; aussi leurs succès sont-ils partiels et ne remettent-ils pas en cause l'ordre des choses. Un d'Artagnan, au contraire, se bat en pleine lumière ; il fait l'Histoire avec l'assurance souriante d'un homme de bonne compagnie.

Dumas invente ainsi le merveilleux moderne, venant après cette Révolution où, en effet, on a cru que tout était possible aux gens de bonne volonté ; il fonde une nouvelle sorte, non de littérature, mais de fiction. Ou, plus exactement, il offre à son lecteur le pur plaisir de la fiction, détaché à la fois des croyances qui le justifiaient naguère et des préoccupations de réalisme dont il est désormais lesté.

Il ne semble d'ailleurs même pas se poser le problème du réel, tant il est assuré qu'il se conformera à ses désirs. Il en va de même du style, dont, selon ses détracteurs, il serait absolument dépourvu. On peut l'admettre, si le style naît de la prise de conscience de l'écart entre ce qu'il y a à dire et ce que peut, en effet, exprimer la parole : l'écrivain percevrait que la pensée qu'il porte en lui échappe à la langue qu'il parle, et il se mettrait à écrire. Rien de tel chez Dumas : il s'exprime avec toute la force de l'innocence, avec la conviction que ce qui est et ce qu'il dit ne font qu'un, que son discours est doté d'une immédiate et absolue valeur performative.

En ce sens, Dumas n'a pas fait un seul pas dans la direction où avancent, péniblement ou triomphalement, les Balzac, Hugo, Vigny, Baudelaire. Mais, répétons-le, il est du côté de la fiction, non de l'écriture : il nous rappelle, à longueur de roman, que ces deux dimensions ne sont pas superposables et qu'on ne saurait juger l'une à l'aune de l'autre. Si la modernité littéraire naît de la difficulté d'écrire et de l'effort poétique qu'implique la découverte de ce dénuement, Dumas n'est assurément pas ce qu'il est convenu d'appeler un grand écrivain. Si, au contraire, le romantisme est, envers et contre tout, désir d'être au-delà de ce qui sera jamais possible, il est le plus romantique de tous – et le seul, sans doute pour cette raison, à avoir vraiment triomphé sur le terrain qu'ils avaient d'emblée choisi : le théâtre.

Bibliographie

• Éditions :
Le Comte de Monte-Cristo, G. Sigaux éd., Paris, Gallimard, 1981. – *Mémoires d'un médecin. Joseph Balsamo, Le Collier de la reine, Ange Pitou, La Comtesse de Charny, Le Chevalier de Maison-Rouge*, C. Schopp éd., Paris, R. Laffont, 3 vol., 1990. – *Théâtre complet*, F. Bassan éd., Paris, Lettres modernes, 5 vol. parus depuis 1974. – *Mes Mémoires*, P. Josserand éd., Paris, Gallimard, 5 vol., 1954-1968.

• Biographies :
A. Maurois, *Les Trois Dumas*, Paris, Hachette, 1967. – C. Schopp, *Alexandre Dumas*, Paris, Mazarine, 1985.

• Sélection de travaux critiques :
« Dumas », *L'Arc*, n° 71, 1978. – « Dumas », *Europe*, fév.-mars 1970.

• Périodique spécialisé :
Bulletin de la Société des amis d'Alexandre Dumas.

1830-1870 :
grandeur et servitudes
de la littérature

Grandeur et servitudes, simultanées et indissolublement mêlées, même si la désillusion de 1848 ajouta son goût de cendres à la déception ressentie par les gens de lettres dès le lendemain de 1830.

Mais grandeur cependant : les auteurs, portés par la vague romantique, assistent au développement du débat politique, à l'essor de toutes les formes de savoirs et de curiosités intellectuelles, à l'engouement pour les arts et les pratiques culturelles. Au croisement de toutes ces influences, l'homme d'écriture veut quelque temps faire figure de suprême savant : jamais auparavant, peut-être, il n'avait rêvé d'un tel pouvoir.

Or, cette grandeur même a ses servitudes : non pas *la* servitude de l'argent, diabolisée par Balzac, mais les multiples servitudes que doit accepter désormais la « littérature », avatar postrévolutionnaire des vénérables « Belles Lettres » de naguère. Servitude du commerce et de l'industrialisation du livre, servitude du journal et de la médiatisation, servitude de la marge et de la malédiction, servitude de la consécration, avec son cortège d'hommages encombrants.

Les écrivains ont beau protester, s'engager ou faire sécession, le monde a changé : toutes les formes d'expression littéraire commencent alors leur long processus de mutation vers une modernité encore énigmatique, mais dont on devine déjà qu'elle ne laissera pas indemne l'art d'écrire – non pas tant, d'ailleurs, ses modalités (le réalisme, l'art pour l'art, etc.) que sa raison d'être.

Chapitre 16

La consommation festive de la culture bourgeoise

Les quarante années qui séparent les journées joyeuses de juillet 1830 et l'écrasement, sanglant et systématique, de la Commune constituent un moment indécis de l'Histoire. À bien des égards, ce milieu du siècle est marqué par de vastes progrès économiques, par de spectaculaires ruptures culturelles, par la naissance, violente et spasmodique, de la démocratie moderne. Le paysage change et la vie paraît se concentrer dans les villes, dont le temps est encore rythmé par les épidémies, les programmes de travaux publics, les émeutes, les fêtes.

Pourtant, cette même période, dans laquelle ont vu le jour ou sont arrivées à maturité plusieurs des entreprises les plus ambitieuses de la littérature française, laisse une impression étrange d'immobilité. Il y avait là un paradoxe insupportable pour les plus lucides des contemporains – écrivains, intellectuels ou acteurs de la vie politique – : on devinait, en arrière-plan, l'accumulation d'une force qui ne savait où s'appliquer ni comment participer au devenir collectif d'un peuple. Illusion ou désir de toute-puissance, mais impuissance à remuer les choses ou les êtres : ces deux sentiments, contradictoirement réunis dans la conscience du bourgeois – principale figure historique du siècle –, expliquent aussi pourquoi les œuvres de Balzac, Flaubert, Hugo, Baudelaire dominent à ce point notre culture. Chacune à sa manière, elles sont des concentrations de force et d'énergie qui, se déployant dans l'espace libre de l'art, donnent à voir, extraordinaires mais vaines, la puissance qui les anime comme si elles n'avaient d'autre finalité que ce magnifique dévoilement. Dans cet art du *virtuel*, on s'attache moins à ce que vaut la littérature qu'à ce qu'elle peut, moins à ce qu'elle peut qu'à ce qu'elle veut.

Une époque paradoxale

Proust résume l'esprit du temps, dans *La Prisonnière*, en quelques formules lumineuses :

> « Je songeais combien tout de même ses œuvres participent à ce caractère d'être – bien que merveilleusement – toujours incomplètes, qui est le caractère de toutes les grandes œuvres du XIXe siècle ; du XIXe siècle dont les plus grands écrivains ont manqué leurs livres, mais, se regardant travailler comme s'ils étaient à la fois l'ouvrier et le juge, ont tiré de cette autocontemplation une beauté nouvelle extérieure et supérieure à l'œuvre, lui imposant rétroactivement une unité, une grandeur qu'elle n'a pas. »

Cette réflexion peut être élargie de la littérature à la période elle-même : s'il est vrai que l'art tire sa grandeur, dont notre culture reste aujourd'hui tributaire, de l'énergie que dépense continûment le XIXe siècle pour se construire, il faut immédiatement ajouter que l'art n'acquiert cette importance capitale que dans la mesure où, en s'évertuant à se construire, le siècle ne cesse de se manquer.

Le temps de s'asseoir

La création exige du temps. Aussi faut-il y insister : le deuxième tiers du siècle constitue une longue pause – même mouvementée. C'est en somme, dit Victor Hugo dans *Les Misérables* – la meilleure introduction qui soit pour comprendre l'époque –, le temps qu'il a fallu pour que la bourgeoisie, prenant « le temps de s'asseoir », trouve son assise et se solidifie :

> « 1830 est une révolution arrêtée à mi-côte [...].
> Qui arrête les révolutions à mi-côte ? La bourgeoisie.
> Parce que la bourgeoisie est l'intérêt arrivé à satisfaction. Hier c'était l'appétit, aujourd'hui c'est la plénitude, demain ce sera la satiété [...].
> On a voulu, à tort, faire de la bourgeoisie une classe. La bourgeoisie est tout simplement la portion contentée du peuple. Le bourgeois, c'est l'homme qui a maintenant le temps de s'asseoir. Une chaise n'est pas une caste. »

En cet instant étrange, note encore Hugo, le mouvement et l'immobilité sont dialectiquement unis, constamment réversibles :

> « La halte est un mot formé d'un double sens singulier et presque contradictoire : troupe en marche, c'est-à-dire mouvement ; station, c'est-à-dire repos. »

Le bourgeois est donc l'*alter ego* de l'écrivain, à la fois son double indispensable, son bourreau et sa victime. Par sa pesante immobilité, il lui confère la durée, mêlée, pour son inconfort psychologique, à un sentiment de vertigineuse vacuité. Si le romantisme perdure au moins jusqu'à Rimbaud, c'est-à-dire jusqu'aux confins du second Empire, c'est que la situation n'a pas fondamentalement changé. Mais, les années et les générations passant, les angles s'étaient accentués, les fossés étaient devenus abîmes : le paysage littéraire a pris l'allure sombre et contrastée à laquelle on associe la modernité. Autant qu'une étape dans un long processus de transformation, économique et culturelle, de la France, les règnes de Louis-Philippe et de Napoléon III furent des pauses, voire des parenthèses, où l'on voulait ignorer, vaille que vaille, les forces politiques et sociales qui, en profondeur, travaillaient le siècle.

À condition de ne pas la réduire aux caricatures féroces d'un Daumier, la culture bourgeoise est donc intimement liée à la littérature même qu'elle dénonce parce qu'elle ne sait pas y reconnaître la représentation, magnifique, grotesque ou monstrueuse, de sa propre marginalité. Le présent chapitre, où l'on passera en revue les principaux traits de cette culture, n'offrira pas seulement l'occasion d'une promenade pittoresque dans le Paris du Boulevard et des journalistes, dans l'ambiance également douillette des maisons de bonne famille ou de plaisir ; durant cette halte historique – ce mouvement immobile que suggérait Hugo –, on retrouvera, sous la figure générale de l'oxymore, l'esprit même de la littérature d'alors et les formes kaléidoscopiques de son intime contradiction.

Un pouvoir illégitime

On est d'abord frappé de la rapidité avec laquelle les régimes successifs semblent, au premier heurt, s'effondrer et disparaître. Pour Louis-Philippe, il ne faut que le temps d'une manifestation qui, le 23 février 1848, se termine dans le sang ; le coup d'État du 2 décembre 1851, qui clôt la IIe République, provoque seulement quelques manifestations sporadiques, d'ailleurs énergiquement matées ; enfin, le second Empire tombe de lui-même, après le désastre de Sedan et la capture très malencontreuse de Napoléon III lui-même.

En vérité, aucun de ces régimes ne dispose d'une vraie légitimité politique ni d'un enracinement social. Malgré la Révolution, les Bourbons pouvaient encore s'appuyer sur l'esprit dynastique, l'aristocratie et la religion ; après 1870, les partis au pouvoir formeront peu à peu, parfois malgré eux, l'idéologie républicaine et patriotique qui constituera désormais le ciment national. Entre les deux, il n'y eut guère que des coalitions d'intérêts ou d'inquiétudes, qui profitent d'un pays encore engourdi dans sa ruralité.

En effet, dans cette France archaïque, l'opinion publique est faite par quelques milliers de notables auxquels une administration efficace – héritage de l'Empire – peut utilement distribuer les charges, les mandats, les honneurs. Il est donc assez facile pour le pouvoir, dès lors qu'il s'appuie sur la bourgeoisie et qu'il favorise son enrichissement, de contrôler le pays, en s'aidant de la première vertu de toute technocratie d'État qui consiste à assurer sa pérennité. Il y est aidé par le développement de l'administration publique, qui accompagne celui de l'économie. Enfin, ce dirigisme doux trouve son prolongement dans les divers systèmes électoraux. La monarchie de Juillet repose encore sur le système censitaire, qui fait dépendre le droit de vote de l'impôt foncier donc de la fortune personnelle ; Napoléon III garde le suffrage universel adopté dans l'enthousiasme de 1848, mais, notamment par le biais des candidatures officielles, il soumet tout le processus électoral au contrôle étroit des préfets et du ministre de l'Intérieur.

Aussi l'État apparaît-il comme une structure à la fois forte et labile ; il semble suffire d'un accroc pour que le pouvoir change de mains, tout en gardant sa nature ; il en va du reste comme de la politique : entre le régime ancien et la république à naître, c'est toute la société française qui est à la recherche d'une nouvelle légitimité et qui offre ces contours incertains à l'intérieur desquels les utopies, les esthétismes ou les mysticismes tissent leurs chrysalides.

L'isolement de la bourgeoisie

La fragilité latente de l'exécutif est liée à celle de la bourgeoisie dont il tire ses soutiens. Contrairement à l'aristocratie qui tient la province ou habite Saint-Germain-des-Prés, le bourgeois de 1830 n'a pas de passé ni de tradition capables de régler ni, surtout, de justifier son mode de vie. Balzac s'en moque dans *La Comédie humaine* : il est toujours à la recherche de modèles capables de donner sens et forme à son existence. De l'autre côté de l'échelle sociale, il n'y a pas non plus, entre le bourgeois et l'homme du peuple, les innombrables degrés de la petite bourgeoisie où la IIIe République recrutera ses partisans et ses cadres et qui projettera sur les difficultés matérielles à surmonter individuellement les reflets consolateurs d'un destin commun et d'une Histoire à réaliser.

Encore faut-il distinguer, une nouvelle fois, entre la logique de la longue durée et le plan des réalités immédiatement observables. Il est indéniable, en effet, que le processus de démocratisation sociale et culturelle a commencé dès le début du siècle. L'alphabétisation progresse, particulièrement dans la moitié nord de la France, plus riche et plus urbanisée. La loi Guizot du 28 juin 1833 sur l'enseignement primaire, qui fait obligation à toutes les communes de créer une école publique et de rémunérer son maître, donne une impulsion décisive à l'instruction élémentaire. Parallèlement, l'amélioration des communications par routes, chemins de fer et voies fluviales facilite la mobilité des biens et des personnes, accélère la diffusion des nouvelles. Mais il faut attendre la fin du second Empire – son industrialisation rapide et la poussée républicaine qui accélère sa chute – pour que ces évolutions structurelles modifient sensiblement les comportements culturels. En particulier, la lecture du livre et du journal reste réservée à la bourgeoisie et aux couches populaires en voie de promotion sociale – notamment dans les villes et dans les milieux ouvriers politisés.

Tout compte fait, la bourgeoisie paraît donc, sous Louis-Philippe et Napoléon III qui défendent ses intérêts, s'isoler, s'arc-bouter sur des positions acquises, se calfeutrer dans l'espace social comme elle le fait dans le temps de l'histoire. Cette impression de confinement est d'autant plus frappante que, à deux reprises, en 1830 et en 1848, les éléments les plus progressistes ont voulu créer les conditions historiques d'une société juste et harmonieuse.

De part et d'autre de 1848

De fait, l'immobilisme sur lequel nous avons insisté jusqu'à présent n'est qu'apparent et résulte de la profonde et brutale fracture que provoquent, au milieu du siècle, l'insurrection de juin 1848 et sa sanglante répression militaire. Le romantisme avait été porté – et en grande partie engendré – par l'idéal révolutionnaire ou ses contre-modèles royalistes. Après 1848, la littérature devra porter le deuil de la politique et renaître au siècle sur des bases philosophiques et éthiques nouvelles. Aussi l'événement est-il considérable et exige-t-il quelques rappels historiques.

La monarchie de Juillet : entre résistance et mouvement

La chute de Charles X avait été voulue aussi bien par la bourgeoisie libérale que par la mouvance républicaine. Le règne de Louis-Philippe, issu de cette révolution ambiguë, devait connaître des débuts troublés, partagés entre le parti progressiste, dit du *mouvement*, et celui de la *résistance*, désireux de tirer les dividendes économiques du changement de régime. Le contexte est instable ; le choléra sévit dans les grandes villes et, en 1832, à Paris ; les émeutes éclatent de façon sporadique, notamment à Lyon où les ouvriers du textile sont nombreux et mieux organisés qu'ailleurs. Les mouvements insurrectionnels s'intensifient en 1834-1835 et, à Paris, l'attentat de Fieschi contre le roi, le 28 juillet 1835, décide de la répression et de l'orientation définitive du pouvoir. Celui-ci sera décidément conservateur, louvoiera entre les oppositions, jouera habilement des faiblesses du parlement et d'un personnel politique coupé du pays réel.

Aussi, de 1835 à 1848, le roi devient-il de plus en plus impopulaire ainsi que ses principaux ministres, Thiers, le comte Molé et, surtout, Guizot. Une politique extérieure prudente mais terne ajoute à la morosité générale. L'opposition républicaine et socialiste progresse, élabore ses théories, tisse ses réseaux clandestins. Du point de vue de l'économie politique, l'époque est d'une extraordinaire inventivité théorique, grâce aux saint-simoniens Enfantin et Bazard, à Buchez, Leroux, Fourier, Louis Blanc, Proudhon, Cabet, etc. En moins de vingt ans, on ne compte pas les projets d'organisation sociale, tous inspirés par trois principes où l'on verra, plus tard, la marque distinctive des socialismes utopiques français. Le premier postule que l'épanouissement personnel passe par l'établissement d'un schéma collectif qui fonde une véritable harmonie : il n'y a donc pas de contradiction entre l'humanisme et l'approche globale de la société. Suivant le deuxième, la réalisation de cette entente générale passe par un système rationnel d'organisation du travail et de répartition des biens qui permette de faire coïncider l'intérêt de l'individu et celui du groupe. Le troisième est le plus contesté : la plupart de ces théoriciens pensent que l'application systématique et volontariste de ces projets suffirait à garantir leur bon accomplissement. C'est cette sous-estimation des contingences historiques qui a provoqué les critiques les plus acerbes ou les plus méprisantes : qu'on relise, par exemple, *L'Éducation sentimentale* de Flaubert ou *Dupont et Durand* de Musset. Mais, qu'on partage ou non ces convictions, celles-ci occupent les esprits. Toute la société – du moins la « masse lisante », selon l'expression de Balzac – est frémissante de ce bonheur, désirable sinon possible, qui retient les imaginations et fait d'ailleurs écho non seulement aux projets des philosophes du siècle précédent, mais, pour un public encore féru de latinité, à la vieille *concordia omnium ordinum* de Cicéron.

Pendant que les esprits s'attardent, pour les adopter ou les rejeter, sur les utopies sociales, le pays hésite encore à s'engager dans la voie du capitalisme moderne. Si de nombreux indices prouvent que l'essor de l'économie a commencé, il y manque l'impulsion forte et continue que lui donnera Napoléon III. Ni l'édification des infrastructures, ni la politique industrielle, ni l'organisation de la finance et du crédit ne sont à la mesure des besoins. La loi sur les chemins de fer, indispensables à la modernisation des structures économiques, ne sera votée qu'en 1842 et sera appliquée de façon assez calamiteuse.

La monarchie de Juillet fut donc un régime en demi-teinte, gérant au jour le jour mais n'ayant pas l'énergie ni la possibilité de donner une inflexion nette au cours des choses. Les archaïsmes se mêlent aux prémices des temps modernes ; au croisement de deux voies, l'histoire paraît piétiner et hésiter. Le temps passant, on trouvera à ce régime velléitaire des vertus, de la bonhomie et une tranquillité presque provinciale. Mais, sur le moment, les esprits s'impatientent et appellent à un changement, de quelque nature qu'il soit.

La révolution à l'épreuve de la République

Ce changement survient plus rapidement que prévu, après deux années de troubles et d'agitation. Le 24 février 1848, Louis-Philippe Ier, après avoir sacrifié son ministre Molé, abdique à la suite d'une manifestation qui, dans des circonstances confuses, se termine dans le sang. Un gouvernement provisoire est constitué : il est dirigé par Lamartine, mais des socialistes y figurent. Le lendemain, la République est proclamée. Pour quelque temps, républicains et socialistes ont la possibilité de mettre en œuvre certaines de leurs convictions. L'esclavage et la peine de mort pour raison politique sont abolis ; des ateliers nationaux sont créés afin d'employer les chômeurs. Le suffrage universel masculin est adopté et ne sera jamais plus remis en cause en France.

Ce suffrage universel apporte la première surprise. Les Français de 1848 sont encore, dans leur grande majorité, des ruraux, traditionalistes, effrayés ou irrités par l'agitation parisienne, sensibles aux conseils pressants du clergé et des notables. Parmi les huit cents membres de l'Assemblée constituante élus le 23 avril, trois cents sont des royalistes, soit trois fois plus que de socialistes. Le pouvoir revient vers la droite ou le centre, et le mouvement est hâté par l'insurrection de la capitale, en juin 1848. En effet, depuis leur création, les ateliers nationaux ont attiré à Paris de très nombreux chômeurs, qui pèsent lourdement sur la dette publique ; le 21 juin, le gouvernement – la « Commission exécutive » – enjoint aux plus jeunes de s'enrôler, aux autres de partir sur les chantiers de province : la révolte est immédiate. Du 23 au 26 juin, tout le Paris populaire est le théâtre de combats violents, meurtriers pour les deux camps (4 000 morts chez les insurgés, 1 500 parmi les forces de l'ordre), à l'issue un moment incertaine. Nous sommes loin de l'ambiance de février. La répression, dirigée par le général Cavaignac auquel on a confié les pleins pouvoirs, est impitoyable : plus de 1 500 exécutions sommaires, 11 000 condamnations à des peines de prison ou de déportation.

Depuis la chute de l'Empire, cet événement est le plus déterminant pour l'évolution politique des Français ou, du moins, pour la perception qu'ils en ont. À gauche, il met un terme à l'espoir d'une concorde qui réaliserait, paisiblement et par la seule force de l'idée, la justice sociale. Dans les rangs conservateurs, le spectacle ou le récit de la guérilla urbaine provoquent un sentiment profond de crainte à l'égard de la violence populaire et le rejet des forces obscures et irrationnelles qui animent, peu ou prou, toute action collective. La spéculation théorique laisse la place au pragmatisme : par le militantisme et les organisations ouvrières, les uns vont se préparer à prendre un jour le pouvoir ; les autres veilleront à le conserver, en verrouillant la société.

Pour la littérature aussi, il y a un avant et un après 1848. Jusque-là, l'idéalisme même des thèses politiques séduisait les écrivains, qui y voyaient une sorte de poésie de la pensée – tout comme ils accordaient réciproquement à leurs œuvres une vertu philosophique. Après 1848, ceux qui voudront marquer leur désapprobation à l'égard du pouvoir devront choisir entre deux comportements : soit se placer nettement sur le terrain idéologique, quitte à prendre le chemin de l'exil et à se couper du monde de la création culturelle ; soit transporter dans le domaine artistique la contestation, en renonçant à toute revendication clairement politique mais en affichant une attitude provocatrice (dandysme, art pour l'art, recours à la caricature et à l'ironie, satire du bourgeois, etc.).

De Louis Napoléon Bonaparte à Napoléon III

On avait vu la monarchie de Juillet hésiter entre deux voies, et ne s'engager vraiment nulle part. Au contraire, il y avait eu en février 1848 un enthousiasme dans l'action, dont l'échec, en juin, avait fini par disqualifier la pensée républicaine aux yeux des gouvernants et de l'électorat majoritaire. Débarrassé de l'hypothèque révolutionnaire, le pouvoir va explorer avec la même énergie l'autre voie, celle du conservatisme social et du capitalisme industriel. Cette politique trouve son maître d'œuvre dans un homme d'État qu'on n'attendait pas, Louis Napoléon Bonaparte. Celui-ci, qu'on prenait pour un piètre personnage, est élu président de la République le 10 décembre 1848 grâce à l'appui des royalistes, que le bannissement des anciennes dynasties prive de candidat naturel. Le mandat présidentiel n'étant pas renouvelable, le rejeton du clan Bonaparte confisque le pouvoir par le coup d'État du 2 décembre 1851 et se fait proclamer empereur l'année suivante.

Deux des traits principaux du nouveau régime intéressent directement la littérature. Comme son oncle, Napoléon III gouverne au moyen d'un contrôle étroit de l'opinion publique. Les moyens réglementaires, juridiques et administratifs dont il se dote pour prévenir ou réprimer réduisent à peu de choses la liberté d'expression. L'écrivain doit apprendre le plaisir d'écrire au mieux en déguisant sa pensée, au pire pour ne rien dire. Dans cet étouffoir que constitue le second Empire, la littérature est amenée paradoxalement à prendre pleine conscience de sa nature artistique, parce que la censure de la pensée l'y cantonne.

En outre, le second Empire, en s'appuyant sur la haute finance et grâce à une politique très volontariste, transforme l'économie française. Le développement industriel est rapide et bouleverse l'espace social aussi bien que géographique. L'enrichissement et le désenclavement de la province, liés au développement des chemins de fer, induisent une très forte demande en biens de consommation. Qu'il s'agisse d'habillement, de nourriture, de mobilier ou d'œuvres d'art, le Français de l'Empire, s'il en a les moyens, aime à dépenser et à manifester son statut social par les objets qu'il accumule ou ses pratiques de loisir (le théâtre, le restaurant, l'amour vénal). Cette fièvre capitaliste et consumériste touche la culture. Les maisons d'édition, encore fragiles et artisanales sous Louis-Philippe, deviennent des entreprises modernes et capables, entre les mains d'un Louis Hachette ou d'un Michel Lévy, de conduire une vraie stratégie industrielle. Les journaux se multiplient et, à la faveur des progrès technologiques, accroissent leur lectorat ; le théâtre devient l'institution bourgeoise par excellence. En somme, le second Empire, qui construit son décor comme une sorte de vitrine à la fois monumentale et frivole, systématise, par sa puissance commerciale et industrielle, les tendances culturelles de la bourgeoisie qui avait accédé au pouvoir en 1830. Mais, les systématisant, il les galvaude et en dévoile les faiblesses.

Les charmes de la bourgeoisie

Entrepreneurs et rentiers

Toutes les données statistiques le prouvent indiscutablement : la croissance économique est forte et modifie en profondeur tous les secteurs d'activité. Si le mouvement s'accélère sous le second Empire, on observe bien avant les signes avant-coureurs de cette révolution industrielle, qui touche d'abord les organismes de finance et de crédit, puis l'industrie, l'agriculture, le commerce. La croissance induit des bénéfices considérables pour les investisseurs : la Bourse prospère et profite de l'engouement pour les valeurs mobilières. Parfois, les écrivains en tirent leur deuxième métier : pendant un temps, Vallès et Verne furent respectivement chroniqueur boursier et agent de change. Deux figures sociales nouvelles sont les héros de cette aventure économique : d'un côté l'entrepreneur, audacieux et travailleur, qui édifie sans état d'âme son empire ; de l'autre le spéculateur qui s'enrichit en mobilisant habilement son capital et, surtout, en utilisant à son profit l'épargne bourgeoise. *La Comédie humaine* et les *Rougon-Macquart* regorgent de ces personnages auxquels le pouvoir occulte qu'on leur prête confère un profil très romanesque.

Cependant, cette économie d'aventure et de risque reste minoritaire. À cette époque, la culture économique du bourgeois – notamment de cette bourgeoisie issue de la province qui prend le temps d'écrire ou de lire les livres de littérature – reste marquée par la propriété foncière et la rente publique. Fort de la stabilité du franc, qui est rigoureusement identique de 1800 à la Première Guerre mondiale, le possédant peut placer son argent dans des biens immobiliers ou des emprunts publics : il devient alors propriétaire ou rentier et vit en oisif grâce aux revenus assurés par son capital, qu'il pourra transmettre, intact ou augmenté, à ses descendants. Malgré le succès de la Bourse sous le second Empire, les valeurs en actions viennent seulement en complément des valeurs à revenus fixes, particulièrement prisées par les détenteurs de petites ou moyennes fortunes. Le prestige de la rente est fondamental aussi pour l'histoire littéraire, car cet immobilisme de l'épargne a partie liée avec la plupart des autres formes d'inertie culturelle.

Les bonheurs de l'intimité

La société aristocratique d'Ancien Régime, dont les enfants, jusqu'à l'âge de l'intronisation dans le monde, étaient tenus à l'écart des adultes, apparaissait comme un milieu non cloisonné, où chacun devait consacrer son temps au commerce des autres, allant de fête en salon, de salon en résidence campagnarde. Les romans de l'époque témoignent, sous des allures ironiques mais séduisantes, de cette convivialité instituée, qui imposait son esprit, ses codes de politesse, et comme un art de vivre ensemble. Au XIXe siècle, toutes les sortes de « sociétés dans la société » (Victor Hugo) sont abolies ; le Code civil promeut le droit de la famille restreinte, supprime le droit d'aînesse ; la morale, républicaine ou religieuse, pousse l'individu à goûter les charmes du cercle privé.

Dès ses débuts, la culture bourgeoise découvre puis approfondit le bonheur privé et toute la littérature, romanesque ou poétique, vibre de ces bonheurs partagés entre familiers : promenades rythmées par le bruissement des étoffes, jeux d'enfants en des jardins ombragés, émoi des silences et des regards échangés ; pour les adolescents et les jeunes filles soumises à l'étroit contrôle de la mère, le temps alangui de la vie familiale se comble illusoirement de désirs inassouvis.

Les formes de réception évoluent aussi et vulgarisent les usages aristocratiques. Avoir son jour est un signe de distinction pour la femme mariée, mais ces réunions, tenues dans des intérieurs inégalement spacieux, prennent volontiers un tour intime. La fille de la maison vient jouer la « dixième muse », montrer son sens poétique ou sa grâce, présenter son *album* aux visiteurs qui y inscriront leur compliment versifié ou non. On y interprète des partitions instrumentales ou lyriques. Grâce au piano, qui connaît, en qualité et en diffusion, un essor prodigieux dans la première moitié du siècle, la musique cesse d'être seulement un spectacle (opéra, spectacle symphonique, musique de chambre) et pénètre à l'intérieur des appartements, où le piano droit (vertical) remplace le piano carré (horizontal, donc plus encombrant). On se passionne pour des virtuoses expressifs, qui paraissent faire corps avec l'instrument et miment avec leurs mains, leur visage et leur buste une trouble possession. Souvent aussi, à côté du piano, une femme prend place pour chanter (*lied* ou romance) et apporter l'émotion que suscite la voix modulée. Cette musique-là, souvent servie par des interprétations malhabiles mais si voluptueusement familiarisée et féminisée, constitue une des facettes de la sensibilité romantique, du moins telle qu'elle s'épanouit dans les milieux cultivés.

Même la manière de s'inviter à dîner s'adapte à l'air du temps. Jusqu'au second Empire, la règle unanime est le service « à la française ». En trois services successifs, on apporte sur la table, qui fait alors office de buffet, les potages et les entrées, puis les rôts et les entremets, enfin les desserts. Il y faut, autant que possible, de la variété et de la magnificence ; le repas se déroule comme un ballet complexe, long, de plus en plus bruyant et décousu à mesure que l'heure avance et que les vins libèrent les comportements. Le service « à la russe », progressivement adopté pendant le règne de Napoléon III, est celui que nous connaissons aujourd'hui : chacun est servi, à sa place, du même plat que son voisin, si bien que le dîner suit un cours plus régulier, plus simple, plus calme. Mais il est vrai que, comme pour compenser cette tranquillité gagnée dans les intérieurs privilégiés, la restauration à l'extérieur (cafés, brasseries, restaurants au luxe tapageur) connaît son âge d'or ; mais on y dîne alors entre hommes ou en compagnie de femmes à l'honorabilité douteuse.

Car le bonheur de l'intimité partagée est la face idyllique de ces vies confinées. La réalité, dont Flaubert a nourri sa morne désespérance, paraît plus souvent faite d'ennui : ennui des femmes et des hommes qu'une incompréhension réciproque, née de l'éducation, maintient à distance ; ennui des enfants englués dans les rêveries ; sourdes angoisses des adolescents, macérées dans une perpétuelle insatisfaction. Entre la vision poétique de la vie de famille que véhicule la littérature bien pensante et les allusions âcres qui émaillent, par exemple, les textes de Rimbaud, il y eut sans doute place pour d'infinis degrés. Mais, douce ou amère, la vie privée des bourgeois du XIXe siècle respire assurément un air raréfié, d'autant plus asphyxiant que le temps s'y écoule selon un rythme ralenti.

Rituels citadins

Il convient donc de sortir pour échapper au lieu clos et de participer, suivant des rituels bien établis, à la sociabilité citadine. En effet, c'est à la ville surtout que s'organise le nouveau mode de vie : en littérature, le XIXe siècle est construit sur le couple ville/campagne, redoublé par l'antagonisme – politique aussi bien que social – Paris/province. Les arts eux-mêmes, traditionnellement voués à l'évocation des beautés naturelles, conquièrent l'espace urbain ; le second Empire voit apparaître une poésie et une peinture de la ville (*Le Spleen de Paris* et les impressionnistes). Mais le roman, surtout, s'en saisit et s'en fait une spécialité. On est fasciné par cet ensemble complexe et mystérieux qui fonctionne comme un organisme monstrueux, avec ses appétits, ses besoins, ses déjections : Hugo, dans *Les Misérables*, fait une longue description poétique des égouts de Paris qui posent, il est vrai, un immense problème d'hygiène publique jusqu'à Haussmann ; Eugène Sue, avec *Les Mystères de Paris*, lance la vogue durable des bas-fonds, de la face cachée, souterraine de la population urbaine ; Balzac, qu'il s'agisse d'une bourgade campagnarde, d'une cité provinciale ou de la capitale, poursuit dans chacune de ses œuvres sa réflexion spontanée d'urbaniste sociologue : le roman moderne paraît naître de la ville, qui lui inspire jusqu'à la nostalgie du paradis perdu de la nature (*Le Lys dans la vallée*).

Cette mutation culturelle est occasionnée par de profondes transformations matérielles. La première est liée au développement des usines et des ateliers. Les villes étendent leurs faubourgs vers la campagne, le ciel se hérisse de hautes cheminées, surplombant les toits zigzagants des usines. Il s'ensuit des flux nombreux et variés de populations, qui drainent vers les agglomérations toutes sortes d'ambitions petites ou grandes, bonnes ou malhonnêtes. Les voies de communication se modernisent et se multiplient : canaux, routes, voies ferrées. À Paris et dans les grandes cités, le macadam (mélange compressé de cailloux et de sable) fait son apparition. Pour les voyageurs oisifs comme pour les travailleurs ou les marchandises, les transports à travers le territoire national deviennent plus rapides et plus sûrs : on découvre le tourisme et les vestiges architecturaux du passé.

Paris, la première, change de visage – Paris, centre littéraire des carrières, des représentations, des fantasmes. Jusqu'à Haussmann, l'apparence de la capitale est double. Au centre, il y a, scindé en deux par la Seine, le Paris de *La Comédie humaine*, celui du pouvoir, des affaires et des études. Sur la rive gauche, le Quartier latin rassemble étudiants et collégiens, il y règne une ambiance à la fois joyeuse et studieuse, mais souvent désargentée : c'est encore un quartier pauvre, sorte de ville dans la ville ayant ses rites, ses bibliothèques, ses restaurants à quinze sous. La rive droite, elle, concentre dans un espace restreint, allant de la Seine au boulevard des Italiens, les éditeurs, les journaux, les restaurants à la mode, les cafés et glaciers, les maisons de jeu et de prostitution. Mais les quartiers populaires – grouillants, insalubres, obscurs – ne sont pas loin : sur la rive gauche, au flanc est de la colline Sainte-Geneviève ; sur la rive droite, autour de l'Hôtel de Ville, au nord et à l'est. Des îlots subsistent au cœur des meilleurs secteurs : comme cette impasse du Doyenné, coincée entre le Louvre et le palais des Tuileries, que Nerval a célébrée dans ses *Petits Châteaux de bohème*. Au bout du compte, Paris demeure une ville populaire, disparate, archaïque dans ses infrastructures, socialement et politiquement imprévisible.

Puis il y eut Haussmann, préfet de la Seine de 1853 à 1870, maître d'œuvre infatigable et tout-puissant du vaste chantier de démolition puis de reconstruction que fut la capitale sous le second Empire et au-delà. On imagine mal, à plus d'un siècle de distance, la profondeur et l'extraordinaire brutalité du changement. Paris est rendu salubre, pourvu d'une voirie et d'égouts modernes. Mais, conçu d'après les plans mêmes de Napoléon III, il est aussi à l'image de son règne ; alignant jusqu'à la monotonie les larges et longues avenues aux façades de pierre de taille, opulentes et respectables, Haussmann offre à la France la vitrine bourgeoise de sa réussite : la place de l'Étoile et les Champs-Élysées, les parcs paysagers des Buttes-Chaumont et de la plaine Monceau, les Grands Boulevards… De cette gigantesque entreprise dont on devine par ailleurs les formidables enjeux économiques naît une ville monumentale, construite autour de vastes perspectives, offerte à l'admiration des visiteurs étrangers de l'Exposition universelle de 1867. Mais cette ville brillante, riche de ses restaurants, de ses théâtres et de son opéra, s'est édifiée sur les ruines du Paris populaire et pittoresque – celui, par exemple, du Boulevard du crime, qui n'a pas survécu au désir d'ordre, architectural et politique, du baron Haussmann : avec ce Paris-là, c'est tout le décor de la littérature romantique qui disparaît.

Plaisirs interdits

Le XIXe siècle convenable – trop convenable sans doute – de l'intimité bourgeoise et de la ville moderne a besoin de ses zones d'ombre, qui puissent abriter les désirs inexprimés, les frustrations, les pathologies sociales ou psychologiques.

Et, d'abord, celle de la sexualité. Si le XVIIIe siècle a indéfiniment analysé, avec un raffinement amusé, la relation sentimentale ou érotique, le suivant s'est appliqué à approfondir le sentiment amoureux, dans ce qu'il a de plus ineffable et, sans doute, de narcissique. Sous la plume de Stendhal, de Balzac et même, curieusement, de Flaubert, l'émotion du cœur est figurée avec une force, une densité et presque une présence douloureuse qui ajoutent à la littérature de l'époque sa tonalité unique. L'utopie amoureuse – ou, à l'inverse, sa dénégation amère comme chez Baudelaire – se trouve au cœur de tout : dans l'évocation romantique de l'union des âmes comme dans la trouble fascination zolienne à l'égard de la violence sexuelle, mais aussi dans la représentation du politique, du religieux, de l'historique. Cependant, cette hypostasie de l'amour va de pair avec une réalité plus sombre : comme jamais auparavant, les univers de l'homme et de la femme semblent terriblement éloignés, ne se rencontrant qu'au prix de mensonges, de malentendus, de compromis. Le mal-être du couple traverse le siècle et s'installe d'autant mieux que la sexualité réprimée alimente elle aussi divers troubles psychologiques et constitue, à partir de la seconde moitié du siècle, le terrain privilégié de la recherche psychiatrique.

Une telle dysharmonie – entre soi et l'autre, mais aussi en soi-même – favorise les pratiques déviantes ou, du moins, non conformes au code social. Sans doute parce qu'elle heurte trop évidemment la morale, l'homosexualité affleure rarement dans les textes – à l'exception commode de la liaison, glorieusement scandaleuse et maudite, de Verlaine et de Rimbaud. Mais on connaît les pratiques réprouvées des collèges et des pensionnats ; on repère des allusions disséminées dans *La Comédie humaine* et, en plus grand nombre, des évocations émoustillées de tribades. Malgré le mutisme des textes, il y a sans doute là une des sources du discours amoureux au XIXe siècle, sur laquelle, comme dans le *S/Z* de Roland Barthes, nous ne pouvons plus guère avancer que des conjectures.

En revanche, nous connaissons bien, parce qu'il représente une infraction plus tolérée, le monde polymorphe et immense de la prostitution féminine. Prostituées du trottoir ou du bordel, grisettes, lorettes, biches, courtisanes, lionnes… L'amour vénal a sa hiérarchie, ses mystères attirants pour les étudiants ou les bourgeois en goguette, ses vedettes capables de ruiner des financiers ou des princes : pour un temps, une sexualité libre et romanesque paraît devoir s'épanouir sous la forme contractuelle de la prostitution. Elle finit par se confondre, pour Baudelaire, avec l'amour et à l'art :

> « L'amour, c'est le goût de la prostitution. Il n'est même pas de plaisir noble qui ne puisse être ramené à la Prostitution.
> Dans un spectacle, dans un bal, chacun jouit de tous.
> Qu'est-ce que l'art ? Prostitution [...]
> L'amour peut dériver d'un sentiment généreux : le goût de la prostitution ; mais il est bientôt corrompu par le goût de la propriété » (*Fusées*).

Baudelaire exalte la prostitution mais en a payé d'emblée le prix fort, contractant à vingt ans la syphilis qui l'emportera à quarante-six, aphasique, à la fin d'une lente dégradation physique. Syphilitiques aussi, et morts de cette maladie alors incurable, Rimbaud, Maupassant.

L'importance prise, au XIXe siècle, par l'amour rétribué a des explications historiques : le désordre social lié au développement urbain, les conditions de vie très précaires du peuple, un mépris de la femme fait, comme toujours, d'ignorance et de bonne conscience ; chez les écrivains s'y mêlent un désir de provocation et une marginalité effective. Mais, du point de vue artistique où se place Baudelaire, l'attrait pour la prostitution touche au projet esthétique lui-même. Depuis 1830, l'artiste romantique, qui s'est éloigné des tentations métaphysiques de la Restauration, cherche à réunir dans une même conception son aspiration à l'idéal et le travail exclusif de la matière, à légitimer sa recherche de l'absolu au seul niveau des formes et des surfaces. Cet esthétisme nouveau s'est appelé art pour l'art, dandysme, modernité. La courtisane, cette femme belle qui, par principe professionnel, refuse de montrer son âme, symbolise tout cela, et y ajoute la puissance du désir sexuel.

D'autres moyens éveillent en l'homme des forces immaîtrisables : les drogues. L'anglomanie aidant, les milieux artistiques s'engouent pour diverses substances hallucinogènes d'origine orientale. Dans les années 1840, des séances collectives de consommation de haschich ont lieu et les médecins s'intéressent à leurs effets psychologiques. L'opium, sous la forme du laudanum, qui sert aussi d'analgésique puissant, a ses consommateurs, tel Baudelaire, qui consacre aux deux drogues, ainsi qu'au vin, ses *Paradis artificiels* (1860). De fait, Baudelaire est avant tout buveur de vin blanc ; la grande drogue du XIXe siècle est l'alcool – le vin, la bière, les eaux-de-vie et, plus avant dans le siècle, la redoutable absinthe. Sans doute l'alcoolisme est-il alors un problème de santé publique, et un point de cristallisation pour les peurs sociales : qu'on pense à la Commune et à ses pétroleuses. Mais l'ivresse légère, joyeuse ou violente va de pair avec Paris, le bonheur de la table, les séductions du sexe ; elle hante l'univers familier des romanciers et des poètes. Il règne une ambiance d'orgie dans les romans de Balzac ou de Zola. Buveurs chroniques : Baudelaire, Verlaine, beaucoup d'autres aussi, arpenteurs de Paris, passant de café en café ; et encore Musset, poète de l'amour et de la fantaisie, s'enlisant dans un morne alcoolisme et en mourant précocement : la littérature, décidément, se nourrit de la pathologie de son siècle.

Cléricalisme et anticléricalisme

Qu'aurait-elle été, par ailleurs, sans l'ombre, désirée ou repoussée, de la religion ? Toutes les grandes œuvres ont parlé, de façon un peu longue et explicite, de la question de Dieu et de l'Église, qui, elle-même, a considérablement évolué au cours du siècle.

Car la France de 1815 est, du point de vue religieux, très éloignée de celle de 1870. Avec de grandes disparités régionales, elle est largement déchristianisée. La Révolution a abattu toutes les institutions de l'Église ; Napoléon Ier, qui lui reconnaissait des vertus de conservation sociale et a recherché son appui avec le Concordat de 1801, appartenait intellectuellement à la tradition rationaliste des Lumières. Dans leur grande majorité, les élites sont voltairiennes et se moquent d'une piété dont ils assimilent les manifestations à des restes de superstition.

Ce contexte explique la première forme du renouveau catholique aussi bien que l'attitude de l'Église. L'intérêt romantique pour la religion porte sur la conception théologique, séduisante par le spiritualisme métaphysique et l'idéalisme historique qu'elle permet, et non pas sur la puissance temporelle qui commence seulement à se reconstituer : d'où la vigueur du catholicisme social et christique, après 1830, chez certains libéraux et intellectuels laïques. Mais c'était aller au devant d'un malentendu, concrétisé par la condamnation de Lamennais en 1834. Car l'Église, elle, a retiré du XVIIIe siècle la conviction que l'adhésion aux idées nouvelles et la contestation de ses dogmes ne servaient qu'à l'affaiblir. Avec quelques inflexions, l'objectif permanent de sa politique a été de restaurer sa puissance et d'en donner des signes éclatants. Elle s'est donc appuyée prioritairement sur la population rurale et les femmes, qu'elle pense plus perméables au sentiment religieux. Elle a encouragé le culte marial, défenseur des vertus domestiques, et fut opportunément aidée dans cette tâche par des apparitions miraculeuses (La Salette en 1846, Lourdes en 1858, etc.) ; en 1854, le dogme de l'Immaculée Conception officialise le rôle éminent et original de la mère de Jésus dans la christologie. Elle a bataillé victorieusement pour l'enseignement religieux et contre le monopole de l'Université qu'elle imagine être le creuset de l'athéisme (loi Falloux en 1850). Elle a construit, grâce à la générosité des notables reconquis, calvaires, chapelles, églises, presbytères. Elle s'est enrichie et a permis à ses prêtres de faire bonne figure dans les villages. Elle a recruté massivement dans les familles prolifiques de la campagne, si bien que le clergé, hommes et femmes compris, a triplé de 1830 à 1878, atteignant alors quelque 215 000 membres.

Cette stratégie de reconquête a obtenu, en un demi-siècle, des résultats spectaculaires, mais la prospérité retrouvée de l'Église et sa connivence objective avec les pouvoirs conservateurs ont réveillé l'anticléricalisme. Celui-ci est encore avivé sous le second Empire, soutenu sans ambiguïté par la hiérarchie catholique qui apprécie, au moins dans les premières années, la politique romaine de l'empereur. L'Église a désormais ses vedettes : le journaliste Louis Veuillot, polémiste sans nuance ; l'abbé Gaume, pourfendeur de l'enseignement laïque des humanités ; l'évêque Dupanloup, à l'éloquence raffinée. Elle dispose d'un réseau puissant de collèges et de séminaires, d'éditeurs et d'organes de presse, de notables et d'institutions charitables. Mais le message chrétien passe moins auprès des intellectuels et des écrivains – hormis ceux qui, comme Barbey d'Aurevilly, se sont voués à la défense de la tradition catholique. Rarement, à vrai dire, l'Église française fut à ce point campée sur son assise sociale. Pendant que poètes et romanciers traitent de la religion avec une âpreté et une dérision croissantes, Ernest Renan passionne le public lorsque, dans la *Vie de Jésus* (1863), il humanise habilement, sous couvert d'érudition antiquisante, la figure du Christ, niant au passage sa nature divine. De Flaubert à Mallarmé, en passant par Baudelaire, les Goncourt, Renan, Mérimée, Rimbaud, Littré, l'anticléricalisme a marqué la littérature du second Empire, lui insufflant une part de sa rude violence, tout comme une religiosité diffuse avait caractérisé la génération de 1820.

Une culture du signe

Le curé et ses ouailles, la prostituée et l'ivrogne, le Paris de la bohème ou des Grands Boulevards, etc. La culture aboutit décidément à des images d'Épinal, et il n'y a pas là seulement l'effet de la patine du temps. En cette mi-parcours du siècle qui prolonge sur le terrain économique la révolution politique, on découvre seulement que le monde social est saturé de signes. Les choses dégénèrent en objets – manipulables et commercialisables –, les pensées en idées reçues, les lieux communs en clichés. Pour lutter contre un pareil amoncellement de codes et laisser un espace libre pour la création, les écrivains doivent produire d'autres signes – signes de révolte et de rupture mais signes tout de même : l'Artiste, le Satanisme, le Voyant, le Dandy, etc. La grandeur paradoxale de l'art du temps est aussi dans cette splendide contradiction : Flaubert déclamant ses textes dans son *gueuloir* pour en ôter toute trace d'éloquence.

Chapitre 17

Le journal et la scène

Pour beaucoup de contemporains, la réunion de rédaction – dans les locaux du journal ou dans un proche café – et la salle de théâtre sont les deux lieux magiques (ou diaboliques, c'est selon) du Paris littéraire : qu'on songe seulement aux *Illusions perdues* de Balzac, ou à ses évocations enthousiastes des spectacles d'opéra, dans ses lettres à Ève Hanska. Dans leurs parages, des noms encore familiers surgissent de notre mémoire : les feuilletonistes Eugène Sue ou Ponson du Terrail, le critique Jules Janin, les boulevardiers Labiche ou Dumas fils. À côté de cette production à succès et contre elle, on a eu vite fait d'imaginer que la grande littérature devait de se frayer une voie originale, pour ainsi dire indemne des bouleversements culturels que connaissait l'époque. La critique de l'école s'est d'autant plus ralliée à cette idée qu'elle la confortait dans ses propres convictions. Mais comment un écrivain pourrait-il ne pas être de son temps ? À bien y regarder, le théâtre et le journal sont au XIXe siècle deux lieux majeurs – et parfois paradoxaux – d'invention littéraire : c'est à ce titre qu'ils méritent ici leur place, et non seulement comme le décor, brillant mais aujourd'hui abandonné, de la société bourgeoise.

Culture et médias

Les nouveaux professionnels de la littérature

Le 10 décembre 1837, Louis Desnoyers, auteur notoire et surtout directeur du journal *Le Siècle*, réunit chez lui quelques signatures célèbres de la littérature et de la presse ; il jette ainsi les bases de ce qui deviendra officiellement, le 16 avril 1838, la Société des gens de lettres. Celle-ci est construite sur le modèle de la Société des auteurs et compositeurs dramatiques qui, après une première ébauche due à Beaumarchais, avait été fondée en 1829 par le vaudevilliste Eugène Scribe pour percevoir et redistribuer aux auteurs les droits de représentation des pièces de théâtre. La SGDL s'assigne le même rôle pour les droits de reproduction des textes littéraires dans les journaux.

L'événement est beaucoup moins anecdotique qu'il n'y paraît, d'autant que la rencontre de la presse et du théâtre n'est nullement fortuite. Écrire pour la scène ou le journal constitue alors le seul moyen de devenir un écrivain professionnel et de gagner sa vie par sa plume. Il se constitue une corporation de « gens de lettres » – l'expression prend au passage un sens péjoratif : elle forme un milieu homogène qui a ses règles, ses conflits, ses camaraderies. Les dramaturges, les chroniqueurs, les romanciers, les critiques se connaissent – quand il ne s'agit pas des mêmes personnes –, et ils ont besoin les uns des autres. Ce monde, brillant mais capricieux, paraît d'autant plus redoutable qu'il attire à lui, sans préparation, d'innombrables candidats au succès. Il n'y a pas que dans les romans de Balzac que les écrivains sont poussés au suicide : le 17 février 1832, Victor Escousse et Auguste Lebras, après l'échec de leur pièce *Raymond*, se donnent la mort et obtiennent ainsi, mais à titre posthume, la célébrité qu'ils attendaient de leur vivant. Cependant, les carrières se déroulent le plus souvent de façon plus banale. Malgré les aléas de la conjoncture économique ou politique, la demande croît fortement ; s'il sait gérer son temps, ses revenus et ses activités, l'homme de lettres professionnel mène une vie bourgeoise, pimentée seulement de fantaisie artistique.

La naissance du système médiatique

Cette réalité sociale de la littérature fait désormais partie de notre décor. Au contraire, portée à ce degré, elle était nouvelle en 1830. En fait, la monarchie de Juillet invente et inaugure, à son insu, le système médiatique, où l'initiative créatrice passe à ceux qui, en principe, ont pour seule fonction de la diffuser, où la rémunération des auteurs, matérielle et symbolique, dépend des choix de consommation d'un public anonyme, lui-même guidé par les prescriptions de la mode.

La situation de l'époque suscite des inquiétudes légitimes. Si, aujourd'hui, le poids des médiations et de structures de diffusion est sans commune mesure avec ce que représente, au temps de Dumas ou de Sue, le marché de la littérature et du divertissement, il est partiellement compensé par le prestige que la nation, à travers ses institutions éducatives, confère aux productions de l'esprit et de l'art. La IIIe République est passée par là, qui a placé au centre de son idéologie l'école, l'admiration des classiques et de la tradition littéraire, la maîtrise laïque du langage et de la pensée. Quoiqu'on perçoive, depuis la Révolution, les signes de cette promotion, la littérature n'est pas encore devenue, sous Louis-Philippe ou Napoléon III, une affaire d'État et un bien national. Sa place est donc, pour un temps, fragile et incertaine : elle n'est plus protégée par le mécénat aristocratique, mais n'est pas encore intégrée à la politique publique.

Contexte de crise

Les réactions des auteurs sont donc vigoureuses. Sainte-Beuve, dans un article de la *Revue des Deux-Mondes* (voir p. 233), stigmatise la « littérature industrielle » – notamment ces romans-feuilletons payés par le journal et que cautionne, *de facto*, la Société des gens de lettres. Vigny lance toutes sortes d'anathèmes contre la « prostitution » littéraire. Musset pense, tout simplement, que l'art n'a plus sa place dans cette consommation effrénée de feuilles imprimées.

Il est facile, *a posteriori*, de considérer ces prises de position comme de pures illusions idéologiques, comme le résultat d'une complaisance élitiste à l'égard de soi ou de diverses dispositions idiosyncrasiques. Alors, les écrivains ont réellement pu croire, non seulement que de profondes et inéluctables mutations culturelles allaient survenir, mais que les conditions sociales ne seraient plus réunies pour assurer la pérennité de l'art littéraire telle qu'ils l'entendaient – et, à vrai dire, nous avec eux. Les premiers romantiques, qui étaient déjà parvenus au premier plan sous la Restauration (Lamartine, Vigny, Hugo), sont tous contraints, dans un délai plus ou moins rapide, à une stratégie de repli ou de reconversion sur le terrain politique, devenant les témoins ou les juges d'une arène littéraire qu'ils ont dû déserter. En revanche, ceux qui, plus jeunes ou plus laborieux, accèdent au succès autour de 1830 (les Balzac, Musset, Gautier…), sont confrontés de plein fouet à cette crise de la littérature qui, suivant la manière dont elle est vécue par les uns et les autres, influe directement sur la forme et l'évolution de leurs œuvres.

La crise est donc toujours mal vécue, d'autant plus qu'elle est brutale et inattendue. Les années qui entourent la révolution de Juillet voient une explosion euphorique de littérature. On publie beaucoup, de façon brouillonne et précipitée : le romantisme paraît décidément à la mode. Aussi le coup d'arrêt qui survient à la fin des années 1930 est-il vu, par tous ceux qui, précisément à ce moment, veulent moraliser la littérature, comme une juste sanction, conforme au bon sens et au bon goût (voir le graphique p. 23). À coup sûr, un certain romantisme, fantasque et triomphant, a vécu, où, comme l'évoque tristement Baudelaire,

> « les littérateurs étaient, les uns pour les autres, une société que les survivants regrettent et dont ils ne trouveront plus l'analogue » (« Victor Hugo », dans la *Revue fantaisiste*, 15 juin 1861).

De fait, on ne compte pas les tentatives de réforme de la littérature et de ses institutions. Un projet de loi sur la propriété littéraire est soumis à la Chambre des pairs en 1839 mais échoue en 1841 devant les députés ; Balzac propose en 1840 son projet de *Code littéraire* ; le socialiste Louis Blanc, dans son livre doctrinal sur *L'Organisation du travail* qu'il publie en 1839, élabore un système complexe de « librairie sociale » qui correspond à une nationalisation avant la lettre de l'activité littéraire et intellectuelle. Mais rien ne pouvait aboutir : si tous les observateurs, quelle que soit leur sensibilité politique, s'accordent à reconnaître les méfaits de la culture marchande et médiatique, les propositions avancées, dès lors qu'on les examine concrètement, aboutissent à renforcer le contrôle du pouvoir sur les créateurs. Littérature d'État ou littérature industrielle ? Les termes du débat culturel n'ont guère changé depuis la monarchie de Juillet.

Mais, à défaut d'une véritable amélioration de leur statut, les auteurs – ceux, du moins, qui refusent d'apparaître comme les prestataires de service de la presse, du livre ou de la scène – trouvent un réconfort dans l'hostilité du public majoritaire ou de l'autorité. Aux yeux des bien-pensants dont l'influence grandit jusqu'au second Empire, l'écrivain est socialement inutile, politiquement instable, moralement nocif. Cette méfiance, qui se traduit par des mesures censoriales ou des condamnations, marginalise le créateur mais lui confère, même négativement, un rôle ou une identité spécifiques. Flaubert ou Baudelaire ne se sentent pas moins déplacés, dans leur époque, que Balzac ou Gautier. Mais ils sont plus sûrs de ce qu'ils sont et de ce qu'ils veulent : les retrouvailles, menées sous les auspices de la République, entre la littérature et le corps social ne sont plus loin, et ils s'apprêtent à en être les figures tutélaires.

La mue imparfaite de l'édition

Le monde du journal et du théâtre ne constitue donc pas seulement le paysage pittoresque de la littérature ; il est sa substance même, d'où elle tire son imaginaire, ses références, sa réalité sociale, et jusqu'à son style – cette théâtralité et cette éloquence de journaliste, tantôt emphatique tantôt ironique, qui affleure à quelque degré dans tous les textes.

La situation du livre est beaucoup moins favorable, du moins sous la monarchie de Juillet. Aux archaïsmes et aux pesanteurs de l'édition (voir p. 22 *sq.*) s'ajoute la concurrence de la contrefaçon belge, avivée par le succès même du romantisme français. Si quelques entrepreneurs ont laissé un nom dans l'histoire littéraire, ils le doivent aux auteurs de leur catalogue plutôt qu'à leur stratégie éditoriale : ainsi Ladvocat pour Byron ou Chateaubriand, Renouard pour Hugo. Mais le premier a fait faillite, le second s'est dépêché, fortune faite, de transformer en rentes bourgeoises les gains de son industrie. En fait, l'édition de livres ne paraît pas apte, dans un premier temps, à profiter de la demande en textes imprimés, liée à l'accroissement de la lecture dans les classes moyennes : il est très probable que la prospérité de la presse périodique, au milieu du XIXe siècle, vienne, au moins en partie, de cette faiblesse de l'édition française, de son incapacité provisoire à tenir sa place dans l'économie culturelle.

Pour l'heure, elle vivote en exploitant ses créneaux habituels : l'in-8° à sept francs pour meubler et décorer les bibliothèques bourgeoises ; l'in-12 et l'in-18 (trois ou quatre francs) qui, démultipliant un roman en trois ou quatre volumes, sont vendus aux cabinets de lecture ; la publication par livraisons (vingt à cinquante centimes par fascicule), conçue pour une diffusion plus populaire. Que manque-t-il donc à l'édition ? Des ressources financières qui permettent de gérer à moyen ou long terme ; des collections suivies et reconnues par le public ; une stratégie commerciale qui, en assurant à la fois des prix de vente modérés et des tirages plus abondants, rende obsolète le prêt de livres par les cabinets. Sur ces trois points, on progresse très timidement sous Louis-Philippe. Des industriels ou des commerçants (libraires, papetiers ou autres) se constituent en sociétés pour investir dans des publications coûteuses : c'est ainsi que Victor Hugo, en 1838, passe contrat pour l'édition de ses œuvres complètes. En effet, il devient alors courant de sortir les œuvres complètes d'écrivains vivants, comme pour mieux distinguer la littérature de la production éphémère du journal ; de même, le lancement de *La Comédie humaine*, en 1841, permet à Balzac de réunir l'ensemble de ses romans sous un titre synthétique.

Une étape importante est franchie par Gervais Charpentier, qui lance en 1838 sa célèbre collection. Il s'agit de volumes d'un format nouveau (grand in-18, à mi-chemin entre l'in-12 et l'in-18 traditionnels), offrant, en un seul volume, le texte complet d'un roman classique ou contemporain : on pouvait donc, pour trois francs cinquante, acquérir une œuvre de Balzac, Sainte-Beuve ou Vigny. Pour la qualité de son catalogue autant que par ses innovations matérielles, la collection Charpentier connaît un grand succès et peut à bon droit passer pour la première collection moderne.

Mais, dans ce domaine encore, le saut quantitatif est effectué sous le second Empire. Le nombre de titres publiés passe de 7 350 (1851) à 12 269 (1869). L'édition entre dans l'âge industriel : Louis Hachette, notamment grâce aux bibliothèques de gare dont il obtient le monopole en 1852, jette les bases de son empire ; Michel Lévy, poursuivant dans la voie tracée par Charpentier, crée en 1851 sa tout aussi célèbre collection à un franc. Pourtant, cet indéniable essor ne profite pas directement à la littérature, et il faut chercher ailleurs les premiers bénéficiaires. D'abord et surtout, les ouvrages scolaires et parascolaires – le livre pour enfant sous toutes ses formes – sont portés par le vaste mouvement de scolarisation qui couvre tout le siècle : Hachette lui-même est un ancien normalien, rejeté hors de l'université à cause de la fermeture de l'École normale supérieure en 1822. D'autre part, l'intensification des communications et les nouveaux rythmes de vie qu'elle induit encouragent les produits bien ciblés, à consommation rapide et de grande diffusion. Enfin, l'amélioration des techniques d'impression accroît spectaculairement le marché du livre illustré – livre pratique ou de divertissement. Plus généralement, la modernisation des techniques de production et de vente pousse à la sectorialisation. Or, le texte littéraire, même accommodé aux exigences de la mode, reste un produit mal programmable, très aléatoire, trop peu fiable pour qu'on s'appuie sur lui pour restructurer la profession. On voit que, même sur le plan économique, la littérature reste en marge des mutations du second Empire, et il faudra attendre les grands éditeurs de l'entre-deux-guerres – Gallimard, Grasset… – pour que la création littéraire devienne une des pièces maîtresses de l'industrie française du livre.

La littérature journalistique : un épanouissement ambigu

La marche vers la presse moderne

Pour que le journal s'adapte au nouveau climat culturel, il est bien sûr indispensable que l'outil technique se modernise. Sur ce plan, les progrès les plus significatifs touchent à la vitesse de fabrication du journal, qui lui est beaucoup plus nécessaire qu'au livre. En 1823, l'introduction de la presse Kœnig décuple la cadence d'impression, notamment en substituant un cylindre à la plaque au moyen de laquelle, jusqu'alors, s'exerçait la pression. L'année 1847 marque le début de la « presse à réaction », qui imprime en recto verso au moyen d'une seule « forme » (cadre comportant le texte composé en caractères de plomb). Enfin, l'application du clichage aboutit, en 1866, à la rotative moderne (rotative Marinoni), où l'impression est réalisée par le passage du papier, en feuilles puis en bobine, entre deux cylindres tournant en sens inverse. Mais toutes ces dates ne prennent pas en compte une suite continue d'améliorations qui, moins spectaculaires, touchent toutes les étapes de la production : la fabrication du papier, l'encrage des feuilles, la composition, le coupage, le pliage. En outre, plus encore que dans le livre, l'illustration, informative ou comique, joue un rôle grandissant – parfois central, comme dans les multiples journaux de caricature (notamment *La Caricature* et *Le Charivari* de Philipon) ou dans *L'Illustration* de Paulin (1843). Pour autant, les tirages restent modérés. Car la distribution sur la voie publique est surveillée et sévèrement réglementée ; l'essentiel de la diffusion se fait donc par l'abonnement, inabordable pour des revenus modestes : d'où l'importance, pour la presse, du cabinet de lecture et du café.

La première avancée vers le journal moderne est réalisée, dès 1836, par le grand entrepreneur de presse Émile de Girardin. À cette date, le coût annuel d'un abonnement est de quatre-vingts francs, et son public payant limité à quelques milliers d'abonnés. Lançant un nouvel organe intitulé, avec une orgueilleuse simplicité, *La Presse*, Girardin adopte une formule anglo-saxonne qui fera bientôt école en France : il réduit de moitié le prix de l'abonnement (soit quarante francs), prévoyant de compenser le manque à gagner par l'introduction de la publicité et surtout par l'accroissement du nombre des abonnés. Mais encore faut-il les attirer et les retenir. Ici est le point capital de la réforme de Girardin : le journal n'est plus le porte-parole, austère et peu rentable, d'une opinion et d'un groupe, mais une entreprise commerciale, qui vise à asseoir sa position par l'information, bien sûr orientée en fonction d'une ligne politique, et le divertissement. Comme les débuts sont décevants, Girardin décide d'innover une fois encore : à partir du 1er octobre 1836, il remplace le feuilleton habituel, réservé à la critique culturelle, par une nouvelle de Balzac découpée en tranches (*La Vieille Fille*). Le roman-feuilleton est né et connaîtra bientôt un tel succès qu'il constituera, du moins aux yeux des contemporains, le phénomène littéraire majeur de la monarchie de Juillet.

La permanence de la censure

La vitalité de la presse est d'autant plus étonnante que, à l'exception de brèves périodes après les révolutions de 1830 et de 1848, le pouvoir a toujours censuré, réprimé ou acheté les journaux. La censure avait été solennellement abolie par l'article 7 de la Charte de 1830 (« La censure ne pourra jamais être rétablie »), sans que, cependant, disparaissent l'obligation du cautionnement et le droit de timbre, qui pèsent sur les finances des journaux. Mais la loi du 9 septembre 1835, dans l'émotion qui suit l'attentat de Fieschi contre le roi, réintroduit un large éventail de mesures répressives (censure préalable sur les dessins, obligation d'insérer les communiqués officiels, interdiction de toute attaque contre le roi ou le gouvernement, etc.). De même, la loi du 27 juillet 1849 remet en vigueur la plupart de ces mesures, supprimées pendant la période d'illusion lyrique.

Celle du 16 juillet 1850 durcit encore la réglementation : le cautionnement augmente ; le droit de timbre, supprimé au moment de la chute de la monarchie, est rétabli. Une disposition nouvelle, dite amendement Riancey, est particulièrement révélatrice : tout journal publiant un roman-feuilleton est frappé d'un droit de timbre supplémentaire d'un centime par numéro. Cette décision est en grande partie d'inspiration politique, plusieurs feuilletonistes ayant manifesté leur sympathie à l'égard des républicains socialistes. Mais elle représente aussi un pas supplémentaire dans le processus de reprise en main de la culture par les élites conservatrices. Le roman-feuilleton, aussi populaire que le mélodrame, avait su obtenir, lui, une vraie légitimité littéraire, au point de contraindre les plus grands – Hugo ou Balzac – à adapter leur conception du roman. À ce titre, il représentait une exception insupportable. Dès 1852, la surtaxation était supprimée, mais jamais le roman-feuilleton ne retrouvera son rang. Si, sous Napoléon III, Ponson du Terrail (*Rocambole*) ou Féval (*Le Bossu*) connaissent un immense succès, ils sont bien moins intégrés à l'institution littéraire que Sand, Dumas ou Sue.

Enfin, le second Empire se donne les moyens d'interdire tout journal politique non gouvernemental, l'administration s'accordant le pouvoir exorbitant de suspendre ou de supprimer un journal sans passer par la voie judiciaire. Tous les prétextes sont bons, du moins jusqu'en 1868, où l'empereur adopte, mais trop tard, une législation libérale : l'histoire de la presse se résume alors au jeu, drôle mais dérisoire, du chat et de la souris entre l'autorité et un journalisme d'opposition frondeur et moqueur.

Cette quasi-permanence de la censure sur la presse, de 1835 à 1868, a une immense portée littéraire. De fait, elle retarde d'autant l'émergence de la presse moderne, fondée sur l'information et le débat d'opinions, et le développement d'un journalisme professionnel. N'étant pour une bonne part qu'une forme vide de contenu, le journal apparaît comme un espace de création offert aux écrivains. Polémistes, chroniqueurs, critiques, feuilletonistes, les journalistes sont avant tout hommes de plume et gens de lettres : ce journalisme est littérature par défaut de politique et de démocratie. La menace permanente de la censure joue aussi son rôle, peut-être déterminant, dans les choix stylistiques et la poétique même des textes, où l'on observe deux évolutions symétriques et complémentaires. La prose courante, qui encombre les journaux, respire le plaisir du babil, la jubilation littéraire de bavarder sur rien, et cette écume verbale confine, chez les meilleurs, à un art authentique de la fantaisie, mi-ironique mi-poétique. Mais, parallèlement, l'autocensure à laquelle sont obligés les écrivains les conduit à travailler toujours sur l'implicite, à condenser l'expression de manière à faire entendre les messages sans les dire, à jouer systématiquement sur les allusions, les réseaux connotatifs, les systèmes de présupposition. Les œuvres de Baudelaire et de Flaubert ont en commun une opacité et une violence contenue qu'elles doivent à cette contrainte et qui, en retour, attireront l'attention de la justice.

La diversification de la presse

Bien sûr, le journal est aussi varié dans ses publics que dans ses formes qui, toutes, intéressent à quelque titre l'histoire littéraire.

La presse politique, malgré la concurrence de la formule Girardin à laquelle elle doit d'ailleurs s'adapter progressivement, continue à procurer aux différents secteurs de l'opinion le discours qu'ils attendent : presse gouvernementale (*Le Journal des débats* sous la monarchie de Juillet, *Le Moniteur* et *Le Constitutionnel* sous l'Empire) ; presse légitimiste et catholique ; presse d'opposition libérale et parlementaire ; presse progressiste et à tendance républicaine. Tous ces journaux, centrés sur le débat politique, font aussi largement écho à la vie culturelle. Sous l'Empire, *Le Moniteur* veillera ainsi à compenser son atonie en s'adjoignant les services de critiques renommés, notamment Sainte-Beuve et Théophile Gautier. Certains éditorialistes, par leur éloquence, se font parfois une réputation d'écrivain : tel Louis Veuillot (*L'Univers*), qui incarne le catholicisme ultramontain, à la rhétorique flamboyante et rugueuse.

Autre legs de la Restauration, la revue, dont la fonction est de revenir, dans de longs articles raisonnés et récapitulatifs, sur les aspects majeurs de la culture, s'efforce d'imposer son magistère intellectuel. La plus vénérable, la *Revue des Deux-Mondes* de François Buloz, fait figure d'institution ; elle achètera d'ailleurs, sous la monarchie de Juillet, sa principale concurrente, la *Revue de Paris*, créée comme elle en 1829. Avec leurs défauts, les revues jouent un rôle essentiel, particulièrement pour la pénétration en France des influences étrangères.

À côté de ce journalisme sérieux, parfois jusqu'à la solennité, la principale innovation est l'apparition d'une presse sectorialisée, à grande diffusion, visant le divertissement ou la vulgarisation : presse féminine (*La Mode*, *Le Journal des dames et des modes*, *La Mode illustrée*, etc.) ; presse familiale (*Le Musée des familles*, *Le Magasin pittoresque* : le terme reviendra en France sous la forme anglo-saxonne de *magazine*) ; presse enfantine (*Le Journal des demoiselles*, *La Semaine des enfants* de Larousse, *Le Magasin d'éducation et de récréation* de Hetzel) ; presse spécialisée (technique, financière, juridique, etc.). Tous ces secteurs du journalisme offrent à d'authentiques écrivains, outre des moyens de subsistance, le plaisir de se former l'écriture par les exercices de style les plus variés. Mallarmé débutera ainsi, en 1862, comme rédacteur du *Carrefour des demoiselles* et du *Journal des baigneurs* de Dieppe.

Dans l'univers de la « petite presse » – par opposition à la « grande », qui traite des questions politiques –, une place privilégiée doit être laissée aux journaux d'actualité culturelle, théâtrale et artistique, qui plonge ses racines au cœur du milieu littéraire. En 1836, Gérard de Nerval fonde *Le Monde dramatique* pour aider à sa carrière mais se ruine ; la même année, Balzac crée puis abandonne au bout de quelques mois la *Chronique de Paris*. Les deux anecdotes reflètent le mode de fonctionnement de cette presse : des écrivains, dont on retrouve d'ailleurs les noms de rédaction en rédaction, se réunissent, trouvent un bailleur de fonds, lancent un titre et refont joyeusement ensemble, mais pour un temps souvent bref, l'art et la littérature. Ces auteurs sont liés à la bohème ; ils pratiquent la blague, la provocation, et une éloquence grave où l'on ne peut démêler le sérieux du rire. En lutte permanente contre la censure et l'ordre moral, ces journaux, sous le second Empire, disparaissent et renaissent incessamment, sous un autre titre mais animés d'une égale impertinence ; ils sont les ferments de la littérature du temps, encore peu étudiés aujourd'hui sous cet angle.

Le théâtre : le temps de la maturité

L'engouement du public

Les premières années qui suivirent la révolution de Juillet se déroulèrent, au Boulevard, dans une ambiance de joie débridée : la censure était suspendue et, malgré l'interdiction qui tomba sur *Le roi s'amuse* de Victor Hugo en 1832, l'administration exerçait avec mesure son droit de contrôle. Comme pour la presse, elle revint à une politique plus sévère à partir de 1835, et Balzac en fit les frais en 1840, lorsque son *Vautrin* fut interdit après la première représentation. La raison était d'ailleurs étrangère au drame lui-même : Frédérick Lemaître, interprète du rôle titre et vedette du Boulevard, s'était grimé de manière à ressembler au roi. Car la censure se limite encore au terrain politique. Il en ira tout autrement à partir de 1850 : l'administration s'arrogera alors le droit de surveiller étroitement la morale des pièces – des intrigues, des textes et des mises en scène – et d'imprimer ainsi sa marque sur la création dramatique.

Cette évolution de la censure participe de l'embourgeoisement du théâtre, qui s'éloigne du public populaire qu'il avait conquis depuis la Révolution. Les nouvelles salles qui remplacent, dans le Paris haussmannien, les établissements pittoresques du Boulevard du crime, sont construites sur de nouveaux principes. Le parterre n'accueille plus aucun spectateur debout : tout le monde s'y assoit désormais, en en payant le prix : les plus pauvres doivent se cantonner dans les hauteurs, au « paradis ».

Mais, bourgeois ou populaire, le théâtre reste un spectacle dont toutes les composantes contribuent à susciter les émotions ou à faire sensation. La mise en scène tend à l'inflation. Selon l'argent et les moyens techniques dont on dispose, on aime à présenter de vastes tableaux, des machineries complexes, des décors en trompe l'œil, des praticables : la régie devient un élément essentiel du théâtre. Certains comédiens jouissent d'une popularité extraordinaire, qui éclipse les textes qu'ils ont à interpréter. À la Comédie-Française, la tragédienne Rachel sauve par sa diction admirée le répertoire classique ; dans les emplois de comédie, Mlle Mars triomphe. Au Boulevard, Marie Dorval et Frédérick Lemaître, superbe dans les rôles d'aventurier, sont les principaux acteurs du drame romantique.

Le spectacle est aussi dans la salle, qui reste éclairée pendant la représentation. On se regarde, s'épie, se mesure. Espace de confrontation ou de séduction, le théâtre obéit à des rites subtils de sociabilité qui se poursuivent dans les cafés et les restaurants où l'on soupe, parfois en compagnie d'actrices qui, mal payées, ne dédaignent pas les revenus annexes – voire principaux – d'une prostitution déguisée.

Le théâtre est donc le centre de l'hédonisme bourgeois qui triomphe tout particulièrement sous le second Empire. Comment imaginer que la question littéraire, constamment débattue sous la Restauration, pût devenir mieux qu'un débat secondaire et sans portée concrète ? À ce malentendu tient d'abord, sans doute, l'échec du drame romantique. Alors que Hugo cherche à repenser sur de nouvelles bases l'art dramaturgique, les auteurs à succès continuent d'exploiter, mais en les affinant, les deux formes canoniques du spectacle fictionnel, le mélodrame et le vaudeville.

Du mélodrame au drame réaliste

La tragédie plus qu'essoufflée, le mélodrame prospère mais sans ambition ni dignité littéraire : telle était la situation lorsque, à la fin de la Restauration, Victor Hugo avait imposé avec éclat *Hernani*. Cependant, la victoire fut éphémère. Hugo connut d'autres succès : *Lucrèce Borgia* au théâtre de la Porte-Saint-Martin en 1832, *Angelo, tyran de Padoue* à la Comédie-Française en 1835, *Ruy Blas* en 1837 au théâtre de la Renaissance qu'il vient de créer avec Dumas. Mais ces réussites s'accompagnent de critiques mitigées, de plus en plus perplexes de pièce en pièce. Hugo n'a pas voulu assouplir la technique mélodramatique en atténuant ses effets, comme le fit Vigny, en 1831, avec son drame *Chatterton*. Il prit le parti opposé, et magnifia le mélodrame – tout le mélodrame, sa rhétorique grandiloquente et ses coups de théâtre – en le coulant dans sa poésie épique. Ses textes splendidement excessifs exaspéraient davantage le clan des classiques, toujours influent à la Comédie-Française. Peu de contemporains ont d'ailleurs pris la vraie mesure de la révolution dramaturgique qu'impliquait le théâtre hugolien : fonder, dans une perspective très moderne, la poétique du théâtre sur les contraintes scéniques, non malgré elles.

Hugo a aussi échoué au Boulevard, parce que le public ne trouvait pas son compte d'émotions et de suspens. Sans doute le succès à l'Odéon de la *Lucrèce* de Ponsard, qui passe pour un avatar de la tragédie classique, coïncide-t-il, en 1843, avec la chute des *Burgraves*. Mais c'est surtout la vigueur du mélodrame qui condamne le drame romantique, comme le roman-feuilleton aura provisoirement raison de Balzac. Le drame évolue donc, assez logiquement, dans la direction opposée à celle que préconisait Hugo. À l'instar de l'*Antony* de Dumas (1831) – le vrai triomphe du drame romantique –, on tend à accélérer le rythme de l'action, à privilégier les répliques percutantes au détriment des longues tirades, à simplifier les caractères. Dernière mue du mélodrame : après les pièces historiques à la Dumas père, le second Empire jette son dévolu sur la représentation « réaliste » des mœurs contemporaines et des drames de la corruption morale, où s'imposent Émile Augier et Dumas fils (*La Dame aux camélias*, 1852).

Le triomphe du rire

Le XIXe siècle a encore plus aimé s'amuser que pleurer, et il est impossible d'analyser ici l'extraordinaire variété des expressions scéniques et des formes génériques du comique. La forme dominante, sous la monarchie de Juillet, demeure le vaudeville. Cette comédie légère agrémentée de couplets chantés s'est désormais rapprochée, grâce à Eugène Scribe qui règne encore sur le genre, de la comédie classique, par la complexité et la précision de ses intrigues. Entre les chansons plaquées sur de vieux airs et les dialogues, la cote paraît mal taillée. Le second Empire achève de mener à terme un dédoublement prévisible : d'un côté le vaudeville, devenu comédie-vaudeville, renonce de plus en plus systématiquement à la musique et ressemble, comme dans l'œuvre d'Eugène Labiche, à la comédie satirique ; de l'autre, la musique, renouvelée et revivifiée par le génie d'Offenbach (*Orphée aux enfers*, 1858 ; *La Belle Hélène*, 1864), revient au premier plan, et le vaudeville est rebaptisé opérette.

Théâtre à lire et de salon

Le Boulevard est donc en fête, s'abandonne au tourbillon des pièces légères ou larmoyantes. Mais l'écart est plus immense que jamais entre le monde du théâtre et celui de la littérature. Dans *Mademoiselle de Maupin* (1834), Théophile Gautier qui, ironie du sort, sera pourtant avec Jules Janin le plus grand critique dramatique de son temps, songe à un théâtre idéal, évidemment fantasmagorique et irréalisable, où

> « tout se noue et se dénoue avec une insouciance admirable : les effets n'ont point de cause, et les causes n'ont point d'effet [...]. L'action plonge dans la mer sous le dôme de topaze des flots, et se promène au fond de l'Océan, à travers des forêts de coraux et de macrépores, ou elle s'élève au ciel sur les ailes de l'alouette et du griffon [...] tout l'esprit de l'auteur s'y fait voir sous toutes ses formes ; et toutes ces contradictions sont comme autant de facettes qui en réfléchissent les différents aspects, en y ajoutant les couleurs du prisme ».

Par refus du théâtre et de ses grossiers procédés, on s'habitue à composer des pièces pour les lire ou, comme l'habitude en renaît sous le second Empire, à les faire jouer dans les salons aristocratiques et à la Cour. Le théâtre survit en s'excluant de la scène, comme si l'art dramatique devait se préserver de ce qui le constitue comme spectacle. Ainsi est-ce après son échec à la scène (*La Nuit vénitienne* en 1830) que Musset écrit pour le seul public du livre ou de la revue toutes ses pièces, pourtant les plus représentables des drames romantiques selon bien des metteurs en scène contemporains. Victor Hugo, lui, rédigera, en exil et pour la lecture, son *Théâtre en liberté*. Le romantisme, qui avait tant attendu du peuple, se privait de l'unique espace réel où le public prenait corps et visage, échouant par là même où, croyait-il à l'origine, il devait s'accomplir dans l'Histoire.

Portraits

Alexandre Dumas fils (1824-1895)

À cause du nom qu'il porte, grâce aussi à l'énorme succès que remporte sa première pièce, *La Dame aux camélias*, en fait peu représentative de sa dramaturgie, Dumas fils est un des très rares auteurs à avoir survécu au naufrage général du théâtre français de la seconde moitié du XIXe siècle, sur lequel, en effet, il a régné en maître incontesté. Ce naufrage n'est pas la moindre étrangeté de nos pratiques habituelles d'histoire littéraire : alors que jamais, sans doute, le théâtre n'a joué un tel rôle culturel et social que dans la France haussmannienne, aucune période de son histoire n'a été aussi profondément enfouie dans notre mémoire ; elle constitue pourtant une étape indispensable pour comprendre la transition entre le drame romantique, construit autour d'une vision poétique et mélodramatique de l'Histoire, et la pièce à thèse, telle qu'elle se codifie à la fin du siècle : pour cette seule raison, Dumas fils mériterait d'être relu et étudié.

Le fils du grand homme

Les circonstances biographiques ont pesé dans les orientations idéologiques et psychologiques de l'œuvre : fils naturel de l'auteur des *Trois Mousquetaires* et d'une lingère, enfant illégitime comme l'était d'ailleurs son père, le jeune Alexandre a souffert de cette marque d'infamie sociale, ainsi que de l'existence précaire et étriquée qui fut le lot de sa mère. Adolescent, il a partagé la vie débridée de son père ; il a vu, derrière l'apparence du faste et du luxe, l'accumulation des dettes et les réalités avilissantes du demi-monde, où Dumas père trouve la plupart de ses relations féminines. Très tôt, le fils a donc éprouvé et vécu de l'intérieur les valeurs dominantes de l'époque : la haine de l'adultère, le mépris des arrangements que le corps désirant – celui de l'homme comme de la femme – prend avec la morale, le dégoût des faiblesses de l'esprit devant les exigences de la chair, le respect des familles.

La Dame aux camélias – roman en 1848, drame en 1852 – résonne d'une tonalité encore sentimentale, comme un lointain écho du romantisme d'*Antony* : une courtisane de haut vol, Marguerite Gautier, meurt de phtisie, désespérant Armand Duval, le jeune homme pur et amoureux qui n'a pu la sauver de l'enfer où elle vivait, entraînée par la pulsion suicidaire que lui inspirait son mal fatal – ainsi que, plus prosaïquement, le besoin d'argent et l'intervention de M. Duval père. L'amoureux pardonnera d'ailleurs à la morte, prononçant une de ces formules finales dont raffolait le public d'alors : « Dors en paix, Marguerite : il te sera beaucoup pardonné parce que tu as beaucoup aimé. »

Derrière cette nouvelle incarnation de la « prostituée cracheuse de sang » se cachait la très réelle Marie Duplessis, que Dumas avait aimée et qui était morte de tuberculose. D'où l'émotion qui subsiste dans l'œuvre, plus sensible encore dans le roman que dans la pièce. Dans ses productions ultérieures, le dramaturge condamnera et châtiera avec bien plus d'indifférence les écarts de ses héroïnes. Dans *Diane de Lys*, une aristocrate trompe son mari avec un artiste : le mari, plein de son bon droit, tue l'amant. Dans *Le Demi-Monde*, le public apprend tout le mal que font les aventurières du sexe aux mâles du vrai monde. Dans *Le Fils naturel* (1858) et *Un père prodigue* (1859), Dumas revient, par la fiction et en moralisateur, sur l'histoire de sa vie et celle de son inconscient de père. Dans *L'Ami des femmes* (1864), un vrai connaisseur de la psychologie féminine – M. de Ryons, une des nombreuses incarnations de l'auteur, dans le rôle de l'expert et de l'ami désintéressé – ramène à son époux une femme mariée que sa nuit de noces catastrophique allait indûment détourner de son devoir de fidélité et d'amour conjugal. Dans *Une visite de noces* (1871), un homme assurément dévergondé serait prêt à tromper la femme qu'il va épouser avec celle qu'il vient de quitter ; mais celle-ci lui jette au visage cette autre célèbre réplique : « Pouah !»... Dans *La Femme de Claude* (1873), un savant trompé tue sa femme débauchée et traîtresse à sa patrie. Dans *L'Étrangère* (1879), c'est l'amant que le mari tue. Avec *Francillon*, énorme succès qui, en 1887, termine glorieusement la carrière dramatique de Dumas fils, une femme trahie amène à résipiscence son mari volage en le menaçant de lui rendre la monnaie de sa pièce. Dès lors, il jouit pendant ses dernières années de sa renommée et de son immense fortune, acquise grâce aux droits d'auteur cumulés de son père et de lui-même – non sans avoir connu le bonheur de pouvoir, à la mort de sa femme, épouser sa maîtresse.

Drame réaliste ou théâtre à thèse ?

Par ses pièces – bien plus que par ses romans, qu'il continue à publier épisodiquement –, Dumas a conquis la première place. Non seulement c'est un auteur capable d'assurer la recette, mais il fait figure d'homme de lettres, aussi respectable que brillant. Contrairement à son père, qui ne fut jamais socialement qu'un génie haut en couleur mais peu convenable, il est reçu dans le grand monde ; il entre à l'Académie française en 1874 et trône dans le salon de Mme Aubernon – une des antichambres mondaines de l'Académie, sous la IIIe République.

Sans doute est-il difficile aujourd'hui de se représenter un tel succès pour un dramaturge dont la thématique obsolète et la manière inlassable de morigéner la femme, toujours sur le point de fauter ou de pousser à la faute, sont terriblement datées : comme Balzac, Dumas fils exploite la question du mariage et de ses infractions, en y ajoutant la morgue qui se généralise, sous le second Empire, dans le discours masculin. Il convient d'ailleurs de préciser que, s'il condamne les relations extra-conjugales, il milite aussi, en contrepartie, pour un assouplissement de la législation sur le divorce, contribuant ainsi à l'émancipation sociale de la femme.

Surtout, il serait injuste que la portée idéologique de ses pièces, qui reflète l'état de l'opinion, empêche de distinguer son apport à l'évolution du théâtre. Dumas fils est un des tout premiers à attendre du drame une représentation, bien sûr stylisée, de la vie réelle et des problèmes concrets qui intéressent le public. Avec Hugo et Dumas père, le drame romantique avait opté pour la transfiguration, fantaisiste ou épique, du passé. Dumas fils, lui, revient à l'option stendhalienne : celle d'un théâtre du réel, écrit en prose. Aussi a-t-on pu voir en lui le promoteur du réalisme au théâtre et – au grand dam du principal intéressé – l'*alter ego*, pour la scène, de Flaubert.

Mais il a bien conscience que la mimésis dramatique ne dispose pas des moyens divers de la fiction narrative. Sa fonction pour lui n'est donc pas tant d'imiter le réel que de le soumettre à la réflexion et au jugement du public, grâce à une schématisation dramatique des problèmes qu'il soulève. Le drame a donc d'abord une fonction idéologique ; il est la projection dans l'espace scénique d'un débat général. Sartre écrira plus tard que le théâtre est « une conversation où des gens se jettent à la figure des choses qu'ils ont à se dire » ; Dumas ne pensait pas autrement et il fut l'initiateur de la « pièce à thèse », exploitée à la fin du siècle par Eugène Brieux ou Paul Hervieu.

Il met ainsi au jour la dimension argumentative de l'écriture dramaturgique, si forte déjà dans la tragédie et la comédie classiques, mais alors occultée par le prestige poétique du vers. Il est vrai qu'un pan entier du théâtre moderne s'est construit, d'Artaud à Beckett, contre cette mise en discours de la pensée, souvent réduite à un chapelet de mots d'auteur. On ne peut pour autant considérer comme une erreur passagère ce qui constitua la partie vive d'un siècle du théâtre français – du second Empire au théâtre de l'absurde – ni dédaigner son premier représentant.

Bibliographie

• Éditions :
Théâtre complet, Paris, Calmann-Lévy, 8 vol., 1882-1893. – *La Dame aux camélias* (roman), G. Sigaux et H.-J. Neuschafer éd., Paris, Garnier-Flammarion, 1981.

• Sélection de travaux critiques :
P. Lamy, *Le Théâtre d'Alexandre Dumas fils*, Paris, PUF, 1928. – G. Octavian, *Le Théâtre de Dumas fils et la société contemporaine*, Nancy, Société d'impressions typographiques, 1931.

* * *

Eugène Labiche (1815-1888)

Fadinard doit épouser Hélène Nonancourt. Mais, catastrophe : son cheval a mangé le chapeau de paille d'une inconnue… M. Perrichon, carrossier à la retraite, emmène sa petite famille à la montagne. Sa fille Henriette est courtisée par deux amants, Armand et Daniel, qui se la disputent et cherchent à séduire le père ; au cours d'une excursion, Armand sauve Perrichon qui s'est aventuré dans un glacier, mais un peu plus tard Daniel a la chance d'être secouru par Perrichon en personne, ce qui lui vaut beaucoup plus de reconnaissance… Tels sont les arguments respectifs des deux comédies les plus célèbres de Labiche, *Un chapeau de paille d'Italie* (1851) et *Le Voyage de Monsieur Perrichon* (1860). Des arguments d'une banalité déconcertante, mais au départ desquels se trament des histoires à faire rire aux larmes. Il n'en faut pas davantage pour qui sait tirer les ficelles d'un genre, le vaudeville, qui se nourrit exclusivement de rebondissements, de situations abracadabrantes et de quiproquos.

Labiche est l'auteur de 173 comédies de ce type-là ; il est, comme l'a dit Zola, « le rire de la bourgeoisie française d'un quart de siècle » (*Nos auteurs dramatiques*, 1881). Mais s'il se distingue des nombreux autres vaudevillistes qui ont débuté sous le second Empire et fait fortune sous la IIIe République, c'est qu'il sait se moquer de la bourgeoisie à laquelle il appartient. Son arme spécifique : le langage des bourgeois, qu'il tourne en dérision ; les bons mots suffisants, les stéréotypes absurdes, les incongruités pseudo-savantes, la préciosité et la langue de bois, Labiche en fait son miel et c'est la raison pour laquelle son théâtre reste vivant aujourd'hui. De nombreuses tirades ont fait les gorges chaudes de plusieurs générations de spectateurs, notamment, celle-ci, digne d'un Ionesco : « Ce n'est pas pour me vanter, mais il fait joliment chaud aujourd'hui ! »

Né à Paris en 1815, fils d'un industriel spécialisé dans l'alimentaire, il poursuit, en bon bourgeois, des études de droit qu'il abandonne au profit de la critique théâtrale. Sa première pièce, *Monsieur de Collyn ou l'Homme infiniment poli* (1838), ouvre triomphalement une carrière prodigieusement fertile et gérée comme une entreprise. Labiche s'adjoint rapidement des collaborateurs (dont certains grâce à lui auront leur heure de gloire : Auguste Lefranc, Marc-Michel, Émile Augier), ce qui lui permet d'écrire, dans ses meilleurs moments, cinq à six vaudevilles par an qui sont joués dans les meilleurs théâtres (le Palais-Royal, le Gymnase, la Comédie-Française) par les meilleurs acteurs du temps (Grassot ou Geoffroy dans le rôle du père de famille, même Sarah Bernhardt a joué une de ses pièces).

La politique n'est pas sa tasse de thé, ni dans la vie ni au théâtre. Candidat battu à la députation en 1848, il est devenu maire de Souvigny en Sologne pendant la guerre de 1870 et ses positions sont celles d'un conservateur anti-démocrate. Son théâtre est porté par un conservatisme bon ton qui substitue à la critique sociale une drôlerie tout en surface. Labiche est un homme d'ordre, qui sait s'amuser et fait rire quand il faut, mais qui connaît aussi les limites de la bienséance, notamment celles qui touchent au fondement de la vie sociale, la famille. Aussi aucune transgression dans son théâtre, pas même lorsqu'il s'amuse de la langue de bois du bourgeois. Ce qu'il donne à voir dans ses pièces, ce sont des déviances légères et passagères qui troublent sans grand danger le quotidien du bourgeois nanti. Ramener l'écart à la norme, ne pas laisser s'écarter la norme, telle semble être la règle implicite de Labiche. Car le ridicule tue. De cela tous les protagonistes de ses pièces sont conscients : s'ils voyagent souvent, c'est bien entendu pour mieux rentrer à la maison et pour offrir au spectateur une sortie toute provisoire hors d'eux-mêmes, uniquement pour voir et… pour rire puisque l'incartade est déjà une situation comique en soi. On rentre donc, toujours plus content de soi et fier des exploits qui n'ont d'héroïques que leur narration.

Rien de tel donc qu'un *Voyage autour de ma marmite* (1859), et rien de pire que la sortie des rangs – lorsque par exemple on recherche pour sa progéniture des partis hors de portée (*Un mari qui lance sa femme, Le Point de mire, La Poudre aux yeux*) ou que l'on surestime sa fortune. Le péché d'orgueil des arrivistes, Labiche le condamne par le ridicule ; sans jamais faire de morale, son théâtre rappelle au bourgeois les valeurs qui font sa force : conformité, travail, honnêteté et surtout bonheur de vivre. C'est dans cet univers-là que le théâtre de Labiche s'enferme joyeusement. Joyeusement car il a beaucoup à dire à cette bourgeoisie en pleine ascension. En manque d'identité, elle n'attend qu'une chose, c'est qu'on lui montre qu'elle existe, fût-ce dans ses toutes petites affaires.

Son succès, il le doit essentiellement à la manière dont il a su renouveler le vaudeville tel qu'il était pratiqué jusque dans les années 1840. Prolongeant l'œuvre de Scribe (400 pièces) dont on reprochait les platitudes et les facilités, Labiche a opté pour une comédie entièrement consacrée au texte, au dialogue et à l'intrigue, laissant définitivement à l'opérette le divertissement musical qui accompagnait traditionnellement le vaudeville. Tout son art consiste à mettre l'absurde en situation : son théâtre règle à la perfection les effets comiques en faisant alterner, au cours d'une intrigue qui exige toute l'attention du public, surprises et quiproquos, apartés et dialogues de sourds.

C'est dans cette gaieté et avec cette bonne humeur que Labiche a fait les beaux jours de la fête impériale. Après la débâcle de 1870, il a beau servir les grands théâtres de spectacles de la même eau (*Trente Millions de Gladiator*, *Le Prix Martin*) qui lui rapportent encore de l'argent, le public, lui, ne rit plus. Il n'a que faire des fastes de l'empire ; appauvri, le bourgeois de la République sait que les temps nouveaux sont durs. La dernière pièce de Labiche, *La Clé* (1877), met en scène un vieillard qui se laisse dépouiller par les siens et un jeune homme hargneux, incarnation de deux époques antagonistes. Labiche arrêtera d'ailleurs sa carrière de dramaturge avec cette pièce, il consacre ses dernières années à la publication de son théâtre.

Bibliographie

• Éditions :
Œuvres complètes, G. Sigaux éd., Paris, Club de l'honnête homme, 1967-1968, 8 vol. – *Théâtre*, G. Sigaux éd., Paris, Garnier-Flammarion, 3 vol.

• Études d'ensemble :
Ph. Soupault, *Labiche, sa vie, son œuvre*, Paris, Sagittaire, 1945 (rééd. Mercure de France, 1964). – J. Autrusseau, *Labiche et son théâtre*, Paris, L'Arche, 1971.

Chapitre 18

Gautier

Malgré un léger regain d'intérêt, le nom de Théophile Gautier (1811-1872) brille d'un bien plus faible éclat aujourd'hui que de son vivant. On le connaît essentiellement pour le recueil *Émaux et Camées*, censé préparer le terrain au Parnasse, et pour deux de ses romans, *Le Roman de la momie* et *Le Capitaine Fracasse*, dont l'étude est réservée, on ne sait pourquoi, aux classes de collège.

Pourtant, Gautier fut à son époque aimé et admiré comme un modèle de maîtrise littéraire ; il fut le disciple fidèle de Victor Hugo, l'ami de Balzac, de Nerval, puis de Flaubert, un maître pour Baudelaire – si du moins Baudelaire eut des maîtres – en poésie comme en critique d'art. Il a laissé une production aussi variée que nombreuse : romans, nouvelles, poèmes, fantaisies théâtrales, sans compter la masse immense des articles de journaux.

Peut-être était-il trop naturellement doué pour faire l'effort de créer et d'imposer un texte – non pas seulement un style. À moins que sa désinvolture coutumière, qui séduisait tant ses confrères en littérature, ne constituât une manière de défi à l'égard d'une culture où, jugeait-il comme tant d'autres romantiques, le Beau n'avait plus sa place. Il serait alors ce génie paradoxal qui, poussant jusqu'au bout son ironie d'artiste, aurait pris le risque, face à la postérité, de manquer son œuvre.

Du Jeune-France au familier de la princesse Mathilde

Une fois n'est pas coutume : Théophile fut un enfant heureux, aimé de ses parents et de ses deux sœurs, dont il assura la vie matérielle à partir de la mort du père, en 1854. Car la famille n'est pas riche, d'autant que le père, fonctionnaire et serviteur zélé de la monarchie restaurée, a poussé son enthousiasme royaliste jusqu'à risquer et perdre son patrimoine dans une spéculation malheureuse, à l'occasion des ordonnances de juillet 1830 qui provoquèrent la chute de Charles X.

Mais, alors âgé de dix-neuf ans, Gautier se soucie encore peu des questions matérielles. Au collège, il s'est passionné pour la littérature, s'est lié avec Gérard Labrunie (Nerval) ; en 1828, il a suivi des cours de peinture ; il a été reçu, dès 1829, chez Victor Hugo, dans son cénacle de la rue Notre-Dame-des-Champs. C'est d'ailleurs lui qui, arborant le 25 février 1830 son célèbre gilet rouge, dirige la claque des étudiants et des rapins en faveur d'*Hernani*, assurant le succès de la représentation. La même année, il publie un premier recueil de *Poésies*. Membre fondateur du « petit Cénacle » (Nerval, Pétrus Borel, O'Neddy…), il allie, dans des nouvelles écrites avec une verve juvénile, le fantastique et une ironie joyeuse (*La Cafetière*, 1831 ; *Omphale*, 1834…). À la même veine appartient, en 1832, le long poème *Albertus ou l'Âme et le péché* et, en 1838, *La Comédie de la mort*.

La fantaisie prend vite le pas sur le style frénétique. En 1833 paraît le recueil *Les Jeunes-France, romans goguenards*, suite de récits souriants où Gautier offre au romantisme débridé de ses amis la plus réussie des parodies. Pourtant, il ne se veut pas seulement un provocateur ou un amuseur, mais le continuateur des poètes d'avant le classicisme (les Villon, Colletet, etc.), auxquels il consacre des articles publiés en volume, en 1844, sous le titre *Les Grotesques*. En 1835, il réunit dans *Mademoiselle de Maupin* l'ensemble de ses sources d'inspiration : l'ironie, l'esthétisme, l'époque Louis XIII, l'érotisme distancié. Le prétexte à cette longue suite de brillantes digressions est l'histoire de Mlle de Maupin qui, déguisée en homme, part à la recherche de l'amant parfait et le trouve dans l'ennuyé d'Albert, double transparent de Gautier. Le roman est précédé d'une préface très violente, vraie déclaration de guerre contre la critique bien-pensante et moralisatrice.

Mademoiselle de Maupin est, comme on s'en doute, applaudi par le clan des romantiques, critiqué par ses détracteurs. Mais très peu perçoivent la vraie portée de l'œuvre, sa profondeur et sa sincérité artistiques. Publié en 1838, le roman *Fortunio*, qui mêle l'amour, le luxe et le mystère, donnera la même impression de brio peut-être superficiel ; c'était pourtant l'œuvre où s'exprimaient, de la manière la plus explicite, les obsessions intimes de l'auteur. Ces demi-échecs infléchissent la carrière de Gautier qui, déçu, doit par ailleurs gagner sa vie. Lui qui a jeté les pires anathèmes contre la presse – mais avec une verve que n'ont pas manqué de relever des directeurs avisés –, il est obligé de se faire journaliste. En 1836, il commence à rédiger des articles de critique pour la *Chronique de Paris* de Balzac et, surtout, pour *La Presse* de Girardin dont il sera l'un des principaux collaborateurs jusqu'au second Empire. À partir de 1841 s'ajouteront, entre autres, des contributions à la *Revue de Paris* et à la *Revue des Deux-Mondes*. Pendant la monarchie de Juillet, il passe pour l'une des plumes les plus alertes et les plus vigoureuses de la critique théâtrale et artistique. Son sens de la description et de l'anecdote en fait aussi un excellent raconteur de voyage (*Voyage en Espagne*, 1843). Parallèlement, il continue à publier ses récits fantastiques, écrit des ballets (notamment *Giselle*, en 1841) et des petites pièces de théâtre pour le Boulevard. Il s'agit pour lui d'une période brillante et féconde, mais épuisante pour l'homme et décevante au regard de ses premières ambitions d'écrivain. Aussi rêve-t-il encore d'une création poétique rigoureuse, aussi parfaite plastiquement que la statue ou l'objet d'orfèvrerie : ce sera, en 1852, le recueil *Émaux et Camées.*

Cette carrière de polygraphe professionnel se poursuit sous le règne de Napoléon III. Mais Gautier est passé au *Moniteur universel* : il y est mieux payé, y jouit d'un statut semi-officieux, et conforme parfois ses critiques à l'attente de ses employeurs – sauf sur un point : il ne transigera jamais sur son admiration pour Hugo l'exilé. S'il ne parvient pas à être élu à l'Académie française, il est pensionné par le pouvoir, choyé par la princesse Mathilde dont il est, à partir de 1868, le bibliothécaire, et chargé la même année d'un *Rapport sur les progrès de la poésie en 1867.* Ses contes fantastiques acquièrent une plus grande consistance symbolique (*Avatar*, *Jettatura*, *Spirite*) ; il publie enfin en 1861 *Le Capitaine Fracasse*, attendu depuis 1835. L'histoire de ce noble mais pauvre Gascon, qui trouve dans le théâtre à employer ses qualités de cœur et d'esprit, constitue un apologue transparent et une confidence mélancolique. Mais Gautier, qui a travaillé sans trêve pour subvenir aux besoins de ses maîtresses, de ses sœurs et de ses trois enfants, est de plus en plus fatigué et désabusé. Il scandalise par son cynisme tranquille d'écrivain professionnel les Goncourt, qui rapportent ses propos dans leur *Journal* :

> « Moi, le matin, ce qui m'éveille, c'est le rêve que j'ai faim. Je vois des viandes rouges, des grandes tables avec des nourritures, des festins de Gamache. La viande me lève. Quand j'ai déjeuné, je fume. Je me lève à 7 h et demie, ça me mène à 11 h. Alors je traîne un fauteuil, je mets sur la table le papier, les plumes, l'encre, – le chevalet de la torture. Et ça m'ennuie ! Ça m'a toujours ennuyé d'écrire, et puis, c'est si inutile !... Là, j'écris comme ça, posément, comme un écrivain public [...]. Je ne pense jamais à ce que je vais écrire. Je prends ma plume et j'écris. Je suis homme de lettres, je dois savoir mon métier » (1er janvier 1857).

La chute de l'Empire et la défaite ajoutent à son désarroi moral et matériel. Il meurt en octobre 1872, après avoir marié sa dernière fille et publié les souvenirs qui constitueront, en 1874, son *Histoire du romantisme.*

Une esthétique du rire

Comme son contemporain Musset ou ses cadets Baudelaire et Flaubert, Gautier est intimement convaincu que le temps n'est plus, s'il l'a jamais été, aux grandes doctrines philosophiques ou aux perspectives d'avenir. Irréductiblement sceptique, il pense que la littérature n'a plus rien à dire mais qu'elle doit, du moins, meubler avec élégance l'espace qu'elle occupe. Il faut bien écrire, puisqu'il y a toujours des livres, mais à quoi bon ? Comme il lance plaisamment dans sa préface des *Jeunes-France*,

> « qu'est-ce qui empêche de mettre la préface et la table côte à côte, sans le remplissage obligé de roman ou de contes ? Il me semble que tout lecteur un peu imaginatif supposerait aisément le milieu, à l'aide du commencement et de la fin ».

Ce que Gautier met ici en cause, d'une formule comique mais radicale, c'est la nécessité même de faire œuvre, qui ne résulterait plus que d'une obstination bornée. Le d'Albert de *Mademoiselle de Maupin*, lui, est trop intelligent pour se résigner à être génial :

> « Je n'ai pas le degré de stupidité nécessaire pour devenir ce qu'on appelle absolument un génie, ni l'entêtement énorme que l'on divinise ensuite sous le beau nom de volonté [...] Les hommes de génie sont bornés, et c'est pour cela qu'ils sont hommes de génie. Le manque d'intelligence les empêche d'apercevoir les obstacles qui les séparent de l'objet auxquels ils veulent arriver. »

Méfions-nous de l'apparence de plaisanterie : Baudelaire s'est parfaitement retrouvé dans cette improductivité assumée et, si l'on y songe, absolument désespérante.

Il ne reste alors à l'écrivain qu'une alternative. Soit il apprend à se taire : l'évolution de la poésie de Gautier, partie de la langue fluide et colorée d'*Albertus*, reflète une raréfaction systématique et volontaire de la parole versifiée, jusqu'aux pièces brèves, presque prosaïques par excès de sécheresse et pauvreté d'imagination, d'*Émaux et Camées*. Soit il parle indéfiniment, pour ne rien dire, glosant son amour des belles choses et sa nonchalance de vivre. La citation de Molière que Gautier met en épigraphe des *Jeunes-France* vaut assurément pour l'œuvre entière : « Je dis toujours la même chose, parce que c'est toujours la même chose ; et si ce n'était pas toujours la même chose, je ne te dirais pas toujours la même chose » (*Dom Juan*, II, 1 : c'est Pierrot qui parle).

En l'occurrence, le message identique que répètent inlassablement les œuvres de Gautier, aussi diverses paraissent-elles, tient en deux points. D'une part, à la nature humaine corruptible et défaillante, le véritable artiste doit opposer le culte exclusif du Beau, de l'« art pour l'art ». D'autre part, la condition esthétique de cet esthétisme est le rire, grâce auquel l'écrivain libère son imagination et se préserve de tous les dévoiements rhétoriques de la sentimentalité.

Écrire le fantastique

Mais comment éviter de bavarder, à longueur de colonnes ou de pages pétillantes d'esprit, à propos d'un tableau, d'une statue de marbre, d'une nouvelle actrice ou d'un opéra ? Comment concilier l'idéal de beauté, par hypothèse inaccessible, l'universalité du rire et l'œuvre, singulière et finie, que le créateur doit élaborer ? C'est finalement dans la forme du récit fantastique, héritée d'Hoffmann mais redéfinie en fonction de sa propre sensibilité, que Gautier trouve la possibilité d'une synthèse.

L'hésitation entre le réel et le surnaturel, le vraisemblable et l'onirique introduit d'emblée un dédoublement qui, sur le plan de la fiction, est le strict équivalent du principe d'ironisation. Les amateurs d'épouvante ne doivent pas s'attendre à trouver leur compte d'émotion – d'où, au passage, le relatif oubli dans lequel sont tombées les nouvelles de Gautier. Au contraire, les personnages se tiennent dans un décor indistinct, où les repères de l'espace et du temps finissent par être estompés. Peu importe que, dans *Jettatura*, Paul d'Aspremont ait effectivement le mauvais œil et tue de ses regards éperdus d'amour sa fiancée, puisque tout le monde le croit et que, finalement, Alicia meurt en effet d'une maladie de consomption.

Il n'y a pas lieu d'être effrayé, mais au contraire de s'attendre à tout et de s'abandonner à la pure fantaisie qui régit l'univers de Gautier. Cette ambiguïté constitutive du fantastique est d'ailleurs redoublée, dans plusieurs nouvelles, par le thème du double. Dans la nouvelle du même nom, le Chevalier double est aux prises avec son *alter ego* diabolique. Dans *Deux Acteurs pour un rôle*, le vrai Méphistophélès se substitue au comédien qui a usurpé son rôle. La Prascovie Labinska d'*Avatar* doit démêler si elle a en face d'elle son mari ou un substitut magique.

En outre, le fantastique intervient toujours à la faveur d'une émotion esthétique supérieure : il révèle littéralement au lecteur que la beauté est un mystère, le seul peut-être qui pose à l'homme un vrai problème métaphysique. Il naît à la contemplation des ruines de Pompéi dans *Arria Marcella,* des décors enchanteurs des palais vénitiens dans *La Morte amoureuse* ou du « pied de momie » qui donne son titre au récit de 1840. Quant au narrateur intradiégétique d'*Omphale*, il passe les nuits les plus voluptueuses avec Omphale, qui se détache obligeamment de la tapisserie ancienne où elle est tissée pour venir le rejoindre dans son lit.

De fait, le sentiment esthétique sert à son tour à préparer et à approfondir l'évocation érotique. Au pathétisme des sentiments ou à la violence du désir Gautier substitue l'admiration des corps, en sorte que l'homme et la femme communient dans le plaisir artistique qu'ils se donnent en s'offrant mutuellement au regard de l'autre. La logique réelle de l'appropriation cède le pas à un idéal de contemplation sensuelle, source d'infinies jouissances. L'érotisme est plus qu'une grâce piquante dont se pare le récit : elle est la clé de la poétique de Gautier, et nous en dévoile l'intime tragédie. Car l'amour parfait n'est jamais qu'un instant improbable arraché aux ténèbres de la mort ou à l'univers factice de l'art : vampire (*La Morte amou-*

reuse), esprit d'une jeune fille morte de chagrin (*Spirite*), pied de momie, empreinte en plâtre d'un corps féminin (*Arria Marcella*), la femme n'est vouée au plaisir de l'homme que pour devenir l'aliment inépuisable de son regret. Quant à l'écrivain, il a pour seule vocation de redire, intarissablement, l'évanouissement de son bonheur effleuré, la disparition d'un être immatériel et problématique dont il n'a même pas la possibilité de porter le deuil.

Le génie de l'abondance

Mais Gautier ne peut s'en tenir toujours à cet idéal inaccessible, que scénarise chacune de ses nouvelles et dont ses deux principaux récits, *Mademoiselle de Maupin* et *Le Capitaine Fracasse*, orchestrent, ici avec nostalgie, là avec ironie, toute la thématique. Ainsi retrouve-t-on dans les deux romans le dédoublement (Mlle de Maupin / Théodore, le baron de Sigognac / Fracasse) et l'esthétisation d'un passé révolu (le règne de Louis XIII) ; dans les deux dénouements, le bonheur est renvoyé hors de portée humaine : Mademoiselle de Maupin s'est donnée à l'homme qu'elle aime, mais pour une seule nuit de parfaite volupté ; le capitaine Fracasse, selon le plan prévu par l'auteur, aurait dû revenir solitaire, pauvre, malheureux, dans son château ruiné.

Il faut bien que la vie continue, que le journaliste professionnel persiste à écrire de son style plaisant et bavard, avec cette aisance imperturbable qui lui permet d'enchaîner les descriptions sans état d'âme. Il en fait l'aveu à Sainte-Beuve :

> « La nécessité de me soumettre aux convenances des journaux m'a jeté dans la description purement physique ; je n'ai plus énoncé de doctrine et j'ai gardé mon idée secrète. »

Le regret est assurément sincère. Mais il faut se méfier de cette propension d'artiste à rejeter sur des circonstances annexes la fatalité intérieure qui, en fait, prédétermine l'œuvre. La facilité fait partie intégrante de l'esthétique de Gautier, tout comme la paresse à créer constitue l'une des composantes du génie baudelairien.

Alors que le XIXe siècle, grâce au journalisme moderne, invente la « culture de flot », qui vient submerger le monde de l'écrit, le feuilletoniste Gautier déploie sa parole inextinguible dans l'espace indéfiniment démultipliable de l'imprimé périodique. L'histoire du romantisme nous a habitués à hiérarchiser poètes, romanciers ou dramaturges. Gautier est, incontestablement, le génie romantique du journalisme. Peut-être, justement, est-ce pourquoi l'histoire littéraire ne lui pardonne pas, elle qui s'est ingéniée à définir son XIXe siècle en opposition à la culture médiatique dont les grands auteurs de la modernité apparaissent comme les victimes sacrificielles.

Bibliographie

• Éditions :
Émaux et Camées, G. Matoré et J. Pommier éds, Lille/Genève, Giard/Droz, 1947. – *España*, R. Jasinski éd., Paris, Vuibert, 1929. – *Les Grotesques*, C. Rizza éd., Fasano/Paris, Schena/Nizet, 1986. – *Histoire de l'art dramatique depuis vingt-cinq ans*, Genève, Slatkine, 1968, 6 vol. – *Les Jeunes-France. Romans goguenards*, R. Jasinski éd., Paris, Flammarion, 1974. – *Mademoiselle Dafné*, M. Eigeldinger éd., Genève, Droz, 1984. – *Mademoiselle de Maupin*, J. Robichez éd., Paris, Imprimerie nationale, 1979. – *Poésies complètes*, R. Jasinski éd., Paris, Nizet, 1970, 3 vol. – *Romans et contes. Nouvelles. Un trio de romans. Spirite. Voyage en Russie*, Genève, Slatkine, 1979, 5 vol. – *Correspondance générale*, C. Lacoste éd., Genève, Droz, 9 vol. parus depuis 1985.

• Biographie :
C. Senninger, *Théophile Gautier. Une vie, une œuvre*, Paris, SEDES, 1994.

• Sélection de travaux critiques :
C. Book-Senninger, *Théophile Gautier auteur dramatique*, Paris, Nizet, 1972. – J. Jasinski, *Les Années romantiques de Théophile Gautier*, Paris, Vuibert, 1929. – J. Richer, *Études et recherches sur Théophile Gautier prosateur*, Paris, Nizet, 1981. – J. Savalle, *Travestis, métamorphoses, dédoublements. Essai sur l'œuvre romanesque de Théophile Gautier*, Paris, Minard, 1981. – M.-C. Schapira, *Le Regard de Narcisse : romans et nouvelles de Théophile Gautier*, Lyon, Presses universitaires de Lyon, 1984. – M.-C. Schapira, *Théophile Gautier, l'art et l'artiste*, Montpellier, université Paul-Valéry, 1983. – M. Voisin, *Le Soleil et la Nuit. L'imaginaire dans l'œuvre de Théophile Gautier*, Bruxelles, Éd. de l'université de Bruxelles, 1981.

Chapitre 19

Les discours sur la littérature de 1830 à 1870

On parle énormément et passionnément « littérature », au XIXe siècle, bien plus et bien mieux qu'il n'en a jamais été parlé, avec la conviction que « la littérature est l'expression de la société » (selon un mot attribué à Bonald), mais aussi qu'elle est son avenir, le lieu où se déchiffre et s'élabore au quotidien l'entrée de l'humanité dans une ère nouvelle et définitive.

Ce surinvestissement a trois raisons majeures.

Une réaction : la nécessité pour ainsi dire physique de remplir le vide idéologique postrévolutionnaire, dont résulte grandement l'inflation compensatoire d'une littérature profane à même d'occuper tout ou partie de l'espace cédé par la littérature religieuse. Une détermination toute matérielle : la littérature connaît alors, comme marchandise de loisir, une expansion massive et irrésistible, comparable à l'explosion du cinéma à partir des années 1930 ou de la télévision à partir des années 1960. Enfin, une raison politique : relancée et accélérée par la révolution de juillet 1830, mais confinée jusqu'en 1848 dans les limites du « pays légal » (l'ensemble des citoyens assez fortunés qui forment le corps électoral), puis – après l'obtention du suffrage universel (masculin exclusivement) sous la IIe République – sévèrement encadrée par la censure du second Empire, la discussion démocratique retentit sur et dans la République des Lettres, quand ce ne sont pas, à l'inverse, les débats littéraires qui servent d'exutoires et de substituts à des débats politiques trop cruciaux ou trop délicats pour être menés à découvert sur leur véritable terrain.

L'utopie d'une religion profane

La théorie de l'artiste-prêtre

Le lieu commun le plus répandu sur 1789 en impute la responsabilité aux écrits des philosophes. Aussi le premier souci postrévolutionnaire est-il de rechristianiser la littérature, afin de remettre les esprits en harmonie avec une société replacée par Napoléon sous la tutelle de la religion. À l'aube du siècle, l'essai de Chateaubriand sur *Le Génie du christianisme* a fixé à l'horizon le projet d'une littérature profane ressourcée dans le sacré. En 1824, se plaçant exactement dans cette perspective et observant une « liaison remarquable entre les grandes époques politiques et les belles époques littéraires », Hugo exprime son aspiration à une littérature qui soit « l'expression anticipée de la société religieuse et monarchique », alors l'objet de ses vœux. La France, suppose-t-il, aurait fait l'économie de la Révolution « si la littérature du grand siècle de Louis le Grand eût invoqué le christianisme au lieu d'adorer les dieux païens » – ou mieux encore si « le goût national [...] eût répudié tout essai de poésie irréligieuse, et flétri cette monstruosité non moins comme un sacrilège littéraire que comme un sacrilège social » (préface aux *Odes et Ballades*).

Cette argumentation rétrograde, il suffit aux saint-simoniens de l'inverser pour la récupérer au profit de leur propre vision de l'avenir, telle que définie par leur maître, Henri de Saint-Simon dans son *Nouveau Christianisme* (1825) : une société placée sous le pouvoir spirituel et temporel d'une nouvelle religion, mais organisée pour et par l'industrie, ayant pour fin « l'amélioration morale, intellectuelle et physique de la classe la plus nombreuse et la plus pauvre ». Dans un retentissant manifeste, *Aux artistes* (mars 1830), Émile Barrault, au nom de la « religion de Saint-Simon », explique que l'humanité progresse par une alternance d'époques religieuses (ou « organiques ») et d'époques irréligieuses (ou « critiques »). Selon lui, le déclin de l'aristocratie féodale et du catholicisme, sapés par la Réforme au XVIe siècle et par la philosophie au XVIIIe siècle, laisserait prédire l'avènement conjoint d'une organisation sociale et d'une foi nouvelles. Or, affirme-t-il, l'art n'est jamais aussi puissant sur les esprits que dans les époques *organiques*, lorsque, comme au Moyen Âge, il se confond avec le culte et se montre capable, par exemple, d'entraîner aux croisades des foules enthousiasmées par l'éloquence des prédicateurs. Le raffinement de la forme, l'apogée artistique, continue Barrault, ne viendraient que sur le tard, à l'approche du déclin du système social et religieux correspondant. Ainsi le théâtre français classique, avec Corneille, Racine et Molière, aurait-il été le chant du cygne de la société féodale agonisante. En 1830, à la veille de grandes transformations, les artistes, prédit le prophète saint-simonien, ont mieux à faire que de s'épuiser en discussions sur la réforme de la versification ou du théâtre. L'heure est venue pour eux, claironne-t-il, de coopérer de toutes leurs forces à la révolution globale et définitive promise par Saint-Simon. « Désormais, conclut-il, les beaux-arts sont le culte, et l'artiste est le prêtre. »

Miraculeusement justifiée par les événements de juillet 1830, qui paraissent précisément inaugurer une ère politique nouvelle, cette théorisation s'installe durablement au cœur des controverses sur la littérature. Elle y prend force d'idéologie.

L'art social et l'art pour l'art

Dans le même quotidien, *Le Globe*, où il a ferraillé pour la réforme romantique du vers et du théâtre, mais qui vient d'être racheté par les saint-simoniens, Sainte-Beuve estime, avec beaucoup, que l'heure a sonné d'« une ère nouvelle, [d']une ère de littérature politique ». Il l'écrit dès le 30 août 1830 : tout comme « de 89 à 1800 », finies les discussions d'« art pur » ! *Le Globe* révolutionné postule, sous la plume de Lerminier, que l'art est « nécessaire » et « utile », donc « social » (14 octobre).

Le fait même que de telles discussions n'aient plus lieu dans les salons, mais bien dans un journal, sur la place publique, est révélateur de la mutation sociologique en cours. Ce sont de nouvelles couches de la bourgeoisie, gagnées à la démocratie, qui veulent dire leur mot sur la production littéraire et l'orienter selon leurs propres aspirations. Le saint-simonisme leur apprend à lire la mélancolie romantique du point de vue de la lutte des « travailleurs » contre les « oisifs », comme un effet du divorce moderne entre les écrivains et le peuple. Aussi *Le Globe* reproche-t-il fréquemment aux romantiques de se complaire dans la peinture des « souffrances individuelles » des riches. Il les exhorte, au contraire, à « puiser des inspirations au sein des masses, de leurs besoins et de leurs douleurs » (30 août 1831). Puis, lorsque, devant la consolidation du régime, la perspective de la République et d'un gouvernement populaire s'éloigne, le même quotidien enfourche un autre cheval de bataille, l'émancipation de la femme et l'invention de relations plus libres entre les sexes. Pourquoi ne pas lire *Notre-Dame de Paris* comme l'apologie par Hugo d'une certaine sensualité et d'une certaine mobilité féminines incarnées par la Esmeralda en regard du personnage du prêtre catholique, le sévère et jaloux Claude Frollo ? Un peu postérieure, la critique des journaux fouriéristes prend le relais de ce modèle d'interprétation systématiquement subversif et immoraliste.

La querelle du classicisme et du romantisme fait ainsi place à la querelle de l'« art social » (expression de Leroux et formule préconisée par lui dès 1833, dans sa *Revue encyclopédique*) ou de l'« art utilitaire » (selon la qualification polémique de Théophile Gautier dans sa préface à *Mademoiselle de Maupin*, 1835) contre l'art « indépendant » (mot favori de Hugo) ou l'« art pour l'art » (expression de Leroux, encore, et formule-repoussoir par lui opposée à l'« art social »).

D'un autre côté, il va sans dire que, libérale avant 1830 et véritablement libertaire sous la plume des saint-simoniens, la position de l'art *utile* rejoint la position traditionnelle de l'Église catholique et convient également aux conservateurs de la morale en vigueur et de l'ordre social en place, partagés, eux, entre leur volonté de plier l'art à leurs propres fins politiques et, par ailleurs, leur inclination à tolérer ses écarts et ses plaisirs improductifs dans l'exacte mesure où la « fantaisie » (encore un mot d'époque) a fonction d'exutoire et préserve leur domination avec le même genre d'*utilité* que celle de l'adultère et de la prostitution au service de l'indissolubilité du mariage. C'est pourquoi il ne faut pas méconnaître qu'un Gautier, d'abord, ou un Baudelaire, plus tard, en revendiquant l'autonomie de l'art et la leur propre, en ont principalement à leurs principaux adversaires, les catholiques et les divers tenants des valeurs bourgeoises. La collusion originelle et persistante, en partie apparente, en partie réelle et croissante, de bien des dirigeants saint-simoniens avec les milieux d'affaires et avec le régime de Louis-Philippe, puis avec le second Empire, achève de rendre compte de l'isolement précoce et grandissant des *artistes*, transformé par eux-mêmes de nécessité subie en vertu proclamée.

Le sacre de l'écrivain et ses ambiguïtés

Ce qui s'exprime dans cette problématique sans solution n'est autre, au fond, que la nostalgie du siècle pour l'unité idéologique du temps jadis. Ainsi le critique Nisard songe-t-il avec envie au « rôle littéraire » d'Érasme, l'humaniste du XVIe siècle, qui, s'imagine-t-il, « avait toute l'Europe pour patrie » et « parlait à une république universelle dans une langue encore maîtresse du monde » – le latin (*Revue des Deux-Mondes*, 1835). Quant à Sainte-Beuve, qui fut quelque temps saint-simonien, il veut croire à un âge d'or où

> « la poésie, au lieu d'être une espèce de rêverie singulière et de noble maladie, comme on le voit dans les sociétés avancées, [fut] une faculté humaine, générale, populaire, aussi peu individuelle que possible, une œuvre sentie par tous, chantée par tous » (*ibid.*, même année).

Bon nombre d'auteurs, tels Balzac, Vigny, George Sand, ne manquent pas non plus de sympathiser avec une doctrine qui légitime par avance le pouvoir spirituel auquel aspire naturellement toute intelligence en possession de quelque célébrité. Hugo déclare que le poète a « charge d'âmes » (préface de *Lucrèce Borgia,* 1833).

Mais lesdits *artistes* comprennent aussi les menaces que ferait peser sur leur liberté l'instauration d'un nouveau clergé, fût-il progressiste. Hugo assure avec hauteur que la poésie, comme l'oiseau, « ne vole bien que contre le vent » (préface aux *Feuilles d'automne*, 1831). Il déclare que « la puissance du poète est faite d'indépendance » (préface aux *Chants du crépuscule*, 1837) et finit par revendiquer pour lui-même, sans partage, le prophétisme que s'arrogent les idéologues socialistes. À lui, « rêveur sacré », de « faire flamboyer l'avenir » (« Fonction du poète », 1839, dans *Les Rayons et les Ombres*). D'accord, en somme, pour être pontife, mais à condition d'être le pontife en chef. On se doute qu'une pareille prétention ne fait pas l'unanimité. Parmi les opposants, outre les idéologues socialistes, déterminés à conserver le monopole des idées sociales, figure en bonne place le penseur officiel du régime de Juillet, Victor Cousin.

Professeur de philosophie, jaloux de réserver le monopole de la pensée à sa discipline, et de plus homme politique, soucieux de ménager l'Église catholique, il tient, lui, à une sorte de séparation des pouvoirs dans le domaine spirituel. Aussi estime-t-il qu'« il faut comprendre et aimer la morale pour la morale, la religion pour la religion, l'art pour l'art » (*Revue des Deux-Mondes*, 1845).

Si donc « sacre de l'écrivain » il y a, dans une certaine mesure, selon le titre d'un essai de P. Bénichou, encore convient-il de ne pas se laisser abuser par le discours d'autoconsécration des intéressés : il est en partie compensatoire et défensif.

Après 1848 : le détrônement et l'exil

La révolution de février 1848 paraît toutefois marquer le triomphe de l'art social, symbolisé par la présence de Lamartine dans le Gouvernement provisoire.

Mais un trimestre plus tard, après la panique déclenchée par les journées de juin (la première grande insurrection spécifiquement ouvrière de Paris, violemment réprimée), c'est le parti de l'Ordre qui, sous d'autres vocables, récupère cette thèse à son usage. Selon le schéma déjà expérimenté à l'issue de la Ire République, républicains conservateurs, orléanistes, légitimistes, cléricaux et futurs bonapartistes s'accordent en effet pour rendre la littérature responsable de tous les maux. La puissante *Revue des Deux-Mondes* se retourne dès 1849 contre « le romantisme socialiste ». L'un des piliers de sa rédaction, Émile Montégut, accuse George Sand d'« avoir pris à la lettre cette croyance qui fait du poète le vrai prêtre et de la poésie toute la religion », mais surtout d'avoir partagé « le satanique esprit de révolte » de sa génération contre la famille et contre la propriété. À l'approche du coup d'État bonapartiste, en 1850, un autre rédacteur de la même revue, Charles de Mazade généralise l'attaque en rangeant Lamartine, Hugo, Dumas, Sue, notamment, parmi les « grands apôtres de morale universelle qui purifient de leur souffle l'adultère et l'inceste et poétisent les courtisanes ».

Devenue massive et écrasante après les journées de juin, cette réaction était cependant perceptible dès les années 1840 jusque dans des secteurs d'opinion *a priori* peu réceptifs. Proudhon, ainsi, convenait en 1846 que le fouriérisme « et la littérature romantique ont mis notre génération en rut ». Mais l'incendiaire auteur de *Qu'est-ce que la propriété ?* voulait croire au moins, lui, que « la société rêve sa métamorphose dans cette foule de descriptions érotiques » (*Système des contradictions économiques, ou Philosophie de la misère*). Or, l'instauration du régime de Napoléon III n'entraîne aucune pause dans le réquisitoire antilittéraire. Il lui donne, au contraire, forme officielle et judiciaire. Qu'on songe aux procès pour outrage à la morale publique et religieuse intentés en 1857 à Flaubert, pour *Madame Bovary*, et à Baudelaire, pour *Les Fleurs du mal*.

Dans un contexte ainsi profondément changé, la bannière de *l'art pour l'art* change de sens et gagne de nouveaux adeptes. L'arborer, pour un écrivain, c'est, en effet, de moins en moins refuser de s'enrôler parmi les démocrates, et, de plus en plus, refuser de participer à la croisade conservatrice. Le culte du Beau, particulièrement pour ses ministres les plus zélés, les poètes, devient de la sorte une forme de résistance, voire de sécession. Il entraîne à l'exil, au propre et au figuré. Les uns se réfugient dans la Bohème, célébrée par Murger, d'autres, tel Banville, campent sur le Parnasse. Hugo choisit Guernesey.

Réactions en chaîne...

Tout se passe, à vrai dire, de 1830 à 1870, comme si la société française n'arrivait pas à s'habituer à sa littérature. Ce qu'elle en dit témoigne en tout cas de ses malaises, tant il est plus facile de s'en prendre à son miroir qu'à soi-même. Quant à la littérature elle-même, portée sur les fonds baptismaux par la Restauration, sa crise morale n'est pas moindre. Comment, habituée à prendre l'aristocratie pour public idéal, se déciderait-elle sans peine à écrire à l'intention de la bourgeoisie, peut-être même pour le peuple, dans l'optique et selon les goûts en partie communs et en partie antagoniques de classes à la fois alliées et ennemies ? L'inadaptation est réciproque, et elle nourrit maints propos.

Industrie et « littérature industrielle »

Rentière, judiciaire, avocassière, boutiquière, etc., la bourgeoisie louis-philipparde croirait déchoir en mettant la main à la pâte. L'idée lui en répugne tout autant qu'au siècle précédent, lorsque l'*Encyclopédie* appelait les « arts libéraux », dont les Belles-Lettres, à chanter « les arts méchaniques », jusqu'alors fort méprisés (article « Art »). Saint-Simon a beau inspirer à Rouget de Lisle un *Chant des industriels*, le succès n'égale pas celui de *La Marseillaise*. Peu avant 1830, lorsque la revue *Le Producteur*, fondée par ses disciples et soutenue par le banquier Laffitte, s'avise de réclamer une « poésie industrielle », c'est le pseudo-aristocrate *de* Stendhal, fort de l'autorité libérale et romantique acquise par son *Racine et Shakespeare*, qui se charge de la réplique, un peu courte : à quoi bon célébrer des « marchands de calicot » ou « chanter des machines » (*D'un nouveau complot contre les industriels*, 1825) ?

Une arrière-pensée anti-saint-simonienne de saint-simonien repenti n'est pas absente, tant s'en faut, lorsque Sainte-Beuve, amalgamant ses rancœurs devant la crise de l'édition à la fin des années 1830, en vient à un rejet global de l'économique. Du haut de sa tribune de la *Revue des Deux-Mondes*, sous le titre, connoté, « De la littérature industrielle », le critique, en 1839, dénonce à la fois l'inflation des exigences des éditeurs, le roman-feuilleton, le mercantilisme de la critique, les appétits matériels des auteurs et la concurrence déloyale exercée par la contrefaçon belge… Sous une appellation neuve, qui fait fortune, et qui aurait pu le conduire à penser pour de bon les évolutions en cours, l'accusation de Sainte-Beuve ne fait que recueillir des observations archicourantes. Promue lieu commun, l'expression de *littérature industrielle,* parfois redoublée par celle d'*agiotage littéraire*, sert dès lors à caractériser péjorativement ce que, parlant du roman populaire aux États-Unis, Montégut nommera de son côté, en 1856, la « littérature populaire », par opposition à « la littérature sérieuse, celle qui survit au temps où elle a pris naissance » – celle, aussi, que les écrivains mûrissent patiemment, en prenant tout leur temps. Impressionné par le prétendu gâchis, qu'il impute à la « rage d'amusement » de la foule, Gustave Planche, un autre critique renommé de la même *Revue des Deux-Mondes*, écrivant en 1852, situe sérieusement l'âge d'or du roman français dans la période qui court de *La Princesse de Clèves* (1677), de Mme de La Fayette, à… *Adèle de Sénange* (1798), de Mme de Flahaut : après quoi, le sens de l'analyse psychologique et la sobriété de style auraient péri sous l'industrialisme.

Amour du peuple et peur des barbares

La conscience affleure pourtant parfois de la nature sociale de semblables jugements. Même un républicain aussi éclairé qu'Edgar Quinet ne se résigne pas sans regret au cours des choses.

> « La société se fait démocrate ; il faut bien endurer, dit-il en 1833, sans ironie apparente, que l'art le soit aussi et avant elle, de quelque pas qu'elle aille. »

Lamartine, de son côté, en réfléchissant, un an plus tard, aux « destinées de la poésie », se persuade que celle-ci « doit suivre la pente des institutions et de la presse », autrement dit « se faire peuple et devenir populaire comme la religion, la raison et la philosophie ». Mais il prend soin de préciser immédiatement que « cette poésie […] à créer » devra éviter de « populariser des passions, des haines ou des envies », comme fait la chanson, selon lui. Toujours dans la *Revue des Deux-Mondes*, Montégut, en 1851, au sortir, donc, des journées de juin 1848, ne fera que reproduire cette mise en garde en réclamant qu'en « un temps où la démocratie menace de tout envahir et ne se présente pas précisément sous une forme très idéale », les « poètes populaires », qui sont des poètes ouvriers, s'interdisent de toucher à « la corde de la violence et de la révolte ». Il n'est pas le seul à conseiller aux prolétaires égarés en poésie de demeurer dans leur condition : la moindre ambition individuelle, le moindre enrichissement par la plume, altéreraient, pense-t-on, leur inspiration naïve, et menaceraient même leur équilibre psychique !

Ce sont, à y regarder de près, les mêmes qui, d'un côté, souhaitent pieusement une poésie populaire et qui, de l'autre, s'indignent et s'effraient des manifestations réelles d'une évolution populaire de la culture. Le « mythe barbare » (P. Michel) qui hante le siècle commence très tôt. Sainte-Beuve, toujours aux avant-postes lorsqu'il s'agit de jouer les oies du Capitole, donne l'alerte dès 1835 en des termes qui méritent citation presque intégrale :

> « Une idée neuve et féconde, fort mise en œuvre dans ces derniers temps, développée par le Saint-Simonisme et ailleurs, appartient en propre à Mme de Staël : c'est que, par la Révolution française, il y a eu véritable invasion de barbares, mais à l'intérieur de la société, et qu'il s'agit de civiliser et de fondre le résultat, un peu brut encore, sous une loi de liberté et d'égalité. On peut aisément aujourd'hui compléter la pensée de Mme de Staël : c'est la bourgeoisie seule qui a fait invasion en 89 ; le peuple des derniers rangs, qui avait fait trouée en 93, a été repoussé depuis à plusieurs reprises, et la bourgeoisie s'est cantonnée vigoureusement. [...] De nouvelles invasions menacent pourtant, et il reste à savoir si elles se pourront diriger et amortir à l'amiable, ou si on ne peut éviter la voie violente. Dans tous les cas, il faudrait que le mélange résultant arrivât à se fondre, à s'organiser. »

Parler littérature, on le voit, c'est aussi, sous couvert d'art, parler stratégie politique.

Femmes et féminin

Un autre point sensible est la question féminine, nettement posée, au début des années 1830, par les femmes saint-simoniennes et fouriéristes réunies autour d'une petite feuille périodique qu'elles rédigent elles-mêmes, *La Femme libre*. Les opinions républicaines et socialistes de George Sand, et sa vie privée, dont on se scandalise, imposent sur le devant de la scène un modèle qui inquiète. Louise Colet est un autre prototype de ces *femmes auteurs* à la mode. Or, l'essor de sa célébrité tient moins à ses débuts en poésie qu'à un couteau de cuisine par elle planté dans le dos du critique Alphonse Karr – lequel, il est vrai, s'était permis de dauber publiquement ses amours avec Victor Cousin, et ne fut que légèrement blessé... Pour désigner cette nouvelle et dangereuse espèce de femmes, Frédéric Soulié met à la mode l'appellation satirique de *bas-bleu* (*Physiologie du bas-bleu*, 1841). Daumier la reprend, en 1844, pour titre d'une série de caricatures passablement misogynes. Resurgies en nombre en 1848, plus que jamais décidées à obtenir l'égalité avec les hommes, le rétablissement du divorce et une citoyenneté à part entière (droit de vote et éligibilité), les femmes socialistes défraient encore la chronique et la satire illustrée sous la IIe République.

Certains hommes prétendent écarter les femmes de l'écriture publique. P. Gaschon de Molènes signale ainsi l'incompatibilité funeste pour les ménages qui, selon lui, existerait entre le terre-à-terre de la femme mariée et les envolées de la *femme poète* (*Revue des Deux-Mondes*, 1841). Les ménagères n'auraient-elles droit qu'à tenir la correspondance familiale ? D'autres, à peine plus accommodants, exigent des règles de bonne conduite. C'est le cas de Montégut, aussi méfiant que devant la poésie ouvrière, et qui donne en exemple aux *bas-bleus* français leurs consœurs des États-Unis, assez sages pour pratiquer la poésie comme un simple « art d'agrément ». Celles-ci, insiste-t-il, « n'écrivent point [...] par vaine ambition ou par amour du scandale, ou encore [...] par repentir du scandale qu'elles ont causé » (*ibid.*, 1852).

Une autre discrimination consiste à n'admettre la littérature féminine que comme un pâle reflet de la vraie littérature, celle des hommes. Victor Cousin exhume Jacqueline Pascal et Mme de Longueville pour comprendre l'auteur des *Pensées* et le Grand Condé à travers le reflet que ces femmes, leurs sœurs, lui permettent d'en contempler, sans le risque d'éblouissement que comportent, dit-il, les originaux virils (*ibid.*, 1844). Pareillement, Sainte-Beuve cause des femmes du XVIIIe siècle pour traiter indirectement de Voltaire et de Rousseau, au prétexte qu'il ne saurait parler convenablement de ces deux grands hommes dans un simple feuilleton (*Causeries du lundi*, 1850). Quant à Proudhon, dans les années 1850-1860, il croit bon de surenchérir dans la dépréciation : postulant qu'au-delà des femmes elles-mêmes « l'élément féminin » en général est « un élément négatif, une diminution ou un affaiblissement de l'élément masculin », il lie la « décadence » littéraire à la prépondérance du féminin, dont le romantisme serait une manifestation.

L'institution de la littérature

En surface, les propos du siècle sur sa littérature présentent néanmoins un aspect plus rationnel.

La critique et l'histoire littéraires

Le XIXe siècle n'invente pas la critique – ni la chose, ni le mot. Mais il constitue le discours spécialisé sur la littérature en un métier, en un genre, en une science autonomes. L'émergence du métier est liée aux essors parallèles et parfois conjoints de l'Université et de la presse périodique. Le déverrouillage simultané de celles-ci par la révolution de Juillet les fait entrer en synergie. Tel, qui était professeur, devient ministre (Villemain ou Thiers). Tel autre, écarté de l'enseignement par la Restauration, et qui a survécu et gagné ses galons par le journalisme, obtient sur-le-champ ou après quelques années de patience une chaire en Sorbonne, ou au Collège de France (Ampère, Géruzez, Guizot, Lerminier, Magnin, Michelet, Nisard...), ou encore dans quelque faculté de province (Quinet à Lyon, ou Fortoul à Toulouse). Mais on peut être, aussi, à la fois auteur et critique (Jules Janin au *Journal des débats*, ou Théophile Gautier à *La Presse*). Un parcours complet, unique, mais bien représentatif de la centralité conquise par le discours littéraire, est celui de Sainte-Beuve, chroniqueur littéraire dans les périodiques les plus divers (du *Globe* libéral, puis saint-simonien, au très officiel *Moniteur* sous Napoléon III

– pour ne retenir que ces extrêmes), auteur (d'un recueil de poèmes et d'un roman), professeur (d'abord invité, successivement, à Lausanne et à Liège, et pour finir, sous le second Empire, titulaire simultanément au Collège de France et à l'École normale supérieure), bibliothécaire (à la Mazarine), sénateur et académicien.

Genre parasitique, sans règles (en un siècle, il est vrai, où l'absence de règles est devenue la norme), ambigu (avocat et juge, juge et partie), science de ce qui a été et de ce qui est, mais aussi préscience de ce qui sera, la critique a bien du mal à se définir. Juger en fonction de canons immuables (le Beau éternel et universel des classiques) ou de principes d'école (fussent-ils ceux du romantisme hugolien), ce serait réduire la critique à l'application stérile d'une grille toute faite, à un relevé mécanique des conformités et des défauts. Face à Victor Hugo et contre les « royautés littéraires » en général, G. Planche défend donc le principe d'une critique « indépendante ». Se réclamant de Chateaubriand, selon qui « il faut abandonner la critique des défauts pour la critique des beautés », il recommande de « se placer au point de vue de l'inventeur », de pratiquer « une critique prospective ». Sainte-Beuve, pareillement, souhaite « une critique avant-courrière ». Plus militant encore, Baudelaire réclame que la critique soit « partiale, passionnée, politique, c'est-à-dire faite à un point de vue exclusif, mais au point de vue qui ouvre le plus d'horizons » (*Salon de 1846*). Mais en raison, sans doute, de la complicité croissante entre la critique et le parti de l'Ordre, le poète des *Fleurs du mal* en vient, en 1861, à vouloir dessaisir les professionnels. Il affirme, comme pour soi : « Je considère le poète comme le meilleur de tous les critiques. »

Fille bâtarde de la critique et de l'histoire, l'« histoire littéraire », quant à elle, n'a encore aucune autonomie. Que la littérature puisse être chose essentiellement historique et géographiquement déterminée, est une thèse du début du siècle, due aux Idéologues (Ginguené est ainsi l'auteur, en 1811, d'une *Histoire littéraire de l'Italie*) et à Mme de Staël. Dans la même perspective libérale d'une théorie du progrès, Villemain professe en Sorbonne que « la critique moderne » travaille à « saisir ce rapport accidentel et passager » qui « lie » la littérature « avec la société où elle s'est produite » (cours de 1824, 2e leçon). Dans les années 1830, l'optimisme révolutionnaire et la découverte de la philosophie de l'histoire incitent à chercher ce lien dans le rapport avec l'évolution sociopolitique. Leroux imagine alors une « philosophie de l'histoire littéraire » (*Revue encyclopédique*, 1833) qui serait à la France ce que la philosophie de l'histoire et l'histoire de la philosophie sont à l'Allemagne : la lecture prospective d'un enchaînement orienté de grandes époques, de grands auteurs et de grandes œuvres. D'autres préfèrent cependant étudier les diversités culturelles nationales en remontant aux origines les plus anciennes des littératures européennes, des sagas nordiques aux épopées chevaleresques, non sans l'arrière-pensée de démontrer la supériorité française. Ainsi Jean-Jacques Ampère conçoit-il la littérature comparée, dont il est un des fondateurs, comme l'« histoire de la littérature française comparée aux autres littératures ». Son « point de départ » et son « but définitif », redit-il, ne sont autres que « la littérature nationale » (discours au Collège de France, 1834).

Mais les désillusions de 1848, qui mettent à mal l'idée de progrès, puis le positivisme scientiste, qui se développe en opposition au cléricalisme du second Empire, conduisent certains à s'inspirer des sciences naturelles au moins autant que de la science historique. Sainte-Beuve, qui prend ce vent au terme de sa carrière, rêve de voir ses « portraits littéraires » déboucher sur une classification des « grandes familles d'esprits » et former les éléments d'une véritable « science des esprits » (*Nouveaux Lundis*). La pointe avancée de ce débordement de la critique par l'histoire littéraire se situe chez Taine, pour qui toute littérature doit être rigoureusement rapportée aux « conditions de race, de moment et de milieu » ayant déterminé « l'état moral » dont elle serait l'expression (*Histoire de la littérature anglaise*, introduction, 1864).

Le sens politique des oppositions entre courants et entre siècles

C'est en grande partie la responsabilité du XXe siècle que d'avoir rétrospectivement et globalement étiqueté le XIXe siècle comme le siècle du *romantisme*. Les contemporains, eux, bornent le romantisme à 1830 et en parlent comme de « la littérature de la Restauration ». Au-delà, ce n'est plus qu'un souvenir, et la survie des ex-chantres des Bourbons dépend de leur capacité à se convertir aux idéaux triomphants de la liberté. Tel est, en partie, l'enjeu du débat déjà évoqué sur l'art social, clivage principal que vient compliquer un autre clivage, transposé, celui-là, d'une profonde résistance, d'ordre philosophique et politique à la fois, à tout retour au matérialisme des Lumières. De ce clivage secondaire, Hugo est le premier à faire les frais. Comme Planche le lui reproche après bien d'autres, il privilégierait la « poésie qui s'adresse aux yeux » par opposition à celle qui s'adresse « à l'âme ». Trop de visuel, trop de pittoresque. Il y aurait là, préjudiciable à « la moralité de la poésie », un excès de « réalisme » (*Revue des Deux-Mondes,* 1835). Voilà le gros mot lâché, dont le bruit enfle jusqu'à sa reprise provocante, sous le second Empire, par Champfleury (voir chap. 21, p. 291*sq*). Une commune hostilité au spiritualisme officiel – le dénominateur idéologique commun à l'Université et à l'Église – explique ce retournement positif, la transformation du *réalisme* en mot d'ordre et sa déclinaison sur tous les modes, y compris sous la variante du « naturalisme », par des opposants aussi divers que le peintre Courbet, le philosophe Taine et le socialiste Proudhon, outre, bien sûr, les Goncourt, Zola, Vallès, etc.

Des motivations politiques souvent avouées déterminent ainsi en dernière instance classifications et préférences littéraires. Pour faire pièce à la dérive droitière et religieuse du saint-simonisme sous Enfantin, Leroux réhabilite vigoureusement l'esprit critique du XVIIIe siècle et la théorie du progrès de Condorcet. À l'inverse, Sainte-Beuve, qui s'éloigne des idéaux démocratiques de sa jeunesse, se détourne logiquement de ce XVIe siècle de la Pléiade dont il s'était plu à suggérer la parenté avec le romantisme. Sa désaffection envers les siècles de désordre est en proportion inverse de son intérêt pour le XVIIe siècle et le jansénisme de Port-Royal. De même Cousin rétrograde-t-il en deçà du siècle de Voltaire, fauteur de désordres et d'impiétés, jusqu'à Louis XIII et à Corneille, dont les tragédies lui paraissent répondre à la philosophie modérée de la liberté qui serait celle de Descartes. Mais à travers sa critique de la Fronde et de la littérature frondeuse (La Rochefoucauld, Saint-Simon, Retz…) qui auraient par réaction engendré le despotisme de Louis XIV, l'ancien ministre de Louis-Philippe finit par viser à mots couverts la IIe République, ce qui l'a préparée, à savoir la littérature socialisante des années 1830-1840, mais aussi et surtout la conséquence qu'il leur suppose : l'autoritarisme du second Empire. Vertu et religion quant au fond, classicisme quant à la forme, ces goûts sont les mêmes qui ont assuré le succès précurseur d'une tragédie néoclassique de Ponsard (*Lucrèce,* 1843) et ceux d'Émile Augier (*Le Fils de Giboyer,* 1862) sous le drapeau de l'« école du bon sens ». Tendance durable donc, antérieure à 1848, et consolidée par la victoire du parti de l'Ordre à l'issue des journées anti-ouvrières de juin.

La carte des opinions littéraires

La ligne de partage est, en vérité, fixée dans son principe depuis le Concordat (1802) et la définition concomitante des auteurs et des œuvres de la littérature à usage scolaire : Bossuet et Voltaire, Massillon et Montesquieu, Fénelon et Fontenelle, l'*Athalie* de Racine et la *Henriade* de Voltaire… : à l'image du compromis entre Napoléon et le pape, un équilibre entre l'Église et la Révolution, entre le XVIIe et le XVIIIe siècle, entre conservateurs et novateurs. Ce n'est pas un hasard si, au lendemain du coup d'État bonapartiste de 1851, Nisard réclame la réduction de la part de l'histoire littéraire introduite après 1830 dans l'enseignement de l'École normale supérieure, au motif avoué qu'il convient de revenir aux textes eux-mêmes : il s'agit de supprimer l'un des principaux prétextes des discours universitaires sur les progrès de l'esprit humain, une occasion permanente de réflexion critique sur le caractère historique de valeurs esthétiques prétendument éternelles et désincarnées.

Mais, tels qu'ils sont fixés en 1863, les programmes imposés aux lycéens du second Empire préfèrent masquer ce clivage politique fondamental sous une opposition à même de fonder un consensus chauvin : d'une part, la littérature « nationale » ou « classique », réunissant en un seul bloc le XVIIe et le XVIIIe siècle français et les humanités gréco-latines, par une équivoque qui confond la référence au XVIIe siècle et la destination aux *classes* ; et, d'autre part, des « littératures étrangères », avec, au titre de l'« influence des littératures étrangères sur celle de la France », Lamartine, Hugo et Vigny ! On aurait cependant tort de voir un artifice politique dans une pareille vision, qui nous paraît aujourd'hui des plus… étranges. Ces programmes reflètent assurément une représentation dominante. Dans les complexes batailles auxquelles la littérature donne lieu, le nationalisme est de rigueur dès avant 1870. C'est ainsi que, tout en s'efforçant de sauver les meubles – la tradition anticléricale du progrès –, Proudhon établit lui aussi la frontière entre la France et le reste de l'Europe :

> « Il y a deux courants, deux traditions littéraires en France : l'une qui passe par Rabelais, Montaigne, Molière, La Fontaine, Bayle, Voltaire, Beaumarchais, Volney, Paul-Louis [Courier], Béranger ; l'autre, qui suit la ligne romantique, Jean-Jacques Rousseau, Bernardin de Saint-Pierre, Chateaubriand, Lamartine. Par la première, la nation française est incomparable ; par l'autre, elle ressemble à toutes les nations » (lettre du 2 janvier 1857).

Point n'est besoin d'y insister : les textes eux-mêmes sont de la sorte effacés et recouverts par le discours social qui prétend les constituer comme son objet. À travers la critique, qui tend à s'affirmer comme un genre à part entière, et l'histoire littéraire, qui tente une percée comme science, ce qui s'entend ressemble fort à un débat beaucoup plus profond, habité de peurs réactionnaires et d'utopies régressives, sur l'identité de la France.

Portraits

Hippolyte Taine (1828-1893)

C'est peut-être parce que son influence a si profondément marqué ses contemporains que nous ne lisons plus guère Taine. Le penseur et l'écrivain qui, de Zola à Barrès, fut le plus unanimement admiré de la seconde moitié du siècle, paraît la victime de cette unanimité, comme s'il s'était fondu dans l'air de son temps. Nous n'arrivons plus à discerner l'acuité de ses propos, tant ils sont devenus monnaie courante. Pire : sa prétention à être un intellectuel généraliste, un historien de la littérature aussi bien qu'un philosophe, le disqualifie dans les deux spécialités à la fois ; et sa virulence antijacobine après la Commune, qui a facilité sa récupération par la critique conservatrice, brouille le souvenir de son rôle sous le second Empire.

De l'élève modèle au maître à penser

La carrière scolaire d'Hippolyte Taine commence comme ces exemples que les familles ambitieuses de province aiment à proposer à leurs rejetons. Issu d'une bourgeoisie modeste, dans une petite ville des Ardennes, né en 1828, donc à peu près avec la monarchie de Juillet, il peut arborer, lorsqu'elle s'achève, en 1848, un palmarès déjà flatteur : deuxième prix de philosophie au concours général, il entre premier à l'École normale supérieure et se destine à l'agrégation de philosophie, alors auréolée du prestige sans précédent conféré à cette discipline par Victor Cousin. Mais son intérêt pour Hegel et Spinoza, le matérialisme panthéistique vers lequel il incline en réaction contre le spiritualisme et l'éclectisme officiellement en vigueur, sont déjà trop perceptibles pour ne pas heurter. Son échec, en 1851, au concours de l'agrégation et, en 1852, le refus de ses thèses sur les sensations et sur la perception extérieure l'amènent à tenter une reconversion en littérature. Bien qu'il soutienne avec succès, dès l'année suivante, ses thèses de lettres sur les *Fables* de La Fontaine et sur les personnages des dialogues de Platon, la réputation d'anticonformisme intellectuel qui le poursuit en cette période de réaction bonapartiste et cléricale aiguë le conduit à renoncer définitivement à l'enseignement.

Taine, dès lors, doit vivre de sa plume. Son premier pas dans le métier d'homme de lettres consiste à répondre à la commande, par la Librairie Hachette, d'un guide, le *Voyage aux eaux des Pyrénées* (1855). Introduit dans cette maison d'édition accueillante aux normaliens anticléricaux et en rupture de ban, Taine devient par la même occasion l'un des rédacteurs de *La Revue de l'instruction publique*, qui en est l'un des fleurons et s'adresse au public des professeurs de lycée et d'université. Sa situation matérielle et sa position intellectuelle sont confortées par le prix décerné par l'Académie française à son *Essai sur Tite-Live* (1856). Admis à écrire dans la *Revue des Deux-Mondes* et au *Journal des débats*, Taine peut enfin s'exprimer avec plus de liberté. Il en profite pour régler ses comptes avec Victor Cousin et son école (*Les Philosophes français du XIX*e *siècle,* 1857). On le rencontre désormais dans les salons de l'opposition orléaniste (de Bertin, le directeur des *Débats*, ou de Guizot, l'historien-ministre de Louis-Philippe...), chez la bonapartiste et libérale princesse Mathilde, ainsi qu'aux dîners Magny.

L'infléchissement libéral du second Empire ouvre l'espace nécessaire au déploiement de son énorme puissance de travail. Nommé examinateur à l'école militaire de Saint-Cyr (1863-1866), professeur d'histoire de l'art et d'esthétique à l'école des Beaux-Arts (1864-1871), Taine occupe tous les créneaux. Il s'encanaille dans le feuilleton d'esprit parisien (*Notes sur Paris. Vie et opinions de Monsieur Frédéric Thomas-Graindorge*, 1876). Ses cours d'esthétique et ses voyages débouchent sur une série de volumes mi-philosophiques mi-historiques : *Philosophie de l'art en Italie*, 1866 ; *De l'idéal dans l'art*, 1867 ; *Philosophie de l'art dans les Pays-Bas*, 1868 ; *Philosophie de l'art en Grèce*, 1869 – le tout étant recueilli en 1881 sous le titre *Philosophie de l'art*). En littérature pareillement, il fait autorité par les rééditions successives de sa thèse remaniée sous le titre *La Fontaine et ses fables* (1861), suivie d'une *Histoire de la littérature anglaise* en quatre tomes (1863-1864). Simultanément, sa réflexion proprement philosophique s'accomplit en alliance avec le positivisme. Ainsi n'est-ce pas par hasard que Mgr Dupanloup fulmine à la fois contre Littré, Renan et Taine. Ce dernier concentre ses efforts sur le terrain même de la « psychologie », autrement dit (en langage d'époque) de la théorie de la connaissance, dont la doctrine cousinienne avait fait sa chasse gardée. Sa somme sur ce sujet, *De l'intelligence*, malencontreusement parue en 1870, connaîtra néanmoins une réception à la hauteur de l'effort consenti, comme l'attestent ses rééditions sous la IIIe République (1878, 1883, etc.).

Profondément atteint par la défaite de 1870, révulsé par la Commune, Taine y réagit par les cinq tomes d'une histoire très critique de la Révolution française, sous le titre *Les Origines de la France contemporaine* (1875-1890). Son rôle dans la fondation de l'École libre des sciences politiques, en 1872, et son élection à l'Académie française en 1878, achèvent d'instituer sa pensée comme une alternative aux dogmes écroulés.

Une philosophie et une critique à l'heure de la science

Un nouveau positivisme ?

Bien qu'évincé de la discipline, Taine est demeuré un vrai philosophe. Mais alors que la plupart des universitaires, formés dans l'esprit du compromis cousinien avec l'Église, se gardent de toucher au catholicisme, Taine ose mettre en théorie l'anticléricalisme refoulé de l'opposition au second Empire. Sa stratégie consiste à greffer sur le système de Hegel la tradition sensualiste héritée des Idéologues et révisée à la lumière des acquis survenus entre-temps dans les sciences naturelles. Un tel projet l'a fait apparenter à Auguste Comte. Mais son pessimisme devant l'histoire, bien antérieur aux catastrophes de 1870-1871, l'écarte de la conception linéaire du progrès et des conclusions religieuses essentielles au positivisme.

La philosophie appliquée à la littérature

Taine substitue l'explication causale, la formulation de lois scientifiques, à l'admiration béate et au classement par écoles. Dans ses essais sur La Fontaine et sur la littérature anglaise, il distingue et combine quatre facteurs déterminants : la race, le milieu, le moment et la « faculté maîtresse ». Le fabuliste devrait à son hérédité gauloise la modération, la sobriété, la gaieté légère qui l'opposeraient au sentimentalisme grandiose des Allemands, à la nervosité et à l'éclat des Espagnols. Sa Champagne natale l'aurait imprégné de la douceur de ses paysages. Sa vie à la cour de Louis XIV aurait déterminé sa représentation du monde, et notamment sa vision de Dieu à l'image d'un grand roi. Enfin, l'imagination, son don majeur, l'aurait prédisposé à exprimer poétiquement ses impressions.

Prônée sous les couleurs d'un matérialisme provocant (l'homme serait « un animal d'espèce supérieure qui produit des philosophies et des poèmes comme les abeilles font leurs ruches »), cette méthode revient en fait à doter de déterminations concrètes cet « esprit » dont Hegel s'efforçait abstraitement de repérer les différentes époques à travers les caractères essentiels des grandes œuvres d'art. Bien qu'appliquée avec l'esprit de système qui est la « faculté maîtresse » de son inventeur, elle ne méconnaît nullement, contrairement à sa légende, la complexité résultant du croisement de facteurs simples. Ses options les plus subversives, inavouables sous le second Empire, sont délibérément masquées. Mais elles se lisent entre les lignes. Faire de La Fontaine un être « capable de comprendre les dieux comme les bêtes et de nous les rendre présents » au moyen de ses sensations constitue une profession de foi *panthéiste*. Vanter une « race » d'écrivains allant de Rabelais et Montaigne jusqu'à Voltaire et Béranger en passant par La Fontaine et

Molière, c'est trahir une orientation anticatholique au moins autant que gauloise. Et exiger des écrivains qu'ils soient populaires, reprocher à « la littérature de Paris » que serait la littérature du XIXe siècle d'être aussi « latine » que « la littérature de Versailles » au siècle de Louis XIV, c'est entrer dans la critique sociale.

Ce n'est pas seulement par nécessité que Taine se tourne vers les lettres. C'est parce que, selon lui, une grande littérature

> « ressemble à ces appareils [...] d'une sensibilité extraordinaire, au moyen desquels les physiciens démêlent et mesurent les changements les plus intimes et les plus délicats d'un corps ».

Ses efforts pour scientifiser les études littéraires contribueront à leur donner une place de choix dans l'Université de la IIIe République.

Rigoureuse dans l'organisation logique de son propos, attentive à se décorer de parties descriptives, cassant les périodes oratoires chères à l'école cousinienne au profit de phrases courtes et chargées d'images concrètes, substituant au lexique pompeux et abstrait des professionnels de la philosophie un vocabulaire aussi commun et exact que possible, l'écriture de Taine n'est pas non plus pour rien dans la redéfinition à la même époque des canons de la rhétorique scolaire.

Bibliographie

• Éditions :
La Fontaine et ses fables, Lausanne, L'Âge d'homme, 1970. – *Étienne Mayran*, Paris, M. Sell, coll. « Petite bibliothèque du XIXe siècle », 1991. – *Les Philosophes du XIXe siècle en France*, H. Gouhier éd., Slatkine, 1979. – *Philosophie de l'art*, Paris, Fayard, coll. « Corpus », 1985. – *Les Origines de la France contemporaine*, introduction et bibliographie par F. Léger, Paris, R. Laffont, coll. « Bouquins », 1986, 2 vol. – *Vie et opinions de Monsieur Frédéric-Thomas Graindorge*, Paris, éd. d'Aujourd'hui, coll. « Les introuvables », 1983. – *Voyage en Italie*, Bruxelles, Complexe, 1990, 3 vol.

• Biographie :
C. Evans, *Taine, Essai de biographie intérieure*, Paris, Nizet, 1976. – F. Léger, *La Jeunesse d'Hippolyte Taine*, Paris, Albatros, 1980. – F. Léger, *Monsieur Taine*, Paris, Critérion, 1993. – L. Weinstein, *Hippolyte Taine*, New York, Paris, 1972.

• Ouvrages de synthèse :
É. Gasparini, *La Pensée politique d'Hippolyte Taine : entre traditionalisme et libéralisme*, PU d'Aix-Marseille, 1993. – J.-Th. Nordmann, *Taine et la critique scientifique*, PUF, 1992.

• Sélection de travaux critiques :
Collectif, *Taine au carrefour des cultures du XIXe siècle*, Bibliothèque nationale de France, 1996.

Chapitre 20

L'essor des sciences et de l'histoire

Un lieu commun increvable est celui de la prétendue antinomie entre les sciences et la littérature.

Or, ce préjugé, combattu au XVIIIe siècle (Voltaire étudie Newton, Rousseau herborise), trouve une bonne part de ses formulations actuelles dans le XIXe siècle, par ailleurs et contradictoirement le créateur et le promoteur de l'idéologie du « progrès ». Malgré les tentatives de conciliation, notamment celles qui prennent corps au sein du saint-simonisme, la tendance à l'exclusion réciproque touche non seulement les sciences expérimentales, mais les sciences naissantes de l'homme et de la société.

Il importe de ne pas se laisser prendre au piège de l'illusion d'optique ainsi produite. Le rappel de l'extraordinaire développement des sciences et des techniques tout au long du siècle, l'évocation de la considérable et diverse production textuelle qui en est issue, sont indispensables pour repérer la présence-absence de ces réalités dans la *littérature* (dans l'acception restreinte qui prévaut aujourd'hui communément), pour en évaluer les effets sur son fonctionnement et ses représentations, et même pour conserver quelque chance de réintégrer *a posteriori* dans notre patrimoine de lectures des textes qui nous font encore ce que nous sommes.

Le contenu scientifique et industriel du « progrès »

Découvertes et controverses

Depuis l'aube du siècle, le rythme de l'accumulation et de la diffusion des connaissances s'accélère en Europe. Volta présente sa pile à l'Institut en 1801. Une vingtaine d'années plus tard, les expériences d'Œrsted, les mesures d'Ohm, les travaux d'Ampère et d'Arago, puis de Faraday établissent les bases de la théorie de l'électricité. Une décennie après que les principes de la thermodynamique ont été posés par Carnot, en 1824, voici qu'ils sont complétés par Clapeyron. La loi de Joule sur l'équivalence mécanique de la chaleur vient en 1845. Gay-Lussac découvre le coefficient de dilatation des gaz en 1802. En chimie, l'Allemand Berzelius propose dès 1818 un système de notation symbolique dont l'Anglais Dalton tire parti pour refonder le système de Lavoisier sur la théorie atomique. La mathématisation croissante des sciences physiques les entraîne à devenir des sciences exactes. L'observation est considérablement facilitée par les progrès de l'instrumentation, notamment des microscopes et des télescopes. Le Verrier découvre Neptune en 1846. Dès les années 1820, l'histologie (étude des tissus organiques) et l'embryologie (étude de la naissance des organismes) s'inscrivent dans la perspective de la théorie cellulaire du vivant élaborée en Allemagne et bien assimilée dans ce pays par une philosophie dialectique de la nature plus apte que le mécanisme cartésien à penser le vivant. Lorsque la biologie française retrouve l'initiative, vers 1860, avec Pasteur et avec l'introduction de la méthode expérimentale dans la médecine par Claude Bernard, la philosophie française, Comte excepté, a perdu pied depuis longtemps. Désemparée devant l'éruption des découvertes et l'éclatement des spécialités, dominée par le spiritualisme de Cousin, elle paraît avoir renoncé à guider et même à interpréter les sciences physiques. C'est seulement au tournant des années 1860, et dans les milieux médicaux en particulier, que renaît en France, dans des revues comme *La Rive gauche* ou *La Libre Pensée*, une forme de matérialisme scientifique conjuguant un apport germanique contemporain (Vogt, Moleschott, Büchner), la tradition française des Lumières (Diderot, Holbach, Helvétius) et sa résurgence chez Auguste Comte.

De leur côté, les sciences naturelles (astronomie, géologie, minéralogie, paléontologie, zoologie…) alimentent des spéculations sur la formation de la Terre, sur l'évolution des espèces, sur l'origine de l'homme (*cf.* p. 52). L'épique querelle de 1830 entre Cuvier et Geoffroy Saint-Hilaire est rallumée par la traduction française (1862) de l'essai de Darwin *De l'origine des espèces au moyen de la sélection naturelle* (1859). Largement lu et débattu, ce livre fait date. Il conclut à des mutations résultant non pas d'une cause surnaturelle ou de supposées finalités naturelles, mais, mécaniquement, de la « lutte pour la vie » dans des milieux donnés : ceux qui survivent et qui imposent leurs traits génétiques, ce sont les plus forts et les mieux adaptés.

Les enjeux de l'approche naturaliste de l'homme ne sont pas moindres. Car, à l'inverse du XVIIIe siècle, pour qui le fait humain est un et universel, le XIXe siècle privilégie différences et inégalités au point de constituer la notion de *races* humaines sur le modèle classificatoire des *espèces* animales. Bien avant le littéraire *Essai sur l'inégalité des races humaines*, de Gobineau (1854), le texte fondateur est celui de William Edwards, *Des caractères physiologiques des races humaines considérés dans leurs rapports avec l'histoire* (1829). Physiologiste et linguiste à la fois, Edwards croit discerner dans la population française des preuves d'une prétendue permanence irréductible de souches ethniques gauloises. C'est, d'autre part, en 1860, que Boucher de Perthes, convaincu, contre Cuvier, de la contemporanéité des animaux fossiles et de l'homme des cavernes, rassemble ses conclusions dans un discours académique qui fonde l'anthropologie préhistorique (*De l'homme antédiluvien et de ses œuvres*). Mais comment expliquer les étapes du développement de l'intelligence ? Le postulat d'une préhistoire, autrement dit d'un processus de perfectionnement du genre humain, amène Boucher de Perthes à se rapprocher du transformisme. Il y a là, à terme, une contradiction avec la raciologie par définition fixiste d'Edwards et de son école.

Le phénomène industriel

Prenant modèle sur l'Angleterre, sa grande rivale d'alors, la France entre peu à peu dans l'ère du charbon, de la vapeur et du fer. Il lui faut une vingtaine d'années, à partir de la chute de l'Empire en 1815, pour rattraper son retard. L'usage des machines à vapeur révolutionne l'exploitation des mines, l'industrie textile, les transports. En 1823, l'ingénieur Marc Seguin établit un service de navigation à vapeur sur le Rhône. Le premier chemin de fer français pour voyageurs est ouvert entre Paris et Saint-Germain-en-Laye en 1837. Malgré les mauvais augures, comme Thiers, qui voient dans la vitesse, la fumée et les escarbilles des menaces essentielles pour la santé de ses utilisateurs, le succès populaire immédiat de ce mode de déplacement détermine d'autres compagnies privées à se former pour construire et exploiter de nouvelles lignes : Paris-Orléans (1843), Paris-Châlons (1848-1851), Paris-Lyon-Marseille (1851-1854), etc. On commence, à la même époque, pour se rendre en Angleterre, en Algérie, aux États-Unis, à embarquer sur de grands navires métalliques propulsés par la vapeur et par l'hélice.

La circulation même de l'information et des idées reçoit une formidable impulsion. Le réseau des télégraphes optiques, dont les tours et les bras mobiles se multiplient dans le paysage entre 1830 et 1848, est renforcé, à partir de 1845, par le télégraphe électrique qui court le long des lignes de chemin de fer. La fabrication industrielle du papier, la mise en service de presses actionnées par la vapeur, mais aussi l'invention de la lithographie (introduite en France en 1816), puis celle de la photographie (les premiers albums de daguerréotypes datent des années 1840) développent dans des proportions auparavant inconcevables la fabrication et la reproduction du texte imprimé et de l'image.

Un spectacle, un bien de consommation et un moyen d'instruction

Dans les siècles précédents, ces nouveautés seraient restées le privilège des cabinets de curiosités de quelques amateurs fortunés. Un signe précurseur de la formation d'un public pour la science avait été, en 1826, le triomphe fait à la girafe vivante offerte à la France par le pacha d'Égypte, installée à la ménagerie du Muséum. La mode des jardins zoologiques d'acclimatation, peuplés d'animaux sauvages et exotiques, ne tarde pas à se répandre. Mais le mouvement déterminant vient de l'industrie, que sa vocation même conduit à devenir le partage d'un nombre croissant de consommateurs. Ainsi, désormais produit en quantité, le fer s'intègre-t-il au quotidien. L'architecte Henri Labrouste est un des premiers à l'employer. C'est d'abord seulement comme une armature, enrobée dans la pierre et dissimulée par elle, pour la construction de la bibliothèque Sainte-Geneviève (1845-1850). Puis, sous le second Empire, dans l'immense salle de lecture qu'il conçoit afin d'agrandir et de rénover la Bibliothèque nationale, Labrouste ose exhiber à nu le nouveau matériau, le glorifier pour la force fine et souple de ses colonnes et de ses voûtes, le combiner avec le verre en de vastes verrières éclairant par le haut. Mais ce sont surtout les gares, à commencer, à Paris, par la gare du Nord, ou les Halles – celles de Baltard – et le grand magasin de La Samaritaine qui font entrer dans les mœurs l'architecture industrielle.

La manifestation la plus éclatante de la popularité de la science et des techniques est la foule des visiteurs qui se pressent par millions aux deux expositions universelles du second Empire (1855 et 1867). D'abord exclusivement nationales et réservées aux produits manufacturés, les expositions, dont la première remonte au Directoire (1798), deviennent internationales et s'étendent à l'agriculture et aux beaux-arts par la volonté de Napoléon III, qui s'en sert comme d'une démonstration de puissance et d'une opération de propagande. L'universalisme, l'association des arts à l'industrie, l'invitation de délégations ouvrières, les responsabilités dans l'organisation confiées à des saint-simoniens (Michel Chevalier, Arlès-Dufour) et à un libre-échangiste proche de leurs idées (Frédéric Le Play)… : autant de signes tangibles que la France est bien entrée dans « l'âge d'or » de l'industrie prophétisé par Saint-Simon.

Cet état d'esprit et de faits rend compte du succès d'entreprises de presse et d'instruction populaires comme celles du saint-simonien républicain Édouard Charton. Par *Le Magasin pittoresque*, créé en 1833, l'année même des lois Guizot sur l'instruction primaire, et publié sans interruption jusqu'aux débuts de la IIIe République, les familles, moyennant un abonnement modique, d'abord fixé à deux sous, reçoivent chaque semaine à domicile une encyclopédie illustrée, rédigée dans un langage accessible à tous et sans parti pris idéologique apparent. Le succès de son périodique permet à Charton de lancer en 1843 un magazine d'actualité, *L'Illustration*, fondé, comme son titre l'indique, sur l'abondance des images, puis des collections de livres grand public de géographie (*Voyageurs anciens et modernes*, 1854-1857, et *Le Tour du Monde*, 1860), d'histoire (*Histoire de France illustrée*) et de sciences et techniques (*La Bibliothèque des Merveilles*, 1864).

La science et l'industrie, pouvoirs naissants et rivaux de la littérature

Les débuts de la réhabilitation après 1830

Cela n'arrive cependant pas sans luttes ni lenteurs. L'année 1830 marque le début d'une réconciliation et d'une coopération entre ceux qu'on appelle alors les « savants » ou les « capacités » et le pouvoir politique. Finies les mesures vexatoires de la Restauration envers, entre autres, Monge et Fourier – deux mathématiciens, coupables d'avoir été mis en vedette par la Révolution. Oubliées, la fermeture de l'École normale (1822) et l'épuration de l'École polytechnique (1815-1816), par trop liées à la République et à l'Empire… La mode n'est plus aux propos antiscientifiques d'un Chateaubriand rappelant les mécomptes connus par Adam et Ève en raison de leur diabolique excès de curiosité pour les fruits de « l'arbre de science qui produit la mort » (*Génie du christianisme*). Le rôle des universitaires dans la fermentation libérale qui a fini par emporter les Bourbons, la participation aux barricades des étudiants des écoles de droit et de médecine, la présence en uniforme des polytechniciens aux côtés du peuple en armes contribuent à faire de la monarchie de Juillet un régime favorable au développement de l'instruction publique. Un nombre significatif d'intellectuels, auparavant bloqués dans leurs carrières, parfois même révoqués pour cause d'opinions libérales, sont récompensés de leur opposition plus ou moins active à Charles X par des postes de pouvoir (ministères, préfectures, sièges au Conseil d'État…), ou par une chaire professorale : Villemain, Victor Cousin, Guizot, la plupart des anciens rédacteurs du *Globe*, Michelet, font partie du lot des bénéficiaires. Le savant, le professeur d'université, l'ingénieur, le médecin deviennent des personnages de premier plan et commencent à peupler les romans.

L'industrialisme et le positivisme

Cette implication politique des détenteurs du savoir depuis la Révolution incite certains, de plus en plus nombreux, à vouloir remettre le pouvoir spirituel non pas aux *littérateurs*, mais aux savants, voire aux industriels. L'« industrialisme » de Saint-Simon, idéologie assez confidentielle jusqu'en 1830, trouve à la faveur des événements de Juillet une audience considérable. Sa transformation en religion et son radicalisme politique relèguent toutefois au second plan les projets industriels et bancaires alors conçus par les ingénieurs et les financiers qui s'en réclament. Si l'élan utopique retombe jusqu'à disparition et dispersion apparentes en 1835, les idées et les réseaux saint-simoniens, banalisés, étendent leur emprise sans discontinuer jusqu'à la fin du second Empire dont ils inspirent en grande partie la politique industrielle et économique.

C'est également dans le saint-simonisme que prend origine une autre doctrine appelée à devenir dominante, le positivisme d'Auguste Comte (1798-1857). Disciple déclaré du maître, et le rédacteur de plusieurs des opuscules parus sous son autorité et sous sa signature, ce polytechnicien formule dès 1822 sa fameuse loi des *trois états* : selon lui, l'humanité, dans chaque branche de connaissances, passerait nécessairement par trois étapes successives, l'« état théologique ou fictif » (où le divin sert d'explication à tout), puis l'« état métaphysique ou abstrait » (où la raison prétend déduire les lois de l'univers de ses propres principes logiques) et enfin l'« état scientifique ou positif » (où la raison s'astreint à découvrir par l'observation des faits les lois de la nature et de la société). Ayant rompu avec Saint-Simon en 1824, faute d'admettre son retour au religieux, et ayant refusé, pour la même raison, de suivre Bazard et Enfantin, Comte reste longtemps isolé. La « science générale », ou « philosophie positive », qu'il élabore n'est d'abord dispensée qu'aux auditeurs de son cours privé. Le cours d'« astronomie populaire » qu'il entreprend en 1841 devant un petit nombre d'ouvriers parisiens n'ameute pas les foules. Entre-temps, l'illusion d'une entente entre les chefs de l'industrie, de plus en plus opulents, et leurs troupes, de plus en plus prolétarisées, s'est évanouie. En 1844, Comte est évincé de Polytechnique, où il était répétiteur de mathématiques. Les articles révérencieux que lui consacre le médecin-philologue Émile Littré (l'auteur du dictionnaire) dans un grand journal républicain, *Le National*, et son coup de foudre pour une égérie, Clotilde de Vaux, qui le convainc de l'importance des sentiments, le déterminent à sauter le pas. Fort de sa notoriété toute neuve, il passe à son tour de la philosophie à la politique et à la religion. L'instauration de la IIe République lui paraît fournir l'occasion propice de fonder, en mars 1848, une « Société positiviste » vouée à « faciliter l'avènement du nouveau pouvoir spirituel ». Même si l'écho immédiat n'est pas immense, l'esprit de système de Comte et sa persévérance, la propagande de Littré et la volonté des générations élevées sous le second Empire de se soustraire à la double influence du catholicisme et du spiritualisme officiels font du positivisme, avec ses prolongements et connivences chez Taine et chez Renan, le plus grand dénominateur idéologique commun aux élites républicaines et socialistes à partir des années 1860 : c'est là l'expression la plus cohérente et la plus concentrée du dogme du progrès.

La littérature devant la science et le « progrès »

Le romantisme, après 1830, n'est plus *a priori* hostile à la science. Il tente même parfois d'en intégrer les résultats et d'en imiter les méthodes. C'est ainsi que Balzac réfère à la zoologie la structure même de son œuvre jusqu'à la présenter comme un tableau des « Espèces sociales » (avant-propos de *La Comédie humaine*, 1842). Légitimées par le bruit qu'on fait en France de la philosophie de la nature de Schelling, les positions de Geoffroy Saint-Hilaire sur l'unité et la progressivité du vivant autorisent et alimentent des spéculations et des rêveries qui constituent la perspective, la trame ou la matière de bien des textes. Mais placée en situation de concurrence avec la science pour la conquête du pouvoir spirituel, menacée par ses idéologues d'être reléguée au rang des antiquités, la littérature n'évite pas toujours une attitude négative devant la technique. On a déjà évoqué la réponse publique et sans appel de Stendhal à la requête saint-simonienne d'une poésie à la dévotion des machines et des industriels (voir p. 233). Vigny, pour sa part, dénonce « la vapeur foudroyante », « ce taureau de fer » qui, certes, vainc la distance et le temps, mais dépoétise les voyages pour le plus grand profit du « Dieu de l'or » en traçant « autour de la terre un chemin triste et droit » (« La Maison du Berger », 1844). Baudelaire fait figure d'original lorsque, tout en dénonçant lucidement le mythe du progrès indéfini, il affirme l'existence d'un « héroïsme moderne », et la fécondité de la « vie parisienne » en « sujets poétiques et merveilleux » (*Salon de 1846*). En 1855, l'année de la première Exposition universelle de Paris, Maxime Du Camp en est encore à réclamer, dans la préface de ses *Chants modernes*, que la littérature daigne enfin ouvrir les yeux sur les « féeries » contemporaines. Lui-même prêche d'exemple en composant des hymnes à la vapeur, à la bobine des filatures, à la locomotive et même au « sac d'argent », qu'il voudrait voir « libre » d'aider le peuple, l'artiste, l'inventeur ou l'explorateur. Ami de Flaubert et directeur de la très littéraire *Revue de Paris*, Du Camp, il est vrai, est aussi le disciple déclaré du saint-simonien Charles Lambert. Mais c'est en fait dans les journaux et plus particulièrement dans la presse d'éducation et de vulgarisation, souvent mais non exclusivement destinée à la jeunesse, que le merveilleux scientifique et industriel trouve un public large et préparé à le recevoir : Jules Verne commence à écrire dans *Le Musée des familles,* en 1851, puis lie sa carrière au *Magasin d'éducation et de récréation* de Hetzel.

L'hégémonie de l'histoire et l'émergence des sciences de l'homme et de la société

À la recherche d'une science de l'homme

Sous des formes non institutionnelles, en marge de l'Académie des sciences et de l'Université, le XIXe siècle constitue peu à peu l'homme lui-même en objet de science. L'expression et le projet d'une « science de l'homme » sont mis en usage dès le premier Empire par les Idéologues.

Avant 1870, il est vrai, le mot de « psychologie », même si son usage se répand en philosophie du fait de Maine de Biran et de Victor Cousin, ne recouvre guère que des spéculations sur l'esprit. Le prêtre demeure le principal spécialiste des maux de l'âme, et la confession leur traitement le plus courant.

Les phénomènes extraordinaires ou pathologiques sont tantôt rapportés à un ordre de choses immatériel et mystique, perceptible à travers des expériences comme le somnambulisme, le magnétisme et le spiritisme, tantôt renvoyés à des causes purement physiologiques. À partir de la seconde moitié du siècle toutefois, la médecine s'empare du problème et l'aborde en termes d'hérédité et de dégénérescence. Ce discours médical, dont le docteur Prosper Lucas est le principal initiateur dès 1847, prétend du même coup rendre compte des dimensions familiales et sociales des maladies mentales. Application littéraire : la tare qui, peu après 1870, déterminera l'ascension, les crimes et l'extinction de la lignée des Rougon-Macquart dans le cycle de Zola. Pour le reste, on s'en remet à la notion d'hystérie, lancée en 1859 par le docteur Briquet, et qui sert aussi bien à désigner les états nerveux extrêmes qu'à imputer à une cause organique les extases mystiques ou les possessions diaboliques alléguées par l'Église.

Plus indécise encore, mais non moins agitée, est la question de l'homme envisagé à l'échelle collective. À la philanthropie des Lumières se substituent, en concurrence les unes avec les autres, des philosophies de « l'humanité » (toutes reposent plus ou moins sur le lieu commun d'une analogie entre le genre et l'individu humains), des doctrines « humanitaires » (désignation, à partir des années 1830, des courants socialistes), l'ethnologie (fondée en 1839 par la création de la Société ethnologique de Paris, patronnée par W. Edwards), l'anthropologie (mise sur les rails par Paul de Broca avec la fondation, en 1859, de la Société anthropologique de Paris) et la paléoanthropologie (organisée par Gabriel de Mortillet autour de la revue *Les Matériaux pour l'histoire positive et philosophique de l'homme*, lancée en 1864). La divergence de points de vue s'approfondit entre ces dernières approches de l'homme comme fait de nature et les tentatives de le penser au contraire en termes de société, de culture. À la suite de Saint-Simon qui projetait dès 1813 une « physiologie sociale », Auguste Comte invente en 1838 le mot de « sociologie » pour désigner la « physique sociale » qu'il a conçue en 1822. La conviction se répand que l'historien a pour métier d'inscrire les événements de tous ordres dans la continuité d'un « progrès » pour leur donner sens. L'histoire devient vite, à ce compte, la science des sciences. Médecin de formation en même temps qu'ancien conspirateur républicain et l'un des fondateurs du saint-simonisme, Buchez tâche ainsi de conjuguer « genèse humanitaire ou androgénie » et « géogénie » ou genèse de la Terre, « physiologie sociale » et « physiologie individuelle », fascination pour le catholicisme médiéval et réhabilitation de Robespierre. Buchez déclare donc l'histoire la « science nouvelle », celle qui, à des fins thérapeutiques, va « pénétrer au fond [des] souffrances » inexpliquées de la multitude. Il la définit comme

> « [l']ensemble des travaux qui ont pour but de trouver dans l'étude des faits historiques, la loi de génération des phénomènes sociaux, afin de prévoir l'avenir politique du genre humain, et d'éclairer le présent au flambeau de ses futures destinées » (*Introduction à la science de l'histoire*, 1833).

La littérature historique entre histoire politique et science historique

Écrire l'histoire après 1830 n'a cependant plus le même sens qu'avant 1830. Avant : pour la plupart libéraux, les Thierry, Mignet, Thiers et autres Guizot expliquent la Révolution afin de légitimer ses acquis bourgeois contre les tentatives de retour en arrière aristocratiques et absolutistes. Après : les mêmes sont entrés dans la sphère du pouvoir ; ils font l'histoire plus qu'ils ne l'écrivent, ils la freinent plus qu'ils ne la libèrent, de sorte qu'ils laissent le champ libre aux déçus de Juillet, les Louis Blanc, Quinet, Lamartine et autres Michelet. Ceux-ci s'efforcent, eux, de relancer la Révolution en pratiquant à leur tour des relectures subversives du passé.

En fait, une part importante de la littérature historique non fictionnelle qui se lit dans les années 1830 (à côté des drames et romans historiques de Hugo, Dumas, Vigny, Musset, etc.) est d'abord faite des rééditions d'œuvres parues dans les années 1820, promues classiques par l'ascension politique de leurs auteurs. Thiers et Mignet sont réputés « fatalistes » parce qu'ils présentent la marche des événements révolutionnaires comme une nécessité. En règle générale, les historiens libéraux évaluent les événements selon qu'ils favorisent ou non les *progrès* de la *liberté* et de la *civilisation.* Sans écarter tout à fait la notion religieuse de Providence, ils cherchent à les comprendre surtout par le jeu de forces collectives identifiables : ainsi la conquête du territoire d'une « race » par une autre « race » chez Thierry, ou la « lutte des classes » à l'intérieur d'une même société chez Guizot, qui emploie l'expression bien avant Marx dans son *Cours d'histoire moderne* (1828).

Assez différente est l'historiographie d'après 1830, de tendance plutôt républicaine et socialiste. Avec l'aide de son disciple Roux, Buchez donne, de 1834 à 1838, une *Histoire parlementaire de la Révolution française* en quarante volumes, compilée aux sources des procès-verbaux d'assemblée. Ce sera l'outil de travail principal et quotidien de Louis Blanc, Lamartine et Michelet. À contre-courant de l'anticléricalisme déchaîné par la chute des Bourbons, Buchez ose assimiler les principes républicains d'égalité et de fraternité à « la doctrine de Jésus ». Il présente la « civilisation moderne » comme « sortie tout entière de l'Évangile ». Persuadé que « ce sont les idées qui créent et gouvernent les faits », et que « chaque nation est une idée qui s'est faite chair », il conçoit donc l'histoire de la Révolution comme une sorte de réincarnation du Christ dans une France ayant par là même vocation à guider l'humanité. Cette intention d'écrire un mythe républicain de référence, une hagiographie de la Révolution, se retrouve intégralement chez Lamartine, puis chez Michelet. C'est qu'il s'agit, en dernière analyse, de justifier un projet politique, voire une ambition de pouvoir, en s'instituant l'exégète du passé national. De même que, sous Louis-Philippe, Thiers et Guizot fondent leurs carrières ministérielles sur leur notoriété d'experts des révolutions française et anglaise, respectivement, de même, sous la IIe République, Buchez doit en grande partie son élection à la présidence de l'Assemblée nationale à l'autorité de son *Histoire parlementaire*, Lamartine, son entrée dans le Gouvernement provisoire au triomphe remporté en librairie par son *Histoire des Girondins*, Louis Blanc, son rôle éminent dans la Commission du Luxembourg à la radicalité de son *Histoire de dix ans* (la décennie 1830-1840, sous l'angle de la résistance populaire au régime de Louis-Philippe) et aux premiers volumes frais parus de son *Histoire de la Révolution française*.

Ce n'est pas seulement parce qu'il étouffe la liberté de traiter politiquement de l'histoire que le second Empire voit un début de mutation de l'histoire en science. Car, bien qu'interdits d'enseignement et réduits à la situation d'exilés de l'intérieur, des opposants aussi résolus que Louis Blanc, Quinet et Michelet n'en trouvent pas moins le moyen d'achever leurs monuments révolutionnaires. Le phénomène principal, c'est l'entrée de la discipline dans l'âge scientifique, par le recours à l'archéologie, à la philologie, à l'histoire des religions. Cela se traduit par un déplacement de l'intérêt vers l'Antiquité, amorcé dès la fin des années 1840 avec la naissance de la *Revue archéologique* et l'ouverture de l'École d'Athènes, mais accentué par des découvertes telles que celles du temple d'Apollon et du site bourguignon de la bataille d'Alésia. Un facteur déterminant de cette évolution tient à la professionnalisation de la discipline. Aux alentours de 1870, comme en témoignent la création, en 1868, de l'École pratique des hautes études ou les carrières continûment et exemplairement universitaires de Fustel de Coulanges et de Renan, l'historien est déjà moins un politique et un écrivain qu'un homme de science parmi les hommes de science.

Linguistique et « Renaissance orientale »

À travers l'étude des langues, de part et d'autre de 1830, mais à vitesse accélérée après 1830, la représentation européenne de l'humanité s'élargit tout d'un coup.

Effets à retardement de la conquête des Indes par les Anglais au XVIIIe siècle et de leurs autres incursions extrême-orientales, suites de l'expédition de Bonaparte en Égypte, voyages en Islam facilités par la décomposition de l'Empire ottoman et mis à la mode par d'illustres écrivains (Byron, Chateaubriand et Lamartine), redécouverte érudite du passé germanique par le romantisme allemand mais aussi expansion industrielle et coloniale de l'Europe : voilà, en bloc, ce qui déclenche le remue-ménage interculturel.

D'Angleterre viennent les premières traductions du sanscrit – la langue et la littérature anciennes de l'Inde. L'Allemagne apporte sa connaissance des épopées médiévales (chansons de geste et sagas scandinaves), ainsi que la loi fondamentale de l'évolution phonétique, la loi de Grimm. Grâce cependant au rayonnement d'une poignée de savants exceptionnels, dont Eugène Burnouf (1801-1852) et Silvestre de Sacy (1755-1838), Paris, durant plusieurs décennies, fait figure de capitale des sciences linguistiques. Le coup d'envoi se situe sous la Restauration : création en 1815 d'une chaire de sanscrit et d'une chaire de chinois au Collège de France ; fondation de la Société asiatique de Paris en

1822, l'année même du déchiffrement des hiéroglyphes par Champollion – avant celui du zend en 1832. Un événement retentissant est la traduction des *Essais sur la philosophie des Hindous* de Colebrooke, par Pauthier, en 1833. Dès lors, le passage des connaissances dans la culture courante est assuré par l'intermédiaire, en particulier, des revues, à commencer par la *Revue des Deux-Mondes,* dont c'est l'un des principaux arguments de vente. Quant à son identité comme discipline scientifique une et globale, la linguistique la trouve à la fin des années 1860, en s'inspirant de l'école allemande, avec la création, en 1867, de la Société de linguistique de Paris. Elle se sépare nettement de l'histoire littéraire en se fixant, « rigoureusement », pour but « l'étude des langues, celle des légendes, traditions, coutumes, documents pouvant éclairer la science ethnographique » (*Mémoires de la Société de linguistique de Paris*, 1868).

Par-delà l'érudition positive, c'est, bien entendu, à une autre vision du monde qu'appelle la découverte de littératures sacrées antérieures à la Bible et porteuses de philosophies autres, dont on retient, pour s'en choquer ou pour s'en inspirer, le panthéisme (dans l'hindouisme) et le culte du néant (dans le bouddhisme). Par analogie avec la Renaissance, issue des retrouvailles avec l'Antiquité gréco-romaine au XVIe siècle, Leroux estime que l'« influence philosophique des études orientales » conduit à une « seconde Renaissance » (*Revue encyclopédique*, 1832). Son ami Quinet parlera de même d'une « Renaissance orientale » (*Le Génie des religions,* 1841).

L'économie politique

Conceptuellement élaborée en Angleterre par Adam Smith (*Enquête sur la nature et les causes de la richesse des nations*, 1776), la science de l'économie est importée en France par Jean-Baptiste Say (1767-1832). Son enseignement ne débute à vrai dire que sous la Restauration et ne touche guère alors que les milieux de l'opposition libérale. La monarchie de Juillet en fait une science officielle : c'est en 1830 que Guizot installe Say dans une chaire d'économie politique créée pour lui au Collège de France. Une ambiguïté flagrante de la nouvelle discipline tient à ses origines et à ses implications politiques, lors même qu'elle affirme nettement son indifférence aux questions d'ordre constitutionnel ou législatif débattues dans les sphères parlementaires et ministérielles. Pour être reconnu économiste sous Louis-Philippe, il faut en effet à la fois se démarquer des querelles partisanes, et donner des gages de respect, voire d'attachement envers l'ordre social établi. Les carrières professorales d'Adolphe Blanqui (frère aîné du légendaire insurrectionnaliste républicain) et de Michel Chevalier n'entrent en phase ascendante qu'après rupture dûment constatée avec leur passé saint-simonien : le premier, ex-collaborateur du *Producteur* saint-simonien en 1825-1826, prend la succession de Say au Conservatoire des arts et métiers en 1833, et le second, ex-rédacteur en chef du *Globe* saint-simonien de 1830 à 1832, occupe sa chaire du Collège de France à partir de 1840.

Faisant allusion à ces origines liées aux « projets de régénération chimérique ou de partage violent », Louis Reybaud, l'un des fondateurs, en 1842, du *Journal des économistes*, y voit une phase de « romantisme » bien révolue et assure que la discussion théorique doit être close : il faut renoncer à trouver « la loi de justice distributive par laquelle la mesure du travail déterminera celle des jouissances ». Le dogme étant fixé – soumission à la loi de l'offre et de la demande, apologie de la concurrence, dénonciation des monopoles, hostilité aux coalitions ouvrières –, il ne s'agit plus, poursuit Reybaud, que d'« appuyer les réformes qui sont d'une application immédiate, celles que comporte l'état de nos sociétés » (introduction au premier numéro). C'est bien en raison de ce choix que la « secte des économistes » est violemment combattue par Proudhon. Deux décennies avant *Le Capital* de Marx (sous-titré *Critique de l'économie politique*), son essai sur *La Philosophie de la misère*, ou *Système des contradictions économiques* (1846) tente de porter le débat social au cœur de la théorie économique. Selon Proudhon, plutôt que d'être pensée contre le socialisme, l'économie politique, pour être une science digne de ce nom, voire la « science sociale » tant recherchée, devrait prendre en compte les aspirations des salariés à plus de justice.

Sans doute doit-on prendre acte, pour s'en féliciter, de la poursuite, au XIXe siècle, de l'évolution, amorcée dès le XVIIe siècle, qui fait de la discussion de l'expérience, et non plus des textes de l'Église ou des préceptes d'Hippocrate, le moment essentiel de la recherche scientifique.

Faut-il, pour autant, négliger complètement le moment de l'écriture de la science, celui, également, de sa lecture ? Ce serait s'interdire de comprendre comment la société assimile, diffuse, vulgarise, déforme, réinvestit les savoirs. En rejetant en bloc cette littérature scientifique hors de la littérature telle qu'on l'enseigne et du « français » tel qu'on le conçoit comme discipline, l'histoire littéraire du XIXe siècle s'est, d'une certaine manière, conformée à son objet : elle exclut les sciences naturelles, par exemple, parce que les naturalistes du siècle se veulent eux-mêmes des savants et non plus des littérateurs, à la différence d'un Buffon, qui était considéré par ses contemporains, se considérait et demeure aujourd'hui considéré par l'histoire littéraire du XVIIIe siècle comme un écrivain en même temps qu'un savant. C'est un fait que, par volonté majoritaire d'arrêter le mouvement révolutionnaire, un certain XIXe siècle s'est efforcé, à rebours des Lumières, de déconnecter la science de la politique et de réduire le plus possible le champ de la littérature au fictionnel et au poétique. Mais rien, sinon des raisons du même ordre propres au XXe siècle, n'oblige à prolonger indéfiniment la même censure.

Cette redécouverte à venir aiderait puissamment le regard attentif qu'une toute récente orientation de recherche, parfois appelée *l'épistémocritique*, porte sur la manière spécifique dont la littérature reçoit, représente et retravaille les savoirs.

Portraits

Henri Saint-Simon (1760-1825) et le mouvement saint-simonien

Le tableau, peint sous la IIIe République, qui représente Saint-Simon mourant tel Socrate, au milieu de plusieurs groupes de disciples s'apprêtant à donner forme à sa parole, n'a guère de vérité historique. Mais il n'est pas faux, car Saint-Simon, comme Fourier, est à la fois un *révélateur* ou un *génie* (terminologie d'époque), et une figure de référence pour toute une série d'idéologues et de militants qui s'en réclament à titre posthume. Le nombre et l'importance de ces derniers, le fait qu'au-delà de leur diversité, ils se situent dans la postérité de ce nom, conduisent à considérer « Saint-Simon » moins comme un auteur, selon l'acception habituelle du mot, que comme un lieu de rassemblement et le point d'explosion d'une sorte de constellation intellectuelle diffuse, concomitante de la révolution culturelle de juillet 1830, et dont on n'a pas fini de dresser la carte.

Un intellectuel collectif et pluriel

Une explication de la fascination exercée par Saint-Simon sur la jeunesse libérale des années 1820 réside dans son rôle de témoin des Lumières, de la Révolution, du progrès, dans ces décennies de l'Empire et de la Restauration où l'histoire semble aller à reculons. Sa naissance le situe pourtant sur une branche d'un arbre généalogique dont le mémorialiste de Louis XIV occupe une autre. Mais le comte Henri de Saint-Simon, ancien officier des troupes françaises engagées, sous la conduite de La Fayette, dans la guerre de l'Indépendance des États-Unis, a une tout autre ligne de conduite que le très réactionnaire duc. Abandonnant volontiers titre comtal et particule, il se mêle à la Révolution en participant à la spéculation sur les biens nationaux et après la Terreur, qu'il passe en prison, assume quelques missions secrètes pour le Directoire, non sans accumuler une considérable fortune. La vocation philosophique lui vient en 1798. Retiré des affaires et déçu par l'impasse où il voit la République, il forme le projet de hâter à la « révolution scientifique » qui doit selon lui suivre et accomplir la « révolution politique ». Pour ce faire, il propose aux savants de se réunir en vue de former une « Encyclopédie du XIXe siècle » (*Introduction aux travaux scientifiques*, 1808 ; *Nouvelle Encyclopédie*, 1810 ; *Mémoire sur la science de l'homme*, 1811).

Le peu d'écho rencontré conduit Saint-Simon, après la chute de Napoléon, à miser, dans la même perspective, sur la possible transformation de l'industrie et des « industriels » en un pouvoir capable de faire pièce à la Restauration et de construire un ordre social postrévolutionnaire (*L'Industrie*, 1817-1818 ; *Le Politique*, *Le Parti national ou industriel* et *L'Organisateur*, 1819 ; *Considérations sur les mesures à prendre pour terminer la Révolution*, 1820 ; *Système industriel*, 1821-1822 ; *Catéchisme des industriels*, 1823-1824). À court d'argent depuis 1805, il publie ses brochures à de faibles tirages et avec l'aide d'*industriels* libéraux de ses amis. Sa réputation de hardi philosophe et d'original l'expose à un procès et le met en vedette lorsque l'assassinat du duc de Berry vient donner un sens quasi criminel à une brochure où, attaquant le régime de front pour la première fois, il comparait courtisans, nobles, rentiers, militaires, prêtres et autres « oisifs » à des frelons dont la disparition, par hypothèse, n'empêcherait pas, bien au contraire, les industrieuses abeilles d'enrichir la ruche nationale (*Première Opinion politique des industriels*, 1821).

Tombé dans la misère, désespéré jusqu'à tenter de se suicider, Saint-Simon reçoit à partir de 1823 l'aide inopinée d'Olinde Rodrigues, un mathématicien écarté de l'Université en raison de son ascendance juive et reconverti dans la finance. La poignée de disciples qui se groupent alors autour de lui l'encourage à publier sous son nom, en 1825, un recueil d'*Opinions littéraires, philosophiques et industrielles* et un dialogue, *Nouveau Christianisme*, où s'esquisse l'idée non plus d'une nouvelle philosophie, mais bien d'une sorte de seconde Réforme du christianisme dont une finalité capitale serait l'instauration d'un « âge d'or » industriel et « l'amélioration du sort moral, physique et intellectuel de la classe la plus nombreuse et la plus pauvre ».

Ex-conspirateurs francs-maçons et républicains revenus de l'idée d'insurrection armée (Bazard, Buchez…), amis de Rodrigues passionnés d'économie politique (Adolphe Blanqui, Enfantin…), tous libéraux à l'origine (au sens large du temps), les premiers saint-simoniens, dès la mort du maître, créent une revue, *Le Producteur* (1825-1826), pour rallier leur camp à l'« industrialisme ». L'accent qu'ils mettent peu à peu sur l'idée d'association et sur « la nécessité d'une nouvelle croyance générale » les éloigne cependant bientôt du libéralisme purement politique d'un Benjamin Constant. De 1827 à 1829, Bazard et Enfantin poussent le groupe à adopter un langage et une organisation calqués sur le catholicisme. Ils rassemblent les matériaux théoriques qui aboutissent à l'*Exposition de la doctrine saint-simonienne* (1828-1830), rédigée par eux-mêmes et par un afflux de nouveaux venus (Carnot, Fournel, Duveyrier, Eichthal…). C'est ce saint-simonisme-là, orienté vers les « prolétaires », repensé à l'aide d'emprunts à la philosophie allemande et conçu comme le support d'une réorganisation spirituelle et matérielle de la société, qui se propose, au lendemain de

Juillet, comme l'idéologie à même de se substituer à un libéralisme essoufflé, à un républicanisme sans programme et à un romantisme dépourvu de perspective politique. Ses objectifs comportent la fin de « l'exploitation de l'homme par l'homme » et la socialisation des « instruments du travail ».

De 1830 à 1832, le mouvement saint-simonien se montre en effet capable de reprendre *Le Globe*, le quotidien favori de la Jeune-France, et de développer autour de ce journal une propagande des plus efficaces. Les « prédications » attirent une assistance très nombreuse, et des brochures, parmi lesquelles l'appel *Aux artistes* de Barrault (voir p. 229), sont répandues à des milliers d'exemplaires. Mais des dissensions internes et le raidissement du régime de Louis-Philippe entraînent à partir de novembre 1831 un processus de désagrégation et de fuite en avant dans l'utopie. Alors que la tendance républicaine, derrière Bazard, Carnot, Jean Reynaud et Pierre Leroux, tente de récupérer l'héritage du combat mené contre « les oisifs », Enfantin et ses amis, s'inspirant quelque peu de Fourier, recentrent le mouvement sur le thème de l'émancipation des femmes et songent à un essai d'association. Leur fameuse retraite monastique sur la colline de Ménilmontant, durant l'été et l'automne de 1832, relève toutefois bien plus du symbole que de la pratique : revêtus d'un costume tricolore qui les signale comme « apôtres », abolissant la domesticité (on sait l'importance numérique des gens de maison parmi les *prolétaires* de l'époque), ils assument eux-mêmes les basses besognes du ménage et travaillent de leurs mains. Les procès intentés par le gouvernement se soldant par l'impossibilité de poursuivre une activité publique, quelques dizaines d'apôtres se mettent en tête d'aller chercher une Femme-Messie en Orient, et Enfantin, à sa sortie de prison en 1833, part en Égypte avec l'idée d'y réussir le coup d'éclat du percement de l'isthme de Suez. Flaubert et Nerval rencontreront sur les bords du Nil les quelques militants restés sur place après l'échec de l'opération, consommé en 1835.

L'erreur est souvent commise d'arrêter là l'histoire du saint-simonisme et de le borner à sa partie enfantinienne. Car les ingénieurs, les financiers, les journalistes, les femmes, les ouvriers passés par « la doctrine » essaiment à Paris et en province tout le long des décennies suivantes, jusqu'au second Empire compris. Certains, tels Auguste Comte, Buchez et Pierre Leroux, qui sont les plus importants, fondent leur propre école, journaux à l'appui, et redonnent forme sous un autre nom à l'organisation dissoute et à ses idées. Les uns infiltrent la presse (Charton, Guéroult…), d'autres conquièrent des positions essentielles dans l'industrie, en particulier dans les chemins de fer (Arlès-Dufour, les Talabot, Enfantin…), et d'autres encore créent de grandes banques de crédit (les Pereire). Sans oublier les militantes (Jeanne Deroin,

Suzanne Voilquin…) qui essaieront en 1848 d'obtenir la citoyenneté des femmes, et les ouvriers, parfois poètes (Vinçard, Lachambeaudie…), dont les convictions persistantes pénètrent les ateliers.

Un ultraromantisme ?

Un socialisme romantique

Par son étude admirative du Moyen Âge avant 1830, son byronisme et son tropisme oriental après les Trois Glorieuses, ses aspirations religieuses et sa fascination pour le Christ, le rôle de conducteur de peuples qu'il attend d'un « poète » providentiel, sa mystique féminine, son attente d'une réunification des arts, son esthétisation de la politique, le saint-simonisme se développe en un tel parallélisme avec le mouvement littéraire des dernières années de la Restauration et des premières de la monarchie de Juillet qu'il fait figure de romantisme politique. Les rapprochements chronologiques et personnels ne manquent d'ailleurs pas pour accréditer cette opinion. Ce sont, par exemple, avant 1830, les échanges avec Ballanche, les fréquentations buchéziennes de Balzac et de Vigny ; après 1830, l'adhésion de Sainte-Beuve et celle, plus durable, de Pierre Leroux, tous deux amis de Victor Hugo, et plus tard encore, l'amitié et la collaboration de George Sand avec le même Leroux. Motivée par le même besoin de surmonter le traumatisme révolutionnaire et de parvenir à une réconciliation des contraires au sein d'une religion régénérée, l'osmose est profonde. Mais d'autant plus vive aussi est la concurrence pour la conquête du pouvoir spirituel. À ce jeu de surenchère, c'est Hugo, à la longue, qui l'emporte, très largement, sur Enfantin.

Une littérature hors institution

Les rares écrits sortis de la plume de Saint-Simon, et qui n'aient pas été rédigés par des secrétaires de la qualité d'Augustin Thierry et d'Auguste Comte, ne permettent guère, à vrai dire, de comprendre comment il a pu électriser certains esprits, sinon par leur bizarrerie et leur maladresse mêmes. N'étaient son goût de l'allocution, son recours à la prosopopée, son utilisation de formes populaires et religieuses (la parabole, le catéchisme, le dialogue) et la création d'un néologisme (« industriel » comme substantif), sa prose, qui n'appartient à aucun genre défini, se caractérise par son laconisme et le réemploi fréquent, quasi autocitationnel, de passages entiers d'un essai à l'autre. Exception faite d'intéressantes tentatives de poèmes en prose, la rhétorique religieuse et le dogmatisme codé de ses disciples ne facilitent pas non plus leur abord. Mais ces obstacles franchis, leurs problématiques, s'agissant en particulier de la question sociale, de la question féminine ou des relations entre la France et l'Orient islamique, s'avèrent étonnamment actuelles et éclairent l'arrière-plan des œuvres reçues, elles, dans le corpus enseigné de la littérature du XIXe siècle.

Au plan des formes d'expression, ces textes écartés par la censure institutionnelle qui a frappé toute la littérature politique postérieure à la Révolution amènent à se demander dans quelle mesure la parole transcendante, hors partis, exilée, insulaire, du poète romantique n'hérite pas de la position extra-parlementaire, religieuse, utopique, que le saint-simonisme a su se façonner. Ménilmontant, où fut écrit l'impubliable *Livre nouveau* (1832), avec genèse moderne et réflexions sur l'invention d'une langue poétique panthéiste et féminisée, n'est pas sans rapport avec Guernesey. Et il n'est pas fortuit que le proscrit Pierre Leroux situe à Jersey, où il fut en compagnie du poète de *Dieu*, le plus délirant de ses livres, *La Grève de Samarez* (1863-1865).

BIBLIOGRAPHIE

• Éditions :
SAINT-SIMON, *Œuvres*, Paris, Anthropos, 1966, 6 vol. – *Œuvres de Saint-Simon et d'Enfantin*, Dentu, puis Leroux, 1865-1878, 47 vol. – É. BARRAULT, M. CHEVALIER, Ch. DUVEYRIER, P. ENFANTIN, Ch. LAMBERT, L. SIMON et Th.-I. URBAIN, *Le Livre nouveau des Saint-Simoniens*, édition critique par Ph. Régnier, Tusson (Charente), Du Lérot, 1992. – P. LEROUX, *La Grève de Samarez*, édition critique par J.-P. Lacassagne, Paris, Klincksieck, 1979, 2 vol. – P. LEROUX, *Aux philosophes, aux artistes, aux politiques*, J.-P. Lacassagne éd., Paris, Payot, coll. « Critique de la politique », 1994. – I. URBAIN, *Voyage d'Orient, suivi de Poèmes de Ménilmontant et d'Égypte*, édition critique par Ph. Régnier, Paris, L'Harmattan, 1993.

• Biographies et études historiques :
Notices saint-simoniennes du *Dictionnaire biographique du mouvement ouvrier,* de J. Maitron, Les Éditions ouvrières, 1997. – H. D'ALLEMAGNE, *Les Saint-Simoniens (1827-1837)*, Paris, Gründ, 1930. – H. D'ALLEMAGNE, *Prosper Enfantin et les grandes entreprises du XIXe siècle*, Paris, Gründ, 1935.

• Ouvrages critiques de synthèse :
H. GOUHIER, *La Jeunesse d'Auguste Comte et la formation du positivisme,* Paris, Vrin, 1933-1941. – A. LE BRAS-CHOPARD, *De l'égalité dans la différence. Le socialisme de Pierre Leroux*, Fondation nationale des sciences politiques, 1986. – R. LOCKE, *Les Saint-Simoniens et la musique*, Liège, Mardaga, 1992. – Ph. RÉGNIER, *Les Saint-Simoniens en Égypte,* Le Caire, BUE, 1989. – N. ZUFFI, « *Le Globe* » *saint-simonien (1831-1832)*, Università degli studi di Verona, 1989.

• Ouvrages collectifs :
Regards sur le saint-simonisme et les saint-simoniens, J.-R. Derré éd., Lyon, Presses universitaires de Lyon, 1986. – *Les Saint-Simoniens et l'Orient*, M. Morsy éd., Aix-en-Provence, Édisud, 1990.

* * *

Charles Fourier (1772-1837)

Ce que le siècle connaît de Fourier, ce sont bien moins ses livres que le fouriérisme, c'est-à-dire sa doctrine passablement banalisée, partiellement censurée même, telle que ses disciples la divulguent dans leurs journaux et leurs brochures : une variété du socialisme plus tendre pour la propriété que le saint-simonisme, et plus accommodante aussi envers la liberté des artistes. Cette pensée, plus encore que celle de Saint-Simon, a besoin de ce relais d'une école pour être lisible de son temps et devenir idéologie, tant elle tranche avec les opinions reçues. Stendhal, bon prophète en la matière, estimait qu'il faudrait au moins deux décennies pour que Fourier commençât enfin à trouver « son rang de rêveur sublime ». Malgré sa redécouverte surréaliste par André Breton, il n'est pas sûr qu'il l'ait encore trouvé.

Un inventeur excentrique

Né en 1772, à Besançon, Charles Fourier appartient à une famille commerçante prospère, non dénuée de prétentions à la noblesse et convaincue de compter un saint parmi ses ancêtres (Pierre Fourier, béatifié au XVIIe siècle). Après de solides humanités au collège, il commence en 1787 son apprentissage du négoce.

La Révolution, vécue à Lyon en 1793, relève pour lui du cauchemar : elle ruine le petit fonds de commerce acheté avec ce que l'indélicatesse d'un parent lui avait laissé de l'héritage paternel, le confond dans la suspicion du Comité de salut public envers une ville insurgée contre la Terreur et lui vaut un emprisonnement suivi d'une incorporation dans l'armée du Rhin. Vécue comme une conséquence des Lumières, l'expérience de la désorganisation sociale, des désordres du commerce, de la misère urbaine et de la guerre persuade Fourier que les philosophes ont fait fausse route : la société est bonne à refaire. Dès la fin du Directoire, il croit avoir trouvé les éléments d'une solution dont il commence à publier des échantillons sous l'Empire, dans le *Bulletin de Lyon*, tout en exerçant différents métiers de commerce (comptabilité, expédition, courtage…).

Mortifié par la moquerie et l'indifférence qui accueillent, en 1808, les bizarreries au moins apparentes de son premier livre, *Théorie des quatre mouvements et des destinées générales*, Fourier profite de l'héritage reçu de sa mère pour se retirer dans le Bugey. De cette période de réflexion et d'écriture, qui dure de 1815 à 1820 et où il a tout loisir, grâce à ses trois nièces, d'observer la gamme entière des fantaisies amoureuses, datent le *Traité de l'Association domestique-agricole* (1822) et un ensemble de manuscrits inédits, dont *Le Nouveau Monde amoureux* (édité pour la première fois en 1967).

Installé à Paris à partir de 1822, Fourier y vit médiocrement du courtage. Chaque jour, paraît-il, à heure fixe, il attend un hypothétique mécène susceptible de lui offrir le capital d'une expérience d'association. Malgré *Le Nouveau Monde industriel*, l'abrégé de sa doctrine paru en 1829, les disciples demeurent rares jusqu'au moment où le saint-simonisme, en s'effondrant, lui lègue providentiellement l'espace public et les quelques militants nécessaires au démarrage de sa propre école. Une revue hebdomadaire est créée en 1832, avec, pour titre, le savant néologisme par lequel Fourier propose de désigner les communautés de base de la future société : *Le Phalanstère*. Un essai est tenté, quelques années durant, à Condé-sur-Vesgres (près de Rambouillet), pendant que Fourier rédige *La Fausse Industrie*, dont le second volume paraît peu avant sa mort, en 1837. Désormais libre de passer sous silence les parties irrecevables de sa pensée, « l'école sociétaire », sous la conduite du polytechnicien Victor Considérant (1808-1893), élargit son audience jusqu'à faire vivre un quotidien, *La Démocratie pacifique* (1843-1849). Après la défaite de la démocratie socialiste sous la IIe République, les espoirs fouriéristes se transportent aux États-Unis. Un phalanstère y subsistera péniblement, pendant près de deux décennies, au Texas.

L'utopie et son écriture

La « science sociale »

L'utopie, de la part de Fourier, est un choix de méthode : pour sortir de l'ornière, rompre avec la prétendue « civilisation » et ses « philosophes », il faut penser par voie de « doute absolu et [d]'écart absolu ». De fait, le constat critique met en cause jusqu'à cette industrie dont Saint-Simon attend tout :

> « La fortune publique n'est plus qu'une proie livrée aux vampires d'agiotage, l'industrie est devenue, par ses monopoles et ses excès, une punition pour les peuples réduits au supplice de Tantale, et affamés au sein de leurs trésors. »

Fourier ne s'en tient pas là et dénonce aussi bien les nourritures frelatées qu'on livre aux habitants des villes, les « bourreaux d'ouïe » qui se multiplient, tels les « magasins de fer » et les « crieurs mercantiles ». Mais c'est la condition féminine qui, selon lui, est la véritable pierre de touche de l'état social.

> « Les progrès sociaux et changements de Période, écrit-il, s'opèrent en raison du progrès des femmes vers la liberté, et les décadences d'Ordre social s'opèrent en raison du décroissement de la liberté des femmes. »

La clé du problème serait dans l'instauration d'une « harmonie » fondée sur l'ordre naturel voulu par Dieu. En priorité, Fourier entend produire une analyse exacte des passions humaines afin de ne plus les brider. Il y a, explique-t-il, une « attraction passionnelle » analogue à l'attraction terrestre de Newton. D'une classification et d'une combinatoire exacte des passions dépend le bonheur des individus et la bonne marche de la société. En lieu et place du « morcellement » en vigueur devrait régner « l'association naturelle et attrayante ». L'inconstance amoureuse et la pauvreté, par exemple ne seraient pas supprimées, mais reconnues, régulées, donc transformées et délivrées de la souffrance. Fourier propose, pour soulager la seconde, un « minimum social » garantissant une existence convenable à ceux que la rétribution en fonction du travail, du capital et du talent laisserait trop démunis.

Une anti-écriture

Une telle lucidité et de telles anticipations ne sauraient provenir que d'un esprit extérieur aux sciences constituées.

Conscient de sa position de « roturier scientifique », Fourier affecte de parler d'ailleurs. La *Théorie des quatre mouvements,* éditée à Lyon, est censée avoir été imprimée à Leipzig et rédigée par un homme « étranger à l'art d'écrire », possédant à peine le français.

Chacun de ses écrits se présente comme livrant une partie seulement d'une science qui reste toujours à dévoiler dans sa totalité. Aussi bien l'écriture de Fourier brise-t-elle délibérément l'ordonnance rhétorique. Impossible d'en décrire la logique sans recourir aux catégories proposées, « phases », « séries », « octaves », « pivots », « vibrations ascendantes », « germes simples » et « germes composés », entre autres. Car elles l'informent, si baroques qu'elles semblent. Avec ses classifications imitées des traités de sciences naturelles, ses tableaux, ses calculs, ses digressions, ses notes, ses scènes de science-fiction, Fourier compose une musique intellectuelle plus qu'il ne discourt de façon suivie.

C'est qu'il s'agit de bousculer la rationalité dominante, de la déboussoler, de l'affoler, pour lui faire admettre des concepts et des modes logiques incompatibles avec les siens. Fourier revendique, en citant les monades de Leibniz et les noumènes de Kant, le droit de battre sa propre monnaie conceptuelle, faite d'innombrables néologismes qu'il n'est pas toujours possible de traduire exactement, comme la « papillonne », en *passion de la variété* ou, comme la « céladonie », en *amour purement spirituel.*

Tour à tour, et conformément à son respect de la diversité des passions, ses efforts allocutoires s'adressent à des catégories différentes de lecteurs, y compris les « volupteux » ou « sybarites », dont les femmes, qu'il croit plus porté(e)s à apprécier les « avant-goûts » descriptifs de la société harmonienne. Qui ne rêverait de l'*antilion*, superbe fauve pacifié au point de transporter des passagers à grands bonds, de l'*antirequin*, précieux auxiliaire des marins pêcheurs, ou encore de l'*archibras*, organe nouveau de l'homme nouveau, « véritable queue d'une immense longueur [...], terminé par une main très petite, [...] aussi forte que les serres de l'aigle » ?

Pour autant, cette écriture utopique de l'utopie ne se réclame nullement du romantisme, comme si elle en redoutait un discrédit supplémentaire. Elle emprunte ses garanties esthétiques à Rousseau, à Bernardin de Saint-Pierre, à l'abbé de Raynal, mais également et surtout, aussi curieux que cela paraisse, à Boileau, Molière, La Fontaine et Racine. Fourier, pourtant, fréquenta le salon de son compatriote bisontin Nodier, à l'Arsenal. Il n'empêche : il n'y eut pas non plus un seul contemporain pour le taxer de romantisme. Le propre de l'utopie, il est vrai, est de n'être nulle part.

Bibliographie

• Éditions :
Œuvres complètes, Paris, Anthropos, 1966-1968, 12 vol. – *Le Nouveau Monde amoureux*, manuscrit édité par S. Debout, rééd. Slatkine, Genève, 1979.

• Biographie :
J. Beecher, *Fourier*, Paris, Fayard, 1993.

• Ouvrages de synthèse :
H. Bourgin, *Fourier, contribution à l'étude du socialisme français*, Société nouvelle de librairie et d'édition, 1905. – J. Goret, *La Pensée de Fourier*, Paris, PUF, 1974. – R. Schérer, *Charles Fourier ou la Contestation globale*, Seghers, 1970.

• Sélection de travaux critiques :
R. Barthes, *Sade, Fourier, Loyola,* Paris, Le Seuil, 1971. – A. Breton, *Ode à Charles Fourier,* commentée par Jean Gaulmier, Paris, Klincksieck, 1961. – S. Debout, *« Griffe au nez » ou donner « have ou art », écriture inconnue de Charles Fourier,* Paris, Anthropos, 1974. – S. Debout, *L'Utopie de Charles Fourier. L'illusion réelle*, Paris, Payot, 1978. – H. Desroche, *La Société festive : du fouriérisme écrit aux fouriérismes pratiqués*, Paris, Le Seuil, 1975. – M. Nathan, *Le Ciel des fouriéristes*, Lyon, Presses universitaires de Lyon, 1981.

• Revue spécialisée :
Cahiers Charles Fourier, Besançon.

* * *

PIERRE-JOSEPH PROUDHON (1809-1865)

Avec Pierre Leroux, son aîné, dont il ne partage pas du tout le romantisme, Pierre-Joseph Proudhon est l'un des deux seuls philosophes socialistes français qui, issus du peuple, ont travaillé de leurs mains et n'ont pas fréquenté les bancs d'une grande école ou de l'université. Dans la seconde moitié du siècle et jusqu'à la révolution russe, il est, face à l'étoile montante de Marx et dans une confrontation au fond dommageable à l'un comme à l'autre, le représentant indépassable du meilleur de la culture socialiste française, mais aussi un écrivain politique qu'on lit avec une admiration largement répandue pour sa puissance de théorisation et pour ses talents de polémiste. Sainte-Beuve en personne lui a consacré un ample et élogieux portrait, avant de l'encourager à donner un tour plus littéraire à sa carrière pour surmonter l'exil et la censure auxquels le second Empire le soumit. Ce faisant, le critique n'avait pas le sentiment, comme nous, d'avoir affaire à un cas d'école : la répression même qui entourait les écrits et la personne de Proudhon depuis ses débuts sous la monarchie de Juillet, au lieu d'en faire un cas singulier, le rendait fraternel aux gens de lettres.

Un philosophe prolétaire

Né en 1809 à Besançon, fils d'un tonnelier et d'une paysanne, Proudhon ne peut terminer ses études secondaires et, en 1827, s'embauche comme ouvrier dans un atelier d'imprimerie spécialisé dans les ouvrages religieux. Tout en assemblant les caractères, il lit les contre-révolutionnaires Bonald et Maistre, mais aussi Fourier et entre dans la franc-maçonnerie. Après son tour de France d'ouvrier imprimeur (1829-1834) et un *Essai de grammaire générale* (1837), l'obtention en 1838 d'une bourse de l'académie de Besançon lui permet de compléter son instruction et de rédiger trois discours sur la propriété qui font grand bruit. Le ton en était donné par un début imité de celui de Sieyès à propos du tiers état : « Qu'est-ce que la propriété ? – C'est le vol. » Après procès et acquittement en cours d'assises suit un essai moins directement attentatoire aux classes aisées, *De la création de l'ordre dans l'humanité* (1843). Proudhon y trace les grandes lignes d'une philosophie de l'histoire composée des emprunts les plus divers : les saint-simoniens, Fourier et Auguste Comte y côtoient les économistes sur une trame faite d'emprunts à Platon, à Ballanche, à Kant et à Hegel… Commis dans une entreprise de batellerie lyonnaise jusqu'en 1847, Proudhon, durant ses séjours à Paris, frotte ses idées à celles des exilés de la Jeune-Allemagne, dont Marx. C'est en réplique à sa *Philosophie de la misère* ou *Système des contradictions économiques* (1846) que ce dernier s'exerce à critiquer quelques faiblesses doctrinales du socialisme français dans *Misère de la philosophie* (1847).

En 1848, Proudhon est élu député à l'Assemblée et, comme Leroux, devient vite la cible favorite des conservateurs. Après les journées de juin, auxquelles il ne participe pas, son journal, *Le Peuple*, est accablé d'amendes. Lui-même purge une peine de trois ans de prison, dont il profite pour écrire *L'Idée générale de la Révolution au* XIX*e siècle* (1851) et, après le 2 décembre, *La Révolution sociale démontrée par le coup d'État* (1852). Sa *Philosophie du progrès* (1853), trop absconse, et son *Manuel du spéculateur à la Bourse* (1857), trop camouflé, n'émeuvent pas la censure. Il n'en va pas de même du grand œuvre *De la justice dans la révolution et dans l'Église* (1858). À nouveau condamné à la prison, Proudhon se réfugie en Belgique, y écrit *La Guerre et la Paix* (1861) et n'en rentre, après amnistie, qu'en 1862. Ses dernières années – il meurt en 1865 – voient encore la parution de plusieurs maîtres ouvrages, *La Fédération et l'unité en Italie* (1862), *Du principe fédératif* (1863), *Du principe de l'art et de sa destination sociale* (1864) et *De la capacité politique des classes ouvrières* (1865). Ses disciples ont été nombreux dans les instances dirigeantes de la Commune et de l'Internationale.

Un révolutionnaire homme de lettres

Un « socialisme scientifique »

Comme le saint-simonisme et le fouriérisme, le socialisme proudhonien se veut « positif » et « scientifique ». Marqué par la lecture de Comte, Proudhon définit le progrès comme la « marche ascensionnelle de l'esprit vers la science » par les trois étapes consécutives de la religion, de la philosophie et de la science. À cette dernière il est néanmoins tenté d'adjoindre la « métaphysique » ou la morale, comme principe régulateur des « antagonismes » sociaux. Ainsi ne voit-il pas d'autre solution que le concept de justice pour rétablir l'équilibre entre la valeur d'échange des produits, fixée par le marché, et leur valeur d'usage, déterminée par le besoin qu'on en a : ce serait le seul moyen de redistribuer aux producteurs une partie de la « force collective » investie par la société dans tout travail et abusivement accaparée par les capitalistes. La science économique, estime Proudhon, doit intégrer la dimension utopique du socialisme, faute de quoi elle se réduirait à n'être que « pratique organisée du vol et de la misère ».

Outre l'état plus avancé de l'économie politique dont bénéficie son analyse de l'exploitation, le proudhonisme se distingue du socialisme de 1830 par plusieurs traits majeurs. C'est, d'abord, son égalitarisme foncier (« évaluez-moi le talent d'un bûcheron et je vous évaluerai celui d'un Homère »). Très soucieux de promouvoir la « démocratie ouvrière » face aux républicains bourgeois, Proudhon – c'est en quoi il est anarchiste – veut la prémunir définitivement contre tout « gouvernementalisme » (« tout pour le peuple, et tout par le peuple, même le gouvernement »). Même s'il maintient l'hypothèse de Dieu comme une sorte d'inconnue mathématique, d'« instrument dialectique nécessaire » ou encore de perspective pour « donner un sens à l'histoire » et « légitimer les réformes à opérer, au nom de la science, dans l'État », son combat porte aussi constamment contre l'emprise de l'Église et de l'idée religieuse. Les multiples obstacles idéologiques qu'il a eu à surmonter pour élaborer théoriquement un socialisme à bien des égards aujourd'hui lisible de plain-pied, se mesurent à de rares mais vives défaillances. Ainsi l'homme qui, à la différence de la plupart des écrivains, estime que « les explosions périodiques du prolétariat contre la propriété » sont un facteur de progrès est le même que sa rigidité morale et une misogynie d'époque conduisent à écrire que « toute indiscipline des ouvriers est assimilable à l'adultère commis par la femme ».

La littérature comme continuation de la lutte politique

Propre à la plupart des opposants à l'Empire par réaction contre la nouvelle alliance du trône et de l'autel réalisée par Napoléon III, le parti pris positif de Proudhon le conduit à réaffirmer vigoureusement, comme Comte, que le temps de la souveraineté de la littérature est définitivement révolu. Ce n'est plus à l'imagination ni à « l'art d'agencer des mots et des périodes » qu'il appartient de régir une société moderne. Sans ménagement aucun, Proudhon dénonce aussi bien les gains selon lui excessifs des notables des lettres que les torts des romantiques, coupables, explique-t-il, d'avoir, « en reprenant la féodalité pour élément littéraire, [...] annulé, autant qu'ils l'ont pu le XVIIIe siècle et rendu le XIXe siècle inintelligible ». Que ce soit un trait de génération ou le fait d'une rencontre intellectuelle, ses goûts coïncident paradoxalement à peu près avec ceux de Taine. Pour lui, la « nation française » s'exprime à l'état pur dans la tradition « qui passe par Rabelais, Montaigne, Molière, La Fontaine, Bayle, Voltaire, Beaumarchais, Volney, Paul-Louis [Courrier], Béranger », mais il n'y aurait que décadence à partir de « la ligne romantique » inaugurée par Rousseau (« le premier des *femmelins* de l'intelligence ») et continuée par « Bernardin de Saint-Pierre, Chateaubriand, Lamartine ». C'est pourquoi il place ses espoirs dans le réalisme pictural de Courbet et son audace de montrer le laid afin, selon lui, de flageller l'aristocratie « dans sa grasse et obscène nudité ». Dans la droite ligne de sa gestion des contradictions, Proudhon préconise donc une esthétique associant *réalisme* et *idéalisme*. Le bon équilibre serait « une représentation idéaliste de la nature et de nous-mêmes, en vue du perfectionnement physique et moral de notre espèce ».

Une contradiction supplémentaire, mais non analysée, est que ce dénonciateur de la littérature littéraire se trouve être le seul écrivain socialiste à avoir pu vivre du produit de ses livres. Sans atteindre, certes, le niveau de fortune qu'il dénonce chez d'autres, mais sans avoir besoin, comme Leroux, de recourir au patronage d'une George Sand ou aux subsides d'amis entrés dans les affaires. Son itinéraire peut en résumé se décrire comme celui d'un *philosophe* bâtissant son succès sur des paradoxes subversifs, comme le Rousseau du *Discours sur l'inégalité* (malgré la mauvaise opinion qu'il en professe), et misant sur la protection d'une Académie, puis éblouissant un public aussi peu populaire que possible par une familiarité sans égale avec le dernier cri de la philosophie allemande, et exploitant enfin sa réputation par la vente à grands tirages dans les milieux d'opposition d'un essai grand public, où solidarité ouvrière et sympathies germaniques font place à l'expression répétitive mais efficace du consensus républicain bien français autour de la Révolution et contre l'Église.

Au total, qu'on l'envisage du point de vue du renouvellement des idées ou de celui du renouvellement de la langue (innovations lexicales, invention de postures polémiques exemplaires, relance de genres comme le pamphlet et l'essai), Proudhon, si le XIXe siècle n'était pas mutilé, figurerait dans les recueils à usage scolaire au même titre que les philosophes des Lumières.

Bibliographie

• Éditions :
Œuvres complètes, Marcel Rivière, 1923-1959, 13 vol. – *Carnets*, Marcel Rivière, 1960-1974, 4 vol.

• Ouvrages de synthèse :
P. Ansart, *Naissance de l'anarchisme. Esquisse d'une théorie sociologique du proudhonisme,* Paris, PUF, 1970. – P. Ansart, *Sociologie de Proudhon*, Paris, PUF, 1967. – P. Haubtmann, *La Philosophie sociale de P.-J. Proudhon*, Grenoble, Presses universitaires de Grenoble, 1980. – P. Haubtmann, *Proudhon, Marx et la pensée allemande*, Grenoble, Presses universitaires de Grenoble, 1981. – P. Haubtmann, *Proudhon, 1809-1849*, Paris, Beauchesne, 1982. – P. Haubtmann, *Pierre-Joseph Proudhon. Sa vie et sa pensée. 1849-1865*, Paris, Desclée de Brouwer, 1988 [suite du précédent]. – P. Palix, *Le Goût littéraire et artistique de P.-J. Proudhon*, Paris, Champion, 1977, 2 vol.

* * *

Alexis de Tocqueville (1805-1859)

Célébré aux États-Unis pour être l'un des rares penseurs français à avoir étudié avec un réel intérêt la jeune démocratie américaine, Alexis de Tocqueville reste méconnu en France, hors du cadre des études politiques. Il est cependant le meilleur représentant de la pensée libérale française de la première moitié du XIXe siècle, et le seul dont les œuvres soient disponibles en librairie. Ce mouvement libéral fut la part la plus visible de l'activité intellectuelle sous la Restauration, mais elle se trouva bien vite à l'étroit, pendant la monarchie de Juillet, entre la montée des doctrines sociales et la gestion d'un pouvoir globalement rejeté par l'opinion, si bien que le libéralisme apparut, souvent à bon droit, comme l'argumentaire commode du capitalisme industriel et financier. Mais Tocqueville ne témoigne pas seulement d'une époque ou d'une idéologie. Auteur d'une œuvre remarquablement rigoureuse autant sur le plan de la construction conceptuelle que dans la prise en compte de la réalité, toujours nuancée et ambiguë, il invite à deux interrogations fondamentales, auxquelles la pensée du XIXe siècle a assez généralement oublié de répondre : la première porte sur le rapport qu'il convient d'établir, dans les sciences sociales, entre la réflexion théorique, qui vise à la systématicité, et l'analyse des faits ; la deuxième concerne, notamment dans le champ de l'histoire, le jeu compromettant, voire falsificateur, qui risque de s'instaurer entre les visées propres de l'écriture et les protocoles nécessaires de la pensée scientifique.

Un enfant de l'aristocratie et des Lumières

Descendant d'une famille de la haute aristocratie, fils d'un pair de la Restauration, il se destine naturellement au service de l'État, malgré la révolution de 1830. Élevé dans les milieux royalistes mais influencé par la philosophie politique des Lumières, il a le rang social et les dispositions intellectuelles qui conviennent à la monarchie censitaire.

La première étape de sa carrière fut la mission officielle dont on le chargea en 1831 et, surtout, l'ouvrage de réflexion politique qu'il en tira en 1835 et qu'il compléta en 1840 (*De la démocratie en Amérique*). Le succès de cette étude dans les sphères supérieures du public cultivé lui donne une réputation de penseur politique. Il est reçu dans les salons libéraux et gouvernementaux aussi bien que dans les cercles aristocratiques. Député en 1839, académicien en 1841, il dispose au Parlement d'une réelle autorité, même si sa formation et son tempérament l'éloignent du pouvoir effectif.

Peu soucieux de défendre un régime déconsidéré mais inquiet des succès socialistes, il fait partie de ceux qui, en 1848, s'efforcent de maintenir la IIe République dans la ligne libérale et est brièvement, en 1849, ministre des Affaires étrangères. Mais sa santé, puis le coup d'État de Louis Napoléon Bonaparte le détournent définitivement de l'action publique : il se consacrera, jusqu'à sa mort en 1859, à ses écrits : d'abord à la rédaction de ses *Souvenirs*, qui offrent un témoignage, partial mais irremplaçable, sur les événements de 1848 ; ensuite à la préparation d'une vaste étude sur *L'Ancien Régime et la Révolution*, dont ne paraîtra malheureusement, en 1856, que le premier tome.

Un théoricien pragmatique

Par ses présupposés théoriques, Tocqueville est l'héritier direct de la philosophie politique du XVIIIe siècle telle que l'auteur de *L'Esprit des lois* en a jeté les bases. Mais Montesquieu ne disposait que de sa raison critique et du modèle anglais. Tocqueville, lui, est allé sur place étudier concrètement la constitution et la société américaines ; il a pu méditer sur un demi-siècle de révolutions et de réformes en France. Aussi sa réflexion s'efforce-t-elle toujours de prendre en compte les faits, non pas pour disqualifier la théorie, mais au contraire pour la contraindre à davantage de nuance et de précision. Or, tous les débats de l'après-1830 opposent les esprits spéculatifs et les observateurs désabusés de la réalité ; pourtant, au moment même où les romantiques, vite déçus par les suites des Trois Glorieuses, adoptent un dandysme ironique, Tocqueville élabore un cadre conceptuel et une méthode afin de concilier le possible et ce qu'il estime être le souhaitable, à savoir la réalisation effective de la démocratie politique, dans le strict respect du libéralisme. Avançant à la fois sur le terrain de la science politique et de l'histoire, il suit une démarche originale qui, par une confrontation constante des principes et des moyens dont il faut se doter pour les mettre en œuvre, concilie l'exigence de cohérence interne et le refus d'une systématicité qui risquerait de fermer la théorie sur elle-même.

Mais on sait bien que toute pensée, aussi scientifique qu'elle se prétende, est conditionnée par son mode de formulation. Celle de Tocqueville, toute en finesse et en mesure, implique une conception littéraire qui, elle aussi, tranche avec les pratiques de son temps. Son style est toujours sobre, rigoureux sans fausse raideur conceptuelle, soucieux de ne jamais user indûment des ressources de l'éloquence argumentative. N'étant ni professeur ni écrivain, il attend seulement des mots qu'ils soient disponibles à sa pensée en mouvement. Alors que son contemporain Michelet escompte que la littérature apportera à sa science historique son énergie propre et une paradoxale légitimité épistémologique, Tocqueville postule que la pensée du réel, dès lors qu'elle ne passe pas par l'intervention avouée de la fiction et de l'imagination, exige une maîtrise spécifique de l'écriture.

Bibliographie

• Éditions :
Œuvres complètes, J.-P. Meyer éd., Paris, Gallimard, 18 vol. parus depuis 1951. – *De la démocratie en Amérique, Souvenirs, L'Ancien Régime et la Révolution*, F. Mélonio et J.-C. Lamberti éds, Paris, R. Laffont, 1986. – *De la démocratie en Amérique*, E. Nolla éd., Paris, Vrin, 1990.

• Biographie :
X. de La Fournière, *Alexis de Tocqueville, un monarchiste indépendant*, Paris, Perrin, 1981.

• Étude d'ensemble :
F. Mélonio, *Tocqueville et les Français*, Paris, Aubier, 1993. – A. Jardin, *Alexis de Tocqueville (1805-1859)*, Paris, Hachette, 1984.

• Sélection de travaux critiques :
R. Aron, *Les Étapes de la pensée sociologique*, Paris, Gallimard, 1967. – P. Birnbaum, *Sociologie de Tocqueville*, Paris, PUF, 1970. – J.-C. Lamberti, *Tocqueville et les deux démocraties*, Paris, PUF, 1983. – P. Manent, *Tocqueville et la nature de la démocratie*, Paris, Julliard, 1982.

* * *

Jules Michelet (1798-1874)

Plus qu'aucun autre, de son vivant et pour les nombreux écoliers de la IIIe République conviés à le lire en morceaux choisis, Michelet a incarné la figure idéale du professeur d'histoire – le savant dont la science était assez sûre, la conscience assez démocratique et la plume assez talentueuse pour qu'on lui confiât le soin d'enseigner la patrie ct la République au plus grand nombre.

C'est dire les raisons qu'il y aurait aujourd'hui de ne plus le lire. Les progrès des connaissances et des méthodes historiques, les remises en question du sens de la Révolution et même de l'histoire les séparations institutionnelles dressées entre l'histoire et la littérature auraient en effet eu raison de cette œuvre si l'attention n'y avait pas été ramenée au tournant de nos années cinquante du fait de la valeur redonnée par l'essor de l'histoire des mentalités à son exploration des zones obscures du passé (ainsi le savoir populaire et la culture féminine dans *La Sorcière*), comme en raison de la qualité poétique de son écriture, qui, avec celles de V. Hugo et de G. Sand, fut l'une des dernières écritures romantiques du siècle.

Du peuple à l'Université, de l'ascension à la dissidence

Les origines populaires de Michelet, dont il argue pour s'identifier à l'histoire de la France depuis 1789, ne sont pas une légende. Jules Michelet est né, à Paris, sous la Révolution, d'un petit imprimeur artisanal et sans-culotte, et il a connu la misère, le froid et la faim à mesure que son père s'enfonçait dans les dettes. Il a même brièvement, enfant, été compositeur d'imprimerie. C'est le choix de ses parents de miser sur l'instruction qui l'a extrait de sa condition et lancé dans une ascension souvent donnée en exemple, sous la IIIe République, aux élèves de l'école laïque. Touché par le sentiment religieux après la mort de sa mère, en 1815, il se fait baptiser en 1816, l'année même où il rafle les prix les plus importants au concours général des lycées parisiens. Sa carrière commence selon le parcours type de l'enseignement sous la Restauration : répétiteur dans une pension, thèses sur l'historien grec Plutarque et le philosophe anglais Locke (1819), agrégation de lettres (1821)… C'est l'entrée de Michelet dans le groupe de Victor Cousin, en 1824, qui lui met le pied à l'étrier. Figure phare de la philosophie libérale, d'origine populaire lui aussi, Cousin patronne son premier travail d'érudition, une traduction de *La Science nouvelle* de Vico, un philosophe napolitain de la Renaissance réputé avoir été l'un des premiers à proposer une lecture humaniste, non théologique, de l'histoire. Nommé maître de conférences de philosophie et d'histoire à l'École normale l'année même de la parution de ses *Œuvres choisies de Vico… précédées d'une introduction sur sa vie et ses ouvrages* (1827), Michelet bénéficie directement de la révolution de 1830. Précepteur d'une fille de Louis-Philippe après avoir été celui, sous la Restauration, des enfants de la duchesse de Berry, il est en outre nommé chef de la section historique des Archives. Ce poste clé lui inspire l'ambition et lui donne la possibilité pratique d'entreprendre une monumentale *Histoire de France* (17 tomes, échelonnés de 1833 à 1867).

Alors que, plus âgés et plus avancés dans leurs carrières, Cousin et Guizot se laissent volontiers aspirer par le pouvoir, Michelet se borne à occuper le terrain universitaire. Suppléant du second en Sorbonne (1833-1835), professeur au Collège de France et membre de l'Académie des sciences morales et politiques (à partir de 1838), il se trouve en première ligne lorsqu'en 1842, la presse cléricale passe à l'offensive contre l'Université. Avec la caution tacite du pouvoir au début, il y réplique en consacrant son cours à la Compagnie de Jésus. Les livres de circonstance qui en résultent, *Des jésuites* (1843) et *Du prêtre, de la femme et de la famille* (1845), projettent leur auteur au cœur de l'arène. L'afflux enthousiaste de la jeunesse étudiante qui transforme ses cours en autant de manifestations, et les réserves, puis la désapprobation des milieux gouvernementaux devant cette fermentation débordante amènent Michelet à se radicaliser et à se détacher du catholicisme pour songer, comme Enfantin l'y incite, à une « religion de l'avenir ». *Le Peuple* (1846), entièrement assumé à la première personne, annonce clairement sa nouvelle orientation. Il s'y pose comme nourri par la « sève du peuple », guidé par l'« instinct du peuple », et n'est pas loin de se projeter dans le portrait de l'« homme de génie » – *homme*, et non *Dieu* – qu'est pour lui le Christ. Mais à la différence de Pierre Leroux, qui professe « la religion de l'Humanité », Michelet conclut à la religion de la France. Ainsi s'identifie-t-il à l'objet de sa pratique d'historien et se définit-il une position d'énonciation où le *je* se confond avec un universel réduit à la patrie :

> « Il y a bien longtemps que je suis la France, vivant jour par jour avec elle depuis deux milliers d'années. »

D'où l'*Histoire de la Révolution française* (6 tomes, de 1847 à 1853).

Les péripéties d'ordre politique subies de 1848 à 1852 (son cours suspendu en janvier 1848, rétabli en mars suivant grâce à la révolution survenue entre-temps, suspendu à nouveau en 1851, puis sa démission de toutes ses fonctions, entraînée par son refus de prêter serment à l'Empire) accompagnent une mutation intérieure profonde, plus ou moins liée au mariage, en 1848, de l'historien, veuf depuis une dizaine d'années, avec une institutrice de trente ans plus jeune que lui, Athénaïs Mialaret. Désormais le plus souvent réfugié en province, comme en un exil intérieur, c'est avec elle que Michelet écrit *L'Oiseau* (1856), le premier d'une série d'essais an-historiques : *L'Insecte* (1857), *La Femme* (1859), *La Mer* (1861), *La Montagne* (1868). Sa découverte ou sa mythification du « monde femme » et de la nature s'exprime aussi par étapes dans *Jeanne d'Arc* (un récit publié séparément, en 1853, du tome V de l'*Histoire de France*), dans *La Sorcière* (1862) et dans *La Bible de l'Humanité* (1864), envahie par l'Orient, de la Judée à l'Inde. Les dernières années, en réaction aux événements de 1870 et 1871, sont occupées par un retour sur le siècle aux trois quarts écoulé, vu comme la préparation d'une ère religieuse nouvelle (*Histoire du* XIXe *siècle*, 3 tomes de 1872 à 1875, sans compter, en 1879, la première édition, posthume, de l'utopique *Banquet*).

Écrivain d'histoire

Une philosophie orientée de l'histoire

Les connaissances de Michelet impressionnaient ses contemporains par leur étendue et leur originalité. À l'exemple des historiens allemands et bien avant la génération positiviste des Seignobos et autres

Fustel de Coulanges, il est homme d'érudition et d'archives, de surcroît plus conscient que ses successeurs de ce que nous nommerions l'histoire des mentalités et la dimension culturelle. Lui-même fait valoir à bon droit qu'à la différence d'annalistes dont tout le métier se réduit à montrer l'enchaînement des événements au « point de vue politique », il s'est plongé, lui, dans « l'infini détail » d'une histoire totale de la France, incluant et brassant ensemble la religion, l'économie et l'art.

Si Michelet est cependant perçu comme un historien romantique par des hommes comme Taine, c'est que sa volonté de tout interpréter, et les valeurs qui sous-tendent son interprétation, sont étroitement liées aux idéologies des années 1820-1830, qu'il les partage ou qu'il s'y oppose. Sa réaction au « fatalisme de race » d'Augustin Thierry, au « fatalisme légendaire des grands hommes providentiels » déduit de Hegel par Victor Cousin et, en général, à toute légitimation du fait accompli le situe en une sorte de centre gauche sur l'éventail des intellectuels de la monarchie de Juillet, parmi ceux qui, tout en s'accordant sur le compromis spiritualiste passé par Cousin avec l'Église, ne se résignent pas à l'extinction lente de « l'éclair de Juillet ». Son dogme, et l'objet d'histoire qu'il se choisit, c'est donc la permanence de la « guerre de l'homme contre la nature, de l'esprit contre la matière, de la liberté contre la fatalité ». En pratique, comme on l'a vu, cela se traduit par une adhésion critique au régime de Louis-Philippe.

Motivée de la même manière, son opposition du début des années 1830 au panthéisme germanique (« un adultère de la matière et de l'esprit ») n'empêche pas Michelet, le second Empire venu, de s'y laisser séduire à son tour. La série naturaliste inaugurée par *L'Oiseau* repose en effet sur le projet typiquement panthéistique de travailler à « la pacification et [au] ralliement harmonique de la nature vivante ». Non seulement l'*amour* succède à la *liberté* au sommet de la hiérarchie de ses valeurs, mais Michelet déclare vouloir en mettre en lumière le « côté fatal et profond d'histoire naturelle, qui influe infiniment sur son développement moral ». Il n'est pas fortuit que ce revirement, qui rapproche Michelet des saint-simoniens d'Enfantin, l'entraîne à aménager une place de choix à la femme, en l'occurrence à Athénaïs, dans l'inspiration et dans l'écriture même de ces essais : elle est censée y représenter la voix de la nature et s'en trouve sacralisée. Parallèlement, la série des ouvrages historiques traduit cette évolution par une exacerbation du prophétisme assez ancien de leur auteur. Dans le volume de l'*Histoire de France* consacré à la Renaissance (1855), le schéma cyclique ternaire emprunté à Vico (âge des dieux, âge des héros, âge des hommes) pour rendre compte du retour périodique des mêmes formes politiques (la Restauration après la République…) sert ainsi à Michelet de grille de lecture pour discerner dans la trame historique la présence de cet « Évangile éternel » annoncé au Moyen Âge par le mystique Joachim de Flore. De même qu'après le règne du Père et celui du Fils doit venir celui de l'Esprit, après l'esclavage et la liberté, c'est l'« amitié », y explique-t-il, autrement dit le socialisme, qui sera le troisième et dernier état de l'humanité.

Pour une histoire poétique

À seulement considérer le fait qu'après l'instauration du second Empire, il vit exclusivement, et très confortablement, de ses livres, Michelet, alors, devient un écrivain, le seul, si l'on excepte Lamartine avec ses *Girondins*, à faire de l'histoire matière à littérature, au sens esthétique du mot. L'élargissement concomitant de sa gamme à l'histoire naturelle participe de son effort pour toucher d'autres publics, en particulier pour rivaliser avec l'Église dans la conquête des esprits féminins.

L'ambition d'écrivain de Michelet est toutefois bien antérieure et plus élevée. Lui-même situe sa mission « solitaire » entre, d'un côté, « le flot romantique, d'un si grand éclat littéraire, mais qui, indécis sur le fond lui-même, s'appela l'art pour l'art », et, de l'autre, « le mouvement des écoles utopistes qui cherchaient le fond même, voulaient renouveler la foi et la société ». Conçue comme une entreprise de « résurrection », d'actualisation du passé, l'écriture historique serait en somme l'unique moyen de pratiquer au présent et à la fois, selon la formule chère à Cousin, le beau, le bien et le vrai. Aussi bien, selon Michelet, ne peut-elle plus relever du seul régime philosophique : elle doit tendre aussi au symbole poétique, voire à la « naïve légende » pour un peuple que ne toucheraient ni le récit romanesque de destinées purement individuelles, ni la « généralité vague » du « sermon humanitaire ou chrétien ». Il s'agit dès lors de contribuer à créer une « littérature commune » animée par l'esprit de la Révolution et susceptible de constituer les nouvelles Écritures saintes de l'humanité.

Bibliographie

• Œuvres :

Œuvres complètes, sous la dir. de P. Viallaneix, Flammarion, 21 vol. parus entre 1971 et 1987. – *Cours au Collège de France, 1838-1851*, P. Viallaneix éd., Paris, Gallimard, 1995, 2 vol. – *Leçons inédites de l'École normale : histoire des XIXe, XVe et XVIe siècles*, Paris, Éditions du Cerf, 1987. – *Le Peuple*, P. Viallaneix éd., Paris, Flammarion, 1974. – *La Sorcière*, P. Viallaneix éd., Paris, Garnier-Flammarion, 1966. – *Correspondance*, L. Le Guillou éd., Paris, Champion, 1994-1996, 6 vol. parus. – *Journal*, P. Viallaneix et Cl. Digeon éds, Paris, Gallimard, 1959-1976, 4 vol.

• Biographie :
É. Fauquet, *Michelet ou la Gloire du professeur d'histoire,* Paris, Éditions du Cerf, 1990. – P. Viallaneix, *Michelet, les travaux et les jours, 1798-1874,* Gallimard, coll. « Bibliothèque des histoires », 1998.

• Bibliographie critique :
R. Barthes, *Michelet*, Paris, Le Seuil, coll. « Points », 1988. – O. Haac, *Les Principes inspirateurs de Michelet*, Paris, PUF, 1951. – St. A. Kippur, *Jules Michelet : a Study of Mind and Sensibility,* New York, State University of New York Press, 1981. – A. Mitzman, *Michelet Historian : Rebirth and Romanticism in Nineteenth-Century France*, New Haven (Conn.), Yale University Press, 1990. – Th. Moreau, *Le Sang de l'histoire. Michelet et l'idée de la femme au XIXe siècle*, Paris, Flammarion, 1982. – P. Petitier, *La Géographie de Michelet : territoires et modèles naturels dans les premières œuvres de Michelet,* Paris, L'Harmattan, 1997. – P. Viallaneix, *La Voie royale, essai sur l'idée de Peuple dans l'œuvre de Michelet*, Paris, Flammarion, 1971.

• Ouvrages collectifs :
P. Viallaneix (dir.), *Michelet écrit l'« Histoire de la Révolution »,* Paris, Les Belles Lettres, 1993.

• Numéros spéciaux de revue :
L'Arc, n° 52, 1973. – *Europe*, nov.-déc. 1973. – *Revue d'histoire littéraire de la France*, sept.-oct. 1974. – *Romantisme*, n° 10, 1975. – *Littérature et Nation*, n° 18, 1997.

* * *

Ernest Renan (1823-1892)

Aujourd'hui, Renan fait partie de ces auteurs dont le patronyme est connu indépendamment de l'œuvre, parce qu'il figure sur des plaques de rues ou des frontons d'écoles. En effet, Renan est d'abord passé à la postérité pour avoir écrit la *Vie de Jésus* et remis en cause, en invoquant des arguments historiques, la divinité de Jésus : aussi avait-il bien mérité de la République laïque et anticléricale. Celle-ci dut gommer au passage les complexités ou les ambiguïtés du personnage, qui les cultivait à plaisir. Ainsi, s'il s'en prend à la tradition biblique et évangélique, toute son œuvre est empreinte de sensibilité religieuse et il reconnaît, sans doute avec malice, avoir tous les « défauts de prêtre » (*Souvenirs d'enfance et de jeunesse*) ; honoré par la République, il est élitiste et hostile, par conviction intellectuelle, au principe démocratique ; il professe le mépris du savant pour l'éloquence littéraire, mais il tend toujours à l'évocation poétique de sa pensée, fidèle au « romantisme de l'âme de l'imagination qu'il croit tenir de ses origines bretonnes ».

Son application à toujours paraître insaisissable, sa prédilection pour une philosophie « où rien ne s'affirme, où tout s'induit, se fond, s'oppose, se nuance » (préface des *Drames philosophiques*) ont pu irriter et passer pour de la duplicité, voire de l'impuissance psychique. Pour Taine, « Renan est parfaitement incapable de formules précises » ; Claudel, avec sa violence coutumière, dénonce l'« espèce mousse albumineuse qu'on prend pour de l'éloquence, incroyablement étroite, artificielle et timide ».

Il arrivait parfois, en effet, que son goût de la nuance confinât à la provocation. Mais, quelles que soient ses motivations psychologiques, Renan a su réunir dans son œuvre subtile, à la fois poétique et ironique, les facettes multiples de la pensée du XIXe siècle – ses aspirations à la foi et au savoir, mais aussi son cortège de désillusions.

Une carrière d'intellectuel

Renan est un intellectuel, à une époque où le mot, hasardé par les saint-simoniens de 1830, existe à peine, et guère plus la réalité qu'il désigne, faute des institutions scientifiques et universitaires dont se dotera la IIIe République. Il doit donc mener de front plusieurs stratégies : poursuivre son travail scientifique en restant fidèle aux exigences de sa pensée, préserver son indépendance à l'égard d'un pouvoir dont il attend, cependant, la reconnaissance – indispensable pour l'exercice de sa profession –, conquérir la faveur du public sans gauchir ses propres convictions ni se plier à une pure logique éditoriale. À cet égard, le cas de Renan est comparable à ceux de ses pairs – V. Cousin, Michelet, Sainte-Beuve… – qui, tous, ont dû constituer leur œuvre en subissant les multiples contraintes qu'imposait leur position dans le champ institutionnel. Mais à ces diverses forces centrifuges s'ajoute une particularité propre à Renan : universitaire venu du milieu clérical, professeur au Collège de France mais formé au séminaire, il réunit en lui les deux traditions antagonistes qui partagent, dans un climat exacerbé d'hostilité et d'incompréhension réciproques, la vie intellectuelle du XIXe siècle.

Né en 1823 dans une famille modeste de marins bretons, Ernest Renan, brillant élève de l'enseignement religieux, est remarqué par la hiérarchie catholique, alors en pleine phase de reconquête et de recrutement. Envoyé à Paris pour y poursuivre ses études, il découvre les langues sémitiques, la philologie allemande et le doute religieux. Celui-ci l'emporte : en 1845, il quitte le séminaire de Saint-Sulpice et rentre dans le siècle pour devenir, pour quelques années, un « clerc laïque ». Il lui faut donc obtenir ses grades et diplômes universitaires : le baccalauréat (1847), l'agrégation de philosophie (1848), la thèse (1852).

Parallèlement, il commence à se faire connaître comme rationaliste et savant orientaliste. En 1848, il écrit un essai sur *L'Avenir de la science*. Mais il ne le publiera qu'en 1888 ; futur maître à penser, il doit apprendre le sens des opportunités : Augustin Thierry

> « me dissuada nettement de faire mon entrée dans le monde littéraire avec cet énorme paquet sur la tête. Il […] me conseilla de donner à la *Revue des deux mondes* et au *Journal des débats* des articles sur des sujets variés où j'écoulerais en détail le stock d'idées qui, présenté en masse compacte, ne manquerait pas d'effrayer les lecteurs » (préface de *L'Avenir de la science*).

Renan suit le conseil : il devient auteur de revues, accède à la notoriété dans les milieux cultivés, épouse en 1856 la nièce du peintre Ary Scheffer.

Le temps était venu d'affirmer ses convictions. Au retour d'un voyage d'études sur les sites bibliques, Renan, nommé en 1862 à la chaire d'hébreu du Collège de France parle tranquillement de Jésus, dans son premier cours, comme d'un « homme remarquable » : il est aussitôt suspendu et, comme d'autres professeurs avant lui, il se tourne vers le livre et en appelle au public. En 1863, sa *Vie de Jésus* connaît un très grand succès qu'alimente une vive polémique. Il est maintenant un homme connu, et gravite dans le milieu intellectuel et anticlérical que protège la princesse Mathilde.

Honoré à nouveau par le pouvoir qui a pris son tournant libéral, il se rapproche de l'Empire, où il peut espérer jouer un rôle à la mesure de son autorité magistrale et de sa vision de l'Histoire. Aussi la guerre puis la défaite de 1870 provoquent-elles chez lui un profond traumatisme, comparable à ce qu'a représenté 1848 pour Flaubert. Très sincèrement germanophile, convaincu que la recherche générale du bien-être et la démocratisation politique amorcent un mouvement irrépressible de décadence, Renan adopte un scepticisme amer et désabusé (*La Réforme intellectuelle et morale*, 1871). S'il ne croit plus à l'avenir collectif des sociétés humaines, il lui reste le plaisir d'intelligence que lui procure l'exercice de sa pensée, qui prend volontiers la forme d'une rêverie philosophique (*Dialogues et fragments philosophiques*, 1876) ou de la nostalgie autobiographique (*Souvenirs d'enfance et de jeunesse*, 1883). Avec une évidente gourmandise, il jouit d'autant mieux de ce « style de la vieillesse intellectuelle » (Thibaudet) que sa stature est maintenant immense, suscitant des réactions de rejet à la mesure du personnage, jusqu'à sa mort en 1892.

Le savant, l'idéologue et l'écrivain

Sur la question religieuse et métaphysique, qui est au cœur de sa doctrine, Renan se trouve dans le droit fil des philologues et des idéalistes allemands. Il ne croit pas à la révélation ni au Dieu des religions monothéistes, mais il est prêt à deviner, au travers de l'évolution universelle, une force supérieure qui pourrait bien être douée d'un sens : à la religion de l'être il substitue une pensée du mouvement et du flux. Il n'en tire d'ailleurs aucun espoir pour l'Histoire, car la civilisation humaine n'est à ses yeux qu'un épisode secondaire, destiné à être absorbé par des forces infinies. Très curieusement, cette intuition du devenir conduit à un pessimisme absolu, qui fixe au philosophe sa morale personnelle.

Sur le plan théorique, il ne saurait en effet être question pour le savant ou le penseur d'accéder à une vraie certitude : bien avant la « fin des idéologies », Renan prend acte du renoncement nécessaire à l'esprit de système : « Le temps des systèmes absolus est passé » (préface des *Dialogues philosophiques*). Mais que peut faire une pensée qui doit faire le deuil du savoir ? D'abord, ne pas renoncer à la science :

> « la science restera toujours la satisfaction du plus haut désir de notre nature, la curiosité [...]. Elle préserve de l'erreur plutôt qu'elle ne donne la vérité ; mais c'est déjà quelque chose de n'être pas dupe » (préface de *L'Avenir de la science*).

Ensuite, se plier aux règles strictes de l'honnêteté intellectuelle, ne pas se payer de mots ou d'idées creuses, se méfier de ce que Renan appelle les « enfantillages » de la rhétorique : ce sens de la mesure et de la rigueur, il en rend grâce, dans ses *Souvenirs d'enfance et de jeunesse*, à son austère éducation catholique et sulpicienne. Enfin, trouver une forme d'écriture qui préserve le mouvement et l'indétermination de la pensée – ni systématique, ni rhétoricienne, ni monologique – ; ce sera pour lui la forme dramatique, où les pensées philosophiques s'ébattent librement, comme en apesanteur, pour le public d'élite dont il rêve :

> « La forme du dialogue est, en l'état actuel de l'esprit humain, la seule qui, selon moi, puisse convenir à l'exposition des idées philosophiques [...]. Les pièces qui remplissent ce volume ont de même été conçues à mille lieues de toute pensée de représentation scénique. La fête à laquelle on a osé, dans ces fictions, convier un public d'élite, est toute conceptuelle » (préface des *Drames philosophiques*).

L'essai est à juger sur pièces. Mais, en un siècle où tant d'écrivains de fiction empruntent à la pensée conceptuelle ses modèles ou ses certitudes, on se rappellera qu'un intellectuel, posément et comme conclusion ultime de son œuvre, a réinventé pour son usage propre la littérature.

BIBLIOGRAPHIE

• Éditions :
Œuvres complètes, H. Psichari éd., Paris, Calmann-Lévy, 1947-1961, 10 vol.

• Biographie :
H.W. WARDMAN, *Ernest Renan. A Critical Biography*, Londres, Athlone, 1964.

• Étude d'ensemble :
L. RÉTAT, *Religion et imagination religieuse : leurs formes et leurs rapports dans l'œuvre de Renan*, Paris, Klincksieck, 1977.

• Sélection de travaux critiques :
R. DUSSAUD, *L'Œuvre scientifique d'Ernest Renan*, Paris, Guethner, 1951. – K. GORE, *L'Idée de progrès dans la pensée de Renan*, Paris, Nizet, 1970. – H. GOUHIER, *Renan, auteur dramatique*, Paris, Vrin, 1972. – J. POMMIER, *La Jeunesse cléricale d'Ernest Renan*, Paris, Les Belles Lettres, 1933. – J. POMMIER, *La Pensée religieuse d'Ernest Renan*, Paris, Rieder, 1925. – H. PSICHARI, *Renan d'après lui-même*, Paris, Plon, 1937. – H.W. WARDMAN, *Renan : historien philosophe*, Paris, SEDES, 1979.

• Périodique spécialisé :
Études renaniennes.

Chapitre 21

Marginalités

Subie et revendiquée, dénoncée et recherchée, la marginalité est au centre de la conscience d'un siècle décentré, enclin à chercher sa vérité aux extrêmes, en dehors de son temps et de son espace : dans l'association du sublime et du grotesque, au Moyen Âge ou dans l'infini du progrès à venir, en Orient ou dans les bas-fonds de la société.

Rien n'est par principe plus étranger à la littérature du XIXe siècle que le *juste-milieu* tant prôné par les politiques de la monarchie de Juillet. Son choix, c'est de se développer sur le mode de l'opposition aux normes régnantes, jusqu'à former, avec les arts, une société dans et contre la société.

Cette posture négative de l'écrivain, qui inaugure et que redouble celle de l'intellectuel au XXe siècle, n'est pas sans effets rétroactifs sur la définition même du champ littéraire. Elle invite en effet la postérité à se demander si, à rebours des majorités contemporaines, il ne conviendrait pas de privilégier systématiquement les œuvres refusées, refoulées, censurées, minorées, oubliées. Après la redécouverte des « petits romantiques » (Eugène Asse, 1895) entreprise et réussie par les surréalistes dans les années 1920, le chemin est aujourd'hui ouvert à des réévaluations plus globales.

La bohème

Tribus et générations successives

Bien que l'appellation ne devienne courante qu'à la fin des années 1840, rétroactivement, la « bohème » s'ébauche avec le « petit cénacle » (la bande de Gautier et de Nerval, ainsi nommée par opposition au « Cénacle » plus âgé et plus respectable de Hugo). Ceux qui s'en réclament se reconnaissent aussi sous l'appellation satirique de *Jeunes-France*, inventée par *Le Figaro*. La volonté de marquer ses distances par rapport à la bourgeoisie se traduit pour commencer par des infractions au code vestimentaire. Au gilet de satin rouge, au pantalon vert d'eau bordé d'une bande de velours noir et aux longs cheveux « mérovingiens » arborés par Théophile Gautier pendant la bataille d'*Hernani* répondent, par exemple, la barbe de Petrus Borel, le pourpoint de velours noir lacé par derrière de Jehan du Seigneur. Les mêmes, et d'autres aussi, ne se départissent pas de pseudonymes créés en haine des identités ordinaires : Aloysius Bertrand pour Louis Bertrand, Philothée O'Neddy pour Théophile Dondey, Augustus Mac Keat pour Auguste Maquet, de Nerval pour Labrunie… Sauf à vouloir effacer la dimension politique, républicaine pour tout dire, de ces excentricités, il n'est guère possible de distinguer ces jeunes romantiques des *bousingots* qui surgissent en même temps sur le pavé de Paris. Petrus Borel, l'une des figures saillantes du petit cénacle, laisse entendre qu'il a aussi été « le grand prêtre de cette camaraderie du bousingot, dont on fit grand scandale, et dont on a par méchanceté et par ignorance perverti les intentions et le titre ». Il se garde cependant bien d'indiquer s'il faut identifier ou non sa secte à celle des jeunes républicains portant chapeau de cuir bouilli à la façon des marins du Havre (le *bousingot*) et gilet rouge à la Marat. Le fait est que Borel se déclare par ailleurs un républicain farouche. Privat d'Anglemont, lui, rapporte que les bousingots n'auraient pas tardé à se faire « viveurs, matérialistes », ennemis du Moyen Âge et de son jargon, sous l'appellation de *badouillards*. Desdits *badouillards*, qui auraient sévi jusqu'en 1838, le même témoin indique seulement que leur philosophie se bornait à savoir passer d'affilée trois ou quatre jours et nuits à déjeuner et à danser, en ajoutant dans la conversation le complément « de Tolède » ou le suffixe *-mar* à tout et n'importe quoi (ex. : du « fromage de Brie de Tolède », un « épicemar » et un « cafemar » pour un épicier et un café). De telles distractions dénotent des fils de famille plus ou moins en rupture de ban, mais assurés de leurs arrières.

La « seconde bohème » (par opposition à celle de Nerval et Gautier, selon le même processus sans fin de différenciation des générations) a la réputation méritée d'être plus plébéienne. Son chef de file, Henri Murger, est le fils d'un concierge et tailleur d'origine allemande. Le groupe se forme à la fin de 1841 autour de la Société des buveurs d'eau, ainsi baptisée par ironie, parce que ses membres ont en partage des périodes de pauvreté et de privations prolongées. Outre Murger, le photographe Nadar est à peu près le seul membre attesté à avoir par la suite connu la célébrité. L'objectif inscrit dans les statuts est de surmonter l'adversité par l'entraide : « grandir et *arriver* les uns par les autres ». Mais lesdits *buveurs d'eau* ne parviennent pas à s'entendre sur un minimum de convictions, ne serait-ce que sur la formule (très controversée, contrairement à ce qu'on dit) de l'*art pour l'art*. Le corporatisme qui les rassemble n'a en vérité rien d'original dans les milieux littéraires et artistiques du temps, assez nombreux et conscients de l'être pour songer à former une catégorie autonome. Aussi bien, dans *L'Artiste*, la revue créée en 1831 dans cette perspective, l'exaltation de l'art va-t-elle de pair avec l'intention déclarée d'organiser la défense des intérêts professionnels. Une dizaine d'années plus tard, le rédacteur en chef de *L'Artiste* n'est autre que Gautier. Son directeur, Arsène Houssaye, lui aussi un ancien du petit cénacle, protège pareillement Murger et Nerval. Lequel Murger appartient d'autre part à une petite troupe sans chef reconnu, composée, entre autres, de Baudelaire, Banville et Champfleury, sans compter le déjà évoqué Nadar. Sous la permanence de son étiquette, la « bohème », en fait, se forme et se renouvelle par l'amalgame continu d'arrivants divers.

L'instauration du second Empire, d'ailleurs, en élargit les rangs et en accentue l'attitude oppositionnelle. Perceptible à travers la personne de Murger, cette démocratisation se fait non plus seulement sociale, mais aussi politique. Car le coup d'État du 2 décembre 1851 fixe hors société toute une frange de bacheliers et de normaliens écartés de l'enseignement en raison de leurs opinions républicaines. Attirés par le journalisme, où ils espèrent donner libre cours à leurs idées, ils sont en fait, tel Vallès, contraints de chercher leur subsistance dans d'ingrates besognes de rédaction pour les petits journaux. Dispersée, exilée, prolétarisée, la République des Lettres est tentée de se réfugier tout entière dans la bohème. Mais plus politiques et plus moraux que les anciens, les nouveaux reprochent aux aînés ce qui, précisément, a fait leur charme pour le public bourgeois, à savoir leur apolitisme et leurs ambitions en apparence bornées aux ginguettes, aux grisettes et aux lorettes.

Lieux et réseaux de sociabilité

La description des plus fameux points de rassemblement des écrivains et des artistes constitue à la fois – le jeu de mots s'impose – un *lieu commun* littéraire et l'évocation d'une réalité en passe d'assumer la fonction des salons aux siècles précédents.

Dès avant 1830, le Cénacle ne fréquente pas seulement les salons respectifs de Nodier, à la Bibliothèque de l'Arsenal, et de Victor Hugo, rue Notre-Dame-des-Champs. Outre « un café situé rue Saint-Germain-l'Auxerrois et portant l'enseigne de *Momus*, dieu des Jeux et des Ris », il sort aussi s'encanailler chez *La Mère Saguet*, un « cabaret mangeant » de la chaussée du Maine, indique Murger, « célèbre par ses gibelottes, sa choucroute authentique, et un petit vin blanc qui sent la pierre à fusil ». L'endroit, précise le même, est alors fréquenté autant par « des rouliers de la route d'Orléans, des cantatrices du Montparnasse et des jeunes premiers de Bobino » que par « les rapins des nombreux ateliers qui avoisinent le Luxembourg, les hommes de lettres inédits, les folliculaires des gazettes mystérieuses ». Mais dans les années 1830, c'est le petit cénacle qui donne le ton. Ordinairement réuni dans la chambre de tel ou tel de ses membres, il a ses habitudes, à l'extérieur, au *Petit Moulin rouge*, un cabaret proche de la barrière de l'Étoile. Parfois, l'habitat privé devient semi-public et inversement, la colonisation d'un lieu public en fait le siège officieux d'un groupe. Au nombre de ses « petits châteaux de bohème », Nerval compte également un appartement ancien qu'il loue rue du Doyenné, tout près du Louvre, au beau milieu d'une sorte de terrain vague. On y vit de façon joyeusement communautaire. Il faut encore mentionner, rue Rochechouart, le « camp des Tartares » formé durant l'été de 1831 dans une modeste maison avec jardin. Au grand scandale du voisinage, la fraction de Borel s'y livre à des exhibitions au soleil de peaux nues. Le site le plus durable est cependant une grande bâtisse locative, « la Childebert » (du nom de sa rue, à deux pas de Saint-Germain-des-Prés, au voisinage de l'École des beaux-arts et des musées du Louvre et du Luxembourg). Dès la Révolution, rapporte Privat d'Anglemont, et jusqu'à sa destruction par Haussmann, ce « vaste capharnaüm composé de chambres de garçon depuis le premier jusqu'aux combles » a la réputation d'être le « quartier général des novateurs » en matière de peinture. Enfin, bien plus tard, sous le second Empire, par suite d'un engouement pour la bière, la brasserie Andler, rue Hautefeuille, et concurremment, à partir de 1859, la brasserie de la rue des Martyrs, au pied de Montmartre, attirent chaque soir une population croissante d'artistes, d'écrivains et de journalistes en quête de distractions et de discussions.

Tout ce monde affiche conjointement une prédilection pour les lieux proprement périphériques que sont les « barrières », les portes monumentales qui subsistent de l'ancienne ceinture édifiée par les fermiers généraux pour contrôler et fiscaliser l'entrée à Paris des marchandises et des personnes. Consommé avant impôt, le vin y coule à bon marché et fait prospérer de nombreux cabarets et guinguettes. Depuis le XVIIIe siècle, l'habitude est prise de s'y rendre, les dimanches surtout, pour boire, manger et danser. Ces lieux populaires jouxtent les anciennes « petites maisons » édifiées sous l'Ancien Régime par de riches épicuriens pour y abriter la part officieuse de leur existence. Les barrières, en somme, entretiennent une tradition de plaisirs frontaliers en harmonie avec les goûts contradictoirement mi-aristocratiques mi-démocratiques, en tout cas antibourgeois, de la faune intellectuelle.

Il faudrait, sous le pittoresque des lieux, reconstituer les liens et intérêts entretenus par l'appartenance à tel ou tel journal ou revue. Pour ne pas nous égarer dans le maquis des rédactions, indiquons seulement qu'avec *L'Artiste, Le Corsaire-Satan*, formé par la réunion de deux titres satiriques, apparaît comme l'un des principaux moyens de subsistance et d'expression de la bohème, à telle enseigne que la notoriété de Murger débute grâce à la parution en feuilleton dans ses colonnes d'une série d'études de mœurs sur le milieu dont il est l'un des piliers.

Une autoreprésentation de la condition d'homme de lettres et d'artiste

Ce mot d'époque, *la bohème*, attire l'attention, métaphoriquement, sur une sorte d'altérité ethnique faite d'un mélange de pauvreté chronique, de nomadisme et d'irrégularité de mœurs. Il suffit de songer à Diderot et au *Neveu de Rameau* pour soupçonner que la réalité parisienne d'une masse de plumitifs peu ou point rétribués n'est pas une nouveauté absolue. Mais la communauté formée entre *gendelettres* et peintres, sculpteurs et musiciens, la conscience *artiste*, l'exaltation de ce mode de vie comme un modèle sont autant de phénomènes propres au XIXe siècle.

Malgré plusieurs tentatives antérieures, dont, en 1840, une nouvelle de Balzac précisément intitulée « Un prince de la bohème », le texte qui installe cette autoreprésentation dans le public est le feuilleton de Murger publié entre 1846 et 1849 dans *Le Corsaire-Satan* et adapté au théâtre avant d'être, en 1851, arrangé en roman sous un titre passé à la postérité : *Scènes de la vie de bohème*. À travers l'existence médiocre d'un poète, d'un peintre, d'un musicien et d'un philosophe, censés, à eux quatre, figurer les principales composantes de la bohème, Murger s'y attache principalement à décrire au quotidien « une classe mal jugée jusqu'ici, et dont le plus grand défaut [serait] le désordre » entraîné par « une nécessité que leur fait la vie ». De fait, les amours libres de son quatuor d'antihéros avec des couturières, des bouquetières, des modèles, des comédiennes plus ou moins entretenues se font et se défont au gré de déménagements déterminés par les réclamations des propriétaires et des créanciers. Aux yeux des contemporains, un charme du récit tenait probablement à une certaine poétisation de la misère par un style à vrai dire bien proche du modèle d'humour pesant de Pigault-Lebrun : une somme d'argent est une « tranche du Pérou », un banquet gratuit ouvre à un affamé « un vaste horizon de veau aux carottes », se faire entretenir, pour une grisette, revient à « faire de l'amour mathématique ». Toute complaisance écartée, le propos de Murger se ramène cependant à une déploration impuissante et égoïste des difficultés de subsistance éprouvées par sa catégorie sociale. Peut-être n'aurait-il eu aucun écho s'il n'évoquait du même coup une réalité urbaine en train de se généraliser : l'antagonisme des relations entre locataires et propriétaires. Sans paraître s'en douter, de façon amère et ludique à la fois, Murger symbolise ainsi l'évolution de rapports sociaux de plus en plus dominés par l'argent. Pour le reste, il est difficile de ne pas reconnaître dans le fantasme de « la vie de bohème » la projection hypocrite d'aspirations collectives à une libéralisation des mœurs dont les artistes sont chargés de faire les frais en nom et place de leur public.

Fallacieuse si on la lit au premier degré, la littérature sur la bohème – car le formidable succès de Murger suscite maintes imitations – s'avère en fin de compte une forme de littérature sur la littérature, une manifestation de la tendance moderne de la littérature à se prendre elle-même pour objet. Mais loin d'être un parti pris esthétique, cette réflexivité-là satisfait la demande d'une bourgeoisie nouvelle, encore incapable d'accéder aux œuvres et néanmoins naïvement convaincue de participer à ses mystères, voire de jouir d'une forme de supériorité en en consommant un *ersatz* à base de pseudo-révélations sur l'existence des créateurs. Lesquels, réduits au rôle de pitres, n'en vont pas moins ainsi à la rencontre de cette clientèle avec l'espoir d'y gagner leur pitance et une reconnaissance sociale.

Écoles et esthétiques de la révolte

Dandysme, satanisme, fantastique et frénétisme

Affichant, par réaction antibourgeoise, une certaine fascination pour l'aristocratie, les Jeunes-France sont parmi les premiers à se référer aux *dandys*. Lancé par l'aristocratie anglaise, illustré par Brummel et par Byron, le dandysme érige le raffinement de la toilette à la hauteur d'un art et n'accepte d'autres règles de conduite que l'originalité, l'élégance et le cynisme. C'est une des motivations du gilet rouge déjà évoqué de Gautier, lequel, en 1832, imagine une sorte de « Belzébuth dandy » sous les traits d'« un élégant, / portant l'impériale et la fine moustache, / Faisant sonner sa botte et siffler sa cravache » (*Albertus*). La même année, O'Neddy intitule *Dandysme* une rêverie luxueuse, métaphorisée dans l'image d'« une île orientale aux palais magnifiques, / Où deux grands magiciens, athlètes pacifiques, / Font, sous l'œil d'une fée, assaut d'enchantement » (*Feu et Flamme*). En célébrant Satan et ses séides en lieu et place de Dieu et de son Église, en associant ainsi dandysme et satanisme, le petit cénacle développe ce qu'il ne serait pas excessif d'appeler une esthétique négative. À sa suite, l'auteur des *Diaboliques*, Barbey d'Aurevilly (*Du dandysme et de George Brummel,* 1844), et le poète des *Fleurs du mal*, Baudelaire (« Le dandy », *Le Peintre de la vie moderne*, 1863), font du dandysme une philosophie de l'existence, qu'ils mettent en pratique. Barbey le rapporte à un sentiment aigu et généralisé de la « vanité » absolue. Quant à Baudelaire, il en fait « une espèce de culte de soi-même », l'expression d'« un caractère d'opposition et de révolte ». Le phénomène lui paraît symptomatique des « époques transitoires, où la démocratie n'est pas encore toute-puissante ». Ce serait en somme « le dernier éclat d'héroïsme dans les décadences ».

Or, ces provocations qu'on pourrait croire non représentatives ressortissent à une partie essentielle, mais occultée du romantisme français, trop souvent réduit à ses œuvres les mieux acceptées parce que les plus acceptables. Cette partie « innommée », Nodier, dès 1821, tentait de la circonscrire sous le nom d'« école frénétique » – l'équivalent français, de ce que Southey, en Angleterre et en visant Byron, avait dénoncé sous l'appellation de « *satanic school* ». Sans approuver « l'oubli de certaines convenances outragées jusqu'au délire », Nodier, pour sa part, invoquait les excès de la Révolution pour faire excuser

> « l'audace trop facile du poète et du romancier qui promène l'athéisme, la rage et le désespoir à travers les tombeaux, qui exhume les morts pour épouvanter les vivants, et qui tourmente l'imagination de scènes horribles, dont il faut demander le modèle aux rêves effrayants des malades ».

Mais en prolongeant Sade, en exploitant dans le champ de la littérature destinée au petit nombre les outrances du roman noir antérieurement diffusé, lui, dans un circuit bien plus large, en y mêlant, aussi, un fantastique puisé dans les *Contes* d'Hoffmann (traduits de l'allemand à partir de 1829), les frénétiques de la monarchie de Juillet leur confèrent statut et valeur esthétiques.

Écritures expérimentales

Baudelaire, dont la gloire scolaire ferait parfois oublier la posture et la nature essentiellement marginales, s'inscrit explicitement dans cette tradition et la recueille avec soin. De *Gaspard de la nuit*, il parle à Arsène Houssaye comme d'« un livre connu de vous, de moi et de quelques-uns de nos amis. ». C'est en lisant Aloysius Bertrand qu'il aurait eu l'idée d'« appliquer à la description de la vie moderne » le procédé de la prose poétique (lettre d'envoi du *Spleen de Paris*, 1869). Il tient à faire savoir que « sans Petrus Borel, il y aurait une lacune dans le Romantisme », celle du « républicanisme misanthropique ». Borel, explique Baudelaire, est un « génie manqué », resté au stade des « ébauches », mais qui mérite d'être sauvé pour avoir « parfois envoyé vers le ciel une note éclatante et juste » (article sur Borel, *Revue fantaisiste*, 1861).

Un tel ratage, en un sens, fait à long terme la valeur d'entreprises littéraires aussi délibérément expérimentales. Ce n'est pas un hasard si la folie et le suicide sont si souvent au bout de la route. Le suicide en particulier n'est pas seulement un thème fondamental. Il s'inscrit dans l'énonciation même du texte marginal. Alphonse Rabbe, auteur d'une *Philosophie du désespoir* sous-titrée *Du suicide*, finit par mettre en pratique l'hypothèse motrice de son écriture. Son *Album d'un pessimiste,* qui fournit quelques-uns des tout premiers modèles des poèmes en prose, paraît à titre posthume en 1835. D'autres, qui ne passent pas à l'acte, mettent en scène leur écriture comme une préparation au suicide, voire comme une forme de suicide. Ainsi Charles Lassailly (1806-1843), qui mourra fou, feint-il de n'être que l'éditeur des mémoires d'un suicidé (*Les Roueries de Trialph, notre contemporain avant son suicide,* 1833), tandis que *Champavert, Contes immoraux* (1833), s'ouvre sur l'annonce du suicide de… l'auteur et s'achève sur l'autoportrait en suicidé de ce même auteur, le pseudo-Champavert – un nom parfaitement fictif censé révéler la véritable identité de Petrus Borel, de la sorte niée. Quant à Aloysius Bertrand, s'il meurt de maladie et dans un grand dénuement, c'est à titre posthume qu'il est publié, grâce à la sollicitude de ses amis, dont Sainte-Beuve. Sa propre préface, signée de son vrai nom, présente son recueil d'outre-tombe comme un manuscrit d'époque médiévale abandonné par le diable en personne (« Gaspard de la nuit ») avant son retour en enfer. Une autre manière de défier la raison et de forcer les limites du sens même de l'acte d'écrire est celle de Forneret. Auteur, en 1835, d'un drame, *L'Homme noir*, à ce point déroutant qu'il ne dépasse pas la première représentation, il le fait imprimer à ses frais en caractères blancs sur fond noir. Dès lors, Forneret usurpe l'identité de son livre, signant tout ce qu'il écrit du surnom de « l'Homme noir », et il s'efforce d'en incarner le rôle à la ville en affectant de s'habiller en noir et blanc. En 1838, l'homme se fait à nouveau livre : *Sans titre par un homme noir blanc de visage*. Le contenu, à première vue, déçoit, puisqu'il n'offre en fait que des aphorismes, il est vrai parfois étranges. Mais l'ambition est ailleurs, dans une forme qui interdit en effet un titre quelconque du fait même qu'elle se confond avec le temps : les aphorismes de Forneret sont répartis en douze chapitres portant les noms des mois du calendrier, et il y en a autant que de jours dans l'année. Au demeurant, le lecteur a été averti, dès les premières lignes, que « l'auteur de ce quasi-livre ne veut pas Écrire », mais que « c'est Écrire qui a voulu et veut l'auteur ».

Ce à quoi s'attaquent plus généralement ces auteurs irrécupérables, ce qu'ils ruinent en dernière instance, c'est la discursivité. L'écriture de la mort, qui est celle des petits romantiques, travaille, à y bien regarder, à la mort d'une certaine forme d'écriture. Forneret, le spécialiste du négatif, passe aussi, avec Bertrand et Rabbe, pour être l'un des inventeurs du genre du poème en prose. Mais il convient d'observer, pour n'être pas trop rassuré par cette reconstruction de l'histoire littéraire, que Forneret se refuse radicalement à toute définition positive, au point de recueillir les « fragments » qu'il livre sous un autre non-titre : *Vapeurs, ni vers ni prose* (1838). Chercherait-on d'autres symptômes analogues, refus de l'enchaînement logique, rupture de l'univocité, fragmentation visuelle et sémantique de l'énoncé, qu'on en trouverait par exemple dans la demande expresse adressée par Aloysius Bertrand à son metteur en pages de « jeter de larges blancs » typographiques entre ses alinéas, « comme si le texte était de la poésie », de façon à rompre le fil narratif de ses brefs récits et à en faire une anomalie absolue, inassimilable tant à la poésie (il n'y a pas de vers) qu'au conte (rien, à vrai dire, n'est raconté). Il y a là, peut-on penser, un effet de la fraternité des arts au sein de la bohème, et de leur concurrence. La littérature, contaminée par la peinture, se refuse en de tels cas à utiliser les mots comme les véhicules d'un sens déterminé. C'est bien pourquoi l'auteur de *Gaspard de la nuit* réclame que sa prose soit entrecoupée d'illustrations qui arrêtent l'œil sur les visions de son texte et s'ingénie à conclure ses séquences sur des images énigmatiques et suspensives telles que celle-ci, où on verra par-dessus le marché le reflet en miroir de sa propre activité d'écriture : « Tandis que, les deux cornes en avant, un limaçon qu'avait égaré la nuit, cherchait sa route sur mes vitraux lumineux » (II, 2).

En marge des marges : la poésie populaire

Dédaignée par comparaison avec la poésie haut de gamme, celle de Hugo et de Lamartine, la poésie chantée et/ou produite par le peuple demeure la marge la plus méconnue. L'incarnation de la bohème, Murger, a lui-même longtemps été un poète autodidacte, avant de renoncer à contrecœur à la rime mélancolique pour faire commerce dans les journaux de récits pittoresques et gais sur la misère des poètes de sa sorte. Et c'est un ancien *buveur d'eau*, Champfleury, qui met en évidence la contiguïté entre les recherches de Nerval et la prétendue simplicité des formes populaires : l'auteur des *Chimères*, observe-t-il, a tenu à « donne[r] des échantillons de poésie populaire dans ses livres ». L'essentiel de la remarque vise le fait que la « poésie populaire », orientée vers le chant, « néglige [par conséquent] des règles que la prosodie regarde comme importantes, c'est-à-dire la rime, la césure, le nombre des pieds ». Son rythme, poursuit Champfleury, est déterminé par « le refrain, dont la coupe est réglée au premier couplet ». Jusque dans les années 1840 au moins, le poète le plus adulé n'est pas Lamartine ni Hugo, c'est ici le lieu de s'en souvenir, mais le poète-chansonnier Béranger. Or, sa gloire, incompréhensible à la simple lecture de ses vers de mirliton, est en partie fondée sur la solidarité de l'air et des paroles. Modelée sur la chanson, la poésie du pauvre n'a pas même besoin de briser l'alexandrin, qui n'a jamais été sa langue. Elle oppose à la métrique savante, et y introduira à la longue, une variété et des irrégularités subversives, ainsi que des sujets, des mots, des horizons réputés triviaux, trop matériels et trop sociaux en dehors du monde du travail. C'est bien pourquoi, si amoureux qu'il soit de la beauté parfaite, Baudelaire, autre bohème s'il en fut, se contente d'en trouver le « sentiment » chez le poète-chansonnier ouvrier Pierre Dupont, qu'il fréquente dans le groupe de Murger. Contre le dogme établi de *l'art pour l'art*, il ose même le louer d'avoir fait pénétrer la « poésie populaire » dans le public. Pour lui, l'évocation de la condition ouvrière dans le *Chant des ouvriers*, présent sur toutes les lèvres en 1848, participe bien du « divin caractère utopique » propre à la poésie en général. Or, malgré la banalité symptomatique de son nom, Dupont n'est que l'héritier le moins anonyme d'une éclosion d'humbles rimeurs, habitués, eux aussi, des barrières et des guinguettes, rassemblés et légitimés dans leur dignité par *La Ruche populaire*, « journal des ouvriers, rédigé et publié par eux-mêmes » (1839-1849) sous l'impulsion du chansonnier saint-simonien Vinçard. Du prolétariat à la bohème, la distance pouvait-elle être si grande ?

Bohème et esthétiques de la révolte, suite : le réalisme

L'histoire d'une insurrection

Envisagée sur la durée du siècle, la bataille réaliste continue en fait la bataille romantique des années 1830. Dans les années 1850, militer, contre le parti de l'Ordre (républicains conservateurs, légitimistes, orléanistes et bonapartistes mêlés), pour l'intégralité du réel, y compris le *vulgaire* et le *moderne*, c'est encore dire, avec d'autres mots, que le Beau ne réside pas exclusivement dans le sublime, mais dans le mélange du grotesque et du sublime, selon la formule alors déjà vieille de Hugo, ou encore dans l'association du matérialisme et du spiritualisme, comme l'avaient dit à la même époque, parallèlement, les saint-simoniens. D'ailleurs, on l'a vu (p. 238), le mot *réalisme* lui-même, dans une acception esthétique, est apparu au milieu des années 1830 pour stigmatiser en particulier la poésie par trop matérielle et picturale, selon plusieurs, de Victor Hugo. À la fin des années 1840, il est même devenu assez courant dans le vocabulaire de la critique, toujours avec une visée dépréciative.

Celui qui met le feu aux poudres, c'est Gustave Courbet, « un peintre dont le nom a fait explosion depuis la révolution de février » (*dixit* Champfleury). Est-ce parce qu'il ne craint pas de consacrer à des prolétaires, à des « casseurs de pierres » (1850), un portrait en pied aussi grand que ceux ordinairement réservés aux grands de ce monde ? parce qu'il se déclare confusément « non seulement socialiste, mais bien encore démocrate et républicain, bref partisan de toute la révolution, et par-dessus tout réaliste » (lettre du 19 novembre 1851) ? ou serait-ce en raison du scandale provoqué par la cellulite, disgracieuse, trouve-t-on, des fesses de l'une de ses « Baigneuses » (1853) ? Refusé en tout cas en 1855 (au Salon de l'Exposition universelle) par un jury déterminé à arrêter des tendances « désastreuses pour l'art français », Courbet fait construire une salle à proximité du bâtiment officiel et y expose une rétrospective de son œuvre sous l'enseigne « DU RÉALISME ». L'insurrection, un coup de publicité réussi, a été fomentée par la bohème de la brasserie Andler : Courbet y siège assidûment en compagnie d'un ex-*buveur d'eau* converti à la bière, l'écrivain Champfleury, qui se fait son porte-parole. Viennent donc ensuite les doctrines et les œuvres, dont il sera traité au chapitre suivant.

Un phénomène de réception et un jeu interprétatif

L'étonnant, dans le surgissement du « réalisme », est la technique de communication de ses promoteurs littéraires. À les croire, le mot n'a pas de fondement, l'idée d'*école* serait antinomique de l'idée réaliste, et ils seraient par conséquent les derniers à consentir à se l'appliquer. Champfleury le tout premier affecte de protester contre une appellation selon lui « inventé[e] par la critique comme une machine de guerre pour exciter à la haine contre une génération nouvelle ». Il n'y aurait, selon lui, vraiment pas de quoi jeter « les bases d'une école ».

Cette ambiguïté relève manifestement d'une tactique délibérée, inspirée par le coup de presse réussi par Murger avec son feuilleton sur la bohème. Le chiffon rouge du « réalisme » à peine repris des mains de l'adversaire, à peine agité pour l'exciter, Champfleury se dérobe à l'assaut et rejette la responsabilité du scandale sur qui s'y est laissé prendre. Tout se passe comme si l'important était d'afficher une identité nouvelle sur un marché, afin de susciter une demande. L'effet de publicité une fois obtenu, le meilleur moyen de l'exacerber est encore la dénégation. Marchandise symbolique, le réalisme, initialement, n'a ainsi d'autre réalité que sa réception par le public : un crédit est ouvert avant même que l'objet n'existe.

Appliquée à l'œuvre d'art, l'attitude de Champfleury implique pour le public la liberté et le plaisir de l'interprétation. Dans l'un des récits fictifs regroupés en 1859 sous le sous-titre des *Amis de la nature*, il analyse le phénomène de la réception d'une œuvre d'art réaliste en imaginant la réaction d'un jury d'exposition placé en présence d'un tableau exhibant « un fromage de Brie paresseusement étendu sur sa planchette, recouvert d'une croûte jaune mucilagineuse, teintée à divers endroits de rayures verdâtres ». Les juges, décrit-il, commencent par se pincer le nez, bien que le tableau ne dégage, évidemment, aucune puanteur. Puis ils cherchent à comprendre, alors qu'il n'y a qu'à regarder, et ils remarquent « un angle de ce fromage [probablement] enlevé par un criminel couteau à manche noir que le peintre avait reproduit dans sa cruelle signification, non loin de l'innocent fromage ». Tout bien pesé, pour finir, cette possibilité d'anecdote, et donc de sens, n'empêche pas le jury, choqué, d'exclure l'œuvre du concours. Or, raconte toujours Champfleury, le cercle des Amis de la nature compte parmi ses adeptes un philosophe « qui s'était donné pour mission de fourrer après coup des symboles dans la tête et les œuvres des peintres ». Le personnage, nommé « Bougon », est une caricature transparente de Proudhon, autre défenseur déclaré de Courbet. Au peintre étonné d'être ainsi refusé, ledit Bougon explique alors que les juges ont vu dans l'ustensile « un couteau de prolétaire » et qu'ils lui ont pour cette raison prêté une intention « démagogique », voire « anarchique ». Pour s'acheter un brevet de catholicisme, le peintre estime donc opportun d'adjoindre à la représentation du fromage celle d'un petit bénitier en faïence de Nevers. Bougon a beau lui remontrer que ce rajout contradictoire fera tout rater, l'artiste s'obstine. Nouvel échec. Fidèle à sa tactique, Champfleury, lui, se retient bien de commettre la même faute et, comme écrivain, de tirer une quelconque philosophie de son récit. Mais l'apologue est clair : la mission de l'art n'est pas de penser, mais de provoquer à la pensée, ni plus ni moins. Comme le limaçon de Bertrand, le fromage de Champfleury n'a d'autre fonction que de susciter l'interprétation pour mieux la dérouter.

Étrange circonvolution de la poésie romantique la plus effrénée à une prose dont le réalisme se mesure à sa capacité de provocation… Ce qui fait néanmoins la continuité en profondeur de ces esthétiques ordinairement réputées contraires, ce qui passe de l'une à l'autre par les chemins capricieux de la bohème, c'est la même opposition à l'esprit bourgeois. Est-il de plus forte solidarité que ce choix de s'inscrire en marge du discours dominant ?

Chapitre 22

Nerval

Au tableau des valeurs littéraires de ses contemporains, Nerval n'apparaît quasiment pas. Il est vrai qu'il tarde beaucoup à tenir les promesses du talent dont il était précocement crédité dans le *petit cénacle*. Quelque peu étouffé par les ténors du romantisme, il ne trouve sa voie qu'à contretemps, dans les années 1840, au moment même où le romantisme périclite. Sa meilleure période correspond malencontreusement aux tout débuts du second Empire, dont on sait dans quel état calamiteux d'atonie ils placèrent la littérature. Un *Voyage en Orient*, qui passe pour n'être rien de plus qu'un récit de voyage, quelques nouvelles dispersées dans des revues et ayant tout juste donné lieu à un recueil confidentiel (*Les Filles du feu*, 1854), des poèmes en très petit nombre (huit, si l'on s'en tient aux *Chimères,* pour la plupart échelonnés de 1844 à 1854) et pareillement dispersés avant leur réunion en clôture du recueil de nouvelles : voilà tout. Le peu d'écho obtenu après sa mort par les efforts en sa faveur du fidèle Théophile Gautier se mesure aux dix ans qu'il fallut, de 1867 à 1877, pour arriver au bout de la parution de six volumes d'œuvres complètes assez lacunaires. La récente publication d'*Œuvres complètes* véritablement exhaustives atteste que Nerval composa bien d'autres poèmes, mais dans une manière assez classiquement romantique, si l'on peut dire, fit maintes tentatives au théâtre, mais avec un insuccès somme toute justifié, et rédigea beaucoup d'articles, mais, pris à part, d'un intérêt médiocre. Elle n'infirme pas fondamentalement ce déséquilibre qui concentre l'essentiel sur la fin.

Le *Contre Sainte-Beuve* de Proust, qui comporte quelques intuitions définitives sur Nerval, atteste bien, en y dénonçant un « contresens », qu'une certaine extrême droite du début du XXe siècle tenta de récupérer *Sylvie* comme un chef-d'œuvre d'attachement au terroir gaulois et à la clarté d'expression du XVIIIe siècle. Mais la promotion de Nerval au premier rang résulte avant tout de sa relecture par le mouvement surréaliste comme l'un de ses précurseurs. De fait, il se réclame d'un « état de rêverie *supernaturaliste* ». Cette expression, qu'il dit emprunter à l'Allemagne, peut bien suffire à le caractériser sans anachronisme.

Une existence insaisissable

La biographie est la première et l'ultime ressource des critiques en présence d'une œuvre obstinément résistante. Or, du pseudonyme de Nerval jusqu'à la mort nocturne, par pendaison, en 1855, au fond de la rue de la Vieille-Lanterne, la vie de cet homme n'offre guère qu'une suite d'événements en trompe l'œil, d'échappées mystérieuses, d'absences insituables.

Un Jeune-France

Tel est le roman familial, malheureux, mais impossible à reconstituer. Gérard Labrunie n'a « jamais connu » sa mère, morte deux ans après sa naissance, au loin, en Pologne, où le Dr Labrunie, son mari, était médecin à la Grande Armée. À chaque accès de sa maladie mentale, l'écrivain se croira victime d'une « fièvre » semblable à celle qui l'a emportée. De 1808, année de sa naissance, à 1814, année de l'écroulement de l'Empire et du retour de tous les pères, il est confié à une nourrice, puis à un grand-oncle maternel, dans le Valois. Le Dr Labrunie, qui emmène Gérard vivre avec lui à Paris, aurait-il été un père autoritaire ou indifférent ? Les nombreuses et longues lettres de Gérard à « mon cher papa » n'accréditent pas des versions aussi simples.

Au collège Charlemagne, dans le Marais, Gérard Labrunie est le condisciple et l'ami de Théophile Gautier. Faut-il voir une marque de fantaisie ou le signe d'une perturbation psychique dans son habitude, notée par ce dernier, de s'éclipser du foyer paternel pour aller camper sur l'île Louvier ? Convient-il d'attribuer à une alerte l'interruption des études observable de 1827 à 1828 ? C'est en tout cas dans ce creux supposé qu'il publie ses premières plaquettes de vers, inspirées par l'épopée napoléonienne, et, sous son seul prénom en guise de signature, une traduction du *Faust* de Goethe. La réputation qu'il en retire lui donne accès à Hugo en personne. Il est chargé de recruter des troupes pour la bataille d'*Hernani*. Une anthologie de Ronsard (1830) et des *Odelettes* (1831) complètent son personnage de Jeune-France précoce, habitué du *petit cénacle*, lié aux bousingots de Petrus Borel, animateur des festivités bohèmes de la petite communauté d'artistes de son acabit, dont Gautier, installés rue du Doyenné.

Une vie sentimentale en creux

Une légende tenace, mais fausse, voudrait que *Le Monde dramatique*, une revue de théâtre qui assèche en un an un confortable héritage grand-paternel, ait été lancée pour assurer la gloire de la cantatrice Jenny Colon.

Mais si certains contemporains prétendent que « Gérard » voua un culte fanatique à cette femme, morte en 1842 – prématurément, comme sa mère –, rien ne prouve que l'idolâtrie n'ait pas brûlé en vase clos ou n'ait pas été simplement, comme on s'accorde de plus en plus à le penser, une invention de l'intéressé et de ses amis pour mystifier le public et masquer des troubles psychiques moins avouables : le titre des *Lettres à Jenny Colon* est le fait des premiers éditeurs de ces lettres écrites à une destinaire très imprécise et qui ressortissent plutôt à la pure littérature. Y eut-il même des amours terrestres ? Nul ne sait si l'intérêt manifesté à Jenny Colon, à la pianiste virtuose Marie Pleyel ou à la femme délaissée et elle aussi prématurément morte d'Arsène Houssaye, a jamais revêtu un caractère explicitement amoureux. Quant à l'esclave Zeynab du *Voyage en Orient*, la correspondance la réduit à une invention narrative : son achat fut le fait du compagnon de voyage de l'auteur, non de ce dernier, qui désapprouva cette « muflerie » et refusa l'offre de partage.

Un écrivain errant

Les aventures de Nerval, ce sont en fait ses déambulations solitaires et incessantes à travers Paris, de jour et de nuit, ses changements de domicile, ses voyages, pratiqués comme des quêtes ou comme une thérapeutique : Italie (1834), Allemagne (1838), Belgique (1840), Égypte, Liban et Turquie (1842-1843), Belgique et Pays-Bas (1844), Hollande (1852), Allemagne encore (1854). Sans compter bon nombre de disparitions inexpliquées. Gautier, l'ami de toujours, évoque une « nature légère, ailée », incapable de tenir en place, en proie à une permanente « effervescence intérieure », se dérobant curieusement à une possible notoriété de journaliste par des changements fréquents de pseudonyme, sous prétexte de l'indignité des proses alimentaires.

« Gérard » ne se fixe dans l'identité littéraire de « Gérard de Nerval », en souvenir d'un lieu-dit du Valois maternel, qu'après son premier internement (1841), lorsqu'il devient un collaborateur régulier de *L'Artiste*. C'est surtout au théâtre qu'il tente de percer, sans grand résultat, tout en gagnant sa vie dans les journaux comme chroniqueur dramatique. La conversion à la prose narrative ne s'amorce guère qu'à dater de 1844, à travers le genre mi-journalistique mi-littéraire du journal de voyage, par les premiers récits orientaux parus dans *L'Artiste* et dans la *Revue des Deux-Mondes*. Mais elle amène enfin une rencontre personnelle avec le public. Le *Voyage en Orient*, paru en 1850, connaît sa troisième édition en 1851 et, dès lors, malgré la maladie qui nécessite plusieurs longs internements (ou sous son aiguillon ?), la part essentielle de l'œuvre se publie en l'espace de quelques années : en 1852, *Lorely*, *La Bohème galante*, *Les Nuits d'octobre* et *Les Illuminés* ; en 1853, *Petits Châteaux de bohème* ; en 1854, *Pandora*, *Promenades et Souvenirs*, *Les Filles du feu* ; en 1855, *Aurélia*.

Un univers à la fois personnel et typiquement romantique

Le mythe personnel

L'énigme biographique des relations de Nerval avec les deux principales figures de femme repérables dans son existence n'en serait pas une si elle n'était posée, et avec quelle insistance, comme une énigme littéraire.

Bien qu'aucun nom réel n'y soit révélé, le dispositif des textes couplé avec les informations diffuses dans le cercle des amis (et correspondants) de Nerval incite en effet à chercher des clés. Tôt semées ici et là, les allusions aiguillant vers Jenny Colon reçoivent une confirmation à peine brouillée dans *Sylvie*. L'histoire d'amour racontée dans cette nouvelle des *Filles du feu* reçoit une quasi-suite dans *Aurélia*, dont le personnage éponyme continue l'Aurélie de *Sylvie*. Significative confusion des prénoms féminins et des fictions… D'œuvre en œuvre, comme sous l'effet d'une fatalité, le scénario mis en place dans *Sylvie* se répète : le narrateur, soupirant timide d'une cantatrice ou d'une comédienne, blonde de préférence, finit par se déclarer par le truchement de lettres où il fait montre de son talent d'écrivain ; il obtient que la belle sorte de son indifférence ; mais il s'aperçoit que son amour s'adressait à la femme de théâtre, non à la personne réelle ; rupture s'ensuit.

Il se produit, bien sûr, des variantes, des lacunes ou une redistribution des mêmes traits entre plusieurs personnages. L'idole féminine peut n'être pas une professionnelle de la scène mais seulement une chanteuse occasionnelle à la voix émouvante, ne pas recevoir de lettres mais une couronne de fleurs, et disparaître dans un couvent avant d'y mourir (Adrienne dans *Sylvie*). Si la femme rencontrée prend les traits d'une Anglaise, par allusion, peut-on penser, au prénom anglais de Jenny, le narrateur la conduit dans un temple antique d'Isis et il lui suggère de jouer le « rôle » de la déesse dans une reconstitution à deux des « mystères » païens, au sens théâtral et religieux du mot (*Octavie*). Dans *Aurélia*, une partie du scénario est reléguée dans le passé, auquel appartient pareillement l'histoire supposée avec Jenny Colon à l'époque de la rédaction. Mais le narrateur revient de voyages lointains où il a cherché l'oubli d'un amour sans espoir (allusion au voyage de l'auteur en Orient) et croit retrouver l'amour sous les traits d'« une dame d'une grande renommée » (allusion à Marie Pleyel ?). Il lui écrit. Bien reçu, il s'aperçoit ensuite qu'il s'est fait illusion à lui-même, l'avoue, et se replie sur le terrain de l'amitié. « Plus tard », « dans une autre ville », il revoit la dame quittée et la dame aimée sans espoir dans des circonstances impossibles à ne pas rapprocher du hasard qui, en 1840, à Bruxelles, mit Nerval en présence simultanément de Marie Pleyel et de Jenny Colon.

Les traditions littéraires et ésotériques

Sans doute n'est-il pas illégitime de rapporter au malheur biographique originel cette propension à n'aimer qu'à distance : à travers ces figures féminines sacralisées, repoussées, à peine entrevues, dans un au-delà quelconque (éloignement spatial, couvent, mort…), Nerval chercherait cette mère dont il n'a jamais entendu parler que comme d'une morte.

Mais à observer dans les textes l'exploitation consciente, voire savante, de ce personnage de la femme absente, force est de constater aussi la reprise d'une tradition aussi ancienne que la littérature : la construction, à partir d'un vécu divers, d'une figure féminine unique de pure convention. L'incipit d'*Aurélia* vend la mèche avec un humour à plusieurs degrés, en se référant à l'utilisation du procédé par Pétrarque et par Dante : « J'ai pris au sérieux les inventions des poètes, et je me suis fait une Laure ou une Béatrix d'une personne ordinaire de notre siècle… » Il n'est après tout pas surprenant qu'un combattant émérite d'*Hernani* se compose le personnage d'« un ver de terre amoureux d'une étoile ».

De même le traducteur de *Faust* est-il expert dans l'art de dédoubler à l'infini tant ses héroïnes que ses héros, au point que ce jeu de miroirs est, au fond, sa principale manière d'en créer. La blonde Adrienne et la brune Sylvie se révèlent être « les deux moitiés d'un seul amour », « l'une éta[nt] l'idéal sublime, l'autre la douce réalité ». La « sainte » et la « fée » du poème *El desdichado* finissent par s'unir « sur la lyre d'Orphée », de même que, dans *Octavie*, s'opposent et se confondent, d'une part, le souvenir d'un « amour fatal » et la chaste et blonde « fille des eaux » – l'Anglaise –, et, d'autre part, la sensuelle magicienne italienne pour qui il les trahit toutes deux sous les regards croisés d'une image pieuse de « Sainte Rosalie » et de la statuette d'une « madone noire couverte d'oripeaux ». S'agissant des doubles masculins du narrateur (le conte des deux califes dans le *Voyage d'Orient*, le frère de lait dans *Sylvie*, le peintre paralysé dans *Octavie*, etc.), c'est encore *Aurélia*, la plus réflexive des nouvelles nervaliennes, qui leur donne successivement trois justifications : « une tradition bien connue en Allemagne, qui dit que chaque homme a un *double*, et que lorsqu'il le voit, la mort est proche » ; « ce frère mystique que les Orientaux appellent *Ferouër* » ; et le lieu commun chrétien du caractère essentiellement double de l'homme, du reste institué par Victor Hugo, dans la *Préface* de *Cromwell*, comme un thème romantique majeur.

En brodant ainsi des mythes, Nerval entend faire œuvre de connaissance. Car ce syncrétisme en quoi consiste en partie son travail littéraire reproduit et fait en quelque sorte passer en pratique le modèle comparatiste de la science allemande des religions illustré par l'ouvrage de Creuzer, fameux en France depuis sa traduction en 1825 par Guigniaut, les *Religions de l'Antiquité considérées principalement dans leurs formes symboliques et mythologiques*. La liste des curiosités de Nerval est sans limite : l'Antiquité gréco-romaine (*via* les *Vers dorés* de Pythagore, *L'Âne d'or* d'Apulée et *Les Métamorphoses* d'Ovide, ce qui a filtré des mystères d'Éleusis, etc.) ; l'Égypte ancienne (en particulier le mythe d'Isis et d'Osiris) ; les religions orientales (à travers la *Bibliothèque orientale* d'Herbelot) ; les doctrines secrètes de la franc-maçonnerie ; la kabbale ; le zodiaque ; le tarot… C'est dire qu'il ne suffit pas d'identifier une source pour avoir la révélation d'un propos obscur, mais qu'il convient avant tout de déterminer le sens original pris par l'emprunt dans l'idiome que Nerval compose en assemblant ses références hétéroclites.

Le syncrétisme religieux

Le diagnostic de *théomanie* posé par des médecins qui eurent à le soigner a au moins le mérite d'indiquer que la folie de Nerval était de l'espèce la plus répandue dans son siècle. Le narrateur d'*Isis* parle au nom de toute sa génération lorsqu'il se présente comme

> « flottant entre deux éducations contraires, celle de la révolution, qui niait tout, et celle de la réaction sociale, qui prétend ramener l'ensemble des croyances chrétiennes ».

Placé entre deux maux, il lui paraît qu'il vaut mieux « tout croire » que « tout nier ». L'amoureux de Sylvie voudrait qu'elle formât une seule et même femme avec Adrienne, comme il voudrait fondre en une seule et même religion le christianisme céleste de celle-ci et l'inspiration druidique, terrienne, païenne, dont l'ont imprégné les bois du Valois.

Pour peu qu'on ne cède pas à l'illusion d'individualité créée par l'emploi narratif du *je*, on conviendra que les récits d'initiation nervaliens participent d'un projet syncrétiste fort semblable à celui de Ballanche au début du siècle et de Hugo en sa maturité : montrer le laborieux parcours de l'humanité vers son « expiation » et sa rédemption finale. La faute capitale que se reprochent les narrateurs successifs des *Filles du feu*, ce sont toujours de « faciles amours », des rechutes charnelles qui interrompent leur progression vers la lumière. Leur incapacité à aimer *une* femme qui ne leur apparaisse pas comme *la* femme, « reine ou déesse », est bien d'une époque acharnée à enfermer ses femmes dans une image de muses ou de madones. La quête de cet idéal féminin, qui constitue le mobile du *Voyage en Orient*, n'est pas non plus sans exemple : il n'est qu'à la comparer au délire collectif des saint-simoniens à la recherche de la Femme-Messie (voir p. 259). Nerval est si peu tenté de se retrancher dans une tour d'ivoire qu'Aurélia s'inscrit dans la perspective utopique de « l'époque prédite » où l'humanité verra « la science […] faire jaillir du désordre et des ruines la cité merveilleuse de l'avenir » (*Aurélia*, II, 1).

Le rêve et la folie comme objet et méthode

La recherche d'un genre littéraire de synthèse

L'insuccès de Nerval tient probablement en partie à une démarche créative requérant, pour la première fois dans notre littérature, un public tout exprès.

Le lire, c'est en effet, une fois dépassées les apparences de légèreté ludique, consentir à une véritable initiation, dont le premier degré réside dans le renoncement aux habitudes et aux objectifs ordinaires de la fiction. En pleine période de roman romanesque, Nerval s'avise ainsi de dynamiter le genre et de tenter un « livre infaisable » en racontant non pas une banale histoire, mais, à la manière du Diderot de *Jacques le Fataliste*, les péripéties de la recherche concrète, bien entendu symbolique et vaine, du livre introuvable qui lui permettrait de raconter la vie du personnage historique de l'abbé de Bucquoy (*Les Faulx Saulniers*, 1850). Ce à quoi il aspire, comme Hugo, mais plus imprudemment, c'est à effacer les frontières entre art et religion, entre théâtre et roman, entre création littéraire et tradition folklorique, entre vers et prose. Aussi bien le récit de *Lorely* phagocyte-t-il le drame de *Léo Burckart* avant de reprendre son cours ordinaire de récit de voyages. *Les Filles du feu* représentent narrativement des scènes où le jeu théâtral prend fonction religieuse, incluent une évocation des « chansons et légendes du Valois » et s'achèvent sur les poèmes sibyllins des *Chimères*.

La valeur du rêve et de la folie

La vraie découverte de Nerval, et la plus déroutante, réside toutefois dans son affirmation de la positivité du rêve et de son paroxysme dans la folie. « Le secret du travail des poètes allemands », observe-t-il dès 1830 (introduction aux *Poésies allemandes*), c'est que, chez eux, « c'est l'imagination qui gouverne l'homme », alors que chez les Français, « c'est l'homme qui gouverne son imagination ». Une chose est toutefois de formuler le principe, une autre d'en tirer toutes les conséquences pour soi et enfin de lui donner forme littéraire. Il faut attendre le *Voyage en Orient* pour que Nerval ose l'affirmation décisive : « Il est certain que le sommeil est une autre vie dont il faut tenir compte. » *Aurélia*, sous-titrée *Le rêve et la vie*, tire les conséquences extrêmes de cette reconnaissance en prenant pour objet l'expérience même de la folie, conçue comme processus d'« épanchement du songe dans la réalité ».

Une écriture en rupture

Ce qui restitue d'abord la dynamique de ce processus, c'est la démarche itinérante, le « vagabondage poétique » (*La Bohème galante*) qui mime la découverte progressive de la vérité des choses à travers les multiples voiles qu'il faut soulever pour y accéder. Le récit nervalien est une quête. Peu importe l'espace parcouru dans la dimension horizontale, ce qui compte est la traversée verticale des épaisseurs, la remontée en profondeur vers les origines. Autant que le narrateur du *Voyage en Orient*, c'est ce voyage mystique que tente le narrateur de *Sylvie*, lorsqu'il parcourt les lieux de son enfance, lorsqu'il demande à sa compagne de lui chanter une chanson immémoriale, revêt avec elle le costume d'un marié du temps jadis ou se penche sur des armoiries qui lui livrent une généalogie. L'intérêt de Proust pour Nerval n'est pas sans rapport avec cette pratique littéraire exploratoire dont la finalité n'est plus la description ni la narration, mais bien la recherche d'un paradis perdu.

Un autre trait qui conditionne l'exploration de la subjectivité est bien sûr l'adoption ostensible du *je* comme sujet et comme objet de la narration. Nerval, dirait-on, ne s'y résout qu'à partir du moment où la divulgation par les journaux de son accident psychique de 1841 le fait passer d'un stade de notoriété confinée aux milieux littéraires à celui d'une notoriété publique fondée sur la particularité de sa *folie*. Lui qui s'évertuait auparavant à dissimuler son appartenance à des mondes irréels ne craint plus de se réclamer, à l'instar d'Érasme au XVIe siècle, de la folie du Christ (« Le Christ aux Oliviers », publié pour la première fois dans *L'Artiste* en 1844). En rédigeant la préface de sa *Lorely* sous la forme d'une lettre adressée à Jules Janin – le journaliste qui, précisément, a trahi son secret –, en y citant longuement l'article indiscret et en la rappelant ensuite avec insistance dans la dédicace des *Filles du feu* à Alexandre Dumas, Nerval revendique sa singularité d'écrivain-fou et se construit un personnage d'auteur risquant les pires naufrages pour rapporter à ses lecteurs une image de « l'ondine fatale ». La maladie, du coup, loin d'être une infirmité, fonctionne tout comme la mort pour le Chateaubriand des *Mémoires d'outre-tombe*, ou le pseudo-suicide chez Petrus Borel et chez Lassailly (voir p. 288) : elle devient le fondement même du droit à parler.

Mais la parole de et sur la folie ne saurait, pour être comprise et admise, adopter le régime du délire. C'est cette contradiction nécessaire entre la débandade de la raison et la sagesse du style, entre le choix de traiter de la maladie et la volonté de la tenir serrée dans les filets de l'écriture, qui fait de Nerval un auteur difficile en dépit des apparences. Plus incandescente a été la crise, plus menaçante est la rechute, et plus le récit de l'errance se veut détaché, froid, clinique. L'effacement du pathétique va jusqu'à l'adoption d'un ton à peu près constant d'humour autodérisoire. Plutôt que par un dérèglement du langage, la présence toute proche de la folie se marque dans sa parole par une logique, par une sémantique et par une esthétique autres : les contraires y coexistent ouvertement, elle possède son propre code, et sa beauté tient en partie à son mystère, voire à son hermétisme. *Les Chimères*, avant les *Illuminations* rimbaldiennes, ont peut-être moins dérouté par leur opacité voulue que du fait de la réticence des exégètes à admettre qu'une poésie fût en mesure et en droit de se construire une intelligibilité autonome et, comble d'impertinence, qu'il fallût en chercher les clés en elle et dans l'œuvre en prose l'accompagnant. Leur scandale alors et leur pouvoir de fascination aujourd'hui résident dans cette clôture sur soi, en rupture absolue avec la raison littéraire du XIXe siècle, mais en harmonie, par anticipation, avec celle du XXe siècle.

Bibliographie

• Œuvres :
Œuvres complètes, édition dirigée par J. Guillaume et C. Pichois, Paris, Gallimard, coll. « Bibliothèque de la Pléiade », 1989-1993, 3 vol.

• Biographie
C. Pichois et M. Brix, *Gérard de Nerval*, Paris, Fayard, 1995.

• Bibliographie critique :
C. Aubaud, *Nerval et le mythe d'Isis*, Paris, Kimé, 1998. – C. Aubaud, *Le Voyage en Égypte de Gérard de Nerval*, Paris, Kimé, 1998. – F.P. Bowman, *Gérard de Nerval. La conquête de soi par l'écriture,* Orléans, Paradigme, 1997. – M. Brix, *Nerval journaliste (1826-1851)*, Namur, Presses universitaires de Namur, 1986. – M. Brix, *Les Déesses absentes. Vérité et simulacre dans l'œuvre de Gérard de Nerval*, Paris, Klincksieck, 1997. – G. Chamarat-Malandain, *Nerval, réalisme et invention*, Orléans, Paradigme, 1997. – R. Chambers, *Gérard de Nerval et la poétique du voyage*, Paris, J. Corti, 1969. – M. Collot, *Gérard de Nerval ou la Dévotion à l'imaginaire*, Paris, PUF, 1992. – S. Felman, *La Folie et la chose littéraire*, Paris, Le Seuil, 1973. – J. Geninasca, *Analyse structurale des « Chimères »*, Neuchâtel, La Baconnière, 1971. – M. Jeanneret, *La Lettre perdue. Écriture et folie chez Gérard de Nerval,* Paris, Flammarion, 1978. – Ch. Leroy, *« Les Filles du feu », « Les Chimères » et « Aurélia » de Gérard de Nerval, ou la Poésie est-elle tombée dans la prose*, Paris, Champion, 1997. – G. Malandain, *Nerval ou l'Incendie du théâtre,* Paris, J. Corti, 1986. – H. Meschonnic, « Essai sur la poétique de Nerval », in *Pour la poétique*, III, Paris, Gallimard, 1973. – G. Schaeffer, *« Le Voyage en Orient » de Nerval. Étude de structure,* Neuchâtel, La Baconnière, 1967. – G. Schaeffer, *Une double lecture de Gérard de Nerval : « Les Illuminés » et « Les Filles du feu »,* Neuchâtel, La Baconnière, 1970. – F. Sylvos, *Nerval ou l'Antimonde. Discours et figures de l'utopie (1826-1855)*, Paris, Montréal, L'Harmattan, 1997.

• Ouvrages collectifs :
Cahiers de l'Herne, n° 37, 1980. – *Le Rêve et la Vie, « Aurélia », « Sylvie », « Les Chimères », de Gérard de Nerval,* Paris, SEDES, 1986. – *Gérard de Nerval. « Les Filles du feu », « Aurélia », « Soleil noir »*, J.-L. Diaz éd., Paris, SEDES, 1997. – A. Guyaux éd., *Nerval*, Paris, Presses de l'université de Paris-Sorbonne, 1997. – *Nerval*, Paris, Presses de l'université de Paris-Sorbonne, coll. « Mémoire de la critique », 1997.

• Revue spécialisée :
Études nervaliennes et romantiques, Namur, Presses universitaires de Namur.

Chapitre 23

La poésie : le lyrisme en question

Dans sa célèbre *Lettre du Voyant* adressée, le 15 mai 1871, à Charles Demeny, Arthur Rimbaud prononce une vigoureuse oraison funèbre du romantisme :

> « Les premiers romantiques ont été *voyants* sans trop bien s'en rendre compte [...] Lamartine est quelquefois voyant, mais étranglé par la forme vieille. – Hugo, *trop cabochard* [...] Trop de Belmontet et de Lamennais, de Jehovahs et de colonnes, vieilles énormités crevées. Musset est quatorze fois exécrable pour nous... »

La révolution rimbaldienne est indéniable et il semble bien, en effet, que le paysage de la poésie, cet air qu'elle respire, impalpable et pourtant si essentiel pour comprendre une époque littéraire, ont considérablement changé de 1830 à 1870.

Non que le romantisme de 1820 n'ait rien renouvelé. Au contraire, comme on l'a vu, les éléments fondamentaux de la poétique moderne ont été alors mis en place : le lyrisme, la quête ontologique, le travail artistique de la forme. Mais, à partir des Trois Glorieuses, les transformations de la société aussi bien que la toujours lente maturation des sensibilités littéraires aident à cristalliser les projets, à favoriser les choix extrêmes et les esthétiques de rupture. Surtout, le poète prend conscience de sa singularité, de son isolement dans une culture dont, décidément, il lui faudra occuper les marges. Ce décentrement consenti, qui aboutira à l'image des « poètes maudits », se traduit par un réaménagement profond de la littérature et de la hiérarchie des genres.

Pour l'essentiel, ce moment de la poésie française fut l'histoire d'une déception. Pour la mesurer, il faut se remémorer l'enthousiasme juvénile qui précède 1830, l'alliance exaltée des artistes, des écrivains et des intellectuels. Pendant les premières années de la monarchie de Juillet, on croit encore que l'Histoire a voué le vers à l'expression politique et à la prophétie sociale. Lyrique ou épique, la poésie se fait déclamatoire ; elle manifeste ainsi cette abondance verbale où, à quelques changements près, les vieilles habitudes classiques trouvent à se recycler. Mais, une fois le régime orléaniste solidement établi, les pragmatistes reprennent possession du pouvoir, que les utopistes (les saint-simoniens de Ménilmontant, par exemple, à la recherche de formes nouvelles d'expression) ont pensé un moment pouvoir partager ; les politiciens professionnels introduisent les règles du jeu parlementaire, leur gestion des responsabilités et des influences. Avec ce détournement de la dynamique révolutionnaire, l'inutilité des mots et des discours apparaît de façon d'autant plus insupportable qu'on vient de leur faire trop largement crédit. De cette déconvenue découle le sentiment de méfiance que les écrivains garderont, tout au long du siècle, à l'égard de la rhétorique et de ses effets : l'histoire de la poésie moderne, qui mène à l'hermétisme ironique de Mallarmé, s'ouvre par une crise du discours politique.

Les poètes prennent eux-mêmes conscience que leur temps est révolu. Le public bourgeois, sur lequel s'appuie principalement le commerce de l'imprimé, veut du journal et de la fiction. Aussi la poésie devient-elle ce qu'elle est encore aujourd'hui : une forme vaguement honorée mais délaissée, dont la réelle implantation culturelle est très inférieure à l'aura dont elle bénéficie grâce à la tradition scolaire : dans la pratique, on respecte la poésie et on se moque des poètes. En retour, les poètes aiment à provoquer le monde et leur public ; ils cultivent l'étrange, le pittoresque, la forme ironique. Par ailleurs, la raréfaction des espaces de publication autant que leur goût propre les incitent à pratiquer la forme brève – le sonnet, par exemple – qu'on peut insérer facilement dans une revue ou un petit journal.

Au demeurant, la poésie paraît une pratique accessoire, dont on n'attend plus un succès décisif. Il est significatif, à cet égard, que la monarchie de Juillet ne voit la parution d'aucun grand recueil marquant l'émergence d'un des poètes dont la postérité retient la mémoire. Hugo, Lamartine, Musset continuent, peu ou prou, sur leur lancée. Les « petits » romantiques, s'ils ne méritent pas ce qualificatif dévalorisant, pratiquent des formes d'écriture trop anomiques pour faire école – du moins sur le moment. Quant à Gautier, dont l'œuvre illustre le mieux les possibilités et les ambiguïtés de la littérature née de Juillet, il attendra 1852 pour publier *Émaux et Camées*, qui constitue l'aboutissement de son itinéraire poétique.

Car l'avènement du régime impérial a une influence immédiate sur l'évolution de la poésie. Par un effet quasi mécanique, le rétablissement de la censure et de la répression, qui conduit immanquablement le milieu littéraire à se replier sur ses bases, favorise la pratique du vers et la recherche formelle. Par leur mélange de créativité et de fantaisie, les belles années du Parnasse, autour de 1866, rappellent les meilleurs moments du romantisme de la Restauration finissante. Mais, malgré l'insolence provocatrice qu'on affiche volontiers dans les cafés, l'ambiance est plus grave. La liquidation provisoire de l'espérance politique entraîne de brutales reconversions : on se rappelle, par exemple, que le noyau primitif des *Fleurs du mal* fut l'ébauche d'un recueil socialisant, *Les Limbes*, annoncé en novembre 1848.

En outre, tout oppose le consumérisme tapageur du second Empire et l'exigence d'esthétique des poètes. Quelles que soient leurs options artistiques particulières, les œuvres majeures de cette période ont en commun un refus violent de la compromission culturelle, une sorte d'extrémisme formel qui les amène à ne transiger sur rien une fois pris un parti littéraire, un systématisme de la démarche qui servira de modèle à toutes les avant-gardes à venir. Il est frappant de constater que ces textes, placés au seuil de notre modernité à laquelle ils donnent accès, sont à ce point marqués par leur époque.

Pour autant, tous les poètes sont loin de marcher du même pas ou d'emprunter les mêmes voies. Au-delà des grands précurseurs (Baudelaire, Verlaine, Rimbaud, Mallarmé…), la production poétique de ce demi-siècle qui précède le symbolisme s'impose à nous par sa diversité, par la richesse des questions concrètes de poétique qu'elle suscite, par la libre et complexe imbrication des formes anciennes et des expériences nouvelles.

Grandeur et décadence du romantisme

Les grandes voix romantiques se taisent peu à peu sous la monarchie de Juillet. Lamartine connaît encore un large succès avec *Jocelyn* (1836), histoire versifiée et attendrissante d'un curé de campagne luttant contre l'amour ; en 1838, *La Chute d'un ange*, qui exploite la même thématique sentimentale et religieuse, est moins bien accueillie ; en 1839, les *Recueillements poétiques* sont le dernier ouvrage poétique de cet auteur. Un an après, en 1840, Hugo publie *Les Rayons et les Ombres*, dernier des quatre recueils d'après 1830 et d'avant l'exil (*Les Feuilles d'automne*, 1831 ; *Les Chants du crépuscule*, 1835 ; *Les Voix intérieures*, 1837). Ces deux arrêts, à peu près simultanés, ont des raisons politiques et personnelles, aussi bien que littéraires. Mais ils coïncident avec un recul de la poésie lyrique, dont l'éloquence fluide et incantatoire cesse alors d'être le modèle dominant.

Cette usure rapide du romantisme était la conséquence de son succès même. En quelques années, les principes les plus apparents, donc les plus imitables, de la nouvelle école avaient été adoptés par la majorité des faiseurs de vers : la solennité du ton, l'explication de soi, de ses enthousiasmes ou de ses maux, le devoir de sincérité, etc. Il s'est ensuivi une prolifération de poésie spontanée – œuvres de sous-préfets aux champs, d'épouses ennuyées ou d'adolescents, fatras de figures rhétoriques ou d'apostrophes grandiloquentes dont il était facile de se moquer. Et on n'a pas manqué de le faire. Comme l'assène dédaigneusement Du Châtelet à propos des essais poétiques de Lucien de Rubempré dans *Illusions perdues*,

> « C'est des vers comme nous en avons tous plus ou moins fait au sortir du collège […]. Autrefois nous donnions dans les brumes ossianiques […]. Aujourd'hui cette friperie poétique est remplacée par Jéhova, par les sistres, par les anges, par les

plumes des séraphins, par toute la garde-robe du paradis remise à neuf avec les mots immense, infini, solitude, intelligence. »

Pourtant, cette amplification versifiée du sentiment permet de faire mieux entendre, sous une forme plus naïve mais aussi plus personnelle, le discours du *je*. En fait, tout se passe comme si l'habillage métrique et la scansion de la rime suffisaient à donner une allure littéraire à la confidence ou à la profession de foi individuelles : cette confiance dans les vertus formelles du rythme est passée, au XXe siècle, de la poésie à la chanson qui, l'électronique aidant, est l'héritière naturelle du romantisme populaire.

Ce n'est pas un hasard non plus si l'écriture autobiographique s'épanouit parallèlement au lyrisme. L'une comme l'autre prouvent le désir de témoigner et favorisent, en particulier, l'expression de ceux dont la parole est d'habitude contrainte. Ainsi en va-t-il des femmes. Depuis longtemps, il est vrai, des représentantes de l'aristocratie ou de la bourgeoisie avaient eu l'occasion de jouer un rôle central dans le développement des arts et la diffusion des idées. Mme de Staël, en son temps, avait essayé de jouer le rôle de maître à penser. Mais un pas important est franchi dans la constitution d'une écriture féminine lorsque, au travers du discours lyrique, la femme assume explicitement sa subjectivité, parle à la première personne au nom de sa sensibilité ou de son désir autant que de sa raison. D'autre part, moins rompues scolairement aux exercices poétiques, les femmes-poètes du romantisme confèrent une résonance originale, plus intime et plus grave, à des modèles dont, le plus souvent, elles ne cherchent pas à s'éloigner. On pourrait citer, parmi elles, la mondaine Delphine Gay, Louise Colet, restée célèbre pour sa liaison et sa correspondance avec Flaubert, Louise Ackerman qui versifie laborieusement la philosophie. Mais on préférera retenir, pour la force poétique qu'ils tirent de leur simplicité familière et presque prosaïque, les textes de la comédienne Marceline Desbordes-Valmore (1786-1859) qui, patiemment composés pendant plus d'un demi-siècle, transcrivent en vers la longue suite des peines et des joies, personnelles ou collectives, et constituent une œuvre d'une profonde cohérence.

Mutatis mutandis, les enjeux sont analogues pour tous ceux, femmes ou hommes, qui, issus des milieux populaires (typographes, artisans, compagnons, agriculteurs et, plus rarement, ouvriers), trouvent à s'exprimer en vers et à être publiés dans des journaux proches de la mouvance saint-simonienne ou républicaine (par exemple, *La Ruche populaire* de Vinçard). On assiste pendant la monarchie de Juillet à une floraison de poésie populaire où se confondent les traditions du compagnonnage, les souvenirs de la littérature révolutionnaire et les imitations, parfois gauches, des formes les plus légitimes de poésie. Certains, soutenus – non sans condescendance – par des écrivains progressistes (Sand, Sue, Lamartine, Hugo…), acquièrent une relative notoriété : Reine Garde, mercière à Aix-en-Provence ; Savinien Lapointe, cordonnier ; Théodore Lebreton, ouvrier du textile ; la famille Magu (père, fille et gendre) ; Agricol Perdiguier, menuisier ; Charles Poncy, maçon ; Jean Reboul, boulanger. La révolution de 1848 est ensuite l'occasion d'une flambée poétique et surtout chansonnière, qui popularise les œuvres de Pierre Dupont (*Le Chant des ouvriers*), de Charles Gille (*La Fraternité*) et, bien sûr, d'Eugène Pottier, resté célèbre pour avoir écrit *L'Internationale*.

Le romantisme, entre l'intimité et l'épopée

Le lyrisme en vers (en alexandrins et en octosyllabes et, secondairement, en d'autres mètres) n'est donc pas, à proprement parler, en déclin. Ses détracteurs lui reconnaissent encore le pouvoir de traduire, avec une force irremplaçable, le sentiment intime ou le souffle de l'épopée collective. Mais ils l'accusent d'y mêler toujours de la facilité et de l'excès, sur le fond comme dans la forme. D'où les sentiments ambigus, à la fois de fascination et d'irritation, que provoquent les œuvres de Musset et de Hugo qui, chacun en son temps et avec ses qualités, dominent la production lyrique de la période.

Le poète-pélican

De 1833 à 1835, Musset fait paraître, dans la *Revue des Deux-Mondes*, une série de poèmes qui passeront, aux yeux de deux générations de lecteurs, pour les chefs-d'œuvre de la poésie sentimentale : *Rolla*, *Les Nuits*, la *Lettre à Monsieur de Lamartine*. Dans un décor de fantaisie rêveuse, d'une voix bavarde et irrésistiblement charmeuse, employant une langue suggestive mais stéréotypée et imprécise, Musset évoque ses chagrins d'amour et, à ses risques et périls, dévoile son cœur à ses lecteurs comme le pélican, d'après son allégorie de la *Nuit de mai*, offre ses entrailles à dévorer à sa couvée. Baudelaire, Flaubert, Rimbaud n'auront pas assez de mots assez durs à l'encontre de cette poésie qu'ils jugent paresseuse et aguicheuse – et singulièrement ce dernier, toujours dans sa *Lettre du Voyant* du 15 mai 1871 :

> « Tout garçon épicier est en mesure de débobiner une apostrophe Rollaque [...]. À quinze ans, ces élans de passion mettent les jeunes en rut [...]. Musset n'a rien su faire : il y avait des visions derrière la gaze des rideaux : il a fermé les yeux. »

Mais ce mépris ressassé, d'ailleurs très injuste dans son exclusivisme, révèle combien le modèle « rollaque » s'impose et fait obstacle. Zola, qui a passé son adolescence au plus fort de l'engouement pour le poète des *Nuits*, est sans doute plus fidèle à la réalité, lorsqu'il reconnaît, sans le renier, son enthousiasme de jeunesse :

> « Depuis longtemps, j'ai la grande envie de consacrer une étude à ce bien-aimé poète, qui éveille en moi les plus chers souvenirs de ma jeunesse [...]. La lecture de Musset fut pour nous l'éveil de notre propre cœur [...]. On ne peut parler chasse devant moi, sans qu'aussitôt je songe à de longues rêveries sous le ciel, à des strophes qui s'envolent avec un large bruit d'ailes. »

L'exilé

L'autre grand homme auquel Zola, dans son étude, compare Musset est naturellement Hugo : au premier va sa tendre dévotion, au deuxième, son admiration. Avec l'exil, hors de France et sur la rive grondante de l'Atlantique, Hugo acquiert sa dimension monumentale et historique. Son lyrisme, dont l'éventail s'étend du pamphlet à l'évocation enfantine, de la confidence du deuil à la « légende des siècles », est animé d'une vertigineuse polyphonie. Le vers, que Hugo semble s'être approprié, retrouve le chemin de l'épopée, revivifiée par la métaphysique et la philosophie de l'Histoire. L'homme de Guernesey imprime dans ses alexandrins cette représentation épique du temps, passé et à venir, qu'ébauchaient en prose les textes visionnaires de Ballanche (*La Vision d'Hébal*, 1831) ou de Quinet (*Ahasvérus*, 1833). Mais il est aussi probable que, par sa volonté, manifeste dès les débuts de sa carrière, de saturer à lui seul l'espace poétique, Hugo ait accéléré le désir de rupture. Comment être poète, dès la monarchie de Juillet, sans l'être contre Hugo ? Comme le dira bien plus tard Mallarmé, en manière d'ironique éloge funèbre,

> « Hugo, dans sa tâche mystérieuse, rabattit toute la prose, philosophie, éloquence, histoire ou vers, et, comme il était le vers personnellement, il confisqua chez qui pense, discourt ou narre, presque le droit à s'énoncer. »

L'esthétisme poétique

Comment donc sauver la poésie d'une rhétorique démonétisée, idéologiquement et artistiquement vilipendée ? Pour beaucoup, il suffisait que le vers ne servît plus à *dire*, mais à *peindre* et à *montrer*, que les ressources de la métrique et de la versification offrissent à l'écrivain l'équivalent des traits et des couleurs dont le peintre se sert pour représenter ce qu'il voit ou imagine. Hugo lui-même, avec *Les Orientales*, avait montré le chemin et Sainte-Beuve avait été le premier doctrinaire de cette conception plastique du poème.

Il faut d'ailleurs garder à l'esprit que le romantisme, tout comme le surréalisme, fut pictural autant que littéraire. Dans l'ambiance tapageuse et exaltée du petit cénacle qui réunissait autour de Petrus Borel les sectateurs de Hugo, les écrivains à venir (Nerval, Gautier…) fréquentaient les peintres de demain, et certains, comme Gautier, ont commencé par manier les pinceaux. Peu à peu, rapporte ce dernier dans son *Histoire du romantisme*,

> « nous commencions à faire plus de vers que de croquis, et peindre avec des mots nous paraissait plus commode que de peindre avec des couleurs. Au moins, la séance finie, il n'y avait pas besoin de faire sa palette et de nettoyer ses pinceaux. »

Cet art de l'image s'épanouit d'abord dans des compositions poétiques hautes en couleur, à l'exotisme ou au médiévisme provocateur, au verbe sonore, railleur et agressif. Malheureusement, ces traits typiques du romantisme de 1830 ont gommé l'essentiel, à savoir la recherche de la *voyance*, et la critique, se déchaînant contre ces débordements juvéniles de langage, leur a opposé une fantomatique « école du bon sens ». D'où les accusations d'immoralité et d'inutilité qui, venues des conservateurs autant que des romantiques convertis à l'esprit réformateur, tournent à la campagne de presse pendant les années 1830.

D'une façon cinglante et suprêmement ironique, Gautier réplique dans sa célèbre préface de *Mademoiselle de Maupin* (1835), qui fait office de véritable manifeste poétique :

> « Il n'y a de vraiment beau que ce qui ne peut servir à rien ; tout ce qui est utile est laid, car c'est l'expression de quelque besoin, et ceux de l'homme sont ignobles et dégoûtants, comme sa pauvre et infirme nature. L'endroit le plus utile d'une maison, ce sont les latrines. »

Toute la doctrine de l'art pour l'art est condensée dans ces formules. Il y apparaît clairement qu'elle sort, contrairement à sa caricature scolaire, du domaine strict de la littérature. Elle naît en fait du jugement très négatif et, parfois même, désespéré que les écrivains de l'époque louis-philipparde portent sur l'homme et son histoire ; elle se nourrit ensuite d'un septicisme philosophique constamment réaffirmé. En conséquence, elle oppose les beautés pures, maîtrisées et accomplies, de l'artifice aux imperfections de la nature et de la société humaine. Son objectif est donc de faire du poème un objet artistique de plein droit, et elle tend à matérialiser de la façon la plus formelle et la plus visible tous les éléments qui le constituent comme tel : la rime, les types de vers, les strophes.

Cette conception artisanale de la poésie se développe très tôt sous la monarchie de Juillet. Elle a l'attention bienveillante de Sainte-Beuve ; Gautier lui apporte sa verve et commence à travailler aux pièces minutieusement limées d'*Émaux et Camées*, après un premier recueil plus narratif et plus enjoué (*Albertus*, 1832). En 1842, la parution des *Cariatides* marque l'entrée en scène d'un jeune virtuose de la métrique, Théodore de Banville. Plus généralement, le goût pour la forme dense, exhumée ou controuvée, se répand, largement à l'insu du public, parmi les écrivains. Après 1848, le mouvement connaît une nouvelle ampleur et devient un phénomène culturel. Si Gautier est toujours considéré comme un précurseur et une autorité, de plus jeunes auteurs font figure de modèles ou d'incitateurs. En 1852, Leconte de Lisle – autre déçu de l'illusion lyrique –, préfaçant ses *Poèmes antiques*, affirme que « les émotions personnelles n'y ont laissé que peu de traces », préférant « l'impassibilité et la neutralité ». La poésie n'est plus guidée par le sentiment mais par la pensée qui, suivant les principes de la philosophie grecque, conduit à l'intelligence des formes.

En effet, si le romantisme avait été chrétien et moyenâgeux, la nouvelle école est antiquisante et volontiers païenne, regrettant les temps anciens où le sens du péché n'avait pas encore interdit à l'artiste de contempler les beautés sensibles. En 1857, c'est la même thématique que développent *Les Fleurs du mal*, recueil aussitôt connu et scandaleux pour la trouble obscénité qui s'en dégage. Mais, seul parmi ces esthètes du vers, Baudelaire parvient, dans une synthèse à jamais ambiguë, à concilier la plasticité de la forme claire et l'évocation des ténèbres intérieures. En 1866, le jeune Catulle Mendès, poète et animateur de la *Revue fantaisiste*, est le principal maître d'œuvre du *Parnasse contemporain*, recueil périodique de « vers nouveaux » dont dix-huit livraisons paraîtront de mars à juin 1866. Le mot de « Parnasse » renvoyait aussi bien aux ensembles hétéroclites de poèmes souvent légers qui, au XVIIe siècle, étaient publiés sous ce titre collectif qu'à la Grèce antique : sans aucun doute, une ironie narquoise, typique des milieux intellectuels du second Empire, avait présidé au choix du terme qui rappelait, en particulier, le *Parnasse satirique* (1622) de Théophile de Viau. Aussi est-il abusif de parler d'école, voire de mouvement parnassien ; plus simplement, des poètes en début de carrière ont trouvé ce moyen commode de se faire reconnaître, en faisant bloc et en se plaçant sous l'autorité de plus célèbres qu'eux.

Il n'empêche que *Le Parnasse contemporain* a su catalyser les énergies poétiques et a servi de bannière commune, au moment même où il fallait une impulsion collective. Avec le recul, la liste des trente-sept collaborateurs de la première livraison est impressionnante, et vingt-trois au moins ont marqué, à quelque degré, la littérature du XIXe siècle : Théophile Gautier, Théodore de Banville, José María de Heredia, Leconte de Lisle, Louis Ménard, François Coppée, Auguste Vacquerie, Catulle Mendès, Charles Baudelaire, Léon Dierx, Sully Prudhomme, Xavier de Ricard, Antony Deschamps, Paul Verlaine, Arsène Houssaye, Léon Valade, Stéphane Mallarmé, Henri Cazalis, Philoxène Boyer, Emmanuel des Essarts, Émile Deschamps, Eugène Lefébure, Auguste Villiers de l'Isle Adam. Dans l'histoire de la poésie française, cet éveil d'une nouvelle génération est comparable à celui des années 1820 et s'explique également par le contexte culturel et politique. À sa manière détournée et apparemment mineure, le Parnasse annonce la chute de l'Empire comme le romantisme de 1825 préparait la révolution de Juillet.

Au reste, malgré d'énormes différences de tempérament, de talent et de technique, quelques principes essentiels rassemblent les auteurs du Parnasse : l'exigence formelle, l'effacement du pathétique et de l'émotion personnelle, le sens ludique de la virtuosité poétique. Pourtant, malgré quelques passionnés, qui lit encore aujourd'hui, même parmi les spécialistes du XIXe siècle, cette poésie laborieuse qui paraît exister seulement pour assurer la transition pédagogique entre le romantisme et le symbolisme ou servir de faire-valoir à l'étrange et génial Baudelaire ? Il faut, ici encore plus qu'ailleurs, distinguer le plan des principes et celui des réalisations. La recherche d'une poésie dense, compacte, cristallisant les formes et les images est dans la droite ligne du romantisme, dont elle exprime exactement le désir d'absolu littéraire. En aval, l'esthétisation de l'écriture, par le travail et la volonté, sera le dogme partagé par Mallarmé et Valéry ; quant au devoir d'impassibilité, il est, indépendamment des engagements personnels, le postulat de créations artistiques majeures du XXe siècle. Mais, sur deux points essentiels, le Parnasse a semblé se tromper de voie, se privant d'une réelle postérité littéraire – du moins avouée.

Banville assène, dans son *Petit Traité de poésie française* (1872), que « la rime [...] est l'unique harmonie des vers et elle est tout le vers ». La formule, au-delà de la provocation, risque d'engendrer une vraie confusion. À partir du moment où la poésie était considérée comme un fait esthétique, on admet sans peine que les règles de la métrique classique devaient servir, parmi d'autres, à manifester cette exigence de beauté à laquelle, avant Rimbaud, les poètes n'ont pas encore renoncé. Mais les Parnassiens ont trop systématiquement assimilé le caractère artistique du vers et les techniques de composition et ils ont trop attendu de la versification. Aussi sublimée soit-elle par les discours théoriques, une rime reste une rime, un mode conventionnel de scansion du texte ou de la parole, qui ne prend sa vraie valeur littéraire que si elle est mise au service d'une poétique qui la dépasse et dispose d'autres ressources qu'elles.

La même volonté d'imposer sans nuance l'art formel du poème à tout ce qui demeure informel en lui (le sentiment, l'idéal, l'inspiration...) a conduit à restreindre le champ d'application du discours poétique à la description : description d'objets, d'œuvres d'art, de paysages ou, indifféremment, de tout événement envisagé d'un point de vue visuel et artistique. À longueur de recueils, ce développement infini de l'*ekphrasis* antique a de quoi lasser ; surtout, il reporte le phénomène esthétique du texte à son référent et fait du poème un simple médiateur du Beau en soi, tel qu'il est perçu dans les objets matériels ou les situations réelles : la poésie parnassienne, à force de vouloir paraître belle, ne parvient jamais qu'à désigner, avec la plus grande habileté possible, le Beau qui reste hors d'elle-même. Sur ce point, la grande idée baudelairienne fut de fonder, contradictoirement, une œuvre à visée esthétique sur le sentiment de ce divorce et de cette absence.

Aussi l'aboutissement logique de l'esthétisme parnassien est-il le symbolisme mallarméen qui, rompant les liens entre le langage littéraire et le référent réel, réintègre le Beau à la texture immanente du poème :

> « Parler n'a trait à la réalité des choses que commercialement ; en littérature, cela se contente d'y faire une allusion ou de distraire leur qualité qu'incorporera quelque idée.
> À cette condition s'élance le chant, qu'une joie allégée » (*Variations sur un sujet*, 1895).

Le poème en prose

Parallèlement à ces tentatives formelles – et, peut-être, au vu des difficultés rencontrées –, on essaya d'étendre la poésie à l'écriture en prose. *Gaspard de la nuit* d'Aloysius Bertrand paraît en 1842, soit la même année que *Les Cariatides* de Banville. Quant à Baudelaire et à Rimbaud, dont les œuvres (*Le Spleen de Paris* pour l'un, les *Illuminations* pour l'autre) s'imposeront bientôt comme des prototypes du genre, ils sont aussi parmi les meilleurs virtuoses de la poésie syllabique au XIXe siècle. De fait, malgré les apparences et les idées reçues, l'esthétisation du vers et le recours à la prose procèdent de la même volonté : ils promeuvent, chacun selon ses modalités propres, la poésie de la forme et du regard contre celle de l'effusion de la parole. Dans les deux cas, le grand modèle est celui des arts plastiques. Mais, alors que le Parnassien songe à la grande peinture ou, davantage encore, à la sculpture – impassible et immarcescible –, le poète prosateur s'imagine illustrateur ou graveur et cherche à transcrire des visions fugitives. A. Bertrand appelle ses compositions des « bambochades », par référence aux tableaux pittoresques de Pierre de Laer dit « Il Bamboccio » (XVIIe siècle), ou des « fantaisies à la manière de Rembrandt et de Callot » ; le mot rimbaldien d'« illumination », pour sa part, ne serait d'après Verlaine que la transcription d'un mot anglais signifiant « gravure coloriée ».

Le *poème en prose* postromantique est donc plus proche des formes versifiées qui lui sont contemporaines que de la prose poétique de Rousseau ou de Bernardin de Saint-Pierre. Celle-ci se fixait pour objectif de transférer à la prose la vertu incantatoire du Verbe poétique, de faire entendre dans des textes libérés de la mesure métrique le charme d'une parole harmonieuse – en conséquence, de pérenniser la conception rhétoricienne de la poésie. Celle-ci règne encore dans les beaux textes autobiographiques de Maurice de Guérin (1810-1839), frémissants d'une ferveur catholique et spirituelle que l'enseignement de Lamennais n'avait su assouvir. Dans un autre registre, Lautréamont, dans ses *Chants de Maldoror* (1870), est aussi le continuateur – diabolique, parodique et pervers, mais continuateur tout de même – de la belle prose classique, celle de Bossuet et de Chateaubriand. Cependant, y jetant ses violentes et monstrueuses fantasmagories, il esquisse la synthèse, absolument originale au XIXe siècle, des deux avatars prosaïques de la poésie.

Les surréalistes ont spectaculairement réévalué l'importance littéraire de ces entreprises encore isolées. Dans les faits, la révolution qui s'opère dans le poème en prose est aussi réelle que partielle. Réelle, parce que s'invente, de façon d'ailleurs un peu confuse, une nouvelle conception de l'art, fondée sur le *voir* et non plus sur le *faire*. L'artiste n'est plus celui qui produit l'image la plus belle ou la plus exacte de ce que chacun devrait voir par lui-même, mais celui qui voit – et, par suite, désire faire voir – ce que les autres n'aperçoivent pas. Révolution partielle néanmoins, car la prose ne prétendait pas se substituer totalement au vers, mais en être l'indispensable contrepoint au sein du continent immense de la poésie. Pour Mallarmé – avec Sainte-Beuve, le plus fin théoricien de la poésie au XIXe siècle –, le vers libre ne doit se comprendre qu'en complément de la forme syllabique traditionnelle :

> « Le remarquable est que, pour la première fois, au cours de l'histoire littéraire d'aucun peuple, concurremment aux grandes orgues générales et séculaires, où s'exalte, d'après un latent clavier, l'orthodoxie, quiconque avec son jeu et son ouïe individuels se peut composer un instrument, dès qu'il souffle, le frôle ou frappe avec science » (*Variations sur un sujet*, 1895).

Une poétique de la fantaisie et du rire

La fin des hiérarchies poétiques

Ni les miniatures ciselées des Parnassiens, ni les esquisses en prose de Baudelaire ou d'Aloysius Bertrand n'auraient pu jouer un tel rôle si lecteurs et auteurs n'avaient accordé une importance nouvelle à des formes poétiques comptées jusqu'alors comme des pratiques mineures. Cet engouement pour des pièces de faible étendue correspond à l'esthétique du fragment et de la brièveté qui, surtout après 1830, fait contraste avec les grandes envolées du lyrisme romantique. Au-delà de ce revirement du goût, l'innovation majeure est l'effacement des hiérarchies entre les genres littéraires.

Bien des originalités inaugurales de l'époque prennent leur source dans d'anciennes pratiques poétiques remises à l'honneur (la chanson, les vers de circonstance, l'épître en vers, les multiples facettes de la littérature de cour ou de cabaret) : on a, depuis, fait le compte de ces emprunts à la tradition d'Ancien Régime. Mais ce repérage érudit ne doit pas occulter la rupture, réelle et féconde, opérée par le XIXe siècle qui, en refusant le cloisonnement et les classifications imposés par les vieux arts poétiques, a bouleversé totalement le paysage de la poésie française. De là cette impression mélangée de nouveauté et d'archaïsme que laisse la production courante, où abondent les sérénades, les ballades, les odelettes, les sonnets et toute autre forme fixe, dès lors qu'elle offre quelque difficulté technique à surmonter.

D'ailleurs, importe-t-il vraiment de savoir, pour les *Petits Châteaux de bohème* de Nerval ou les premiers recueils de Verlaine (*Poèmes saturniens*, 1866 ; *Fêtes galantes*, 1869), si le charme vient d'abord de la forme vieille ou de la poétique moderne ? À la vérité, les poètes les plus lucides, après l'ambition obstinée des romantiques, ont tiré toutes les conséquences de leur situation. Ne se reconnaissant plus dans les formes dominantes de la culture qui les environne, ils comprennent qu'ils ne peuvent désormais faire brèche, dans cet univers du spectacle et des conformismes, qu'en jouant leur partition personnelle sur des modes naguère réputés mineurs. À cause de ce parti pris d'effacement artistique qui, chez Gautier, a une vraie grandeur morale, beaucoup d'auteurs sont devenus pour nous des figures anecdotiques du petit romantisme, de la bohème et du Paris littéraire.

De la fantaisie au surnaturalisme

Pourtant, l'oubli des convenances, des proportions et des hiérarchies a libéré l'imagination qui, après le temps des épanchements sentimentaux ou des interrogations métaphysiques, est alors reconnue comme la première des facultés poétiques. Dans la fièvre romantique qui suit 1830, cette imagination, plus que jamais *frénétique*, s'est complue dans le macabre, l'étrange, la fantasmagorie la plus improbable ou la plus choquante. De ces débuts exubérants, elle gardera le sens de la *fantaisie* : le terme, emprunté à l'anglais, désigne autant la capacité à imaginer et à représenter l'irréel que la verve d'écriture mise au service de ces fantasmes. Poésie fantaisiste, libre, jubilatoire, qui déconcerte encore aujourd'hui parce qu'elle n'affiche aucun signe de sérieux : ainsi en est-il des textes cocasses ou délirants d'un Pétrus Borel (*Rhapsodies*, 1832) ou d'un Xavier Forneret (*Vapeurs, ni vers ni prose*, 1838).

Ce principe de liberté, agressivement affiché à l'égard d'un public perplexe, vaut aussi envers la nature, à laquelle le poète peut échapper grâce à ses créations. Pour traduire cette nouvelle puissance accordée à l'écriture, Gautier et Baudelaire parleront très suggestivement de *surnaturalisme*, qui annonce le surréalisme.

Poésie pour rire

Mais ne nous laissons pas prendre aux mots – par exemple, à cette solennité ironique qu'affiche si volontiers Baudelaire dans *Les Fleurs du mal*. La capacité démiurgique qu'invoque le poète ne découle pas nécessairement d'une mystique ou d'une théologie. Elle s'éprouve grâce au plaisir d'écrire, et se déploie dans l'espace clos du texte : triomphe d'un moment, qui se manifeste en éclats de rire poétiques.

À la surface des œuvres, ce nouvel état d'esprit littéraire transparaît dans les formes multiples du risible qu'on y rencontre : les digressions ironiques – mi-complices, mi-amères – de Musset, les satires amusées de Gautier, les pastiches ludiques ou agressifs de Lautréamont, les jeux de mots ou les calembours de Rimbaud… Ce rire de l'après-romantisme n'a pas encore tourné au procédé technique ni à l'autoparodie systématique. Au contraire, les poèmes les plus graves d'un Hugo ou d'un Baudelaire sont frémissants d'un rire tacite, seulement avoué dans les textes mineurs ou les écrits intimes. Aussi faut-il être à chaque instant attentif à une métaphore outrageusement excessive ou déplacée, à un jeu appuyé de rythme ou d'image pour percevoir le « comique absolu » ou le « grotesque », privilège du vrai poète dont Baudelaire se fait le théoricien dont son magistral traité *De l'essence du rire* (1855) :

> « Le comique est, au point de vue artistique, une imitation ; le grotesque, une création […]. Je veux dire que dans ce cas-là le rire [le grotesque] est l'expression

de l'idée de supériorité, non plus de l'homme sur l'homme, mais de l'homme sur la nature [...]. Il y a entre ces deux rires, abstraction faite de la question d'utilité, *la même différence qu'entre l'école littéraire intéressée et l'école de l'art pour l'art* [...]. J'appellerai désormais le grotesque comique absolu, comme antithèse au comique ordinaire que j'appellerai comique significatif » (souligné par nous).

Cette rupture-là est fondamentale et incontestable. Toute la tradition rhétorique, depuis Aristote, avait cantonné le risible à l'observation et la condamnation des laideurs humaines, par opposition à la figuration poétique d'un monde embelli par l'art. Mais cette beauté, sérieuse et respectueuse, exige de l'écrivain une adhésion minimale aux systèmes de valeurs et aux idéologies – ce à quoi, après 1830, il est de moins en moins prêt à se résoudre. Au contraire, le seul terrain qui lui reste ouvert est celui du rire. D'une part ce dernier, sous la forme de la satire, lui assure de garder ses distances avec le public et de pouvoir critiquer la réalité ; c'est pourquoi ils sont tous – écrivains reconnus, petits romantiques ou journalistes de la petite presse – des ironistes, même si, chez les plus grands comme Balzac ou Flaubert, l'ironie laisse intacte la puissance d'émotion. D'autre part et surtout, le rire, qui exonère l'imagination des obligations de vraisemblance et de logique venus de la rhétorique traditionnelle, confère à la poésie des potentialités nouvelles. Les frères Schlegel et les autres théoriciens du romantisme allemand l'avaient déjà dit : dans un univers fragmentaire et désuni, il fallait penser à la fois une chose et son contraire, l'être et le néant, la joie et les larmes, la certitude positive et la négation absolue.

Cette profonde ambivalence philosophique donne à tous les textes poétiques d'après 1830 quelque chose d'indécidable, un air d'étrangeté dont aucune lecture, aussi lucide soit-elle, ne peut ni ne doit se débarrasser. Cette incongruité, génétique et structurelle, justifie le malaise inquiet provoqué par les plus grandes œuvres : le laisser-aller de Musset, la sécheresse presque prosaïque du Gautier d'*Émaux et Camées*, la froide obscénité de Baudelaire, la dentelle obscure de Mallarmé et, peut-être, jusqu'à la sculpturale immobilité des Parnassiens sont les signes d'un rire ineffable, trop disséminé dans la substance même du poème – depuis sa conception jusqu'à sa réalisation finale – pour adopter des formes explicites et se cristalliser dans les procédés reconnus du risible. C'est pourquoi ce *rire-poésie* est à la fois l'un des traits les plus authentiques du XIXe siècle et, sans doute, le plus inimitable.

Chapitre 24

Baudelaire

Les ambiguïtés d'une œuvre culte

Aucun texte de la littérature française n'a peut-être donné lieu à d'aussi nombreuses et d'aussi diverses interprétations que les quelques œuvres de Charles Baudelaire. Surtout, pour nul autre l'écart ne paraît aussi immense entre l'impact initial d'un livre et la propagation, lente et imprévisible, de son influence. En 1857, les premiers lecteurs des *Fleurs du mal*, qu'ils fussent favorables ou non au recueil, y ont généralement vu un travail d'orfèvrerie poétique qui visait, de façon provocatrice, à sertir dans un cadre métrique les laideurs sociales ou les monstruosités morales, habituellement exclues de la poésie. À partir de ce jugement unanime, les avis divergeaient ensuite pour savoir ce qu'il importait de retenir : la rigueur poétique, l'exigence morale que laissait paradoxalement transparaître une telle alacrité de ton, ou, selon la qualification juridique de l'époque, « l'outrage à la religion et aux bonnes mœurs ».

Pourtant, ce recueil scandaleux est devenu depuis, pour tous les esprits en mal de certitude, le livre propédeutique par excellence. Très tôt, il fut le catéchisme des adolescences révoltées ou désolées, que fascinait et réconfortait l'apparente solidité que procure à Baudelaire son nihilisme absolu d'artiste. Il représenta ensuite la figure sacrificielle de l'homme moderne, hanté par l'inquiétude métaphysique et souffrant de douter d'un Dieu que toute son œuvre, par son satanisme même, appellerait. Au contraire, selon l'idéalisme laïque, Baudelaire serait l'adorateur du Beau, réalisant par l'art et dans son œuvre un désir de perfection qu'il paierait au prix de sa vie dilapidée et de sa mort pitoyable. Enfin, l'ultime leçon baudelairienne, celle-là d'une nouveauté radicale, ne serait pas esthétique mais ontologique : le poème n'est plus beau, il *est* intransitivement, et confère un être substantiel aux réalités phénoménales que nos sens enregistrent ; la poésie, à l'issue d'une transmutation qui ouvre la voie à toutes les modernités, cesse d'être une pratique artistique pour devenir le lieu et le moyen d'une entreprise proprement philosophique, sauvant du même coup l'homme de l'insignifiance dont le menace l'effondrement des vérités transcendantes et des certitudes transmissibles.

Une telle inventivité interprétative est, sans doute, proportionnée à la richesse d'une œuvre qui a su explorer les domaines du vers, du poème en prose, de la nouvelle, de la critique, de la traduction et de l'essai journalistique. Mais les circonstances ont aussi joué leur rôle dans cette prolifération des commentaires. D'une part, Baudelaire, placé au seuil des poésies à venir comme caution et comme éternel précurseur, devait inévitablement être annexé à des aventures artistiques ou idéologiques étrangères à ses propres préoccupations. D'autre part, son succès même a provoqué l'élaboration de nouvelles lectures qui, s'engendrant les unes les autres par esprit d'émulation, ont fini par déporter les textes loin de leur centre de gravité historique.

Mais comment en aurait-il pu être autrement ? Baudelaire, avec violence et obstination, n'a cessé de condamner l'« hérésie de l'enseignement » (préface des *Nouvelles Histoires extraordinaires* d'Edgard Poe), qui veut à toute force tirer une doctrine quelconque du *faire* poétique et le sauver de son renoncement, principiel et définitif, à toute forme de vérité. Toute glose ne peut donc que trahir ce nihilisme radical : les malentendus étaient inévitables, et ils furent si nombreux qu'on se surprend à préférer telle formule des Goncourt, fielleuse et injurieuse, qui, par sa violence ouverte, restitue du moins à l'œuvre sa vigueur originelle (Baudelaire, « une mouche à merde en fait d'art », *Journal*, avril 1862). Quant à Mallarmé, dans *Le Tombeau de Charles Baudelaire*, il oppose aux velléités d'idéalisation sa vision du poète qui, « poison tutélaire », « allume hagard un immortel pubis / Dont le vol selon le réverbère découche ». À ses yeux, l'immortalité de Baudelaire reste ainsi inséparable du scandale qu'il incarne à tout jamais, mais dont la survenue renvoie le lecteur à un temps et à un lieu précis : le Paris impérial. En somme, Mallarmé prend acte de ce que Baudelaire est parvenu à réaliser le programme qu'il a lui-même fixé au « peintre de la vie moderne » : « tirer l'éternel du transitoire ».

Un enfant du siècle

La jeunesse de Charles-Pierre Baudelaire, né à Paris le 9 avril 1821, reflète le sort ordinaire d'un enfant de cette bourgeoisie du XIXe siècle, qui, marquée encore par la Révolution et les troubles familiaux qu'elle a occasionnés, a soif de respectabilité et de tranquillité. Le père, François Baudelaire, a soixante et un ans à la naissance de Charles. Ancien prêtre défroqué, il a été successivement précepteur, peintre, haut fonctionnaire de la République et de l'Empire ; il resta toujours très lié aux milieux intellectuels et artistiques. La mère, Caroline Defayis, de trente-quatre ans sa cadette, connut les aléas de l'émigration – en Angleterre –, devint orpheline, puis fut recueillie par des amis de son futur mari qui trouvèrent sans doute dans leur union un moyen honorable d'assurer son avenir. Charles se retrouva à son tour orphelin de père en 1827, puis doté l'année suivante d'un beau-père, le commandant Aupick, que Caroline enceinte dut épouser précipitamment. Celui-ci, qui eut sans doute plus de qualités que ne lui en accorde la tradition baudelairienne, fit une carrière brillante d'officier, puis de diplomate, enfin de sénateur d'Empire.

Les années d'études se déroulèrent normalement. Charles obtient des résultats satisfaisants mais irréguliers ; c'est en particulier un excellent latiniste. Tout au plus ses professeurs relevaient-ils une propension à la distraction et à la nonchalance – reproches habituellement adressés aux élèves bien doués. À s'en tenir aux faits, la période charnière se situe donc à la fin des années 1830. En 1839, à la suite d'un incident dont nous ignorons les détails, Baudelaire est renvoyé du lycée Louis-le-Grand ; l'année suivante, il obtient, de justesse et par complaisance, son baccalauréat, et ses études s'arrêtent là. Car il a déjà commencé à rompre avec la carrière bourgeoise que sa mère et son beau-père ambitionnaient pour lui. Il dépense, se dévergonde, fréquente les prostituées ; vers 1842, il contracte la syphilis. Début d'un cercle vicieux : la maladie qui, malgré des périodes de rémission, ne le lâchera plus jusqu'à sa mort, encourage son attirance – mi-fascination, mi-mortification – pour les femmes déclassées. En outre, afin d'atténuer la douleur, il recourra de plus en plus régulièrement aux paradis artificiels (le laudanum, puis le vin et, lorsque la souffrance est insupportable, les eaux-de-vie), ajoutant la pathologie alcoolique à la maladie vénérienne.

En 1841, Baudelaire est encore, au moins en apparence, un joyeux bohémien. Il dépense et s'endette, si bien qu'Aupick le convainc de s'embarquer pour un voyage vers les Indes. Mais il arrête son voyage à l'île de la Réunion, revient en France, peut jouir à sa majorité – en 1842 – de l'héritage paternel, et dépense plus que jamais. Nouvelle intervention de la famille en 1844, qui place Charles, jugé irresponsable, sous la dépendance financière d'un conseil de tutelle. Malgré ces problèmes familiaux et matériels, les années qui précèdent 1848 constituent une période particulièrement féconde, pendant laquelle le poète élabore sa doctrine esthétique. Il fréquente le milieu de la petite presse et des rapins, rédige des articles de critique, publie des comptes rendus des Salons de peinture et une nouvelle, *La Fanfarlo*. Enfin, s'il ne laisse paraître que quatre des futures *Fleurs du mal*, il en compose sans doute bien plus.

L'échec de la révolution de 1848, à laquelle Baudelaire participe avec une violence qu'avivent ses ressentiments macérés à l'encontre de son général de beau-père, marque le deuxième tournant de sa vie. Il renonce alors à croire en toute forme de progrès social, et l'œuvre à venir portera le deuil, tacite mais visible dans la trame des textes, de l'espérance politique. Raison de plus pour se consacrer à la littérature : il commence en 1848 ses traductions d'Edgar Poe qui lui donnent un commencement de notoriété, il publie épisodiquement articles et poèmes. Le 25 juin 1857 paraît chez Poulet-Malassis la première édition des *Fleurs du mal*. Le recueil comporte cent poèmes, répartis en cinq sections très inégales : *Spleen et idéal* (77 pièces), *Fleurs du mal* (12), *Révolte* (3), *Le Vin* (5), *La Mort* (3).

Nouveau coup du sort, qui aigrit davantage encore l'homme. Le recueil est condamné pour immoralité et six pièces sont interdites. Baudelaire, désormais connu comme auteur scandaleux, apparaît comme un personnage, pittoresque mais imprévisible, de la bohème parisienne, pathétique à cause de sa précarité matérielle mais redoutable pour son ironie et ses éclats d'humeur. Pourtant, les textes nouveaux paraissent à un rythme à peu près régulier. En 1860, *Les Paradis artificiels* reprennent et complètent les articles intitulés *Du vin et du hachisch* de 1851 ; en 1861, une deuxième édition des *Fleurs du mal* donne à lire, dans un ordre légèrement modifié, les quatre-vingt-quatorze pièces autorisées en 1857 auxquelles s'ajoutent trente-deux textes inédits en volume ; en novembre de la même année, le titre de « poèmes en prose » accompagne, pour la première fois, la publication dans la presse de brèves compositions. Vingt « petits poèmes en prose » vont suivre, en 1862.

Le 23 janvier de cette année, Baudelaire entame la dernière phase de sa vie : victime d'une première attaque, il écrit à sa mère : « J'ai senti passer sur moi le vent de l'imbécillité ». La maladie tracera inexorablement son chemin dans un corps désormais affaibli et dans un esprit qui, miné par l'inquiétude, s'arc-boute sur ses dégoûts et ses désillusions. Et l'argent manque toujours. Autant pour échapper à Paris et à soi-même que pour y trouver des fonds, Baudelaire part en 1864 pour la Belgique. Affaibli, vitupérant le monde entier et la Belgique en particulier (*Pauvre Belgique*), il ressasse ses haines comme le fera un Céline. Il songe aussi à publier ses œuvres complètes et à y ajouter un ouvrage autobiographique, *Mon cœur mis à nu*. Il n'en aura pas le temps. Frappé d'hémiplégie en mars 1866, il est ramené à Paris et meurt le 31 août 1867, après six mois d'état léthargique et d'aphasie. Ses œuvres complètes paraîtront donc à titre posthume, chez Michel Lévy, de 1868 à 1870 (dont une dernière édition des *Fleurs du mal*, sous la responsabilité de Théodore de Banville).

L'écriture du désespoir

L'histoire minutieuse et érudite des éditions ne doit pas faire illusion. Si l'on excepte les traductions, les textes journalistiques et les travaux de commande, Baudelaire a très peu publié. Encore ces livres reprennent-ils le plus souvent, en les aménageant, des textes antérieurs : le poète ne paraît avancer qu'en revenant sur ses pas, en se retournant sur lui-même et sur les preuves imprimées qu'il a déjà données de son projet littéraire. Exigence de perfection, comme il est habituel de dire, ou vertige de l'inachèvement qui procure le sentiment rassurant qu'il y a toujours quelque chose à faire même lorsqu'il n'y a plus rien à imaginer et qui pousse Baudelaire à porter une attention maniaque aux détails les plus infimes de la présentation matérielle des textes, évidemment toujours prise en défaut ? Dans tous les cas, il est probable qu'il dispose dès la fin des années 1840, sous forme de brouillons, d'ébauches, de projets réduits à un titre ou à une idée informulée, d'un stock dans lequel il puisera par la suite : Baudelaire rumine son œuvre comme il remâche son désespoir.

On peut en effet l'appeler « spleen » – ce vague à l'âme venu des brumes anglaises – ou procrastination – incapacité d'agir sur l'instant qui conduit à toujours reporter au lendemain : sous tous ces vocables et avec toutes ses variantes, le désespoir est la clé de l'œuvre. Désespoir âcre, sans cesse approfondi, universel et inapaisable ; désespoir envers la nature, la femme, le bourgeois, le monde comme il va, le temps qui passe. Mais d'abord désespoir devant son propre sort, tristesse d'être pauvre, malheureux et fatigué de tout ; dégoût de soi-même, des illusions de la veille comme des échecs du lendemain. Ce désespoir se nourrit-il aussi du doute religieux, du chagrin d'être privé de la claire contemplation de Dieu et d'habiter un monde abandonné au Diable et à ses manœuvres sataniques ?

En tout cas, c'est de ce désespoir, collé à Baudelaire comme une seconde peau, que proviennent les contradictions de l'œuvre et la vibration étrange qui a fait des *Fleurs du mal* une œuvre culte. Car il faut bien, justement parce que le désespoir est sans fond, le couler dans une forme, l'objectiver dans une œuvre d'art afin de ne pas glisser sur la pente misérable de la pure oisiveté : d'où l'empressement de Baudelaire à figer sa poésie, à la condenser en des formes solides, inébranlables et presque agressives à force de dureté.

Pour autant, Baudelaire ne pense pas que la création artistique offre une vraie voie de salut. Il ne croit en rien, pas plus en l'art qu'en autre chose. Dans un monde où tout est dénué de sens, il serait absurde d'imaginer que rien puisse se prémunir de cette insignifiance générale. En revanche, la pratique artistique est, à ses yeux, la seule activité qu'il soit concevable de mener alors même qu'on s'est convaincu qu'elle n'a ni objet, ni but, ni sens. L'artiste selon Baudelaire ne travaille pas pour créer des œuvres d'art ; il crée pour gagner le droit de continuer à travailler, sans illusion, pour passer le temps :

> « À chaque minute nous sommes écrasés par l'idée et la sensation du temps. Et il n'y a que deux moyens pour échapper à ce cauchemar, – pour l'oublier : le Plaisir et le Travail. Le Plaisir nous use. Le Travail nous fortifie. Choisissons » (*Hygiène*).

Dans cette redéfinition de l'art comme processus indéfini et cumulatif, que devient la notion d'œuvre ? En fait, cette inversion du moyen et de la fin déguise à peine une prodigieuse mystification, féconde mais troublante. D'après son ami Charles Asselineau, voici comment Baudelaire aurait réagi aux critiques d'un directeur de revue :

« Ne trouvez-vous pas, monsieur, que ce vers est un peu faible ? Oui, monsieur, répondait le poète en se mordant la lèvre ; et le vers suivant aussi est faible, mais ils sont là pour amener celui d'après, qui n'est pas faible du tout. Je ne dis pas non, monsieur ; mais il vaudrait bien mieux qu'ils fussent tous les trois d'égale force. Non, monsieur, répondait le poète, en colère cette fois ; car alors où serait la gradation ? C'est un art, monsieur, un art que j'ai mis vingt ans à apprendre… » (préface de *La Double Vie* d'Asselineau).

On aimerait savoir quelle est, selon les propres critères de Baudelaire, la proportion de mauvais vers dans son œuvre et si son vrai plaisir d'artiste ne consiste pas à placer les mauvais, par provocation de désespéré.

Car on se doute que la vertu du travail artistique ne saurait endiguer longtemps la montée du désespoir, qui laisse de plus en plus jaillir à la surface du texte, malgré le polissage du style, la révolte et la souffrance. À cet égard, l'évolution de Baudelaire est assez comparable à celle de Flaubert, son frère en littérature. D'abord, après des essais de jeunesse, un texte ironique et faussement impersonnel, dissimulant derrière la recherche formelle les obsessions personnelles : ici les *Fleurs du mal*, là *Madame Bovary*. Ensuite, une œuvre où les vérités intimes s'expriment plus clairement et, par contrecoup, commencent à déconstruire les lois du genre, roman ou poésie : *Petits Poèmes en prose*, *L'Éducation sentimentale*. Enfin, un texte posthume, impubliable ou destiné à susciter l'incompréhension, où l'écrivain, vieillissant et obéissant à une sorte de pulsion testamentaire, renonce au mensonge obligé de l'art, décide de crier ses vérités au monde et dévoile, avec haine ou en bouffonnant, son mépris de tout : *Mon cœur mis à nu*, *Bouvard et Pécuchet*. Les dernières années de sa vie, Baudelaire note ainsi ses hantises avec soin et au prix de répétitions lassantes, comme si cette accumulation informe était destinée à offrir la signification ultime de son œuvre ; dans une lettre à sa mère datée du 1er avril 1861, il affirme avoir renoncé au suicide pour mener à terme son « grand livre » :

« […] un grand livre auquel je rêve depuis deux ans : *Mon cœur mis à nu*, et où j'entasserai toutes mes colères. Ah ! si jamais celui-là voit le jour, les *Confessions de J.-J.* [Rousseau] paraîtront pâles ».

Or, écrivant cinq ans après à son conseil judiciaire Narcisse Ancelle, il emploie des termes analogues à propos des *Fleurs du mal* :

« Faut-il vous le dire, à vous qui ne l'avez pas plus deviné que les autres, que dans ce livre *atroce*, j'ai mis tout mon *cœur*, toute ma *tendresse*, toute ma *religion* (travestie), toute ma *haine* ? Il est vrai que j'écrirai le contraire, que je jurerai mes grands Dieux que c'est un livre d'*art pur*, de *singerie*, de *jonglerie* ; et je mentirai comme un arracheur de dents » (18 février 1866).

Éléments d'une poétique baudelairienne

Un art sensoriel

Dans le sonnet *Correspondances*, Baudelaire rêve d'une nature où l'homme se promène comme « à travers des forêts de symboles » et où « les parfums, les couleurs et les sons se répondent ». Il subit là, comme beaucoup de ses contemporains, l'influence de la mystique illuministe et théosophique mais il lui assigne une fonction essentiellement esthétique. Sa visée est moins de retrouver le chemin d'un Dieu caché dans les replis de l'univers que de fonder sur de nouvelles bases l'art de l'écrivain qui, éloigné d'une transcendance incertaine, se fixe pour tâche d'éprouver et de faire percevoir le monde sensible avec la plus grande énergie possible : la synesthésie est la traduction, artistique et maîtrisée, de la disposition hyperesthésique requise du poète.

Il s'ensuit une prédilection remarquable pour les impressions sensorielles, les parfums capiteux, l'ivresse sous toutes ses formes. Baudelaire agit à la manière d'un peintre romantique ; il s'attache à la matérialité des formes et des substances pour mieux les animer d'une vie imaginaire. À ce compte, Delacroix lui paraît, même sur le plan poétique, infiniment supérieur à Hugo.

Cette picturalité du poème, inlassablement travaillée et davantage encore fantasmée, conduit au poème en prose, où Baudelaire se propose d'« appliquer à la description de la vie moderne, ou plutôt d'une vie moderne et plus abstraite, le procédé qu'il avait appliqué à la peinture de la vie ancienne, si étrangement pittoresque » (*Dédicace à Arsène Houssaye* du *Spleen de Paris*). L'art du poète consiste alors à produire des instantanés, à saisir des moments privilégiés de la vie intérieure ou extérieure « par le miracle d'une prose poétique, musicale sans rythme et sans rime ».

Le culte de l'artifice

Car ces visions, contrairement à celles de Rimbaud, se veulent toujours des effets d'art, dont l'artificialité prouve paradoxalement l'authenticité artistique. On ne peut donc critiquer, à moins de rejeter ce qui en constitue l'essence même, les procédés dont use la poétique baudelairienne, ses compositions laborieuses, la lourdeur prosodique ou syntaxique. Cette poésie est d'ailleurs doublement artificielle, dans les objets qu'elle montre comme dans sa manière. Aussi Baudelaire déteste-t-il la nature et tout ce qui, dans la condition humaine, est régi par elle. Pour lui, la nature, à laquelle la sensibilité est contrainte de se conformer, exclut la libre activité de l'imagination, qui est le premier moteur de l'art. Ainsi vitupère-t-il la femme honnête et sa sexualité irréfléchie, à laquelle il préfère la prostituée, dont l'habileté apprise, indifférente et monnayée, artificialise le plaisir physique. Enfin, Baudelaire est le premier poète des villes modernes, ces monstrueuses excroissances nées de l'industrialisation, étranges concrétions d'artifices et de vices qui défient la morale autant que la nature.

L'imagination et le rire

Le moyen suprême grâce auquel l'homme se libère définitivement des lois de la nature et accède à l'omnipotence artistique est le rire – le vrai rire provoqué par le « grotesque », non ce comique ordinaire de la satire qui, depuis Molière, encombre la littérature française :

> « [...] le rire causé par le grotesque a quelque chose de profond, d'axiomatique et de primitif qui se rapproche beaucoup plus de la vie innocente et de la joie absolue que le rire causé par le comique de mœurs [...]. Ainsi le grotesque domine le comique d'une hauteur proportionnelle.
>
> J'appellerai désormais le grotesque comique absolu, comme antithèse au comique ordinaire, que j'appellerai comique significatif. Le comique significatif est un langage plus clair, plus facile à comprendre pour le vulgaire, et surtout plus facile à analyser... » (*De l'essence du rire et généralement du comique dans les arts plastiques*).

Avant Freud, Baudelaire a perçu que le rire permettait à chacun (et au poète en particulier) de se rendre indépendant de la nature et de la logique ordinaire, puis d'en tirer une jouissance particulière d'où procède le plaisir esthétique. Bien sûr, on connaît bien l'image galvaudée du poète ricanant, sarcastique et satanique ; en revanche, on commence seulement à deviner, derrière le masque grimaçant, la complexité nuancée d'un rire auquel Baudelaire a d'ailleurs consacré un essai – le seul de quelque étendue sur le sujet jusqu'à l'opuscule de Bergson (*Le Rire*, 1905).

La poétique du vers

Quoi de plus artificiel que le vers ? Quoi de plus ironique que de vouloir exprimer, sous des formes prosodiques fixes, d'impondérables états d'âme ou les images prosaïques de la vie urbaine ? Il faut donc revenir, une nouvelle fois, à la versification de Baudelaire. Celui-ci n'est pas poète « moderne » malgré le classicisme de la forme. Il est poète, absolument et seulement poète parce qu'il n'a pas voulu faire l'économie de la métrique. Une poésie débarrassée du vers serait une poésie qui aurait fini par croire en quelque chose, ne serait-ce qu'en elle-même, et tout serait alors à recommencer : à ses yeux, le vers est à la poésie ce que le dandysme représente pour l'homme. Quant aux poèmes en prose du *Spleen de Paris*, ils doivent s'interpréter dans la perspective de la « prosodie mystérieuse » qu'il évoque dans un projet de préface des *Fleurs du mal* :

« Quel est celui de nous qui n'a pas, dans ses jours d'ambition, rêvé le miracle d'une prose poétique, musicale sans rythme et sans rime, assez souple et assez heurtée pour s'adapter aux mouvements lyriques de l'âme, aux ondulations de la rêverie, aux soubresauts de la conscience ? » (dédicace du *Spleen de Paris*).

Voilà que tout tend à être mélodieux au moment où plus rien ne rime à rien : Baudelaire n'a décidément jamais fini de défaire ce qu'il fait, de dérouter ses exégètes, puis de les ramener, d'une pirouette, à ce presque rien qu'est un poème.

Bibliographie

• Éditions :
Œuvres complètes, Cl. Pichois éd., Paris, Gallimard, 1975-1982, 2 vol. – *Les Fleurs du mal*, Crépet, Blin et Pichois éd., Paris, J. Corti, 1968. – *Correspondance*, Paris, Gallimard, 1973, 2 vol.

• Biographies :
Cl. Pichois et J. Ziegler, *Baudelaire*, Paris, Julliard, 1987. – R. Poggengurg, *Charles Baudelaire, une micro-histoire*, Paris, J. Corti, 1987.

• Études d'ensemble et ouvrages de synthèse :
G. Blin, *Baudelaire*, Paris, Gallimard, 1939. – J. Prévost, *Baudelaire : essai sur l'inspiration et la création poétiques*, Paris, Mercure de France, 1953. – M. Ruff, *Baudelaire, l'homme et l'œuvre*, Paris, Hatier-Boivin, 1955. – J.-P. Sartre, *Baudelaire*, Paris, Gallimard, 1947.

• Sélection de travaux critiques :
G. Blin, *Le Sadisme de Baudelaire*, Paris, J. Corti, 1948. – Y. Bonnefoy, *L'Improbable et autres essais*, Paris, Gallimard, 1983. – M. Milner, *Baudelaire, enfer ou ciel, qu'importe ?*, Paris, Plon, 1967. – C. Mauron, *Le Dernier Baudelaire*, Paris, J. Corti, 1966. – H. Nuiten, *Variantes des « Fleurs du mal » et des « Épaves » de Charles Baudelaire*, Amsterdam, APA, 1979. – J.-P. Richard, *Poésie et profondeur*, Paris, Le Seuil, 1955. – D. Rincé, *Baudelaire et la modernité poétique*, Paris, PUF, 1984.

• Périodique spécialisé :
Études baudelairiennes, puis *L'Année Baudelaire*.

Portraits

Théodore de Banville (1823-1891)

Banville, Baudelaire et Gautier forment cette triade d'écrivains qui, de la monarchie de Juillet jusqu'au second Empire ou au-delà, semblent avoir voué leur œuvre au culte du Beau, à la fantaisie, au mépris du bourgeois et au travail inlassable du vers. Mais la lecture la plus attentive de Banville ne permet de déceler nulle trace de la mélancolie, désespérée ou souriante, qui leste d'une sourde gravité les textes de Gautier et de Baudelaire. Cette absence – qui n'est pas forcément un manque – suffirait à expliquer le relatif discrédit dans lequel est tombée une œuvre remarquablement nombreuse et diverse – un discrédit plus profond encore, peut-être, que celui qui attend d'autres Parnassiens comme Leconte de Lisle, dont le vers solennel peut impressionner même un lecteur indifférent.

Pourtant, on aurait tort de ne voir dans Banville qu'un versificateur habile mais sans âme. En fait, l'auteur des *Améthystes*, « nouvelles odes amoureuses composées sur des rhythmes (*sic*) de Ronsard » (1861), semble un poète de la Pléiade égaré au XIXe siècle. Comme Ronsard, pour lequel il n'a cessé de dire son admiration, il approfondit, avec une passion aussi studieuse que joyeuse, l'art de la composition poétique. Aussi toute son œuvre respire-t-elle une irrépressible jubilation à rimer, qui révèle un artiste authentique, non un technicien superficiel. Banville fut l'ami de Baudelaire, et le responsable de la dernière édition des *Fleurs du mal*, en 1868 : voilà un signe qui ne devrait pas tromper.

Un poète heureux

Il est vrai que toute sa vie fut l'inverse d'une destinée de poète maudit. Né en 1823 à Moulins, il est issu de la noblesse provinciale ; sa jeunesse est heureuse et ses études, qu'il mène jusqu'au baccalauréat, lui inculquent le culte de l'Antiquité grecque, qui restera l'un des traits permanents de son œuvre. Dès un premier recueil (*Les Cariatides*, 1842), il oppose la beauté de l'art grec, dont il s'efforce de produire un équivalent poétique, à la décadence du temps présent : c'était un topos de l'époque.

Ce coup d'essai fut assez bien accueilli pour encourager Banville à poursuivre et, de fait, seize autres recueils seront publiés jusqu'à sa mort (1891), d'inspiration et de forme très différentes. Tout au plus peut-on distinguer de façon très schématique, au-delà de l'esthétisme qui parcourt tous les textes (*cf.*, en particulier, *Les Stalactites*, 1846), une veine amoureuse ou sentimentale (*Odelettes*, 1856 ; *Les Princesses*,

1874), le goût pour la fantaisie burlesque ou les jeux poétiques (*Odes funambulesques*, 1857 ; *Trente-Six Ballades joyeuses*, 1873 ; *Rondels*, 1875), mais aussi une écriture plus ample et grave (*Les Exilés* [1867], son recueil préféré ; *Idylles prussiennes*, 1871) et, surtout dans les ouvrages de la vieillesse, une poésie du témoignage ou du souvenir, aux tonalités personnelles (*Roses de Noël*, 1878 ; *Nous tous*, 1884 ; *Sonnailles et Clochettes*, 1890 ; *Dans la fournaise*, 1892).

À partir du second Empire, Banville écrit et fait représenter des comédies (comédies satiriques ou héroïques, comédies-vaudevilles) : cette partie de son œuvre a aujourd'hui été oubliée, comme la quasi-totalité de la production comique en vers du XIXe siècle. Le familier de la bohème s'est embourgeoisé. Une fois marié, il connaît à la fois les joies de l'intimité privée et les fastes de la vie mondaine ; il tient salon et devient un maître auquel les jeunes poètes rendent hommage et dont ils apprécient la cordialité : c'est Banville, par exemple, qui, à la demande de Verlaine, hébergera Rimbaud pendant sa fugue de 1870.

Comme cette vie confortable a son coût, Banville mettra de plus en plus sa prose agréablement bavarde au service de la presse, par la rédaction de récits et de contes plus tard réunis en volumes ; assurément, cette abondance monnayée a durablement contribué à brouiller l'image du poète.

Un lyrisme à l'antique

Cependant, le poète n'a pas à être entaché par les tentations polygraphiques du notable. Il n'est pas un poète lyrique au sens moderne du terme : il n'attend pas que le poème donne forme à une vision du monde, à une vérité intime ou à une réalité quintessentielle, ni qu'il fasse entendre la voix singulière, et reconnaissable entre tous, d'un sujet. De ce point de vue, les textes de Banville sont désespérément anonymes – ni personnels ni impersonnels, mais seulement indifférents du point de vue énonciatif –, et on aurait tort de leur extorquer quelques bribes de paroles personnelles, au détriment du sens général de l'œuvre.

Car, si Banville joue des tons et des styles avec une facilité déconcertante au regard de notre conception de l'authenticité poétique, c'est qu'il est pleinement un lyrique, au sens où l'entendait l'Antiquité, un spécialiste du « chant » poétique et, par conséquent, des rythmes et des mètres. Plus il adopte de formes et varie sa poétique de surface, plus il est paradoxalement fidèle à lui-même et à ce qui, d'ailleurs, le distingue des autres Parnassiens, dont la manière est, le plus souvent, très homogène et reconnaissable.

Collectionneur passionné de schémas métriques, il l'est aussi des rimes, puisque la rime est, avec le compte syllabique, la base du rythme poétique français. Le vers aboutit à la rime ; par conséquent, sa fabrication doit commencer par elle. Ainsi faut-il comprendre cette évidence que rappelle une formule célèbre du *Petit Traité de versification* (1872), à l'allure ouvertement provocatrice :

> « On n'entend dans un vers que le mot qui est à la rime, et ce mot est le seul qui travaille à produire l'effet voulu par le poète. »

Banville accorde une telle importance à la rime non seulement parce qu'elle fait peser la plus forte contrainte sur la composition poétique – et la seule qui ne souffre aucune exception –, mais parce que, pour lui, le poème est d'abord affaire de rythmes et de sonorités. Son esthétique est compréhensible en un temps où la poésie est encore diction et plaisir sonore, agencement de phonèmes et d'accents dont l'efficacité littéraire ne peut se mesurer qu'à l'oreille. Encore faut-il que ces réussites rythmiques soient mesurables, et non pas simplement éprouvées par un auditeur déjà décidé à s'émouvoir : la chose est douteuse, et cette impuissance de l'analyse textuelle à rendre compte, en des termes vraisemblables, de cette composante du plaisir poétique est, sans doute, la raison la plus profonde de la désaffection actuelle à l'égard de Banville.

Le Victor Hugo de la comédie ?

Le théâtre en vers de Banville risque fort de n'offrir à la lecture que le charme ambigu d'un exercice de versification parodique. Cependant, faisant parler Aristophane (*Le Feuilleton d'Aristophane*), Vénus (*La Pomme*) ou Cléopâtre (*La Perle*), le poète se fixe pour objectif d'offrir un équivalent comique du drame hugolien :

> « Notre poésie dramatique, d'où peu à peu s'était enfui le souvenir de l'Ode, était tombé au dernier degré d'appauvrissement et de misère, quand Hugo parut, et dans ses puissants creusets ressuscitant Shakespeare, mélangea si intimement la poésie tragique et la poésie lyrique, pour y fondre comme un seul et même métal [...]. Ce qu'il a fait pour la Tragédie [...] j'ai tenté de chercher comment on pourrait le faire pour la Comédie » (avant-propos de l'édition des *Comédies* chez Charpentier, en 1878).

Alors que la comédie, appliquée à dénoncer les vices et les laideurs, s'opposait à la fantaisie lyrique, Banville s'efforce donc d'inventer une nouvelle formule et de réaliser ainsi le programme énoncé par Gautier dans *Mademoiselle de Maupin* : la fusion féerique du beau et du risible, ici grâce au vers et à ses élégances rythmiques ; il ouvre ainsi la voie à Edmond Rostand – celui de *Cyrano de Bergerac* et, surtout, de *Chantecler*. Au reste, l'échec relatif de son théâtre fut peut-être mérité ; il apparaît cependant comme le chant du cygne d'une certaine poésie, considérée elle-même comme mise en scène et déclamation de la parole versifiée – de ce chant du cygne qu'évoque ironiquement un poème des *Exilés*, « Les Torts du cygne » :

« Et l'Alouette dans son vol,
Et la Rose et le Rossignol
Pleuraient le Cygne. Mais les Ânes
S'écrièrent avec lenteur :
"Que nous veut ce mauvais chanteur ?
Nous savons des airs bien plus crânes" ».

BIBLIOGRAPHIE

• Éditions :
Œuvres complètes, Genève, Slatkine, 1972, 9 vol. (réimp. de l'édition de 1890-1909).

• Études d'ensemble et ouvrages de synthèse :
C. BAUDELAIRE, *Réflexions sur quelques-uns de mes contemporains* dans *Œuvres complètes*, Paris, Gallimard, t. I, 1976, p. 162-168. – J. CHARPENTIER, *Théodore de Banville, l'homme et son œuvre*, Paris, Perrin, 1925.

* * *

LECONTE DE LISLE (1818-1894)

Jusqu'à ce que paraissent, en 1852, ses *Poèmes antiques*, précédés d'une préface-manifeste, Leconte de Lisle est un épigone effacé des grands maîtres romantiques. Il a collaboré dans sa jeunesse à des organes fouriéristes (« La Vénus de Milo » dans *La Phalange*), et milité du côté des insurgés en 1848, mais aucun succès n'est venu le sortir de l'ombre durant toute la IIe République. Il suffisait d'une préface tonitruante pour le révéler comme chef de file d'un mouvement en gestation et dont Leconte de Lisle a cristallisé les attentes. Ces attentes, dans leur diversité, ont un dénominateur commun : mettre fin au romantisme, relancer la littérature sur de nouvelles voies.

Il fallait peut-être que la fronde vînt d'un homme qui, dans ces années, n'attendait plus grand-chose de la littérature. Né à la Réunion en 1818, il se fixe tardivement en France, à Rennes, où il termine ses études, puis à Paris, vivant pauvrement de sa plume et se repliant dans l'austère étude du grec et de l'histoire antique. C'est sans conviction qu'il s'adonne exclusivement à la poésie après les déboires révolutionnaires de 1848 et son militantisme socialo-fouriériste.

La secousse que provoque la préface de 1852 apparaît donc comme un cri d'alarme désespéré dans lequel les jeunes poètes en mal d'émergence se reconnaîtront tout entiers. Il est vrai que le texte a le ton d'une prophétie et, au risque de le faire passer pour un fou, ne pouvait que tirer de l'obscurité ce poète méconnu annonçant la fin et la renaissance de la poésie :

> « Ô Poètes [...] vous êtes destinés sous peine d'effacement définitif à vous isoler d'heure en heure du monde de l'action, pour vous réfugier dans la vie contemplative et savante comme un sanctuaire de repos et de purification. »

Prenant appui sur un lexique éminemment religieux et fondateur, Leconte de Lisle se pose en « rénovateur d'une religion dégénérée » (R. Ponton).

L'hérésie fera mouche, d'autant qu'elle s'accompagne d'un programme esthétique aussi simple qu'efficace, qui retourne comme un gant le lyrisme « efféminé » de Musset ou de Lamartine : imitation (étude, traduction, « exercices expiatoires ») des antiques, qu'ils appartiennent à la tradition grecque (Théocrite, Anacréon) ou orientale (poèmes hindous), parce qu'eux seuls représentent la perfection absolue tant dans la forme que dans l'idée.

Pour la jeune génération désabusée par 1848 et convaincue que rien ne peut changer dans l'ordre du monde, cette religion nouvelle a de quoi séduire, d'autant qu'elle se pose aussi comme une sorte de mystique de la poésie qui va à l'encontre du matérialisme galopant de l'époque.

Fort de ce succès, Leconte de Lisle réunit son cénacle, tous les samedis soir, boulevard des Invalides. Il attend de ses jeunes disciples, Catulle Mendès, Xavier de Ricard, Sully Prudhomme, François Coppée, Dierx (et bientôt Verlaine et Mallarmé, qui feront dissidence) des œuvres conformes à ses principes. L'esthétique du Parnasse se consolide et fait autorité, au point que jusqu'aux années 1880, elle sera un passage obligé pour les apprentis poètes. Il est vrai que le Parnasse représente pour eux l'affirmation la plus radicale de la pureté, de la religiosité et de l'aristocratie de l'art dans un siècle tout acquis à la mercantilisation et à la démocratisation vulgaire de la chose littéraire. Le Parnasse deviendra ainsi par excellence l'institution poétique de référence du dernier tiers du siècle ; incontournable (même pour un Rimbaud), elle trouve en l'Académie française un puissant relais au service de la conservation de son credo (Leconte de Lisle y est reçu en 1886, suivi ou précédé de ses principaux disciples en une dizaine d'années).

Le refus de l'histoire immédiate que donne à lire la poésie de Leconte de Lisle dans ses *Poèmes antiques* (1852), ses *Poèmes barbares*

(1862) et ses *Poèmes tragiques* (1884) s'explique en grande partie par la rupture proprement politique qui fut la sienne dans son rapport au monde. Révolutionnaire, militant, en prise directe sur les causes les plus concrètes avant 1848 (par exemple, il lance une pétition pour l'abolition de l'esclavage), il passe du réalisme critique à l'idéalisme pessimiste dont le surinvestissement formel (et thématique) de sa poésie est la plus symptomatique traduction. Car cette poésie, en dépit de son effacement référentiel, est traversée par une vision crépusculaire qui s'accroît de 1852 à 1884 : le monde se voit en effet basculer dans le chaos et l'apocalypse et la poésie prétendument « froide » de Leconte de Lisle ne manque ni de sensualité ni de fascination ni d'ambivalence.

En fait, la tonalité de la poésie de Leconte de Lisle oscille entre le tragique et un sentiment de décadence et de chaos, à travers une poétique du désastre qui multiplie les images de la mort violente. En contrepoint de cette poésie qui donne à voir de manière glacée la cruauté sanguinaire de l'humanité, de nombreux poèmes d'amour apportent une note d'apaisement et d'intimité sensuelle. Chaque poème de Leconte de Lisle est habité par une fascination équivoque à l'égard du monde, comme si une sorte de « barbarie naturelle » était inscrite au plus profond de toute chose, il aime à faire surgir l'angoisse et le tourment. Le poème, dans sa perfection formelle et plastique, est alors tendu par un effet de dramatisation qui le plus souvent éclate au dernier vers ou à la dernière strophe.

L'austérité théorique et sectaire de Leconte de Lisle a quelque peu gommé aux yeux de l'histoire littéraire ses réelles qualités poétiques ; parce que fondateur du Parnasse, c'est à tort qu'il est toujours présenté dans les manuels scolaires comme le père à tuer.

Bibliographie

• Éditions :
Œuvres poétiques, Paris, Lemerre, 1927-1928, Genève, Slatkine Reprints, 1974, 4 vol. – *Œuvres de Leconte de Lisle*, E. Pich éd., Paris, Les Belles Lettres, 1977-1981, 4 vol.

• Études :
P. Flottes, *Leconte de Lisle, l'homme et l'œuvre*, Paris, Hatier-Boivin, 1954. – I. Putter, *The Pessimism of Leconte de Lisle*, Berkeley/Los Angeles, University of California, 1961. – J.-M. Priou, *Leconte de Lisle*, Paris, Seghers, 1966. – R. Ponton, « Programme esthétique et capital symbolique. L'exemple du Parnasse », *Revue française de sociologie*, XIV-2, 1973, p. 202-220. – E. Pich, *Leconte de Lisle, et sa création poétique : « Poèmes antiques » et « Poèmes barbares »*, Lyon, Presses universitaires de Lyon, 1975.

Chapitre 25

Le roman entre 1830 et 1870 : l'avènement d'une littérature de masse

Un paradoxe du roman au XIXe siècle, c'est que, à peine régénéré par l'expérience du roman historique, venant tout juste d'inventer des moyens artistiques de s'emparer du présent pour le réfléchir de façon critique, il se trouve mis en danger par ce même mouvement de démocratisation de l'imprimé qui l'a amené à maturité.

Car, dans les années 1830, un formidable développement industriel de la presse, assez indépendant, d'ailleurs, de la volonté d'un pouvoir politique redevenu répressif et conservateur, met le livre à la remorque de la revue et, surtout, du journal. Placé sous la dépendance de rythmes de production implacables – périodicité oblige – et contraint de s'adapter à des publics plus larges, le roman satisfait volontiers à une demande sociale beaucoup moins préoccupée de perfection formelle qu'assoiffée d'émotions fortes et neuves.

Comme toujours, mais plus encore que d'ordinaire, les auteurs et les œuvres les plus lus par les contemporains ne sont donc pas les auteurs et les œuvres au programme, aujourd'hui, des lycées et des facultés.

Il importe donc de décrire le paysage vrai qu'ils composent, afin d'en retrouver, outre la connaissance, le goût et le plaisir. Ainsi porté au premier plan, cet arrière-plan aide par la même occasion à comprendre les efforts de la littérature lettrée pour inventer une esthétique du roman susceptible de fonder sa légitimité comme genre, selon une démarche au fond identique à celle qui, deux siècles plus tôt, avait conduit à instituer des règles de la tragédie afin de distinguer théâtre et théâtre.

Le bouleversement des conditions de production

Le rôle des revues

Presse et roman, en un sens, étaient faits pour se rencontrer. L'un et l'autre ambitionnent de se saisir de la réalité entière, dans tous ses aspects, pour la livrer au plus grand nombre. À côté de ses articles d'économie ou de critique, et de ses récits de voyages, la *Revue des Deux-Mondes* prend dès 1831 l'habitude d'introduire des fictions narratives plus ou moins brèves.

> « Combien de nouvelles charmantes, de vives et durables productions, publiées par la Revue, écrit Buloz, son directeur, ne seraient pas venues, resteraient encore à l'état de projets vagues dans l'imagination de leurs auteurs, si le cadre existant ne les avait appelées ! »

De fait, de leurs débuts à leur célébrité, Alexandre Dumas, Balzac, Hugo, Janin, Nodier, George Sand, Eugène Sue, Vigny, monnayent à Buloz qui un récit de voyages, qui une nouvelle, qui un conte. La *Revue de Paris*, concurrente, ne demeure pas en reste. La mode du conte et de la nouvelle, l'inflation de leur production s'expliquent en grande partie par l'attraction des revues et leurs contraintes matérielles : il ne faut pas dépasser la dimension d'un article ni fatiguer la mémoire du lecteur plus que n'y autorise une périodicité bimensuelle. Il est fréquent aussi que le récit bref fasse l'objet d'une seconde exploitation par son auteur, recueilli en volume avec plusieurs autres, ou remanié pour former le chapitre d'un roman. L'échantillon, en ce cas, annonce et amorce la vente du livre. En période de marasme éditorial, par exemple aux alentours de 1830, la publication en revue fonctionne comme une sorte d'aide à la création et aux créateurs.

La naissance du roman-feuilleton

Mais ce qui révolutionne le marché littéraire, c'est, en 1836, l'extension du procédé aux quotidiens. Atteints de plein fouet par une série de lois répressives promulguées en 1835 contre les républicains, ceux-ci doivent alors chercher d'autres arguments de vente que la polémique antigouvernementale. Ramené à ses termes économiques, le problème est limpide. Pour augmenter les bénéfices d'un journal, il faut vendre plus de numéros et attirer davantage d'annonces payantes, donc diminuer le prix du numéro et le montant des abonnements, ce qui aura pour effet de multiplier le nombre des lecteurs, donc des consommateurs informés, donc des annonceurs. Et ainsi de suite. La solution trouvée et concomitamment expérimentée par deux nouveaux journaux fondés sur ce calcul, *La Presse* (Émile de Girardin) et *Le Siècle* (Armand Dutacq), consiste à appâter et fidéliser des franges supplémentaires d'abonnés en leur donnant en sus, chaque jour, et morceau par morceau, la primeur d'aventures imaginaires. Il suffit, pour ce faire, de remplacer par quelques pages d'un roman inédit le contenu du « feuilleton » : c'est le nom de l'espace jusque-là réservé, au bas des première et seconde pages, aux comptes rendus des événements littéraires et artistiques. Au bout de quelques années, le succès du système et de ses pionniers est tel que les principaux quotidiens de Paris l'adoptent pour leur plus grand profit. Le *feuilleton-roman* – on dira plus tard le *roman-feuilleton* – devient un phénomène culturel de grande ampleur.

Les nouvelles filières de production et de diffusion

Encore florissante sous la monarchie de Juillet, où les romans noirs de la Révolution et de l'Empire, tels ceux de Pigault-Lebrun et Ducray-Duminil, constituent une part de son fonds de commerce, la vente par colportage est en sérieux déclin sous le second Empire. Les dispositifs de censure instaurés en 1849 et 1852 (autorisation préalable, estampille, commission d'examen…) ne font qu'agraver les effets de la concurrence. Car, en fonction de l'accueil du public, outre leur éventuelle revente aux différents journaux de province, les romans-feuilletons passent ou non du « rez-de-chaussée » des quotidiens aux échelons successifs de la hiérarchie du livre, du format in-8° pour clientèle fortunée et cabinets de lecture au format in-18, accessible, lui, aux derniers rangs de la petite bourgeoisie. À moins encore qu'ils ne prennent forme d'éditions populaires illustrées, qui, à raison de livraisons de huit à seize pages in-4°, à vingt centimes chacune, reliables en fin de parution, mettent les mêmes titres, mais aussi Stendhal ou Hugo, entre autres auteurs du haut de gamme, à la portée de nombreuses bourses. Cette dernière formule est concurrencée par le tout-feuilleton des *journaux-romans* hebdomadaires ou bihebdomadaires, à un ou deux sous le numéro, spécialisés dans le débit, par tranches, de plusieurs romans à la fois. Lancés dans les années 1850, les journaux-romans, eux aussi illustrés, entrent dans les prix du public le moins fortuné. Dans ces conditions, il n'est pas rare que, selon leur degré de notoriété et de productivité, les feuilletonistes parviennent à vivre confortablement de leur plume, quitte, si la demande outrepasse leurs capacités, à sous-traiter tout ou partie de leur travail à un ou plusieurs *nègres*. Réalité en plein essor à partir du second Empire, la littérature qu'on dit dès lors *populaire* se présente sinon comme une « littérature industrielle », selon le mot prophétique déjà cité de Sainte-Beuve, du moins comme le produit d'une industrie de la littérature, voire de la culture – car il n'est pas de feuilleton à succès qui ne donne lieu à une adaptation sur la scène des petits théâtres.

Les nouveaux genres du récit

Le conte et la nouvelle

Il serait toutefois abusif de ramener entièrement les mutations des formes du récit aux mutations de l'économie de leur production. On serait à ce compte conduit à considérer le conte et la nouvelle comme des romans de consommation rapide publiés en revue, ni plus ni moins. Habiles à faire de nécessité vertu, les auteurs font au contraire de l'espace restreint auquel les revues les bornent le prétexte d'une esthétique de la brièveté. Sachant que le public des revues est par définition lettré, ils s'exercent à son intention à des formes d'écriture rigoureuses dont les règles, quoique informulées, ne sont pas sans rappeler celles de la tragédie classique. Plus peut-être que la brièveté (il en est d'assez longs), ce qui caractérise en effet la nouvelle et le conte, c'est l'unité d'action et la perfection du dénouement. Il s'agit de faire converger tous les éléments du récit vers un temps fort – et un seul –, sans jamais détourner l'attention par des intrigues secondaires ni retarder l'action par des descriptions superflues. Quant à différencier les deux formes, le critère même du surnaturel et du fantastique n'y suffit pas. Les auteurs, à vrai dire, emploient les titres de *conte* et de *nouvelle* de façon quasi synonymique. C'est que la nouvelle, au XIXe siècle, est *contée*, en ce sens qu'elle se laisse dire par l'oralité d'un narrateur dont la personne, souvent, importe essentiellement, au double titre d'acteur et de témoin.

Un préjugé paraît aujourd'hui affecter le genre : qui dit court dit petit, donc (croit-on, bien à tort) mineur. Mais au XIXe siècle, le conte, encore auréolé de son prestige au temps des Lumières, jouit en outre des lettres de noblesse fournies par Hoffmann et par ses contes fantastiques, introduits en France depuis 1828-1829 comme un modèle opposable au roman historique de Walter Scott. Le singulier mélange de poésie onirique et de descriptions familières propre au conteur allemand supplante chez plus d'un petit romantique le prestige du romancier anglais. Antidote des longueurs scottiennes, le modèle hoffmannien aide même un Théophile Gautier à épurer et à importer dans le domaine de la littérature lettrée (celle que les amateurs éclairés dégustent par petites doses, par opposition à la littérature de grande consommation délivrée au grand public) les ingrédients du roman noir. À force de talent, Gautier parvient ainsi, dans une de ses meilleures nouvelles, *La Morte amoureuse*, à réemployer, en les sublimant en *fantaisie* (valeur suprême de l'*art pour l'art*), quelques-uns des éléments les plus galvaudés de ce genre populaire (prêtre exemplaire tenté par le diable, femme-vampire d'une beauté ensorcelante, poisons soporifiques…). Par contraste avec la longueur voulue des romans à quatre sous, la concision, en somme, apparaît comme un gage de littérarité.

L'esthétique du roman de masse et celle du roman littéraire

Il serait toutefois malvenu, sauf à bouder son plaisir, et, de plus, parfaitement contraire aux réalités historiques, de tracer une ligne de démarcation infranchissable entre un petit nombre de fictions narratives, romans compris, qui relèveraient exclusivement de l'art, et tout ce qui serait à jamais tombé dans la fosse commune de la production de masse. Doit-on d'ailleurs, dans le second cas, parler de *roman populaire* ? de *roman-feuilleton* ? Marquée péjorativement ou positivement, selon les cas, la première expression sous-entend que les classes supérieures et moyennes s'abstiendraient de lectures faciles, alors que domestiques, ouvriers et paysans en feraient leur pain quotidien. Elle peut laisser croire, ce qui serait plus faux encore, à des auteurs d'extraction modeste. Quant à la seconde expression, beaucoup plus exacte, elle a l'inconvénient de focaliser l'attention de façon exclusive sur un moment de la consommation de ces récits – leur lecture en journal – et un de leurs traits caractéristiques – ils sont « à suivre ». Or, ce moment et ce trait, pour fondamentaux qu'ils soient, ne suffisent néanmoins pas à les définir. Qui songerait à confondre *Madame Bovary* dans le lot, sous prétexte de son insertion dans la *Revue de Paris*, voire en raison de son très grand succès de scandale en volume, mais en négligeant le souci flaubertien de se démarquer de la production courante ? Mais comment, à l'inverse, négliger l'incidence de ces conditions de parution dans la réception et dans l'écriture de bon nombre des romans de Balzac, d'Alexandre Dumas, de George Sand ou de Jules Verne ?

Outre la contrainte du découpage et du calibrage en chapitres-épisodes, un phénomène élémentaire lié au cadre du journal est l'habitude de *tirer à la ligne*, c'est-à-dire de multiplier les alinéas. Un motif du procédé, certes, est pécuniaire : les auteurs sont payés à la ligne. Mais l'étalage du texte en alinéas correspond aussi à une pratique de lecture rapide, incompatible avec une organisation syntaxique complexe ou avec des paragraphes compacts. Plus question, pour le romancier, de discourir ou de décrire, il ne faut que raconter et, s'il y a des dialogues, ils doivent fuser comme des répliques de théâtre.

Posons un principe plus général. Ce qui, dans le roman de masse, paraît contraire à toutes les normes du beau littéraire est justement ce qui fait son charme spécifique. Clichés, stéréotypes, répétitions, adjectifs redondants, amplifications interminables, scènes convenues, personnages dépourvus de psychologie, dramatisations outrancières, phrases toutes faites, surabondance d'hyperboles, invraisemblances d'intrigues embrouillées à l'extrême, cascades de rebondissements, tout cela, qu'un écrivain digne de ce nom se doit, paraît-il, de fuir systématiquement, constitue la matière même de ce type de textes, le ressort des jouissances qu'il procure. Cela s'entend au premier degré : il faut, pour le confort du lecteur, lui resservir indéfiniment les recettes les plus éprouvées. Mais cela s'entend aussi au second degré : ni le romancier ni ses lecteurs n'ignorent la part de jeu entrant dans leurs activités respectives d'écriture et de lecture. Preuve en est le tour parodique, l'autodérision, qui pointent bien souvent dans les contextes les plus dramatiques. Présentant son *Affreux Roman* (1866), Paul Féval, jouant à confondre les plans de la réalité et de la fiction, souligne que « l'auteur a centralisé les moyens les plus nouveaux », car, promet-il, « il opère lui-même, soit qu'il s'agisse d'éventrer les petits enfants, d'étouffer les vierges sans défense, d'empailler les vieilles dames ou de désosser MM. les militaires ». Le code esthétique du roman de masse n'est pas seulement différent du code esthétique du roman littéraire ; l'un et l'autre se posent en s'opposant et finissent par se supposer réciproquement.

L'installation de la distinction, au demeurant, est progressive et en bonne partie rétrospective. Stendhal et Flaubert exceptés – si du moins on prend pour argent comptant leurs déclarations orgueilleuses –, les auteurs à prétentions littéraires, loin de tirer gloire des effectifs relativement réduits de leurs admirateurs, aimeraient bien eux aussi captiver une foule de lecteurs. La qualité artistique est à leurs yeux l'argument qui devrait leur valoir une popularité et des ventes enviables. Aussi bien le roman littéraire peut-il se targuer d'être en définitive le principal bénéficiaire de la révolution romantique. Il profite en particulier du terme mis à la hiérarchie des genres, à leur fixité et à leur cloisonnement, pour voler de ses propres ailes. La certitude que l'imagination romanesque est un art digne d'être cultivé pour lui-même confère au récit une dignité poétique nouvelle. Conscient de pouvoir, désormais, conquérir plus d'audience que le théâtre, le roman littéraire élargit ses ambitions jusqu'à aspirer à devenir le lieu de rassemblement, le vecteur commun, le point focal des arts plastiques aussi bien que des arts du langage : théâtre et poésie, peinture et architecture. Impérialisme que résume, au début de *Notre-Dame de Paris* (1831), la si fameuse prédiction de Hugo, immédiatement réalisée à la lettre par ce roman, peut-on dire, où il reconstruit, repeuple et ressuscite pour son compte le centre de la foi médiévale, achevant ainsi l'évolution amorcée avec l'invention de Gutenberg et par laquelle l'imprimerie et les cathédrales de lettres se substituent peu à peu à l'architecture et aux cathédrales de pierre : « ceci tuera cela ». Alors que le sujet lyrique s'approprie le *je*, le roman le délaisse, lui, pour se faire en quelque sorte plus narratif. Il quitte le terrain de la confidence où se complaisaient le roman par lettres et le roman sentimental et, s'accaparant le *il*, le plus impersonnel des pronoms, jusqu'à le réinventer, il y gagne un champ de vision universel qui assure son autorité.

La diversification du roman

À observer son évolution depuis 1830, le premier effet de la révolution de Juillet sur le roman est la levée d'une sorte de tabou pesant sur la représentation du présent. Tout se passe comme si, toutes les tentations de retour à l'avant-1789 étant définitivement répudiées en la personne de Charles X, le roman se découvrait soudainement libre de traiter de la modernité.

Non pas que le roman historique disparaisse, tant s'en faut : bien que son heure de gloire soit passée, il se survit quantitativement très bien, tout en tendant symptomatiquement à passer des rayons de la littérature distinguée et d'esprit aristocratique à ceux de la littérature courante et acquise à la Révolution. Si Alexandre Dumas père (1802-1870), romantique impénitent, continue longtemps à préférer l'histoire du temps jadis (*La Tour de Nesle*, 1832 ; *Les Trois Mousquetaires, Vingt Ans après*, 1845 ; *La Reine Margot*, 1845), bien des feuilletonistes, notamment, et lui-même sous le second Empire, manifestent leurs options politiques fondamentales en évoquant la période révolutionnaire ou, autre moyen de tourner la censure, en retraçant avec complaisance les conspirations libérales et républicaines sous la Restauration (A. Dumas, *Les Mohicans de Paris*, 1854-1857).

Mais la nouveauté, désormais, se situe du côté du roman de mœurs contemporaines. Quelques-uns font le choix subtil de traiter historiquement du présent. Tel est le cas, cela va sans dire, de Balzac (avec la série des *Études de mœurs au XIX*[e] *siècle*, entreprise en 1833), de Stendhal (*Le Rouge et le Noir* paraît en novembre 1830 avec le sous-titre « Chronique de 1830 ») ou d'un Charles de Bernard (*Gerfaut*, 1838), quasi-inconnu aujourd'hui. D'autres, bien plus nombreux, comme George Sand et son Pygmalion en littérature, Jules Sandeau (1811-1883), ou Octave Feuillet (*Le Roman d'un jeune homme pauvre*, 1858) et Victor Cherbuliez (*Le Roman d'une honnête femme*, 1866), s'efforcent d'infléchir les mœurs de leur siècle. Certains lui donnent en exemple des conduites subversives (au début des années 1830), mais la plupart (après 1848 surtout), défendent inséparablement la famille et la propriété. D'autres, tels Sainte-Beuve (*Volupté*, 1834) et Ulric Guttinguer (*Arthur*, 1836), prolongent la tradition du roman dit intime ou d'analyse sentimentale. C'est là la catégorie dans laquelle l'on enferme d'ordinaire, non sans *a priori*, la plupart des romancières, dont le nombre va croissant et parmi lesquelles on remarque Delphine Gay, Louise Colet ou Daniel Stern (Marie d'Agoult), sans compter George Sand qui, comme Balzac, traverse en fait la plupart des sous-genres du roman littéraire. Car, héritées d'avant 1830, comme on l'a vu (chap. 7), ces catégorisations perdent de leur pertinence à mesure qu'en émergent de nouvelles, du roman social au roman judiciaire et au roman d'aventures.

Le roman social

Mieux vaudrait peut-être, d'ailleurs, parler de modes successives. Les prodigieux succès, coup sur coup, remportés par *Les Mystères de Paris*, dans le *Journal des débats* en 1842 et 1843, puis par *Le Juif errant*, dans *Le Constitutionnel*, en 1844 et 1845, posent Eugène Sue (1804-1857) comme l'initiateur et le maître de ce que l'histoire littéraire a appelé, après coup, le *roman social*. L'attrait des *Mystères de Paris* repose sur l'exploration pittoresque, langue verte et frissons criminels à l'appui, des classes laborieuses et des classes dangereuses de Paris, confondues dans un seul et même monde fantasmatique où Bien et Mal, bons et méchants, s'affrontent de façon manichéenne. La jeune prostituée Fleur de Marie échappera-t-elle aux griffes du Chourineur et du Maître d'École ? Les menées des deux bagnards se heurtent à la riche et puissante main protectrice du prince Rodolphe, la philanthropie faite homme, qui finira non seulement par réhabiliter Fleur de Marie (laquelle se révélera être sa fille), mais aussi par sauver une famille d'ouvriers et par épouser Clémence d'Harville, la veuve de son meilleur ami, aimée de toujours, mais qu'il avait préservée de l'adultère jusqu'à l'opportun suicide de ce dernier. Quant au *Juif errant*, ce feuilleton narre la lutte qui, au lendemain de la révolution de 1830, aurait opposé, autour d'un trésor faramineux, les héritiers de ce personnage mythique à la tentaculaire et criminelle communauté des jésuites. Fin heureuse et morale : symbole des ravages de l'or dans toutes les classes sociales, le trésor est détruit ; Agricol, l'ouvrier-poète, coule des jours heureux à la campagne ; un avenir radieux sourit au peuple et aux femmes. Il n'est pas fortuit que Hugo commence précisément la rédaction des *Misères* (les futurs *Misérables*) en 1845.

La même veine est exploitée par Paul Féval (1817-1887), avec *Les Mystères de Londres*, parus la même année que *Les Mystères de Paris*, d'orientation également socialisante. Jusqu'en 1870, Féval est le romancier qui fait autorité. Il est vrai que ses œuvres ultérieures épousent le retournement conservateur de la société sous le second Empire. C'est ce qui lui vaut l'honneur de signer, en 1868, l'officiel *Rapport sur le progrès des lettres*, commandé à l'occasion de l'Exposition universelle. Roman historique à la Dumas, *Le Bossu* (1857) est situé sous la Régence et construit autour du personnage de Lagardère, un héros de cape et d'épée (de nos jours repris au cinéma par Jean Marais). Un autre de ses principaux succès, parmi ses quelque soixante-dix romans, *Les Habits noirs* (1863), marque toutefois un retour au roman social, mais d'un point de vue pessimiste et répressif. Féval y exploite l'habituel personnage fictif du justicier omniprésent et l'histoire réelle, fameuse, d'une bande de malfaiteurs passés en justice dans les années 1840. Le justicier est en l'occurrence un bagnard victime d'une erreur judiciaire, probablement inspiré par le Jean Valjean des *Misérables* : autre indice, dans le sens du retour cette fois, des multiples exportations et importations couramment pratiquées entre roman populaire et roman littéraire, tant il est vrai que ce *distinguo* vaut surtout dans la mesure où il peut être remis en cause.

Tel est également le point de départ, en 1857, de la série des *Drames de Paris*, de Ponson du Terrail (1829-1871). Le rival de Féval (84 romans, soit environ 5 500 feuilletons quotidiens, 10 000 pages par an entre 1852 et 1870, sans secrétaire ni nègre) modèle en effet sur le Rodolphe d'E. Sue le personnage de son Armand de Kergaz, riche héritier voué, pour réparer les méfaits semés dans Paris par son demi-frère Andréa, à traquer la bande des Valets-de-cœur – dont ce dernier est l'âme damnée. Mais, encouragé par la passion du public pour les rebondissements, Ponson du Terrail fait bientôt reposer le poids de ses intrigues sur le personnage initialement secondaire et comme fait exprès de Rocambole, héros protéiforme et démoniaque, capable du meilleur après avoir fait le pire (et mérité le bagne), aussi doué pour les acrobaties physiques qu'habile à combiner des coups tordus… La survie de l'adjectif *rocambolesque* témoigne à elle seule de l'engouement des lecteurs contemporains pour la virtuosité du créateur du personnage.

Les autres variétés du roman

L'enquête sociale à la manière d'E. Sue et de son Rodolphe débouche ainsi à terme sur l'enquête policière. De Vidocq dans *Le Père Goriot* (1835) de Balzac au roman policier de nos jours, la piste est, certes, ininterrompue. Mais elle passe par le *roman judiciaire* du second Empire et l'étape capitale qu'en représente, en 1866, *L'Affaire Lerouge*, d'Émile Gaboriau (1832-1873). C'est la rencontre d'une forme – narration informée par la technicité de l'enquête policière, personnage de limier de génie –, d'une idéologie – celle de l'ordre, qui prévaut sous le second Empire – et d'un public – celui du *Petit Journal*, un quotidien à cinq centimes dont le tirage, dépassant les 150 000, voire les 200 000 exemplaires, doit beaucoup à la place qu'il donne aux faits divers.

Du goût général pour les sensations fortes procède enfin la vogue du roman d'aventures, forme distractive et populaire du récit de voyages distingué. Fondé sur l'exploration militaire ou scientifique de contrées exotiques, ou sur une navigation périlleuse, il emprunte son intérêt à l'actualité de l'expansion coloniale. Sous la monarchie de Juillet, Sue, encore lui, est l'un des introducteurs en France de la mode anglaise du *roman maritime* (*Atar-Gull*, *La Salamandre*, 1832), avec G. de la Landelle et E. Gonzalès. Dans la brèche ouverte à la fin de la Restauration par la traduction des romans d'Indiens de Fenimore Cooper (*Le Dernier des Mohicans*), le roman américain s'épanouit sous la plume de Gabriel Ferry (*Coureur des bois*, 1850) et de Gustave Aimard (*Les Trappeurs de l'Arkansas*, 1858 ; *Les Chasseurs d'abeilles*, 1863-1864). Il va sans dire que Jules Verne s'inscrit dans cette lignée, tout en lui donnant une double dimension scientifique et futuriste à mettre en rapport avec, d'une part, l'importance déjà évoquée de la presse de vulgarisation scientifique (voir p. 248) et, d'autre part, l'utopisme des ingénieurs et des socialistes, pour ne pas dire des ingénieurs socialistes (saint-simoniens et fouriéristes) de la première moitié du siècle.

Dès 1870, l'ensemble de cette production narrative a profondément enrichi et renouvelé l'imaginaire collectif. Il n'y a plus qu'à choisir dans un arsenal d'intrigues une troupe de personnages et un réservoir d'images et de thèmes surabondants.

L'esthétique réaliste

Le réalisme défini par ses œuvres

Replacée dans ce contexte d'expansion rapide et illimitée de l'industrie du roman de consommation, la provocation *réaliste* de Champfleury (voir p. 291-292) apparaît motivée par le besoin inavoué, mais vital, de retrouver un espace pour une pratique littéraire et réflexive du roman. Ce qu'il y a, au fond, de rationnel dans l'irrationnelle accusation de « réalisme », simultanément lancée en 1857 par les procureurs de Napoléon III à l'encontre d'œuvres aussi différentes que *Madame Bovary* et *Les Fleurs de mal*, alors même que Flaubert et Baudelaire ne se reconnaissent nullement sous cette étiquette, c'est qu'il s'agit, du point de vue des représentants de l'ordre, d'étouffer une forme de contestation d'autant plus efficace et difficile à combattre qu'elle est indirecte et larvée. Nous avons certes besoin de faire effort, aujourd'hui, dans le contexte qui est le nôtre, pour percevoir l'intention et l'effet de subversion de ces œuvres en leur temps. Mais narrativité feuilletonesque à part, il suffit de comparer quant au sujet et quant aux cibles *Madame Bovary* et *Les Bourgeois de Molinchart*, parus deux ans plus tôt, pour reconnaître des parentés flagrantes et le même fonds de satire politico-sociale. Le roman de Champfleury (1821-1869) s'ouvre sur la scène carnavalesque et symbolique d'un chevreuil poursuivi par des chasseurs et entrant dans une petite ville, fracassant l'intérieur de la boutique d'un épicier, déclenchant les convoitises des aubergistes, cuisiniers, marmitons et bouchers du lieu, puis se réfugiant chez la jeune et jolie femme d'un avoué qui, attendrie, essaie, mais en vain, d'obtenir sa grâce. Passée la charge satirique contre la bourgeoisie boutiquière, Louise s'éprend du jeune comte romantiquement désespéré qui conduisait la chasse, consent à être sa maîtresse et devient, à son tour, la proie des médiocrités provinciales en sorte que, la passion de son amant retombant, elle finit par être reconduite au bercail par la police. Comme chez Flaubert et avant lui, le sujet, donc, est un adultère en province, et le personnage central celui d'une petite-bourgeoise accablée d'ennui et séduite par les valeurs aristocratiques. Aux prétentions scientifiques de Bovary et de Homais correspondent les tocades successives de l'avoué Creton pour la météorologie, l'archéologie et l'amélioration des races chevalines. Il n'est pas jusqu'aux suggestions et à l'ironie obtenue par l'imparfait et le style indirect libre de certaine scène de fiacre qui n'évoquent par anticipation le fiacre d'Emma et le romantisme déçu de l'héroïne ratée de Flaubert :

> « La voiture roulait toujours ; au dedans, c'étaient des étreintes poignantes et fiévreuses à briser des barres d'acier. Leurs âmes s'étaient fondues en une seule et faisaient sentinelle autour d'eux pour en chasser les souvenirs, les chagrins, les craintes de l'avenir. Rien n'aurait pu les séparer en ce moment, ni périls ni dangers, ils se sentaient forts et libres. »

Passons à *Fanny*, d'Ernest Feydeau, un ami de Flaubert, dont le succès et la scandaleuse réputation de *réalisme* égalent, en 1858, l'éclat de *Madame Bovary* l'année précédente. Finement et brillamment écrit, ce roman édité in-12 (pour être, paraît-il, plus facilement dissimulé par ses nombreuses lectrices) dut pareillement une grande partie de son grand succès à la façon dont il expose les contradictions d'une femme adultère sans la juger et dont il évoque la dimension sensuelle d'une passion en termes non convenus et du point de vue de l'amant jaloux des droits conservés, voire repris, par le mari. « Épopée des vulgarités infimes, des platitudes bourgeoises, […], des convoitises effrontées […] décrites avec une effrayante indifférence » (Caro, *Revue contemporaine*), ou encore « idolâtrie de la matière » (Montégut, *Revue des Deux-Mondes*), voilà, selon les contemporains, ce qui caractériserait la littérature réaliste. Question, donc, de regard, au moins autant que de sujet.

La théorie

Autre marque distinctive de la relittérarisation du roman recherchée en réaction contre son galvaudage par le feuilleton et les éditions à bon marché : autant le feuilletoniste ordinaire fuit la discussion esthétique, autant le romancier réaliste la recherche et tente de faire école. C'est, en effet, une condition *sine qua non* pour obtenir l'attention et l'estime des lettrés, de ses confrères et rivaux, et de la critique. Flaubert, de ce point de vue, fait exception, qui s'abstient dédaigneusement de théoriser en public. Champfleury, lui, n'hésite pas à autopréfacer ses *Aventures de Mariette* (1853) et à tenter de faire vivre sous son propre nom une feuille littéraire (*La Gazette de Champfleury* – deux numéros en 1854). Se plaçant sous son patronage, un aspirant romancier, lui aussi habitué de la brasserie Andler, Duranty (1833-1880), lance *Réalisme*, une revue-manifeste (six numéros, de juillet 1856 à mai 1857). Après quoi, le maître expose lui-même son système dans *Le Figaro* sous forme de deux lettres ouvertes (1856), puis rassemble en volume une suite de ses propres articles sous le même titre belliqueux (*Le Réalisme*, 1857). Ces quatre années 1853-1857 fixent les éléments de la doctrine.

Duranty, dont Zola citera le propos, déclare en résumé que

> « le Réalisme conclut à la reproduction exacte, complète, sincère, du milieu social, de l'époque où l'on vit, parce qu'une telle direction d'études est justifiée par la raison, les besoins de l'intelligence et l'intérêt du public. […] Cette reproduction, ajoute-t-il, doit donc être aussi simple que possible pour être compréhensible à tout le monde » (*Réalisme*, n° 1).

C'est, en clair, réclamer un art démocratique pour un public populaire. Le romantisme est du coup désigné comme le premier obstacle à écarter : il serait inactuel, exagéré, compliqué, fantasque, faux et charlatanesque. Tout en épargnant Hugo, qui l'a aidé, Champfleury charge le néoromantisme noir, sadien, de Petrus Borel et de Barbey d'Aurevilly. Contre ces deux-là, il se réclame de « Rabelais, Montaigne, Molière, La Fontaine, Diderot, Jean-Jacques et Voltaire », soit toute la tradition anticatholique, mais aussi de Stendhal et, surtout, de Balzac – dont il fait figure d'héritier, ayant été appelé par sa veuve pour classer ses papiers. Plutôt que d'*imaginer* l'*historique* en peinture ou dans le roman, il convient, réclame Duranty, d'*observer* le *réel contemporain*. Non pour décrire : la revue *Réalisme*, paradoxalement, abomine

« le système de description obstinée » de *Madame Bovary*. Tout y est détaillé sur un même plan, blâme-t-elle, du brin d'herbe aux gestes humains, sans que rien soit mis en saillie, sans que la *description* tourne jamais à l'*impression*.

Par rapport à la peinture, « art inférieur » selon lui (et qui n'avait encore inventé ni l'idée ni le mot d'*impressionnisme*), la vraie « supériorité » de la littérature, explique en effet Champfleury, est de pouvoir montrer « le moral » de ses personnages. « Il ne faut donc pas seulement étudier l'homme, précise Duranty, mais son milieu et son état social. » Autrement dit donner à voir non des individus quelconques, mais des « types » déterminés et, à travers eux, toutes les « subdivisions » possibles d'une même « classe », qu'il s'agisse, par exemple, de la bourgeoisie ou de la paysannerie. Un romancier comme Champfleury, glose encore le disciple,

> « a besoin de mille individualités de même classe pour en extraire cette figure typique qui est le but de son art. Chacune d'elle lui fournit un trait saillant, et par la réunion de ces traits saillants, il obtient une physionomie accentuée vivement, en relief, qui est l'expression de toute une classe d'êtres, la résume et la fait ressortir » (préface aux *Œuvres nouvelles* de Champfleury, 1859).

L'argument ruine l'objection déjà fréquente et à vrai dire justifiée par la définition première du système selon laquelle il risque d'aboutir à la pure et simple reproduction photographique du réel. Champfleury généralise en proposant une expérience. Que l'on installe dix appareils à daguerréotyper et dix peintres devant un même paysage, et il y aura, assure-t-il, dix daguerréotypes strictement identiques, mais aucun tableau qui puisse se confondre avec un autre tableau. Conclusion :

> « La reproduction de la nature par l'homme ne sera jamais une *reproduction* ni une *imitation*, ce sera toujours une *interprétation*. »

Ce principe n'entraîne toutefois pas, selon lui, une quelconque obligation de prendre parti, politiquement ou moralement. Il faudrait, au contraire, prendre modèle sur « le manque de conclusion » tant reproché à Balzac, sur son habileté à « s'isoler de ses personnages », à « souten[ir] toutes les thèses », à « fai[re] jouer toutes les passions » et à se tenir ainsi « à l'écart des idées trop aventureuses de son temps ». Bien plus, le refus de conclure serait la marque d'une littérature authentiquement populaire, preuve en étant, selon Champfleury, que ni les chansons anciennes ni les légendes ne s'achèvent sur des fins en forme de moralités (« Lettre à Monsieur Ampère touchant la poésie populaire », dans *Le Réalisme* ; *Recherches sur les origines et les variations de la légende du bonhomme Misère*, 1861). La notion de « romancier impersonnel » que Champfleury met en avant pour se distinguer des romanciers « personnels » – à tendance autobiographique, comme Benjamin Constant dans *Adolphe* – le conduit de surcroît à mettre l'accent sur la « volonté scientifique » nécessaire, sur l'indispensable vocation à « devenir une sorte d'encyclopédiste » n'ignorant rien des « tendances scientifiques et morales de son époque ». Alors que pour Flaubert la finalité ultime et exclusive demeure l'art, l'auteur des *Bourgeois de Molinchart* se veut avant tout un « chercheur de réalité ».

Les débuts du naturalisme

C'est cette double ambition, démocratique et scientifique, du roman que porte en avant la montée du positivisme dans les rangs des opposants à l'Empire.

Reprenant la même technique de provocation (« Le public aime les romans faux : ce roman est un roman vrai »), Edmond et Jules de Goncourt, dans la préface de *Germinie Lacerteux* (1865), se justifient d'avoir choisi pour sujet la vie d'une domestique en demandant tout haut si

> « dans un temps de suffrage universel, de démocratie, de libéralisme [...] ce qu'on appelle "les basses classes" n'avait pas droit au Roman ; si ce monde sous un monde, le peuple, devait rester sous le coup de l'interdit littéraire et de dédains d'auteur qui ont fait jusqu'ici le silence sur l'âme et le cœur qu'il peut avoir ».

Désireux de tenter de ressusciter ainsi le genre disparu de la « tragédie », mais aussi de contribuer à la transformation du roman en « la grande forme sérieuse, passionnée, vivante, de l'étude littéraire et de l'enquête sociale, qu'il devient, par l'analyse et la recherche psychologique », ils se placent sous les auspices laïques de la religion de l'Humanité pour conter, sous l'angle des déterminismes sociaux et physiologiques, les malheurs sordides (un viol et un enfant mort-né), l'épanouissement (par l'amour) puis la déchéance (par les dettes et par l'alcool) d'une servante parisienne.

Mais c'est, en 1868, la parution remarquée de *Thérèse Raquin* qui confirme pour de bon l'existence, sinon d'une école, du moins d'un courant bien identifié. Placé sous une épigraphe matérialiste empruntée à Taine (« Le vice et la vertu sont des produits comme le vitriol et le sucre »), le roman de Zola démontre, comme *Madame Bovary*, qu'un fait divers criminel de journal peut fournir la matière d'une œuvre littéraire. Idéologie typiquement bohème, mais ouvertement inscrite, aussi, dans ce qui est déjà une tradition *réaliste* : le cadre social est celui d'une boutique et d'un couple petit-bourgeois perturbé par l'intrusion d'un artiste-peintre qui devient l'amant de la boutiquière, lasse d'un mari médiocre et ennuyeux. Dans la préface où, selon la méthode *réaliste* éprouvée, il répond au scandale soulevé dans la presse, l'auteur déclare avoir servi « un but scientifique avant tout » et affecte de ramener l'intrigue (l'assassinat du mari, puis les amants échappant à la justice mais déchirés par le remords) aux termes d'un problème physiologique :

> « étant donné un homme puissant et une femme inassouvie, chercher en eux la bête, ne voir que la bête, les jeter dans un drame violent, et noter scrupuleusement les sensations et les actes de ces êtres ».

Et d'évoquer, pour finir, mine de rien, « le groupe d'écrivains naturalistes auquel [il a] l'honneur d'appartenir ». Le romancier visant à se distinguer du feuilletoniste ordinaire prétend désormais non seulement découvrir et montrer le réel invisible au commun des mortels, mais l'expliquer. Il se donne fonction d'intervenir après le savant pour faire ce que le savant ne saurait faire : ramener l'humain et le social sous le règne des lois de la nature. Son statut, du même coup, s'en trouve considérablement relevé. Or, à nouveau statut, nouveau mot : Zola, on l'aura remarqué, met en avant et revalorise le titre d'*écrivain*.

Serait-ce le début de la fin de la longue crise de la littérature ouverte, en 1830, par le divorce entre le *poète* et la société ? Le fait est que la capacité démontrée du récit fictif en prose à traiter de tout pour tous paraît dès la fin du second Empire devoir à terme redonner une légitimité au métier d'homme de lettres et promouvoir le roman au sommet de la hiérarchie des genres.

Portraits

Eugène Sue (1804-1857)

« La suite à un prochain épisode »

Même s'il n'en est pas l'inventeur à proprement parler – c'est Balzac avec *La Vieille Fille* (1836) qui inaugure le genre – Eugène Sue est le père spirituel du roman-feuilleton. Contrairement à certains écrivains – dont Balzac – trop épris d'esthétique, il n'a jamais dédaigné la compromission avec la presse, à l'essor de laquelle il a largement contribué grâce à ses grandes fresques populaires écrites à la diable. Sue doit en fait sa notoriété – à tout le moins son énorme succès – à l'explosion de la presse périodique sous la monarchie de Juillet : *La Presse*, tout particulièrement, fondée en 1836 par Émile de Girardin. Celui-ci confie à de grandes plumes la rédaction de faits divers puis leur laisse occuper le « rez-de-chaussée » du quotidien par un épisode de fiction destiné à fidéliser le lecteur. Très vite les directeurs de presse s'aperçoivent que les feuilletons doivent répondre à quelques contraintes de base : une action par jour, dont le dénouement sera reporté au lendemain, un peu de moralité et de didactisme, beaucoup de réalisme social, le tout dans une écriture limpide et volontairement redondante. Si Balzac, comme tant d'autres Rastignac des belles-lettres, a refusé de se soumettre à la règle de la « suite dans un prochain numéro », Eugène Sue et Alexandre Dumas, eux, forts de leurs succès, n'ont pas rechigné ; la contrainte du journal a même favorisé chez eux une inventivité qui n'a rien à envier aux productions des romanciers lettrés.

Avec Dumas et Sue, en fait, naît la littérature industrielle, ainsi que l'appelle Sainte-Beuve dans la *Revue des Deux-Mondes* du 1er septembre 1839. Le succès et l'argent tiendront lieu de la gloire, mais qu'importe la gloire pourvu qu'on ait la fortune et la masse (qui n'est pas seulement le bon peuple) de son côté ! Car cette littérature-là réussit comme par miracle ce que la grande ne cesse de fantasmer : outre qu'elle peut faire vivre, elle entre en connivence quasi directe avec un lecteur qui n'a presque rien d'abstrait. Sue le sait mieux que quiconque : ses *Mystères de Paris*, premier roman « interactif », se sont écrits au jour le jour, en suivant pour une bonne part les suggestions des lecteurs. Ce n'est pas un hasard si Hugo entreprend *Les Misérables* sur le modèle des *Mystères* : même s'il lui faut vingt ans là où Sue peut boucler en seize mois, il a compris que ce romanesque-là tient de l'épopée moderne. À défaut de palmes et d'honneurs académiques, Sue, Dumas et les autres profiteront plus durablement d'une admiration clandestine : bannis des manuels scolaires et des enseignements universitaires, ils auront toujours la faveur d'un public de masse.

Un écrivain mondain

Né à Paris en 1804, un an après Dumas, fils de médecin et médecin lui-même, il est issu de la grande bourgeoisie proche de Napoléon Bonaparte (l'impératrice Joséphine sera sa marraine). Après des études au collège Bourbon, il entreprend une carrière de chirurgien militaire à Cadix, à Toulon puis dans les mers du Sud. Héritier de la fortune de son père, mort en 1830, il troque immédiatement la plume contre le bistouri. Très rapidement, le dandy qu'il est deviendra la coqueluche des milieux littéraires parisiens : membre du Jockey-Club, il fréquente les salons de la duchesse de Rauzan et de sa rivale la comtesse Marie d'Agoult dont il s'éprendra.

En 1829, il se lie d'amitié avec celui qui deviendra le premier patron de presse en France, Émile de Girardin : il collaborera à la revue que celui-ci lance en 1829, *La Mode*, en publiant des aventures maritimes : « Kernok le Pirate », « El Gitano ». Son premier roman *Atar-Gull* est publié en volume par Vimont en 1831. Il se signale aussi comme romancier historique avec *Latréaumont* (1837) – dont se souviendra un certain Isidore Ducasse – qui lui vaut la disgrâce des monarchistes parce qu'y sont mises à mal les mœurs de la cour de Versailles sous Louis XIV. Parallèlement il s'attaque à une *Histoire de la marine française depuis le XV*[e] *siècle jusqu'à nos jours, précédée d'un précis sur la marine française depuis le IX*[e] *jusqu'au XV*[e] *siècle* (1835-1837). C'est la première étape d'une carrière à succès.

En 1838, ruiné, Sue se retire pour un an en Sologne et écrit une série de romans mondains dans lesquels la part autobiographique est importante : *Arthur, le journal d'un inconnu* (1838), *Le Marquis de Létorière* (1839), *Jean Cavalier* (1840), *Mathilde, Mémoires d'une jeune femme* (1841). Tous ces romans trouvent accueil auprès des grands journaux du temps, *La Presse, Le Journal des débats, Le Constitutionnel*, ce qui lui permet de vivre de sa plume. Sceptique, il s'y montre moraliste, analysant avec finesse les passions, le pouvoir, l'argent sur fond d'intrigues qui ne sont pas sans annoncer *Les Mystères de Paris*. Surtout, ces romans sont pour lui l'occasion d'affiner la technique du feuilleton : il expérimente l'art du découpage en mettant au point une relation inédite au lecteur, faite de séduction, mais aussi de sadisme et de frustration haletante.

Du dandysme au socialisme : genèse des *Mystères de Paris*

Il fallait une rupture forte dans cette trajectoire d'écrivain bourgeois trop bien tracée. Elle advint de façon radicale et spectaculaire en 1841, le 25 mai précisément. Sue assiste à la représentation d'une pièce de Félix Pyat, à la Porte Saint-Martin, *Deux Serruriers*. Le lendemain, il se rend avec l'auteur chez un ouvrier féru de Saint-Simon et de Fourier ; en plein milieu du repas, il s'écrie : « Je suis socialiste. » Il le deviendra en effet, après la révolution de 1848, en adhérant au parti républicain socialiste – mais sans grand succès. Lorsque la droite emporte les élections de mai 1849, Sue est violemment attaqué ; on prête à ses romans des intentions subversives qui seraient en partie à l'origine des émeutes de février 1848…

Fort de cette conversion, il renie ses écrits mondains et s'attaque à une nouvelle matière : *Les Mohicans de Paris*, le peuple. Il signe avec le directeur du *Journal des débats* – l'organe de la nouvelle aristocratie financière auquel ni Balzac ni Dumas n'ont encore eu accès – un contrat pour la publication des *Mystères de Paris*, qui paraîtront du 19 juin 1842 au 15 octobre 1843.

Le feuilleton fait sensation ; la France, dit-on, vit au rythme des aventures de Rodolphe de Gérolstein. Gautier s'amuse : « Le jour où le feuilleton manquait il y avait une dépression intellectuelle à Paris » ; des malades attendent la fin du roman pour mourir ; des lecteurs réclament du gouvernement des réformes sociales analogues à celles que Sue décrit ; on lui envoie même de l'argent pour secourir la famille Morel…

Le succès fait tache d'huile. Des écrivains de toute l'Europe se mettent à écrire des *Mystères* de Berlin, de Munich, de Bruxelles – et, parangon du roman populaire, le genre survivra durant tout le siècle : Zola, pour des raisons alimentaires, se lancera dans des *Mystères de Marseille* (1867-1868). Sue lui-même fait représenter son spectacle en sept heures et envisage d'étendre le projet pour lui donner une dimension universelle.

Comment expliquer un tel succès médiatique qui n'a pas d'équivalent dans l'histoire littéraire moderne ? Deux types de raisons doivent être évoqués, externes et internes à l'œuvre elle-même.

Sur le plan historique, il faut rappeler que le thème du peuple, que prend à bras-le-corps Eugène Sue, est porteur. Dans les années 1840-1850, en effet, une prise de conscience de la misère et de l'existence du peuple se fait jour chez les philosophes, les historiens et les théoriciens de la société. La question est quasiment nationale ; l'Académie des sciences morales et politiques la met au concours en 1840 sous la forme : « En quoi consiste la misère ? » Toutefois, la monarchie de Juillet ne parvient pas à la résoudre : tout son effort consistera à récompenser les pauvres qui travaillent et à punir les misérables intrinsèquement criminels. En contrepartie, des « théories nébuleuses », ainsi que les appelle Balzac, se multiplient. Coup sur coup paraissent dans les années 1840 : *L'Organisation du travail* de Louis Blanc qui réclame la création d'ateliers sociaux, l'abolition de la propriété privée, le droit au travail ; *De l'humanité, de son principe et de son avenir,* de Pierre Leroux, l'inventeur du mot socialisme ; Proudhon publie *Qu'est-ce que la propriété ? ;* Étienne Cabet se met à rêver d'une société communiste dans son *Voyage en Icarie* ; le docteur Villermé publie son *Tableau de l'état physique et moral des ouvriers* ; etc. Toutes ces interrogations expliquent en partie les raisons pour lesquelles Marx considérera Paris comme le « grand laboratoire où se forme l'histoire du monde ». Elles font partie d'un vaste discours sur la misère dont les constantes sont que les classes laborieuses sont dangereuses et qu'elles apparaissent comme le chancre inavoué de la nouvelle ère industrielle. Il n'est donc pas étonnant que les écrivains se mettent eux aussi à réfléchir : Balzac, en 1840, invente le personnage de Vautrin qui incarne le misérable criminel converti en agent de sûreté ; Hugo s'en souviendra avec Javert lorsqu'il entreprend *Les Misérables* dès 1845 ; George Sand, dans *Le Compagnon du tour de France* (1840), fait de son héros ouvrier-artisan le modèle de l'ascension sociale ; et l'on pourrait encore évoquer le sombre itinéraire de Julien Sorel qui a cru racheter une pauvreté de naissance par une noblesse de cœur…

Une idéologie populiste

C'est dans cette filiation d'écrits sociaux que *Les Mystères de Paris* s'inscrivent tout naturellement. Mais leur succès est aussi la résultante de facteurs internes qui font de cette fresque sociale une véritable épopée au croisement de plusieurs idéologies et de plusieurs écritures. En effet, Sue est avant tout polygraphe. Il sait alterner dans son roman la narration haletante, la dissertation didactique, le prophétisme. Cette polymodalité de l'écriture est au service d'un système d'idées qui se déploie dans l'œuvre au départ de plusieurs strates : l'idéologie des *Mystères* est en effet un curieux mélange de christianisme, de socialisme et de romantisme, le tout expliqué ou illustré sur un ton compatissant qui refuse la vision catastrophique du monde.

Il est une expression qui court dans le roman et qui en définit très bien l'idéologie : « s'amuser à faire le bien ». Telle est la vision heureuse et utopique de ce roman totalement conforme aux romans de la victime, mais qui ajoute aux péripéties pathétiques d'une vengeance récompensée une rêverie sur l'univers social tel qu'il devrait idéalement être organisé. Une organisation qui, avec Sue, n'a pour seul critère de classe que les valeurs morales, qu'il échelonne du Mal absolu (représenté par la bourgeoisie d'argent) au Bien absolu (qu'incarnent ensemble le bon peuple et l'aristocratie), en passant par la médiation de l'honnêteté (dont sont porteurs les petites gens, à cheval entre le peuple et la petite bourgeoisie commerçante). On voit ce qu'une telle sociologie morale peut avoir de conformiste dans ses présupposés : elle postule en lieu et place de tout projet de révolution une simple (et honnête) redistribution des valeurs sur l'ensemble de l'humanité, en sorte que la bonté inhérente à celle-ci soit enfin reconnue.

L'écriture même du roman, dans sa stéréotypie, ne cesse d'affirmer l'immanence du Bien ou du Mal. Ainsi en est-il du système très marqué des personnages : c'est parce qu'elle s'appelle Rigolette, qu'elle est mignonne et proprette que la petite grisette de la rue du Temple est le type même de la bonté, de la générosité et du courage ; selon la même logique, le Maître d'École et la Chouette redoublent de monstruosité physique et morale parce qu'ils incarnent le Mal absolu. Partant, l'idéologie de Sue est réformiste, ce qu'a bien vu Marx dans *La Sainte Famille* (1845) pour qui *Les Mystères de Paris* sont par excellence le roman de l'aliénation : aucune autonomie ni même une conscience de classe ne sont accordées au peuple auquel est prêté un idéal petit bourgeois, celui que porte en devise la ferme modèle de Bouqueval : « Bon travail et bon repas, bonne conscience et bon lit ».

Une épopée universelle : du *Juif errant* aux *Mystères du peuple*

Au cœur même des *Mystères de Paris*, Sue entrevoit l'impérieuse nécessité d'entreprendre un cycle romanesque de vaste envergure doué de l'efficacité sociale des chansons de Béranger et qui « aura pour dénouement l'avènement de la république universelle ».

Première étape, *Le Juif errant*, publié en feuilletons dans le très anticlérical *Constitutionnel* du 25 juin 1844 au 26 août 1845. Sur le modèle des *Mystères*, l'intrigue – un complot fomenté par des jésuites pour saisir l'héritage de la famille Rennepont – est prétexte à une critique acerbe de la société et à un appel à de profondes réformes sociales. Les violentes attaques que Sue porte à l'encontre de l'Église lui valent la censure, mais aussi un énorme succès populaire. Et pour cause, les personnages du Juif errant et de la Juive errante, ouvriers opprimés, condamnés à une éternelle fatigue, portent l'espérance socialiste à son comble : non seulement ils aident les Rennepont à déjouer les ruses de la Compagnie de Jésus, mais surtout ils sont les symboles de la lutte contre l'oppression et de l'aspiration démocratique. Seconde étape : *Martin l'enfant trouvé ou les Mémoires d'un valet de chambre*, qui paraît dans *Le Constitutionnel* en 1846-1847. Sue se montre plus que jamais propagandiste des idées sociales et républicaines en se faisant le défenseur des pauvres et plus particulièrement de l'enfance misérable.

Il fallait à ce romanesque populaire et prolétarien une forme plus aboutie encore. Ce sera l'ambition des *Mystères du peuple ou Histoire d'une famille de prolétaires à travers les âges* (1857, 6 000 pages en 12 volumes) à travers lesquels Sue concilie le roman populaire et le roman historique. Le roman, à travers l'histoire de mêmes familles rivales, couvre une vaste période qui va de 57 av. J.-C. à 1848 : il y pourfend autant les « aristocrates du capital » que les suppôts de l'Église – ce qui lui vaudra d'être arrêté en 1850, emprisonné puis exilé en Savoie l'année suivante, tandis que l'œuvre subit la censure à l'échelon européen. Cette fresque se veut nationale, voire nationaliste : Sue fait la démonstration que le génie gaulois – incarné par la famille Lebrenn – a été aliéné par les envahisseurs successifs (les Romains, les Francs, l'Église, le Capital) et en appelle à une réhabilitation de la civilisation druidique qui, selon lui, constitue l'âge d'or de la culture française : berceau de la démocratie populaire et de toutes les valeurs progressistes (féminisme, socialisme, communisme), la Gaule archaïque se voit glorifiée en tant que modèle de la société future. Toute la thèse est portée par un manichéisme qui oppose les Bons et les Méchants dont les luttes sont racontées dans un style épique et homérique. Manière pour Eugène Sue de transposer dans l'histoire ancienne l'actualité sociale, mais aussi de donner au prolétariat la dimension qui lui manquait dans *Les Mystères de Paris*, la conscience de son histoire et de son autonomie de classe. Sue a songé étendre ses *Mystères du peuple* à une geste encore plus universelle, *Les Mystères du monde*, annoncé dès 1851, mais il n'aura pas le temps de les écrire.

Bibliographie

• Éditions :

Pas d'œuvres complètes, mais des rééditions des romans les plus connus : *Le Juif errant*, *Les Mystères de Paris*, *Romans de mort et d'aventures*, Fr. Lacassin éd., Paris, R. Laffont, coll. « Bouquins », 1983, 1989, 1993.

• Études :

N. Atkinson, *Eugène Sue et le roman-feuilleton*, Nemours, imprimerie André Lesot, 1929. – J. Moody, *Les Idées sociales d'Eugène Sue,* Paris, PUF, 1938. – P. Chaunu, *Eugène Sue et la IIe République*, Paris, PUF, 1949. – J.-L. Bory, *Eugène Sue, le roi du roman populaire*, Paris, Hachette, 1962. – U. Eco, *De Superman au Surhomme*, trad. M. Bouzaher, Paris, Grasset, 1993. – Revue *Europe*, nos 643-644, nov.-déc. 1982.

* * *

Eugène Fromentin (1820-1876)

Le XIXe siècle fut riche d'écrivains venus de la peinture (Gautier) ou hantés, dans leur œuvre littéraire, par l'image (Hugo) et le modèle esthétique du tableau (Baudelaire). Cependant, le cas de Fromentin est exceptionnel : il aurait pu être écrivain et il y a songé, mais il a finalement choisi la peinture, après la découverte de l'immense et lumineuse Arabie, tout en revenant épisodiquement à l'écriture pour des récits de voyages, la critique d'art et le roman psychologique qui assura sa place dans l'histoire littéraire, *Dominique*. Fromentin ne cherche pas dans la littérature un substitut de la peinture – ni par l'expressivité de l'image, ni par les rutilances du style, ni par les fantaisies de la fiction. Au contraire, il essaie de dire, au plus juste, ce que n'offre pas la représentation plastique : la saisie par l'esprit de l'émotion sensorielle, la conscience du sentiment amoureux, l'application de la pensée au travail de mémoire.

Fromentin croit en une certaine vérité du langage : son style y gagne une sorte de sérieux et d'application, mais aussi une tonalité en demi-teinte qui a pu déconcerter la critique. Cette retenue de l'écriture, peut-être imputable, pour partie, à l'amateurisme de l'auteur, est d'abord la forme que donne Fromentin à sa conviction, sereine et compensée par une relative réussite sociale, de ne pouvoir vivre ni exprimer l'essentiel, qui touche aux zones les plus intimes de la sensibilité : il y a du Flaubert chez lui – du Flaubert, sans la blague ni le gueuloir.

Aurea mediocritas

Sa vie suit le cours paisible d'une existence d'artiste bourgeois et provincial, ayant charge de famille, soucieux de respectabilité et éloigné, culturellement et géographiquement, des turbulences parisiennes. Né en 1820, fils de médecin et destiné au droit, c'est avec une douce ténacité et sans éclat inutile qu'il parvient à convaincre sa famille de sa vocation de peintre. De même, s'il entretient quelque temps unc liaison amoureuse avec une amie d'enfance – mariée –, il accepte l'éloignement que lui imposent ses parents, laissant à sa désolation la femme aimée, jusqu'à sa mort prématurée en 1844 : *Dominique* est la transposition littéraire de cette malheureuse histoire.

De 1846 à 1853, il se rend à trois reprises en Algérie ; il obtient, en 1849 et en 1859, ses premières récompenses aux Salons de peinture ; parallèlement, il publie ses souvenirs de voyages (*Un été dans le Sahara*, 1854 ; *Une année dans le Sahel*, 1857-1858). Sans vrai coup d'éclat, il accède au rang de peintre reconnu, chargé d'honneurs et de missions officielles. Collaborateur de *La Revue des Deux-Mondes*, il y fait paraître *Dominique* en 1862. Son dernier livre publié (*Les Maîtres d'autrefois*, 1876) passe à la fois pour un travail magistral de critique picturale et pour une prise de position contre l'impressionnisme. Sa mort brutale, la même année, met un terme à une carrière honorable, mais à bien des égards inaccomplie.

Écrire l'indescriptible

De même que le peintre préfère aux reliefs accidentés les vastes horizons immobiles et vibrants de lumière, Fromentin écrivain remplit son œuvre de silence. Non qu'il croie, comme Vigny ou Mallarmé, à l'éloquence paradoxale du mutisme. Mais il lui faut prendre le temps de se taire, de laisser se déployer en lui l'émotion et d'y réfléchir. Aussi se méfie-t-il des effets de style, de la propension de toute image à allégoriser le sens ; avec le pinceau ou la plume, il construit une œuvre qui s'oppose, au moins par cette méfiance à l'égard de la recherche esthétique, à la culture romantique : c'est cette rigueur, pour ainsi dire cet effacement du geste auctoral, qu'il aime chez les peintres flamands –mais chez Rembrand un peu moins que chez d'autres, parce qu'il perçoit chez lui une inutile exubérance de la composition.

S'il fuit tout effort de transfiguration, il ne cherche pas non plus à décrire le réel avec le plus d'exactitude ou de détails possible, ni à saisir la sensation dans sa pure immédiateté : il est aux antipodes aussi bien des récits de voyages de Gautier, dont la prose aisée paraît s'enivrer de ses prouesses descriptives, que de la peinture impressionniste. Le peintre doit « rendre visible l'invisible » (préambule des *Maîtres d'autrefois*) ; l'écrivain, lui, s'efforce de dire ce qui se situe en deçà de toute description : l'émotion ou, plus exactement, sa prise de conscience par la pensée.

À cet égard, la démarche de Fromentin, encore inchoative et en grande partie implicite, préfigure celle que Proust met systématiquement en œuvre dans la *Recherche* : appliquer sa réflexion au sentiment, de quelque nature qu'il soit, et inventer une forme – manière de peindre ou d'écrire – pour dire ce travail de la pensée et les émotions secondes qu'il procure. Cette saisie par la raison des mouvements de la sensibilité est d'autant plus difficile qu'elle est toujours une reprise, un retour en arrière, grâce à la mémoire, sur un temps révolu, en sorte que l'œuvre doit témoigner, simultanément, d'un sentiment et de sa disparition.

Une poétique de la résignation

Il reste une différence essentielle entre Fromentin et Proust. Chez ce dernier, la conscience du passé – à la fois souvenir et sentiment de perte – permet au narrateur de se réapproprier son présent et, riche de cette nouvelle conscience de soi, de projeter l'œuvre à venir. Fromentin ne croit pas en cette transmutation artistique de la perte en gain, du regret en énergie créatrice : l'art ne saurait servir qu'à formaliser une intime résignation.

Telle est du moins la leçon très mélancolique qu'il faut, semble-t-il, tirer de *Dominique*. Dans ce roman au fil narratif ténu, un hobereau de province, Dominique, raconte à un ami de rencontre – le narrateur – l'histoire de son existence. Après avoir nourri son enfance des fortes émotions que suscite une vie campagnarde, il a consacré son adolescence à de brillantes études ; mais, amoureux de la cousine d'un ami, il a été saisi pendant quelques années de la passion d'écrire – qui, précise-t-il, ne lui a permis de produire que de médiocres poésies –, puis d'un profond désespoir, lorsque le mariage de celle qu'il aime lui interdit d'envisager le bonheur. Après une dernière entrevue, poignante et tragique, Dominique se retire dans son village natal et abandonne toute ambition : il sera maire, attentif à la prospérité de ses concitoyens ; il se mariera enfin avec une femme qui lui apporte, suppose-t-on, paix et sérénité, et il s'occupera de ses deux enfants.

La portée autobiographique est évidente : il est probable que Fromentin, à la mort de son amie, a pensé perdre l'amour de toute une vie ; le deuil intime marqua l'homme de façon sans doute indélébile, et l'empreinte fut d'autant plus forte qu'elle restait cachée. Mais l'aveu concerne d'abord l'écrivain ou l'artiste. Les poèmes inspirés par la passion étaient quelconques, sans doute parce qu'ils ne servaient qu'à recueillir le trop-plein de l'exaltation émotionnelle ; mais, lorsque le temps de la passion a passé, écrire est devenu inutile et Dominique s'est résigné à cultiver son jardin, romantique Candide. Dans les deux cas, la littérature échoue à remplir sa mission – dire le meilleur de l'homme, à savoir la vraie passion : soit elle n'en a pas les moyens, soit elle n'en a plus l'envie. Quant au récit que rapporte le narrateur et au roman que rédige Fromentin, leur rôle exclusif est de témoigner de cette lucidité acquise.

Fromentin inverse ainsi le rapport entre le réel et l'art, tel qu'il s'instaure sous le second Empire, par exemple chez Flaubert ou Baudelaire. Le schéma de *L'Éducation sentimentale* est très proche de celui de *Dominique* : un jeune homme y est amoureux d'une femme mariée et son amour sublimé le remplit d'ambitions artistiques ou politiques, en fait de velléités sans suite ; il devra lui aussi renoncer pour une vie tranquille et bourgeoise. Mais tout, dans le roman de Flaubert, permet de comprendre que ces passions éphémères étaient tissées d'illusions, si bien que l'œuvre créée et, par extension, la littérature paraissent les seules réalités consistantes qui survivent au naufrage d'un homme et d'une société. À l'opposé, il est bien entendu pour Fromentin que l'amour de Dominique était vrai et riche de promesses réelles, si bien que l'illusion demeure, sans espoir de rémission, du côté de l'art : on comprend que l'histoire littéraire ne sache pas toujours quoi faire de cette leçon de scepticisme.

Bibliographie

• Éditions :
Œuvres complètes, G. Sagnes éd., Paris, Gallimard, 1984.

• Biographie :
L. Gonse, *Eugène Fromentin, peintre et écrivain*, Paris, Quantin, 1881.

• Étude d'ensemble :
J. Thompson et B. Wright, *Eugène Fromentin : la vie et l'œuvre*, Paris, ACR, 1987.

• Sélection de travaux critiques :
G. Barthélemy, *Fromentin et l'écriture du désert*, Paris, L'Harmattan, 1997. – A.-M. Christin, *Fromentin conteur d'espace : essai sur l'œuvre algérienne*, Paris, Le Sycomore, 1982. – M.-A. Eckstein, *Le Rôle du souvenir dans l'œuvre d'Eugène Fromentin*, Zurich, Juris, 1970. – C. Herzfeld, *« Dominique » de Fromentin. Thèmes et structure*, Paris, Nizet, 1971.

* * *

Edmond (1822-1896) et Jules (1830-1870) de Goncourt

Ethnographes de la vie littéraire de la seconde moitié du XIXe siècle avec leur *Journal*, les frères Goncourt sont au carrefour de toutes les avancées esthétiques. Précurseurs du naturalisme, ils ont insufflé au roman réaliste la dimension artiste que Flaubert avait réclamée ; peintres de la laideur et de la rue, ils ont l'ambition d'écrire un « roman réaliste de l'élégance » qui tuerait le « classicisme et sa queue » (préface aux *Frères Zemganno*, 1879). Enfin, les deux frères ont institué une figure professionnelle de l'écrivain en jetant les bases d'une académie et d'un prix qui portent leur nom et dont l'ambition était de corriger la désuète Société des gens de lettres.

De souche aristocratique (le père est officier de Bonaparte puis de Napoléon), Edmond et Jules poursuivent des études classiques qui conduisent le premier, après le droit, à un poste de fonctionnaire aux Finances. Après la mort de leur mère, en 1848, ils s'établissent à Paris. Dilettantes, ils peignent, voyagent beaucoup (Algérie, Suisse, Belgique) et rapportent des croquis, aquarelles et carnets de notes. Ils s'intéressent au théâtre et à l'histoire, notamment du XVIIIe siècle et de la Révolution (ils publieront notamment une *Histoire de la société française pendant la Révolution*, 1854, et deux séries de *Portraits intimes du XVIIIe siècle*) ; bientôt leur « grenier » sera un lieu de passage obligé des littérateurs de tous horizons.

Le premier roman qu'ils signent de leurs deux noms paraît en 1852 et a pour titre *En 18...* C'est le premier d'une longue collaboration qui couvre exactement le second Empire. Jusqu'à la mort de Jules, en 1870, en effet, paraissent à un rythme soutenu des romans qui ont la particularité de porter le nom de leur héros, le plus souvent féminin : *Charles Demailly* (de 1868, mais publié une première fois en 1860 sous le titre *Les Hommes de lettres*), *Sœur Philomène* (1861), *Renée Mauperin* (1864), *Germinie Lacerteux* (1864), *Manette Salomon* (1867) et *Madame Gervaisais* (1869). Alors que la presse crie au scandale, traitant cette œuvre de « littérature putride », Flaubert et Zola comprennent que le réalisme prend un tournant capital. En effet, comme l'indique très clairement la préface de *Germinie Lacerteux*, les Goncourt entendent légitimer le roman moderne en le sortant de la convention bourgeoise et en lui donnant de véritables lettres de noblesse artistiques :

> « Aujourd'hui que le Roman s'élargit et grandit, qu'il commence à être la grande forme sérieuse, passionnée, vivante de l'étude littéraire et de l'enquête sociale, qu'il devient par l'analyse et par la recherche psychologique, l'Histoire morale contemporaine ; aujourd'hui que le Roman s'est imposé les études et les devoirs de la science, il peut en revendiquer les libertés et les franchises. »

Ainsi, ils assignent au Roman (avec majuscule) une fonction à la fois éthique et scientifique, ce dont Zola se souviendra. Il ne manque que l'art. Ce sera l'objet des romans ultérieurs de définir un réalisme artistique, en dotant l'esthétique romanesque d'une écriture propre. La préface des *Frères Zemganno*, en 1879, apporte une réponse aux accusations dont cette littérature de l'ordure fait l'objet :

> « Le Réalisme, pour user du mot bête, n'a pas en effet l'unique mission de décrire ce qui est bas, ce qui est répugnant, ce qui pue ; il est venu au monde aussi, lui, pour définir, dans l'écriture *artiste*, ce qui est élevé, ce qui est joli, ce qui sent bon, et encore pour donner les aspects et les profils des êtres raffinés et des choses riches. »

Si les deux frères sont ainsi parvenus à définir une éthique et une esthétique romanesques, il est vrai que leurs œuvres restent en deçà du programme et des intentions affichées. Les romans du tandem sont en effet profondément ancrés dans la peinture des mœurs, prenant modèle dans la littérature du XVIIIe siècle. *Renée Mauperin* est le portrait de « la jeune fille moderne », garçonne, à la fois délicate et aventurière, sincère et authentique, tout le contraire de son frère mélancolique et raté qui meurt pour une futile raison de particule usurpée. *Germinie Lacerteux* est un autre portrait d'une fille qui, après avoir été violée et mère d'un enfant mort-né, sombre dans l'hystérie. Romans de l'échec et de la dégradation – on dira bientôt de la décadence –, ils mettent en avant un réalisme cru, résolument « physiologique », et leur écriture se met au service de « l'enquête sociale ».

C'est à Edmond seul qu'il reviendra, en somme, de creuser la veine artiste, en écrivant des romans qui accentuent le travail de l'écriture au détriment de l'intrigue, quasiment réduite à sa plus simple expression. À l'exception des *Frères Zemganno,* qui est un touchant hommage à la fraternité des « deux clowns », *La Fille Élisa* (1877), *La Faustin* (1882) et *Chérie* (1884), triptyque peu flatteur de la femme moderne, sont des romans plus proches de ceux qu'écriront Poictevin (*Ludine*, 1883), Huysmans (*À rebours*, 1884) ou Gourmont (*Sixtine*, 1890) que de Zola : romans de l'instantané, en dépit de leur potentiel romanesque, ils laissent l'intrigue se dissoudre dans des notations subreptices. Ils sont aussi pénétrés d'une vision du monde crépusculaire et déliquescente qui les apparente à l'esthétique « nervosiste » (et névrosée) de la fin du siècle.

C'est probablement aux *Mémoires de la vie littéraire (1851-1896)*, sous-titre de leur fameux *Journal*, que les Goncourt doivent leur célébrité. De façon souvent piquante et pittoresque s'y trouvent consignés tous les menus faits de la vie littéraire : galerie d'artistes et d'écrivains, pensées, critiques, ébauches d'études « physiologiques », chronique politique de l'actualité, tableau de mœurs, potins en tous genres, ces centaines de pages forment un document d'époque irremplaçable sur les modes et les institutions littéraires. Mais surtout les Goncourt y proposent une écriture spécifique du journal qui consiste à parler de soi par l'observation du monde extérieur.

Bibliographie

• Éditions :
Œuvres, R. Ricatte éd., Imprimerie nationale de Monaco, 1956-1958, 22 vol. ; rééd. en 4 vol., Paris, Fasquelle-Flammarion, 1960. – *Journal*, R. Ricatte éd., Paris, R. Laffont, coll. « Bouquins », 1989, 3 vol.

• Études :
A. Billy, *Les Frères Goncourt, la vie littéraire à Paris pendant la deuxième moitié du XIX*[e] siècle, Paris, Flammarion, 1954. – R. Ricatte, *La Création*

romanesque chez les Goncourt, Paris, A. Colin, 1953. – J.-P. RICHARD, « Deux écrivains épidermiques : Edmond et Jules de Goncourt », dans *Littérature et Sensation*, Paris, Le Seuil, 1954. – P. SABATIER, *Germinie Lacerteux des Goncourt*, Paris, SFELT, 1948.

* * *

JULES BARBEY D'AUREVILLY (1808-1889)

Jules Barbey d'Aurevilly, dont le sort auprès de la critique universitaire s'est considérablement amélioré au cours des dernières décennies, reste pourtant une figure singulière et difficilement classable de la littérature du XIXe siècle. Pour concevoir ce qu'il a été – ou voulu être – auprès de ses contemporains, il faut imaginer, réunis en une même personne, l'esthétisme de Baudelaire, dont il prit chaleureusement la défense en 1857, la puissance d'évocation de Balzac – pour la représentation des réalités autant spirituelles que sociales –, la violence imprécatrice de Bloy. La réunion de ces qualités ne va pas sans quelque contradiction et beaucoup d'excès : assurément, Barbey fait partie de ces auteurs dont la véhémence et les partis pris ne peuvent laisser indifférent le lecteur. Quoi qu'il en soit, il est le premier de ces grands écrivains catholiques qui, sans craindre de bousculer la marche paisible de l'Église officielle, ont mêlé dans un même Verbe tumultueux l'intégrisme théologique, l'expressivité romantique et la fascination pour les zones troubles de la sexualité : à ce titre, il annonce Huysmans, Bloy et, au-delà, Claudel.

Une figure du Paris littéraire

Ses débuts sont comparables à ceux de tous les romantiques de 1830. Né dans une famille de noblesse récente, mais élevé dans le culte de l'Ancien Régime et de la religion, il baigne dans le byronisme ambiant, prolongé en France par la poésie fantaisiste du jeune Musset. Bachelier et pressé de réussir en littérature, il se dépêche d'engloutir un héritage familial et d'écrire, sans grand succès, ses premières nouvelles. Il commence alors une carrière, longue mais heurtée, de journaliste. « Connétable des Lettres », il est un dandy en vue dans le Paris mondain (*Du dandysme et de George Brummel*, 1845) ; enfin, il se rapproche des milieux légitimistes, notamment de la baronne de Maistre, cousine du théoricien ultra, dont il devient un intime.

Cette existence, brillante mais dissolue, ébranle-t-elle l'homme ? En 1846, Barbey d'Aurevilly rompt avec ce passé et adopte le visage qui sera désormais le sien : celui d'un militant monarchiste et catholique ainsi que d'un polémiste redoutable, au service de l'Empire autoritaire. Parallèlement à ses activités d'idéologue et de critique littéraire, il publie ses premiers romans – après la découverte enthousiaste de Balzac, en 1845 : *Une vieille maîtresse* (1851), *L'Ensorcelée* (1855), *Le Chevalier des Touches* (1864), *Un prêtre marié* (1865). Mais, à cette même époque, l'évolution libérale de l'Empire et l'isolement croissant où le conduit son intolérance affichée assombrissent sa vie et aigrissent son caractère. Il se heurte de plus en plus directement aux autorités ecclésiastiques ; en 1874, le recueil des *Diaboliques* fait scandale : s'il évite la condamnation, il doit se résigner à la destruction de tous les exemplaires saisis. Ses dernières années sont plus douces, en cette IIIe République qui entretient et médiatise – déjà – les gloires récentes de la culture. Il fait paraître avec régularité, jusqu'à sa mort en 1889, les volumes de ses critiques littéraires (sous le titre général *Les Œuvres et les Hommes*) ; enfin, il publie en 1882 un dernier roman, *Une histoire sans nom*.

Le péché, l'Histoire, le sexe

L'univers fictionnel de Barbey d'Aurevilly tient d'abord à sa force d'attraction (ou de répulsion), résultant du ressassement et de l'approfondissement de quelques thèmes obsessionnels, où s'entrecroisent constamment une vision tragique du devenir collectif et l'irruption morbide de cette Histoire cataclysmique dans la chair des hommes – ou, plus volontiers, des femmes.

Le cadre dogmatique est celui fixé par Joseph de Maistre. L'homme doit se soumettre à l'autorité de Dieu ; si les hommes renient leur foi, ou lorsque les prêtres, comme pendant la satanique Révolution, se débauchent ou se marient, vient le temps de l'expiation, qui se marque par les formes les plus variées – mais également pestilentielles – de la pathologie psychique et sexuelle. Les jeunes filles se donnent dans des transes extatiques (*Le Rideau cramoisi*), ou sont violées dans des crises de somnambulisme (*Une histoire sans nom*), ou ont des relations incestueuses avec leur frère (*Une page d'histoire*), ou meurent du péché commis par leur père (*Un prêtre marié*). Quant à la femme mariée, elle a le corps possédé par une passion sacrilège (*L'Ensorcelée*), ou tue sa fille par jalousie (*Le Dessous d'une carte d'une partie de whist*), ou se prostitue pour se venger d'un amant assassiné (*La Vengeance d'une femme*), etc. Imperturbablement, l'œuvre de Barbey décline toutes les formes, toujours spectaculaires, d'extases mystiques, pendant que les corps s'avilissent, dépérissent, pourrissent.

Le Verbe d'un visionnaire

Nul doute que cette humanité maladive – et jouisseuse jusque dans sa morbidité – corresponde à des obsessions intimes. Mais le génie de Barbey, comparable sur ce point à celui de Hugo qu'il a si férocement critiqué, fut d'avoir projeté hors de lui cet imaginaire personnel et de l'avoir matérialisé dans une forme littéralement fantastique : en l'occurrence, dans un paysage étrange, animé par l'esthétique surnaturaliste que Barbey, comme Baudelaire, a pu trouver chez les peintres romantiques. Les landes du Cotentin, qui constituent le cadre le plus fréquent de ses romans, offrent l'équivalent diabolique de la Touraine, lumineuse et salvatrice, de Balzac. Les personnages, écrasés par la conscience de leur péché, semblent englués dans la glèbe et les marais, écrasés par les ciels bas et sombres, crucifiés par les bourrasques qui balaient la campagne. Le roman n'est même plus, comme chez Balzac, un récit ponctué de longues descriptions ; c'est la description elle-même qui finit par devenir narration, parce que la scrutation des visages, des corps et des paysages permet de suivre la progression du mal, son empreinte profonde et hideuse dans la matière.

Le texte écrit acquiert ainsi une densité et une force émotionnelle dont, seul peut-être, le *Salammbô* de Flaubert offre un équivalent. Avec cette différence essentielle que, chez Barbey, le visionnaire ne se cache jamais derrière sa vision. Car cet auteur prolifique fut d'abord un *parleur*, pour qui l'éloquence du Verbe est le catalyseur et la condition de l'écriture. Causeur brillant et journaliste intarissable, il conçoit chacune de ses fictions comme une longue prise de parole. Cela est évident pour *Les Diaboliques*, qui devaient s'intituler initialement *Ricochets de conversation* et dont chaque récit est inséré dans un dialogue. Mais les romans à la troisième personne laissent entendre, de façon plus troublante encore, la voix du conteur, si forte et si insistante qu'elle risque toujours de faire éclater les conventions du genre. Tel est, sans doute, le principal intérêt littéraire de Barbey : non de bâtir une œuvre avec les névroses de son temps, mais de tirer de ces maladies de langueur l'énergie poétique dont il avait besoin pour exprimer, comme tous les grands romanciers du siècle, sa fascination du réel.

Bibliographie

• Éditions :
Œuvres romanesques complètes, Paris, Gallimard, 1977-1980, 2 vol. – *Les Œuvres et les Hommes*, Genève, Slatkine, 1968 (réimp.).

• Étude d'ensemble et ouvrages de synthèse :
C. Boschian-Campaner, *Barbey d'Aurevilly*, Paris, Séguier, 1989. – H. Juin, *Barbey d'Aurevilly*, Paris, Seghers, 1975. – A. Marie, *Le Connétable des lettres, Barbey d'Aurevilly*, Paris, Le Mercure de France, 1939.

• Sélection de travaux critiques :
Ph. Berthier, *Barbey d'Aurevilly et l'imagination*, Genève, Droz, 1978. – J. Petit, *Barbey d'Aurevilly critique*, Paris, Les Belles Lettres, 1963. – B. G. Rogers, *The Novels and Stories of Barbey d'Aurevilly*, Genève, Droz, 1967. – P. Tranouez, *Fascination et Narration dans l'œuvre romanesque de Barbey d'Aurevilly*, Paris, Minard, 1987. – P. J. Yarrow, *La Pensée politique et religieuse de Barbey d'Aurevilly*, Genève/Paris, Droz/Minard, 1961.

Chapitre 26

George Sand

La première et la seule femme du siècle à avoir pleinement appartenu à la confrérie masculine des *gendelettres*, vivant largement de sa plume et jouissant d'une célébrité des plus enviables, a été, dès les années 1880, réduite, tant par la censure politique que par la censure morale, à un petit répertoire d'œuvres rustiques, essentiellement *La Petite Fadette* et *La Mare au diable*, recommandées pour une sagesse dont un peu d'attention montre qu'elles la contestent au contraire de part en part. Plutôt que de prendre au sérieux l'œuvre de George Sand (1804-1876), c'est sur sa vie, très tôt, qu'on a détourné l'attention, sur ses amants (Musset, Chopin…) et sur ses accessoires (ses pipes et ses cigares…).

L'une des raisons de cette dépréciation réside dans une attitude littéraire modeste et timide, elle-même plus ou moins imposée par l'état d'infériorité fait aux femmes de son temps. Sand n'a guère accompagné ses ouvrages de l'escorte de déclarations avantageuses et polémiques dont se prémunissent les chefs des écoles littéraires ou philosophiques. Écrivain prolixe et de ce fait réputé facile, agitatrice de grandes idées dont elle n'est ni ne se veut l'auteur, mais seulement l'artiste et le vulgarisateur, aussi portée que Victor Hugo vers les bons sentiments, elle n'a joué ni la carte de l'*art pour l'art*, ni celle de la *littérature industrielle*. Le contenu idéologique de ses romans, lié à la culture socialiste de la première moitié du siècle, a mal vieilli dans la seconde, et l'originalité de son esthétique idéaliste s'est trouvée à contre-courant du réalisme alors naissant avant que d'être étouffée par sa domination.

Or, ce sont précisément la féminitude, l'utopisme et l'écriture non réaliste de Sand qui lui valent à présent d'être relue de manière plus compréhensive.

Une femme libre

La double révolte initiale

Le conflit originel est d'ordre social et familial. Le père d'Aurore Dupin est un officier, descendant du maréchal de Saxe, lequel, fils d'un roi de Pologne, fut un illustrissime homme de guerre au service du Régent et de Louis XV. Mais sa mère est une « danseuse, moins que danseuse, comparse sur le dernier des théâtres du boulevard de Paris ». Le décès accidentel de son père la laisse, à quatre ans, tiraillée entre cette mère roturière, sans le sou, plutôt croyante, et une grand-mère aristocrate, châtelaine de Nohant, dans le Berry, voltairienne et dotée de toute l'indépendance d'esprit des femmes de sa condition au siècle des Lumières. Confiée à cette dernière pour recevoir l'éducation de la bonne société, Aurore prend leçon auprès d'un précepteur, apprend le piano, se mêle aux jeux des petits paysans, monte à cheval avec son demi-frère, habillée en garçon pour plus de commodité. Mais la rébellion de l'adolescente privée de sa mère pour cause de différence sociale est telle que la grand-mère la place en pension dans un couvent parisien à quatorze ans, puis, effrayée par le mysticisme dans lequel elle se réfugie, l'en sort à seize.

En 1821, la mort de la vieille femme fait d'Aurore la propriétaire de Nohant. Un mariage arrangé, selon les mœurs du temps, avec un certain Dudevant, lui permet d'échapper à la tutelle d'une mère aigrie et lui apporte, d'abord, une certaine stabilité. Se développe toutefois bientôt une seconde révolte contre l'ennui de la province et les déceptions conjugales. En 1831, Aurore Dudevant décide de laisser ses deux enfants à Nohant et de s'installer à Paris, pour y vivre de sa plume avec Jules Sandeau, son amant.

L'affirmation de « George Sand »

Après quelques articles et un roman romanesque écrits en collaboration avec Sandeau, *Indiana* (1832) est un succès fulgurant, poursuivi et exploité par deux autres romans de la même veine féminine, *Valentine* (1832 aussi) et *Lélia* (1833). Accueilli à la *Revue de Paris* et à la *Revue des Deux-Mondes*, le nouvel auteur, « George Sand », défraie la chronique par son talent, que l'on compare à celui de Balzac, et par l'insoumission de ses héroïnes, que l'on rapproche des audaces saint-simoniennes. Renforcée par l'habitude de fumer et de revêtir à l'occasion des vêtements d'homme, l'énigme du pseudonyme masculin (*Sand* en raison de la signature d'abord partagée avec *Sandeau* et *George*, sans *s*, par chic anglais, et par allusion aux mœurs géorgiques du Berry ainsi que, peut-être, à *Georgeon*, le surnom du diable) se conjugue avec une liberté amoureuse de notoriété quasi publique pour faire de la romancière un personnage célèbre et sulfureux, une sorte de Byron au féminin. Après Sandeau, avant les amours légendaires avec Musset à Venise, en 1834, et Chopin à Majorque, en 1838 et 1839, la rumeur nomme Gustave Planche et Mérimée. « George Sand », à vrai dire, se donne la même liberté que les hommes de son temps et de son milieu et le fait avec une hardiesse et une franchise qui cristallisent sur sa personne fantasmes et hantises. Sous une législation qui ne reconnaît pas le divorce, le procès en séparation avec Dudevant, en 1836, prend valeur d'exemple. Sand incarne l'émancipation de son sexe au point que les saint-simoniens viennent en délégation lui demander d'être leur *Femme-Messie* cependant que les satiristes misogynes en font le prototype du *bas-bleu*, selon l'appellation péjorative en usage contre les femmes auteurs. Les moindres de ses défis aux *hommes de lettres* ne sont pas le rythme et l'abondance balzaciennes de sa production romanesque. Sans compter les nouvelles, l'enchaînement des titres parle de lui-même : *Le Secrétaire intime* et *Jacques* (1834), *André*, *Leone Leoni* et *Simon* (1836), *Lettres d'un voyageur* et *Mauprat* (1837), *La Dernière Aldini* et *Les Maîtres mosaïstes* (1838).

La période socialiste

À l'extrême gauche dès les années 1830, comme en témoignent sa correspondance et sa liaison, en 1835, avec l'avocat des insurgés républicains, Michel de Bourges, Sand ne laisse alors guère ses opinions paraître dans ses fictions.

Mais à partir de 1837, elle situe de plus en plus son horizon idéologique dans la pensée républicaine et socialiste de Pierre Leroux. Présente de façon codée dès *Spiridion* (1839), l'influence leroussienne s'affirme nettement, quoique sans référence explicite, à partir du *Compagnon du tour de France* (1840) et d'*Horace* (1841). Le refus de publier que la *Revue des Deux-Mondes* oppose, pour ce motif, à ce dernier texte, entre pour beaucoup dans la décision, en 1841, d'aider Leroux à fonder une revue concurrente, *La Revue indépendante*. Non seulement Sand réserve la primeur de ses œuvres d'alors au feuilleton de cet organe d'opposition radicale, mais elle finance ensuite à fonds perdus l'imprimerie et la communauté installées par Leroux près de Nohant, lui confie l'impression de *L'Éclaireur*, le journal régional d'opposition qu'elle soutient, et, en 1845, l'aide à lancer sa *Revue sociale*. *Consuelo* (1842-1843) et *La Comtesse de Rudolstadt* (1843-1844), *Jeanne* (1844), *Le Meunier d'Angibault* (1845) et *Le Péché de Monsieur Antoine* (1847) se ressentent fortement de cette coopération. Les mêmes années voient la parution d'*Isidora*, de *Teverino* et de *La Mare au diable* (1846), de *Lucrezia Floriani* et de *Le Piccinino* (1847).

Même si les liens avec Leroux, ingrat, se sont entre-temps distendus, l'engagement républicain, voire « communiste », de Sand se traduit, en 1848, par le lancement, raté, d'un journal *La Cause du peuple*, et, surtout, par la responsabilité régulière des éditoriaux du *Bulletin de la République*. Paradoxalement, elle se refuse à se porter candidate aux élections au nom des femmes, estimant son sexe encore trop soumis à la tutelle masculine pour exercer le droit de vote : l'égalité civile lui paraît un préalable nécessaire et suffisant. Il faut l'échec de la tentative républicaine du 15 mai et, plus encore, la répression anti-ouvrière de juin 1848 et la censure qui s'ensuit, pour la convaincre de mettre fin à son activité militante, faute de « croi[re] à l'existence d'une république qui commence par tuer ses prolétaires ».

Vers l'art d'être grand-mère

Dès avant le coup d'État, qui ne lui laisse définitivement plus d'autre choix, la posture sociale et artistique de Sand tend donc, de militante qu'elle était, à devenir pacifiante, compatissante et rétrospective. *La Petite Fadette* (1849) et *François le Champi* (1850) inaugurent cette évolution qui la voit, en 1851, intercéder efficacement auprès de Louis Napoléon en faveur de nombreux emprisonnés, déportés ou exilés. L'âge venant, l'image de la « bonne dame de Nohant » adoucit et remplace peu à peu celle de la jeune femme révoltée. Les souvenirs et bilans autobiographiques (*Histoire de ma vie*, 1855 ; *Elle et Lui*, 1859 ; *Souvenirs et Impressions littéraires*, 1862 ; *Impressions et Souvenirs*, 1873) alternent avec les pièces ou les adaptations théâtrales (ainsi *Mauprat*, en 1853) et les romans rustiques (notamment *Les Maîtres sonneurs*, 1853) ou historiques (en particulier *Les Beaux Messieurs de Bois-Doré*, 1858, et *Nanon*, 1872). Les seules exceptions, mais éclatantes au point de susciter à Paris des manifestations de soutien dans la rue, coïncident avec le réveil général des oppositions politiques à l'Empire et s'en tiennent à l'objet minimal de leur consensus : l'anticléricalisme. Ce sont une fiction, *Mademoiselle La Quintinie* (1863), et une pièce, *Le Marquis de Villemer* (1864). Si des communautés utopiques paraissent encore parfois, ainsi dans *La Ville noire* (1861) et *Mademoiselle Merquem* (1868), leur perspective n'est plus guère liée au mouvement socialiste. Une fois la Commune écrasée, sans qu'elle l'ait comprise, ce relatif désengagement de G. Sand n'empêche pas qu'elle ne se démarque publiquement de l'esprit versaillais. Composés pour ses petites-filles Aurore et Gabrielle, les *Contes d'une grand-mère* (1873 et 1876) manifestent de même sa fidélité au fonds d'idées panthéistes et progressistes auquel Leroux lui a donné accès et qu'elle partage avec Victor Hugo.

Femme et artiste

Le troisième sexe

On sait la question directe posée par Flaubert, le dernier grand ami de Sand et son dernier hôte illustre à Nohant : « Quelle idée avez-vous donc des femmes, ô vous qui êtes du Troisième sexe ? » Avant lui, Enfantin et probablement plus d'un contemporain n'avaient pas non plus manqué de s'interroger en privé sur le caractère hermaphrodite de l'auteur, sinon de la personne de *George Sand*.

En l'absence hautement significative d'explications cohérentes et un peu développées de l'intéressée, ce serait sans doute schématiser à l'excès que de dresser une muraille de Chine entre le *je* privé et le *je* public : à ce compte, « Sand », pour la nommer selon un usage d'hommes entre eux, se voudrait homme lorsqu'elle écrit et femme dans sa vie. C'est qu'exister socialement et intellectuellement est alors un monopole masculin. Sans doute des faits relevés par les biographes – la relation passionnée avec l'actrice Marie Dorval, la préférence pour des amants plus jeunes et plus faibles de caractère, l'affection privilégiée pour le fils Maurice et la violence du conflit avec la fille Solange… –, attirent-ils l'attention sur des données psychologiques individuelles. Mais le choix de se présenter et de s'énoncer au masculin est bien avant tout un choix social et littéraire. Outre le pseudonyme masculin qui signe préfaces et articles, les narrateurs sandiens, à de rarissimes exceptions près (par exemple, *Nanon*, 1872), ressortissent tous au masculin, s'ils ne figurent pas de surcroît dans le texte comme des personnages hommes. Masculin purement littéraire, neutre en quelque sorte, comparable au *nous* impersonnel et universel des énoncés scientifiques ? Ou masculin véritablement sexué, déterminé par la conviction que l'autorité littéraire, au double sens de puissance légitime et de qualité d'auteur, serait, malgré Mme de Staël et quelques autres, devenue l'apanage du masculin ? Comme le problème est indécidable, force est d'opter pour l'hypothèse d'une ambiguïté volontaire, destinée au moins à transgresser de façon ostentatoire la frontière de la littérature dite féminine.

L'humanité de l'artiste

La position constamment revendiquée par Sand est en fait celle d'*artiste*, avec la connotation d'indépendance que la notion comporte depuis 1830, mais sans l'impératif d'isolement ni la sacralité qu'y ajoute un Gautier.

Contre « le grave reproche de tendance vers des croyances nouvelles », la préface de 1832 à *Indiana* met en avant la théorie de l'écrivain-miroir, pur et simple reflet d'un état social donné. Puis, en 1836, la lettre de réponse aux saint-simoniens venus lui demander d'être leur grande prêtresse leur oppose le personnage masculin d'un modeste « soldat » de la grande armée républicaine et celui, neutre, d'« une sorte d'être souffrant et sans importance qu'on appelle un poète ». À l'inverse, dans la pleine période de la coopération avec Leroux, Sand insère dans le texte d'*Horace* une pique contre la formule de l'*art pour l'art*, qualifiée de conception « égoïste » qui n'empêcherait pas les artistes de « faire de la philosophie progressive sans le savoir ». Elle va même, dans *La Comtesse de Rudolstadt*, jusqu'à mettre dans la bouche du personnage – phare d'Albert, et à l'intention de l'héroïne, Consuelo, des propos sur la femme « prêtresse, sibylle et initiatrice » qui outrepassent la doctrine de Leroux. C'est sur cette lancée qu'en 1845, en réaction à un discours trop prudent de Victor Hugo, elle se demande

> « si la mission du poète se borne toujours et dans tous les temps à *consoler*, et si parfois il n'aurait pas mieux à faire qu'à prêcher la résignation à ceux qui souffrent, la sérénité à ceux qui ne souffrent pas ».

Mais contrairement à une opinion répandue, les déceptions de 1848, en dépit de l'évolution tactique qu'elles entraînent, n'aboutissent pas au reniement total observable chez tant d'autres. En 1851, Sand redit à la fois sa « nature d'artiste » et son incompréhension de la

> « théorie de l'art pour l'art, qui ne répond à rien, qui ne repose sur rien, et que personne au monde, pas plus ceux qui l'ont affichée que ceux qui l'ont combattue, n'a jamais pu mettre en pratique [...] Quel est donc l'artiste, interroge-t-elle, qui peut s'abstraire des choses divines et humaines, se passer du reflet des croyances de son époque, et vivre étranger au milieu où il respire ? »

Aussi bien Sand est-elle, en 1869 encore, l'une des rares à interpréter *L'Éducation sentimentale* comme une « critique du passé » et l'expression d'une aspiration à un autre ordre de choses. Si elle se retient désormais d'« exiger qu'un artiste nous raconte l'avenir », « l'éternel avortement » décrit par Flaubert a notamment le mérite, à ses yeux, de prouver « que cet état social est arrivé à sa décomposition et qu'il faudra le changer très radicalement ».

Les lettres de femme d'une femme de lettres

Il est tentant et sans doute partiellement justifié, dans ces conditions, de chercher la vérité de Sand là où elle se dit le plus directement, dans sa production épistolaire, dès lors considérée comme une partie intégrante, voire comme l'essentiel de son œuvre littéraire. Un facteur supplémentaire et presque physique de ce croissant déplacement d'intérêt réside dans la masse maintenant aussi complète que possible des vingt-six volumes de cette correspondance. Ces textes, certes, n'ont pas été écrits à des fins esthétiques, pas plus que l'*Histoire de ma vie*, rédigée au féminin et qui tâche de se prémunir contre la destinée d'« ouvrage d'art » dévolue aux *Confessions* de Rousseau. Leur promotion n'est pas exempte du risque de réduire l'écrivain Sand à la dimension d'une épistolière, de verser dans le préjugé, aussi vieux au moins que Mme de Sévigné, selon lequel le génie féminin serait par nature celui de la conversation et, à défaut, de la lettre. Les exclure, à l'inverse, ou les traiter en documents univoques sans s'intéresser à leur textualité, serait non seulement priver l'œuvre fictionnelle de tout le vaste contexte relationnel dans lequel elle s'est écrite et a été, d'abord, reçue, mais aussi négliger une œuvre épistolaire majeure.

Une esthétique idéaliste

La voie de l'allégorie

Une distorsion s'observe, dans la période de la trilogie que forment *Indiana*, *Valentine* et *Lélia*, entre l'effet véritablement *réaliste* avant la lettre produit par la percée de ce point de vue de femme sur la situation des femmes, et l'exégèse, puis l'esthétique idéalistes que l'auteur et ses partisans développent par compensation.

Du côté des journaux, le ton est donné par l'image d'un déferlement de « boue et [de] prostitution » inégalé depuis Sade, à faire « rougir jusqu'aux genoux ». Le nouveau romancier est, en résumé, considéré comme « l'ennemi du mariage, l'apologiste de la licence, le contempteur de la fidélité, le corrupteur de toutes les femmes, le fléau de tous les maris ». Le tir de barrage est tel que la *Revue des Deux-Mondes*, qui offre des extraits de *Lélia* en primeur à ses abonnés, détourne l'attention sur le terrain de la pure littérature. Simultanément, Sand change de manière pour devenir acceptable. Son troisième roman, à en croire la revue, ne serait pas une vie de femme, comme le premier, ni un épisode de la lutte des femmes contre les hommes, comme le second, mais une exploration des « plis de la conscience », le début d'une « révolution éclatante dans la littérature contemporaine, [qui] donnera le coup de grâce à la poésie purement visible » – autrement dit à Victor Hugo. Loin d'avoir des modèles individuels, les personnages principaux incarneraient, l'un, « l'amour crédule » (Sténio), l'autre « le doute né de l'amour trompé » (Lélia). Dirigé contre « la littérature réelle » et le « côté épique de toute littérature » qui serait « encore aujourd'hui le côté le plus populaire », l'article-manifeste que Sand donne sur *Oberman*, en 1833, fait de cette capacité allégorique le moyen artistique privilégié d'une

> « autre littérature [...] idéale, intérieure, ne relevant que de la conscience humaine, n'empruntant au monde des sens que la forme et le vêtement de ses inspirations, dédaigneuse à l'habitude de la puérile complication des épisodes, ne se souciant guère de divertir et de distraire les imaginations oisives, parlant peu aux yeux, mais à l'âme constamment ».

Le héros de Senancour figurerait « la rêverie dans l'impuissance, la perpétuité du désir ébauché », de même que Faust, chez Goethe, serait « le vertige de l'ambition intellectuelle » ou Manfred, chez Byron, « la satiété dans la débauche ». À contre-courant de l'évolution du roman de masse, le projet initial de Sand serait en somme de redonner au genre les lettres de noblesse du *roman intime* et d'élever cette tradition psychologique plus particulièrement féminine à un niveau d'abstraction philosophique.

Symboles, paraboles et utopie

Autant dire que, partie du modèle balzacien, Sand se développe contre lui. Aussi bien son exposé de principes le plus complet et le plus mûr, formulé dans les années 1850 (*Histoire de ma vie*, part. IV, chap. XV), résulte-t-il de son long dialogue avec l'auteur de *La Comédie humaine*, selon qui, rapporte-t-elle en calquant la trop fameuse opposition Corneille *vs* Racine, elle

« cherche l'homme tel qu'il devrait être », alors que lui, le « prend tel qu'il est ». Il y a alors, certes, un rééquilibrage en faveur du réel. Sand, tout en avançant que « le roman serait une œuvre de poésie autant que d'analyse », n'omet pas de réclamer l'association de « situations vraies et [de] caractères vrais, réels même » avec « un type destiné à résumer le sentiment ou l'idée principale du livre » et « représent[ant] généralement la passion de l'amour, puisque presque tous les romans sont des histoires d'amour ». Mais le point capital de la théorie demeure la nécessité d'« idéaliser » le héros en lui prêtant « une importance exceptionnelle dans la vie, des forces au-dessus du vulgaire, des charmes ou des souffrances qui dépassent tout à fait l'habitude des choses humaines ».

Le cadre de cette esthétique de « l'idéalisation » est assez large pour contenir une pratique romanesque caractérisée, comme celle de Balzac d'ailleurs, par une extrême diversité. C'est ainsi que *Spiridion* entraîne son lecteur dans l'univers exclusivement masculin d'un couvent italien quelque temps avant la Révolution française. Ce conte mystique est, sous des formes presque entièrement dialoguées, le récit de la découverte que fait un jeune moine d'une doctrine jamais énoncée, improbable synthèse, devine-t-on, de certaines interprétations de l'Évangile et de la pensée de Leroux. Vampire en moins, mais avec la même abondance de spectres et la même relation trouble entre le jeune moine et son maître, ce roman on ne peut plus désincarné reproduit à l'intention d'un public lettré et curieux de métaphysique socialiste le modèle du roman noir de Lewis, *Le Moine*. *Horace*, qui lui succède, réitère au contraire, à l'imitation de Balzac et de Stendhal, l'application au présent et la démocratisation du modèle du roman historique. Le personnage principal, « fils d'un petit fonctionnaire de province », est un étudiant raté du Paris des années 1830, dont le caractère velléitaire, les illusions romantiques et les aspirations aristocratiques mettent en valeur le sens populaire du réel et le républicanisme d'une femme simple et de ses autres chevaliers servants. Quant au grand œuvre de Sand, *Consuelo* et sa suite, *La Comtesse de Rudolstadt,* c'est un roman-feuilleton où les recettes populaires de Ducray-Duminil et d'Ann Radcliffe – château féodal, souterrains et corridors, bohémiens, reconnaissances d'enfants perdus… – sont employées à mettre en fiction une argumentation ésotérique. L'intrigue culmine avec l'initiation de l'héroïne, la cantatrice prodige Consuelo, à l'héritage spirituel du réformateur protestant de Bohême, Jean Huss, revu et corrigé à la lumière des idées communautaires et républicaines de Leroux. À travers les métaphores de la Bohême et de la musique, il n'est pas difficile de voir dans la fille d'une Bohémienne que s'avère être Consuelo le symbole de l'artiste selon Sand, et dans les successives réincarnations du mystérieux Albert, son amant et son maître à penser, celui de la philosophie religieuse et sociale à laquelle tend l'auteur.

Aussi bien est-ce dans la *Revue sociale* que Sand affirme sa conviction que « l'art n'est pas une étude de la réalité positive, [mais] une recherche de la vérité idéale », de sorte que « le roman d'aujourd'hui devrait remplacer la parabole et l'apologue des temps naïfs ». L'utopie, si elle n'est pas l'objet du roman sandien, est assurément son moteur et son horizon.

L'aspiration à une littérature authentiquement populaire

La rencontre des poètes-ouvriers issus de *La Ruche populaire* et celle d'Agricol Perdiguier, compagnon menuisier et auteur d'un *Livre du compagnonnage* (1839), révèlent à Sand un aspect du monde ouvrier compatible avec son attachement au peuple paysan du Berry. Manquant un peu d'air sur les sommets de la théorie socialiste, elle conçoit dès lors sa position d'écrivain comme une fonction d'intermédiaire entre culture populaire et culture savante. C'est dans ces « mœurs » ancestrales et dans cette « littérature » naissante, estime-t-elle, « que se retrempera la muse romantique, muse éminemment révolutionnaire, et qui, depuis son apparition dans les lettres, cherche sa voie et sa famille » (avant-propos du *Compagnon du tour de France*). Quand elle n'est pas directement, mais fictivement, placée sous la responsabilité de conteurs populaires censés s'adresser au public des veillées sous le regard extérieur d'un observateur-lecteur appartenant aux classes supérieures, la série des romans champêtres essaie d'inventer un français mixte, parlé et écrit, patoisant et national. L'exercice, explique un ami à l'écrivain dans le prologue de *François le Champi*, consiste à « raconter comme si tu avais à ta droite un Parisien parlant la langue moderne, et à ta gauche un paysan devant lequel tu ne voudrais pas dire une phrase, un mot où il ne pourrait pas pénétrer ». La réussite de cet « art pour tous » est sans doute *Les Maîtres sonneurs*, dont un héros, simple paysan, se prend de passion, comme Consuelo, pour la musique. Son talent le met tellement au-dessus de la corporation des sonneurs de cornemuse qu'il en devient d'une arrogance insupportable avec eux et qu'on le retrouve assassiné, gelé dans un fossé, son instrument cassé à ses côtés, selon la coutume du diable, paraît-il.

Comprenne qui pourra cette parabole diabolique.

Bibliographie

• Éditions :

Il n'existe pas d'œuvres véritablement complètes de George Sand. À l'occasion du centenaire de sa mort, les Éditions d'Aujourd'hui (Plan de la Tour, Var) ont cependant publié, dans la collection « Les introuvables », trente volumes reproduisant en fac-similé les éditions originales de la plupart des œuvres romanesques, sommairement mais utilement présentées par G. Lubin. D'autre part, les Éditions de l'Aurore (Meylan, Isère) ont entrepris une série d'éditions critiques qui font autorité (28 œuvres à ce jour). G. Lubin a concentré ses efforts sur la *Correspondance* (Paris, Garnier, 1964-1991, 26 vol.) et les *Œuvres autobiographiques* (Paris, Gallimard, coll. « Bibliothèque de la Pléiade », 1987-1970, 2 vol.)

• Biographies :
J.-A. Barry, *George Sand ou le Scandale de la liberté*, Paris, Le Seuil, 1992. – A. Maurois, *Lélia ou la Vie de George Sand*, Paris, Marabout, 1980. – P. Salomon, *Née romancière. Biographie de George Sand*, Grenoble, Glénat, 1993.

• Ouvrages de synthèse et ouvrages collectifs :
B. Didier et J. Neefs, *George Sand*, Saint-Denis, Presses universitaires de Vincennes, coll. « Écritures du romantisme », 1989. – R. Godwin-Jones, *Romantic Vision : the Novels of George Sand*, Birmingham (Ala), Summa publications, 1995. – M. Hecquet, *Poétique de la parabole : les romans socialistes de George Sand*, Paris, Klincksieck, 1992. – *George Sand. Une correspondance*, N. Mozet éd., Saint-Cyr-sur-Loire (37), Christian Pirot, 1994. – N. Schorr, *George Sand and Idealism*, New York, Columbia University Press, 1993. – *George Sand,* S. Vierne éd., colloque de Cerisy, SEDES, 1983. – *George Sand, une œuvre multiforme*, F. Van-Rossum Guyon éd., Amsterdam, Rodopi, 1991. – P. Vermeylen, *Les Idées politiques et sociales de George Sand*, Bruxelles, Éditions de l'université de Bruxelles, 1984.

• Études critiques :
M. Hecquet, « *Mauprat* » *de George Sand*, Lille, Presses universitaires de Lille, 1990. – J.-P. Lacassagne, *Pierre Leroux et George Sand. Histoire d'une amitié (d'après une correspondance inédite, 1836-1866)*, Paris, Klincksieck, 1973.

• Revues spécialisées :
Présence de George Sand, Échirolles (Isère). – *Les Amis de George Sand*, Paris.

Chapitre 27

Flaubert

Depuis plusieurs décennies, le XXe siècle semble s'être annexé Flaubert pour y lire la préfiguration de ses doutes et de ses exigences à l'égard du roman – aussi de ce dont le roman était capable, une fois qu'il prenait ses distances vis-à-vis du *je* auctoral et du monde représenté. De fait, l'œuvre de Flaubert justifie cette entreprise moderniste et déconstructionniste. Quoique l'héritier, à bien des égards, de l'entreprise balzacienne, l'auteur de *Madame Bovary* est le premier romancier à formuler clairement et à appliquer systématiquement deux principes fondamentaux de poétique narrative auxquels *La Comédie humaine* s'oppose, au moins apparemment, de la façon la plus radicale. D'une part, le roman ne vaut plus par le discours que persiste à y tenir l'auteur, mais exclusivement par ce qui prend forme et sens dans l'œuvre, par la combinaison maîtrisée des différents éléments qui constituent l'art d'écrire. D'autre part, il ne doit plus prétendre à reproduire le réel, exclu par nature de l'univers des signes, mais à en créer l'illusion, grâce au pouvoir d'évocation dont se dote l'écrivain en recréant, avec des moyens artistiques, les sensations et les émotions. Sur les deux plans, le parallèle entre Flaubert et Mallarmé est frappant : l'un comme l'autre ont souhaité et programmé la « disparition élocutoire » du scripteur, puis substitué au réalisme une logique de la « suggestion ».

Mais on ôterait à l'œuvre toute portée – et, au passage, son sens historique – si on la réduisait à cette écriture du rien, premier avatar d'une longue lignée de romans ironiques, désabusés, aménageant avec science leur subtile vacuité. Au contraire, on ne peut qu'être frappé de constater que Flaubert, ayant ainsi rejeté hors du texte tout ce qui lui était étranger, ait pu cependant formuler avec une telle force son dégoût violent du monde où il était lui-même plongé et faire éprouver, de façon presque palpable et charnelle, les émotions et les sensations dont vibrent en effet ses romans, du moins sur le mode nostalgique. Tel est sans doute le vrai miracle de l'écriture flaubertienne, d'avoir su, du sein même d'un univers marqué par le nihilisme et la dérision les plus absolus, concevoir et réaliser les conditions d'un nouveau lyrisme.

Une existence vouée à l'écriture

Né en 1821, Gustave Flaubert connaît les débuts confortables, sinon heureux, des fils de la bourgeoisie. Son père est le chirurgien chef de l'hôpital de Rouen. Il a un frère, de huit ans son aîné, qui sera comme son père médecin et notable. Surtout, une affection complice le rapproche de Caroline, sa sœur cadette, ainsi que de sa mère. Au sein de sa famille, il apparaît comme un enfant tendre et joyeux, amateur de plaisanteries. Au collège, il lie des liens étroits de camaraderie avec quelques condisciples : avec Ernest Chevalier en 1832, puis Louis Bouilhet en 1834 ; à l'âge de seize ans, il rencontre Alfred Le Poittevin, pour qui il éprouve une amitié plus grave et sérieuse : c'est à lui qu'il dédie ses œuvres autobiographiques de jeunesse. La mort de son ami, en 1843, laisse en lui une empreinte profonde et explique en partie l'intérêt affectueux qu'il portera au neveu du disparu, Guy de Maupassant. Qu'on songe à Frédéric et à Deslauriers dans *L'Éducation sentimentale*, au couple que forment Bouvard et Pécuchet : il est bien possible que la thématique amoureuse, dans l'œuvre romanesque, serve d'écran à une réflexion aussi profonde sur l'amitié, et traitée avec le même mélange d'émotion et de moquerie.

Avec ses amis, Gustave rêve de gloire littéraire, écrit dès l'âge de treize ans des récits historiques et fantastiques, commence à partir de dix-sept ans à composer des textes autobiographiques où l'adolescent tire – déjà ! – le bilan mélancolique d'une existence d'emblée marquée par l'ennui et le scepticisme. Ces premiers essais, qui dénotent le désir précoce d'être auteur et le plaisir enthousiaste d'écrire, sont remarquablement abondants. Mais ils ne sont pas que cela : encore aujourd'hui, ces œuvres souffrent de ne pas correspondre assez à l'image que la critique s'est faite du flaubertisme.

Car le jeune Flaubert parle passionnément à la première personne, met en scène avec verve ses obsessions et ses rires – jusqu'à ce récit de voyages rédigé avec Maxime Du Camp, *Par les champs et par les grèves* (1847), « la première chose que j'ai écrite péniblement ». Pour le reste, tous les thèmes sont présents et déjà familiers : le récit sadique et la description cadavérique (un enterré vivant se dévore le bras de faim avant de mourir, une jeune femme est violée et tuée par la bête mi-homme mi-singe recueillie par son savant de mari), la blague (un carabin casse sa pipe alors qu'il observe un cadavre), le refus de moraliser et de conclure (d'où le titre *Quidquid volueris* et l'épilogue d'*un parfum à sentir*, appelé, en français cette fois, « Ce que vous voudrez »). On trouve aussi, dès les premiers textes, le procédé qui signe le style flaubertien et dénote sa violence, même contenue dans le ton : la juxtaposition brutale de brefs paragraphes, sans liant rhétorique ni argumentatif.

Dès 1838, l'apprenti écrivain se tourne vers l'autobiographie et l'introspection psychologique :

> « Je m'ennuie. Je voudrais être crevé, être rire, ou être Dieu pour faire des farces. Et merde »,

écrit-il dans *Agonies* (1838). *Mémoires d'un fou* (1839) raconte la vie d'un homme déjà revenu de tout, de la littérature, de la pensée, de l'amour. *Novembre* (1842) dramatise le récit de la première aventure sexuelle, par un jeune homme qui se laisse ensuite mourir « par la seule force de la pensée, sans qu'aucun organe fût malade, comme on meurt de tristesse ».

Comment s'étonner que l'homme mûr n'écrive pas avec la même fougue que le collégien adolescent ? Il n'en reste pas moins que les premiers essais ébauchent, sans exception, tous les romans à venir. *Une leçon d'histoire naturelle. Genre commis* (1837) constitue, suivant le genre à la mode, une physiologie d'employé. Mais Flaubert y révèle sa fascination presque attendrie pour les médiocres et les bêtes, qu'on retrouvera dans *Bouvard et Pécuchet* ; ainsi dans ce portrait de copiste, voluptueusement appliqué à son travail d'écriture :

> « Il faut voir cet intéressant bipède au bureau, copiant des contrôles. Il a ôté sa redingote et son col, et travaille en chemise, c'est-à-dire en gilet de laine.
> Il est penché sur son pupitre, la plume sur l'oreille gauche : il écrit lentement en savourant l'odeur de l'encre qu'il voit avec plaisir s'étendre sur un immense papier. »

Dans *Passion et Vertu* (1837), il développe l'histoire d'une femme mariée, dont la folie amoureuse fait fuir l'amant, tue mari et enfants, amène au suicide par empoisonnement : en somme, une future Madame Bovary. *Smarh* (1839) offre la première ébauche de l'œuvre toujours reprise et abandonnée jusqu'à la publication en 1874, *La Tentation de saint Antoine*. *Mémoires d'un fou* est le premier avatar littéraire de la rencontre idéalisée avec Elisa Schlesinger, qui sera au cœur des deux versions successives de *L'Éducation sentimentale* (1845, 1869). Le narrateur y passe en revue ses rêves de gloire, notamment

> « l'Orient et ses sables immenses, ses palais que foulent les chameaux et leurs clochettes d'airain [...] et puis, près de moi, sous une tente, à l'ombre d'un aloès aux larges feuilles, quelque femme à la peau brune, au regard ardent, qui m'entourait de ses deux bras et me parlait la langue des houris » (*cf. Salammbô*) ;

puis il détaille ses désillusions à l'égard de l'art, de la littérature et de la métaphysique, esquissant rudimentairement le schéma de *Bouvard et Pécuchet*.

Flaubert n'invente donc plus rien, passée cette jeunesse ; mais il consacre son temps à réaliser une œuvre qui soit à la fois le ressassement artistique et le tombeau de ses illusions perdues. Dans les années 1840, quelque chose paraît s'être définitivement rompu. Après le baccalauréat, le jeune Gustave avait commencé en 1841, sans passion ni grand succès, des études de droit. Mais, en 1844, il est frappé d'une crise nerveuse sans doute épileptique : il abandonne ses études et se retire auprès de ses parents, dans la propriété de Croisset. Deux ans après, il perd coup sur coup son père et sa sœur Caroline, dont il élèvera la fille. Ces épisodes malheureux marquent pour Flaubert la fin des ambitions de gloire, d'autant qu'il tire une leçon d'absolu scepticisme politique des événements de 1848 : l'œuvre à écrire sera désormais la compensation laborieusement extorquée à une vie d'avance résignée à sa vacuité. Il en avait eu l'intuition dès 1836 (à quinze ans...) : « Qu'est-ce qu'un mot ? Rien, comme la réalité ! Une durée » (*Angoisses*). Toute la poétique de Flaubert visera à donner à son lecteur le sentiment de cette pure durée de la littérature et du monde extérieur. D'autre part, l'art se manifeste, très logiquement, par le temps passé à préparer et à composer l'œuvre. À son bureau, l'écrivain de Croisset apprend à travailler lentement, à s'immerger dans ses manuscrits ou à se documenter minutieusement, lorsqu'il ne voyage pas ou qu'il ne s'échappe pas vers Paris. Et lorsqu'il n'écrit pas ses romans, il correspond longuement avec ses intimes ou avec Louise Colet, sa maîtresse de 1846 à 1854.

En 1848, Flaubert s'est donc jeté à corps perdu dans sa chère *Tentation de saint Antoine*, où le saint est soumis par le diable à toutes les tentations (la luxure, le paganisme, la science universelle, le matérialisme...) ; il lit son texte à Bouilhet et Du Camp l'année suivante. À en croire ce dernier, le verdict fut implacable ; les deux camarades de jeunesse, pour guérir leur ami d'un lyrisme jugé envahissant, lui suggèrent de développer un médiocre fait divers : ce sera *Madame Bovary*, publié à partir de 1856 dans la *Revue de Paris*. En 1857, Flaubert passe en jugement, à cause des audaces de son roman, pour atteinte à la morale publique. S'il obtient l'acquittement sans doute à cause de ses appuis, il est désormais connu du public comme écrivain réaliste et scandaleux.

Mais il n'a pas oublié sa passion pour l'Orient et commence immédiatement à travailler *Salammbô*, paru en 1862, qui raconte la révolte des mercenaires carthaginois après la première guerre punique. Le luxe des descriptions, l'accumulation sadique des violences et des cruautés étonnent les critiques, qui considèrent le roman comme un exercice de style magnifique mais un peu vain. On ne remarque pas toujours alors qu'il ne s'agit pas d'une antiquité quelconque, mais de Carthage, le puissant royaume sémitique qui faillit interrompre l'essor impérial de Rome. Or, la longue rêverie flaubertienne sur l'Orient se développe à proportion que s'approfondit sa critique de l'Occident et, pendant que les romans contemporains se réduisent à une ironie laconique, les textes exotiques donnent libre cours à une imagination et à une écriture flamboyantes. Salammbô est une anti-Emma Bovary, mais les deux personnages, lumière et ombre, expriment symétriquement le même message : ainsi en ira-t-il de saint Antoine et de ses doubles grotesques, Bouvard et Pécuchet.

Flaubert, qui est maintenant un familier des milieux littéraires et de la princesse Mathilde, revient à *L'Éducation sentimentale*, qu'il publiera en 1869. L'œuvre, qui témoigne de l'échec sentimental et professionnel d'un homme (Frédéric Moreau) et d'une époque (de la monarchie de Juillet au second Empire), est ostensiblement atone et invertébrée. Le refus de concentration romanesque, le manque d'épaisseur psychologique des personnages, l'émiettement de la représentation achèvent de déconcerter le public face à un texte où tout se défait, paisiblement mais inéluctablement : le monde, l'art, l'amour.

Cependant, *L'Éducation sentimentale* se plie encore à une ultime convention : construire le récit autour d'une intrigue amoureuse. Mais, s'y pliant, elle paraît en débarrasser l'univers de Flaubert, qui retourne à son projet originel : dire le néant de toute action, de tout savoir, de toute métaphysique. Les circonstances historiques et personnelles favorisent ce pessimisme : la chute de l'Empire paraît présager un durable déclin national ; la vie intime est endeuillée par une suite lugubre de disparitions (sa mère, Louise Colet, George Sand) ; la faillite du mari de sa nièce oblige l'écrivain à réaliser une partie de ses biens, à connaître les soucis d'argent, enfin à attendre de l'administration un secours, sous la forme d'un emploi fictif de bibliothécaire. Flaubert, qui a commencé en 1872 *Bouvard et Pécuchet*, se traîne au milieu de ses ennuis et d'un état dépressif. Abandonnant son œuvre, il publie *La Tentation de saint Antoine* en 1874 et s'exerce à la rédaction de nouvelles (*Trois contes*, 1877). Il meurt en 1880 et c'est donc à titre posthume que paraît, inachevé, *Bouvard et Pécuchet*, revue dérisoire de toutes les formes de pensée et d'activité possibles, « encyclopédie critique en farce ».

Mais que pouvait-on penser de ce roman grotesque et décousu ? On crut que l'auteur vieilli avait perdu sa maîtrise d'écrivain. Encore ne disposait-on pas du *Dictionnaire des idées reçues* qui devait couronner l'entreprise – comme s'il restait pour seule issue à l'artiste de transcrire, mot pour mot, les signes discursifs de la bêtise humaine et que la littérature, après avoir toujours renvoyé au monde le reflet de sa nullité, devait finir, pitoyablement et comiquement, par prendre congé d'elle-même.

Le lyrisme de la désillusion

Tous les romans de mœurs contemporaines donnent l'image d'un monde déshumanisé, où les personnes offrent les traits surchargés de pantins ridicules. La dérision est systématique et universelle : dérision des sentiments chez Emma, qui confond la réalité avec les bleuettes sentimentales, chez Frédéric Moreau, qui aime éperdument une femme mais se garde bien de prendre les moyens de la séduire ; partout et toujours, dérision de la politique, de l'art, de la philosophie, de la religion.

L'écriture elle-même manifeste cette distance ironique à l'égard du réel. Les dialogues se réduisent à des échanges caricaturaux et volontairement fragmentaires. L'essentiel des propos passe par le canal du célèbre « style indirect libre », qu'il est souvent impossible d'attribuer avec certitude à tel personnage ou au narrateur. Il flotte ainsi, à la surface des textes, un halo de paroles bruissantes et à moitié anonymes, comme une voix impersonnelle et collective qui estompe les individualités. Il en va de même pour l'évocation fréquente d'événements itératifs, qui noie l'intrigue dans l'infinie répétition du même, et pour l'usage ironique des lieux communs et des clichés qui, parfois, sature le texte au point de paraître disqualifier la fiction, comme dans *Bouvard et Pécuchet*.

Là ironie par défaut, ici – dans les romans orientaux – par excès de matière : en effet, les excroissances descriptives de *Salammbô*, la mise en scène solennelle de *La Tentation* fonctionnent comme des signaux ironiques où l'on devine un Flaubert jubilant d'opposer les rutilances de l'ailleurs et de jadis à la réalité étriquée du second Empire.

Mais c'est lorsqu'ils ont pris conscience de la vanité de toutes choses que le narrateur et les personnages peuvent à nouveau éprouver pleinement l'émotion de vivre. À la fin de *L'Éducation sentimentale*, Frédéric et Deslauriers, revenus de tout, évoquent avec nostalgie l'épisode de la Turque, lorsque, adolescents, ils s'étaient enfuis sans rien tenter de la maison de plaisir locale :

> « – C'est là ce que nous avons eu de meilleur ! dit Frédéric.
> – Oui, peut-être bien ? c'est là ce que nous avons eu de meilleur ! dit Deslauriers. »

On peut les prendre au sérieux : c'est lorsqu'il a perdu toute illusion à l'égard des objets auxquels il s'appliquait que le texte flaubertien se consacre à dire le pur plaisir de désirer, d'aimer ou de penser, à traduire, de façon presque animale, l'activité de l'esprit et du cœur. Aussi les personnages bénéficient-ils de cette bonne « bêtise » qu'aimait Flaubert, de cette aptitude à vivre charnellement leurs états d'esprit : d'où la naïveté d'Emma, la passivité de Frédéric, le franc ridicule de Bouvard et Pécuchet.

La dérision devient alors la condition même d'un nouveau lyrisme, dégagé des espoirs dont se nourrissait l'ancien. Un lyrisme à l'état brut et intransitif où se dit, magnifiquement inutile, le plaisir de s'échauffer en se gardant de conclure et d'être rendu au néant :

> « Quelle plate bêtise de toujours vanter le mensonge et de dire : la poésie vit d'illusions : comme si la désillusion n'était pas cent fois plus poétique par elle-même ! » (lettre à Alfred Le Poittevin, 2 avril 1845).

L'écrivain, ayant appris à ne plus affirmer, endoctriner ni rêver à d'improbables mondes meilleurs, reporte sur le sensible sa force désirante. À lire les descriptions vibrantes d'émotion qui émaillent ses romans, tout se passe comme si Flaubert ancrait dans le monde des corps naturels et des choses inanimées la sentimentalité dont il prive ses semblables. D'où la puissance d'évocation poétique de ses paysages et de ses énumérations méticuleuses et inutilement scrupuleuses. Alors même que les êtres humains viennent jouer leur rôle absurde sur la scène comique de la vie sociale, les objets – même les plus évidemment fonctionnels – sont dotés d'une épaisseur et d'une vie mystérieuses, par la seule grâce du choix d'un mot, d'une ellipse suggestive, d'un rythme brisé.

Le deuil de la parole

Car Flaubert se veut et se pense artiste ; il est même le premier romancier à avoir soumis le maniement de la prose aux strictes exigences formelles qui étaient l'apanage de la poésie et, bien sûr, des arts plastiques. On sait le travail inlassable d'où sont sorties ses œuvres : l'énorme préparation documentaire, le travail de réécriture incessamment recommencé, l'épreuve du « gueuloir » – son bureau de Croisset –, où l'écrivain s'écoutait dire son texte, pour en éprouver la force énonciative.

Aussi serait-ce le pire contresens que de voir seulement en lui le promoteur de l'écriture moderne, contre l'effusion de la parole romantique. Si Flaubert s'est résolu à se taire et à exclure de ses romans le discours lyrique qu'il a renoncé à tenir, toute son œuvre porte le deuil de cette voix qui, désormais interdite, parcourt les textes de sa présence insituable mais murmurante.

On a déjà noté le rôle du style indirect libre, qui semble faire parler le récit indépendamment des énonciateurs. Plus généralement, l'œuvre et la vie de Flaubert ont finalement été consacrées à résoudre cette contradiction : comment continuer à prendre plaisir à parler, une fois qu'on a pris conscience qu'il n'y a plus rien à dire ? Chaque fois que Bouvard et Pécuchet, nourris d'exposés doctrinaux, prétendent imposer à la nature des certitudes et des savoirs factices, la matière se venge, prolifère, grouille, fait éclater les alambics, consume les meules de foin, provoque les plus invraisemblables catastrophes. Mais à cet impérialisme illégitime de la parole magistrale – celle des lieux communs –, Flaubert oppose le bonheur infini de la blague et de la parole partagée, comme les « joyeux pantagruélistes » de Rabelais dont les deux apprentis savants apparaissent comme les vrais descendants.

Aussi faut-il s'attarder à la morale exacte qui découle du dénouement prévu par Flaubert pour son dernier roman. À l'issue de tous leurs échecs, Bouvard et Pécuchet se taisent, s'assoient à leur pupitre et

> « copient au hasard tous les manuscrits et papiers manuscrits qu'ils trouvent, cornets de tabac, vieux journaux, lettres perdues, et croyant que la chose est importante et à conserver ».

Agissant ainsi, ils ne remplacent pas la parole dissipatrice de temps par l'écriture économe et thésaurisatrice. Au contraire, ayant perdu l'énergie et le désir de se parler mais refusant de renoncer à tout ce qui fut jamais leur plaisir de vivre, ils décident, avec une sereine détermination, de copier la parole des autres. Fin de la littérature. Flaubert près de disparaître aura décidément mené à son terme l'œuvre de mortification à laquelle s'était déjà solennellement préparé le narrateur des *Mémoires d'un fou* :

> « Non, jamais on ne pourra dire tous les mystères de l'âme vierge, toutes les choses qu'elle sent, tous les mondes qu'elle enfante, comme ses rêves sont déli-

cieux ! comme ses pensées sont vaporeuses et tendres ! comme sa déception est amère et cruelle ! […] Si j'ai éprouvé des moments d'enthousiasme, c'est à l'art que je les dois. Et cependant quelle vanité que l'art ! vouloir peindre l'homme dans un bloc de pierre, ou l'âme dans les mots, les sentiments par des sons et la nature sur une toile vernie… »

BIBLIOGRAPHIE

• Éditions :
Bouvard et Pécuchet, C. Gothot-Mersch éd., Paris, Gallimard, coll. « Folio », 1979. – *L'Éducation sentimentale*, A. Raitt éd., Paris, Imprimerie nationale, 1979. – *Madame Bovary*, C. Gothot-Mersch éd., Paris, Garnier, 1971. – *Le Second Volume de Bouvard et Pécuchet* [*Dictionnaire des idées reçues, Catalogue des idées chic, Le Sottisier*], A. Cento et L. Caminiti-Tennarola éd., Naples, Liguori, 1981. – *Correspondance*, J. Bruneau éd., Paris, Gallimard, 4 vol. parus depuis 1973. – *Correspondance Flaubert-Sand*, A. Jacobs éd., Paris, Flammarion, 1981. – *Carnets*, P.-M. de Biasi éd., Paris, Balland, 1988. – *Voyage en Orient*, P.-M. de Biasi éd., Paris, Grasset, 1991.

• Biographies :
B.F. BART, *Flaubert*, Syracuse, Syracuse University Press, 1967. – J.-P. SARTRE, *L'Idiot de la famille*, Paris, Gallimard, 1971-1972, 3 vol.

• Études d'ensemble et ouvrages de synthèse :
M. BARDÈCHE, *L'Œuvre de Flaubert*, Paris, Les Sept Couleurs, 1974. – V. BROMBERT, *Flaubert par lui-même*, Paris, Le Seuil, 1971. – C. MOUCHARD et J. NEEFS, *Flaubert*, Paris, Balland, 1986. – A. THIBAUDET, *Gustave Flaubert*, Paris, Plon-Nourrit, 1922 (rééd. en 1973).

• Sélection de travaux critiques :
G. BOLLÈME, *La Leçon de Flaubert*, Paris, UGE, coll. « 10/18 », 1972. – J. BRUNEAU, *Les Débuts littéraires de Gustave Flaubert*, Paris, A. Colin, 1972. – M. BUTOR, *Improvisations sur Flaubert*, Paris, La Différence, 1984. – R. DEBRAY-GENETTE, *Métamorphoses du récit : autour de Flaubert*, Paris, Le Seuil, 1988 ; *Flaubert à l'œuvre*, Paris, Flammarion, 1980 ; *Flaubert, la dimension du texte*, Manchester, Manchester University Press, s.d. ; *Langages de Flaubert*, Paris, Lettres modernes, 1977 ; *La Production du sens chez Flaubert*, Paris, UGE, coll. « 10/18 », 1975. – J.-P. RICHARD, *Littérature et Sensation*, Paris, Le Seuil, 1954. – *Travail de Flaubert*, Paris, Le Seuil, 1983.

1870-1900 :
les ambivalences d'une fin de siècle

1870-1900 : trente années qui voient le monde littéraire basculer dans un ordre nouveau, en même temps que prennent place, avec les contradictions et les résistances que l'on décrira, les institutions de la France républicaine. Parce que la littérature de cette époque épouse les courbes de l'histoire, fût-ce sur le mode du refus, il est apparu indispensable de rappeler en préalable de manière synthétique (chapitre 28) ce qui s'est joué au plan politique dans l'installation du nouveau régime – aboutissement de tout un siècle de révolutions. Régime nouveau en ceci qu'il se réclame de valeurs qui, peu à peu, fédéreront la nation française autour d'un sentiment identitaire spécifique : le parlementarisme, la démocratie, la laïcité forment les piliers de la IIIe République. Mais, comme on le verra, cette ère nouvelle ne s'établit pas sans heurts : héritière de l'histoire et de ses contradictions, elle reste fragile d'autant que la démocratie qu'elle instaure la contraint à assumer des forces nouvelles, tant à gauche qu'à droite. Régime de liberté, la IIIe République est aussi un régime d'ordre et de scandale ; l'affaire Dreyfus est l'événement révélateur des tensions qui agitent politiquement et idéologiquement la France qui, en cette fin de siècle, tire paradoxalement sa force et sa grandeur des menaces qui la guettent. Le discours républicain ne se départit pas en effet d'un certain sentiment de dégénérescence (de décadence, comme on disait à l'époque), expression anxiogène liée aux mutations de l'histoire.

Les écrivains ne sont évidemment pas étrangers à ces luttes ; il leur arrive même d'y prendre part, mais ce qui les relie plus solidement à la IIIe République, quoique de manière moins perceptible et plus inavouée, c'est qu'ils acquièrent un nouveau statut au sein d'une pratique elle-même régie par des règles nouvelles. D'un mot, pour reprendre l'expression d'Antoine Compagnon, une IIIe République des Lettres s'est bel et bien installée parallèlement à l'autre.

Chapitre 28

Les spasmes de la politique

Fin de siècle, décadence, symbolisme, naturalisme, ces quatre notions qui désignent peu ou prou un courant, voire un mouvement littéraire spécifique, se sont développées dans les trente dernières années du XIXe siècle. S'est-on suffisamment interrogé sur le fait que leurs différences esthétiques, idéologiques et sociologiques sont le produit d'une même poussée historique ? Celle-ci se présente à l'historien de la littérature dans l'extraordinaire effervescence des idées qui s'entrechoquent, épousent le fil et la cause de leur époque ou au contraire se réfugient dans la nostalgie d'un monde ancien. C'est que cette fin de siècle, plus spécifiquement et plus fantasmatiquement que les autres, se pense, se réfléchit, se dit et s'invente dans la hantise des mutations du monde moderne. Si les écrivains et artistes de tous bords expriment au mieux les contradictions de l'histoire la plus récente, ils ne font que mettre au jour ce qu'il convient d'appeler un *discours social* qui circule à travers l'ensemble de la société, focalise les positions et distribue les prises de position dans le champ des valeurs.

Ainsi cette période est particulièrement marquée par toutes sortes de dualismes et de clivages qui produisent un sentiment de déterritorialisation. La France est une puissance mondiale qui a fait du progrès et de la démocratie ses valeurs fétiches, mais en contrepartie elle se sait habitée par la menace que la modernité ne cesse de faire peser sur une nation qui semble, depuis 1789, avoir perdu ses marques. Et qui les perd d'une certaine manière, puisque l'intégrité du territoire national semble encore fragile, comme en témoigne l'abandon de l'Alsace-Lorraine en 1870. C'est avec grand-peine et force contorsions que l'État parviendra à se définir une mission en totale rupture avec l'Ancien Régime. Si l'on s'accorde assez clairement sur la nécessité de mettre fin aux aliénations, aux dominations et aux injustices du passé, on redoute en même temps que sous couvert de démocratie et de parlementarisme ne s'en produisent de plus insidieuses encore.

La fin du siècle, de ce point de vue, doit être considérée, ainsi que l'ont dit plusieurs historiens, comme l'instauration d'un régime nouveau et définitif. La République nourrit le fantasme de voir se résorber, avec quelques secousses d'envergure tout de même, les spasmes de l'histoire de France depuis la Révolution. Même si le champ politique met encore en présence les forces qui ont fait et défait les régimes successifs depuis 1789, polarisées autour de l'Ancien ou du Nouveau, du retour à la monarchie ou de l'instauration de la démocratie, le renforcement de la bourgeoisie et le développement de la « classe laborieuse et dangereuse » sous le second Empire ont pris le dessus sur les antagonismes passés. La fin du siècle est moins le moment d'une lutte pour ou contre l'Ancien Régime que la mise en place tortueuse d'une ère nouvelle qui se signale aussi fortement que la Révolution. Cette ère nouvelle, c'est celle de la République. Qu'elle fût la troisième et non la première ne masque en rien son statut et son rôle fondateur : elle apparaît bel et bien comme la nécessité d'un tiers moment doté d'une mission de synthèse et d'une ambition véritablement instauratrice.

Ainsi cette époque est à proprement parler le début de la France d'aujourd'hui. Voilà sans doute la contradiction qui la travaille le plus fortement. Alors qu'un siècle se termine, un monde nouveau aussi plein de promesses que d'incertitudes s'offre à la conscience de chacun. Ce qui ne va pas sans mal puisqu'il s'agit de vivre dans cette contradiction étincelante qui marque partout les réalisations du monde moderne et recompose le sentiment identaire. De là l'urgence à produire un système de croyances et de valeurs qui soit à la hauteur des mutations et leur donne une raison d'être : la laïcité, la démocratie, la séparation des pouvoirs, la liberté d'expression sont autant d'arguments qu'affute la IIIe République pour asseoir son projet et contrecarrer toute velléité réactionnaire. Autant de valeurs dont on attend qu'elles dirigent le pays dans la voie de la modernité et de la prospérité au plan mondial. Ne l'oublions pas : la France, dans le prolongement d'ambitions naguère hasardeuses ou romantiques, se dote en cette fin de siècle d'un empire colonial ; elle entend faire triompher sa puissance et se hisser au rang des grandes nations. Cela témoigne d'une équivoque qui procède du même sentiment déterritorialisé : au moment où elle s'ouvre au monde, la France revendique un enracinement et craint pour son intégrité nationale. Ainsi, aux côtés des idées de progrès, de république et de démocratie que porte entre autres la production naturaliste se développent des idéologies, chez un Barrès et les romanciers psychologues notamment, qui font valoir la souche, le terroir, l'enracinement, l'identité et se présentent comme autant de négations de tout modernisme. La représentation discursive de la France républicaine de la fin du siècle est ainsi traversée de ces oppositions qui connotent l'ancien de sérénité et de stabilité et colorent d'angoisse, de dégénérescence et de décadence l'actuel et le futur. Débat de toujours, certes, mais qui, dans les trente dernières années du siècle, a trouvé une expression (notamment littéraire et artistique) à la fois radicale et confuse – comme si toute prise de parole et de position était immanquablement infiltrée de cette duplicité épistémologique entre l'avant et l'après.

Bien que la IIIe République s'étende de 1870 à 1940, nous ne déborderons pas le siècle et laisserons le nouveau régime s'enferrer dans la Première Guerre mondiale. L'année 1898 servira de terminus *ad quem*, en raison de l'Affaire Dreyfus, évidemment, qui exprime au plus haut degré les antagonismes de l'époque. Parce qu'au-delà des oppositions entre dreyfusards et antidreyfusards l'Affaire polarise idéologiquement la France entière : la gauche socialiste et radicale, les républicains modérés, les antimilitaristes réunis autour de la Ligue des droits de l'homme contre la droite nationaliste, antisémite, cléricale, regroupée autour de la Ligue de la patrie française. Parce que, enfin, en 1898, le *J'accuse* de Zola, « l'acte le plus révolutionnaire du siècle », selon Jules Guesde, est l'occasion d'une intervention intellectuelle sans précédent. « Je finis le siècle, j'ouvre le siècle prochain », dira Zola dans *La Vérité en marche* (1901), en se prenant pour un Victor Hugo auquel il semble effectivement avoir symboliquement succédé depuis la disparition de ce dernier en 1885. Finir le siècle, ouvrir le prochain, c'est assurément signifier que la France est sortie du XIXe siècle ; l'Affaire Dreyfus est en cela, comme certains l'ont observé, une anticipation en miniature des délires du siècle suivant.

La république de l'ordre

Avec la IIIe République naît la démocratie parlementaire. Mais l'accouchement ne se fait pas sans douleur, loin s'en faut, puisque cette république s'érige vaille que vaille sur les décombres d'une double défaite : la guerre franco-allemande (1870-1871) et la répression de la Commune.

La IIIe République est proclamée le 4 septembre 1870, soit un peu moins de deux mois après la déclaration de guerre à la Prusse (13 juillet). Cette proclamation a les accents de la défaite : elle rallie certes tous les opposants de l'Empire, mais sans formuler de véritable programme fédérateur ; par ailleurs, six mois après son installation, la République se montre incapable de faire face à l'ennemi – les forces prussiennes, après avoir conquis entre autres Strasbourg, Nancy, Sedan, sont aux portes de Paris : le gouvernement de la Défense nationale capitule le 28 janvier 1871. Refusée par le peuple parisien, cette capitulation renforce la tension entre le gouvernement officiel de Thiers et les forces révolutionnaires qui, le 18 mars 1871, forment un gouvernement révolutionnaire : la Commune. Avec l'appui des forces prolétariennes (notamment l'Association internationale des travailleurs) se met en place, le 28 mars 1871, un Conseil de la Commune qui tient lieu de gouvernement : on y vote des décrets – sur le maximum des salaires, sur la séparation de l'Église et de l'État, sur la reprise des associations ouvrières des ateliers, etc. Le gouvernement de Thiers, depuis le 10 mars, a dû s'exiler à Versailles ; c'est là qu'il préparera la répression de la Commune : le 21 mai, les troupes versaillaises entrent à Paris ; la « Semaine sanglante », du 22 au 28 mai, met un terme définitif à ce premier pouvoir révolutionnaire prolétarien. Entre-temps, et en dépit de la convulsion de la Commune, le gouvernement de Thiers a signé, le 10 mai 1871, le traité de Francfort qui met fin au conflit franco-allemand au prix de l'Alsace et d'une grande partie de la Lorraine que la France doit céder.

Si, officiellement, la IIIe République naît de l'effondrement de l'Empire, dans les esprits, elle s'instaure sur cette double défaite que représentent Sedan et la Semaine sanglante. Chez les uns, cette double catastrophe provoquera un sursaut nationaliste et revanchard, chez les autres, un sentiment insurgé. En fait, la Commune sécrète chez les écrivains deux attitudes opposées : la majorité d'entre eux passe sous silence l'événement ; de façon isolée ou marginale, quelques-uns crient leur révolte. Les écrivains connus de l'époque se taisent et s'enferment dans un apolitisme révélateur : Flaubert, les Goncourt, Gautier, Leconte de Lisle se rivent à la doctrine de l'art pour l'art ; Du Camp, Dumas fils, Daudet, Barbey d'Aurevilly, Renan, Taine, Gobineau sont conservateurs ou royalistes. Des voix républicaines se font entendre qui condamnent la Commune : Anatole France, Catulle Mendès, Jean Richepin et Zola cherchent à concilier littérature et politique. Seuls Rimbaud, Verlaine, Vallès et le vieil Hugo (dans *Quatrevingt-Treize*, 1874) expriment un refus total de l'ordre nouveau et de la terreur ; ils rejoignent la bohème des chansonniers et des poètes-ouvriers qui nourrissent toute une littérature (proscrite) de la débâcle : Eugène Chatelain, Clovis Hugues, Charles Keller et surtout Eugène Pottier (l'auteur de *L'Internationale*) réactualisent les chansons de Béranger et des airs de 1848.

En même temps, toutes les fractions politiques se rassemblent autour d'une nécessité : reconstruire l'armée, non pas pour faire la guerre (l'esprit belliciste n'est plus de mise au lendemain d'une guerre qui a coûté tant de vies), mais pour garantir l'intégrité de la nation. En mai 1872, on vote le principe du service militaire obligatoire ; dans la foulée, on réorganise l'armée, on modernise les équipements, on conçoit sur nouveaux frais toute la stratégie.

Désormais, comme l'ont noté les historiens, à partir de 1875, trois mots ont donné le ton de la IIIe République naissante : *paix*, *ordre* et *travail.* Trois mots qui rallient conservateurs et progressistes autour de la nécessité républicaine et d'une conception de l'État qui se veut modérée et puissante, capable d'abriter ses frontières autant que de contenir ses germes insurrectionels. S'il est un ennemi intérieur à combattre parce qu'il est d'un danger aussi grand que l'étranger, c'est bien le révolutionnaire. À plusieurs reprises, monarchistes et républicains conservateurs mettent le peuple en garde contre les idées utopistes des socialistes, radicaux et autres communalistes. On n'a pas oublié les journées de 1848 qui virent la probabilité d'une prise de pouvoir par les forces ouvrières. En quelque sorte, la Semaine sanglante, répétant les journées de Juin, a donné l'alarme en montrant qu'il fallait étouffer tout ce qui pouvait nuire au système de valeurs des classes dirigeantes. Là-dessus aussi, tout le monde politique s'accorde.

C'est à la mise en place d'un « ordre » républicain que s'attellent alors ceux qui ont en main le pouvoir. Ordre, en ceci qu'il s'agit de donner à la société française des principes et des directives de nature à garantir la stabilité sociale. Ordre, a-t-on dit aussi, dans un sens plus mythique, en ceci qu'on attend de la république non seulement un régime particulier mais aussi une sorte de « religion » bâtie sur des valeurs nouvelles. Cette notion d'ordre rassemble et clive ainsi les idées selon deux axes : un axe républicain, libéral, laïque qui se réfère à l'idéal de la société sécularisée issue de la Révolution française ; un axe catholique, conservateur, qui se souvient que seul Dieu et l'Évangile sont au principe de la société dans son devenir. À partir de cette ligne de partage, toutes les combinaisons idéologiques sont possibles, mais la double référence à la religion et à la république focalise avec plus ou moins d'accentuation les prises de position.

C'est dans cette double référence que se pense désormais la France moderne. Deux des monuments les plus célèbres de Paris inaugurent emblématiquement l'ordre nouveau. Le premier est la basilique du Sacré-Cœur, financée par souscription nationale, construite entre 1876 et 1910 dans le style néobyzantin. Tout à la fois symbole de la victoire sur la Commune (ce n'est pas un hasard si on l'érigea à Montmartre) et de la permanence de la France catholique en dépit de la proclamation de la République, elle ambitionne d'être la dernière cathédrale du siècle (et du millénaire). En face d'elle, l'autre cathédrale des temps modernes, tout entière élevée, entre 1887 et 1889, à la gloire du progrès technique, la tour Eiffel.

Si Thiers fut l'homme de la répression de la Commune et des débuts de la IIIe République, Mac-Mahon, élu président le 24 mai 1873 et ex-commandant de l'armée de Versailles (celle qui réprima la Commune), incarne la république des derniers notables. En effet, durant son mandat, il composa avec plusieurs tenants de la restauration. Il recruta nombre de ses ministres parmi les monarchistes, soutint la réaction politique de l'Ordre moral (coalition monarchiste et conservatrice) et étouffa à plusieurs reprises les victoires républicaines aux élections législatives. Jusqu'à ce que la raison démocratique l'emporte en 1879, la dernière année de son mandat : il faudra alors « se démettre ou se soumettre », avait dit Gambetta ; Mac-Mahon, dans l'incapacité de gouverner avec des républicains, démissionna en janvier 1879. Entre-temps, le nouveau régime s'était doté d'une base constitutionnelle qui lui a donné sa force : le fameux amendement Wallon de janvier 1875 stipulait entre autres que « le président de la République est élu à la majorité des suffrages par le Sénat et la Chambre des députés en Assemblée nationale. Il est nommé pour sept ans. Il est rééligible ». Ce texte est l'acte de baptême de toutes les républiques à venir.

La république de la démocratie

L'heure est venue de Jules Grévy (1879-1887), dont l'œuvre consolide, à la mesure d'ailleurs des retours manqués à la restauration monarchiste qui marqua la précédente législature, l'ancrage républicain du nouveau régime. Avocat de formation, anticonservateur, Grévy s'était déjà signalé pour avoir siégé avec la gauche à l'Assemblée constituante (1848) puis à l'Assemblée législative (1849) et pour avoir défendu la liberté de la presse. En 1851, il se retira de la vie politique pour ne revenir aux affaires qu'après la chute de l'Empire, aux côtés des républicains modérés. Élu président en 1879, il marqua d'une empreinte résolument moderne sa législature, notamment en menant une politique hostile au sentiment revanchard, mais aussi en dotant la république d'emblèmes nouveaux : c'est sous son mandat que *La Marseillaise* devient hymne national, que le 14 juillet est proclamé fête nationale (6 juillet 1880), qu'on restaure les couleurs de la patrie, etc. Mais surtout, grâce notamment à l'impulsion du ministre de l'Instruction puis président du Conseil, Jules Ferry, on vote les lois capitales de l'institution républicaine : 30 juin 1881, lois sur le droit de réunion ; 29 juillet 1881, loi sur la presse ; 1882, loi Jules Ferry qui prescrit l'obligation, la gratuité et la laïcité de l'enseignement primaire public ; 1884, loi permettant le divorce, etc. Enfin, la France développe son empire colonial : protectorat sur la Tunisie, colonisation de Madagascar, conquête du bas Congo et du Tonkin.

La victoire républicaine est due à la rencontre de plusieurs facteurs politiques. Tout d'abord il est nécessaire de prévenir toute tentation restauratrice. Un mot du vicomte de Meaux résume la situation d'un seul trait : « Nous étions monarchistes et le pays ne l'était pas. » Ensuite, sous l'impulsion des paysans (qui craignent entre autres le retour à certains droits féodaux, comme la dîme, mais restent traditionnellement hostiles à tout socialisme) et des ouvriers, l'idée d'une démocratie bâtie non pas sur l'égalité des fortunes mais sur celle des chances fait son chemin. Une sorte de tiers état, qui va de la haute bourgeoisie à la paysannerie, se rallie à cette conception libérale de la république. Il faudra alors des rassembleurs comme Gambetta pour mettre à peu près tout le monde d'accord sur la nécessité républicaine. Même les ouvriers des villes, qui renforcent leur base organisationnelle (IIe Internationale en 1889), appuient en bloc ce projet, leurs aspirations égalitaristes étant facilement récupérées par le discours dominant, notamment depuis qu'à partir de 1876 sont levées peu à peu les lois qui frappaient de prison les membres affiliés à toute association révolutionnaire et réprimaient sévèrement les grèves. La république, après avoir été celle « des paysans », selon le vœu de Ferry, est devenue aussi celle des ouvriers.

Le nouveau régime se dote alors de valeurs qui sont celles de la France contemporaine ; le politique consolide son pouvoir au moyen d'un vaste projet culturel qui, pour la première fois, ne se met pas au service des élites mais s'ouvre à la nation entière, même si l'effet produit est aussi de renforcer les clivages entre culture dominante et culture populaire. L'ambition est de séculariser la société entière par l'instruction. En renouant avec l'idéologie des Lumières, il s'agit de mettre un terme à une France profondément religieuse, de transformer la mentalité primitive des Français en leur ouvrant les yeux sur la modernité positive. Œuvre de fond d'autant plus épineuse que si les villes acquiescent assez rapidement à ce changement de structure mentale, les campagnes y opposent une résistance farouche. Bien que peu à peu déchristianisé, avant même la Révolution, le monde rural n'entérine pas facilement la nouvelle morale laïque qui lui semble n'être qu'une mouture moderne des croyances anciennes. De surcroît, les paysans ne sont pas prêts à troquer leur vision cosmique du monde (réglée sur les saisons et les rythmes de la terre) contre une appréhension froide, mécanique et technicienne des rapports aux choses. Si les mentalités ne changent pas en profondeur du tout au tout, ce sont les comportements et les institutions qui se voient modifiés : la ferveur diminuant, les églises se vident, les pratiques « religieuses » (mariages, enterrements) reculent au bénéfice de simples cérémonies civiles. La France, pour le moins, cesse d'être la « fille aînée de l'Église ».

Encore faut-il nuancer le propos. L'évolution de la croyance dans le sens d'une déchristianisation est loin d'être homogène. Selon la ville ou la campagne, Paris ou la province, la bourgeoisie ou les autres fractions sociales, le sentiment religieux ne cède pas le pas à la règle laïque avec la même amplitude. On a observé qu'à partir de 1885 la tendance s'inverse. Alors que les catholiques de France quittent le giron de la monarchie, Léon XIII dans son encyclique *Rerum novarum* (1891) change de stratégie pour moderniser la vision de l'Église sur le monde, en condamnant notamment le capitalisme spéculateur et en revendiquant le droit à un juste salaire. Par ailleurs, le dogme du positivisme, de la science et du progrès a du plomb dans l'aile alors qu'un certain spiritualisme refait surface en philosophie (l'idéalisme allemand, la pensée de Schopenhauer et de Hartmann pénètrent la culture française) et en littérature (avec toute la veine mystico-décadente illustrée par le sâr Péladan parmi d'autres). Le milieu intellectuel sera tout particulièrement l'objet de conversions spectaculaires au christianisme (Huysmans, Claudel), ce qui traduit non seulement l'illusion d'une religion laïque qui se substituerait aux anciennes croyances sur un mode positiviste, mais aussi que la IIIe République ne pouvait se satisfaire de nier l'Église qui a tôt fait de reprendre un peu de terrain en fondant ce que l'on pourrait appeler la démocratie chrétienne – réplique prévisible et puissante à un siècle d'anticléricalisme.

La république des scandales

Après Thiers, Mac-Mahon et Grévy vint le président Sadi Carnot, dont le mandat (1887-1894) fut bousculé par l'agitation boulangiste, puis par la plus grande escroquerie nationale du siècle, le scandale de Panamá.

Boulanger, surnommé le « général Revanche », incarne une forme de populisme qui a eu son heure de gloire à la faveur d'une ascension fulgurante. Sous sa bannière se forme une coalition des principaux courants opportunistes de l'époque : certains radicaux, des patriotes de la Ligue que conduit Paul Déroulède, des royalistes et quelques bonapartistes trouvent en lui le franc-tireur de l'antiparlementarisme qui mettra à mal la Constitution de 1875 – en proposant notamment la dissolution de la Chambre des députés. Passant pour « l'homme qui a fait reculer Bismarck », Boulanger bénéficie d'une aura populaire qui frise le délire patriotique : des complaintes chantent ses hauts faits, un camembert, un savon et même une liqueur purement française portent son nom ; lorsque le gouvernement, le sentant trop encombrant, le nomme au corps d'armée de Clermont-Ferrand, la foule se couche sur les voies de la gare de Lyon pour l'empêcher de quitter Paris.

Mais Boulanger provoqua tout à la fois sa gloire et sa chute en manipulant de façon rusée les règles électorales : en se faisant élire dans plusieurs régions, il parvint à faire plébisciter son nom partout où un siège de député était vacant. Il l'emporta ainsi dans le Nord, dans la Somme et en Charente-Inférieure, en obtenant les voix des conservateurs, de quelques républicains et aussi de certains ouvriers. Il triompha à Paris le 27 janvier 1889 avec 240 000 voix et le peuple le réclama à l'Élysée. Tactique habile qui ne le conduisit toutefois pas à tenter un coup d'État, ainsi que ses proches le lui avaient suggéré, mais obligea bien davantage la république à revoir ses règles en interdisant notamment les candidatures multiples et en rétablissant le scrutin d'arrondissement. Boulanger fut condamné par contumace à la détention perpétuelle pour atteinte à la sûreté de l'État, ce qui entraîna sa fuite à l'étranger puis son suicide, à Bruxelles, le 30 septembre 1891. Ce scandale politique porta un coup très dur à la droite extrême en forçant ses militants à reconnaître *de facto* le nouveau régime.

Ressenti comme la seconde grande menace contre la République, le scandale de Panamá ne devait accorder davantage le peuple avec le régime. Ferdinand de Lesseps, déjà célèbre pour avoir percé le canal de Suez, eut l'idée d'entreprendre un ouvrage de même nature en Amérique. Il créa, en 1881, une « Compagnie universelle du canal interocéanique pour le percement de l'isthme américain », projet d'envergure qui nécessita des fonds publics et privés. Pour approvisionner un budget colossal, la Compagnie lança une campagne d'obligations remboursables par tirage au sort ; pour cela, une loi était nécessaire, laquelle fut votée grâce à l'achat de parlementaires (juin 1888). Puis la banqueroute frappa près de 85 000 souscripteurs, de petits épargnants pour la plupart. Le gouvernement de l'époque s'efforça d'étouffer l'affaire, en dépit d'une campagne de presse lancée par *La Libre Parole* qui révéla une liste impressionnante de « chéquards » et de « panamistes ». Lesseps et l'ingénieur Eiffel furent condamnés, ainsi que d'importantes personnalités du monde politique et des milieux financiers, mais l'affaire n'eut à l'époque que de faibles incidences politiques : beaucoup de députés soupçonnés évoquèrent la raison d'État et certains furent même réélus en 1893. Le scandale servit cependant de tremplin à la nouvelle génération de républicains dont les plus connus sont Poincaré, Delcassé, Barthou et Leygues. Dégagés des luttes de la gestation républicaine, ils firent preuve de créativité en proposant de nouvelles alliances, tant à gauche qu'à droite, et en abandonnant l'étiquette d'opportunistes au profit de celle de modérés. Cette nouvelle mouvance se présentait donc comme un bloc plus homogène face au mouvement qui ne cessait de grandir dans l'opposition, le socialisme.

Forces nouvelles

Le mouvement socialiste dut en partie son ascension aux spasmes et aux scandales qui secouaient la république. Réprimé après la Commune, divisé de l'intérieur, le mouvement n'avait guère réussi à constituer une force homogène ni à recueillir d'importantes victoires électorales. Des élections de 1893 datent les premiers succès parlementaires : cinquante députés de gauche siègent à la Chambre. L'effort de Millerand et de Jaurès sera de rassembler les tendances en présence au sein d'un « programme minimum » : les Jules Guesde, Édouard Vaillant et autres Viviani s'uniront donc pour combattre le cléricalisme, revendiquer l'impôt sur le revenu, obtenir l'amélioration du sort des ouvriers (en réclamant la journée de huit heures), conquérir les pouvoirs publics par le suffrage universel.

Si les socialistes constituent une force montante, c'est que depuis 1871 ils ont lentement reconstruit leur base, bénéficiant en cela de l'amnistie des condamnés de la Commune votée en 1880 et des lois sur la liberté d'association de 1881. Par ailleurs, la nouvelle génération de prolétaires (38 % de la population vit de l'industrie) se sent de moins en moins attachée à ses origines rurales et fait allégeance aux théories socialistes qui se sont fait jour. Théories qui répondaient aux criants besoins de la masse laborieuse : salaires miséreux, aucune garantie en cas de maladie ou d'accident (il faut attendre 1898 pour qu'une loi apporte un minimum de sécurité sociale), longues journées de travail (ce n'est qu'en 1892 qu'on interdira le travail de nuit des femmes et qu'on limitera à 10 heures la journée des garçons de moins de seize ans), logements insalubres, etc. Autant d'aspects de l'état de misère où se trouve plongée la France ouvrière : concentrée dans le Nord ou le Centre, mais aussi dans les villes, elle ne trouve d'exutoire que dans l'alcoolisme (à Ménilmontant, on compte 14 cafés sur 20 boutiques).

L'urgence pousse le prolétariat à s'unir. Les ouvriers catholiques se rassemblent autour de La Tour du Pin et A. de Mun. Les premiers congrès syndicaux sont organisés à Paris en 1876 et à Lyon en 1878. Jules Guesde enseigne la doctrine égalitariste et marxiste dans son hebdomadaire *L'Égalité*, fondé en 1877, avant de créer avec Paul Lafargue le « parti ouvrier français » en 1880, tandis qu'Édouard Vaillant entraîne les blanquistes au sein d'un Comité central révolutionnaire. Si ces formations restent très divisées notamment en raison des hostilités entre leurs chefs, l'action syndicale, elle, est plus pragmatique et unie, notamment parce qu'elle doit lutter directement contre le patronat : la CGT naît en 1895 et fait triompher l'idée de la grève générale.

En raison des scandales qui agitent la France de la dernière décennie du siècle, mais aussi de la montée du prolétariat et surtout des agressions anarchistes, on assiste à un certain retour à la répression. C'est pour contrer ces deux menaces que sont votées des lois dites « scélérates » (cinq ans de prison pour provocation au meurtre, au vol, à l'incendie ; condamnation de toute propagande anarchiste). Une flambée anarchiste terrorise en effet la capitale et les grandes villes dans les années 1890. Sans être un mouvement politique à proprement parler, les anarchistes forment un réseau à travers l'Europe : le géographe Élisée Reclus, le poète Laurent Tailhade, Ravachol, Auguste Vaillant agissent les uns à travers des journaux (*Le Libertaire*, *Le Père Peinard*), les autres à coup de bombes. Le président Carnot en personne est assassiné en juin 1894 par un anarchiste d'origine italienne, Santo Jeronimo Caserio ; deux ans plus tôt, Ravachol faisait sauter des demeures de magistrats...

La montée des forces progressistes et de l'anarchisme a eu pour effet non seulement de renforcer la légitimité des gouvernements répressifs mais aussi de dessiner peu à peu une ligne de partage plus nette entre la gauche progressiste et la droite conservatrice. C'est sous les présidences de Jean Casimir-Périer, hyper-conservateur qui démissionnera après une année de pouvoir en 1895, puis de Félix Faure, élu grâce à une coalition des monarchistes et des modérés contre les républicains et les socialistes, que la culture politique française trouve à dépasser ses clivages traditionnels. Mais le septennat de Faure, interrompu par sa mort soudaine en 1899, fut aussi celui de l'Affaire Dreyfus.

L'Affaire

L'Affaire Dreyfus n'est pas un scandale comme les autres, qui viendrait allonger la série des escroqueries et injustices de tous genres qui ont fragilisé les débuts de la IIIe République et mis à mal ses institutions. L'arrestation du capitaine Dreyfus, un Alsacien juif accusé d'avoir livré des secrets militaires à l'ennemi, suscite immédiatement ce qu'il conviendrait d'appeler un retour du refoulé. En effet, le 1er novembre 1894, lorsque *La Libre Parole* titre « Haute trahison. Arrestation de l'officier A. Dreyfus », elle accueille un événement que le sens commun attendait depuis longtemps déjà, persuadé que la trahison ne pouvait être le fait que de la « juiverie ». Quand le prévenu est juif et qu'on peut de surcroît l'accuser d'être allemand, il ne fait de doute pour personne qu'il incarne le mal absolu, ainsi que *La Libre Parole* n'a pas manqué de le souligner, en instruisant elle-même le procès avant que la justice ne fasse son travail :

> « [Dreyfus] est entré dans l'Armée avec le dessein prémédité de trahir. [...] Il déteste les Français en tant que Juif et Allemand. Allemand de goût et d'éducation, Juif de race, il a fait œuvre d'Allemand et de Juif, pas autre chose ».
>
> (*La Libre Parole*, 14 novembre 1894)

Ce que l'Affaire révèle, au-delà du fait, c'est l'obsession identitaire de la France. Acquise à l'idée d'une menace qui sourdement pèse sur son intégrité nationale, elle fait porter sur le Juif la responsabilité des désordres du moment. Perçu comme un corps étranger dans une nation qui n'a cessé de consolider sa territorialité, le Juif est devenu le bouc émissaire par excellence de tous les maux de la France.

Si le pays entier se divise à propos de l'Affaire, ce n'est donc pas seulement pour prendre position dans l'ordre des institutions publiques, c'est aussi pour exprimer, à travers l'emblématique cas Dreyfus, les deux destins possibles de la nation. Ou bien la France sera terre d'accueil, de tolérance et d'acceptation de l'Autre, ou bien elle se repliera sur le fantasme de son intégrité identitaire. On sait que ces deux tendances s'activeront sans se dépasser au cours du siècle suivant – trouvant tous les Dreyfus nécessaires pour relancer les débats.

Pour l'heure, en cette fin de siècle, l'Affaire Dreyfus polarise les prophéties de toute espèce et tend à accréditer l'idée que le monde moderne, au-delà de l'insolent spectacle du progrès qu'il donne à voir, est peuplé en coulisses de fantômes et de monstres qui ne cherchent qu'à précipiter sa fin. L'antisémitisme larvé que révèle au grand jour l'Affaire s'accompagne ainsi d'un discours catastrophique sur l'histoire. Le Juif est partout là où les choses tournent mal : dans les scandales financiers, dans la presse, au Parlement, dans les écoles, dans les tribunaux… Paul Adam, en 1889, va jusqu'à parler de « République d'Israël » pour désigner l'Hexagone. On invente même par commodité un terme qui revient tout le temps, « enjuiver ». Et la tour Eiffel ne manquera pas d'apparaître à certains comme la « tour juive » par excellence – symbole le plus visible d'une France détraquée, dégénérée, déracinée, qui croit damer le pion à l'autre symbole territorial qu'est, en ces mêmes années, le Sacré-Cœur.

Mais l'Affaire Dreyfus est aussi une catastrophe proprement politique – qui met en péril les institutions républicaines. Si elle éclate au moment de l'arrestation de Dreyfus, en 1894, elle rebondira lors de la révision du procès cinq ans plus tard et sera pour beaucoup d'intellectuels l'occasion de prendre position non plus seulement sur un vaste fantasme collectif mais sur l'intégrité de la justice française.

Rappelons les faits. Le procès du capitaine débute le 19 décembre 1894 : sur la base d'une expertise graphologique, on reproche à Dreyfus d'avoir livré à l'attaché militaire allemand Schwartzkoppen des renseignements sur la Défense nationale, consignés dans le fameux « bordereau ». La déposition du commandant Henry et la communication aux juges par le ministre de la Guerre, le général Mercier, d'un dossier classé « secret » – auquel la défense n'a pas eu accès – font condamner Dreyfus à la dégradation et à la déportation à vie. L'Affaire aurait pu en rester là et ne pas en devenir une – Zola, en voyage en Italie, pas davantage que l'opinion commune, ne sera pas bouleversé par la nouvelle. C'est à partir de 1896 que le dossier se complique, lorsque le lieutenant-colonel Picquart acquiert la conviction que le commandant Esterhazy est le véritable auteur du bordereau. L'idée d'une révision du procès est dans l'air, mais il faudra surmonter bon nombre d'obstacles pour que cette révision devienne incontournable. Depuis décembre 1895, Zola tient une chronique dans *Le Figaro* ; le 16 mai 1896, il saisit l'occasion de prendre parti contre l'antisémitisme ambiant dans un article intitulé « Pour les Juifs ». L'écrivain Bernard-Lazare, qui fait campagne pour la révision du procès et vient de publier une brochure sur le sujet (*Une erreur judiciaire. La vérité sur l'affaire Dreyfus*) vient solliciter son appui, sans trop de succès. Un an plus tard, fin 1897, alors que la rumeur parle d'éléments à la décharge de Dreyfus et que le gouvernement s'obstine à affirmer qu'il n'y a pas d'Affaire, Zola affûte ses armes sur la base des pièces qui circulent et qui accusent Esterhazy. Le 25 novembre, il publie dans *Le Figaro* un premier article en faveur de Dreyfus qui se termine par ces mots, restés célèbres : « La vérité est en marche, et rien ne l'arrêtera. » À la suite d'une campagne de désabonnement menée par les antidreyfusards, Zola est écarté du *Figaro*. C'est dans le journal de Clemenceau, *L'Aurore*, qu'il publie le 13 janvier 1898 son célèbre *J'accuse*, sous-titré « Lettre à M. Félix Faure, président de la République ». Ce brûlot lui vaut une condamnation et un exil à Londres, mais il aura fait mouche : le procès de Dreyfus sera révisé à Rennes en 1899 (condamnant le capitaine avec circonstances atténuantes à 10 ans de réclusion). Il faudra cependant attendre 1906, quatre ans après la mort de Zola, pour que l'affaire soit totalement terminée : la découverte d'autres faux contenus dans le dossier du capitaine provoquera la cassation du jugement de Rennes : Dreyfus est réintégré dans l'armée ; au même moment, la Chambre adopte une proposition de loi demandant le transfert des cendres de Zola au Panthéon (qui aura lieu deux mois plus tard).

Outre le fait d'avoir été une erreur judiciaire, l'Affaire Dreyfus plongea la IIIe République dans la plus grave crise politique. Elle est à l'origine d'une division idéologique entre partisans (dreyfusards : intellectuels, socialistes, radicaux, républicains modérés antimilitaristes regroupés autour de la Ligue des droits de l'homme) et adversaires (antidreyfusards : droite nationaliste, antisémite et cléricale, rassemblés au sein de la Ligue de la patrie française) de la révision du procès. Elle eut pour conséquence politique de recomposer les rapports de force dès la mort de Félix Faure, en 1899, en dotant la droite et le bloc républicain d'une doctrine offensive spécifique. À droite, en effet, sous l'impulsion d'un Barrès puis d'un Maurras, se renforce le nationalisme autoritaire qui fait prévaloir le culte de la patrie et des morts ; à partir de 1899, *L'Action française* est l'organe officiel de la doctrine qui bientôt prônera un retour à la monarchie. Du côté du « bloc des gauches », on se réfère aux Droits de l'homme en essayant de rassembler « toutes les forces socialistes, révolutionnaires et républicaines » : se crée ainsi en 1901 le « parti radical et radical socialiste ». Quant aux modérés, ils se rassemblent en une « alliance démocratique » qui s'oppose à la fois à la gauche et à la droite par son anticléricalisme, son anticollectivisme et son antinationalisme, et trouvera une tribune privilégiée au sein de la nouvelle presse : *Le Matin, Le Journal* et *Le Petit Parisien*.

Les écrivains eux aussi se divisent. Sont dreyfusards : entre autres, Proust, Gide, Mirbeau, Renard, A. France, Mallarmé, Saint-Pol Roux, Péguy. Sont antidreyfusards : entre autres, Lemaître, Barrès, Brunetière, Bourget, Heredia, Coppée, L. Daudet, Gyp, J. Lorrain, Maurras, J. Verne. S'il est toujours risqué, en raison des trajectoires singulières des écrivains, de superposer les prises de position politiques aux appartenances esthétiques ou institutionnelles, on remarque néanmoins que les clivages opposent *grosso modo* les symbolistes aux décadents, le Collège de France et une partie de l'École normale à la Sorbonne, sans parler de l'Académie française qui campe sur des positions antidreyfusistes et rejoint par là un grand nombre de jeunes auteurs à succès.

L'intervention d'Émile Zola dans la bataille est capitale non seulement parce qu'elle a permis de réparer une injustice et de faire barrage à un antisémitisme galopant, mais aussi, d'un point de vue strictement culturel, parce qu'elle a défini une place et un rôle nouveaux à l'intellectuel dans la société – le substantif date d'ailleurs de cette époque ; il passe dans l'usage le 14 février 1898 avec le « Manifeste des intellectuels » de Clemenceau. Zola a en fait donné à la IIIe République le prophète laïque dont elle avait besoin ; il s'est imposé comme prototype de l'écrivain engagé dans son siècle, c'est-à-dire prenant fait et cause en toute indépendance contre les injustices sociales. Ce geste ostentatoire est aussi une manière d'affirmer l'autonomie de l'écrivain moderne qui doit faire valoir l'autorité de son magistère en intervenant en tant qu'intellectuel dans le champ politique. La nouveauté qu'apporte Zola en regard des grandes figures artistiques ou intellectuelles qui ont soutenu de grandes causes publiques, tels Voltaire, Lamartine, Guizot ou Hugo, c'est qu'il intervient comme porte-parole du champ intellectuel et non en acteur politique occasionnel qui sortirait au gré des circonstances de sa tour d'ivoire.

Telle sera du moins l'interprétation que le XXe siècle fera du rôle inaugural joué par Zola. Historiquement parlant, le sens de cet engagement, pour Zola, est plus circonstanciel, ce qui n'enlève rien à sa grandeur. Lui qui, dans sa jeunesse, s'était déjà battu pour Manet – une injustice d'une autre nature – s'intéresse tout d'abord à cette Affaire parce que c'est un drame humain, qu'il analyse en romancier dès le premier article qu'il lui consacre dans *le Figaro* le 25 novembre 1897 : « Devant ces documents d'une beauté si tragique, que la vie nous apporte, mon cœur de romancier bondit d'une admiration passionnée. Je ne connais rien d'une psychologie plus haute. » Mais, pour lui, l'Affaire, au fil de ses épisodes, devient surtout l'occasion de défendre les valeurs qu'il a soutenues toute sa vie : la république, la tolérance, la justice, la liberté.

Portraits

Jules Vallès (1832-1885)

Après un long ostracisme, la critique semble enfin vouloir examiner avec l'attention qu'elles méritent l'écriture et la poétique narratives de Jules Vallès. D'un point de vue littéraire, celui-ci fut à la fois la victime et le bénéficiaire de la Commune. Victime, bien sûr, puisque, condamné à mort, il a dû s'exiler en 1871 et interrompre une déjà riche carrière de journaliste ; victime encore parce que, figure de la gauche révolutionnaire, il ne fut plus guère qu'un nom négligemment – ou prudemment – noyé dans les nomenclatures des histoires littéraires ; bénéficiaire cependant, dans la mesure où sa participation passionnée à l'événement a fini de révéler le romancier à lui-même, transformant le rude pamphlétaire en inventeur de formes romanesques.

Vie et mort d'un communard

L'enfance et la jeunesse de Jules Vallès sont déjà marquées par l'échec et la révolte. Né en 1832 d'un instituteur ex-séminariste et d'une presque paysanne, il souffre de la précarité sociale de ses parents – d'une mère à la fois ridicule et violente, d'un père peureusement soumis à l'autorité administrative qui a tout pouvoir sur lui. Le jeune Jules est strictement élevé, et dressé en vue du baccalauréat auquel il échoue cependant en 1848 et 1850. Monté à Paris, il fait partie du petit nombre d'opposants qui osent s'élever contre le coup d'État du 2 décembre : son père prend peur et le fait interner dans un asile d'aliénés.

Enfin bachelier en 1852, Vallès entame dès l'année suivante sa vie de journaliste, mais il ne se fait connaître qu'en 1857 par le livre *L'Argent*, manuel de boursicotage accompagné d'un hyperbolique et sans doute malicieux éloge de la richesse. Ce premier succès attire l'attention du *Figaro*, où il écrit une série d'articles réunis, en 1865, sous le titre évocateur *Les Réfractaires* : les réfractaires, c'est-à-dire tous ceux qui, volontaires ou non, sont placés en marge de la société de l'Empire. Il sera, jusqu'en 1870, un journaliste prolifique et redouté – un Louis Veuillot de gauche – et, épisodiquement, un directeur de journal.

Dès la chute de Napoléon III, il s'associe avec enthousiasme à l'opposition insurrectionnelle qui se développe à Paris. Il crée un nouveau journal, *Le Cri du peuple*, est un élu de la Commune et un membre de sa Commission de l'enseignement. Réfugié en Angleterre en octobre 1871, il est privé de tribune et du libre exercice de son métier. Comment dès lors, malgré la censure, rester écrivain et pouvoir témoigner ? C'est en gardant à l'esprit ce double objectif et avec l'aide de son ami

Hector Malot (l'auteur du populaire *Sans famille*) que Vallès conçoit le projet d'une vaste fresque autobiographique. Le premier tome *Jacques Vingtras I* (*L'Enfant*) est accueilli dans *Le Siècle*, signé de La Chaussade. Le deuxième tome (*Vingtras II*, soit *Le Bachelier*) est publié en 1879 par *La Révolution française*, *Le Siècle* s'étant récusé. L'année suivante, l'amnistie permet à Vallès de revenir en France et de reprendre une activité régulière de journaliste. *Vingtras III* (*L'Insurgé*) paraît finalement en 1882 dans *La Nouvelle Revue*. Vallès, qui meurt en 1885 du diabète, n'aura pas eu le temps ni de revoir le texte de son roman ni, *a fortiori*, d'en préparer l'édition en volume.

Rhétorique et vérité

Vallès, journaliste puis romancier, a consacré son œuvre véhémente au dévoilement d'une société qu'il estime injuste et cruelle envers le peuple et qui, en particulier, ne laisse d'autre issue à la piétaille de la petite bourgeoisie, pauvre et mal instruite, qu'une servitude honteuse et médiocre. Aussi la brutalité de la dénonciation s'acompagne-t-elle chez lui – ce en quoi il se distingue des autres pamphlétaires – d'un désir de communion et de fraternité avec son public populaire, celui des journaux où il dépense son éloquence passionnée.

Volonté de dénoncer, désir de toucher sans jamais s'écarter du devoir de vérité que le républicain militant s'est fixé : ces deux exigences se concrétisent dans le projet autobiographique, où le pamphlet social et le lyrisme personnel se fondent dans une même écriture, d'une incontestable originalité. Sur le fond, jamais l'évocation romanesque du passé intime, de l'enfance jusqu'aux premiers combats de la jeunesse, ne fut faite avec tant de hargne, d'âcre désespoir, de blessante ironie : il n'y a guère que dans les poésies de Rimbaud, autre révolté du second Empire, qu'on peut lire une telle transfiguration de la colère brute en littérature, et le même mélange d'émotion et de rire. Dans *L'Insurgé*, où saignent encore les blessures toutes récentes de la Commune, les récits autobiographiques et les échos journalistiques de l'insurrection se succèdent sous la forme d'un collage où roman et Histoire s'associent pour dire, encore et toujours, le désir de lutter et d'interpeller.

Mais quel langage employer pour exprimer la révolte ? Vallès a compris, bien avant les sociologues du XXe siècle, que l'éducation apprise et, dans ce cas, l'apprentissage généralisé de l'éloquence classique constituaient les armes principales de la répression sociale. Comment pourrait-on dire du vrai et du neuf quand les mots employés, hérités de la plus vieille tradition critique, sont polis par le temps et ont perdu leurs aspérités et leur pertinence ?

D'où ce paradoxe que rencontreront aussi le Rimbaud d'avant les *Illuminations* et, dans la Chambre des lords, *L'Homme-qui-rit* de Victor Hugo : plus l'homme se révolte contre la société qu'il récuse, plus la violence qu'il doit canaliser et exprimer dans son discours le soumet, par nécessité rhétorique, à l'ordre qu'il prétend dénoncer. Comme Flaubert – sensiblement en même temps mais avec de tout autres motivations idéologiques –, Vallès est amené à concevoir des figures nouvelles : il juxtapose de brefs paragraphes, casse le fil du récit, insère les mots du réel, exprime des sensations brutes plutôt que des idées, se joue du langage, ironise, blague. Déconstruisant son éloquence de journaliste tout en exhibant ses ressorts, suscitant l'adhésion de son lecteur auquel il impose, pourtant, un constant effort de distanciation, il ouvre, entre le roman, le témoignage journalistique et la tradition lyrique, une voie d'où sortiront, au XXe siècle, les divers avatars narratifs de la littérature engagée – à commencer par l'entreprise folle et énorme, haineuse et pathétique mais géniale, d'un Céline.

BIBLIOGRAPHIE

• Éditions :
Œuvres, Paris, Gallimard, 1975-1990, 2 vol.

• Biographie :
R. BELLET, *Jules Vallès*, Paris, Fayard, 1995. – G. DELFAU, *L'Exil à Londres (1871-1880)*, Paris, Bordas, 1971. – M. GALLO, *Jules Vallès ou la Révolte d'une vie*, Paris, R. Laffont, 1988. – F. MAROTIN, *Les Années de formation de Jules Vallès (1845-1867). Histoire d'une génération*, Paris, L'Harmattan, 1997.

• Étude d'ensemble :
M.-C. BANCQUART, *Jules Vallès*, Paris, Seghers, 1971.

• Sélection de travaux critiques :
R. BELLET, *Jules Vallès. Journalisme et Révolution*, Tusson, Du Lérot, 1987 (rééd. de 1977). – *Colloque Jules Vallès*, Lyon, Presses universitaires de Lyon, 1975. – *Jules Vallès. Rhétorique, politique, imaginaire*, R. Bellet et F. Marotin éd., numéro spécial des *Amis de Jules Vallès*, 1993.

• Périodique spécialisé :
Les Amis de Jules Vallès.

* * *

Maurice Barrès (1862-1923)

Selon la formule consacrée, Maurice Barrès est « passé de l'égotisme au nationalisme ». Comme Paul Bourget, il a troqué son esprit d'analyse du moi contre un dogmatisme du terroir qui frise la xénophobie, il est passé du *Culte du moi* au *Roman de l'énergie nationale*, pour reprendre le titre de ses deux grandes trilogies. Mais, contrairement à Bourget qui a vécu un revirement idéologique nettement conservateur, Barrès est pénétré de courants de pensée contradictoires. L'esthète des années 1880 et le défenseur de la race qu'il deviendra dix ans plus tard resteront imprégnés tout à la fois d'anarchisme, de catholicisme, de socialisme paternaliste et de boulangisme. Mais le dénominateur commun de sa littérature et de sa pensée est un pesant sentiment de la débâcle et du déracinement propre à la génération de 1860, en même temps qu'une recherche assidue du sens de la liberté et de la volupté que l'on retrouve aussi chez un André Gide.

Maurice Barrès est né à Charmes dans les Vosges, il fait ses classes à Nancy et ne rêve que de conquérir Paris où il vient à vingt ans terminer ses études de droit. Féru de Baudelaire, de Flaubert et de Gautier, il fréquente les cercles parnassiens (le cénacle de Leconte de Lisle) et présymbolistes. Il se sent en harmonie avec le pessimisme qui règne dans les milieux intellectuels de la capitale. Il crée une revue éphémère *Les Taches d'encre* (1884-1885) qui compte quatre numéros et qui est entièrement rédigée par ses soins. À l'époque, il se fait aussi remarquer par deux opuscules impertinents, *Monsieur Taine en voyage* et *Huit Jours chez Monsieur Renan* (1888).

C'est en 1888 que démarre sa carrière romanesque avec *Sous l'œil des Barbares* tout d'abord, vivement soutenu par Bourget, puis avec *Un homme libre* l'année suivante, second volume de sa trilogie *Le Culte du moi* qui s'achèvera en 1891 avec *Le Jardin de Bérénice*. Parallèlement, il mène une fulgurante carrière politique qui le conduit à vingt-sept ans à siéger comme député boulangiste de Nancy.

À la fois discours de la méthode, roman à thèse, traité de culture du moi, méditation philosophique et essai moral, *Le Culte du moi* s'inspire du modèle des *Exercices spirituels* de Loyola : « Livre tout de volonté et d'aspect désséché comme un recueil de formules, mais si réellement noble », écrit-il, conscient de l'intention pédagogique qu'il confère à l'ouvrage qui dépasse largement l'argument romanesque qu'il emprunte. Le narrateur, qui ne recevra de nom qu'à partir du troisième tome, est une espèce de des Esseintes, célibataire et entouré de livres destinés à fortifier son moi. Pour atteindre la quintessence du moi, il se retire en compagnie d'un ami d'enfance d'abord à Jersey puis en Lorraine pour aboutir seul à Venise. Le roman donne à suivre l'itinéraire spirituel d'un héros pleinement autonome qui adopte vis-à-vis du monde une attitude de distance supérieure. Trois étapes dans cette culture égotiste : protection contre les Barbares (tout ce qui est étranger au moi), exaltation de la sensibilité par la méthode analytique et rencontre de l'autre, en la personne de Bérénice. Reçu à l'époque comme un véritable bréviaire par la jeunesse, le tryptique a fait date aussi par ses audaces romanesques. Rejoignant involontairement les recherches d'un Gourmont, d'un Huysmans ou d'un Gide en matière de récit, *Le Culte du moi* (et plus particulièrement *Un homme libre*) s'écrit à contrepied de l'esthétique naturaliste, notamment par la raréfaction ou le détournement des contraintes narratives : hypertrophie du sujet, resserrement de l'espace-temps, hybridation des formes, dépassement des catégories génériques, mises en abyme, digressions, autoréflexivité.

L'autre trilogie, *Le Roman de l'énergie nationale*, est d'une tout autre facture. À la liberté de contenu, de forme, de composition et de ton succède un ambitieux roman aux allures à la fois balzaciennes et populaires. Le premier tableau, *Les Déracinés* (1897) a connu un plus grand succès que les deux suivants, *L'Appel au soldat* (1900) et *Leurs Figures* (1902). Sans doute parce qu'il raconte le quotidien de sept jeunes Lorrains qui débarquent à Paris, et qu'il donne ainsi un portrait sociologique de l'intellectuel-artiste en herbe des années 1880. C'est toute la carrière de Barrès qui se dessine en arrière-plan des trois récits, et de manière de plus en plus nette dans les deux derniers qui tantôt font la chronique de l'aventure boulangiste (*L'Appel au soldat*), tantôt dénoncent la corruption parlementaire (*Leurs Figures*). L'ensemble, un peu à la manière du *Disciple* de Paul Bourget, est porté par une dénonciation du savoir universitaire tel qu'il s'est institutionnalisé dans la capitale et tel qu'il nie, au profit d'une froide idéologie kantienne, l'intelligence sensible des jeunes gens, automatiquement « déracinés » dès leur montée à Paris. Mais c'est sur le terrain politique et idéologique que le roman se montre le plus équivoque. S'il s'écrit contre la grande bourgeoisie des villes, industrielle et expansionniste, il fait l'éloge de la bourgeoisie paysanne (et de son pendant urbain, la petite-bourgeoisie), celle qui a le sens de l'héritage et du terroir, celle qui exclut l'étranger sous toutes ses formes (le Juif, le boursier, l'intellectuel parisien). Ce nationalisme s'accentuera avec l'Affaire Dreyfus dont *Leurs Figures* portent trace à travers de violentes injures contre le capitaine. La trilogie se conclut de manière régressive et défaitiste, en dépit de sa revendication régionaliste finale : faute de pouvoir compter sur un Parlement fédéraliste capable de reconnaître en France les différences identitaires, Barrès se fait le chantre des provinces perdues. Ce roman est donc moins un appel aux « énergies » qu'un amer constat d'échec de ce que Barrès a rêvé sur le plan politique : le fédéralisme socialiste qu'il a par ailleurs vainement tenté de défendre dans une revue, *La Cocarde* (1894-1895), et par son action politique.

Le reste de sa carrière, déterminé par cet échec, apparaît comme un raidissement désespéré des positions contradictoires ou ambiguës que Barrès a prises jusqu'à l'essoufflement de la question nationale. À partir de 1903 et jusqu'à sa mort, en 1923, son nationalisme s'est figé pour rejoindre la cause de la Ligue des patriotes et de l'Action française. Ses romans, de polyphoniques qu'ils étaient, sont intentionnellement devenus des instruments de propagande (dont les plus célèbres, *Colette Baudoche* en 1911, *La Colline inspirée* en 1913), écrits à la mesure d'une pensée qui, quoique restée inquiète, a comme démissionné dans le conformisme.

Bibliographie

• Éditions :
Œuvres, prés. Ph. Barrès, Club de l'honnête homme, 1965. – *Le Culte du moi*, prés. H. Juin, Paris, UGE, coll. « 10/18 », 1986. – *Les Déracinés*, *Un jardin sur l'Oronte*, disponibles dans la coll. « Folio » chez Gallimard.

• Études :
E. Carrassus, *Barrès et sa fortune littéraire*, Bordeaux, Ducros, 1970. – J.-M. Domenach, *Barrès par lui-même*, Paris, Le Seuil, 1960. – Z. Sternhell, *Barrès et nationalisme français*, Paris, A. Colin, 1972. – A. Thibaudet, *La Vie de M. Barrès*, Paris, Gallimard, 1921. – M. Zarach, *Bibliographie barrésienne (1881-1948)*, Paris, PUF, 1951.

Chapitre 29

La littérature et ses institutions

Faire de nécessité vertu

Les sociologues et historiens de la littérature l'ont montré à suffisance : le champ littéraire moderne consolide sa structure et ses institutions parallèlement à l'instauration de la IIIe République. En effet, le mouvement d'autonomisation de la littérature enclenché au milieu du siècle avec les deux figures phares que sont Baudelaire et Flaubert trouve à partir des années 1880 à se concrétiser dans une série d'instances objectives (groupes, écoles, mouvements, courants, revues, cénacles) qui régulent la logique interne du champ littéraire. Pour un écrivain, entrer en littérature – comme on entre en religion – implique de se soumettre – fût-ce de manière insoumise – à la nouvelle logique du champ régie par des critères de légitimité qui définissent une véritable existence sociale et assignent une position. Si cette nécessité ne relève d'aucun calcul purement promotionnel parce qu'elle agit de façon sinon inconsciente du moins implicite (ce qui la rend d'autant plus efficace), elle apparaît de plus en plus nettement dans la conscience de l'écrivain qui l'intériorise au point de fonder toute sa stratégie sur ce que Pierre Bourdieu appelle un *ars obligatoria* et un *ars inveniendi*. La structure et la logique du champ obligent l'écrivain à tenir compte de ce qui se produit pour définir la place qu'il pourra occuper sur la scène littéraire ; son inventivité en cela touche tout autant ses produits que la manière dont il parviendra à les placer et à les faire reconnaître.

Davantage qu'auparavant, être écrivain est donc un métier à part entière – ce qui ne signifie pas que l'écrivain puisse désormais vivre de sa plume (c'est plutôt l'inverse qui se produit), mais que l'activité littéraire, y compris dans ce qu'elle a de plus intime et de solitaire – la création –, est déterminée par les règles et les mécanismes qui lui donnent droit de cité. Toutefois, l'autonomisation de la littérature ne reconduit pas des formes de soumission idéologique telles que les écrivains de l'Ancien Régime pouvaient les connaître. Ce qui s'est autonomisé dans le littéraire, c'est justement cette liberté conquise par les écrivains de définir eux-mêmes et pour leurs pairs les règles du jeu ; ils ne subissent donc plus – du moins sous la forme d'un patronage idéologique et politique – les lois et interdits des champs adventices, mais sécrètent leurs propres règles. Ce qui amène Zola à claironner haut et fort : « Je suis un républicain qui ne vit pas de la République. » Une autre illusion consisterait à croire que l'écrivain, fort de l'institution qui le définit en tant que tel, serait coupé du monde social. En fait l'indépendance qui est la sienne est doublement limitée et conditionnée par les impératifs économiques qui accompagnent le processus d'institutionnalisation et les impératifs politico-idéologiques qui structurent le champ littéraire en le connectant au champ politique. Ainsi, l'édition et l'Académie, par exemple, sont tout à la fois des instances propres au champ et de plus ou moins puissants relais avec les mondes économique et politique. La notion d'autonomie du champ littéraire est une notion poreuse : le monde des lettres ne se replie jamais totalement sur lui-même ; il acquiert au contraire sa force institutionnelle de la façon dont il intègre, incorpore ou rejette à son propre usage les déterminismes sociaux hérités et acquis.

L'art pur et l'argent

À la fin du XIXe siècle, la production littéraire se voit ainsi hiérarchisée selon deux normes antagonistes : l'art pur et l'argent. La règle de classement et de légitimation s'énonce comme suit : la valeur commerciale d'une œuvre est inversement proportionnelle à son degré de pureté artistique. Règle générale, bien sûr, qui ne résiste pas à l'analyse de tous les cas et qui varie selon la nature commerciale des genres (Dumas fils gagne très bien sa vie au théâtre et dispose d'une relative mais certaine légitimité), mais qui a l'avantage de souligner la problématique de l'industrialisation de la consommation culturelle. Pour bien comprendre les effets d'une telle règle, il est nécessaire de dresser le cadastre des genres littéraires en fonction de la légitimité dont ils sont porteurs soit du point de vue économique soit du point de vue artistique.

Si l'on envisage le champ littéraire en termes de marché, ainsi que l'a fait Ch. Charle (on se reportera aussi aux travaux bibliométriques d'A. Vaillant qui nuancent les données chiffrées ci-après), on constate que le nombre de titres publiés, tous genres confondus, augmente considérablement au cours de la fin du siècle. De 544 titres annuels pour la période 1840-1875, on est passé à 1 394 titres en 1900. Deux phases peuvent être dégagées. La première, qui va de 1875 à 1890, est une phase de croissance qui démarre avec la levée de la censure exercée sous Napoléon III. La seconde, qui occupe les années 1890 à 1900, est une phase de stagnation, expliquée notamment par la crise économique et le dégonflement des marchés qui frappent la France. L'édition est en crise parce qu'elle ne parvient plus à écouler la surproduction de ses titres. Ce nouveau secteur commercial cherche ses marques : fortement artisanal, il a du mal à s'adapter aux règles du capitalisme moderne et ne sait trop comment gérer une production potentiellement en expansion depuis que le livre est devenu un bien de consommation industriel. Sous la IIIe République, le *libraire* de naguère est devenu *éditeur*, avec les risques et les responsabilités qu'implique ce nouveau métier : il doit satisfaire à la demande croissante d'un public (de lycéens) de plus en plus instruit qui apprend à lire et à aimer la littérature en train de se faire (tout particulièrement le roman, genre le plus accessible, à mi-chemin entre la littérature lettrée et le divertissement).

En nombre de titres annuels, c'est le roman qui occupe le sommet de la hiérarchie des ventes : environ 350 titres en 1876, 700 en 1886, 380 en 1896 – contre 100 à 250 titres pour le théâtre et la poésie réunis, alors que ces derniers étaient les genres les plus fréquentés sous la monarchie de Juillet et que le roman n'avait qu'une reconnaissance latérale. Si le roman est quantitativement le genre dominant, c'est sous l'effet de facteurs à la fois techniques, sociaux et commerciaux. En effet, depuis le second Empire, en réponse à une demande sociale de plus en plus forte, il trouve un public nouveau, à mi-chemin entre le lectorat lettré de la capitale et le public populaire du roman-feuilleton. Depuis la multiplication des volumes à bon marché et des collections de gare, il devient l'objet de consommation culturelle domestique par excellence du petit bourgeois ; il se collectionne et garnit les intérieurs parmi d'autres bibelots. Par ailleurs, dans les trente dernières années du siècle, débarrassé des connotations populaires héritées du feuilleton et du même coup de sa dépendance « mercantile » vis-à-vis de la grande presse, il se dote d'une légitimité « moyenne », voire académique, avec l'apparition du roman psychologique et du roman mondain qui lui confèrent quelques lettres de bonne bourgeoisie. Mais c'est le roman naturaliste qui fait le gros du marché : entre 1875 et 1905, ceux de Zola se sont vendus à 2 628 000 exemplaires, soit dix à quinze fois le volume de toute la production de la première moitié du siècle. Ses concurrents immédiats sont rares ; seuls Georges Ohnet, Guy de Maupassant, Paul Bourget et Marcel Prévost dépasseront le million d'exemplaires.

Le marché de la poésie, de son côté, connaît une évolution croissante, mais, quantitativement, bien en deçà de la production de romans. Les tirages restent faibles, le succès se fait attendre. Selon Lemerre, éditeur des Parnassiens, « un volume de vers, quand on en vend par an soixante exemplaires, c'est une bonne vente ». Tout l'inverse de l'époque romantique où les *Méditations* d'un Lamartine, fait exceptionnel, pouvaient être rééditées dix-neuf fois entre 1820 et 1831 avec une moyenne de 10 000 exemplaires écoulés chaque année. La poésie fait les frais de l'accession du roman à la légitimité culturelle, mais surtout elle se coupe du grand public pour n'être plus lue que par les poètes eux-mêmes et quelques amateurs ou initiés. Toutefois, quoique économiquement peu rentable, elle se maintient comme le genre le plus noble, ce qui s'explique de trois manières. Tout d'abord, elle survit en tant que mode d'accès privilégié à la littérature. Bon nombre d'écrivains fin de siècle – y compris des naturalistes – ont commencé par un recueil : Paul Bourget, J.-K. Huysmans, A. Gide, avant de passer au roman, se signalent par la poésie. De plus, celle-ci reçoit encore du prestige de la plus consacrée et consacrante des institutions, l'Académie française, qui compte sous sa coupole essentiellement des hommes de théâtre et des poètes – Parnassiens de surcroît, tels Sully Prudhomme, élu en 1881, Coppée en 1884, Leconte de Lisle en 1886, Heredia en 1894. Les romanciers y sont admis au compte-gouttes, toujours recrutés dans les rangs les plus conservateurs : Jules Sandeau (par ailleurs dramaturge moraliste), en 1858, suivi d'Octave Feuillet (de la *Revue des Deux-Mondes*) en 1862, puis de Victor Cherbuliez en 1881 ; Zola en dépit de vingt-quatre candidatures n'y entrera jamais. Enfin, la troisième raison de la survivance de la poésie est que le genre se prête le mieux à l'innovation. Refuge de l'art pur, elle cristallisera le progrès en littérature et sauvera le littéraire de sa lamentable mercantilisation. La poésie, d'un mot, s'affirme comme le lieu par excellence d'une religion et d'une aristocratie artistiques.

Si le théâtre suit globalement l'évolution du marché de la poésie (avec une croissance plus nette à la fin des années 1890, ce qui porte d'ailleurs un coup très dur à la poésie), c'est parce qu'il est également victime de la crise économique qui s'est fait ressentir non seulement dans la production de titres, mais surtout dans les représentations. En fait, la rentabilité du théâtre s'affaiblit. Le petit-bourgeois le fréquente de moins en moins, attiré qu'il est par le roman qui se consomme plus confortablement à domicile. De plus, une grande partie du public (la jeunesse particulièrement) est drainée vers des formes de divertissement moins coûteuses et plus stimulantes, les cafés-concerts qui sont, dans les années 1880, les lieux où se fait la nouvelle littérature. Enfin, les grandes institutions (Opéra, Opéra-Comique, Comédie-Française, Les Variétés, La Villette, etc.) ne prennent aucun risque financier et exploitent le répertoire sans faire place à la nouveauté ; il faut attendre la fin du siècle pour qu'émerge dans des circuits parallèles (le Théâtre-Libre d'Antoine en 1887, le Théâtre de l'Œuvre de Lugné-Poe en 1893) une avant-garde qui, significativement, viendra pour une bonne part de l'étranger (avec entre autres Maeterlinck, Ibsen et Strindberg). Le théâtre reproduit les divisions économiques et sociales que connaît chaque genre, mais de manière plus visible. En 1894, il existe à Paris vingt-neuf théâtres et autant de cafés-concerts : les grandes maisons, dans la tradition du second Empire, misent sur le public aisé qui les fréquente, ont tendance à devenir un secteur de luxe, alors que les petits théâtres populaires ferment les uns après les autres ou se convertissent en cabarets. C'est aussi pour une raison d'argent que le théâtre attire de nombreux écrivains en quête de célébrité et de carrière : en dépit de la conjoncture, les recettes sont élevées et permettent aux auteurs des gains importants ; les romanciers naturalistes n'hésiteront pas à transposer leurs drames sur les planches (notamment au Théâtre-Libre), ainsi que certains poètes symbolistes le feront au Théâtre de l'Œuvre, parce que les droits d'auteurs sont nettement supérieurs à ceux des romans (une pièce à succès peut rapporter 180 000 F par an, alors qu'un roman doit se vendre à plus de 200 000 exemplaires pour arriver à de tels gains).

Bref, le bilan économique du marché du livre littéraire des trente dernières années du siècle montre que dans ce secteur la loi de la rentabilité prévaut désormais. Pour qui veut réussir économiquement, il est plus intéressant de choisir le roman (naturaliste ou psychologique de préférence) que de s'aventurer dans les marasmes du monde du spectacle ou de se perdre dans l'isolement de la poésie. La routinisation du marché (la production en série, dans le roman) laisse ainsi peu de place à la nouveauté ou à la création pure. Ce à quoi l'on assiste durant la IIIe République – qui a beaucoup œuvré pour la « libéralisation » du marché éditorial –, c'est à un clivage entre une production commercialement rentable et une production d'avant-garde, limitée par une situation de marché qui n'admet pas les produits non concurrents. Ce clivage détermine les valeurs de l'art et de l'argent et atteint tous les genres à des degrés divers, d'autant plus que la presse et les salons soufflent le chaud et le froid sur les cotations de la bourse littéraire.

Ainsi le roman, tout entier du côté de la compétitivité, a beaucoup de mal à laisser émerger un secteur de recherches et de nouveauté. Il fonctionne, avec Zola et les psychologues, selon quelques règles issues de la grande tradition réaliste (Balzac et Stendhal) et écrase toute tentative de renverser la toute-puissance de son modèle : il ne peut y avoir, pour cette raison, de véritable roman symboliste ou décadent, au-delà des épiphénomènes qui ont eu pour effet de renforcer les dominances plutôt que de faire valoir des dissidences. Ni Zola ni Bourget n'avaient rien à craindre des expérimentations cérébralisantes ou fumistes des Gourmont, Adam, Lorrain, Huysmans et autres Dujardin. À propos de ses soi-disant concurrents, Zola pouvait fièrement lancer, en 1891 : « D'ailleurs, si j'ai le temps, je le ferai, moi, ce qu'ils veulent » (Enquête Huret).

En revanche, la poésie occupe une place tout à fait symptomatique dans le champ littéraire. Si les poètes qui existent socialement dans les années 1880 et 1890 sont les Parnassiens – alors qu'ils ne produisent quasi plus rien si ce n'est des refontes de leurs recueils antérieurs –, les avant-gardistes, eux, ont une existence littéraire qui les confine à la marginalité ou à la bohème. Ils ne bénéficient que de la reconnaissance dont ils se dotent mutuellement au sein de ce que l'on pourrait appeler une institution dans l'institution. Dans sa *Revue parisienne* du 4 mai 1879, Laforgue écrit : « M. Zola est le chef de l'école naturaliste, et partant, le piédestal auquel il s'attaque avant tout autre est celui de Hugo. » Le couple Zola-Hugo est l'emblème de la situation de blocage dans laquelle se trouvent discours et pratiques littéraires. Hugo, dont l'œuvre traverse le siècle en occupant l'ensemble des genres, est le bouc émissaire de cette situation du marché contre laquelle les jeunes se révoltent. Alors qu'il ne donne aux yeux d'un Laforgue que « des productions séniles », son statut d'académicien lui confère une position encombrante pour les jeunes recrues. Mallarmé, dans *Crise de vers*, a, lui aussi, bien compris cet aspect de la vie littéraire ; il date précisément le renouveau artistique de la mort de Victor Hugo, en 1885.

Enclavée de la sorte, la poésie nouvelle est tenue à produire elle-même les structures qui lui assurent un minimum de légitimité : à partir des années 1880, elle développera, du retrait dans lequel elle se campe, un réseau parallèle d'instances d'émergence et de consécration (recrudescence d'écoles, de revues et d'éditeurs ; entre 1875 et 1878 se créent à Paris de quatre à cinq revues nouvelles ; entre 1879 et 1886, la moyenne passe à près de quatorze, et jusqu'à dix-sept entre 1887 et 1894).

À cette situation correspondent un discours et une poétique dont Marc Angenot a montré qu'ils s'opposaient, de manière globale, aux paradigmes sociaux en vigueur : à la banalisation et à la démocratisation du littéraire, le poétique oppose une stratégie de raréfaction et d'aristocratisme. L'esthétique de la rareté et l'hermétisme symbolique dénotent la même volonté de ne pas sacrifier à la mercantilisation de la chose littéraire, à laquelle ont cédé le roman et le théâtre. Le poétique fait sécession et engage des tactiques d'effacement du discours social. Les doctrines et les pratiques conjuguent leurs efforts pour « isoler radicalement le texte littéraire » d'une « circulation intertextuelle accélérée qui met en communication le journal, les discours politiques, les énoncés scientifiques, tous les langages de la sphère publique ». Les poètes, plus que les prosateurs qui parviennent à trouver quelque accommodement, craignent en effet l'influence néfaste du journalisme : l'écriture télégraphique, qui nie le style et le labeur de l'artiste, présente à leurs yeux le risque d'entamer le prestige de la littérature.

L'institution littéraire

Ce qui assure l'autonomie croissante du champ littéraire à la fin du XIXe siècle, c'est le développement d'instances spécialisées qui accompagnent la production littéraire et du même coup la socialisent à chacune des étapes de son accomplissement, de l'émergence de l'œuvre (et de son auteur) jusqu'à sa conservation patrimoniale, en passant par les processus de reconnaissance et de consécration. Certes, ces instances ne sont pas tout à fait neuves dans leur fonction – l'Académie française, l'Université, les grandes maisons d'édition, la critique journalistique, etc., ont depuis leur apparition joué ce rôle. Ce qui est particulier à ce dernier tiers du siècle, c'est que ces instances, au lieu d'être l'émanation du pouvoir politique – et donc idéologiquement dépendantes –, sont sécrétées de manière endogène en sorte de fournir aux écrivains leurs propres instruments de socialisation. Ces instances constituent donc les relais indispensables pour l'affirmation d'une « caste » d'écrivains dont le pouvoir et l'autorité ne dépendent plus des champs externes.

Comment devient-on écrivain à la fin du siècle ? Quels sont les instruments que la IIIe République des Lettres met à la disposition des auteurs ? À quelle stratégie ceux-ci doivent-ils se conformer pour exister ? S'il est inconcevable de faire ici l'inventaire de toutes les instances littéraires, une synthèse des trajectoires possibles dans la dynamique du champ peut être tentée. Ceci dit, la littérature, dans son fonctionnement institutionnel, n'est régie par aucune charte ; sa « constitution » n'a rien de juridique, mais s'applique de manière le plus souvent implicite ou inavouée à travers lieux, personnes et instances dont la charge est de faire exister, de classer, de reconnaître, de consacrer (avec tout ce que ce pouvoir peut avoir de revers : enterrer, déclasser, marginaliser, rejeter) ce qui est appelé à un devenir littéraire.

L'Académie et les salons

Si l'Académie française occupe le sommet de la hiérarchie littéraire, en dominant symboliquement toute la production, elle est aussi le lieu de tous les conservatismes ; son rôle consiste essentiellement à maintenir le prestige qu'elle avait encore sous le second Empire. Son pouvoir de consécration s'exerce essentiellement sur elle-même, instituant une image et un usage de la bonne littérature de France, incorporant dans ses rangs les avancées de la littérature lorsque celles-ci sont suffisamment dotées de capital. Ainsi la dernière « avant-garde » à avoir pénétré sous la Coupole est le Parnasse, et c'est dans les années 1880 et 1890 que le groupe qui s'était formé autour de Leconte de Lisle trente ans plus tôt (en 1852, avec la préface des *Poèmes antiques*) commence à faire valoir *via* l'Académie son orthodoxie. L'Académie, en fait, représente une institution d'Ancien Régime à travers laquelle se perpétue une forme (de plus en plus rare) de mécénat d'État. Publique, elle reçoit des subventions du gouvernement et son prestige tient au fait qu'elle assure le relais entre la tradition et la nouveauté, même si son rôle est de ne se fonder que sur les valeurs sûres, selon une stratégie d'arrière-garde qui en fait le bastion de la culture et du savoir. Si aucun des naturalistes n'a jamais eu accès à la Coupole, c'est que leur « littérature putride » était en flagrante contradiction avec la valeur suprême de cette institution : l'art pur, c'est-à-dire coupé de toute référence à l'histoire (et *a fortiori* à l'actualité) et entièrement retranché sur le pur génie français qui ne s'exprime qu'à travers une langue cristalline. C'est pourquoi l'Académie ne peut compter en ses rangs que des hommes de haute honorabilité et de haute position : Balzac, dans le premier tiers du siècle, Zola, cinquante ans plus tard, ne pouvaient logiquement être élus. Même un écrivain comme Bourget, trop « moderne » selon Leconte de Lisle, eut quelque mal à convaincre et dut attendre la mort du poète pour accéder à la Compagnie.

Sous la IIIe République, les quarante se recrutent presque tous dans les rangs passéistes du savoir et de la littérature. Parmi les collaborateurs de la

Revue des Deux-Mondes : Loménie, Viel-Castel, Saint-René Taillandier. Dans les rangs de la philosophie la plus orthodoxe, celle qui est passée de Descartes à Comte : Caro l'emporte sur Taine en 1874, Littré succède à Claude Bernard en 1878, Pasteur est reçu en 1881. Les dramaturges recrutent parmi les leurs : Labiche, Augier, Legouvé sont reçus. Ainsi que les poètes : Leconte de Lisle succédera à Hugo en 1886 ; Coppée devra s'effacer devant Sully Prudhomme puis E. About avant d'être reçu en 1884. Dans la dernière décennie du siècle, les historiens font une entrée en force : Lavisse (1892), Thureau-Dangin (1893), Costa de Beauregard, A. Vandal, G. Hanotaux, H. Houssaye. Mais on trouve aussi des critiques : Brunetière en 1894 et Lemaître en 1895.

Impénétrable et trop sélective, l'Académie ne pouvait qu'engendrer des lieux qui tout à la fois lui ressemblaient et se distinguaient d'elle. Ces lieux de rencontre et d'échange, ce sont les salons : tout particulièrement celui de la princesse Mathilde, la cousine de l'empereur, qui, selon un mot des Goncourt, servit de « tampon » entre « le gouvernement et ceux qui tiennent une plume ». La princesse réunit jusqu'en 1903 ce qui compte sur la scène mondaine de la littérature du second Empire finissant et de la IIIe République naissante : Sainte-Beuve, Mérimée, Gautier, Taine, Renan, les Goncourt, Flaubert. Mais elle n'est pas la seule, d'autres salons aussi aristocratiques s'ouvrent aux écrivains : la comtesse Greffhule les reçoit, ainsi que la comtesse de Castellane et la comtesse Adhéaume de Chevigné. C'est dans ces salons que se forge un comportement nouveau, typiquement moderne et traditionnel à la fois, le snobisme, dont on reparlera au chapitre suivant. Ces salons, institutionnellement parlant, ont pour effet sinon de servir de tremplin aux candidats académiciens, du moins de conférer à leurs membres une légitimité plus authentiquement conforme à une certaine modernité. En effet, quoique très fermés sur le plan social, ils ont une ouverture d'esprit très large et perpétuent la tradition du débat d'idées typique de l'esprit français. Ils se présentent donc à l'écrivain comme lieu de mondanité par excellence, mais sont d'une efficacité symbolique restreinte, notamment en raison de leur hétérogénéité intellectuelle.

C'est dans les salons de la haute finance que l'écrivain bourgeois se sentira au plus près de ses pairs, dans un climat plus ouvert, notamment aux autres artistes et aux idées politiques en rupture. Le salon de Mme Strauss, veuve de Bizet, accueille artistes et « libéraux » de tout poil ; celui de Mme de Cavaillet est un camp républicain, rival de celui de Mme Aubernon, plus conservateur : c'est dans ces milieux que se croisent Lemaître, France, Bourget ; c'est sous l'action de ces égéries que se forment des clans politiquement rivaux. Le salon de Dorian et des Ménard Dorian est républicain et anticlérical, opposé à celui de Mme Adam. Il faut donc être d'un salon pour se faire connaître et reconnaître. Zola, pas davantage qu'il n'aura eu accès à la Coupole, ne les aura guère fréquentés, à l'exception de celui de Mme Charpentier qui rassemble les écrivains que son mari publie et quelques peintres impressionnistes ; le jugement sévère de Zola à leur égard dit combien ces lieux participaient des restes de la

Restauration et de l'Empire : « Ce sont des âpretés de pouvoir, toute une curée d'intérêts se ruent chez les dames, qu'on suppose puissantes. » À ces salons guindés il préférera les rencontres entre écrivains.

Les cénacles

En effet, si le salon passe lentement de mode, c'est que les écrivains se voient chez eux, régulièrement. Flaubert, quand il était à Paris, recevait le dimanche ; les Goncourt avaient leur « grenier » à Auteuil ; Mme Daudet recevait également. Zola lui-même accueille ses amis chez lui, à Paris ou à Médan, et c'est au cours d'une de ces soirées que, avec Alexis, Céard, Hennique, Huysmans et Maupassant, il projeta le fameux recueil de nouvelles intitulé *Les Soirées de Médan*, paru en 1880, en réaction à la littérature revancharde et patriotique. Médan n'est cependant pas un lieu comme les autres : son excentricité géographique est à l'image de la rupture que le groupe de Zola entend produire dans l'institution littéraire ; en déplaçant quelques écrivains hors de la capitale, Zola voulut montrer la force instauratrice de son mouvement que Médan présentait comme une réplique aux turpitudes de la mondanité littéraire parisienne. C'est pour cette raison que la critique du temps interpréta *Les Soirées de Médan* comme un véritable manifeste littéraire.

Un cénacle, comme le mot l'indique, est probablement le lieu le plus propice aux rencontres. Non parce que le rituel veut qu'on y mange (ce qui n'est pas toujours le cas), mais bien parce que l'exercice du pouvoir littéraire trouve à s'y organiser de la manière la plus achevée. Pour qu'il y ait cénacle, il faut un chef de file et des disciples rassemblés autour d'une croyance, c'est-à-dire une structure d'accueil et de reconnaissance qui oriente explicitement celui qui y fait sa profession de foi.

Le modèle du cénacle existe depuis le romantisme – on se souvient de Lucien de Rubempré, le poète des *Illusions perdues*, débarquant à Paris et devant faire son examen d'entrée au « Cénacle des grands esprits ». Mais c'est Leconte de Lisle qui a probablement mis au point la forme la plus instituée de cénacle ; c'est même une sorte de secte qu'il avait créée en regroupant autour de la préface de ses *Poèmes antiques* (1852) la jeune génération (Heredia, Sully Prudhomme, Coppée). Si en une vingtaine d'années le Parnasse est devenu l'école dominante de la poésie, c'est sous l'action du leadership de Leconte de Lisle qui a pu gérer rationnellement toute la production en imposant ses règles et ses techniques d'écriture et en écartant toute forme de déviance. C'est ainsi que Mallarmé et Verlaine, par exemple, y trouveront les premières marques de reconnaissance : publiés dans *Le Parnasse contemporain*, la revue-anthologie du groupe, les voilà cooptés de fait. Il leur faudra peu de temps après s'affirmer comme anti-Parnassiens pour s'émanciper du statut d'épigones et pour jeter les bases d'un mouvement nouveau qui ne retiendra rien de l'école parnassienne – surtout pas son caractère institutionnel.

En effet, si la tradition du cénacle se perpétue avec les mardis de Mallarmé et le « grenier » des frères Goncourt – alors qu'un Verlaine, on y reviendra, investit le bistrot pour conquérir toute la nouvelle bohème –, ces lieux-là ressemblent plus à une auberge espagnole qu'à de véritables temples où se cristallise un esprit de groupe ou une « communauté émotionnelle ». On y loue certes le charisme du maître – par excellence Mallarmé – sans nécessairement se prétendre son disciple ; on sait par ailleurs que la rue de Rome autant que le grenier d'Auteuil ont accueilli des écrivains et poètes d'obédiences très diverses : Zola et Mallarmé se reçoivent mutuellement à leurs mardis et jeudis respectifs ; quant aux Goncourt, c'est le Tout-Paris qu'ils invitent, jeunes et vieux, Français et étrangers, etc.

Tenir cénacle à la fin du siècle, c'est donc essentiellement faire accueil sans préjugé à la nouveauté et offrir aux jeunes générations un lieu où peut s'exprimer la modernité. C'est la raison pour laquelle le cénacle a pour rôle de fédérer les forces qui se combattent de manière très serrée au sein d'autres supports institutionnels : les journaux et les revues qui, eux, défendent leur littérature et combattent les écoles rivales…

Cet état d'esprit explique pour une bonne part la naissance en 1902 de l'Académie Goncourt, instance de promotion plus corporatiste que l'Académie française et dont l'esprit a été dicté par Edmond dans les dernières années de sa vie : « Pour avoir l'honneur de faire partie de la Société, il sera nécessaire d'être homme de lettres. Rien qu'hommes de lettres, on n'y recevra ni grands seigneurs, ni hommes politiques. » L'Académie Goncourt est perçue dès son projet comme la sœur cadette de l'Académie française dont elle entend pallier les insuffisances en accordant une place plus importante à l'actualité littéraire. De surcroît, même si par la suite elle modifia sa stratégie, elle avait pour objectif de protéger la profession par l'attribution d'un prix annuel, l'encouragement aux jeunes auteurs et l'aide aux écrivains « nécessiteux ». Elle renforçait du même coup le rôle de la Société des gens de lettres, fondée en 1838, qui s'en tenait à réguler les droits d'auteurs et à protéger les œuvres de toutes les formes de contrefaçon.

Cafés et cabarets

À bien observer les lieux et structures qui produisent la littérature de la fin du siècle, on constate qu'une géographie hiérarchise les groupes, mouvements et écoles en fonction de leur capital symbolique. Si l'Académie est le lieu du conservatisme, les salons et cénacles ont pour rôle de consolider de plus jeunes esthétiques en instituant une société de pairs. Léon Daudet a bien vu cette opposition :

> « Le café est l'école de la franchise et de la drôlerie spontanée, tandis que le salon […] est en général l'école du poncif et de la mode imbécile. Le café nous a donné l'exquis Verlaine et le grand et pur Moréas, les salons R. de Montesquiou. »

Les cafés et les cabarets, davantage plongés dans le bain social (encore que tel bistrot célèbre puisse devenir un salon littéraire), ont été les réceptacles de tout ce que le système des lettres ne pouvait intégrer dans sa logique et que de tradition l'on nomme la « bohème ».

Plus encore que celle de 1840 (Zola, Mallarmé, Verlaine), la génération de 1860, celle de Laforgue mais aussi de Bourget, est passée par les cafés et cabarets, qu'ils soient de la rive gauche ou de la rive droite. C'est là que se sont retrouvés bon nombre de recalés, immédiatement après 1870 et par vagues successives jusqu'aux années 1890. Non seulement des poètes et des romanciers, mais aussi des peintres, des musiciens, des savants fous qui auront bénéficié, une fois démantelé l'Ordre moral de Mac-Mahon, des nouvelles lois républicaines sur la liberté de publication et de réunion.

Verlaine, après 1870, entraîne Rimbaud dans le groupe des Vilains Bonshommes, où Bourget est introduit : il y est question de mettre à mal le credo parnassien ; on y prépare l'*Album zutique* dans un esprit gouailleur qui prolonge l'attaque en règle du *Parnassiculet contemporain, recueil de vers nouveaux*, édité en 1867 (une parodie satirique des recueils du Parnasse – parus en fascicules dès 1866 – signée entre autres Paul Arène, Alphonse Daudet et Gustave Mathieu). Ces joyeuses insurrections-là sont encore privées (elles ont notamment pour théâtre le salon de Nina de Villard) et ne bénéficient quasiment d'aucune publicité.

À la fin des années 1870, c'est tout autre chose : les rencontres se passent dans des lieux publics, des estaminets du Quartier latin puis de Montmartre. Deux événements bornent ces vingt années d'effervescence littéraire : la création des Hydropathes en 1878 et la fermeture du Chat noir en 1898. Vingt années où l'on ne cesse de refaire le monde (littéraire) dans un esprit qui allie la révolte et la farce et rassemble tous les déclassés et frondeurs de la littérature et des arts. « Ils sont poètes, musiciens, littérateurs, artistes ; rien pour l'utile, tout pour l'agréable » : lorsqu'en 1883 Charles Cros reprend le zutisme, il résume en ces termes l'esprit fumiste de cette dernière bohème du siècle.

Tout commence donc avec Les Hydropathes, fondés en 1878 par le bien nommé Émile Goudeau. Un cabaret qui prend systématiquement le contrepied de toutes les traditions, y compris celles qui sont à la mode comme la névropathie. On récite des vers, avec un souci constant de parodie et de satire dans le but de faire rire. Georges Rodenbach a croqué une de ces soirées en 1878 :

> « J'y ai entendu [...] des romances, des morceaux de piano, de haut-bois, de violon remarquablement exécutés, qu'alternent chaque fois des récitations de poésies et de morceaux littéraires. Ce sont presque toutes des œuvres inédites que les auteurs disent eux-mêmes. Il y a, de la sorte, pour les jeunes un débouché facile et un public, qui pour être restreint, n'en est pas moins très bon juge. On y rencontre aussi des artistes : M. Coquelin cadet de la Comédie-Française qui déclame de spirituelles

farces comme "la mouche" et M. Villain, également de la Comédie-Française, charmant dans son récit de "l'abeille" ».

(*La Paix,* Bruxelles, 7 décembre 1878)

C'est là que se croisent régulièrement Alphonse Allais, Charles Cros, Émile Goudeau, des dessinateurs comme André Gill, Émile Cohl, Caran d'Ache. Paul Bourget ne doit pas sa carrière à ces lieux qu'il a fréquentés, mais c'est le cas d'un Jules Laforgue qui y aura trouvé les moyens de s'émanciper de la grande littérature en recyclant les fantaisies « chatnoiresques » dans toute son œuvre.

Les Incohérents, entre 1882 et 1889, prolongent l'esprit des Hydropathes en accentuant la dérision et la parodie dans le domaine des arts cette fois. Chaque année, le fondateur Jules Lévy organise à son domicile une exposition « d[e] gens qui ne savent pas dessiner » et à qui sont remises des médailles par tirage au sort. Entre autres provocations, on y trouve un tableau représentant la « Première communion de jeunes filles chlorotiques par un temps de neige », « œuvre monocroïdale » d'A. Allais qu'il reprendra dans son *Album primo-avrilesque* ; un « Bas-relief » constitué d'un bas de femme fixé sur une planche ; une parodie de Puvis de Chavanne, « L'enfant prodigue retiré dans le désert apprend aux porcs à déterrer des truffes » ; etc. Toutes ces œuvres « d'une gaieté extravagante » ont défrayé la chronique et ont rencontré un véritable succès de foule : 2 000 visiteurs pour la première exposition de 1882 ; 6 700 francs de droits d'entrée perçus (et versés à l'Assistance publique) à l'exposition de 1883. Ce jusqu'à ce que le filon de la parodie et de la fumisterie s'épuise en des formules répétitives. À l'occasion de l'Exposition universelle de 1889, Lévy propose en apothéose de rassembler près de 437 œuvres de Caran d'Ache, Cohl, Mac-Nab, Willette, Willy, etc., ainsi qu'un « Paysage collectiviste » créé par six artistes constitués en association anarchique.

En ces années 1880, plusieurs autres cabarets voient le jour : Les Hirsutes de L. Trézenik (1882), Les (nouveaux) Zutistes de Ch. Cros, Les Jemenfoutistes. Autant de joyeuses assemblées au personnel mobile qui cultivent le fumisme et la blague. C'est au Chat noir qu'ils finiront par se fédérer en créant une revue du même nom qui deviendra hebdomadaire en raison de son succès. *Le Chat noir*, dirigé par Rodolphe Salis, est l'organe le plus stable de cette avant-garde sans avancée : la revue, qui mêle plaisanteries, poèmes, récits, illustrations et même bandes dessinées, sera publiée à plusieurs milliers d'exemplaires de 1882 à 1895 (tirage justifié le 20 mars 1886 : 17 000 exemplaires).

Anarchisme littéraire, haine du bourgeois, culte de l'humour macabre et absurde sont les valeurs qui rassemblent ces artistes issus de la bourgeoisie moyenne. Faute d'avoir pu être intégrés dans les circuits de l'institution littéraire, les frondeurs de cabarets se sont inventé avec une créativité débridée les instruments de leur propre reconnaissance. Une reconnaissance latérale certes, mais qui aura eu le mérite d'inscrire la marginalité dans la hiérarchie des valeurs littéraires. Si d'aucuns ont pressenti qu'il n'y avait pas de place dans ces cabarets et revues pour qui escomptait une carrière dans les lettres, ces lieux ont permis à la génération montante d'exprimer l'intention de faire sortir la littérature de l'impasse mercantile ou académique. Lorsqu'en 1884 Verlaine publie chez Vanier une première plaquette des *Poètes maudits*, il cautionne, fort de la légitimité marginale et scandaleuse qui est la sienne, tout un courant qui n'a cessé de dégommer les valeurs sûres de la littérature. Les Maudits de Verlaine (Corbière, Rimbaud, Mallarmé tout d'abord, Desbordes-Valmore, Villiers et Verlaine lui-même ensuite) n'ont certes rien à voir, et pour cause, avec les amuseurs de Saint-Michel ou de Montmartre, mais leur reconnaissance n'eût pas été possible sans le travail de démystification des cabarets qui a propulsé la littérature sur la voie d'une nouvelle modernité, plus subversive.

Les revues

Supports par excellence de l'émergence, de la promotion et de la reconnaissance des groupes littéraires, les revues font florès sous la IIIe République. Leur nombre va croissant de 1875 à 1895, parallèlement à la multiplication des titres d'œuvres ; mais leur tirage et leur diffusion restent le plus souvent confidentiels, du moins en ce qui concerne la poésie qui, de plus en plus exclue des colonnes de la presse quotidienne, doit bricoler ses moyens de diffusion. Alors que le roman (naturaliste et psychologique) peut se passer de revues pour sa promotion, la poésie ne survit dans le marché éditorial qu'à la condition de réduire les risques financiers de publication ; la revue se présente donc comme une alternative appréciable au marché du volume et a aussi pour effet, dans les meilleurs cas, de cimenter la solidarité d'une frange de poètes que le marché du livre ne cesse de marginaliser. Publier en revue, c'est donc sans trop de risque la seule possibilité de toucher un public qui, à défaut d'être nombreux, est littérairement averti ; chaque poète de ces années-là y aura trouvé avec plus ou moins de bonheur un banc d'essai. Le jeune Barrès n'a pas hésité à fonder sa propre revue à vingt ans, *Les Taches d'encre*, « gazette mensuelle » dont il était tout à la fois le rédacteur en chef et l'unique collaborateur ; il abandonne après quatre numéros (1884-1885) « parce que la rédaction a la grippe ».

Les multiples revues qui naissent après 1870 sont pour la plupart portées par un projet d'indépendance artistique et politique. La tradition qui liait le littéraire et le politique au sein de la presse s'estompe au profit d'une spécialisation accrue : la littérature qui se fait déserte les journaux qui par ailleurs n'ont plus grand-chose à attendre d'elle, notamment depuis que le fait divers l'a avantageusement (sur le plan économique) remplacée dans ses colonnes. C'est ainsi que toutes les revues de la IIIe République s'éloignent de la très conservatrice *Revue des Deux-Mondes* fondée en 1829 (Brunetière la dirige dès 1893) ou de la trop officielle *Revue politique et littéraire* qui devient en 1884 la *Revue bleue.* Mis à part les *Entretiens politiques et littéraires* qui est essentiellement une revue symboliste (fondée en 1890), les attelages sont d'un tout autre ordre, notamment entre le littéraire et l'artistique, ainsi qu'en témoignent la plupart des périodiques de l'époque et explicitement la *Revue littéraire et artistique*, *Les Lettres et les Arts* (1886-1889), *Art et Critique* (1889).

Le mot d'ordre des revues nouvelles est donc l'indépendance. Elle peut s'afficher comme telle (c'est le cas de la *Revue indépendante*, fondée en 1884 par F. Fénéon et G. Chévrier) ou apparaître au gré des courants esthétiques portés en écharpe : ainsi, la *Revue wagnérienne* de Dujardin, *La Décadence* qui rejoint en 1886 *Le Scapin*, ou encore *La Vogue*, la plus stable des tribunes symbolistes, fondée en 1886 par G. Kahn – c'est elle qui fit connaître les *Illuminations* de Rimbaud. Les plus tacticiens des directeurs de revues savent que leur survie est liée au dépassement des écoles et des groupuscules. Lorsque Édouard Dujardin reprend la *Revue indépendante* de Fénéon en 1886, il précise son programme en des termes révélateurs de tous les écueils du temps :

> « La *Revue indépendante* ne sera ni décadente, ni déliquescente, ni symboliste, ni rien de tel ; elle sera progressiste avancée mais *raisonnable* ; Huysmans, Villiers, oui ; Mallarmé, mais du Mallarmé fait exprès (Mallarmé fera ses chroniques en *style de conversation*, donc claires, simples) ; – pas de Moréas, pas de Floupette, pas de *La Vogue*. Je suis absolument résolu à maintenir la revue dans cette voie : une revue de gauche ; [...] ni droite comme la *Revue des Deux-Mondes*, ni extrême gauche, ni intransigeances comme les décadences, mais de la bonne gauche. Que les personnes qui sont priées de souscrire à la *Revue indépendante* sachent bien qu'elles souscriront à une revue avancée mais sérieuse, progressiste mais raisonnable, [...] quelque chose qui a son succès dans sa valeur propre, quelque chose qui dure... » (lettre du 4 octobre 1886).

Cette indépendance est également matérielle. De plus en plus, les revues deviennent des livres d'art à part entière : la *Revue indépendante*, encore elle, prévoit des tirages de luxe, avec gravures et dessins originaux ; dans les années 1890, *La Conque, L'Ermitage, Le Centaure, L'Ymagier* sont des revues de prestige financées par de fortunés symbolistes (Gide, Régnier, Viélé-Griffin, Stuart Merill, Maeterlinck). Lorsqu'une revue marche bien, elle peut s'adjoindre une petite maison d'édition qui lui permet de publier en volume ses principaux textes : ce fut le cas de la *Revue indépendante* et de *La Vogue* à qui il arriva aussi de s'associer à l'éditeur Léon Vanier. Ce sera le destin de la principale revue symboliste de la seconde génération, *Le Mercure de France*.

Ainsi prend forme le modèle de l'infrastructure économique des grandes revues et quelquefois des grands courants littéraires qui s'affirmera au cours de la première moitié du XXe siècle. À la faveur d'une revue, un groupe de jeunes auteurs se rassemble en s'associant à une maison d'édition : la *Nouvelle*

Revue française et Gallimard ; les premiers surréalistes, la revue *Littérature* et les éditions du Sans Pareil…

Les journaux

La littérature et la presse, tout au long du siècle, ont fait assez bon ménage, notamment depuis la création du roman populaire, à la fin des années 1830, dont le développement est directement tributaire de l'essor du quotidien, ou encore depuis que le roman « judiciaire » puis « policier » a fait ses choux gras du fait divers. Même la grande littérature, celle d'un Balzac ou d'un Flaubert, y puise largement l'argument de ses fresques romanesques.

À la fin du siècle, le ménage se brouille : le champ journalistique s'autonomise parallèlement au champ littéraire. Une invention technique tout à fait particulière vient changer la paisible collaboration de naguère : le télégraphe qui, depuis les années 1870, commence à couvrir le territoire français, en reliant Paris aux grandes villes de province pour atteindre rapidement les zones les plus reculées de l'Hexagone. Ce que remet en cause le télégraphe, ce n'est pas le statut de la littérature dans la presse, mais le mode de fonctionnement et d'information que l'appareil a engendré. Désormais, il semble intenable pour les écrivains de continuer de faire alliance avec une presse qui, au gré du progrès technologique, s'est autonomisée au point de produire son propre langage, celui de la télégraphie. La vraie menace est là, au cœur même de cette écriture électrique et machinique, invention du diable dont on craint qu'elle n'ébranle la langue et le style de la nation.

Ce péril du télégraphe, plus d'un écrivain l'a ressenti. Zola, qui a pourtant pratiqué le journalisme de combat que l'on sait, a adopté une position double à cet égard. Si, en 1881, il conseillait aux jeunes écrivains de se « jete[r] dans la presse à corps perdu, comme on se jette à l'eau pour apprendre à nager », il dira huit ans plus tard les méfaits d'un style de presse qui massacre la littérature :

> « C'est l'information qui, peu à peu, en s'étalant, a transformé le journalisme, tué les grands articles de discussion, tué la critique littéraire, donné chaque jour plus de place aux dépêches, aux nouvelles, grandes et petites [...]. Mon inquiétude unique, devant le journalisme actuel, c'est l'état de surexcitation nerveuse dans lequel il tient la nation » (préface à *La Morasse*, 1889).

Mallarmé n'a rien dit d'autre en rapportant l'« exquise crise » à la naissance de la presse moderne : s'il entend isoler la Littérature de l'« universel reportage », il finira par réhabiliter idéalement le « Journal, la feuille étalée, pleine » au cœur même du Livre.

Ainsi, le télégraphe fournit un mode inédit d'appropriation et de connaissance du réel, instaure une écriture spécifique dont la rhétorique « sténographique » est aux antipodes du bavardage de la fiction et prononce le divorce entre les métiers d'écrivain et de journaliste voués à une professionnalisation accélérée. Il n'en fallait pas davantage pour damer le pion aux vertus littéraires sans mettre en péril les exigences et les attentes imaginaires du public. Car si la presse abandonne la littérature, elle sait qu'elle ne se débarrasse pas pour autant de la force mythologique et symbolique dont les lettres sont par tradition dépositaires : elle est bien consciente des ressorts imaginaires de l'information pure dont il suffit au fond de faire la chronique et le reportage. Félix Fénéon l'a parfaitement compris avec les fameuses *Nouvelles en trois lignes* qu'il rédige pour *Le Matin* au tout début du siècle nouveau : avec lui le télégraphe instaure une créativité moderne tout entière vouée au culte de la rapidité, de l'efficacité et de l'instantanéité, tant du côté de la production que de la consommation.

La presse a connu d'importants changements dès les années 1870. Sous l'effet des lois de 1881 sur la liberté d'opinion, elle s'est libérée des contraintes du pouvoir politique ; de presse d'opinion elle est devenue une presse d'information qui s'attache à suivre au plus près les développements des affaires qui secouent les débuts de la IIIe République : *Le Petit Journal*, fondé en 1871, entrera en ce domaine en concurrence directe avec *Le Petit Parisien* dès 1876. Populaires, ces journaux à cinq centimes étaient petits par la taille et par la brièveté des contenus : un article unique d'actualité (politique) en première page, des informations en seconde page, des faits divers en troisième et des variétés en quatrième, assorties de publicités. Le « rez-de-chaussée » des trois premières pages était occupé par un ou deux romans-feuilletons.

Cependant de grands journaux comme *Le Temps*, *Le Journal des débats*, *Le Figaro* ou *La République française* maintiennent les formules éprouvées depuis le second Empire et se partagent la diversité des tendances politiques. Ils se vendent entre quinze et vingt centimes et accordent une large place aux débats parlementaires, aux idées politiques même si la contrainte des quatre pages (grand format) devait être observée – *Le Figaro* inaugura la formule du supplément hebdomadaire de deux pages en 1875. Ils ne sont pas populaires et ciblent clairement un lectorat politisé qui va des milieux conservateurs, catholiques et légitimistes (*L'Union, L'Univers, La Gazette de France, Le Gaulois, La France nouvelle*) à la droite antirépublicaine (*Le Figaro* qui finit sur le tard, en 1878, par accepter la république), en passant par les républicains (conservateurs avec *Le Journal des débats*, libéraux avec *Le Temps*, de gauche avec *Le Siècle*, puis *L'Aurore* de Clemenceau). En 1880, on compte à Paris trente-quatre journaux républicains (qui tirent ensemble à 1 514 321 exemplaires) contre vingt-quatre titres conservateurs (dont le tirage atteint 431 707 exemplaires). Ces chiffres ne cesseront d'augmenter au lendemain de l'Ordre moral, la liberté d'opinion, mais aussi les avancées techniques favorisant l'expansion du journal qui, outre qu'il affine un style propre (celui de la nouvelle brève, celui du reportage), s'ouvre à l'illustration.

Éditeurs et libraires

Dans les trente dernières années du siècle, le métier du livre s'est professionnalisé et a dû s'aligner sur les lois de compétitivité qui régissent le marché. Globalement, les tendances littéraires dominantes sont portées par un ou deux éditeurs qui sont leur raison sociale. Le Parnasse a Lemerre qui, en plus de la poésie, se spécialise dans le roman psychologique et mondain, de P. Bourget à M. Prévost. Les naturalistes sont présents au sein de plusieurs maisons associées : Georges Charpentier, en première ligne, publie dès 1872 Zola, E. de Goncourt, Céard, Hennique, Maupassant, Mirbeau ; Fasquelle reprend une partie de la succession Charpentier en 1896 ; Lacroix, le premier éditeur de Zola, qui édite à Bruxelles des livres interdits par la censure de Napoléon III ; Marpon-Flammarion enfin, spécialiste de la solderie et de l'édition illustrée. Les symbolistes ont Léon Vanier, « bibliopole » et escroc notoire qui ne publie qu'à compte d'auteur, puis Le Mercure de France, ainsi que de petites maisons liées à quelques revues : les éditions de *La Vogue*, de la *Revue indépendante*, de *La Plume*.

Entre 1875 et 1885, l'édition belge est capitale parce qu'elle permet de contourner l'obstacle de la répression. Outre Lacroix, il y a Henry Kistemaeckers qui accueille tous les auteurs refoulés en France : des communards en exil, Huysmans qui y publie *Marthe, histoire d'une fille*, et des auteurs jugés scandaleux comme Bonnetain, Hennique, Descaves, Desprez, et autres petits naturalistes de l'excès. À Bruxelles aussi les symbolistes trouvent en Deman (qui publie Mallarmé) et Lacomblez (qui publie Kahn) des éditeurs de choix.

Le marché éditorial est déterminant pour le métier d'écrivain. Selon l'état de santé de telle maison d'édition et la perspicacité commerciale de son directeur, un auteur peut obtenir des revenus qui lui assureront son indépendance. Mais rares sont les genres qui permettent aux écrivains de vivre de leur plume. Même les romanciers, à l'exception d'un Zola, d'un Bourget, d'un Daudet, ne parviennent pas à se passer d'un second métier : Huysmans est fonctionnaire à la Direction de la Sûreté générale, Gourmont est employé à la Bibliothèque nationale, Maupassant travaille au ministère de la Marine en attendant le succès, etc. Les poètes, eux, ne peuvent rien attendre de leurs minces plaquettes tirées dans le meilleur des cas à quelques dizaines d'exemplaires : Laforgue est lecteur de l'impératrice Augusta, Mallarmé professeur d'anglais, Verlaine expéditionnaire à la préfecture de la Seine, le vieux Villiers est au bord du dénuement. Seuls quelques symbolistes de haut rang vivent de leur plume, comme Gide, H. de Régnier, Viélé-Griffin, S. Mérill, G. Kahn ou en Belgique, Maeterlinck. Le théâtre, en revanche, peut rapporter gros, pour autant que les auteurs se conforment aux goûts du bourgeois : Meilhac, Halévy, Augier, mais aussi Becque, Courteline et même Maeterlinck disposent d'un pourcentage de la recette de chaque représentation et peuvent se consacrer entièrement à cette activité rentable.

La critique

Toute œuvre a besoin pour s'instituer d'un discours d'escorte qui lui apporte la reconnaissance. La fonction de la critique, véritablement instituée en ce siècle par Sainte-Beuve, s'est elle aussi accrue dans le sens de la professionnalisation : Lemaître, Brunetière, Sarcey en ont fait leur unique champ d'activité, tandis que la plupart des auteurs, suivant la tradition, y ont sacrifié au gré de l'actualité littéraire et des vicissitudes du métier d'écrivain.

La critique sera de plus en plus tiraillée entre deux rôles : ou bien veiller au maintien du patrimoine classique, en rejetant les œuvres qui ne le prolongent pas et en alignant les nouveaux produits sur les normes en cours ; ou bien accompagner et soutenir les élans nouveaux en tâchant de les faire comprendre dans le (grand) public. Cette division du travail correspond évidemment aux positions défendues par la hiérarchie des institutions littéraires : l'académisme, soutenu par certains grands journaux, sécrète une critique conservatrice, tandis que les avant-gardes trouvent appui auprès de critiques à la fois moins professionnels et plus audacieux et dont la parole ne bénéficie pas de la même autorité. La critique officielle et conservatrice, en cette fin de siècle, est relayée par des professionnels en des organes appropriés, alors que les supporters de l'actualité non orthodoxe se voient contraints de défendre leurs prises de position au sein de tribunes plus confidentielles – d'où il résulte que ces derniers, au lieu d'informer un public non littéraire, s'autoreconnaissent mutuellement.

Quel que soit son verdict et d'où qu'elle vienne, la critique garantit l'existence d'une œuvre et éventuellement la reconnaissance de son auteur. On sait à cet égard le retentissement qu'ont pu avoir quelques mots de Mirbeau dans *Le Figaro* sur la carrière de Maeterlinck : en le comparant à Shakespeare, le critique a littéralement lancé le Belge sur la voie de la consécration. On sait aussi que tout le naturalisme doit sa célébrité à la campagne de dénigrement qu'il a suscitée dans la presse conservatrice bien-pensante. Dès 1868, Louis Ulbach parle à propos de *Thérèse Raquin*, mais aussi de *Germinie Lacerteux* de « littérature putride », et met dans le même sac l'*Olympia* de Manet et *L'Origine du monde* de Courbet (*Le Figaro*, 23 janvier 1868). La presse attisera les attaques qui ont accompagné l'émergence des naturalistes et l'on peut dire, en fin de compte, que l'école de Zola a bénéficié d'une légitimation *a contrario*, par une pratique ininterrompue et involontaire du scandale (y compris et surtout jusqu'à l'Affaire Dreyfus).

Le pire est le silence, que connaissent bien les poètes de la nouvelle génération : en regard de la masse critique qui couvre le champ romanesque, les recueils de poésie ne suscitent guère l'intérêt d'une presse avide d'événements. Verlaine, en cela, est un peu le Zola de la poésie, mais ce sont les débordements et les revirements de l'homme, du débauché puis du croyant, qui font sensation, plus que son œuvre dont on ne parle guère. Mallarmé,

Laforgue et tous ceux qui, de notre point de vue actuel, font la littérature de la fin du siècle n'ont eu qu'une présence discrète, on l'a dit, dans les marges du champ littéraire.

Se professionnalisant, le métier de critique a produit quelques grands noms, terribles censeurs ou encenseurs surtout dans la presse conservatrice. Ainsi Francisque Sarcey, souffre-douleur d'Alphonse Allais (qui signa quelques contes de son nom), domine la critique théâtrale avec le « feuilleton dramatique » qu'il donne de 1859 à 1867 à *L'Opinion nationale* et de 1867 à 1899 au *Temps* – avant de réunir tout cela dans les huit volumes de *Quarante Ans de théâtre*. Son jugement, qu'on dit fin, pénétré et professionnel, est net : soutien inconditionnel au vaudeville (avec une préférence pour Sardou) et ignorance des tentatives nouvelles et du théâtre étranger. Le théâtre a son Sarcey ; le roman, lui, son Brunetière, qui alimente dès 1875 La *Revue des Deux-Mondes* de ses chroniques. Comme Brunetière fait partie de l'élite des grandes écoles, il entend faire œuvre de critique et non de journaliste ; il cherche à interpréter la littérature historiquement et philosophiquement, ce qui lui donne des armes plus féroces à l'égard de ce qu'il hait par-dessus tout, le naturalisme, auquel il consacre en 1880 un volume (*Le Roman naturaliste*). Ironie du sort ? Il obtient en 1893 le fauteuil d'académicien que briguait Zola – il est vrai qu'il fut aussi antidreyfusard. Il faudrait encore citer Jules Lemaître, passagèrement professeur à l'université de Grenoble en 1883, chroniqueur à la *Revue bleue*, au *Journal des débats* de 1884 à 1896, au *Figaro* et au *Temps* où il jouissait d'une grande autorité. Adversaire – rival tout au moins – de Brunetière, il détestait autant les naturalistes que les symbolistes qui « composent des grimoires parfaitement inintelligibles » ; antidreyfusard lui aussi, il fut élu à l'Académie en 1896.

Pour prendre la mesure du discours critique, citons de Lemaître l'*incipit* de l'étude qu'il consacra à « M. P. Verlaine et les poètes "symbolistes" et "décadents" », publiée dans la *Revue bleue* le 7 janvier 1888 :

> « Peut-être, au risque de paraître ingénu, vais-je vous parler des poètes symbolistes et décadents. Pourquoi ? D'abord par un scrupule de conscience. Qui sait s'ils sont, autant qu'ils en ont l'air, en dehors de la littérature, et si j'ai le droit de les ignorer ? – Puis par un scrupule d'amour-propre. Je veux faire comme Paul Bourget, qui se croirait perdu d'honneur si une seule manifestation d'art lui était restée incomprise. – Enfin, par un scrupule de curiosité. Il se peut que ces poètes soient intéressants à étudier et à définir, et que leur personne ou leur œuvre me communique quelque impression non encore éprouvée. »

Conscience, amour-propre, curiosité. L'« en dehors de la littérature » existe, il revient donc au critique digne de ce nom d'en parler, d'autant plus qu'en l'occurrence, c'est un autre critique – *supporter* des jeunes générations quelque temps avant de les larguer définitivement – qui vient en quelque sorte de les révéler indirectement. En effet, Lemaître fait allusion ici aux *Essais de psychologie contemporaine*, sous-titrés *Études littéraires* que Paul Bourget, alors dans la trentaine, a publiés en 1883 puis en 1885 – recueil d'articles parus de 1880 à 1885 dans *Le Parlement*, *Le Journal des débats* et la *Nouvelle Revue* de Juliette Adam. Cette œuvre est probablement celle qui a le plus durablement soutenu la génération montante en ceci qu'elle lui a donné une sorte de caution historique et européenne en la plaçant dans une tradition au lieu de l'exclure de l'Histoire, comme le fait la critique conservatrice. Ainsi symbolistes et décadents ont pu trouver chez Bourget une « Théorie de la décadence » qui a fait fortune, les romanciers psychologues une relecture de Stendhal, les naturalistes un fondateur en la personne des frères Goncourt, sans parler de la bouffée d'oxygène que le livre apporta en s'ouvrant au cosmopolitisme et à la littérature étrangère. De ce point de vue, Bourget inaugure une fonction majeure du critique moderne, qui s'accentuera au fil des avant-gardes du XXe siècle : il fournit ce que Bourdieu appelle « une interprétation "créatrice" à l'usage des "créateurs" ».

L'enseignement

À l'autre bout de la chaîne institutionnelle, l'enseignement a pour mission de transmettre un patrimoine littéraire selon une vision normative à travers laquelle se définissent à la fois l'image et l'usage de la bonne littérature (et de la langue). L'école oriente définitivement la forme instituée du champ littéraire vers un ensemble de normes.

Quelle littérature enseigne-t-on dans la nouvelle école française qui se réclame de la laïcité et de la République ? L'enseignement primaire, obligatoire et gratuit désormais, est l'objet d'une très grande attention de la part des techniciens de l'éducation, ceux qu'on appelle les « pédadogues » et qui sont censés apprendre l'art d'enseigner aux instituteurs. Ceux-ci disposent d'une véritable bible, le *Dictionnaire de pédagogie et d'instruction primaire* diffusé en fascicules (à partir de 1878) puis en volume (1887). L'ouvrage est de Ferdinand Buisson, directeur de l'Enseignement primaire, bras droit de Jules Ferry dans la rédaction de la loi sur la laïcité et l'obligation de l'enseignement. Voici ce qu'on peut y lire au sujet de l'enseignement de la littérature, domaine jugé essentiel pour la formation de l'esprit autant que pour l'éducation morale et républicaine :

> « Il faudrait montrer la noble pauvreté de Corneille, le grand cœur de Molière, la bonhomie et la naïveté de La Fontaine, la droiture de Boileau, le désintéressement de La Bruyère, la charité de Fénelon [...].
> Ce n'est pas qu'il faille taire le mal lorsque les circonstances le veulent, et laisser croire que les écrivains ne participent pas aux misères humaines. La vérité et la justice, qui sont l'honneur de l'enseignement, ne le permettent pas. Mais autre chose est d'habituer la jeunesse au respect et à l'admiration, sans taire le mal ;

autre chose est de lui inspirer le dénigrement systématique, le mépris injurieux, sans égard pour l'équité. Pour être au-dessus de cela, la démocratie française n'a qu'à s'inspirer de sa devise » (article « Littérature » in *Dictionnaire de pédagogie et d'instruction primaire*, Hachette, 1902).

À la rhétorique et à l'histoire des genres, on préfère une tradition d'auteurs modèles qui forment ensemble l'héritage de la nation, tant au plan de la sensibilité qu'à celui de la raison – les deux valeurs qu'il s'agit d'enseigner à travers la littérature, parce qu'elles sont les préalables indispensables aux valeurs républicaines. C'est ainsi qu'à l'exercice de l'amplification et de la dissertation, on préfère celui de la « composition française » qui a le mérite de conjuguer le cœur et l'intelligence.

Par ailleurs, dans le secondaire, l'enseignement des lettres abandonne sous la IIIe République les deux piliers de la tradition, à savoir la philologie et la rhétorique On leur substitue une méthode héritée du positivisme : l'histoire littéraire, conçue dans la stricte vérité de l'établissement des faits. La discipline fut imposée dans les lycées dès 1880, et confiée presque aussitôt aux historiens et non aux professeurs de lettres (qui durent attendre Lanson pour savoir comment l'enseigner). Pourquoi l'histoire en lieu et place de la rhétorique ? Parce que l'enseignement de la rhétorique était une discipline jugée aristocratique qui reproduisait l'idéologie des élites, alors que l'enseignement de l'histoire avait une visée plus démocratiquement nationale, son objectif étant d'inculquer dans le cœur et la raison de chaque Français la sensibilité et la spécificité de sa culture.

Quant à l'enseignement universitaire, il fait valoir sur la tradition rhétorique une science nouvelle, l'histoire littéraire que Lanson incarnera dans les dernières années du siècle avec la parution de sa célèbre *Histoire de la littérature française* (1895). Professeur de lycée lui-même avant d'enseigner en Sorbonne, Lanson est en quelque sorte l'instituteur de l'Université. Républicain au service de l'État, il a œuvré pour un enseignement de la littérature par l'histoire : en combattant « l'imagination impressionniste » et le « dogmatisme systématique », en remplaçant l'apprentissage de la rhétorique par l'exercice de la dissertation et de l'explication de textes, il a démocratisé, selon le projet éducatif républicain, l'enseignement des lettres. Une telle pédagogie de la littérature, qui articule histoire, société et individu dans une même visée du fait littéraire, était en contravention avec le credo conservateur qui s'en tenait aux vieux déterminismes de l'homme (Sainte-Beuve), de la race, de l'époque, du milieu (Taine) et du genre (Brunetière).

Chapitre 30

La littérature et l'Idée

Littérature d'idées et idée de la littérature

S'il est vrai qu'au XIXe siècle l'histoire de la littérature – tous genres mêlés – se confond avec celle des idées, philosophiques et politiques, il est indéniable qu'en une cinquantaine d'années les deux champs ont acquis une autonomie telle que leur mode d'interaction se sont progressivement modifiés. Avec Mme de Staël et, plus largement, avec le romantisme, la littérature, selon la conception héritée des Lumières, reste dépendante de l'effervescence intellectuelle dont elle l'expression privilégiée. Peu à peu, cependant, comme en témoigne la rupture qu'incarnent Baudelaire et Flaubert, dans les années 1850, la littérature et les idées se sécrètent en des lieux et des institutions sinon rivaux, du moins séparés les uns des autres. À la fin du siècle – et la fracture de 1870 y est pour beaucoup – le politique (entendu comme champ de réflexion), le philosophique et le littéraire deviennent des domaines à part entière dont les enjeux peuvent certes coïncider mais il ne revient plus à la littérature de les fédérer.

La présente *Histoire*, dans ses grandes articulations, montrent le processus d'autonomisation qui affecte selon des modalités propres la pensée française dans ses rapports à l'esthétique. Constant, Staël, Lamartine, Hugo, Balzac et bien d'autres ne peuvent écrire en dehors de la subordination aux idées politiques et philosophiques. Fût-ce (et heureusement) dans la contestation ou la contradiction (chez Chateaubriand, chez Stendhal, par exemple), l'activité littéraire, aussi libre et libérée soit-elle, est dépendante des opinions qui courent à gauche, à droite, au centre. Être romancier, poète, dramaturge, essayiste – le plus souvent les quatre à la fois –, c'est immanquablement prendre la parole dans l'espace social et faire état, de manière critique, des courants de pensée dominants ou dominés.

Ce déterminisme, cependant, ne doit pas se confondre avec une pure allégeance de la littérature à la pensée, d'où qu'elle vienne et quel que soit son statut. Au contraire, ce qui revient à l'écrivain, c'est non pas de s'inféoder à une doxa, mais bien de mettre à l'épreuve critique les idées politiques et philosophiques du temps. Et encore, il s'agit moins d'assigner au littérateur le rôle de libre exaministe que de mettre ses talents créateurs au service de la pensée. Dans cette perspective, l'esthétique littéraire ne peut se concevoir en dehors d'une politique.

Cela ne signifie pas que les écrivains, même s'il leur arrive d'être des hommes de parti et de combat – mais avec le peu de succès que l'on sait : pensons à Chateaubriand, à Hugo qui ont inspiré plus de méfiance que de soutien auprès des formations politiques qu'ils ont accompagnées –, sont soumis à une pensée partisane qui leur serait dictée de l'extérieur. Ce serait se méprendre sur leur rôle et sous-estimer la part de création qu'ils apportent dans l'élaboration intellectuelle. En fait, la pensée travaille leur création autant que celle-ci produit des visions du monde spécifiques et le plus souvent difficilement réductibles à des positions partisanes. Car, ce qui empêche la subordination du littéraire au politique et au philosophique, c'est bien évidemment le travail de *fiction* (entendu au sens large et hypergénérique) dont la littérature est avant tout le lieu. Fiction qui, dans les romans, le théâtre et la poésie, empêchent de translater au monde réel l'*inventio* de chaque écrivain, dans tout ce qu'il a de spécifique au plan de l'imaginaire mais aussi du style et de l'écriture. On a pu voir, entre autres indices significatifs à cet égard, combien le monde décrit, même dans les romans les plus réalistes, entre en décalage voire en discordance avec le réel : l'histoire naturelle et sociale des *Rougon-Macquart* se déroule dans la société du second Empire, de même qu'*À la recherche du temps perdu* aura pour toile de fond la IIIe République.

Le lien qui soudait sous le romantisme écrivains, philosophes et politiques se rompt au fil du siècle avec d'autant plus de netteté que les premiers affichent une volonté constamment critique, voire subversive. Ce qui change entre les années 1820 et 1870, c'est la nature du rapport entre le politique, le philosophique et le littéraire : d'un rapport qu'on peut par commodité qualifier de *positif* (en ceci qu'il désigne une complémentarité fonctionnelle), on passe à une relation fondamentalement *négative*. Cette négativité n'est pas pur refus ou rupture : elle s'instaure comme la nouvelle dynamique littéraire. Parce que les idées philosophiques et/ou politiques cessent d'être une priorité constitutive de l'activité littéraire, chaque écrivain a le loisir de prendre ou de ne pas prendre position dans des champs qui, par ailleurs, se sont eux aussi autonomisés. Pour le dire platement, à chacun son domaine ; et s'il arrive à un Zola de faire irruption dans le champ politique, c'est moins, comme on l'aura vu, par souci de sortir l'écrivain de sa tour d'ivoire que pour montrer qu'une littérature, forte de son autonomie, peut intervenir dans le champ du pouvoir.

Ainsi, dans les trente dernières années du siècle, suivant le modèle de Baudelaire et de Flaubert, les écrivains développent une double tendance : ils se méfient des idées (politiques et philosophiques) qui ne sont pas les leurs, ce qui signifie que la littérature devient avec eux un système de pensée à part entière qui rivalise avec le politique et le philosophique sans jamais se réduire ni à l'un ni à l'autre. Cette affirmation du littéraire comme mode spécifique de création d'idées n'empêche évidemment pas les transferts et les influences. Mais on aura l'occasion de voir que si tel philosophe – Hegel ou Schopenhauer, par exemple – marque tel écrivain, voire tel courant – le symbolisme, en l'occurrence –, ce n'est jamais sur le mode de l'intégration pure et simple, mais le plus souvent sur le mode de la diffraction, voire de la déformation. Quand des Esseintes, dans *À rebours*, se met à commenter admirativement Schopenhauer, ce n'est pas pour faire acte d'allégeance, mais pour affirmer une sorte de supériorité qu'a la littérature sur la philosophie dans l'élaboration des idées – ne serait-ce que parce qu'à côté des idées dont elle parle, la littérature est aussi émotion, imaginaire, expérience.

L'idée qu'on se fait de la littérature, en ce siècle finissant, répond ainsi à la double nécessité de se débarrasser d'une littérature d'idées et de feindre que la littérature produit de la pensée de façon endogène. Comme l'a bien vu Taine, « la littérature est une psychologie vivante » : il entendait par là le fait qu'elle est non pas une simple illustration de la vie réelle, mais tout au contraire le lieu où se produit une vie – une pensée – parallèle et autonome.

Cette dynamique nouvelle opère par ailleurs un partage des genres selon les liens qu'ils entretiennent aux idées.

Le roman, laboratoire d'idées

Le roman, dans la foulée de la norme réaliste qui s'est imposée à lui, est le genre qui intègre le plus les enseignements des sciences (humaines et exactes) en pleine expansion : la médecine, la sociologie, la psychologie, essentiellement, lui fournissent un nouveau code de la vraisemblance. On le verra avec Zola et la plupart des naturalistes, qui surimpriment au projet romanesque une visée sociologique et scientifique. De la même manière, le roman psychologique, qui apparaît dans les années 1880 et dont le chef de file est P. Bourget, fait fond des avancées en matière de psychologie – celle de Th. Ribot tout particulièrement. De plus, le roman naturaliste tout comme le roman psychologique accueillent des idéologies concurrentes : socialisme démocrate et républicain dans le cas de Zola et de certains de ses disciples, conservatisme antiparlementaire dans le cas de Bourget et des siens. Le roman demeure ainsi le terrain privilégié des idées, la forme tainienne par excellence qui met à l'épreuve l'homme dans ce qui fonde son âme, ses comportements individuels et sociaux.

Même dans ses marges, le roman ne peut s'écrire en dehors de l'Idée. Villiers de l'Isle-Adam, Huysmans, Bloy, probablement les plus prompts à décrier le genre tel que les naturalistes l'ont perverti, en font le lieu par excellence de leur quête incertaine de spiritualité dans un siècle finissant dont les valeurs nouvelles sont prises en grippe : démocratie, progrès social – quitte d'ailleurs à déstructurer au besoin les ressorts de la logique romanesque habituelle : avec eux, le roman se fait parabole, rêverie, essai, dissertation, pamphlet.

Ainsi, de quelque côté qu'il se situe sur le plan esthétique (tendance réaliste ou tendance symboliste), le roman se maintient dans sa fonction *critique* ; il lui revient de discuter les idées tout en les transformant ; de greffer l'imaginaire et l'écriture de l'écrivain sur un présupposé « doctrinaire » comme on disait à l'époque. Ou pour reprendre une formule par laquelle Bourget, dans ses *Essais de psychologie contemporaine*, qualifie la littérature, le roman est avant tout *d'analyse*.

La poésie : de l'Idée au Symbole

À l'inverse du roman, la poésie de la fin du siècle semble s'écrire dans l'ignorance des débats qui s'agitent autour d'elle. Que de changements en quelques générations. Au temps du romantisme, elle était tout acquise à une fonction didactique. Depuis Baudelaire, c'est comme si elle s'était retirée de la parole publique pour se confiner dans l'intériorité d'un verbe qui n'a plus la charge de dire le monde et le réel. Souvenons-nous de la métaphore du « Cygne » dans *Les Fleurs du mal*, qui cache tout en les désignant à qui peut les reconnaître les affres du Paris moderne. Depuis Baudelaire, la parole poétique fait résistance : s'il lui arrive encore de parler du réel, c'est sous le couvert d'une rhétorique de l'effacement et de la dénégation.

C'est dans ce sens que l'on peut comprendre l'émergence de l'écriture parnassienne au tournant des événements de 1870. Si l'esthétique de Leconte de Lisle et des siens ravit tellement les jeunes poètes que sont Mallarmé et Verlaine, c'est qu'elle s'institue comme la littérature de l'Idée par excellence. De son rejet du réel elle retire le double bénéfice d'être le genre le plus prestigieux – celui par lequel tout auteur se doit de commencer sa carrière d'homme de lettres – et le seul genre à s'être dégagé du matérialisme envahissant de l'époque. La poésie peut donc tout entière se sacrifier au culte de l'Idée, mais aussi du Langage.

L'Idée, telle qu'elle se pense spéculairement chez les poètes de la génération symboliste, autour de Mallarmé essentiellement, mais aussi de Verlaine, c'est bien évidemment un rempart contre le siècle. Héritée de Hegel, des romantiques allemands, relancée en cette fin de siècle par Schopenhauer, la philosophie de l'idée, qu'elle soit ou non une philosophie de l'histoire, est saisie par les poètes français comme un système de rechange au positivisme ambiant. Avec la poésie de la fin du siècle, le Symbole devient la vérité de la vie en même temps que son idéal.

Le Langage, quant à lui, constitue l'autre enjeu essentiel du texte poétique. Alors que le roman se tient du côté du sens plein, la poésie, parnassienne puis symboliste, impose le triomphe de la forme. Non seulement en faisant de la prosodie et du travail du signifiant le principal foyer du verbe poétique – partant, en déplaçant du côté de la forme le lyrisme de la célébration –, mais aussi et surtout en transformant le poème en objet clos sur lui-même, coupé de toute référentialité. Pour le dire avec Mallarmé – qui a longuement envisagé de faire une thèse de linguistique –, la poésie devient allégorique d'elle-même, lieu de dissolution du réel et d'engendrement d'un monde purement langagier.

Ainsi la négativité poétique se transforme en religion de l'art – un art que l'on veut « pur », c'est-à-dire débarrassé du réel « parce que vil » (Mallarmé). Même quand elle devient mystique (avec Nouveau), catholique (avec Verlaine), « scientifique » (avec Moréas) ou encore lorsqu'elle se met à rire de tout (avec Laforgue ou Corbière), elle cristallise l'espérance d'une sacralité nouvelle qui ne sera redevable que de son propre verbe.

Un théâtre sous la coupe de l'idéologie dominante

Encore faut-il distinguer le théâtre boulevardier de celui de l'avant-garde qui émerge dans les dernières années du siècle avec Fort, Lugné-Poe et Antoine et qui rejoint la poésie dans son esthétique de l'Idée. Comme on le verra au chapitre 40, Maeterlinck, Claudel, Jarry rejoignent dans leur dramaturgie le propos des poètes : le monde n'advient plus sur la scène qu'à travers le filtre d'une parole, d'une gestuelle et d'un décor déformants et volontiers réflexifs ; ce qui est donné à voir sur cette scène où l'on retrouve l'idéal fin de siècle d'un spectacle total, c'est l'immatérialité de l'idée du monde.

Aux antipodes de cette esthétique, le théâtre de Boulevard se joue dans une gaieté postimpériale en revendiquant clairement une intention de divertissement. Se divertir avec Labiche, Courteline, Dumas fils, Augier, Sardou et les autres, c'est littéralement *se changer les idées*. C'est-à-dire oublier les désagréments de la vie bourgeoise par leur mise en scène, histoire d'en rire : en représentant le plus mimétiquement possible les troubles passagers du couple, les difficultés d'argent ou de mariage et autres problèmes ménagers, ce théâtre se donne tout entier dans la transparence référentielle et dans la plénitude du sens. Il répugne aux idées abstraites et au langage abscons, sauf à s'en moquer ou à en faire le ressort de quiproquos. Il répugne tout autant aux grandes théories et à la politique : théâtre de bon sens, il cherche à flatter le sens commun en évitant le héros problématique – pas de mélancolie sur la scène boulevardière, pas de personnages tourmentés non plus.

D'un mot, sans évidemment être de parti, ce théâtre est le miroir de la bourgeoisie qui trouve en lui un lieu de communion à la fois drôle et rassurant. Davantage que le roman, analytique et critique comme on l'a dit, il procède d'autant plus efficacement de l'idéologie dominante qu'il ne la dit pas mais l'offre dans toute l'évidence de sa vérité.

Le champ des savoirs

Ainsi, le mariage de raison qui unissait au lendemain de la Révolution la littérature aux idées s'est peu à peu transformé en divorce avec consentement mutuel ; désormais, écrivains, philosophes et théoriciens politiques font chambre à part. Il n'empêche que toutes les idées qui émanent de la littérature restent indexables aux différents courants de pensée qui émergent parallèlement dans des secteurs spécifiques en voie eux aussi d'autonomisation.

On sait que le dernier tiers du siècle voit se constituer en disciplines scientifiques plusieurs branches du savoir, tant en sciences exactes qu'en sciences dites humaines ; en 1876, Claude Bernard énonce les règles de scientificité des savoirs dans *La Science expérimentale* qui fera modèle, même sur Zola. La médecine, la physique, la chimie, les mathématiques font des progrès fulgurants non seulement au plan de la recherche fondamentale mais surtout de manière concrète dans les domaines de la recherche appliquée.

Pour rappel, c'est entre 1870 et 1900 que l'on invente ou que l'on découvre, parmi d'autres merveilles technologiques : le potassium en engrais (1870), le four électrique (Siemens, 1870), la machine à écrire (Remington, 1872), la théorie des ensembles (Cantor, 1873), les chromosomes (Flemming, 1874), le téléphone (Bell, 1875), le phonographe (Cros et Edison, séparément, 1877), la lampe électrique à incandescence (Edison, 1878), l'éclairage électrique des théâtres (1879), le bacille de la typhoïde (Eberth, 1880), le bacille de Koch (1882), la photographie en couleurs sur papier (1883), la turbine à vapeur (Parsons, 1884), suivie la même année de la première voiture à vapeur (Dion-Bouton), le vaccin antirabique (Pasteur, 1885), le vélocipède (Peugeot, 1885), les centres fonctionnels du cerveau (Charcot, 1885), la moissonneuse-batteuse (1885), le fusil à répétition (Lebel, 1886), le moteur à explosion (Daimler, 1886), le pneumatique (Dunlop, 1888), le sérum antidiphtérique (Behring, 1892), le bacille de la peste (Yersin, 1894), le cinématographe (les frères Lumière, 1895), le premier vol avec passager (Ader, 1897), le radium (Curie, 1898), la télégraphie sans fil (Marconi, 1895), le premier dirigeable (Zeppelin, 1900), etc.

C'est aussi dans ces années-là que les connaissances de l'homme passent du statut spéculatif, métaphysique ou empirique au statut scientifique. Désormais, la psychologie, la sociologie, l'anthropologie, la linguistique naissante devront s'astreindre à une méthode qui garantira leur degré de vérité, selon un principe assorti de « règles » et de « lois » qui, théoriquement du moins, doit les rassembler : « Il n'est de science que du général. »

Même si le savoir des savants est distinct de celui, savoureux, des écrivains, il n'est pas inutile de rappeler les lignes de force qui cimentent les disciplines humaines. Car en dépit de la spécialisation des connaissances, la pensée se propage à travers le discours social qui, au-delà et souvent à rebours des certitudes du savant, déterminent des attitudes et engendrent des objets de parole.

Psychologie

Essentiellement avec Théodule Ribot (1839-1916), la psychologie de la fin du siècle trouve son premier représentant scientifique. Auteur des *Maladies de la mémoire* (1881), des *Maladies de la volonté* (1883), de *La Psychologie de l'attention* (1888), d'une *Psychologie des sentiments* (1896), Ribot sépare la psychologie de la métaphysique et la transforme en discipline indépendante qui intègre les enseignements de la neurophysiologie. Dans la foulée de cette psychologie expérimentale naissante, il faut citer aussi les noms de G. Tarde, F. Paulhan, P. Janet.

Si Ribot a tant influencé des écrivains comme Bourget, c'est en raison de son approche expérimentale d'objets par nature insaisissables ou ressortissants de la philosophie tels que la mémoire, la volonté, la personnalité – autant de matières que ne cessent d'interroger la littérature moderne, qui trouvent une explication de type rationnel, mais qui néanmoins ne dament pas le pion des écrivains qui s'en inspirent. Ce qui apparaît en l'occurrence, c'est que la littérature psychologique, forte de sa documentation scientifique, fera de la psychologie fictionnelle sans prétendre à la scientificité mais en scrutant avec les instruments qui sont les siens (l'analyse, l'émotion, l'intuition, l'imaginaire) les profondeurs de l'âme.

La psychologie a en face d'elle un concurrent de taille, qui émarge de la médecine, la psychiatrie. Les progrès en matière de connaissance de la psyché à la fin du XIXe siècle sont aussi tributaires des travaux de Jean Charcot et de ses disciples (Binet, Janet et Freud) à la Salpêtrière. Ses recherches sur l'hystérie, sur l'hypnose et sur la névrose sont au fondement d'une révolution qui s'appellera avec Freud la psychanalyse. Pour l'heure, Charcot n'a aucune influence sur la littérature, même si l'objet de ses recherches rejoint le « nervosisme » et le « névrosisme » fin de siècle dans lesquels bon nombre de décadents, de Huysmans (*À rebours*, 1884) à Lorrain (*Monsieur de Phocas*, 1901), aiment à pathographier leur rapport au monde.

Philosophie

Le champ philosophique français d'après 1870 est en crise. Il ne parvient pas à sortir du positivisme et se laisse concurrencer par les disciplines qu'auparavant il englobait, la psychologie tout spécialement. Dans une époque de transformation aussi anxiogène, tiraillée entre les espérances et les malédictions que suscite simultanément le progrès, le discours philosophique semble ne plus pouvoir donner de réponse. D'autant plus qu'il est devenu une institution officielle, à l'université et à l'école, objet de programmes et de concours : plus rompue à une certaine technique de la spéculation et/ou encline à faire sa propre histoire, la philosophie est peu disposée à véritablement renouveler sa pensée. Ce qui convient assez bien à la IIIe République qui, dans son projet d'instruction laïque, attend d'elle une mission de morale et de civisme bien davantage qu'une fonction critique.

Cet état de fait explique en partie le retard des philosophies étrangères à pénétrer en France et le caractère marginal de leur introduction dans le champ français. Alors que les philosophes en place se campent sur des positions néokantiennes, toutes sortes d'idées neuves viennent d'Angleterre, avec Spencer, Stuart Mill, et surtout d'Allemagne, avec Schopenhauer et Hartmann. Ces deux derniers ont une influence sur les écrivains des années 1880 aussi déterminante que Hegel sur la génération antérieure. *Le Monde comme volonté et comme représentation* d'Arthur Schopenhauer est traduit en 1886 (par Cantacuzène), mais sa pensée est diffusée préalablement par un recueil de *Pensées, maximes et fragments* (traduit en 1880). Avant cela, seuls quelques philosophes – dont Th. Ribot – l'ont commenté. Il est clair que si la philosophie de la douleur et du malheur qui fonde le système schopenhauerien a séduit bon nombre d'auteurs (Huysmans, Laforgue, Bourget, etc.), c'est en raison de la projection qu'elle occasionnait de leur propre sentiment existentiel ou de leur condition d'artistes incompris. Le pessimisme fait des émules à Paris, notamment dans les secteurs les moins reconnus de l'avant-garde poétique : ce n'est pas un hasard si le « shopenhauerisme » est en vogue dans le Quartier latin, aux côtés d'influences qui vont de l'ésotérisme au darwinisme en passant par le bouddhisme. Les modes philosophiques non seulement déterminent des poses littéraires, mais fournissent aussi des réservoirs de symboles, de mythes et de fictions.

L'exemple de Schopenhauer – on pourrait dans une moindre mesure évoquer le cas de E. von Hartmann, auteur d'une *Philosophie de l'inconscient*, traduite en 1877, qui en a fait rêver plus d'un – est assez représentatif de la manière dont un système philosophique peut influencer des écrivains et marquer une littérature. En fait, la philosophie que lisent les auteurs, pas davantage que la médecine chez Zola, ne se substitue au savoir-faire du romancier ou du poète : l'influence opère à la manière d'une mémoire sélective qui ne retient de la source que ce que l'imaginaire de l'écrivain a sauvé le plus souvent sans le savoir. C'est dire que ces influences sont moins efficientes que ce que l'histoire littéraire a pu avancer. Bien souvent, il ne reste rien ou presque de la pensée mère : Mallarmé et Villiers de l'Isle-Adam sont certes pénétrés d'hégélianisme, Laforgue se réclame à tout bout de champ de Hartmann, Huysmans dans *À rebours* interroge Schopenhauer, etc. Toutes ces filiations, revendiquées ou tues, n'ont d'autre portée que de stimuler la pensée propre de l'écrivain ; elles sont sources de poésie ou de poétique, bien davantage qu'elles ne trouvent dans la littérature un relais ou une illustration. Il en sera ainsi quelques années plus tard entre Bergson et Proust. Si le jeune philosophe de l'*Essai sur les données immédiates de la conscience*, paru en 1889, et de *Matière et Mémoire. Essai sur la relation du corps à l'esprit* (1897) fait événement à la fin du siècle dans le champ philosophique, c'est parce qu'il redonne à la pensée française une dimension à la fois scientifique et sensible qui lui faisait défaut. Son influence s'exercera surtout, et pour cause, sur le siècle suivant en fournissant aux écrivains (Proust, Péguy) une caution « scientifique » à deux valeurs mal vues sous la IIIe République, la spiritualité et l'intuition dont Bergson a montré qu'elles étaient constitutives de la pensée et de la conscience.

Évoquer Bergson à la fin du XIXe siècle ne doit pas induire une nécessaire et immédiate influence de sa pensée sur ses contemporains. Tout au plus peut-on pointer des rapports d'analogie entre les champs connexes que sont ceux de la philosophie et de la littérature, traversés par des questions analogues qui émergent de façon spécifique. Aussi faut-il se garder de surfaire l'interpénétration des champs et de bousculer l'histoire en frôlant l'anachronisme. Comme, par exemple, lorsque au nom d'une proximité thématique (l'inconscient), on fait se rejoindre les symbolistes des années 1880 et Freud, sous prétexte que ce dernier suit les conférences de Charcot à la Salpêtrière en 1885 – alors que *Die Traumdeutung* date de 1900 et n'est traduit en français qu'en 1926.

Néanmoins, s'il est un point de coïncidence entre le littéraire et le philosophique des trente dernières années du siècle, c'est probablement la question qui mobilise les uns et les autres, en les situant dans deux camps, à savoir la question du déterminisme et de la contingence, qui règle les positions esthétiques (mais aussi politiques). D'un côté, tant en philosophie qu'en littérature, une vision causaliste donne à l'Histoire les raisons de sa marche en avant ou de sa décadence : les matérialistes, les positivistes, les scientistes rejoignent ainsi le camp des romanciers réalistes et naturalistes si l'on considère que, globalement, ceux-ci ont une vision du monde progressiste. De l'autre, une vision désespérée, également matérialiste ou au contraire idéaliste, qui ne parvient pas à trouver fondement à l'ordre des choses ou qui révèle la faiblesse de la raison sous la force de l'inconscient : Schopenhauer, Hartmann, Bergson, et bientôt Freud et Nietzsche qui feront fortune auprès des écrivains – poètes essentiellement – en mal de siècle et qui feront du littéraire l'expression du néant constitutif de l'homme et du monde. Double courant de pensée qui induit une double polarisation des esthétiques littéraires : d'une part, une littérature sociale, des actes dans le monde, qui est à l'œuvre chez les romanciers naturalistes et les réalistes essentiellement (Zola en tête) ; de l'autre, une littérature du Moi et de l'intériorité, de la psyché et des actes libres qui fait le gros de la production poétique des symbolistes et des romanciers psychologiques. Certes on devine ce qu'une telle répartition peut avoir de schématique : si elle occulte plus qu'elle n'éclaire la diversité des rapports entre la littérature et les idées, elle n'a d'autre intention didactique que de mettre en avant les tropismes et les courants qui rassemblent dans la pluralité les pensées d'une époque. Il conviendra de nuancer au cas par cas – ce qui se fera au cours des prochains chapitres – et de pointer aussi le marquage spirituel, voire spiritualiste, qui fait tant question dans la littérature de la fin du siècle, même chez les plus farouches matérialistes.

La pensée politique, à droite, à gauche

On a vu que le roman se nourrissait de la science : les naturalistes trouvent dans les théories médicales l'explication des destins qu'ils tracent, tandis que les psychologues se réfèrent aux méthodes scientifiques d'un Théodule Ribot pour comprendre les tourments de l'âme. Qu'en est-il de la pensée politique qui s'élabore conjointement à ces romans d'idées ? S'il n'est pas trop malaisé de dégager les points d'intersection entre la pensée sociologique (Durkheim), les théories socialistes (Jaurès, Guesde, Lafargue) et le roman réaliste qui s'écrit autour et dans la foulée de Zola ou d'Anatole France, il est plus hasardeux d'indexer l'idéologie individualiste des psychologues sur un courant politique clairement identifiable. En fait, il faudra attendre le début du siècle prochain pour que la droite trouve des théoriciens qui puissent rivaliser avec un Jaurès : Charles Maurras (1868-1952) essentiellement jouera ce rôle fédérateur dans la pensée conservatrice, nationaliste et patriote – *L'Avenir de l'intelligence* est de 1900, *Antinéa* de1901 ; le mouvement d'Action française ne démarre qu'en 1908. Maurras est cependant préparé par deux idéologues, Bourget et Barrès qui, après des débuts, aux alentours de 1880, dans les milieux vaguement bohèmes, ont tôt fait de prendre le parti du nationalisme xénophobe, métissé de catholicisme chez le premier, de paganisme mystique chez le second. Par ailleurs, leurs idées se sont développées à l'intérieur de leurs romans à thèse, ce qui explique à la fois le succès qu'ils ont recueilli auprès des jeunes générations mais aussi l'équivoque d'une littérature à mi-chemin entre l'esthétisme et la propagande.

Émile Durkheim (1878-1917) apporte à la sociologie sa méthode scientifique, avec ses *Règles de la méthode sociologique* qu'il publie en 1895 – équivalent pour les sciences de l'homme de l'*Introduction à l'étude de la médecine expérimentale* de Bernard. De même qu'un Ribot a eu pour tâche de fonder en scientificité l'intuition psychologique, Durkheim définit les règles et les lois de la connaissance sociologique qu'il veut extirper de l'approche spontanée. Le premier, il définit le « fait social » : « Est fait social toute manière de faire, fixée ou non, susceptible d'exercer sur l'individu une contrainte extérieure. » Le sociologue, qui tire enseignement de l'observation objective des faits – dans *Le Suicide* (1897), il recourra à la statistique –, se doit aussi de guérir la société de ses maux, en distinguant les comportements normaux de ceux qui sont pathologiques.

Jean Jaurès (1859-1914) est la figure majeure de l'intellectuel socialiste de la fin du siècle. Philosophe et universitaire, il est l'auteur d'une thèse sur *Les Origines du socialisme allemand chez Luther, Kant, Fichte, Hegel* (1891), avant d'être le fondateur de *L'Humanité* (1904) et le chef du parti socialiste français, la SFIO, créée en 1905. Sa pensée philosophique et politique hérite dans ses grandes lignes du marxisme : il adopte le matérialisme économique et la théorie de la lutte des classes, mais contrairement à Marx, il ne croit pas à la dictature du prolétariat, confiant qu'il est dans son socialisme libéral et démocrate qui, selon lui, apportera, par le renforcement de la classe ouvrière, la justice et la paix sociale – pacifiste et anticolonialiste, il sera assassiné par le nationaliste R. Villain. Jaurès n'a eu de cesse de défendre « la croissance intellectuelle du prolétariat » en sorte que le peuple sorte de l'antagonisme qui l'oblige « de vivre des formes d'art accueillies et propagées par une autre classe » (« Esthétique socialiste », 1896). Jaurès est un des rares intellectuels de l'époque à croire en une espérance artistique au service de l'humanité : alors que la critique académique (Brunetière en tête) déplore la décadence de la vie spirituelle française, et que les écrivains eux-mêmes tiennent sur la littérature un discours de crise et de fin, Jaurès entrevoit un « art humain » qui abolira toutes les aliénations. Il est vrai que ce qui distingue le penseur politique des écrivains est qu'il envisage une esthétique qui découlerait de la fin de la lutte des classes, alors que Zola, par exemple, lorsqu'il défend une quinzaine d'années plus tôt *L'Assommoir* donne pour mission au roman de « montrer des plaies », d'« éclairer violemment des souffrances et des vices, que l'on peut guérir ». Et d'ajouter, dans le même article paru dans *Le Bien public* du 13 janvier 1877 : « Les politiques idéalistes jouent le rôle d'un médecin qui jetterait des fleurs sur l'agonie de ses clients. J'ai préféré étaler cette agonie. » Cela indique le fossé qui peut séparer le discours politique et le discours littéraire sur un même consensus social.

S'il existe bel et bien plusieurs points d'interaction entre la pensée sociologique, les théories sociales et les écrivains de gauche, les points d'accrochage ou de divergence sont plus nombreux encore. D'abord parce que la littérature est mal jugée de la part des politiques qui voient en elle l'expression d'un art bourgeois ; ensuite, parce que la pensée partisane n'admet guère la liberté d'esprit et d'invention de l'écrivain. Dans ses articles sur « La République et la littérature » (1879), Zola fustige les détracteurs républicains qui accusent les romanciers naturalistes :

> « Les romanciers naturalistes surtout sont maltraités avec une véritable fureur par les journaux les plus influents du parti [républicain]. […] Pourquoi cela ? Pourquoi cette bizarre contradiction d'hommes politiques nouveaux s'acharnant contre les nouveaux écrivains ? Pourquoi vouloir la liberté en matière de gouvernement et contester aux lettres le droit d'élargir l'horizon ? »

L'autre raison qui explique le décalage entre littérature et idées politiques est la spécialisation des domaines qui s'exercent dans le cadre fermé de disciplines scientifiques. L'étanchéité des discours, par la force des choses, freine leur interpénétration.

La littérature comme mode de pensée

On s'en aperçoit : le fossé entre la littérature et le monde des idées ne cesse de se creuser au cours de la fin du siècle. C'est que chaque discipline se spécialise et se dote d'une méthode qui lui donne accès à un statut de vérité scientifique. La littérature, qui de tradition est le creuset des idées et de l'analyse, et qui fait tout ensemble de la sociologie, de la psychologie, se voit tout d'un coup concurrencée par des disciplines connexes dont l'autorité est indiscutable. Si l'émergence de ces sciences nouvelles n'a en rien entamé sa fonction critique ni sa valeur esthétique, c'est qu'elle s'est reconnue comme mode de pensée spécifique. Un mode de pensée qui certes dit peu ou prou ce que pensent la science et les philosophies, mais avec cet avantage qu'en plus de parler le monde (soit pour le dénoncer, soit pour le transformer, soit encore pour en conserver les valeurs) la littérature crée son propre univers – transférable ou non à la vie réelle. Que le roman naturaliste emprunte à la médecine ou que le symbolisme puise chez Hegel et Schopenhauer n'importe plus à une littérature qui, depuis Baudelaire et Flaubert jusqu'à Rimbaud, Mallarmé, Lautréamont, Laforgue, Zola et quelques autres, s'engendre du retrait que lui impose le monde social. On est évidemment très loin, en ce début de IIIe République, de la conception que se faisait Germaine de Staël de la littérature républicaine…

Néanmoins, à partir de l'Affaire Dreyfus, en 1898, un nouveau courant réconcilie la littérature et le débat d'idées. Portée essentiellement par deux écrivains nés aux alentours de 1870, Romain Rolland (1866) et Charles Péguy (1873), tous deux formés à l'École normale supérieure, cette mouvance prendra son essor au tournant du siècle, à la Belle Époque, pour être brisée dans son élan par la Première Guerre mondiale. Compagnons de lutte durant une quinzaine d'années, Rolland et Péguy renouent véritablement avec l'esprit des Lumières. Les *Cahiers de la quinzaine* que dirige Péguy de 1900 à 1914 et auxquels collaborent les grands noms de l'époque, de France à Jaurès, forment un véritable carrefour d'idées et de combat où sont dénoncées toutes les aliénations du monde moderne (le colonialisme, le travail des enfants, les massacres des Arméniens, etc.), mais nous entrons de plain-pied dans un tout autre siècle et dans une tout autre littérature…

Chapitre 31

Le monde de la littérature

Chaque courant littéraire a ses poses, ses tics, ses modes vestimentaires : les romantiques, façon Chatterton, aiment à pencher mélancoliquement la tête ; Baudelaire met à la mode le frac de deuil pour afficher sa haine du siècle ; Flaubert se reconnaît dans « le vrai dandy », celui qui invente sa règle ; Barrès, Bourget, mais surtout Robert de Montesquiou, font eux figure de snobs, exhibant toute leur mondanité faussement aristocratique. La personnalité mythique de Brummel (1778-1840), « arbitre des élégances » et « roi de la mode » de René à des Esseintes (pour ne pas dire de Chateaubriand à Huysmans), traverse le siècle et fournit à l'écrivain un modèle – un patron, devrait-on dire, comme en couture – de signalement et d'identification qui lui permet d'être reconnu sur la scène sociale.

Il faudrait décrire dans le détail l'histoire du comportement (gestuel, vestimentaire, conversationnel) de l'écrivain moderne : elle montrerait, du début à la fin du siècle, une volonté de distinction permanente et de plus en plus affirmée. Distinction dans les deux sens du terme puisqu'il s'agit pour les écrivains d'exprimer à travers un code approprié (celui de l'élégance ou de la dégaine) une appartenance de classe (celle des artistes) en même temps qu'une position sociale atypique ou plus exactement déniée. À quoi reconnaît-on un décadent d'un naturaliste, un romancier psychologue d'un poète parnassien, un symboliste d'un vaudevilliste ? Pas seulement à l'idiosyncrasie du corps – qui ne reste cependant jamais étranger à la pose ni au vêtement ni au reste du comportement –, mais plutôt à une façon d'être qui fait système, qui détermine des positions et engage des prises de position dans le corps social. La notion qui peut le mieux rendre compte de ce qu'est visiblement et invisiblement un écrivain dans le jeu social est probablement celle d'*habitus*, introduite en sociologie par Pierre Bourdieu qui le définit comme « un acquis » et « un avoir qui peut, en certains cas, fonctionner comme un capital », ou encore comme un ensemble de dispositions acquises et intégrées qui tiennent tout autant de l'origine que de la trajectoire sociale.

Lettres et quartiers de fausse noblesse

C'est de cet habitus de l'écrivain de la fin du siècle qu'il va être question dans ce chapitre qui s'annonce d'emblée sous l'unique phénomène du « snobisme », comme si tous les écrivains de la IIIe République étaient à quelque degré des snobs ou des gommeux. S'il ne s'agit évidemment pas de porter jugement sur la manière d'être de l'écrivain, on posera tout de même en hypothèse que celui-ci, quelle que soit son appartenance esthétique et idéologique, se situe par rapport au snobisme. En effet, le snobisme peut être considéré, dans toutes ses variantes y compris ses refus, comme la norme évaluante qui permet d'habiller l'écrivain dans le siècle, c'est-à-dire de le revêtir des insignes qui lui assignent une place reconnaissable dans le système des lettres. Il ne s'agira donc pas de dire que Zola est moins snob que Bourget, mais que l'un et l'autre font valoir par leur mode d'existence dans les milieux littéraires les valeurs qui sont certes les leurs mais aussi qui les rassemblent dans le système hautement différentiel qu'est le champ littéraire. Considéré selon une fausse étymologie comme absence de noblesse ou d'appartenance de classe, le snobisme fournit ainsi un indicateur plus ou moins explicite, avoué et fédérateur de l'autonomisation de la littérature à la fin du siècle. Autonomie telle, d'ailleurs, que sous l'angle du snobisme elle aboutit à une sorte d'asphyxie, celle que Proust dénoncera malicieusement dans l'observation des jeux mondains.

Encore faut-il s'entendre sur le mot « snobisme », galvaudé depuis son introduction en France. Dans les années 1850, un certain Forgues l'utilise dans la *Revue des Deux-Mondes* en référence à Thackeray, mais c'est à Taine qu'il doit sa fortune. Dans son *Histoire de la littérature anglaise* (1864), au chapitre sur Thackeray (déjà paru en revue en 1858), il en corrige la signification anglaise (« mot d'argot intraduisible, désignant un homme qui admire bassement des choses basses ») et lui substitue cette interprétation qui fera mouche :

> « Le snob est un enfant des sociétés aristocratiques. Perché sur son barreau dans la grande échelle, il respecte l'homme du barreau supérieur et méprise l'homme du barreau inférieur sans s'informer de ce qu'ils valent, uniquement en raison de leur place ; du fond du cœur il trouve naturel de baiser les bottes du premier et de donner des coups de pied au second. »

Avant de voir à quelles variantes le snobisme fin de siècle donne lieu, rappelons la définition qu'É. Carassus avance du phénomène :

> « Attitude sociale et intellectuelle de l'homme qui, sous l'effet d'un amour-propre vaniteux et d'une volonté de distinction fiduciaire, renonce à l'être au profit du paraître et, sans se préoccuper de développer une personnalité authentique, reconnaît une hiérarchie imaginaire dans laquelle il veut progresser, en utilisant autrui et notamment ceux que l'opinion place au sommet de cette hiérarchie comme référence de sa valeur fictive » (*Le Snobisme et les Lettres françaises,* Paris, A. Colin, 1966, p. 44).

Quoique soutenu par un jugement de valeur, ce point de vue a le mérite de faire apparaître que le snobisme est d'une part un système de croyances qui masque en les montrant à l'excès les réels antagonismes sociaux et de l'autre un dispositif fictif entièrement dynamisé par une logique de la distinction. Si toute la littérature française des années 1850 à 1900 a eu précisément pour obsession d'assigner une place et un statut à l'homme de lettres, le snobisme procède bel et bien de la définition sociale de l'écrivain, lequel trouve dans des comportements appropriés les signes qui le distinguent des autres acteurs sociaux et culturels. On cherchera à voir comment et où fonctionne ce code et à quelles valeurs il s'apparente et s'alimente.

En fait, le snobisme trace une ligne de partage entre trois fractions d'écrivains. 1° Ceux qui, de haute origine sociale (grande bourgeoisie, aristocratie), trouvent dans les formes et les signes de la mondanité les moyens de donner à la pratique littéraire ses lettres et quartiers de noblesse. Ils reproduisent du même coup l'idéologie de leur classe en fournissant à celle-ci un art d'adhésion et d'empathie aux valeurs dominantes – celles de la bourgeoisie conformiste, catholique, patriote. Paul Bourget et les romanciers de la mouvance psychologique incarnent cette position de l'écrivain mondain. Le théâtre de Boulevard et le roman du bon sens jouent un rôle semblable auprès de la petite-bourgeoisie. 2° Ceux qui, héritiers d'un plus faible capital social, vivent leur condition sur le mode (et la mode) du refus et de la dénégation bourgeoise en assignant à l'écrivain une non-place dans la société, à tout le moins une place marginale et maudite. Tout le secteur de l'avant-garde poétique, avant qu'elle ne s'embourgeoise dans la doctrine symboliste, est formé par ce qu'on a appelé la dernière bohème du siècle et rassemble en des lieux publics (bistrots et cafés-concerts) les parias de la littérature bourgeoise. S'ils refusent le snobisme, c'est pour sécréter des signes de non-appartenance sociale qui s'affichent comme contre-valeurs de la bourgeoisie : pauvreté, déglingue, alcoolisme, vie de débauche, faible productivité, etc. 3° Enfin, les écrivains qui, comme Zola et les naturalistes, au nom du réalisme, refusent l'image de l'écrivain bourgeois et le romantisme du maudit autant qu'ils ont horreur du snob et cherchent à attribuer un rôle social à l'écrivain dans le siècle.

C'est dire que la littérature s'exerce dans chacune de ces fractions selon une idéologie spécifique : divertissement et loisir pour les mondains, activité purement gratuite selon les maudits, instrument de combat social et politique pour les naturalistes. Mais l'ensemble de la caste des écrivains se vit dans la conscience de constituer une élite, ce qui signifie qu'elle intériorise un état de fait qui ne cesse d'évoluer du romantisme au symbolisme, l'autonomisation du champ et de la pratique littéraires. En fait, cette tripartition, si elle se dessine de manière de plus en plus nette au fil du siècle, était déjà présente au début du romantisme, chez un Vigny, par exemple, qui dans la préface de *Chatterton* (1835) a comme dessiné les trois rôles possibles de l'écrivain moderne : « l'homme de lettres », c'est-à-dire le professionnel par excellence, qui a du talent sans avoir de génie et qui se montre parfait polygraphe, apte pour la comédie autant que pour l'oraison funèbre ; « le grand écrivain », qui s'impose par la force de son magistère et de sa sagesse, sur le modèle hugolien du mage ; le « Poète » enfin, de « nature plus passionnée, plus pure et plus rare », qui est à la fois un génie démiurgique et un héros de l'échec. *Mutatis mutandis*, on reconnaîtra successivement dans ces trois archétypes, le mondain, l'intellectuel façon Zola et le maudit.

Portrait de l'artiste en snob

C'est à Baudelaire qu'il faut remonter pour comprendre la posture du snob (mais aussi celle du maudit qui la contrecarre), dans le dernier tiers du siècle. Dans « Le Peintre de la vie moderne », il dit du dandysme qu'il « apparaît surtout aux époques transitoires, où la démocratie n'est pas encore toute-puissante, où l'aristocratie n'est que partiellement avilie » – autant dire une époque où le bourgeois s'impose dans toute son horreur. Le dandysme baudelairien était une éthique autant qu'une esthétique du refus (de l'ordre, de la nature, de l'utilitaire, de l'argent, etc.). Le snobisme mondain en est un dérivé dégradé, tout comme le mythe du poète maudit lui oppose une représentation déchue : « Le Dandy doit être sublime sans interruption », écrivait encore Baudelaire dans *Mon cœur mis à nu* (III), signifiant par là le caractère dynamique et créatif de cette recherche ininterrompue de l'originalité.

C'est tout le contraire qui se dessine lorsqu'on pénètre les lieux très codés et fermés des salons mondains : au souci d'insolite et d'insolence qui était cher au dandy se substitue une gymnastique réglée de l'apprêt et de la convention tant au niveau des goûts que des comportements et des conversations. De ce point de vue, le snob, par cette volonté de faire chorus, au lieu d'épanouir sa personnalité propre, renoue avec une certaine forme de préciosité littéraire.

C'est entre 1885 et 1914 que se déploie l'ère du véritable snobisme dans les lettres françaises. Cela tient à un contexte politique et sociologique déterminant : la défaite de 1870 et les troubles de la Commune voient renaître une noblesse légitimiste qui prend sa revanche sur les fastes de l'Empire ; elle détient un certain pouvoir dans les rouages de la société, depuis l'armée et l'Académie française jusqu'aux assemblées politiques. L'adoption de la Constitution en 1875, les élections de 1877 et le départ de Mac-Mahon en 1879 ont mis un terme définitif à toute velléité de restauration. Dès que la République s'est installée, l'aristocratie a dû se replier sur un prestige de parade et un pouvoir purement honorifique, ne conservant de postes importants que dans l'armée et la marine. La République aurait donc involontairement enfanté le snobisme en ceci qu'elle aurait contraint la noblesse à se mirer dans les charmes illusoires de son histoire. Des *Rois en exil* d'A. Daudet (1879) à *L'Émigré* de P. Bourget (1906), sans oublier la grande fresque proustienne, toute une littérature témoigne de cette classe tout à la fois en perdition et à la recherche de ses racines. Aux yeux d'un Bourget, l'aristocratie représente le socle de la nation, la race mère que lui, provincial issu de la bourgeoisie intellectuelle, se propose de glorifier dans ses romans. Désœuvrée, la noblesse n'a plus qu'à se soucier de la parade et de l'étiquette. De là le snobisme par lequel elle se réinvente et grâce auquel elle se retire de l'histoire et de la réalité. C'est que le snobisme se vit comme une fiction, comme un roman qui se prendrait pour la vie. Comportement compensatoire et symbolique pour l'aristocrate déchu, le snobisme permet au grand bourgeois d'anoblir sa position et de préparer la succession de la classe des nobles. Alliance d'autant plus nécessaire que beaucoup de roturiers apportent l'argent nécessaire à cette vie inventée sur mesure : l'aristocratie de naissance fera ainsi bon ménage avec les milieux de la haute finance, même s'ils sont juifs ou américains.

Un autre changement explique l'émergence du snobisme : le bourgeois de 1880 n'est plus le conquérant du second Empire, comme Saccard dans *La Curée*, uniquement avide de s'enrichir ; en cette fin de siècle, il cherche aussi à se distraire et son habitus se modifie notamment par imitation de la noblesse. À la littérature de consommation qui fut celle de la bourgeoisie du milieu du siècle (Augier, Dumas fils, Meilhac et Halévy, Feuillet, Sardou) succède une littérature plus soucieuse de raffinement et d'esthétisme – une littérature dont Bourget et les romanciers psychologues seront les plus illustres représentants. Ce sont ces bourgeois distingués qui, prolongeant la tradition impériale, ouvrent à présent des salons un peu composites. Une pièce de Paul Hervieu, *L'Armature* (1895), évoque ces alliances nouvelles, de cœur et de raison, entre grande bourgeoisie et aristocratie : on y voit un grand financier éblouir la société parisienne par son train de vie luxueux ; une de ses filles a épousé un noble, l'autre un roturier qui profite de son mariage pour accéder aux clubs les plus fermés, être invité aux chasses, obtenir un titre.

Une règle s'impose qui chasse ou modifie l'ancienne coutume aristocratique : être distingué de naissance ou raffiné de manières, c'est se garantir l'accès à la classe des snobs. Ce qui signifie que le milieu des snobs bourgeois se hiérarchise et fonde un système dynamique qui classe les adeptes selon leur origine et leurs ambitions et suivant un vaste et implicite rituel d'initiation, ainsi que l'a montré Paul Bourget dans son roman *Gladis Harvey* et davantage encore Proust à travers toute son œuvre. En haut de l'échelle, représentant la haute finance (catholique, protestante ou juive quelquefois avec les Ephrussi, les Rothschild), le parvenu qui s'est déjà fait un nom, notamment auprès d'aristocrates, mène la grande vie (avec 150 000 francs par an). Au milieu, le bourgeois timide ou honteux de sa classe, sans prestige intellectuel, fréquente des cercles qui imitent les usages des loges élégantes – on les appelle les « à peu près ». En bas, le bourgeois commerçant ou fils de commerçant qui devra se contenter de plus pâles imitations encore, au sein des groupes de confrères qu'il fréquente. Ceux-là n'auront jamais accès aux étages supérieurs ; trop

« provinciaux » dans leur relation à l'argent (qu'ils placent et économisent), ils n'ont aucun goût de la dépense, peu d'audace mondaine et jouent du snobisme à des fins de faire-valoir et de respectabilité. Des transfuges sont quelquefois possibles d'une fraction à l'autre, mais restent exceptionnels, parce que la volonté groupale y est très forte et constitue un facteur de cohésion ; de là une règle partout rigoureusement respectée : « en être », afin de mépriser ceux qui « n'en sont pas ». En face des milieux mondains de haut standing s'affichent ceux qui courtisent la bohème – *cf.* le salon de Mme Verdurin chez Proust : dédain de l'aristocratie, intellectualisme, souci d'originalité, indépendance ; à la mondanité est préféré l'esthétisme qui quelquefois frise l'encanaillement et un certain anarchisme – ce sont ces milieux de nouveaux riches (souvent étrangers) qui soutiennent l'avant-garde littéraire (en parrainant de petites revues ou en soutenant des spectacles) et qui accueillent entre autres des esthètes comme Jean Lorrain ; L. Daudet les a décrits à travers la figure de Mme Toupin des Mares dans *Kamtchatka* (1895). Aussi prestigieux que celui de la princesse Mathilde, le salon de la comtesse Greffulhe avait l'avantage d'être plus actuel et prônait l'indépendance intellectuelle : on y professait des idées politiques et esthétiques plus « modernes », notamment en prenant le parti de Dreyfus, en affichant la nécessaire alliance de la vieille noblesse et de la jeune République ou en s'intéressant à de nouveaux artistes (Saint-Saëns et plus tard Maeterlinck et le Théâtre de l'Œuvre). Citons Goncourt à son propos : « Une excentrique distinguée que cette comtesse Greffulhe, elle m'apparaît un peu comme la femelle du toqué qui se nomme Montesquiou-Fezensac » (*Journal*, 17 février 1890).

Le snobisme est porté par quelques valeurs générales qui se modulent au gré des salons et des clubs. Elles ont un effet fédérateur qui permet au monde de se reconnaître tout en se distinguant par la nuance des concurrents et adversaires. La musique, les voyages, les raffinements les plus excentriques font du snob, qui a horreur des valeurs qui se figent, un dilettante assoiffé de nouveautés et d'originalités.

La musicomanie

De Wagner à Debussy, le snob place la musique au-dessus des arts : le concert permet de rassembler élites intellectuelles et élites sociales dans une même communion de l'âme ; la musique étant par excellence le langage de l'hermétisme, on se pique de la comprendre au plus intime de soi, avec les mots les plus rares. Alcanter de Brahm, dans *L'Ostensoir des ironies* (1899), se montre agacé par le snobisme des mélomanes :

> « Un snobisme passager a conduit quelques mondaines, inquiètes et anxieuses de leur néant, aux grands concerts dominicaux, où elles ont enduré chaque fois le supplice d'un concerto pour piano [...]. Jacassent au sortir, les pies mondanisées,

sur la toison flavescente du pianiste polonais, sur la toilette criarde de la Germaine Walkure, et si l'esthète loué pour leur dîner leur démontre que la musique, selon Schopenhauer lui-même, n'exprime jamais le phénomène mais son essence intime, dévotieusement elles approuvent, le bec en suspens… » (p. 140).

C'est la mode du tourisme musical : on va en pèlerinage à Bayreuth, comme on se rend à Spa ou à Monte-Carlo, pour se ressourcer et se montrer *up to date* puisque la musique de Wagner passe pour être la plus moderne. C'est ainsi que la mode wagnérienne sert de trait d'union entre les salons mondains et les cénacles symbolistes : Montesquiou soutient Verlaine, fréquente Mallarmé. Le wagnérisme assure aussi une connexion d'un autre ordre avec le mysticisme, la musique étant « la dernière religion d'un siècle sans foi » (J. Lorrain). Ces ramifications sont au cœur d'un roman de Wyzewa (qui, avec Dujardin, a beaucoup fait pour le wagnérisme en créant la *Revue wagnérienne*), *Valbert*, paru en 1893, sous-titré *Les Récits d'un jeune homme* et qui raconte comment Bayreuth a pu répondre aux souffrances de cœur d'un jeune homme délicat qui ne vit que pour et dans l'échec. L'autre grand compositeur du snobisme musical qui fera pendant à la mode wagnérienne est assurément Debussy. La création de *Pelléas et Mélisande* en 1902 suscitera un engouement sans pareil, dans le sillage de celui que la pièce de Maeterlinck avait éveillé (on parlait à son propos de « Shakespeare pour snobs »), engouement moqué par Jean Lorrain dans *Les Pelléastres, le poison de la littérature* (Méricaut, 1910). Entre ces deux géants, les compositeurs appréciés des snobs sont entre autres C. Saint-Saëns, C. Franck, V. d'Indy, sans parler de l'opéra italien qui concurrence celui de Wagner, de Verdi à Rossini.

Exotisme et cosmopolitisme

Dans une république qui affiche son hostilité – à tout le moins sa crainte – à l'égard de l'autre, le Barbare (la germanophobie s'accommodant très bien avec le colonialisme par ailleurs), il est de bon ton pour le snob d'être plus exotique que les étrangers eux-mêmes (pour reprendre une formule de Faguet). Exotisme et cosmopolitisme (et même rastaquouérisme) sont les deux modes d'ouverture à l'étranger, ce qui indique moins un réel brassage des cultures qu'une vogue très parisienne pour tout ce qui très superficiellement fait lointain, comme par exemple les noms en « ski », en « inck », en « off ». Si l'exotisme n'est pas neuf dans la tradition française (depuis *Paul et Virginie*, *René…*), en cette fin de siècle, il se focalise essentiellement sur trois pays : l'Angleterre, la Russie avec la vogue du roman russe, moqué par Jean Lorrain dans *Très russe* dès 1886, et la Scandinavie avec l'engouement nordomane que suscitent les œuvres d'Ibsen, Strindberg, Bjørnson et Hauptmann. Sans parler de la Belgique qui, après la campagne de dénigrement lancée par Baudelaire vingt ans auparavant et avec le théâtre de Maeterlinck, la poésie de Verhaeren et le roman de Rodenbach, retrouve grâce auprès des Français en lui apportant un exotisme brumeux de proximité. Mais c'est assurément l'Anglais qui alimente le plus abondamment le snobisme. Parce que, depuis Brummel et la mode baudelairienne du dandysme, une tradition s'est installée qui ne cesse d'être revivifiée. Outre le flegme distingué et l'élégance vestimentaire, le snob retient du Britannique un subtil humour pince-sans-rire et cynique qui trouvera son plus illustre représentant en Oscar Wilde, accueilli en 1892 comme le nouveau Brummel, mais assez rapidement critiqué pour ses déviances esthètes et son goût du scandale (notamment par *Le Figaro* qui le traite « de fantoche en baudruche de l'esthétisme », 7 avril 1895). Encore faudrait-il ajouter des effets de mode liés non plus à des nations, mais à de fortes personnalités : ainsi à la charnière du siècle D'Annunzio et Nietzsche font une entrée d'autant plus remarquée qu'ils renversent la référence nordique au profit d'une culture plus méditerranéenne, l'un et l'autre étant perçus à la fois comme antigermains, antichrétiens et antidémocrates, introduisant dans le snobisme un sens plus aigu de la sensualité et de la démesure dyonisiaque. E. de Goncourt, en 1894, résume à sa façon (peu sympathique) le jeu des vogues étrangères qui se sont succédé et qu'il attribue à la République :

> « Après le bruit de *L'Intrus* et la publication dans la nouvelle *Revue de Paris* de *Episcopo et Cie* par G. D'Annunzio, je sens venir, dans l'état de domesticité actuelle de l'esprit français vis-à-vis de la littérature étrangère, la période de la latrie italienne, succédant à la latrie russe, à la latrie danoise. C'est curieux, du temps de la Monarchie, nous avions plus d'indépendance que cela ! C'est depuis que la République existe que s'est développé cet asservissement, ce léchage-du-cul de l'étranger » (*Journal*, 3 février 1894).

Dilettantisme et esthétisme

Très en vogue dans les années 1880, le mot et l'idée ont été lancés par Bourget dans un article consacré à Renan (repris dans les *Essais de psychologie contemporaine*) : « C'est beaucoup moins une doctrine qu'une disposition de l'esprit, très intelligente à la fois et très voluptueuse, qui nous incline tour à tour vers les formes diverses de la vie et nous conduit à nous prêter à toutes ces formes sans nous donner à aucune. » Être dilettante, c'est être curieux de tout sans être partisan. Par cette attitude, le snob exprime une position intellectuelle, esthétique mais aussi politique : le dilettantisme, en effet, tel qu'il s'exprime le plus doctrinairement chez A. France, Bourget et le premier Barrès, est un nouvel idéalisme méditatif et cérébral qui refuse de considérer la réalité en tant que telle parce qu'elle participe d'une illusion. Schopenhauer et Hartmann sont à l'arrière-plan de cette philosophie qui, à bien des égards, est aussi une forme moderne de scepticisme ; avec Laforgue, le dilettantisme se double d'une posture ironique. Mais lorsqu'il devient mondain, c'est avant tout une façon d'afficher son dégoût de la vie publique (la haine de la démocratie et de ses institutions, par exemple, entraînant une attitude qu'on qualifierait aujourd'hui de poujadiste) et un goût très prononcé pour un épicurisme de bon aloi, complaisant pour la bizarrerie, l'originalité et la fantaisie. C'est en cela que le dilettante est toujours un peu esthète, mot fourre-tout qu'emploie abondamment la presse pour (dis)qualifier celui qui est tout à la fois un peu snob, décadent, extravagant, dandy…, alors que le concept, en tout cas tel que le défend Bourget (dans ses *Études et Portraits*), désigne un courant d'art d'origine anglaise, le préraphaélisme, et qu'il sert à qualifier une attitude intellectualisante et esthétisante à l'égard de la vie dans tout ce qu'elle a d'horriblement matériel. Des Esseintes, le héros d'*À rebours*, est l'incarnation idéalisée de l'esthète et du dilettante fin de siècle, tout autant que le fameux style artiste des frères Goncourt en est l'expression littéraire, ainsi que l'a bien vu Rodenbach :

> « Littérature de luxe, fardée et maquillée, pourrait-on dire, dont le style est bien le visage de la vie moderne, ajoutant du rouge, du noir, du bleu, des poudres et toute une chimie de couleurs pour exaspérer son charme de décadence, sa pâleur de nerveuse qui exigea trop de la vie et d'elle-même » (*L'Élite*, Fasquelle, 1899, p. 40).

Le Monde, une aristocratie de rechange

Le snobisme, en dépit des nuances qui le structurent selon la provenance sociale, est porté par l'idée qu'une classe nouvelle est en train de se créer et qui faute de mieux s'appelle « le Monde ». S'il exclut et pour cause la petite-bourgeoisie, la paysannerie et la classe ouvrière, le Monde est utopiquement conçu ou fantasmé comme un milieu où la hiérarchie s'abolit à partir du moment où chacun de ses membres a intégré le code du snobisme. Voici comment un Paul Adam décrit ce Monde :

> « Sous ce nom se groupent des gens suffisamment riches pour se pourvoir de manières, d'élégances, chez les Pères maristes et les tailleurs londoniens. Lire son opinion du jour dans les gazettes recommandées, parler des choses selon ce qu'en propagent le chroniqueur et le reporter, savoir, en visite, tenir d'une main son chapeau, ses gants, sa canne et la soucoupe de la tasse à thé, assister aux spectacles […], connaître le favori de chaque course et les péripéties secrètes du dernier adultère composent le savoir d'un homme mondain […], qu'il soit le duc de Luynes ou M. Menier, celui du Chocolat. Qui les discernerait serait bien habile » (*Le Triomphe des médiocres*, Ollendorf, 1898, p. 67).

Le Monde a son code, le snobisme ; il a aussi ses lieux, les salons dont nous avons déjà dit au chapitre précédent le rôle institutionnel qu'ils jouent sur le plan de la promotion littéraire. Ainsi la centaine de salons qui existent en 1885 et qui, selon *Le Figaro*, « marchent à la tête de l'opinion et prononcent des jugements ayant force de loi » (29 mars 1885) se hiérarchisent selon la puissance de classement dont ils sont l'objet. Le salon, en fait, reproduit le fonctionnement (les rites, les critères de sélection, les hiérarchies, etc.) de la Cour sous l'Ancien Régime, de la même manière que le Monde se vit comme une alternative républicaine de l'ancienne noblesse. Mais à la soumission au Prince s'est substituée une nouvelle attitude que Carrasus qualifie de « fiduciaire » et que dispense le maître ou la maîtresse de salon, entouré(e) comme il se doit de sa coterie. En effet, le salon sous la IIIe République a une cote (au sens boursier du terme) qui fluctue selon le degré de sélectivité dont il est le lieu (et donc de fermeture ; être le plus *select*) et selon sa réputation. C'est dire qu'un salon est toujours en proie à des hausses et des baisses de considération selon qu'il gère plus ou moins bien, c'est-à-dire dans le sens de toujours plus de distinction aristocratique, son capital mondain. Ces fluctuations sont d'autant plus courantes qu'elles sont uniquement tributaires d'un discours d'inclusion ou d'exclusion, lequel varie selon les caprices, les potins, la conversation…, le raffinement des exclusives se codifiant même dans une gestuelle très économiquement réglée – un sourire, une intonation pouvant déterminer le sort d'un prétendant.

Si les salons et la mondanité ont une telle importance sous la IIIe République, c'est que leur existence sociale est soutenue par un puissant discours médiatique qui en fait ses choux gras. En effet, parallèlement au développement des salons, toute une presse se spécialise dans la chronique mondaine, rapportant quotidiennement tel bal, tel duel, tel enterrement, etc. *Le Figaro* et *Le Gaulois* tiennent un véritable écho boursier en nommant précisément les présents et les absents, ce qui assure la cotation des différentes maisons, fixe leur spécificité (politique, esthétique, artistique, scientifique, littéraire…) et règle leurs nuances distinctives.

Cela dit, l'inflation médiatique de la mondanité sous tous ses aspects connaît un revers en littérature. En effet, dans les dernières années du siècle, à l'aube de la Belle Époque, une certaine littérature prend ses distances vis-à-vis des modes qui ont réglé la vie littéraire en dénaturant la création au profit de l'apparence sociale. Gide, dans *Paludes* (1895), se met à persifler les salons où aucune littérature ne semble se faire, ce que Claudel aura effectivement ressenti à la lecture de la sotie – voici ce qu'il en dit : « *Paludes* est le document le plus complet que nous ayons sur cette atmosphère spéciale d'étouffement et de stagnation que nous avons respirée de 1885 à 1890. Question : la stagnation vient-elle du défaut de l'issue, ou de la source ? Est-ce la pente qui manque ou la circulation ? » (lettre à André Gide, 12 mai 1900).

Portraits

Alphonse Allais (1854-1905)

Alphonse Allais a eu l'embarrassant privilège de clore le siècle par un inextinguible éclat de rire. À la date du 24 avril 1894, son ami Jules Renard notait déjà dans son *Journal*, compatissant : « [...] quelle doit être la vie d'Allais ! Il faut qu'il garde toujours son air d'abruti, qu'il se laisse taper sur le ventre, qu'il écoute sans broncher les "Est-il rigolo, ce type-là" du premier venu. » Et le même Jules Renard notait encore dans son *Journal*, quelques jours après la mort d'Allais : « On s'amuse à dire que c'était un grand chimiste. Mais non ! C'était un grand écrivain. Il créait à chaque instant. »

De fait, aucun auteur du XIXe siècle ne fut peut-être aussi mal – et aussi injustement – traité qu'Allais. On ne cesse, aujourd'hui encore, de citer ses bons mots, d'en faire, en toute irrévérence, l'ancêtre des diseurs d'histoires drôles de tout poil ; mais, malgré cette popularité intacte, on ne se pose même pas la question de savoir s'il a été un grand écrivain. Comme si la puissance comique ne relevait pas de la littérature ; car la vérité, dérangeante pour qui la valeur littéraire se juge scolairement à l'invention sérieuse de nouvelles formules de fabrication textuelle, est qu'Allais nous permet d'éprouver, hors de toute considération esthétique, le rire à l'état pur et avec toute sa puissance déflagratrice, léguant *in extremis* au XIXe siècle le chef-d'œuvre comique auquel tous les plus grands – de Hugo à Flaubert en passant par Gautier, Balzac, Baudelaire – ont obstinément songé.

Un fumiste professionnel

Né en 1854 comme Rimbaud, il assiste lui aussi, dans sa jeunesse, à la série des malheurs politiques et militaires qui dote tous les hommes de sa génération d'un solide pessimisme à l'égard des hommes et de l'Histoire. Fils de pharmacien, il se passionnera pour la chimie, commencera après le baccalauréat des études de pharmacie et assistera Charles Cros, autre poète-savant, dans ses expériences sur la couleur et la photographie.

Mais, ayant laissé derrière lui sa famille dans la calme ville d'Honfleur, en Normandie, il découvre surtout à Paris l'ambiance joyeuse, tumultueuse et fêtarde du Quartier latin de l'époque. Il est aux tout débuts du mouvement des Hydropathes, en 1878, et y fait figure de « chef de l'École fumiste ». C'est aussi dans le journal *L'Hydropathe* qu'il choisit d'être drôle et réinvente le genre de la chronique humoristique, qu'il ne quittera plus et où il radicalise ce qui aurait pu n'être qu'un divertissement de potaches : « l'absurdisme », la provocation macabre, le rire sérieux.

C'est aussi l'un des membres éminents des Hirsutes, et il fréquente assidûment le Chat noir, ouvert en 1881. Car il se plaît dans l'ambiance des cabarets et apprécie les conversations blagueuses entre écrivains plus ou moins marginaux. Il aime aussi boire : comme tant d'autres artistes, l'alcool (à la fois drogue, mode de socialisation et prétexte à longues flâneries dans Paris, de café en café) joue un rôle essentiel pour la constitution de son univers imaginaire. C'est l'alcool, quotidiennement ingurgité avec une terrible constance, qui provoquera sa mort en 1905, à l'âge de cinquante et un ans.

Bientôt, sa notoriété dépasse le cadre de la Bohème poétique et artistique ; il réunit ses chroniques en recueils sous le titre ironique d'*Œuvres anthumes* et publie dans les journaux : *Le Gil Blas* et surtout, à partir de 1892, *Le Journal* ; il donne aussi au public quelques comédies et un roman, *L'Affaire Blaireau* (1899). C'est maintenant un auteur populaire, confortablement payé – mais désormais obligé de fournir sa copie avec régularité, ce qui ne va pas, parfois, sans quelques accommodements avec l'exigence littéraire.

Un poète du rire

L'œuvre d'Alphonse Allais, à la fois héritière des vieilles traditions comiques et creuset des innovations hydropathiques et chat-noiresques, offre un échantillonnage à peu près complet des formes du risible. À première vue, ses recettes sont simples et remarquablement efficaces : calembours et manipulations linguistiques, blagues de commis-voyageurs, satire sociale, parodie des discours scientifiques ou politiques (notamment par l'intermédiaire du Captain Cap, *alias* Albert Caperon), comique de mœurs, grâce aux ficelles inusables du vaudeville égrillard.

Or l'étonnant est que, malgré cette accumulation de procédés très voyants et répétitifs, l'écriture allaisienne laisse une saisissante impression d'originalité et de densité. Alors que les artistes du Chat noir inventent le genre du monologue – ancêtre du sketch moderne – et s'abandonnent à une vertigineuse logorrhée comique, Allais joue sur l'ellipse et le raccourci saisissant. C'est que, en dépit des apparences, la virtuosité verbale compte moins pour lui que sa fascination, mi-jubilatoire mi-désespérée, pour l'absurde de toute chose. Malgré ses pirouettes réjouies, dont la concision cache une conception très ascétique de l'écriture, il parvient à suggérer une authentique vision du monde, procédant par brèves esquisses narratives qui rappellent, à bien des égards, l'ironie sombre et le sens de l'instantané (imaginé ou saisi sur le vif) des *Petits Poèmes en prose* de Baudelaire.

De fait, Allais nous parle à sa manière (sous couvert d'un rire prétendument impersonnel) du spleen de Paris, du Paris moderne, bruyant, affairé et blagueur que vient occuper la petite-bourgeoisie promue par la IIIe République. Spleen, aussi, de l'ivrogne qui, d'absinthe en gloria, laisse dériver et délirer son imagination. Insensiblement, le rire d'Allais tourne alors à l'onirisme : onirisme paradoxal du quotidien et du médiocre où ne subsiste plus, comme seule raison de vivre, que la magie, risible et poétique, du jeu conversationnel.

BIBLIOGRAPHIE

• Éditions :
Œuvres anthumes, œuvres posthumes, F. Caradec et P. Pia éds, Paris, La Table ronde, 1964-1969 [réédité dans la collection « Bouquins », chez R. Laffont, en 1989-1990].

• Biographie :
F. CARADEC, *Alphonse Allais*, Paris, Belfond, 1994.

• Sélection de travaux critiques :
J.-M. DEFAYS, *Jeux et enjeux du texte comique. Stratégies discursives chez Alphonse Allais*, Tübingen, Max Niemeyer Verlag, 1992. – *Alphonse Allais écrivain*, J.-M. Defays et L. Rosier dir., Paris, Nizet, 1997.

* * *

LÉON BLOY (1846-1917)

Léon Bloy est par excellence l'hérésiarque de la littérature de la fin du siècle. Atypique et exacerbée, son œuvre volumineuse s'est écrite en haine de tout le siècle, y compris de sa littérature qu'il vomit. À en juger d'après son premier roman, *Le Désespéré*, il aurait pu sagement se ranger dans la lignée des Goncourt, mais, rebelle, il n'aime ni les écoles ni les genres littéraires où il se sent étriqué. Il fait alors exploser tous les codes au sein d'une écriture de l'excès, pamphlétaire même lorsqu'elle semble emprunter la voie du roman. C'est que sa révolte est absolue : quand on est « un communard converti au catholicisme », les mots semblent toujours en deçà de la rage d'expression.

À dix-huit ans, Bloy quitte Périgueux, sa ville natale, et trouve un emploi chez un architecte parisien. Provincial, il est issu de la petite-bourgeoisie ; son père est libre-penseur, sa mère, espagnole, dévote. Il rencontre Barbey d'Aurevilly en 1869, qui lui donne un peu d'instruction littéraire (Joseph de Maistre, Bonald) et le convertit au catholicisme. En 1874, il fait la rencontre capitale d'une prostituée, Anne-Marie Roulé, qui sombre dans la folie mystique (on peut la reconnaître dans la Véronique du *Désespéré*, 1886). Cinq années plus tard, c'est la découverte de la « Vierge qui pleure » au pèlerinage de Notre-Dame-de-la-Salette.

L'entrée de Bloy en littérature est fracassante. En 1882, il publie dans *Le Chat noir* quelques articles qu'il reprendra dans *Les Propos d'un entrepreneur de démolitions* (1884). Il fonde en 1885 un hebdomadaire, *Le Pal,* qui s'attaque aux milieux littéraires – Bloy reçoit des informations de Huysmans et de Villiers de l'Isle-Adam. Trop violents, ses livres n'obtiennent aucun succès, ce qui renforce la verve pamphlétaire de ce « blasphémateur par amour », comme il s'appelait lui-même : *Je m'accuse* (1899) est impitoyable envers Zola, *L'Exégèse des lieux communs* (1902) dénonce avec violence le langage quotidien. Il a rassemblé dans *Belluaires et porchers*, en 1905, des articles (parus de 1884 à 1892) d'une rare violence contre les « porchers » du siècle : Daudet, Goncourt, Renan, Bourget, « l'eunuque comblé des dons de l'impuissance », Péladan, Sarcey, pour ne citer que les plus connus, auxquels il oppose quelques « belluaires » qui trouvent grâce à ses yeux : Flaubert, le Gourmont du *Latin mystique*, Verlaine et Barbey. C'est dans ce recueil que se trouve son admirable commentaire des *Chants de Maldoror* de Lautréamont qu'il fut un des premiers à découvrir dans leur grandeur poétique, une œuvre « de diamant noir ». On a pu dire de Bloy qu'il avait confondu sa biographie avec celle de l'humanité : dans les années 1900, il s'attaquera aux grandes figures de l'Histoire, de Jeanne d'Arc à Napoléon.

Parmi cette débauche verbale, deux romans : *Le Désespéré* (1886) et *La Femme pauvre* (1897). Deux romans « monstrueux » dans leur forme et leur composition puisque les conventions du genre y sont largement bafouées : l'auteur dame le pion à toute instance narrative et ne peut s'empêcher de parler en son nom (en Marchenoir, on reconnaît sans peine Bloy) au détriment de toute fiction. Le premier est une sorte d'autobiographie romancée, prétexte à des méditations lyriques ou mystiques et plus encore à des règlements de compte à peine déguisés (Bourget, Mendès, Maupassant, Richepin en prennent pour leur grade). Le second, considéré comme le chef-d'œuvre de Bloy, est aussi autobiographique mais il laisse plus de place à un récit imaginaire, quoique plus proche de la poésie que de la narration proprement dite.

Avec ces deux romans de composition libre et entrecoupée, Bloy rejoint la mouvance antiréaliste de son temps. Mais c'est surtout un style qui s'est imposé avec lui, sans avoir toutefois de descendance : une rhétorique de la démesure, qui fait flamber les métaphores et les hyperboles, est partout au service d'une verve que l'esprit français de l'époque ne pouvait recevoir. Cela éclaire en partie l'exclusion de Léon Bloy du champ littéraire où il n'a pu être reconnu d'aucune façon. En le présentant uniquement comme pamphlétaire, on l'a irrémédiablement relégué aux enfers de la littérature proscrite.

Bibliographie

• Éditions :
Œuvres, J. Bollery et J. Petit éds, Paris, Mercure de France, 1963-1975, 15 vol. – *Journal*, J. Bollery éd., Paris, Mercure de France, 1956-1958, 2 vol.

• Études :
J. Bollery, *Léon Bloy. Essai de biographie*, Paris, Albin Michel, 1947-1954, 3 vol. – G. Dotoli, *Situation des études bloyennes*, Paris, Nizet, 1970 (importante bibliographie). – *Léon Bloy*, Cahiers de L'Herne, 1988. – M. Fantana, *Léon Bloy journaliste*, Paris, Champion, 1998.

* * *

Paul Bourget (1852-1935)

Le plus contrasté des romanciers de son temps, Paul Bourget est passé du modernisme à la réaction au fil d'une carrière littéraire rapide et largement récompensée. S'il apparaît au XXe siècle comme la bête noire du roman à thèse le plus conservateur, il ne faut pas oublier qu'il a été, avec le premier Barrès, le porte-parole de toute une génération, celle des années 1860, à laquelle il a apporté les moyens de contrer une littérature trop impériale, que ce soit du côté du roman (le naturalisme) ou de la poésie (le Parnasse). À peine âgé de vingt-cinq ans, il parraine des écrivains en herbe (Laforgue, par exemple, lui soumettra ses premiers textes), tout en poursuivant son ascension académique. Ses *Essais de psychologie contemporaine*, parus en deux séries (1883 et 1885), ont fait figure de manifeste pour une littérature moderne.

C'est que Bourget a apporté du sang neuf aux courants esthétiques de l'époque. C'est à lui que l'on doit l'influence de la philosophie de l'inconscient de Hartmann, la vogue du bouddhisme et l'introduction du dilettantisme, qu'il étudie chez Renan (voir p. 440). Il est aussi un des premiers à avoir apporté une « théorie de la décadence » en littérature : « Un style de décadence est celui où l'unité du livre se décompose pour laisser place à l'indépendance de la page, où la page se décompose pour laisser place à l'indépendance de la phrase, et la phrase pour laisser place à l'indépendance du mot ». Il a reconnu le génie de Stendhal dont il étudie « l'esprit d'analyse dans l'action » et qu'il considère comme le père du roman psychologique. Enfin, pour l'anecdote, il est un des premiers lecteurs de Freud.

Issu de la bourgeoisie intellectuelle d'Amiens, Bourget suit un itinéraire classique. Après de brillantes études secondaires puis supérieures (de lettres à Paris), il commence par fréquenter tout ce qui bouge à Paris, avant de fixer ses choix. Au lendemain de 1871, il se montre compréhensif pour les défenseurs de la Commune, avant de condamner définitivement cette insurrection qu'il attribue au dérèglement de l'éducation des jeunes gens. Dans les années 1880, en bon dilettante, il se montre curieux de tout, fréquente les riches salons israélites en même temps que les cafés-concerts, mais ne tardera guère à désavouer les uns et les autres. Cette curiosité est le fait d'un homme qui cherche à s'orienter et qui observe avant de prendre position.

Bourget, en fait, est habité par le démon de la pédagogie. S'il choisit le roman, après avoir tâté de la poésie en trois recueils d'épigone (parnassien dans *La Vie inquiète* (1875), réaliste dans *Edel* (1878), présymboliste dans *Les Aveux*, 1882), c'est parce qu'il a des leçons à donner sur le monde. Ce qui lui vaudra un succès grandissant, notamment auprès d'un lectorat bourgeois qui trouve dans ses intrigues l'explication psychologique (et rassurante) de ses états d'âme (conjugaux, sentimentaux, moraux). Lui qui réprouve toute la méthode naturaliste, il est tout aussi imprégné de scientisme que Zola et les siens. Admirateur de Taine et de Hartmann, c'est surtout chez un psychologue célèbre à l'époque, Théodule Ribot, qu'il trouve les fondements de son analyse romanesque de la personne humaine.

De *Cruelle Énigme* (1885) au *Disciple* (1889), en passant par *Un crime d'amour* (1886), *André Cornélis* (1887), tous ses romans, qui bénéficieront de l'avantageuse étiquette de « psychologiques » diffusée par J. Huret en 1891, racontent des histoires de grands bourgeois passagèrement troublés dans leurs conventions ou hantés par des pulsions inavouables (ainsi André Cornélis, sorte d'Hamlet fin de siècle, rêve de venger son père mystérieusement assassiné). Bien que sur fond d'intrigue criminelle, ces romans sombres n'ont rien de populaire : les ingrédients romanesques sont au service des idées et de l'analyse, et leur force dramatique ne cède jamais le pas à l'explication psychologique. En fait, ces romans se trament tous sur un cas de conscience (ceux que le bourgeois de l'époque a le luxe de s'offrir) qu'il s'agit moins de dénouer que d'approfondir en sorte de mieux comprendre les ressorts de l'âme humaine.

Le Disciple marque une rupture par rapport à cette première manière. Plus authentique, le roman se mêle moins des passions humaines que du rôle moral de l'intellectuel. Publié en 1889, il précède un débat qui trouvera son apogée avec l'Affaire Dreyfus et qui place au tout premier plan le rôle de l'écrivain dans la cité. L'intrigue du *Disciple* reste de la même eau que celle des autres romans de Bourget : Robert Greslou, disciple d'un philosophe déterministe, Adrien Sixte, est accusé d'avoir empoisonné la jeune élève dont il est tombé amoureux et qui en fait s'est suicidée. Le philosophe, conscient du rôle néfaste des idées qu'il aurait pu inculquer à son élève, vient au procès et le disculpe. À la sortie, le frère de la victime tue Greslou tandis que Sixte s'en remet à la prière. S'introduit dans ce roman une réflexion sur les difficiles rapports entre la pensée et l'action qui marquera la tradition romanesque française (avec Barrès, Gide et Valéry) de l'entre-deux-siècles.

Après son élection à l'Académie (1894), Bourget ne produit plus que des romans qui s'entêtent dans le souci de la démonstration, avec cette fois non plus une analyse psychologique, mais une forte dose de dogmatisme moral. Antidreyfusard, monarchiste, Bourget se convertira, comme tant d'autres, au catholicisme en 1902. Ses romans de la maturité, *L'Étape* (1902), *Un divorce* (1904) et son théâtre (*La Barricade*, 1910, *Le Tribun*, 1911) se figent dans un conservatisme de plus en plus rigide et manichéen qui lui fera perdre son aura des années 1880.

Bibliographie

• Édition :
Essais de psychologie contemporaine, A. Guyaux éd., Paris, Gallimard, coll. « Tel », 1993. Aucun roman disponible en édition courante.

• Études :
L.-J. Austin, *Paul Bourget, sa vie et son œuvre jusqu'en 1889,* Genève, Droz, 1940. – M. Mansuy, *Un moderne, Paul Bourget : de l'enfance au Disciple*, Paris, Les Belles Lettres, 1961, rééd. 1968.

* * *

Auguste Villiers de l'Isle-Adam (1838-1889)

Avec Baudelaire, Villiers de l'Isle-Adam est considéré par la génération symboliste comme le fondateur de la modernité. Dans les années 1880, après une carrière pour le moins ingrate, le « maître » fait autorité autant qu'il apitoie par son extrême pauvreté. Huysmans, dans *À rebours*, le place au rayon des lectures préférées de des Esseintes ; Verlaine, en 1888, le sacre « Poète maudit », tandis que Mallarmé lui consacre une tournée de conférences mémorables en Belgique, quelque temps après sa disparition en 1889 :

> « Le front riche de l'aumône ainsi à quiconque improvisée, où courait-il, déjà, un matinal foulard noué autour du cou : vers des passions ? il n'en connut qu'une seule, qui l'absorba et eut raison de forces fameuses, à cause de ce revers, la pénurie – et ce fut la Littérature. »

Descendant d'un chevalier de l'ordre de Malte, fils d'un père aristocrate qui dilapida ce qu'il restait de la fortune, le comte Jean-Marie Mathias Philippe Auguste de Villiers de l'Isle-Adam est de la génération des Parnassiens. Il naît à Saint-Brieuc, fait des études décousues (à Vannes, à Rennes, à Saint-Brieuc). À un peu moins de vingt ans, il monte à Paris, où il se fait quelques amis à Montmartre et à la Brasserie des Martyrs, Léon Dierx et Catulle Mendès notamment. Il admire Baudelaire, qu'il rencontre en 1859, tout en restant respectueux des grandes voix romantiques de Musset et de Vigny. Suivant une habitude aussi vieille que le siècle, il entre en littérature avec *Deux Essais de poésie* qu'il publie en 1858, suivis d'un volume de *Premières Poésies* en 1859.

Il passe alors timidement au roman, avec *Isis* dont le premier et unique volume est publié à compte d'auteur (1862). Faute de succès, il essaie le théâtre : *Ellen*, en 1865, *Morgane*, l'année suivante, sont refusés. Il se rabat sur la poésie qui lui vaut d'être comparé à Musset dans *Le Parnasse contemporain*. Cela ne suffit pas pour le sortir de l'ombre. En 1869, il écrit son premier conte cruel, intitulé, *L'Intersigne* en même temps qu'un court roman, *Claire Lenoir* et une première version de *L'Annonciateur* – autant de germes qui ne demandent qu'à se développer, mais le terrain ne semble pas propice.

Comme pour beaucoup d'écrivains, 1870 marque une rupture considérable. Villiers assiste à l'enterrement de son ami Victor Noir, assassiné par le prince Bonaparte, et se met à imaginer un complot contre l'Empire. Lorsque la Commune est déclarée, il prend le parti des insurgés (notamment à travers de fougueux articles dans *Le Tribun du Peuple*), même si par opportunisme il changera de camp quelque temps après – il sera candidat légitimiste battu aux élections de 1881. Durant ces années, il a beaucoup de mal à faire jouer ses drames nouveaux (*L'Évasion*, *La Tentation*, 1871, et surtout *Axel*, dont le premier acte est publié en 1872) ainsi que les anciens qu'il remanie.

Ses contes marchent mieux. Il en publie régulièrement de 1873 à 1877 en revue (dans *La Renaissance littéraire et artistique* et *La Semaine parisienne* principalement), en attendant d'en faire le volume des *Contes cruels* qui paraîtra chez Calmann-Lévy en 1883. C'est enfin la notoriété, purement symbolique du reste. Lui qui vient des dernières vagues du romantisme et du Parnasse, le voilà tout à coup aux premières loges de la nouvelle école symboliste qui se cherche des maîtres. Il bénéficie aussi à la même époque de solides amitiés littéraires : ami fidèle de Mallarmé, il forme avec Huysmans et Bloy le « concile des Gueux » (selon une expression de ce dernier). Les principales revues lui ouvrent leurs pages : *Le Gil Blas, La Vie moderne, La Jeune France.* Il publie *L'Ève future* en 1886 puis, en 1887, un recueil de contes autour du personnage qui lui donne son titre, *Tribulat Bonhommet.* Deux autres recueils paraîtront deux ans plus tard, des *Histoires insolites* et de *Nouveaux Contes cruels.* Même son théâtre intéresse l'avant-garde et un public choisi : Antoine monte au Théâtre-Libre *L'Évasion.* Un an avant sa mort, alors qu'il est dans le dénuement le plus total, on lui organise en Belgique une tournée de conférences pour lui venir en aide.

Deux œuvres majeures ont donc suffi à sortir tardivement Villiers de l'ombre : un roman, *L'Ève future*, en 1886, et un recueil de *Contes cruels*, trois ans auparavant. Si la génération symboliste s'est pleinement retrouvée dans ces deux chefs-d'œuvre, c'est que Villiers, qui se disait « le porte-parole de l'arrière-pensée moderne », a cristallisé une esthétique qui était en gestation dans les années 1880. Cette esthétique, c'est celle d'un idéalisme qui mêle le rêve à l'irréel, sans écarter ni un certain réalisme ni une certaine forme de spiritualité.

En effet, la spécificité des *Contes cruels* tout autant que de *L'Ève future* est de faire glisser la plus stricte observation du monde dans l'étrange, voire le surnaturel. Tous les contes, à plus ou moins forte dose, sont le lieu de ce glissement progressif. Dans le prolongement de Poe et du Baudelaire des *Petits Poèmes en prose*, Villiers joue en effet de l'ambiguïté du sens, chaque conte se terminant sur le doute et l'incertitude. Il en est ainsi de « Véra » : le rêve y est plus réel que la mort, Véra continue de vivre dans le souvenir de son amant jusqu'à ce que celui-ci la voie morte en rêve. Ce sont toutes les catégories du bon sens qui sont ici brouillées, et les limites de l'intelligibilité reculées. *L'Intersigne* se consacre aux communications troublantes qui précèdent la mort en l'annonçant et dissipent ainsi la dualité entre la vie et le néant, dans une appréhension très hégélienne des antithèses (Villiers était féru de Hegel). *Le Convive des dernières scènes*, pour prendre un dernier exemple, met en scène un grand seigneur sadique qui trouve plaisir à prendre la place du bourreau lors des exécutions capitales. Ici encore la dualité de la victime et du bourreau est anéantie dans sa logique même. Toutes ces histoires ont cette « cruauté » de déplacer le sens jusqu'au renversement ironique. Car si ces contes ont un argument qui pourrait relever de la littérature fantastique, celui-ci n'est jamais que le prétexte à un rire diffus et glacé qui subsume les comportements de peur et de bien-être en même temps que les frontières entre le comique et le sérieux.

L'Ève future avait de quoi séduire la génération d'après 1870 pour un motif d'un autre ordre. Ce texte est en effet une des rares applications au roman de l'esthétique symboliste et de la philosophie idéaliste. S'il s'apparente à ce que Jules Verne écrit dans le domaine de la science-fiction, ce n'est qu'en surface. Car le roman brise le pacte de lecture qu'il est censé mettre en place. L'intrigue se voit sans cesse interrompue par des propos à caractère didactique (sur la physique, l'électricité), à la manière du Huysmans encyclopédiste dans certains chapitres d'*À rebours*. De plus, le récit se resserre au fil de la lecture : toute l'action tient en trois semaines dans le domaine isolé de Menlo Park autour d'un seul personnage, Edison. Enfin *L'Ève future* est un roman de l'échec : au lieu de célébrer le progrès, comme l'exposé de l'argument pouvait l'induire, Villiers conduit au fiasco de manière absurde une entreprise diabolique qui consiste à fabriquer une femme-automate – que n'aurait pas désavouée des Esseintes – plus vraie que nature.

Ce roman, le seul réellement achevé par Villiers du reste, et ce recueil de contes, à trois ans d'intervalle – mais leur publication en revue a estompé ce négligeable effet de distance –, apparaissent dans la production narrative de la fin du siècle comme la possibilité d'une prose nouvelle à écrire. Une prose qui n'aurait rien des vulgarités naturalistes et des fadeurs psychologisantes des romanciers mondains, une prose qui subsumerait les genres. Quelques-uns seulement ont compris que Villiers, en grand admirateur de Wagner qu'il était, œuvrait en fait pour la littérature totale qui hantait l'avant-garde.

Bibliographie

• Édition :

Œuvres complètes, P.-G. Castex et A. Raitt éds, Paris, Gallimard, coll. « Bibliothèque de la Pléiade », 1986, 2 vol.

• Études :

J. Bollery, *Biblio-iconographie de Villiers de l'Isle-Adam*, Paris, Mercure de France, 1939. – J.-H. Bornecque, *Villiers de l'Isle-Adam, créateur et visionnaire*, Paris, Nizet, 1974. – D. Conyngham, *Le Silence éloquent. Thèmes et structures de « L'Ève future » de Villiers de l'Isle-Adam*, Paris, J. Corti, 1975. – J. Decottignies, *Villiers de l'Isle-Adam, le taciturne*, Lille, Presses universitaires de Lille, 1983. – J.-P. Gourvitch, *Villiers de l'Isle-Adam*, Paris, Seghers, 1971. – A. Raitt, *Villiers de l'Isle-Adam, exorciste du réel* (biographie), Paris, J. Corti, 1987. – A. Raitt, *Villiers de l'Isle-Adam et le mouvement symboliste*, Paris, J. Corti, 1965, rééd. 1986.

Chapitre 32

Le roman : la tradition réaliste

Le style et le social

La poésie d'avant-garde de la fin du siècle a dû renverser le Parnasse pour affirmer son authenticité et prolonger l'œuvre de modernité amorcée avec Baudelaire. Le roman a un autre obstacle à surmonter : la tradition réaliste issue du romantisme qui a suscité et entrecroisé trois courants dans l'art du roman. Le puissant modèle balzacien, tout d'abord, qui émerge en plein romantisme et qui dominera le siècle entier. Son succédané réaliste *stricto sensu*, ensuite, quelques peintres et écrivains aux alentours de 1845-1860 (Duranty, Champfleury, réunis autour de Courbet et de la revue *Le Réalisme*) qui opposent au mensonge romantique (intemporel et irréel) la vérité réaliste (sociale et contemporaine). En troisième lieu, le réalisme artistique que Gautier et surtout Flaubert ont mis en place, notamment en refusant l'un et l'autre le dilemme de l'art social ou de l'art pour l'art. Trois courants auxquels il convient d'ajouter l'apport stendhalien qui consiste à réaffirmer dans la production romanesque la place du sujet individuel (contre le sujet collectif).

En fait, deux critères départageront la pratique du roman dans le dernier tiers du siècle : le style et le social. Deux notions que le roman français a du mal à combiner dans son art, comme s'il était sommé de choisir l'un contre l'autre. De là, la nécessité dans les années 1870 de dépasser la dichotomie. À l'enseigne de Flaubert, les frères Goncourt s'y emploient en revendiquant pour leur travail l'appellation de « réaliste » et en qualifiant leur style moderne d'« artiste ». Ambivalence dont profiteront Zola et les naturalistes, mais aussi leurs adversaires psychologues, puisque les Goncourt auront fait la preuve que le roman pouvait en même temps porter témoignage et être le lieu d'un travail langagier. Avec *Germinie Lacerteux* et *Renée Mauperin* (1864) surtout, mais aussi *Manette Salomon* (1867), *Charles Demailly* (1868) et *Madame Gervaisais* (1869), sans parler des œuvres de jeunesse, les Goncourt ont sonné le glas d'une certaine littérature de reportage, en insufflant au projet réaliste une dimension esthète ou « artiste ». Qu'on se souvienne de la préface-manifeste de *Germinie Lacerteux* par laquelle les deux frères entendaient légitimer une fois pour toutes un genre – le roman – trop empêtré dans la convention bourgeoise :

> « Aujourd'hui que le Roman s'élargit et grandit, qu'il commence à être la grande forme sérieuse, passionnée, vivante de l'étude littéraire et de l'enquête sociale, qu'il devient, par l'analyse et par la recherche psychologique, l'Histoire morale contemporaine ; aujourd'hui que le Roman s'est imposé les études et les devoirs de la science, il peut en revendiquer les libertés et les franchises. Et qu'il cherche l'Art et la Vérité ; qu'il montre des misères bonnes à ne pas laisser oublier aux heureux de Paris ; qu'il fasse voir aux gens du monde ce que les dames de charité ont le courage de voir, ce que les Reines d'autrefois faisaient toucher de l'œil à leurs enfants dans les hospices : la souffrance humaine, présente et toute vive, qui apprend la charité ; que le Roman ait cette religion que le siècle passé appelait de ce vaste et large nom : *Humanité* ; – il lui suffit de cette conscience : son droit est là. »

Aux accusations de « littérature putride » que porte la critique mondaine et qui entachent l'ensemble de la production naturaliste, Edmond répondra que le

> « Réalisme [...] n'a pas [...] l'unique mission de décrire ce qui est bas, ce qui est répugnant, ce qui pue ; il est venu au monde aussi, lui, pour définir, dans de l'écriture *artiste*, ce qui est élevé, ce qui est joli, ce qui sent bon, et encore pour donner les aspects et les profils des êtres raffinés et des choses riches » (préface aux *Frères Zemganno*, 1879).

Un réalisme artistique : voilà comment les Goncourt tentèrent de faire pièce au romantisme en dotant le romancier d'une conscience morale et d'un projet quasiment scientifique. Zola, qui fut un disciple de la première heure des Goncourt et de Flaubert, retint la leçon et, mieux que quiconque, sut ce qu'il fallait entendre par « l'étude d'après nature ». S'il parvint à faire aboutir ce qui demeurait chez les Goncourt à l'état de programme ou d'expérimentation, c'est qu'il comprit très vite que le projet naturaliste ne pouvait s'encombrer d'une écriture qui en quelque sorte barrait l'intention du véritable roman moderne. Il est vrai que les Goncourt – et Edmond plus encore que Jules – n'ont eu de cesse de doter leur réalisme d'un instrument *ad hoc*. Trop aristocrates et trop imprégnés de faisandage langagier, ils ont produit une œuvre qui tout en enfantant le naturalisme a généré son antidote – ce qui, faute d'étiquette précise, et pour cause, s'appellera à la fin du siècle roman décadent. Il y a du Huysmans, du Poictevin, du Gourmont, du Péladan, du Dujardin, du Gide – bien plus que du Zola – dans cette œuvre hybride qui assurément fait charnière dans l'histoire du réalisme français et a du mal à se dépêtrer du passé, notamment du XVIIIe siècle. On ne s'étonnera guère qu'Edmond en ait voulu à Zola, l'accusant même d'avoir pillé ses romans, leur prenant des scènes, des expressions, des idées. On dit qu'il fut à l'origine, avec Daudet, du Manifeste des Cinq, cette première contestation interne du naturalisme. Zola de son côté sut faire la part des choses, en reconnaissant surtout à ses aînés l'insigne mérite d'avoir inventé une langue nouvelle, un style.

Le roman expérimental : Zola et le naturalisme

On a quelque peine à imaginer que le roman à la Zola fût en son temps « expérimental ». Encore faut-il rendre à ce mot le double sens scientifique et littéraire qui était le sien et bien voir que le projet naturaliste d'un roman nouveau fait fond de toute une pensée scientifique héritée du positivisme. C'est d'ailleurs par l'alliance de ces deux savoirs (de la science et de la littérature) que Zola innova et scandalisa le plus en matière de roman.

La science, tout d'abord. C'est à un médecin, Claude Bernard, que très explicitement Zola emprunte les arguments de son naturalisme, pour répondre aux attaques soulevées par *L'Assommoir* et *Nana*. N'oublions pas que dans les années 1860, la médecine passe du statut d'art à celui de science. Claude Bernard est celui par qui s'opère cette transformation. Son *Introduction à l'étude de la médecine expérimentale*, publiée en 1865, expose des principes et des méthodes qui ne manqueront pas d'influencer les écrivains, Zola en tête. Le déterminisme des phénomènes biologiques, la spécificité des fonctions vitales, le principe d'identité des lois du fonctionnement normal et pathologique de l'organisme, notamment, marquent de manière indélébile l'esthétique zolienne.

Il était donc naturel que Zola se posât en Claude Bernard de la littérature. En 1880, il réunit en volume les cinq études publiées parallèlement à Saint-Pétersbourg (nul n'est prophète en son pays) et à Paris, significativement intitulées *Le Roman expérimental*. La filiation entre l'écrivain et le physiologiste est revendiquée d'entrée de jeu, puisque Zola entend importer le modèle du savant et renverser la conscience artistique de son temps en faisant passer la littérature du côté de la science :

> « Puisque la médecine, qui était un art, devient une science, pourquoi la littérature elle-même ne deviendrait-elle pas une science, grâce à la méthode expérimentale ? Il faut remarquer que tout se tient, que si le terrain du médecin expérimentateur est le corps de l'homme dans les phénomènes de ses organes, à l'état normal et pathologique, notre terrain à nous est également le corps de l'homme dans ses phénomènes cérébraux et sensuels, à l'état sain et à l'état morbide. »

À l'époque où il publie ces lignes (1879-1880), Zola est à peu près à la moitié des *Rougon-Macquart*. Il vient de publier *Nana* (1879) ; la tourmente est derrière lui, le scandale bien routinisé. Le discours scientifique dont il entoure son œuvre confère à tout son projet une légitimité objective et positive, celle qui lui manquait jusqu'alors et qui l'empêchait de se dépêtrer du statut de littérature pornographique. En une quinzaine d'années, le naturalisme a ainsi affiné ses thèses dans le sens d'une vérité scientifique.

Fort de son émergence dans le champ romanesque et doté d'un puissant programme scientifique et esthétique, Zola peut faire école. Reprenant le mot « naturalisme » qu'un critique d'art (Castagnary) utilisait depuis 1863 pour distinguer un nouveau réalisme, il rassemble dès 1877 quelques amis à Paris puis à Médan (dans une maison achetée avec les droits de *L'Assommoir*) : H. Céard, J.-K. Huysmans, L. Hennique, P. Alexis, G. de Maupassant. Ils écrivent en 1880 *Les Soirées de Médan*, une œuvre collective qui, bien que de fiction, passe, comme on l'a dit au chapitre 29, pour un manifeste. Mais cette fondation sera suivie d'une rapide dissolution : la cohésion que Zola guigne autour de lui s'effritera bientôt et le maître poursuivra seul son projet au point que le naturalisme se confond presque essentiellement avec son œuvre. En effet, les dissidences sont prêtes. Huysmans, le premier, avec *À rebours*, parodie en 1884 le roman naturaliste de façon spectaculaire, en renversant terme à terme ses données narratives. Maupassant, en 1887, marque ses distances dans la préface de *Pierre et Jean* : « Si nous jugeons un naturaliste, montrons-lui en quoi la vérité dans la vie diffère de la vérité dans son livre. » Ce que Huysmans et Maupassant reprochent à Zola – sauf en des romans que tous les deux apprécient, mais justement parce qu'ils échappent aux normes naturalistes, comme *La Faute de l'abbé Mouret* –, c'est de faire l'impasse sur l'art et la langue au profit de la vérité romanesque.

Si Zola peut mener à terme le projet naturaliste, c'est aussi qu'il est seul maître à bord. Au rythme d'un roman annuel, il marque de sa présence la littérature pendant vingt-deux ans, de 1871 (*La Fortune des Rougon*) à 1893 (*Le Docteur Pascal*), tapant sur le même clou naturaliste avec un entêtement qui force l'admiration et le respect, y compris des adversaires théoriques dont Mallarmé. Sans compter qu'il occupe une place médiatique privilégiée, dès avant l'Affaire et qu'il gère sa production en parfait homme d'affaires, convertissant des articles disséminés en volumes et des romans en pièces de théâtre. Bref, il apparaît dans l'histoire du roman français comme l'exacte réplique de Balzac, modèle de toute son œuvre en qui il voit « un Juvénal moderne » tout autant qu'un prophète de la République. En ce sens, *La Comédie humaine* serait prolongée par *Les Rougon-Macquart*, notamment en faisant droit au grand absent du monde balzacien, le peuple :

> « Balzac, le royaliste et le catholique, a travaillé pour la République, pour les sociétés et les religions libres de l'avenir [...]. Le peuple, l'ouvrier, n'apparaît jamais. Mais comme on entend au loin la voix du grand absent, comme on sent, sous toutes les ruines amassées, la sourde poussée du peuple qui va jaillir à la vie politique, à la souveraineté » (« Sur Balzac », *Le Rappel*, 13 mai 1870).

Le naturalisme se veut scientifique, il s'affirme aussi un art à part entière. Un art de la vérité et qui « ne cherche le beau que dans l'observation scrupuleuse, la grandeur que dans l'exactitude à tout prix » (Céard, *L'Artiste*, 23 novembre 1877). Un art de la monstration, qui ne s'embarrasse d'aucune pudeur : « La société a deux faces, écrit Huysmans : nous montrons ces deux faces, nous nous servons de toutes les couleurs de la palette, du noir comme du bleu... Nous ne préférons pas, quoi qu'on dise, le vice à la vertu. » Et Zola, dès la préface de *L'Assommoir* (1877), d'avertir que son roman, « le plus chaste » de la série, est œuvre de philologue, bien conscient – somme toute comme les Parnassiens – que tout passe par le langage : « Ah ! la forme, là est le grand crime. »

L'ambition artistique qui anime tous les naturalistes est moins la traduction d'une attitude défensive vis-à-vis des adversaires qu'une réelle volonté de faire entrer leurs œuvres dans le secteur de pointe de la littérature légitimée. En effet, la crainte sous-jacente de ce nouveau réalisme est d'être noyé dans une conception de la littérature qui soit totalement amputée d'une intention artistique parce que totalement acquise au combat social. Sans doute en souvenir de l'échec du réalisme *stricto sensu* du milieu du siècle, Zola et les naturalistes, héritiers en cela de Flaubert et des Goncourt, ont-ils pu mener un projet éminemment dialectique, et en cela d'avant-garde, qui consistait à faire la preuve que la peinture de la société sur le mode scientifique n'offensait en rien le culte de l'art pur. C'est ainsi également qu'il faut comprendre simultanément que le naturalisme puisse appartenir tout à la fois à un secteur de recherche et à un secteur commercial très rentable ; il est probablement l'esthétique de la fin du siècle qui a le mieux intégré l'évolution du marché littéraire tout en se maintenant à un haut degré de légitimité. Le naturalisme, de la sorte, a bénéficié bien plus que les autres avant-gardes et plus encore que ses adversaires (le roman mondain ou le roman psychologique) de la forte consécration véhiculée par le Parnasse et le symbolisme auxquels, au fond, il n'oppose qu'une pure et loyale concurrence esthétique.

Sortir du naturalisme

À la fin des années 1880, les choses tournent mal pour le roman. Il perd de son prestige, on commence à entrevoir sa faillite et à fantasmer ses impasses. C'est que le genre, décidément, prend trop de place : la crise vient parfois d'un excès, et pas toujours d'un manque. Lorsque Jules Huret, en 1891, mène son enquête sur l'évolution littéraire, les questions qu'il prépare pour les naturalistes présupposent la mort du mouvement : « Le naturalisme est-il malade ? Est-il mort ? Peut-il être sauvé ? Par quoi sera-t-il remplacé ? » Autant d'interrogations « médiatiquement » rentables, mais qui donnent le ton de la philosophie de l'histoire qui prévaut dans le champ littéraire, selon laquelle l'art est tenu à se dépasser continuellement sous peine de ne plus exister. Au même moment, *L'Argent* se vend en quelques jours à cinquante mille exemplaires, ce qui ne peut que faire sourire Zola :

> « — Ah ! ah ! me dit le maître avec un sourire, en me serrant la main, vous venez voir si je suis mort ! Eh bien ! vous voyez, au contraire ! Ma santé est excellente, je me sens dans un équilibre parfait, jamais je n'ai été plus tranquille ; mes livres se vendent mieux que jamais, et mon dernier, *L'Argent*, va tout seul ! » (J. Huret, *Enquête sur l'évolution littéraire*, 1891).

Arrogance ? Ironie ? Triomphalisme ? Qu'importe, comme le dit Zola, le naturalisme « a tenu un gros morceau de siècle » et il est vain de s'interroger sur l'avenir. Le mouvement, même mort, aura compté : « Le naturalisme finira quand ceux qui l'incarnent auront disparu » (Zola).

Le discours crépusculaire sur le roman à la fin du siècle est moins symptomatique d'une crise réelle que d'un essoufflement du genre dû essentiellement à la banalisation de ses formules. Si les naturalistes tiennent la leur, ils savent aussi que leurs adversaires n'en ont pas d'aussi puissantes. Les psychologues qui s'imposent autour de Bourget ? Ils font du naturalisme à leur façon, en scrutant l'âme et quelques cas de conscience, en réconfortant le bourgeois dans ses troubles passagers (financiers ou conjugaux). Barrès ? Selon Zola, il écrit des livres qui font « l'effet d'une horlogerie très amusante, mais qui ne marquerait pas l'heure ». Rien à craindre donc de ces romanciers qui adressent tout particulièrement leurs livres aux « jeunes gens », ainsi que le font de concert et à des fins moralisatrices en 1889 Bourget dans sa préface du *Disciple* et Barrès dans celle d'*Un homme libre*. La menace viendrait-elle des romanciers décadents qui émergent, de Rachilde à Jean Lorrain en passant par Péladan ? Non, ceux-là transposent le schéma naturaliste dans d'autres milieux, sans plus, et se complaisent dans une sorte de mystique de la perversion. En fait, comme le dit Zola d'une façon péremptoire : « Il n'y en a pas un qui puisse nous déloger ! »

C'est contre cette situation de blocage que vont s'ériger de façon à la fois isolée et convergente quelques romanciers, dont certains, comme Huysmans avec *À rebours*, sont issus directement du naturalisme. Entre Zola et Proust, en passant par l'intermède symboliste, un grand texte oppositionnel se fait jour qui a cherché à faire pièce à la domination du naturalisme sans trop savoir quelle formule opposer à la mécanique zolienne.

De 1884 à 1895, une douzaine de textes, en effet, vont saper par à-coups l'édifice romanesque sans toutefois l'évincer, sans même faire école. Textes expérimentaux, uniques dans leur formule, mais travaillés solidairement par la même problématique d'un nouveau roman à faire. Textes écrits en haine du naturalisme et dans le sillage du symbolisme et d'une certaine décadence.

Citons-les en vrac et à la façon dont on aime dans ces romans à dresser des florilèges :

1884 : Huysmans, *À Rebours*	1890 : Gourmont, *Sixtine*
1886 : Adam, *Soi*	1890 : Péladan, *Un cœur en peine*
1886 : Lorrain, *Très russe*	1892 : Rodenbach, *Bruges-la-Morte*
1886 : Villiers, *L'Ève future*	1893 : Wyzewa, *Valbert*
1887 : Dujardin, *Les lauriers sont coupés*	1895 : Schwob, *Le Livre de Monelle*
1889 : Barrès, *Un homme libre*	1895 : Gide, *Paludes*

Soit une poignée de romans témoins et générateurs de la crise du roman qu'ils racontent tour à tour (tantôt explicitement tantôt métaphoriquement) ouvrant et fermant respectivement la problématique qui est mise à la question : *À Rebours* de Huysmans et *Paludes* d'André Gide, en effet, mettent entre parenthèses le roman tel qu'il s'écrit en ces années (selon le modèle zolien ou le modèle des romanciers psychologues) pour chercher une formule aporétique d'un roman sans romanesque qui serait, somme toute, l'ultime manière de redorer l'image sociale du genre. Si Huysmans avec son texte-manifeste met en crise le roman, Gide, par ailleurs, trouve un questionnement qui épuise les formules envisagées par les autres auteurs ; Dujardin, Gourmont, Rodenbach et consorts s'amusent en quelque sorte à écrire un roman qui se vide de sa substance. L'auteur de *Paludes*, lui, ira le plus loin en bannissant de sa sotie tout déterminisme et en ouvrant la voie à la contingence narrative.

Ce que ces romans ont en commun et ce par quoi ils se distinguent des romans décadents typés, c'est qu'ils mettent explicitement le genre en question dans son fonctionnement et expérimentent en solitaires une formule qui se veut neuve et originale, mais qui a ses invariants : l'échec et la névrose (du héros) au plan thématique, l'hybridation des formes et la déconstruction des codes au plan fonctionnel. Ces romans, en fait, s'écrivent sur le modèle idéalisé (mais non réalisé) de la nouvelle (ou du conte) et du poème en prose, les deux genres survalorisés à l'époque tant par les poètes (Mallarmé) que par les prosateurs (Villiers de l'Isle-Adam). *Paludes* est assurément l'aboutissement le plus ironique de ces tentatives éparses. Tout en étant fondamentalement l'histoire de « Paludes », le roman se cherche sans jamais se trouver : c'est aussi bien, selon le narrateur, l'histoire du « terrain neutre, celui qui est à tout le monde », que celle de « l'homme couché » ou encore celle « des animaux vivant dans les cavernes ténébreuses, et qui perdent la vue à force de ne pas s'en servir ». Au nom du *statisme* narratif qui caractérise ces romans à la moderne, le plan n'est ni bon ni mauvais : il se donne pour absent, ce que les interlocuteurs du narrateur gidien ne se privent pas de critiquer sévèrement, en bons lecteurs de littérature réaliste :

> « — Tiens, dit Patras, je croyais que c'était l'histoire d'un marais.
> — Monsieur, dis-je, les avis diffèrent – le fond permane. – Mais comprenez, je vous prie, que la seule façon de raconter la même chose à chacun, – la même

chose, entendez-moi bien, c'est d'en changer la forme selon chaque nouvel esprit. – En ce moment, « Paludes », c'est l'hisoire du salon d'Angèle.
— Enfin, je vois que vous n'êtes pas encore bien fixé, dit Anatole. »

Tel est l'aboutissement logique de la déconstruction du roman naturaliste : il n'existe plus, comme le voulait la tradition, une forme juste et unique pour chaque idée. Le paradoxe de ce récit stagnant et déconstruit est qu'il se découvre rapidement comme invertébré et doit, pour se donner une contenance – à défaut d'un contenu –, recourir *in extremis* et malgré lui au modèle fustigé.

Ce mouvement hostile à l'entreprise naturaliste, faut-il le dire, n'aura quasiment pas d'effet immédiat ; il préparera néanmoins la grande révolution proustienne en ayant débarrassé virtuellement le roman des contraintes qui paraissaient inéluctables : une intrigue, un héros, un espace-temps. Il aura aussi permis que se développent à rebours du naturalisme des formes romanesques qui trouveront leur plein succès à la Belle Époque : l'exotisme de Loti, l'érotisme de Louÿs, l'instantanéisme de France participent d'une fuite en avant du naturalisme (et plus généralement de tout le modèle réaliste) qui semble en ces œuvres définitivement dépassé. Avec eux se dessinent les contours de l'autre siècle, ce qui n'est nullement un gage de modernité.

Un roman sans littérature

Alors que la littérature de la fin du siècle se clive en secteurs de haute légitimité symbolique ou au contraire de haute rentabilité commerciale, qu'elle développe une avant-garde qui s'introduit dans chacun des genres, elle augmente du même coup une vaste production populaire (de romans, de poésie, de théâtre) qui n'a aucune chance d'accéder à la reconnaissance symbolique.

Ainsi, pour ne parler que du roman populaire, celui-ci s'est dissous dans sa forme héroïque, au point de se spécialiser dans les veines qu'il contenait à l'époque d'Eugène Sue ou d'Alexandre Dumas. À la fin du siècle, en effet, naissent dans des formes et formules qui ne varieront plus vraiment par la suite le roman sentimental, le roman policier, le roman fantastique et le roman de science-fiction – de la même manière que le théâtre et la poésie sécrètent, selon des formes et en des lieux spécifiques, respectivement le sketch (le monologue, Coquelin cadet et la tradition du caf'conc') et la chanson(nette), aliment d'une nouvelle forme de loisir, le music-hall, qui se développera à la Belle Époque.

Ces genres paralittéraires, en fait, précipitent la fin du roman populaire né avec la Restauration en une apothéose qui trouvera ses meilleurs représentants avec Gaston Leroux (*Rouletabille*), Maurice Leblanc (*Arsène Lupin*), le tandem Souvestre et Alain (*Fantômas*) et Michel Zévaco (*Pardaillan*) – encore que, dans le sillage de Ponson du Terrail une génération plus tôt, ces auteurs-là se soient déjà singularisés dans le récit de détection criminelle ou le récit historique. Parce que largement sériels et volontiers baroques dans leur conception, ces romans se rattachent à la tradition du feuilleton, mais ce qui les en sépare, c'est l'univers petit-bourgeois qu'ils mettent en scène ainsi que l'absence de toute critique sociale qui soutenait les romans à la Sue.

Parmi les spécialisations qui voient le jour sous la IIIe République et qui forment le gros de la littérature de gare (et de paquebot), il convient de réserver au roman de science-fiction (J. Verne), au roman préhistorique (J.-H. Rosny), au roman sentimental (Delly) un sort tout particulier parce que leur émergence et leur statut sont tributaires non seulement d'une tradition populaire mais aussi de l'évolution du roman le plus lettré. En effet, la science-fiction et le roman exotique partagent avec le roman rose, contrairement au récit policier *stricto sensu* qui génère un univers autonome, la particularité d'être en connection étroite avec le roman dans sa tradition réaliste. Somme toute, il ne manque pas de point commun entre *L'Ève future*, le dernier roman de Villiers, et les aventures qu'imagine Jules Verne ; semblablement, les romans de Delly puisent dans l'imaginaire romanesque les multiples aventures amoureuses dont ils écartent toute problématisation et réduisent toute déviance. Si ces genres ont pu s'autonomiser en ces années 1880-1890, c'est pour deux raisons : d'une part, ils ont pu s'imprégner des mutations sociales du temps, soit pour en faire l'apologie (comme dans la science-fiction) soit pour en ignorer les indéniables avancées (comme dans le roman sentimental et le roman préhistorique) ; de l'autre, ils ont bénéficié d'un vaste effet de légitimation de la lecture romanesque, encore impensable au milieu du siècle.

En d'autres termes, ce que propose cette littérature de masse, à la fois dans sa conception de base et dans son usage prêt-à-porter, c'est une relation nouvelle à la consommation culturelle. Contemporaine du tourisme et du folklore, la production paralittéraire apporte de nouvelles formes de loisir par la consommation domestique de romans sans littérature. L'exact inverse de ce dont rêvent à la même époque les romanciers soucieux de refonder radicalement le genre et qui s'échinent à concevoir du roman sans romanesque. Avec la SF et le roman rose, il n'y a plus que du romanesque – autre manière de signifier que tout le reste est littérature.

Chapitre 33

Zola

Finir le siècle et ouvrir le prochain

Le XIXe siècle s'est ouvert avec le vaste projet balzacien d'une *Comédie humaine* qui s'est donné pour objectif de faire l'inventaire de la société française, il se sera clos avec une réplique à la fois tout aussi ambitieuse et plus modeste, une *Histoire naturelle et sociale d'une famille sous le second Empire*, sous-titre de la vaste saga des *Rougon-Macquart* que Zola publie en vingt volumes de 1871 à 1893.

Une famille, plutôt que la société ; l'Empire, plutôt que la IIIe République naissante : par ces déplacements, le romancier entend pourtant peindre de manière acérée l'histoire contemporaine, immédiate. Davantage qu'un artifice littéraire, ils participent d'une conception scientifique du travail du romancier : en prenant un léger recul dans le temps et en centrant son analyse sur l'évolution d'une famille dont les membres se disperseront dans presque toutes les couches sociales à l'exception de la noblesse, Zola ouvre un laboratoire social et place *Les Rougon-Macquart* sous la loupe du physiologiste qu'il prétend être. Car sa science du roman, il l'hérite directement du positivisme, tout particulièrement de la médecine, la discipline qui devient en ce siècle finissant, grâce à ses découvertes, la référence absolue du savoir moderne.

Passer de Balzac à Zola pour souligner qu'ils encadrent le siècle d'une similaire idéologie romanesque, c'est passer sous silence les filiations et les médiations qui ont permis au roman zolien de s'élaborer autrement que dans la référence à (ou contre) Balzac. L'un et l'autre portent le roman à un haut degré de scientificité dans le projet sociologique qui les fonde ; ils n'en restent pas moins profondément littéraires et tout le débat romanesque du XIXe siècle consistera à faire bon ménage entre l'ambition artistique et la critique sociale. Flaubert, contre le réalisme sectaire et strictement social de Champfleury et de Duranty et contre la doctrine de l'art pour l'art, fera la preuve que le roman peut et doit s'affranchir de la sommaire opposition entre l'art et le social. Avec lui le roman trouvera à se développer avec un dosage plus ou moins fort de peinture sociale ou d'écriture artiste, ainsi que le montre par exemple un Joris-Karl Huysmans, disciple dissident de Zola qui, avec *À rebours,* produit le comble du roman naturaliste (retourné comme un gant).

Si Zola occupe une telle place dans le champ romanesque de la fin du siècle, c'est qu'il s'est très vite posé en thuriféraire d'une esthétique qui se devait de ne pas laisser le roman s'engloutir dans les marais de l'art pour l'art (selon une inflexion donnée par les Goncourt et prolongée par les romanciers dits de l'instantané) ni dans l'illusion de l'art social. Chevillé à Balzac et à Flaubert, Zola a compris que le naturalisme triompherait à la condition qu'il enfante un roman nouveau qui soit la synthèse constructive des formules proposées jusqu'alors et anticipe même sur de nouveaux possibles romanesques (ainsi Zola pourra rivaliser avec le roman symboliste et décadent dans quelques-uns de ses *Rougon-Macquart, La Curée, La Faute de l'abbé Mouret* tout particulièrement). Autrement dit, il s'est agi pour lui d'imposer le naturalisme comme la référence romanesque du siècle, que l'on peut certes combattre, contourner, imiter mais qui, quelles que soient les atteintes dont elle aura été l'objet, se pose monumentalement dans l'esthétique du roman. Pari gagné, à force d'obstination, de stratégie littéraire mais aussi de génie : si Zola incarne presque à lui tout seul le naturalisme, c'est parce qu'il a non seulement donné une ambition scientifique à son projet et contrôlé l'émergence et la maturation de tout un courant, mais surtout parce qu'il est probablement le seul naturaliste à avoir produit une œuvre digne de la postérité – sans doute parce que cette œuvre est en proie aux contradictions qui la fondent et qui en relancent sans cesse le sens, et que sous couvert de scientificité elle ne manque pas de faire la part belle au travail imaginaire. Lorsque Jules Huret l'interroge en 1891 sur le prétendu essoufflement de l'école naturaliste, Zola, qui en est au dix-huitième roman de son cycle, a parfaitement conscience du rôle qu'il a joué dans cette aventure :

> « [...] le naturalisme finira quand ceux qui l'incarnent auront disparu. On ne revient pas sur un mouvement, et ce qui lui succédera sera différent, je vous l'ai dit. La matière du roman est un peu épuisée, et pour le ranimer il faudrait un bonhomme ! Mais, encore une fois, où est-il ? Voilà toute la question. »

Se faire écrivain

Émile Zola est né à Paris en 1840, fils d'un ingénieur brillant (auteur de projets ambitieux dont le canal d'Aix) qui le laisse orphelin à l'âge de sept ans. Au terme de ses études secondaires au collège d'Aix puis au lycée Saint-Louis à Paris, il échoue au baccalauréat. De son adolescence datent quelques vers romantiques, des contes, une comédie et divers projets. À partir de 1865, il fait ses débuts dans la carrière journalistique, tout en restant commis aux expéditions puis chef de la publicité chez Hachette. Cette maison, foyer de libéralisme et de positivisme, lui ouvrira de nombreuses relations : il y rencontre entre autres Sainte-Beuve, Duranty, Taine, Littré. Son premier livre, *Contes à Ninon*, paraît en 1864 chez Hetzel ; Zola a définitivement opté pour la prose.

C'est en 1866 qu'il décide de vivre de sa plume. Il quitte la maison Hachette et multiplie ses collaborations dans la presse (*L'Événement*, *Le Figaro*, *Le Grand Journal*, etc.). Défenseur de la nouveauté, il soutient *Germinie Lacerteux* des frères Goncourt et la peinture de Manet et de Cézanne, au grand scandale de l'opinion bien-pensante. Il rassemble ses critiques en volume (*Mes haines*, 1866) et publie un premier roman, *Le Vœu d'une morte* (1866) ; *Thérèse Raquin* et *Les Mystères de Marseille*, en 1867, *Madeleine Férat*, en 1868, sont tout à la fois des prologues du grand œuvre et des romans alimentaires qui parviennent à peine à nourir leur auteur.

À la relecture de Balzac, en 1868, il projette une vaste fresque familiale que l'éditeur Albert Lacroix accepte de publier (le projet sera repris par Charpentier). Le premier volume des *Rougon-Macquart, La Fortune des Rougon*, est en vente en 1871, après une publication en feuilletons interrompue par la guerre en 1870. Au rythme soutenu d'à peu près un volume par an, *Les Rougon-Macquart* font l'événement de vingt-cinq années de vie littéraire. Avec un succès de scandale plus ou moins accentué : les romans du cycle qui se vendent le mieux sont *Nana, La Débâcle et L'Assommoir ; Germinal, La Terre* et *La Bête humaine* font parler d'eux pour des raisons plus strictement littéraires, esthétiques ou politiques.

C'est d'ailleurs à l'occasion du scandale de *L'Assommoir*, en 1876, que Zola trouve à faire de sa doctrine naturaliste le credo du mouvement qu'il dirige. Le 16 avril 1877, le « dîner Trapp » qui rassemble Alexis, Céard, Maupassant, Huysmans, Hennique, Flaubert, Goncourt, Mirbeau, Charpentier et Zola fonde l'école naturaliste. De manière symbolique et provocante, c'est à Médan que Zola réunit ses disciples – il y sera conseiller municipal de 1881 à 1898 et fera entrer le village en littérature avec le fameux recueil intitulé *Les Soirées de Médan* (1880) qui rassemble des nouvelles des naturalistes de la première heure. En 1880 paraît aussi *Le Roman expérimental*, recueil de textes théoriques et critiques où Zola expose sa doctrine : une conception républicaine et progressiste de la littérature voit le jour.

Fort d'un véritable programme, d'une présence accrue dans les journaux, d'un réseau d'amitiés qui dépasse les disciples naturalistes, chez les libraires et sur la scène (beaucoup de ses romans, avant d'être publiés en volumes, paraissent en feuilletons puis sont adaptés pour le théâtre), sans compter l'acharnement et le professionnalisme qu'il met dans la diffusion de ses livres, Zola apparaît comme un véritable « manager » de la littérature. Rompant avec l'image de l'écrivain-artisan, il inaugure ainsi l'ère de l'écrivain de métier, celui qui parvient à gérer rationnellement son génie créateur. Sa réputation dépasse rapidement les frontières, d'autant plus aisément qu'il s'est créé un réseau très important de confrères journalistes et/ou écrivains aux quatre coins de l'Europe et que dans les années 1890 ses romans publiés à

Paris sont immédiatement traduits en Allemagne, en Angleterre, en Espagne, au Portugal, en Hollande, au Danemark, en Norvège, en Suède, en Russie.

Ce professionnalisme lui vaudra d'être élu en 1891 (jusqu'en 1897) membre puis président de la Société des gens de lettres, importante association créée en 1838 pour la défense des droits des écrivains. Zola entend se servir de cette institution autrement que pour célébrer les obsèques des confrères ou organiser des dîners mondains. Il souhaite fonder un véritable syndicat des auteurs qui aurait des antennes internationales et qui protégerait utilement la profession contre toutes les formes d'exploitation par la presse et par l'édition.

Lorsque paraît en 1893 le dernier volume des *Rougon-Macquart*, Zola est fêté par son éditeur Charpentier ; la même année il est fait officier de la Légion d'honneur ; il est presque au sommet de la reconnaissance. Il lui manque l'Académie : ses candidatures de 1888 à 1897 échouent les unes après les autres (« De mon lit de mort, s'il y avait une vacance, j'enverrais encore une lettre de candidature », ironise-t-il), notamment parce que l'auteur est trop scandaleux et que la Coupole rassemble des ennemis jurés du naturalisme (Brunetière tout particulièrement, élu en 1893). À défaut de ces honneurs, Zola atteindra, à la faveur des circonstances, un seuil de légitimité qu'aucun académicien ne pouvait espérer. L'Affaire Dreyfus, en effet, de 1897 à sa mort en 1902, le propulse au premier rang de la vie publique en France et à l'étranger et lui confère une notoriété aussi grande que celle d'un Hugo : comme lui, il est exilé en Angleterre pour une année à la suite de son célèbre *J'accuse* publié le 13 janvier 1898 dans le journal de Clemenceau, *L'Aurore*.

Une histoire de sang

Le projet des *Rougon-Macquart* est proprement scientifique : Zola forge sa conception du côté de la médecine et de la sociologie, les deux disciplines positives par excellence. *La Physiologie des passions* de Charles Letourneau et le *Traité philosophique et physiologique de l'héridité naturelle* (1847-1850) de Prosper Lucas sont, du côté médical, les deux livres de référence du cycle, mais la fresque s'enrichit de toute une littérature sociale. L'objectif étant de faire la démonstration que le corps social, dans toutes ses ramifications, est déterminé par le milieu et la race. Ainsi donne-t-il à voir, à travers les personnages des deux familles, les mécanismes de transmission des dispositions et des tares originelles. L'hérédité de l'aïeule, tante Dide, est au départ d'une sorte de lancer de dés génétique qui ne laisse quasiment aucune place au hasard : le comportement mais aussi l'évolution sociale des descendants, d'une manière ou d'une autre, seront toujours rapportables au déterminisme des origines et explicables dans leurs variations par les effets du milieu.

La fresque des *Rougon-Macquart* est une histoire de sang, vecteur des dispositions héréditaires mais aussi puissant réservoir imaginaire qui permet à Zola, sous couvert de scientificité, d'injecter toute une représentation fortement primitive et sexualisée de la condition humaine.

La puissante combinatoire héréditaire, pour bien montrer qu'elle est déterminée et non fabriquée sur mesure, Zola la fixe dans l'arbre généalogique qu'il joint au huitième roman de la série, *Une page d'amour* (1878). Le lecteur peut ainsi comprendre la destinée des personnages avant même que Zola n'en ait écrit l'histoire, grâce aux médaillons qui diagnostiquent leur capital héréditaire. Exemple :

> « Gervaise Macquart, née en 1828, a deux enfants d'un amant, Lantier, avec lequel elle se sauve à Paris, et qui l'abandonne, épouse en 1852 un ouvrier, Coupeau, dont elle a une fille, meurt de misère et d'accès alcoolique en 1869. Conçue dans l'ivresse. Boiteuse. Représentation de la mère au moment de la conception. Blanchisseuse. »

Quoique résolument décidé à ne pas s'écarter du plan, « ni à droite ni à gauche », Zola a dû faire quelques entorses, en inventant au besoin un fils là où il en manquait (ainsi Jacques Lantier, le héros de *La Bête humaine*, devient le frère inattendu de Nana, d'Étienne et de Claude). Aussi Zola est-il très soucieux d'annoncer que c'est à un médecin qu'il confiera « la conclusion scientifique de tout l'ouvrage », le docteur Pascal, sans trop s'aviser que cette conclusion est aussi le point d'orgue de son imaginaire, l'ensemble du cycle se terminant en apothéose fondatrice. Comme à la fin de nombreux romans, on assiste en effet à une catastrophe (incendie, accident, maladie mortelle…) qui détruit le monde ancien et instaure un ordre nouveau : le docteur Pascal, comme Zola tout entier dévoué à étudier la généalogie héréditaire de sa famille, épouse sa nièce Clotilde puis meurt sans savoir que celle-ci va mettre au monde un enfant qui apparaît au terme de l'œuvre comme un véritable messie.

Voilà pour l'histoire « naturelle » des *Rougon-Macquart*. Le cycle se veut aussi « social », c'est-à-dire historique et politique. La référence de fond qui s'impose ici massivement est Darwin, bien davantage que les auteurs auxquels Zola se documente au coup par coup pour la crédibilité de ses observations. Zola lui emprunte sa conception de la société en montrant que l'ordre politique est semblable à l'ordre biologique puisqu'il met en présence une lutte permanente des faibles contre les forts ; mais contrairement au scientifique, Zola, avec pessimisme, entrevoit une lente dégradation de tout le corps social promis à la gangrène et à la débâcle. Même le progrès, chez lui, ne peut se penser en dehors d'une forme de régression primitive mal contenue, comme en témoignent les rapports de vénération et de haine destructrice de Jacques Lantier à sa locomotive dans *La Bête humaine* ou encore l'échec du socialisme révolutionnaire d'Étienne dans *Germinal*. C'est que le roman zolien est, comme la critique l'a quelquefois remarqué, en dépit de son prophétisme scientiste, profondément marqué par l'esprit de défaite qui accompagne l'ère industrielle dans son triomphalisme même : le développement technologique, les progrès scientifiques apportent autant sinon plus d'aliénation que de libération et l'homme moderne se prend au piège des forces qu'il crée sans pouvoir les maîtriser. Ainsi Zola figure-t-il les démons de la modernité en des images catastrophiques saisissantes, que ce soit l'alambic assassin de *L'Assommoir*, le labyrinthe du Voreux dans *Germinal*, la Lison « se suicidant » à la fin de *La Bête humaine*, etc. Démons auxquels quelques îlots de tranquillité permettent provisoirement d'échapper, le Paradou de *La Faute de l'abbé Mouret*, la Souléiade du *Docteur Pascal*, la serre aux amours interdites de *La Curée*, pour ne citer que les plus visibles.

En raison de leurs profondes ambivalences symboliques, en dépit aussi d'une visée pourtant claire et simple (« tout dire pour tout connaître et tout guérir », selon le mot du docteur Pascal), *Les Rougon-Macquart* constituent la dernière épopée moderne. Une épopée qui traverse méthodiquement tous les pans de la scène sociale : la bourgeoisie d'affaires (*La Curée, L'Argent*), le monde des commerçants (*Au bonheur des dames*), l'univers médiocre et mesquin de la petite-bourgeoisie (*Le Ventre de Paris, Pot-Bouille*), l'Église et sa soif de pouvoir (*La Conquête de Plassans, La Faute de l'abbé Mouret*), le petit peuple de Paris (*L'Assommoir*), avec sa misère et sa prostitution (*Nana*), le prolétariat de la mine (*Germinal*) ou des chemins de fer (*La Bête humaine*), la paysannerie (*La Terre*), les milieux politiques (*Son Excellence Eugène Rougon*), l'armée (*La Débâcle*), la bohème (*L'Œuvre*).

Une poétique de l'imaginaire

L'œuvre zolienne a beau être animée par un projet de critique sociale, elle n'en est pas moins porteuse d'une dimension créatrice, symbolique et imaginaire qui dépasse les intentions explicites de l'auteur. Les commentateurs ont depuis longtemps observé que le bagage historico-scientifique des *Rougon-Macquart* est sinon déformé, du moins transformé par une vision du monde propre à Émile Zola. Quel que soit leur ancrage positiviste, ses romans sont travaillés souterrainement par une force créatrice qui est tout à la fois œuvre d'imagination et d'écriture : « Je ne suis pas un archéologue qui dissèque les monuments, écrit-il à S. Sighele, je ne suis qu'un artiste. Je regarde et j'observe pour créer, non pour copier. »

On connaît les dispositifs symboliques, grands ou petits, que chaque roman met en place et qui réfractent la destinée des personnages et la signification de leur destin : la serre aux amours interdites de Renée dans *La Curée*, l'alambic menaçant et les refuges successifs de Gervaise dans *L'Assommoir*, le Paradou de *La Faute de l'abbé Mouret*, le Voreux de *Germinal*, La Lison dans *La Bête humaine* ou encore la scène de la combustion spontanée dans *Le Docteur Pascal*, pour ne reprendre que quelques images fortes, font jaillir le mythe du réalisme.

« *Nana* tourne au mythe, sans cesser d'être réelle », écrit Flaubert (15 février 1880). La grande originalité de Zola est effectivement de transfigurer l'approche documentaire de la réalité (du second Empire) en une fresque qui est le théâtre des forces archaïques qui gouvernent l'histoire et dont chaque individu serait dépositaire. Dans ses ébauches, Zola explicite souvent la véritable intention créatrice qui doit dominer ses romans et régler leur composition ; il parle de « poème » – « poème des désirs du mâle » (*Nana*), « poème vivant de la terre » (*La Terre*) – en ayant le souci de distinguer le « sujet » du roman, son argument narratif, de sa signification historique et humaine. Cette technique donne lieu aux multiples constructions dont chaque roman est l'objet. Généralement celles-ci prennent appui sur quelques images qui entrent en réseau et en résonance avec les personnages et les scènes en consolidant la chronotopie du roman. *Germinal* est sans doute l'exemple le plus représentatif de cet usage réaliste du mythe : le Voreux est une figuration moderne du Minotaure, Zola n'a de cesse de le comparer à un gigantesque et monstrueux corps qui « respire », « gronde », avale (les hommes), rejette (le charbon), etc. La même relation au mythe, cette fois chrétien, se retrouve dans le Paradou de *La Faute de l'abbé Mouret* qui transpose le mythe d'Adam et Ève.

Mais par-delà les machines symboliques dont Zola donne très clairement la signification (sans toutefois l'expliquer à même le roman), il existe un travail imaginaire – sans doute inconscient – qui tisse à travers toute l'œuvre la vision du monde de l'écrivain. En effet, d'un roman à l'autre, d'une mythologie à l'autre, s'organisent des réseaux de motifs et d'obsessions qui dépassent la métaphore mythique : hantise de la sexualité et de la chair, de la « fêlure », rêverie insulaire, fascination pour l'acte destructeur-purificateur (le feu, la catastrophe qui refonde le monde), etc. Tout un ensemble de forces rapportables à une peur fascinée des instincts dont les romans de Zola nous disent qu'ils sont à la fois porteurs de progrès et de destruction. De là une sorte d'éthique du contrôle et de la maîtrise que chaque roman laisse entendre dans sa dramatisation ; de là aussi un pessimisme en creux qui sape par excès les plus belles réalisations humaines, à l'image de la locomotive folle à la fin de *La Bête humaine*.

Une poétique documentaire

Zola n'est pas seulement un inventeur de mythes, il est aussi un « ethnographe » de la société française de son temps, consciencieux et méthodique. Chaque roman est l'objet d'une préparation minutieuse, d'une enquête sur le terrain avec prise de notes. Les quais de la Seine, les Halles, la rue de la Goutte-d'Or, Passy, le Théâtre des Variétés, les corons, les paysans de la Beauce, les cheminots du Havre, etc., sont soumis à une véritable enquête selon une méthode digne de la sociologie moderne : repérages, observations, analyses des données donnent lieu à des synthèses descriptives très fouillées au départ desquelles le romancier peut laisser libre cours à son imagination. Ces notes constituent d'importants dossiers préparatoires comprenant – en tout cas à partir du premier volume des *Rougon-Macquart* –, une partie documentaire (fiches de témoignages, de lectures, plans, photographies) et une « ébauche », le plus souvent rédigée en texte continu, selon le flux de la pensée. La mine, le théâtre, les grands magasins, la guerre, les paysans, les gares… sont ainsi croqués sur le vif et constituent un document inestimable sur la vie sociale en France de 1870 à 1890. En même temps, les ébauches donnent à suivre la gestation du roman dans ses moindres détails et dans ses hésitations. Véritable « œuvre dans l'œuvre, sous l'œuvre », selon l'expression d'H. Mitterand, ces dossiers éclairent aussi sur la technique de composition romanesque de Zola.

Rigoureusement conçus sur plans, *Les Rougon-Macquart* répondent à une double nécessité architecturale. La première est de construire une intrigue autour d'un petit noyau de personnages représentatifs d'un milieu socioprofessionnel : ainsi, Claude Lantier sera l'artiste de *L'Œuvre*, ses deux frères Étienne et Jacques respectivement le mineur de *Germinal* et le mécanicien de *La Bête humaine* : leur mère, Gervaise Coupeau, née Macquart, la blanchisseuse de la rue de la Goutte-d'Or dans *L'Assommoir*, a aussi une fille Nana, actrice aux Variétés dans le roman qui porte son nom. Ce principe s'articule sur une autre nécessité qui tient au projet cyclique de l'œuvre : la généalogie. Chaque roman doit ainsi mettre en scène un personnage issu des deux branches originelles en expliquant ce qui le relie à ses ascendants et en montrant surtout les ferments de sa propre destinée. Ainsi, à travers l'histoire d'une seule famille, Zola parvient à parcourir toutes les couches de la société du second Empire, en province et à Paris, tout en faisant une étude physiologique qui montre les avatars de l'hérédité transmise par l'aïeule des Rougon-Macquart, Adélaïde Fouque (tante Dide).

« Ah ! la forme, là est le grand crime ! »

Le succès de Zola est redevable de l'équivoque de son écriture romanesque, bien davantage que des effets de scandale : en porte-à-faux entre la science et la mythologie, son œuvre interprète le monde moderne en faisant droit aux croyances les plus fantasmatiques. Si l'écrivain rêve d'une transparence de style – « je voudrais l'idée si vraie, si nue, qu'elle apparût transparente elle-même et d'une solidité de diamant dans le cristal de la phrase » (*Nouvelles Campagnes*, 7 février 1896), il est aussi convaincu que tout, dans le roman, est affaire de langue et de forme. Dans un article du *Roman expérimental*, il revendique pour la langue littéraire « une saveur originale, même aux dépens de la correction et des convenances ». C'est avec ce souci de l'authenticité du style que s'écrivent ses romans. La rhétorique, les dialogues, les descriptions produisent un effet de « rendu » qui confère au romanesque certes sa vraisemblance mais aussi son esthétique. La phrase zolienne a son rythme et ses sonorités – « j'entends le rythme de la phrase ; je me fie à lui pour me conduire, un hiatus me choque et me gêne », écrit-il en 1892 – ; peu embarrassée des conventions (notamment lexicales), elle va droit au cœur du propos, appelant un chat un chat. Mais aussi elle est attentive aux pensées et aux sentiments qui se cachent derrière les mots. Le style indirect libre qu'utilise volontiers Zola (notamment dans *L'Assommoir*) est, entre autres procédés, un moyen très efficace de rapporter dans ses couleurs et ses teintes la parole des autres – du bourgeois ou de l'ouvrier –, tout en accentuant les effets de dramatisation et en mettant en concurrence la voix du narrateur et celles des personnages.

Prophète laïque

Un an après le dernier volume des *Rougon-Macquart*, Zola commence à publier un nouveau cycle intitulé *Les Trois Villes* et composé successivement de *Lourdes, Rome* et *Paris*. Alors qu'il n'était auparavant intéressé que par le devenir des masses, ne croyant pas aux propriétés spécifiques de l'individu en tant que tel, il s'attaque dans cette trilogie à la destinée d'un héros unique, l'abbé Pierre Froment. Figure fin de siècle en ceci que luttent en elle la science et la foi, Pierre est le fils d'un chimiste et d'une dévote. Tout son itinéraire est marqué par ce combat qui, pour Zola, est celui du siècle entier. À Lourdes, il entend comprendre le phénomène des miracles et dresse le portrait de la fascinante Bernadette Soubirou. À Rome, révolté par « la scélérate et abominable » misère du monde moderne, il va défendre devant le Vatican le livre qu'il a écrit et qui prône un retour aux vraies valeurs du christianisme. Et quand il rentre à Paris pour dénoncer les injustices sociales, Pierre troque sa foi contre la science, se défroque et se marie : « La science seule est révolutionnaire, la seule qui, par-dessus les pauvres événements politiques, l'agitation vaine des sectaires et des ambitieux, travaille à l'humanité de demain, en prépare la vérité, la justice, la paix ! »

Alors que *Les Trois Villes* font le bilan du siècle, *Les Quatre Évangiles* s'attaquent à la société nouvelle à travers l'itinéraire des quatre enfants de Pierre et Marie Froment qui portent d'ailleurs le nom des quatre évangélistes. Publié de 1899 à 1903, le cycle comprend quatre romans prophétiquement intitulés *Fécondité, Travail, Vérité* et *Justice* (inachevé). Alors que l'Affaire Dreyfus bat son plein et qu'il s'y est investi avec le courage et la détermination que l'on sait, Zola conçoit cette série comme « la conclusion naturelle de toute [s]on œuvre, après la longue constatation de la réalité, une prolongation dans demain ». Les valeurs qu'il prône sont en fait celles de la république, mais une république qui aurait retrouvé le sens de l'humanité. Dans l'ébauche du projet, il définit clairement les quatre valeurs de son évangile : la *fécondité*

« peuple le monde », le *travail* « organise et réglemente la vie », la *vérité* est « le but de la science », la *justice* « réunit l'humanité », « assure la paix » et « fait le bonheur final ». Quatre piliers moraux qui parcourent l'œuvre entière, mais ici avec une foi en l'avenir absente des *Rougon-Macquart* et habitée par une sorte de mysticisme laïque et de socialisme, Zola trouvant à réconcilier utopiquement les forces matérielles et spirituelles qui agitent le siècle finissant.

BIBLIOGRAPHIE

• Éditions :
Œuvres complètes, H. Mitterand éd., Paris, Cercle du Livre précieux, 1966-1969, 15 vol. – *Les Rougon-Macquart*, A. Lanoux et H. Mitterand éds, Paris, Gallimard, coll. « Bibliothèque de la Pléiade », 1960-1967, 5 vol. – *Contes et Nouvelles*, R. Ripoll éd., Paris, Gallimard, coll. « Bibliothèque de la Pléiade ».

• Bibliographie :
D. BAGULEY, *Bibliographie de la critique sur Zola : 1964-1970* et *1971-1980*, Toronto, University of Toronto Press, 1976 et 1982.

• Synthèses :
C. BECKER *et al.*, *Dictionnaire d'Émile Zola*, Paris, R. Laffont, coll. « Bouquins », 1993. – C. BECKER, *Lire le réalisme et le naturalisme*, Paris, Dunod, 1992. – M. BERNARD, *Zola*, Paris, Le Seuil, coll. « Points », 1988. – H. MITTERAND, *Zola et le Naturalisme*, Paris, PUF, coll. « Que sais-je ? », 1986.
Numéros spécialisés de revues et collectifs : « Le discours réaliste », *Poétique* n° 16, 1973. – « Naturalisme », *RSH*, n° 160, 1974. – « Le naturalisme », colloque de Cerisy, Paris, UGE, coll. « 10/18 », 1978.

• Études particulières :
P. HAMON, *Le Personnel du roman. Le système des personnages dans les Rougon-Macquart*, Genève, Droz, 1983. – P. BONNEFIS, *L'Innommable. Essai sur l'œuvre d'Émile Zola*, Paris, SEDES, 1984. – J. BORIE, *Zola et les mythes ou De la nausée au salut*, Paris, Le Seuil, 1971. – M. SERRES, *Émile Zola. Feux et signaux de brume*, Paris, Grasset, 1975. – H. MITTERAND, *Le Discours du roman*, Paris, PUF, coll. « Écriture », 1980. – H. MITTERAND, *Zola. L'histoire et la fiction*, Paris, PUF, coll. « Écrivains », 1990.

• Revue spécialisée :
Les Cahiers naturalistes, Paris, Fasquelle (un volume annuel).

Chapitre 34

Maupassant

Fils spirituel de Flaubert, Maupassant est probablement le plus connu des écrivains de son temps et le plus étranger aux débats littéraires de la fin du siècle. Héritier du réalisme tel que revu et corrigé par l'auteur de *Madame Bovary*, Maupassant semble en effet avoir prolongé en le popularisant l'art de son maître. C'est sous la tutelle de celui-ci qu'il a commencé à écrire, et avec sa bénédiction qu'il a été autorisé à publier ses premiers contes. Si Maupassant, par ailleurs, est en retrait des avant-gardes de la fin du siècle – en dépit d'un bref passage parmi les épigones naturalistes, avec *Boule-de-Suif* publié dans *Les Soirées de Médan* en 1880 –, il n'échappe toutefois pas au climat de pessimisme qui contamine les milieux littéraires et dont son œuvre se fait largement l'écho. Mais c'est un écrivain discret sur la scène littéraire, qui n'a cherché aucun honneur (refusant même l'Académie) ; lorsque Huret va l'interroger pour son *Enquête sur l'évolution littéraire*, en 1891, il ne peut lui arracher aucune considération sur la littérature : « — Oh ! monsieur, […] – et ses paroles sont lasses, et son air est très splénétique, – je vous en prie, ne me parlez pas de littérature !… j'ai des névralgies violentes. »

Maupassant apparaît aussi comme une figure de l'écrivain professionnel. Il s'astreint au métier, adopte des rythmes de production (six pages par jour, de sept heures à midi), fréquente ce qui compte dans le monde des lettres (les mardis de Mallarmé, quelques Parnassiens, le salon de Nina de Villard puis celui de la princesse Mathilde lorsque la fortune lui sourit), gère son art avec le savoir-faire de l'artisan et la pose du mondain. C'est donc un écrivain heureux dans son travail, en dépit de la souffrance physique qu'il endure au fil d'une existence faite de labeur et de noce et de son absence de foi humaniste. Il produit beaucoup, des romans qui plaisent, des contes qui fascinent (sans oublier son théâtre), ce qui lui vaut non seulement de vivre de sa plume (après avoir été fonctionnaire comme tant d'autres gens de lettres de sa génération), mais aussi d'être détenteur d'un énorme capital de sympathie parmi le grand public. Sympathie qu'il conservera au-delà de sa mort, notamment auprès d'un public de lycéens qui trouvent en lui un accès facile et rentable à la littérature.

Maupassant est né à Fécamp, en 1850, l'année où meurt Balzac, dans une famille qui n'a plus d'aristocrate que le nom. En 1859, les Maupassant s'installent à Paris où le père a dû prendre un emploi dans une banque. Comme le ménage ne marche pas, la mère s'installe avec ses deux fils à Étretat. Guy poursuit sans conviction des études au petit séminaire d'Yvetot dont il est exlu pour avoir écrit un poème scandaleux, puis à Rouen où il obtient sans gloire son baccalauréat. Ce titre lui donne accès à la faculté de droit de Paris. Mais alors qu'il a vingt ans, la guerre franco-allemande bat son plein : il est mobilisé. Deux ans plus tard il obtient un poste au ministère de la Marine. Il écrit beaucoup, mais ne publie pas encore, mis à part, en 1875, un conte, « La Main d'écorché », qui paraît dans *L'Almanach lorrain de Pont-à-Mousson* et une pièce pornographique, *À la feuille de rose, maison turque,* qui est jouée.

Au moment où il côtoie les dignitaires des lettres parisiennes, les colonnes de quelques grands journaux et revues s'ouvrent à lui : *La République des Lettres* publie un poème, « Au bord de l'eau », *La Nation*, une étude sur Balzac. Mais avant 1880, les avancées restent timides, d'autant qu'elles sont dispersées (un peu de théâtre, un peu de poésie, un peu de prose). En 1880, en effet, *La Revue moderne* publie « Une fille », Charpentier un recueil intitulé *Des vers*, mais surtout *Boule-de-Suif* rejoint la fronde des médanistes. Onze années suffiront pour asseoir solidement une réputation et une fortune. Le nom de Maupassant figure dans la grande presse du temps (*Le Gil Blas, Le Gaulois*), au catalogue des maisons d'édition les plus en vue (Havard, Ollendorff, Marpon & Flammarion), qui se partagent le succès des contes et des romans (pour beaucoup publiés d'abord en feuilletons). Même le théâtre commence à marcher sur le tard : sa pièce *Musotte* remporte un énorme succès au Gymnase en 1891. Cette notoriété a permis au fonctionnaire d'abandonner ses ronds de cuir et de mener une vie mondaine. Il voyage beaucoup, en Angleterre, en Italie, en Sicile, en Afrique du Nord, il fait aussi quelques croisières à bord de son yacht, *Le Bel ami*. On lui connaît de grandes passions (en 1889, avec la comtesse Potocka) et une syphilis qui ne cesse d'aggraver ses troubles de la vue et du cœur ; il sombrera dans la folie.

Le conteur

Au début de la IIIe République, le journal offre une voie d'accès privilégiée à la littérature. Tous les romanciers, de Vallès à Zola, y publient leurs romans. Les éditeurs de presse sont encore plus friands de contes, de nouvelles et de chroniques ; courts, faciles à lire, ils sont mieux adaptés que le feuilleton au mode de consommation moderne de l'information. Pour les écrivains, ils présentent une importante source de revenus, tout en étant pour eux une sorte d'entraînement, voire de laboratoire. De tous les conteurs et chroniqueurs de la fin du siècle, Maupassant est sans aucun doute celui qui a le mieux concilié la pratique journalistique et l'art littéraire.

Sa réussite s'explique tout d'abord par une grande souplesse d'adaptation. Maupassant connaît le public auquel il s'adresse ; il ne donne pas au royaliste *Gaulois* les mêmes contes qu'au libéral *Gil Blas* qui peut accueillir des propos moins littéraires et d'actualité, tel que l'avortement (« L'Enfant »), l'inceste (« Monsieur Jocaste ») et autres thèmes au goût du jour. C'est aussi dans *Le Gil Blas* que ses meilleurs contes fantastiques ont été publiés, dont « Le Horla », « Fou », « Suicides », « Lui » : là Maupassant pouvait plus librement épancher le curieux mélange qui lui est propre d'érotisme, de vampirisme et d'athéisme. Par contre, ce sont des histoires moins choquantes qu'il donne au *Gaulois* ; le fantastique y est abordé sur un registre plus rationnel (« Rêves », « L'Horrible », etc.)

L'autre raison de la réussite du conte à la Maupassant est qu'il propose au lecteur français un fin dosage d'histoires extraordinaires (à la Poe et à la Hoffmann) et de réalisme qui concorde avec l'esprit cartésien de la culture hexagonale. Autrement dit, il donne toujours à voir, même l'invisible : l'irréel trouve ainsi une sorte de justification dans son irruption même, et apparaît comme une sorte de dérapage de la réalité. De là une prédilection pour la peinture quasiment naturaliste de milieux sociaux parfaitement circonscrits : paysans, petits employés, commerçants, aristocrates, prostituées, militaires, financiers. De là aussi une vision pessimiste, voire tragique de l'univers social, croqué dans ses moindres failles.

Le fantastique de Maupassant a sa griffe. Non seulement il émane d'une écriture serrée, qui va droit au but (héritage de Flaubert, la plupart des contes n'excèdent pas dix pages), mais surtout il provient d'un rapport singulier aux choses les plus quotidiennes (une ficelle, une parure). L'objet – plus présent d'ailleurs que le sujet fantastique – se charge ainsi au fil du récit d'une puissance satanique ou vampirique. Pas de monstres ni de machineries effrayantes dans cette œuvre, mais l'angoissante dévoration intérieure que donne à ressentir une réalité qui s'effrite. La plupart des contes sont aussi, à dose variable, obsédés par quelques thèmes et motifs : la mort, bien sûr, partout en creux, mais aussi la maladie mentale qui en est l'antichambre. L'une et l'autre sont la plupart du temps perçues sous la forme de la vermine qui ronge sournoisement le corps, ainsi que Norbert dans *Bel-Ami* la décrit : « Je la sens qui me travaille, comme si je portais en moi une bête rongeuse. Je l'ai sentie peu à peu, mois par mois, heure par heure, me dégrader ainsi qu'une maison qui s'écroule. » De là les récurrents motifs de la dévoration et un rapport plus qu'étrange des personnages à la nourriture, à l'acte d'engloutir ou simplement de manger. De là aussi un regard pervers sur la sexualité et la condamnation de toute forme de procréation qui ne peut aboutir qu'à l'échec (les enfanticides sont nombreux – « L'Enfant », « Rosalie Prudent » – ainsi que les nourrissons monstrueux – « Un Fils », « L'Abandonné »). Certains contes croisent diaboliquement ces motifs : « Mademoiselle Cocotte », par exemple, met en scène une chienne-vampire, obsédée sexuelle, conduisant son maître à la folie.

Maupassant a lu Schopenhauer. Ce qu'il a trouvé chez le philosophe, c'est assurément une explication de la violence qu'il ressent pleinement au cœur de l'homme ; cet univers des pulsions (de vie, de mort) contre lequel, ainsi que l'indique la trajectoire des protagonistes de « Un fou », « Qui sait ? », « Le Horla », il n'est aucun remède, si ce n'est, mais avec scepticisme, le refuge dans l'art qui a des vertus protectrices (*cf.* le sculpteur dans « *Notre cœur* ») ou dans les plaisirs, ce qui constitue chez lui une forme sans illusion d'esthétisme (*cf.* ses contes « libertins » : La Moustache, Les Caresses).

Le romancier

Trois cents nouvelles ou contes, six romans. Il était naturel que le succès appelât Maupassant à s'essayer au grand art du roman. Il y réussit très tôt, avec *Une vie*, en 1883, puis, successivement *Bel-Ami* (1886), *Mont-Oriol* (1886), *Pierre et Jean* (1888), *Fort comme la mort* (1889), *Notre cœur* (1890). Mais on conçoit tout autant qu'un épigone naturaliste, héritier de surcroît de Flaubert, ait eu du mal a se frayer un chemin dans le genre romanesque, surencombré qu'il était à l'époque notamment par Zola. Le peu de romans de Maupassant s'explique en partie par cette donnée. Mais on a pu dire, en tout cas à propos d'*Une vie*, que le défi de Maupassant était de faire aussi bien que Flaubert.

Pari tenu, davantage que pour les autres romans qui se présentent plutôt comme de longues nouvelles, car Maupassant a concentré dans la trajectoire et le portrait de Jeanne tout ce qu'il avait à dire de sa vision du monde. Naturaliste, *Une vie* l'est en ceci qu'elle ne gomme aucun détail de l'existence dans tout ce qu'elle peut avoir de littérairement repoussant, mais le romancier sait que l'invraisemblable qui y est raconté ne dépasse pas la réalité : « Les faits que j'ai exposés dans ce livre viennent de se passer à Fontainebleau, j'en ai le récit imprimé sur mon bureau. » À cet égard, son roman se situe dans la digne filiation de *Madame Bovary* qui tire aussi son argument d'un fait divers. Mais là n'est pas l'essentiel : avec *Une vie*, Maupassant donne à la littérature naturaliste l'héroïne qui lui manquait. Jeanne est comme l'image inversée d'Emma : celle-ci se réfugiait dans un pathétique mensonge romantique, celle-là apparaît dans toute sa vérité romanesque, jetant sur le monde un regard d'une lucidité désespérée qui fera dire à Rosalie, sa sœur, en conclusion du roman : « La vie, voyez-vous, ça n'est jamais si bon ni si mauvais qu'on croit. » Le roman de Maupassant est en cela beaucoup plus proche de *L'Éducation sentimentale* que de *Madame Bovary* – et par sa forme il rejoint la perfection de Flaubert dans « Un cœur simple ». Perfection dans le souci du détail et dans le style, concis à souhait, mais également dans l'effet de plénitude qui se dégage de cette tranche de vie.

Bel-Ami aussi est le roman d'un personnage. Mais à l'inverse de l'itinéraire d'échec de Jeanne, celui de Georges Durroy est scandé de réussites et de succès : auprès des femmes, évidemment, mais aussi dans le jeu social qu'il maîtrise parfaitement, en bon journaliste qu'il devient. Son ascension a quelque chose de cynique : elle symbolise jusqu'à la caricature une puissante critique sociale à travers laquelle Maupassant dénonce les mécanismes de pouvoir de l'époque. Car, contrairement à *Une vie* dont l'histoire se situe dans la première moitié du siècle, *Bel-Ami* est en prise directe sur l'actualité. On lui a fait reproche, à lui qui était du monde de la presse, de cracher dans la soupe à travers le portrait de Bel-Ami. Pour Maupassant la cible n'était pas le journalisme, mais la mentalité conquérante du monde moderne : « J'ai voulu simplement raconter la vie d'un aventurier pareil à tous ceux que nous coudoyons chaque jour dans Paris », écrit-il en réponse à ses détracteurs. *Bel-Ami* doit donc se lire aussi par antiphrase, un peu à la façon dont Zola a titré *La Joie de vivre*, son plus pessimiste roman. Car Bel-Ami, au-delà de ses apparences donjuanesques, sait que sa réussite n'est qu'artifice et illusion, en quoi il rejoint la famille des héros de Maupassant, toujours moins dupes de ce qu'ils sont qu'il n'y paraît.

Pierre et Jean, en 1888, est à la croisée des deux romans précédents tant au plan de l'écriture que de sa thématique. D'une grande concision – et pour cette raison augmenté d'une étude sur « Le Roman » –, il raconte l'histoire de la famille Roland qui a décidé de se retirer au Havre pour couler des jours heureux. Jusqu'au jour où tombe une nouvelle bouleversante : un ami de la famille laisse comme unique héritier le cadet de la famille, Jean. Son frère Pierre ne l'entend pas de cette oreille. Alors que Jean, fort de sa soudaine fortune, obtient la promesse en mariage d'une veuve, Pierre mène une sourde enquête qui le torture et au terme de laquelle la bâtardise du frère éclatera au grand jour. On retrouve dans le développement de cet argument et sous la figure mythique des frères ennemis l'univers de décomposition cher à Maupassant : ce qui est donné à voir en effet, c'est l'implosion d'une famille qui avait tout pour réussir et qui au seul motif d'une information (suivie certes d'effets) s'effrite tragiquement. Roman de synthèse, il est aussi pour Maupassant l'occasion de faire le point sur sa démarche. Dans les pages qui font office de préface, il prend nettement distance par rapport au naturalisme et ne reconnaît de dette qu'envers Flaubert. C'est dans ce texte qu'il ramasse en une formule rapide son esthétique : « Le vrai peut quelquefois n'être pas vraisemblable », et prône un retour à la limpidité de la langue française – « il n'est point besoin du vocabulaire bizarre, compliqué, nombreux et chinois qu'on nous impose aujourd'hui sous le nom d'écriture artiste, pour fixer toutes les nuances de la pensée ». Ces pages d'esthétique disent combien la leçon de Flaubert a hanté la carrière de Maupassant : « Travaillez ! » – pour produire une œuvre résolument originale, pour se déprendre des vogues du temps.

Bibliographie

• Éditions :
Œuvres complètes, P. Pia éd., Lausanne, Rencontre, 17 vol., s.d. – *Contes et nouvelles*, L. Forestier éd., Paris, Gallimard, coll. « Bibliothèque de la Pléiade », 1974, 1979, 2 t. – *L'Œuvre romanesque*, A.-M. Schmidt éd., Paris, Albin Michel, 1959.

• Synthèses :
R. Dumesnil, *Guy de Maupassant*, Paris, A. Colin, 1933. – A. Vial, *Guy de Maupassant et l'art du roman*, Paris, Nizet, 1950. – A.-M. Schmidt, *Maupassant par lui-même*, Paris, Le Seuil, 1962. – M.-Cl. Bancquart, *Maupassant, conteur fantastique*, Paris, Minard, coll. « Archives des lettres modernes », 1976.

• Études particulières :
A. Vial, *La Genèse d'« Une vie », premier roman de Guy de Maupassant*, Paris, Les Belles Lettres, 1954. – Ch. Castella, *Structures romanesques et visions sociales chez Guy de Maupassant*, Lausanne, L'Âge d'homme, 1973. – A.-J. Greimas, *Maupassant, la sémiotique du texte*, Paris, Le Seuil, 1976. – Ch. Grivel *et al.*, *Le Maupassant dénaturé*, Amsterdam, Van Gorcum, 1977. – *Maupassant et l'écriture*, L. Forestier dir., Paris, Nathan, 1993.

• Revues spécialisées
Revues des sciences humaines, n° 167, 1977, et n° 235, 1994. – *Europe*, n°s 772-773, 1993. – *Bulletin Flaubert-Maupassant*, Rouen, n° 2, spécial Maupassant, 1994.

Portraits

Alphonse Daudet (1840-1897)

Selon une image pour le moins réductrice pour l'un et pour l'autre, Alphonse Daudet est le George Sand de la littérature naturaliste dont il aurait édulcoré la puissance critique par de pittoresques et fades descriptions attendries. Alors qu'il fut une figure de proue de l'école de Zola, il est passé à la postérité comme un auteur régionaliste, ce qu'il fut avec ses contes provençaux, à tout le moins comme un écrivain de seconde zone, doué d'un talent brillant de conteur, mais conformiste. Ses douze romans connurent un succès considérable, parce qu'il sut qu'à Paris on ne fait pas carrière avec de la littérature provençale. Ce n'est qu'après sa mort que l'exotisme de proximité qui émane de ses récits, à travers notamment les charmantes et fantaisistes figures que sont Tartarin de Tarascon ou la chèvre de Monsieur Seguin, fera de lui un des écrivains les plus connus des classements scolaires.

Daudet naît la même année que Zola, en 1840, à Nîmes. Méridional comme lui, il monte à Paris en 1858 et, pas plus que l'auteur des *Rougon-Macquart*, il n'obtient son baccalauréat. Comme Zola encore il entre en littérature par la poésie postromantique. Ils se retrouveront en 1866 dans l'entourage de Flaubert et des frères Goncourt quelques années plus tard, pour constater que leurs idées divergent radicalement. Daudet, en effet, est proche du pouvoir impérial et il ne cache pas ses penchants légitimistes. Par ailleurs, contrairement à Zola qui travaille dur pour survivre de sa plume, il obtient une sinécure comme secrétaire du duc de Morny. Ce n'est pas sans fondement idéologique qu'il cosignera, en 1887, le « Manifeste contre *La Terre* », la première dissension interne du naturalisme.

Les romans de Daudet sont de trois ordres. Il y a tout d'abord des récits de facture nettement naturaliste : *Fromont jeune et Risler aîné* (1874) raconte le sombre itinéraire d'une pauvresse qui parvient à s'introduire chez de riches industriels ; *Jack* (1876) est l'histoire d'un enfant abandonné qui sombre dans l'alcool et meurt de phtisie. Par leur intensité dramatique, leurs thèmes et une écriture moins violente que celle de Zola, ces romans ont conquis le public en proposant un naturalisme de bon aloi.

Deuxième type de romans, ceux qui font la peinture des mœurs politiques du temps. *Le Nabab* (1878) met en scène un ministre de l'Empire, ex-aventurier qui a fait fortune en Orient et qui entend conquérir Paris ; *Les Rois en exil* (1879) racontent la débâcle d'une famille royale à Paris ; *Numa Roumestan* (1881) fait le portrait à peine voilé de Gambetta sous les traits d'un homme politique du Midi ; *L'Immortel* (1888) est une satire de l'Académie française. Cette politique-fiction a fait la célébrité de Daudet, bien davantage que ses premiers récits, *Les Lettres de mon moulin* (1866), *Le Petit Chose* (1868), *Contes du lundi* (1873), jugés trop régionaux et trop provinciaux aux yeux des Parisiens – ces œuvres-là renaîtront de leurs cendres grâce à l'école républicaine, fournissant aux instituteurs des cahiers entiers de dictées. À la fin de sa vie, Daudet convertira son exotisme provençal en fantastique, avec notamment *Le Trésor d'Arlatan* (1897).

La troisième veine qu'exploite Daudet à partir des années 1880 est plus introspective. Un peu à la manière d'un Bourget, il se met à sonder les sentiments et les passions tout en défendant une morale conformiste. Ainsi dans *Sapho* (1884), récit d'amours interdites entre un jeune homme et une courtisane vieillissante, mais aussi *L'Évangéliste* ou *La Petite Paroisse* (1895) qui scrutent les tourments de l'âme.

Ce qui a valu à Daudet un énorme succès mondain et bourgeois, c'est aussi un style. Vif et ironique, il introduit dans le roman de la fantaisie, voire du burlesque. Très théâtrale (elle a d'ailleurs fait l'objet de nombreuses adaptations scéniques), son œuvre, proche en cela de la comédie rosse, est celle d'un bourgeois qui s'amuse de ses pairs, en croquant leurs petits travers ou en ramenant leurs grands drames à une farce qui n'a de tragique que l'ironie du sort. L'art du récit tient, chez lui, à la capacité de jouer sur des traits d'oralité : instaurant la connivence entre le narrateur, le héros et le lecteur, il parvient, même dans des romans à la troisième personne, à estomper les frontières entre le réel et l'imaginaire et à rendre « vraies » des histoires les plus invraisemblables. En ce sens, son écriture, volontiers elliptique et fragmentée, se met au service d'un romanesque de l'instant qui multiplie les effets d'une littérature qui se lit comme si on l'entendait ; ses romans et ses contes se nourrissent de l'enchaînement de vignettes, de croquis, de petits tableaux qui tout à la fois se pimentent de tours familiers et de tournures artistes proches des Goncourt.

Bibliographie

• Éditions :
Œuvres complètes, R. Ferlet éd., Paris, Cercle du Bibliophile, 1969.

• Études :
G.E. Hare, *Alphonse Daudet, a Critical Bibliography*, Londres, Grant & Cutler, 1978-1979. – J.-H. Bornecque, *Les Années d'apprentissage d'Alphonse Daudet*, Paris, Nizet, 1951. – Numéro spécial, « Alphonse Daudet », *Études littéraires*, Québec, 1971.

* * *

Joris-Karl Huysmans (1848-1907)

Plus que toute autre, l'œuvre de Huysmans épouse les courbes de l'histoire du dernier tiers du siècle. Naturaliste de la première heure, en 1884, il consomme avec la publication d'*À rebours* une rupture forte qui le conduira sur le chemin de la spiritualité et à la conversion. Le plus « fin de siècle » des écrivains de la IIIe République, il est traversé par les courants dominants de son époque qu'il a su marquer de sa griffe personnelle, comme en témoignent ses livres, des *Sœurs Vatard* à *L'Oblat*.

D'origine néerlandaise par son père, peintre miniaturiste, il est né à Paris en 1848 où il restera, en célibataire fonctionnaire, employé au ministère de l'Intérieur, jusqu'à sa confession à la trappe d'Igny en 1892 et la cérémonie de vêture qui le fera oblat à Ligugé en 1900 (à la suite de la séparation de l'Église et de l'État, il reviendra s'installer à Paris au couvent des bénédictines de la rue Monsieur).

Tout commence par un recueil de poèmes en prose, *Le Drageoir aux épices* (1874), « menus bibelots et fanfreluches » que *L'Événement* salue comme étant digne d'A. Bertrand et de Baudelaire. Mais c'est dans le sillage de Zola que ce jeune écrivain au nom flamand prend son envol. Au printemps 1876, Céard le présente à Zola – leur amitié durera, au-delà des divergences esthétiques. Il participe au dîner Trapp qui fonde le groupe naturaliste et collabore avec *Sac au dos* aux *Soirées de Médan*. *Marthe* (1876) et *Les Sœurs Vatard* (1879), *En ménage* (1881), *À vau-l'eau* (1882) sont ses quatre romans de facture zolienne. Le premier raconte l'« histoire d'une fille » dans un milieu populaire et bohème ; le deuxième, l'histoire de deux ouvrières dont l'une est sérieuse et l'autre volage ; le troisième met en scène des artistes célibataires ratés ; le quatrième raconte les promenades parisiennes d'un célibataire qui annonce des Esseintes. Si ces romans sont de stricte obédience naturaliste, avec une minutieuse évocation des déterminismes sociaux, ils sont aussi pénétrés de « goncourisme » à la fois dans leur écriture et dans leurs thématiques récurrentes. En effet – et c'est d'ailleurs ce qui aux yeux de la critique de l'époque sauve partiellement Huysmans de la littérature ordurière –, ces récits sont menés dans une langue qui confine à l'artisterie et abordent des motifs qui les rapprochent davantage des frères Goncourt que de Zola. Le premier de ces motifs est le célibat, nécessaire condition pour l'épanouissement de l'artiste tant sur le plan de la création que dans la vie quotidienne. Les biographes ne manquent pas de mettre l'apologie huysmansienne du célibat en étroite relation avec ses malheurs sentimentaux.

En 1884, selon le mot de Zola, *À rebours* porte « un coup terrible au naturalisme ». Il est vrai que le roman, à travers l'histoire de la névrose de des Esseintes, qui en constitue l'argument, renverse systématiquement l'univers zolien : à la peinture de la société s'oppose un portrait de célibataire ; à l'explication « naturelle et sociale » de la destinée d'une famille, un destin individuel coupé de ses racines et voué à la pure contingence ; à la narration dramatique d'une intrigue, un diagnostic qui empêche le récit d'avancer. Et comme par provocation, le roman est précédé d'une « Notice » qui dit à elle seule que le cas de des Esseintes aurait pu être traité à la façon du maître ; mais Huysmans a préféré, ce que Zola lui a reproché, ne pas conduire son héros à une fin tragique : au lieu de mourir, des Esseintes quitte sa maison de Fontenay où il s'est exilé et rentre tout simplement à Paris.

D'un seul coup, et quelque peu par inadvertance, Huysmans allait servir la cause adverse du naturalisme. *À rebours* fonde littéralement une esthétique romanesque nouvelle qui, à défaut de renverser la toute-puissance du réalisme, allait trouver ancrage de manière dispersée auprès de quelques écrivains : Barrès avec *Un homme libre* (1889), Gourmont avec *Sixtine* (1890), Rodenbach avec *Bruges-la-Morte* (1892) et même le jeune André Gide de *Paludes* (1895), sans parler des tentatives plus confidentielles telles que *Les lauriers sont coupés* de Dujardin (1887) ont la même préoccupation d'œuvrer pour un roman sans romanesque. Enfin, si *À rebours* a tant fasciné la jeune génération, c'est parce que le roman avait la vertu d'un manifeste ou d'un bréviaire : des chapitres entiers consacrés à la littérature jusqu'à Zola et Mallarmé, à la peinture impressionniste et présymboliste (G. Moreau), une esthétique générale énoncée en principes clairs et partisans, une interrogation philosophico-mystique qui en appelle à Schopenhauer, tout cela ne pouvait provoquer que des ralliements. Le roman marquera ainsi des générations de lecteurs, pour la plupart lycéens en demande de culture subversive.

Avec *Là-bas* (1891), *En route* (1895), *La Cathédrale* (1898) et *L'Oblat* (1903), Huysmans donne à suivre, à travers l'itinéraire de Durtal, son propre cheminement spirituel, du doute mystique à l'engagement monacal, en passant par l'épisode de la conversion, du satanisme à la glorification du catholicisme.

Avec Bloy et Villiers, Huysmans entre dans le panthéon des écrivains à la fois catholiques et maudits du tournant du siècle : un spiritualisme tour à tour apocalyptique et désespéré (Bloy), philosophique et romantique (Villiers), névrotique et sulfureux (Huysmans). Une spiritualité imaginaire aussi, qui a trouvé dans la littérature romanesque sa plus paroxystique expression. Si Huysmans a eu un tel succès, c'est de ce point de vue qu'il a dépassé par la littérature les forces antagonistes de toute une époque. Sa trajectoire qui va du naturalisme au spiritualisme ne dit rien d'autre.

BIBLIOGRAPHIE

• Éditions :
Aucune réédition des *Œuvres complètes* à ce jour, mis à part le reprint des éd. Crès, 1929, chez Slatkine, Genève, 1972. La plupart des romans sont réédités de façon dispersée en collection de poche.

• Études :
Bulletin de la Société Joris-Karl Huysmans, Paris. – R. BALDICK, *Joris-Karl Huysmans*, trad. fr., Paris, Denoël, 1958. – *Joris-Karl Huysmans*, P. Brunel et A. Guyaux (dir.), *Cahiers de l'Herne*, n° 47, 1985. – J. BORIE, *Huysmans. Le Diable, le célibataire et Dieu*, Paris, Grasset, 1991. – D. GROJNOWSKI, *« À rebours » de Joris-Karl Huysmans*, Paris, Gallimard, coll. « Foliothèque », 1996. – J.-P. BERTRAND *et al.*, *Le Roman célibataire. D'« À rebours » à « Paludes »*, Paris, J. Corti, 1996.

* * *

OCTAVE MIRBEAU (1848-1917)

Écrivain contrasté et rebelle, Mirbeau, en une vingtaine d'années, est passé du catholicisme à l'anticléricalisme, de la défense de l'ordre à l'anarchie, de l'antisémitisme au dreyfusisme. S'il a participé au dîner Trapp qui a fondé l'école naturaliste, il s'est toujours défendu d'être un disciple de Zola ; ses romans sont en effet d'un réalisme qui n'a rien de scientifique et qui, à l'instar de Maupassant, normand comme lui, laisse une large place à un imaginaire profondément hanté par des obsessions personnelles. Ce qui l'apparente au naturalisme, c'est sa méthode d'investigation, sans plus : au lieu de s'en tenir à l'inventaire des faits, il grossit ceux-ci d'une puissance symbolique qui frise l'excès et le paroxysme au fil de sa carrière de romancier. En fait Mirbeau est à mi-chemin entre les petits naturalistes, les romanciers psychologiques et Léon Bloy dont il partage, sur le mode mineur, le goût du pamphlet et de la satire (il sera d'ailleurs un des rares à soutenir les romans de Bloy).

Né en 1848 dans le Calvados dans une famille de bonne bourgeoisie (où l'on est notaire de père en fils), il fait d'austères études chez les jésuites avant d'entreprendre son droit à Paris. Bonapartiste au lendemain de 1870, il collabore à *L'Ordre*, mais avec une indépendance d'esprit qui lui permet de défendre contre les académiciens la nouvelle peinture de Cézanne et de Manet. Après une brève carrière administrative (sous-préfet de Saint-Giron en Ariège), il regagne Paris pour collaborer au *Gaulois* et au *Figaro* où il fera figure de critique impitoyable – d'une grande lucidité aussi, c'est lui qui révélera le théâtre de Maeterlinck. Il fonde une revue satirique et violemment antisémite, *Les Grimaces* (1883-1884), qui prend pour cible des personnalités du parti républicain et se fait remarquer par de scandaleux duels (avec Déroulède, Mendès, entre autres).

Sa production romanesque se scinde en deux ensembles chevillés par une même tonalité de plus en plus satirique et pamphlétaire. Dans les années 1880, outre les nouvelles des *Lettres de ma chaumière* (1886), Mirbeau publie coup sur coup trois romans: *Le Calvaire* (1887), *L'Abbé Jules* (1888), *Sébastien Roch* (1889). Trois romans largement biographiques qui ont la particularité commune d'être soutenus par le thème de la révolte: contre la guerre, dans le premier, contre l'aliénation des pulsions dans le deuxième, contre l'éducation et l'injustice dans le troisième. C'est l'ensemble des institutions sociales qui se voient sous sa plume violemment critiquées; anarchiste profond, Mirbeau se range du côté des vaincus.

Au tournant du siècle, Mirbeau fait paraître un autre ensemble de romans qui font monter d'un cran la violence contenue des premiers. La part biographique s'estompe au profit de la satire et du pamphlet. *Le Jardin des supplices* (1899) est assorti d'une dédicace au vitriol: « Aux Prêtres, aux Soldats, aux Juges, aux Hommes, qui éduquent, dirigent, gouvernent les hommes, je dédie ces pages de Meurtre et de Sang. » Il évoque, à la façon de Pierre Louÿs, un lieu utopique, quelque part en Orient où l'on ignore tout des conventions et des hypocrisies et où règnent la débauche et le crime, le luxe et la luxure. Le roman lui-même se délite au rythme de la frénésie de ce qui y est raconté et perd le contrôle des fantasmes qui se substituent à la narration. Dans *Le Journal d'une femme de chambre* (1900), Célestine met à plat sans la moindre pudeur toutes les hypocrisies et les perversions des maîtres. On est loin de l'observation réaliste: la figure qui domine ces histoires – et celles que Mirbeau continuera de publier à la Belle Époque: *Les Vingt et Un Jours d'un neurasthénique*, en 1901, *La 628-E8*, en 1907, ainsi que sa plus fameuse pièce, *Les affaires sont les affaires*, 1903 – est certainement l'hyperbole: ce qu'il reste de romanesque se voit emporté par un verbe paroxystique qui perd tout sens de la vraisemblance.

BIBLIOGRAPHIE

• Éditions:
Aucune publication des œuvres complètes à ce jour. Certains de ses romans ont été republiés en livre de poche, dans la collection « 10/18 » notamment, chez UGE.

• Étude:
M. SCHWARTZ, *Octave Mirbeau. Vie et œuvre*, La Haye, Mouton, 1966.

* * *

Jules Verne (1828-1905)

Jules Verne a en commun avec Alexandre Dumas une extraordinaire célébrité posthume, internationale et multimédia. Mais, de l'un à l'autre, le temps a passé. Verne est le Dumas du second Empire et de la IIIe République : en quelques décennies, l'aventure a changé de style et d'univers.

Dumas était un auteur populaire, dont les foules allaient applaudir les drames dans les salles du Boulevard et dont les lecteurs, tous âges confondus, parcouraient les romans dans les journaux d'information générale. Verne, lui, publie dans le cadre d'une édition sectorialisée et en voie d'industrialisation ; sous contrat avec Hetzel pour son *Magasin d'éducation et de récréation*, il écrit pour les adolescents et réalise ainsi la seule grande œuvre personnelle du XIXe siècle qui soit entièrement un travail de commande.

Dumas prenait prétexte de l'Histoire de France pour composer des récits de fantaisie, qui se moquaient de tout et d'eux-mêmes ; Jules Verne, dont la signature voisine chez Hetzel avec ceux d'illustres savants, a pour mission de vulgariser, sous une forme romancée, certains acquis récents des sciences physiques et naturelles : cette ambition est d'ailleurs parfaitement conforme au développement et aux évolutions de l'enseignement en France, dans la seconde moitié du XIXe siècle.

Enfin, les héros de Dumas agissaient avec une orgueilleuse insouciance qui laissait transparaître la verve romantique de 1830. Les personnages verniens, eux, accomplissent les actions les plus extraordinaires avec un esprit de décision que fortifient les certitudes savantes et des convictions parfois prudhommesques, que le narrateur teinte d'une ironie toujours bienveillante.

Cependant, la réunion improbable de ces traits contradictoires et banals en eux-mêmes – le familier et le bizarre, le cliché et le fantastique, le sérieux et le cocasse – a fini par faire d'un travail appliqué une œuvre étrangement originale – comme le témoignage monstrueux d'une époque elle-même démesurée.

Jules Verne, homme de lettres et notable

Né en 1828 dans la bourgeoisie nantaise, Jules Verne entra en littérature prudemment, comme beaucoup de ses contemporains séduits par le monde des Lettres et surtout du théâtre, mais peu désireux de connaître les affres de la bohème. Après des études de droit menées à leur terme, il publie épisodiquement des nouvelles dans le *Musée des familles*, écrit des pièces, fréquente Alexandre Dumas, travaille au

Théâtre lyrique dont il assiste le directeur. Marié en 1857 et ayant la responsabilité d'une famille, il achète alors une charge d'agent de change. Il n'y a jusque-là rien de très remarquable, sinon une tentative avortée d'embarquement comme mousse, à l'âge de onze ans. On n'en sait guère plus sur un monde secret de rêves et de voyages intérieurs sans doute beaucoup plus complexe que ne le laisse paraître la sèche chronique des événements.

L'étape décisive est donc apparemment, en 1862, la rencontre avec Jules Hetzel, éditeur de Victor Hugo et républicain récemment revenu d'exil. C'est lui qui publie *Cinq Semaines en ballon* (1862) puis, en 1864, convainc Verne de participer au *Magasin d'éducation et de récréation*. Cette collaboration produira, de façon très régulière, un ou deux romans par an juqu'à la mort des deux contractants et même au-delà, au travers de leurs fils respectifs. Hetzel n'a pas qu'un rôle commercial ; il a l'idée des « Voyages extraordinaires » (titre collectif donné à l'ensemble des récits) ; il conseille Verne, lit ses manuscrits et les corrige en veillant – parfois excessivement – à l'homogénéité de l'ensemble. Parmi les romans les plus connus, on peut citer *De la Terre à la Lune* (1865), *Les Enfants du capitaine Grant* (1865), *Vingt Mille Lieues sous les mers* (1869), *Le Tour du monde en quatre-vingts jours* (1872), *Michel Strogoff* (1876), *Hector Servadac* (1877), *Robur le conquérant* (1886), *Le Phare du bout du monde* (1905).

Cette œuvre vaut à Verne d'accéder au rang de notable respecté, d'autant qu'il accueille favorablement la IIIe République. Invité dans les sociétés savantes, reçu à l'académie d'Amiens où il réside, il y est aussi élu conseiller municipal en 1888. Devenu célèbre, il suit avec attention les inventions technologiques, notamment pour l'Exposition universelle de 1900, fait de longues croisières en bateau, reçoit les hommages des écrivains français et étrangers. Il verra même en 1902, trois ans avant sa mort, une de ses œuvres portée – déjà ! – à l'écran : *Voyage dans la Lune* de Georges Méliès.

Récits extraordinaires ou romans scientifiques ?

Le héros vernien, comme tout aventurier, sait à l'occasion prendre des risques, se battre, ou résister stoïquement à l'adversité. Mais il est avant tout un voyageur, que fascinent les longues distances et la découverte des territoires et des mondes inconnus. Il voyage, à la surface du globe, en explorateur ou en soldat (*Les Enfants du capitaine Grant, Michel Strogoff*...) ; il s'efforce de percer les secrets de la Terre (*Voyage au centre de la Terre*) ou des océans (*Vingt Mille Lieux sous les mers*). À moins qu'il ne s'élève dans les airs pour dominer le monde (*Cinq Semaines en ballon*) ou inventer l'astronautisme (*De la Terre à la*

Lune) : Verne est un romancier-géographe, dont l'imagination investit l'espace, réel ou fantastique.

On retrouve, bien sûr, de vieux topoï romanesques, dont l'*Odyssée* offre les prototypes : l'errance en des terres inhospitalières et les inévitables relations de pouvoir qui s'établissent dans des petits groupes d'hommes, d'où émerge un être supérieur mais dangereux (Robur, Nemo, etc.). Cependant, le récit des événements et des intrigues laisse la place, bien vite, à l'évocation, minutieuse mais poétique, d'une nature dotée d'une puissance étrange – sorte d'organisme magique où il semble rester, même pour le savant le plus perspicace, une part de mystère. En ces moments de sidération, l'écriture vernienne se déploie en des divagations descriptives aussi belles qu'inutiles, se chargeant, pour le seul plaisir des mots, de termes rares et scientifiques ou d'allusions savantes, comme si le narrateur explorait l'univers du langage en même temps que ses personnages arpentent des étendues nouvelles.

Mais ce fantastique est provisoire et partiel, puisqu'il a pour fonction de préparer et de mettre en valeur l'explication scientifique. Dans les situations les plus invraisemblables, au centre de la Terre ou sur une autre planète, un personnage plus compétent que les autres travaille à rationaliser l'incompréhensible. Sans solution de continuité, un romantisme surnaturaliste se prolonge, de façon parfois cocasse, dans un positivisme docte et imperturbable. Verne élabore la version fictionnelle et pédagogique du double sentiment qui sourd des œuvres d'un Hugo, d'un Michelet, d'un Renan : la foi dans le savoir et, cependant, l'intuition, infiniment troublante, de tout ce qui échappe à la prise de la science humaine.

Le contraste est encore plus saisissant dans la conduite des événements et le traitement psychologique des protagonistes, systématiquement stéréotypés peut-être pour rassurer le jeune lecteur, confronté par ailleurs aux inquiétantes énigmes de la nature ou à la violence des sociétés. En toute circonstance, l'amoureux ne cesse de soupirer, le savant d'être magistral, le Français d'opposer sa gouaille au flegme de l'Anglais, etc. Sur fond d'infini ou de cataclysme, ce petit monde, où chacun tient à la fois du type social et de la marionnette, se donne la réplique comme sur une scène de vaudeville, fidèle à ses habitudes et à ses idés reçues.

Cette absence de profondeur psychologique, ajoutée à la masse des digressions didactiques, explique sans doute la longue relégation de Verne sur les rayons de la littérature enfantine. Mais nous disposons sans doute aujourd'hui d'un recul suffisant sur cette époque de la culture occidentale, qui oppose l'impérialisme tranquille de sa puissance et de ses savoirs à un monde qu'elle croit encore maîtriser : à la veille des catastrophes à venir, le charme ambigu des *Voyages extraordinaires* a la force, lumineuse mais inquiétante, d'une métaphore.

Bibliographie

• Éditions :
Se reporter aux collections en format de poche et, notamment, aux volumes du « Livre de poche », chez Hachette.

• Biographies :
J. Jules-Verne, *Jules Verne*, Paris, Hachette, 1973. – C.-N. Martin, *Jules Verne, sa vie, ses œuvres*, Lausanne, Rencontre, 1971.

• Étude d'ensemble :
S. Vierne, *Jules Verne, une vie, une œuvre, une époque*, Paris, Balland, 1986.

• Périodique spécialisé :
Bulletin de la Société Jules Verne.

• Sélection d'ouvrages critiques :
D. Compère, *Jules Verne. Parcours d'une œuvre*, Amiens, Encrage, 1996. – J. Chesneaux, *Une lecture politique de Jules Verne*, Paris, Maspero, 1971. – A.B. Evans, *Jules Verne Rediscovered : Didactism and the Scientific Novel*, New York, Greenwood, 1988. – M. Serres, *Jouvences sur Jules Verne*, Paris, Éditions de Minuit, 1974. – M. Soriano, *Le Cas Verne*, Paris, Julliard, 1978. – S. Vierne, *Jules Verne, mythe et modernité*, Paris, PUF, 1989.
« Jules Verne », numéros spéciaux de *L'Arc* (1966), des *Cahiers de l'Herne* (1972), *d'Europe* (1978). – « Série Jules Verne » de la *Revue des lettres modernes* (5 vol., de 1976 à 1987).

Chapitre 35

La vitalité de la poésie

On a l'habitude de faire remonter la grande fracture romantique au Baudelaire du « Peintre de la vie moderne ». Premier théoricien de la modernité, il en a proposé une définition restée célèbre :

> « La modernité, c'est le transitoire, le fugitif, le contingent, la moitié de l'art, dont l'autre moitié est l'éternel et l'immuable. »

Il est vrai que, comme Flaubert pour le roman, Baudelaire pulvérise le credo romantique d'une poésie démiurgique ; il ramène celle-ci à une dimension plus séculière et brise le code de l'imitation des classiques à la faveur de l'authenticité de l'émotion vécue ou ressentie ici et maintenant. Conçue comme une alliance entre l'ancien et le nouveau, l'éternel et le transitoire, la modernité tire sa force « spirituelle » de ses conditions « matérielles » de production. À bas le mythe de l'*inspiration* et vive la valeur du *travail*. C'est dire si cette révolution poétique passe essentiellement par une réappropriation du langage que tous les poètes de la seconde moitié du siècle ne cesseront de réinventer pour leur propre compte.

Partir de Baudelaire pour comprendre les mutations poétiques de la fin du siècle, c'est assurément tracer une filiation, mais aussi manquer dc rigueur historique. Car entre l'auteur des *Fleurs du mal* et les poètes de la révolution poétique (la bande des sept : Rimbaud, Corbière, Lautréamont, Laforgue, Mallarmé, Verlaine, Cros), il y a eu le Parnasse – épisode un peu oublié de nos jours mais qui a été pour beaucoup de symbolistes un moment décisif dans leur carrière. Par ailleurs, si la paternité baudelairienne a été revendiquée par l'avant-garde des années 1880, qui se réclame aussi de Villiers de l'Isle-Adam, il ne faut pas perdre de vue que la valeur poétique dominante de l'époque est celle que véhicule le Parnasse du haut des postes qu'il occupe dans l'institution littéraire (tout particulièrement à l'Académie française).

Posons même par hypothèse que, si la poésie de la IIIe République est marquée d'une telle vitalité, c'est qu'elle cherche par tous les moyens à se dépêtrer de la domination parnassienne, domination ressentie à la manière d'une restauration du romantisme par les jeunes recrues. Le problème n'est cependant pas simple : le Parnasse détient le monopole de la certification poétique – il est difficile d'échapper à son verdict, sous peine de ne pas exister – et il continue de représenter ce que la littérature a de plus haut, de plus exigeant et de plus pur : le noyau dur de la doctrine ne peut pas être remis en question. Il ne s'agit donc pas pour les poètes de le combattre purement et simplement, mais de lui trouver des formules substitutives tout à la fois mieux adaptées au goût du jour et fidèles à la grandeur du verbe français. En rompant avec le romantisme, l'avant-garde cherche à doter idéalement la littérature d'un nouveau concept et d'une nouvelle conception. Or, il n'y a que la poésie qui puisse accueillir une redéfinition de ce qu'elle est, de la même manière que le théâtre a pu être en 1831 le lieu privilégié de la révolution romantique. Pourquoi ? Parce que d'entrée de jeu la poésie refuse la dérive mercantile que subissent le roman et le théâtre et qu'elle s'offre comme une poche de pureté symbolique grâce à laquelle une certaine littérature conservera son aura de religion et d'aristocratie. C'est pourquoi avec Rimbaud, Mallarmé et Lautréamont essentiellement, auxquels s'agrègent de nombreuses voix plus mineures, la poésie est le terrain privilégié d'une révolution langagière sans précédent.

L'héritage

Sortir du Parnasse suppose d'y avoir été accepté. À considérer parallèlement les trajectoires de Mallarmé et de Verlaine, on s'aperçoit que le Parnasse est le groupe littéraire le plus institutionnalisé du siècle : le seul à offrir aux nouveaux entrants la possibilité d'être reconnus contractuellement en tant que poètes, ce qui implique en échange une totale soumission aux règles que Leconte de Lisle (né en 1818) a édictées dans la préface-manifeste de ses *Poèmes antiques* en 1852. Le dogme est aussi simple qu'efficace : rejet du lyrisme personnel (cher aux romantiques), idéologie du travail poétique (*« fac et spera »* est le slogan qui figure sur les ouvrages du groupe publiés par Lemerre), respect draconien des formes fixes (le sonnet, le rondel, le dizain, l'ode ; Th. de Banville résumera prescriptions et interdits dans son *Petit Traité de poésie française*, 1870), goût pour l'exotisme hellénique et historique, pétrification de l'éphémère (tout motif se doit d'être statufié, l'art de référence des Parnassiens étant la sculpture). Fort de ce programme, Leconte de Lisle pourra en une dizaine d'années contrôler l'ensemble de la production poétique et attirer vers lui la jeune génération : Heredia, Sully Prudhomme et Coppée, les plus fidèles serviteurs, Mallarmé et Verlaine les plus célèbres dissidents. En effet, ces derniers, qui sont de la génération de 1840 (respectivement nés en 1842 et 1844) publient dans le premier et le deuxième *Parnasse contemporain*, revue hebdomadaire (1866 et 1871) des poèmes de pure obédience : entre autres, « Mon rêve familier » de Verlaine paraît en 1866, aux côtés de « Brise marine » de Mallarmé. On ne retrouve pas Verlaine en 1871 et Mallarmé est refusé en 1876. C'est que l'un et l'autre ont choisi des voies de traverse et commencé à fomenter leur propre insurrection sans reproduire – en tout cas ils l'ont dénié à plusieurs reprises – le modèle « sectaire » du Parnasse : désormais, c'est en solitaire que les trajectoires s'accomplissent, en dépit des diverses tentatives de fédérer les esthétiques dans les années 1880. Si le Parnasse consolide son credo en gravissant les échelons de la légitimité académique, il suscite auprès de la jeune génération de 1860 un antidote farcesque et un vaste mouvement de parodie : dans *Le Parnassiculet contemporain* (paru en 1867 puis en 1872), des Parnassiens dissidents, dont Paul Arène et Alphonse Daudet, pastichent les règles de l'école en avertissant le lecteur qu'il est préférable « d'être original en français que ridicule en sanscrit » ; Barbey d'Aurevilly charge également avec ses *Trente-Sept Médaillonnets du Parnasse* ; en 1876 paraissent les *Dixains réalistes*, recueil collectif de Nina de Villard, Charles et Antoine Cros, Richepin, Rollinat et Nouveau, qui ridiculise le troisième *Parnasse* et tout particulièrement la poésie quotidienne de François Coppée. D'autres dixains réalistes se retrouvent dans l'*Album zutique* que confectionnent de manière artisanale, en 1871, Verlaine, Rimbaud, Cros et quelques autres.

Dernier avatar d'un antiromantisme dégradé et totalement replié sur les contraintes de l'art pour l'art, le Parnasse n'a pas su non plus intégrer les secousses politiques de l'époque et a cru, au nom de la poésie éternelle, « barbare » ou « antique », traverser le siècle, dans la superbe ignorance de l'installation de la République. Rien de plus logique que cette esthétique du refus de l'histoire, après la défaite de 1870 et la Semaine sanglante de 1871, n'appelât une attitude poétique résolument antithétique par laquelle devaient s'exprimer tout ensemble le désenchantement et la dérision, selon des modulations très variées, mais qui rassemblent dans un même esprit et une identique posture – tantôt clown, tantôt pitre, tantôt Pierrot – les Mallarmé, Verlaine, Rimbaud et Laforgue, pour ne parler que de ceux qui, en ces années, ont cristallisé un tant soit peu une représentation et un discours de poète en artiste maudit.

Décadence contre symbolisme

Tuer le père : semblablement à quelques romanciers qui chercheront dès 1884 (*À rebours*) à s'éloigner de Zola et du naturalisme, les poètes sont hantés par le désir de tuer le Parnasse qui a corseté le discours et la pratique du vers. Les historiens de la poésie fin de siècle ont pris l'habitude d'attribuer au mouvement décadent une fonction critique et oppositionnelle vis-à-vis de l'héritage parnassien, alors que le symbolisme aurait donné naissance à des œuvres dégagées des contingences de l'époque. Cette vision quelque peu schématique de l'histoire – qui fait l'impasse sur tous les croisements qui s'opèrent d'une école à l'autre et qui idéalise l'émergence du symbolisme en lui retirant toute implication dans l'incohérence esthétique des années 1875-1885 – a cependant le mérite de repérer deux types de trajectoires possibles dans le champ de la poésie nouvelle. D'un côté, le repli insurrectionnel et volontairement provocateur qui englobe toute la production dite, à défaut de mieux, décadente et qui adopte le rire et la rigolade comme postures ; de l'autre, l'avancée et le dépassement parnassien qu'incarneront les symbolistes en une pose poétique héritée de la tradition mais teintée du travail de sape que les décadents et autres fumistes auront parallèlement produit. Si ces deux positionnements correspondent vaille que vaille respectivement aux années 1878-1886 (phase décadente) et 1886-1890 (phase symboliste), il va de soi qu'ils se sont nourris de leur propre coexistence et concurrence dans le champ poétique. En témoigne la manière dont on a pressenti en ces années Verlaine et Mallarmé comme chefs de file respectifs des deux écoles – rôle que l'un et l'autre ont refuté – ; ou encore, cette ironique « Ballade en faveur des dénommés Décadents et Symbolistes » :

à Léon Vanier

Quelques-uns dans tout ce Paris
Nous vivons d'orgueil et de dèche.
D'alcool encore bien qu'épris
Nous buvons surtout de l'eau fraîche
En cassant la croûte un peu sèche.
À d'autres fins mets et grands vins
Et la beauté jamais revêche !
Nous sommes les bons écrivains.

Phœbé quand tous les chats sont gris
Effile d'une pointe rêche
Nos corps par la gloire nourris
Dont l'enfer, au guet, se pourlèche,
Et Phœbus nous lance sa flèche.
La nuit nous berce en songes vains
Sur des lits de noyaux de pêche.
Nous sommes les bons écrivains.

Beaucoup de beaux esprits ont pris
L'enseigne de l'Homme qui bêche
Et Lemerre tient les paris.
Plus d'un encore se dépêche
Et tâche d'entrer par la brèche ;
Mais Vanier à la fin des fins
Seul eut de la chance à la pêche.
Nous sommes les bons écrivains.

ENVOI

Bien que la bourse chez nous pèche,
Princes, rions, doux et divins.
Quoi que l'on dise ou que l'on prêche,
Nous sommes les bons écrivains.

Insérés dans *Le Décadent* du 1er au 15 janvier 1888 (sous le titre « Ballade pour les Décadents »), ces vers sont loin du fameux « Je suis l'Empire à la fin de la Décadence » publié dans *Le Chat noir* en 1883 (repris dans *Jadis et Naguère*, sous le titre « Langueur ») et qui valut à Verlaine d'être pressenti comme le leader du décadentisme. En effet, comme il l'explicitera très clairement dans son entretien avec Jules Huret en 1891, Verlaine s'est très vite éloigné d'une étiquette qui avait eu son utilité dans le combat antiparnassien : « On nous l'avait jetée comme une insulte, cette épithète ; je l'ai ramassée comme cri de guerre ; mais elle ne signifiait rien de spécial, que je sache. » Même défiance vis-à-vis du symbolisme : « Le symbolisme ?… comprends pas… ça doit être un mot allemand… hein ? Qu'est-ce que ça peut bien vouloir dire ? Moi, d'ailleurs, je m'en fiche. » Dans les mêmes entretiens, Mallarmé ne dira rien d'autre qu'un « J'abomine les écoles ». Si les jeunes de la génération de 1860 se reconnaissent en Verlaine et en Mallarmé, avec au début un assentiment teinté de méfiance, c'est que l'un comme l'autre polarisent par leur propre expérience poétique ce qui donnera les deux courants complémentaires de l'époque, le décadentisme et le symbolisme. Les recherches hermétiques et théoriques de Mallarmé et « L'Art poétique » de Verlaine auront pour effet dans les années 1885 de rallier le groupe symboliste et la troupe qui se réfère à la décadence verlainienne, entendue (ainsi que l'indique « L'Art poétique ») comme une esthétique du bon sens, de la naïveté et de l'anti-intellectualisme. Cela explique le jugement de Gourmont selon qui « il était impossible de 1885 à 1895 d'écrire en vers ou en prose sans songer à Mallarmé ou Verlaine ».

Par ailleurs, Verlaine comme Mallarmé entendent se distinguer de la masse de poètes et écrivains de toutes sortes qui se revendiquent des cénacles. C'est individuellement, selon eux, que le poète fait dissidence et se met « en grève devant la société » pour reprendre l'expression de Mallarmé. On peut voir là une lourde condamnation des deux tentatives de récupération institutionnelle qui voient le jour simultanément en 1886 : la création par Anatole Baju du journal (qui deviendra revue) *Le Décadent* et la publication dans le supplément littéraire du 18 septembre 1886 du *Figaro* d'un texte de Jean Moréas qui a fait grand bruit : « Un manifeste littéraire. Le Symbolisme » (plus connu sous l'appellation de Manifeste du symbolisme).

Le premier, en effet, a voulu, dans une revue, *Le Décadent* (1886-1888), fédérer le mouvement décadent dans tout ce qu'il avait d'« hirsute » et d'« incohérent » au sein des lieux où il florissait sans autre ambition que de faire rire et de désacraliser. Ayant pour devise « Tout – Hors la Banalité », la revue de Baju s'ouvre sur une profession de foi décadentiste :

> « Se dissimuler l'état de décadence où nous sommes arrivés serait le comble de l'insenséisme. Religions, mœurs, justice, tout décade, ou plutôt tout subit une transformation inéluctable. La société se désagrège sous l'action corrosive d'une civilisation déliquescente. L'homme moderne est un blasé. Affinement d'appétits, de sensations, de goût, de luxe, de jouissances ; névrose, hystérie, morphinomanie, charlatanisme scientifique, schopenhauerisme à outrance, tels sont les prodromes de l'évolution sociale » (« Aux Lecteurs », *Le Décadent*, 10 avril 1886).

D'arrière-garde en 1886, totalement usés dans leur pouvoir manifestaire, ces propos se détournent de l'esprit de dérision des cafés et cabarets. Baju, trop sérieux pour être honnête, voulut être à la tête d'un mouvement proprement littéraire sans s'apercevoir que ce qu'il rassemblait sous l'étiquette de décadence ne pouvait faire école. De là diverses tentatives qui échouèrent les unes après les autres : Baju, publiant Verlaine, Mallarmé, mais aussi les jeunes (Aurier, Paterne Berrichon, E. Raynaud, etc.) voulut instaurer ses « mercredis ». Mais le groupe qu'il rassembla dans son journal puis sa revue n'eut aucune homogénéité esthétique, pas davantage qu'il n'eut de réel programme. Auberge espagnole plutôt qu'organe fédérateur, *Le Décadent* était appelé à se discréditer moins parce qu'il eut des pratiques éditoriales douteuses (dont la publication d'une douzaine de faux Rimbaud) que parce que le groupe n'était doté d'aucun capital symbolique de nature à renverser les groupes rivaux (dont celui qui entourait Mallarmé) et qu'il dut se maintenir au gré d'alliances contre nature. Une est restée célèbre : la livraison de juillet 1886 annonçant « la collaboration au *Décadent* du si délicatement grand poète Mallarmé » ; elle conduisit la revue à capituler le 25 septembre de la même année. En tête de son n° 25, un avertissement :

> « À partir de ce numéro, *Le Décadent* cesse d'être l'organe exlusif des *Jeunes*. Il devient le journal militant de la nouvelle école littéraire. Chaque numéro contiendra une chronique dont les signataires seront successivement : MM. Paul Adam, Jean Ajalbert, Édouard Dujardin, Gaston Dubreuilh, Félix Fénéon, Charles Henry, Gustave Kahn, Jules Laforgue, Jean Moréas, Charles Vignier, Teodor de Wyzewa. A.B. »

C'est à peu près tout le personnel qui fréquente depuis 1880 environ la rue de Rome qui investit la revue de Baju, ce qui ne manque pas de faire les gorges chaudes des futurs symbolistes et donne même naissance à une revue satirique, *La Décadence*. C'est ainsi que s'explique la faillite institutionnelle du mouvement décadent, qui, en raison de son manque d'assise programmatique (le credo des décadents se limitant à une critique en règle des écoles dominantes, du naturalisme au roman russe en passant bien entendu par la « blague » symboliste) et théorique, sans parler de l'absence cruelle d'œuvres marquantes, n'a pu instaurer aucune relance dans le champ poétique. En 1889, la décadence disparaît en tant qu'école littéraire et les décadents renoncent à la littérature (certains pour faire de la politique comme Baju). Cette faillite servit bien évidemment la mouvance symboliste qui, dotée d'une notoriété plus distinguée, prit corps grâce au lent mûrissement d'une esthétique homogène : les symbolistes apportent des œuvres fortes, de fiction autant que de théorie.

Lorsque Moréas publie son fameux Manifeste en 1886, un groupe s'est créé autour de Mallarmé qui comprend les premiers fidèles (Moréas, Ajalbert, Kahn, Merill) et de récentes recrues dont Rodenbach, Morice, Ghil, Herold, Fontainas, Wyzewa, Régnier, Viélé-Griffin, Mockel, Dujardin… Un groupe qui a tendance à se mondaniser sur le modèle du salon parnassien, mais qui, ouvert à des esthétiques, ne s'enferme pas dans l'affirmation sectaire d'un credo. Un groupe informel en quelque sorte dont la cohésion est cimentée par une semblable trajectoire sociale et culturelle (presque tous sont issus de la grande bourgeoisie, voire de la noblesse, et ont fait des études supérieures, alors que les décadents sont de souche populaire et d'une dotation culturelle moyenne, voire inexistante). Quel rôle joua le Manifeste de Moréas dans le mouvement symboliste ? Loin de consacrer un moment fondateur ou de consommer une rupture, ce texte, en dépit de son titre, est davantage un exercice de synthèse qu'un instrument de combat dont le groupe n'avait d'ailleurs nullement besoin à cette époque. C'est la raison pour laquelle il ne faut pas perdre de vue les motivations journalistiques de sa publication que l'histoire littéraire a souvent négligées. En effet, le Manifeste était précédé de ce « chapeau » :

> « Depuis deux ans, la presse parisienne s'est beaucoup occupée d'une école de poètes et de prosateurs dits « décadents ». Le conteur du *Thé chez Miranda* (en collaboration avec M. Paul Adam, l'auteur de *Soi*), le poète des *Syrtes* et des *Cantilènes*, M. Jean Moréas, un des plus en vue parmi ces révolutionnaires des lettres, a formulé, sur notre demande, pour les lecteurs du Supplément, les principes fondamentaux de la nouvelle manifestation d'art. »

L'unique nécessité du texte de Moréas est de mettre fin à la confusion que la presse entretenait à l'époque en désignant tous azimuts la « nouvelle manifestation d'art » par le terme de décadence. Moréas propose « la dénomination de *symbolisme* comme la seule capable de désigner raisonnablement la tendance actuelle de l'esprit créateur en art ». Et pour justifier cette esthétique, il recourt à l'histoire en posant Baudelaire comme « véritable précurseur du mouvement », en signalant que « Mallarmé le lotit du sens du mystère et de l'ineffable » et que « Verlaine brisa en son honneur les cruelles entraves du vers ».

En ce qui concerne l'encadrement théorique des deux écoles rivales, il est à noter que, si les symbolistes aiment à théoriser la poésie dans son rapport au langage, à la société et au monde, les décadents eux n'ont d'autres prolongements à leurs œuvres que des parodies avec lesquelles elles se confondent. Ainsi Mallarmé (entre autres, *Crise de vers*), René Ghil (*Traité du Verbe*, 1886), Moréas, Dujardin et quelques autres n'ont eu de cesse de théoriser, dans des visées d'ailleurs souvent contradictoires et jamais collégiales ou groupales, un idéal poétique, tandis que les décadents se sont rabattus sur des ouvrages qui tiennent le plus souvent de la farce, comme *Les Déliquescences* d'Adoré Floupette en 1885 ou encore le *Petit Glossaire pour servir à l'intelligence des auteurs décadents et symbolistes* de Jacques Plowert (Paul Adam) en 1888.

En définitive, la décadence et le symbolisme se sont bel et bien imposés comme deux pôles littéraires (plutôt d'ailleurs que comme deux écoles strictement esthétiques) qui ont eu pour rôle et effet de réguler la production poétique de l'époque. Les poètes les moins nantis (provinciaux, de souche populaire, au capital culturel faible) se sont retrouvés dans les milieux décadents qui leur fournissaient une pratique spontanée et insurrectionnelle de la poésie à travers laquelle pouvait s'exprimer la révolte contre les grandes dominations culturelles (naturalisme, Parnasse, mais aussi roman russe, roman psychologique et symbolisme – soit toute la littérature de la grande bourgeoisie). Les poètes les plus dotés socialement et culturellement se sont rassemblés autour de ce qui est devenu le symbolisme, que Mallarmé a porté sans y jouer véritablement le rôle d'un leader. Cette bipolarisation du champ de la poésie a persisté jusqu'à la fin du siècle et même au-delà en orientant les carrières (on la retrouve dans les années 1920 dans la concurrence entre la jeune *NRF* et le surréalisme naissant). C'est ainsi que les fils de grands bourgeois que sont Pierre Louÿs, Paul Valéry et André Gide entrent en littérature en fréquentant la rue de Rome, alors que d'autres trajectoires se dessinent à partir d'une admiration pour Verlaine.

Restauration

La décadence disparaît en 1889, le symbolisme, lui, se saborde, du moins officiellement, en 1891, lorsque Moréas signe le Manifeste de l'École romane qui est comme la négation du symbolisme de la première génération. Il est vrai que le mouvement s'est essoufflé et qu'il est devenu franchement routinier depuis que Moréas en a fixé l'appellation et que Mallarmé préside banquet sur banquet, ce qui le conduira à être sacré Prince des Poètes en 1896. Les jeunes recrues, ainsi que le veut la logique du champ, ont de moins en moins à attendre des aînés et doivent faire leur trou dans un paysage esthétique saturé de symboles et de décadence. De la même manière que pour les Parnassiens de la dernière heure (les jeunes Verlaine et Mallarmé), la question est de savoir comment sortir du symbolisme. Question que le modernisme d'Apollinaire, une bonne trentaine d'années plus tard, viendra résoudre en coupant le nœud gordien des esthétiques fin de siècle.

Après avoir coiffé le symbolisme d'un manifeste quelque peu à rebours et s'être attribué le rôle de chef de file du mouvement en 1891 (lors du banquet organisé autour de son recueil *Le Pèlerin passionné*, ce qui lui vaut la publication d'un numéro spécial de *La Plume* le 1er janvier 1891, auquel participent A. France et Barrès), Moréas en signe donc un autre grâce auquel il souhaiterait rallier les forces vives de la nouvelle jeunesse : Le Manifeste de l'École romane. Y célébrant ce qu'il appelle le « principe gréco-romain », il rompt avec les libertés prises par les symbolistes, notamment en matière de versification, et prône un retour au classicisme épuré. Négation forte de la révolution langagière instaurée par les symbolistes, cette volte-face est un retour aux valeurs du Parnasse et de la tradition.

L'enjeu est surtout d'offrir une issue au symbolisme étouffant pour de nouveaux venus qui retourneront comme un gant les valeurs de 1885. Il est vrai que les maîtres quittent peu à peu la scène (Laforgue meurt en 1887, Verlaine en 1896, après la conversion que l'on sait, Mallarmé en 1898), laissant la voie ouverte à de nouvelles expérimentations. Francis Jammes, Pierre Louÿs, André Gide, Paul Claudel, pour ne citer que les plus célèbres, ne se reconnaissent plus dans l'esthétique de naguère, ce qui n'empêche nullement leur admiration pour Mallarmé. Un poète oublié, Klingsor, témoigne : « Le malaise qui pesait sur l'âme malade des poètes aînés ne semble pas avoir de prise sur la dernière génération ; une rêverie plus lumineuse commence à succéder au sadisme obscur des Laforgue, des Kahn et des Gilkin. » Ce que recherchent les jeunes nés aux alentours de 1870, c'est une attention plus soutenue à la vie, contrairement à leurs aînés qui étaient prioritairement préoccupés d'Idée ou de Symbole. Saint-Georges de Bouhélier se met à tirer à boulets rouges sur Mallarmé, retournant mot à mot ses grands principes poétiques – ainsi le fameux « Je dis : une fleur ! et, hors de l'oubli où ma voix relègue aucun contour, en tant que quelque chose d'autre que calices sus, musicalement se lève, idée même et suave, l'absente de tout bouquet… » devient chez le naturiste : « Je chante : une Rose, l'Aurore, la Mer, ce sont les Âmes mêmes qui par moi s'expriment. » Autre témoin de ce nécessaire dépassement du symbolisme : Verhaeren, qui, avec Maeterlinck (*Serres chaudes*, 1889) et Rodenbach (*Le Règne du silence*, 1891), avait apporté un sang neuf aux productions françaises tout en prolongeant leur esprit, se met à délaisser ses *Villes tentaculaires* (1895) pour chanter *Les Heures claires* (1896) et bientôt les énergiques *Forces tumultueuses* (1902).

Le mouvement de restauration que traverse la poésie de l'extrême fin du siècle, qui n'est d'ailleurs pas étranger en bien des cas à un farouche conservatisme politique, trouve sa caricature dans le *Manifeste du naturisme* (1895) de Maurice Le Blond qui très explicitement nie toute l'avancée moderniste : contre Baudelaire, contre Wagner, contre Mallarmé, on revendique une conception de l'œuvre en tant qu'« heureux résultat des Noces merveilleuses [du Poète] et de la Nature ». Mais ce même état d'esprit est porté par des voix plus authentiques, comme celle de Francis Jammes qui, avec *De l'angelus de l'aube à l'angelus du soir* (1898), non seulement renoue avec une sorte d'intimisme et d'humilité poétique à la Coppée, mais, sur les traces de Laforgue, inscrit le quotidien dans le ton d'une poésie qui se veut au plus près de la parole. Le naturisme est à l'origine de tout le renouveau littéraire du début du prochain siècle ; s'il ne donne pas lieu à des esthétiques spécifiques, il génère une sensibilité à la fois aristocrate, raffinée et sensualiste qui s'exprimera notamment de manière éparse à travers *Le Mercure de France* et la revue *Antée* de Christian Beck (qui préfigure la *NRF*) et sera relayée de manière plus structurée par les poètes de bonne volonté de l'unanimisme (Romains, Durtain, Duhamel, Jouve).

Même si l'on ne sait où l'on va, on est certain, à partir de 1895, de devoir sortir du symbolisme, tout comme les jeunes romanciers cherchent à se dépêtrer du naturalisme. Un phénomène neuf apparaît très nettement : la confusion des genres, ou plus exactement le dépassement des frontières génériques. Tant du côté du roman que de la poésie, on brouille les repères, sans doute pour s'affranchir de toute obédience à laquelle le roman ou la poésie restent attachés. Gide, après avoir publié un *Paludes* (1895) qui ironisait sur le devenir romanesque et mis de côté les poésies d'André Walter (1887), s'attaque aux *Nourritures terrestres* (1897) ; Valéry, en 1896, publie *La Soirée avec Monsieur Teste*, incarnation idéale de l'intellectuel moderne, à la fois Descartes, Vinci et Mallarmé, pur cerveau qui a renoncé à lire et à écrire ; Claudel, après avoir révolutionné le théâtre avec *Tête d'Or* (1890), donne un souffle nouveau à la poésie en prose avec *Connaissance de l'Est* (1897). Et parmi les voies mineures qui bouleversent le cloisonnement des genres, il faut citer Marcel Schwob dont *Le Livre de Monelle*, entre l'aphorisme et le récit, fait l'apologie de la destruction :

> « Et pour imaginer un nouvel art, il faut briser l'art ancien. Et ainsi l'art nouveau semble une sorte d'iconoclastie.
> Car toute construction est faite de débris, et rien n'est nouveau en ce monde que les formes.
> Mais il faut détruire les formes. »
>
> (*Le Livre de Monelle*, 1895).

Parole prophétique qui explicite le bouillonnement nouveau, mais qui cherche surtout à donner énergie et vitalité à la littérature en train de se faire et à redonner confiance à la destinée humaine ; ce n'est pas un hasard si la poésie de la dernière décennie du siècle, contrairement à l'athéisme symboliste, renoue avec la religion révélée, qu'elle soit catholique ou protestante, et professe toute sa (problématique) croyance en l'homme – fût-ce aussi pour (se) préparer (à) de nouveaux désenchantements.

Chapitre 36

Lautréamont

« La fin du dix-neuvième siècle verra son poète »

Isidore Ducasse est probablement l'écrivain le plus mythique de la fin du siècle. Plus mythique que Rimbaud car sa vie et son œuvre semblent totalement échapper aux catégories littéraires qu'elles ne cessent l'une et l'autre d'interroger en profondeur. Si on peut expliquer les effets de déclassements qui se sont opérés au cours de la IIIe République des Lettres sur les auteurs qui ont trouvé une forme de reconnaissance et d'existence grâce à l'appellation de « poètes maudits », il semble quasiment impossible d'articuler la production ducassienne sur les grands courants qui ont plus ou moins conduit la trajectoire des autres écrivains de sa génération (il n'est ni parnassien, ni symboliste, ni décadent, etc.). Comme si son œuvre d'une rare violence s'était écrite en dehors de l'histoire et qu'elle ne pouvait atteindre, comme l'indique sa fortune littéraire, que les générations à venir – on a même soutenu qu'elle était la plus grande mystification du siècle (Faurisson). Des surréalistes à Tel Quel, l'auteur des *Chants de Maldoror* et plus encore celui des *Poésies* est le fer de lance de l'avant-garde absolue, celle qui fait rupture avec l'histoire et se cherche des racines du côtés des « purs » révolutionnaires du langage poétique (Kristeva). Mallarmé et Rimbaud peuvent certes constituer des références anticipatrices du même ordre, mais par rapport à la fracture ducassienne, ils restent par trop empêtrés de littérature et leur intelligibilité historique demeure circonscrite. Avec Lautréamont, les dés sont pipés à l'avance, tantôt par accident (on ne sait quasiment rien de sa vie), tantôt par provocation (ses deux seuls recueils s'annulent et se dépassent réciproquement).

Néanmoins, Ducasse est né quelque part et a vécu. Il a même publié un peu de son vivant et il reste de lui quelques lettres qui témoignent de son passage. Comme Laforgue puis Supervielle, c'est à Montevideo, en Uruguay, qu'il voit le jour en 1846. Sa famille, ainsi que l'ont fait beaucoup de Français des

Hautes-Pyrénées, a émigré en Amérique du Sud dans les années 1830-1840 : le père, instituteur, deviendra chancelier au consulat de France. À l'âge de treize ans, Isidore Ducasse est envoyé en France pour ses études, qu'il termine avec brio à Tarbes puis à Pau en 1865. Deux ans plus tard, il rejoint les siens en Uruguay, puis rentre à Paris en 1869. Entre-temps, il a fait paraître sans nom d'auteur le *Chant I de Maldoror* (1868) et c'est un éditeur bruxellois, Lacroix et Verboeckhoven, qui se charge l'année suivante de publier l'intégralité du recueil, signé Comte de Lautréamont (en référence à un des plus célèbres romans de Sue, *Latréaumont*). Le livre fait l'objet de quelques recensements dans des bulletins bibliographiques, sans plus. En 1870, Ducasse, sous son vrai nom cette fois, dépose les deux fascicules de *Poésies* au ministère de l'Intérieur, le volume paraîtra l'année suivante. Âgé de vingt-quatre ans, Isidore Ducasse meurt en 1870 de manière mystérieuse dans la capitale assiégée.

Il faut attendre un article de Remy de Gourmont publié en 1891 pour que soient révélées les *Poésies*, mais ce sont surtout les premiers surréalistes qui les diffuseront en 1919 dans la revue *Littérature*. Quant aux *Chants de Maldoror*, mis à part une évocation de Léon Bloy dans *Le Désespéré* (1886) et une notice de Gourmont dans son *Livre des masques* (1890), ils n'ont exercé aucune influence immédiate dans le dernier tiers du XIXe siècle. Cet état de fait n'est pas sans ironie lorsqu'on se souvient de la prophétie de la dernière strophe du *Chant premier* :

> « La fin du dix-neuvième siècle verra son poète (cependant, au début, il ne doit pas commencer par un chef-d'œuvre, mais suivre la loi de la nature) ; il est né sur les rives américaines, à l'embouchure de la Plata, là où deux peuples, jadis rivaux, s'efforcent actuellement de se surpasser par le progrès matériel et moral. »

« Les marécages désolés de ces pages sombres et pleines de poison »

Les Chants de Maldoror se présentent comme une vaste épopée moderne en six chants, chacun se divisant en strophes. Ils mettent en scène un héros fabuleux, Maldoror (celui qui est en « mal d'aurore »), mi-homme mi-dieu, en proie à une lutte prométhéenne à laquelle il associe impérativement le lecteur : « Plût au ciel que le lecteur, enhardi et devenu momentanément féroce comme ce qu'il lit, trouve, sans se désorienter, son chemin abrupt et sauvage, à travers les marécages désolés de ces pages sombres et pleines de poison » (*Chant I, incipit*).

Ce héros est pour le moins ambigu. Surhomme digne des *Mystères de Paris*, il est doué d'une force démiurgique et du don d'ubiquité : on le retrouve aux endroits les plus imprévisibles (montagne, désert, ville, forêts), « Aujourd'hui il est à Madrid ; demain il sera à Saint-Pétersbourg ; hier il se trouvait à Pékin » (*Chant V*) ; il se présente sous les traits d'un aigle, d'un poulpe ou de la vermine, il peut ainsi vaincre le dragon de l'Espérance ou de l'ange envoyé par le Tout-Puissant. Mais Maldoror est aussi un antihéros : il lui arrive d'être préoccupé par des questions mesquines, d'achoper sur des problèmes quotidiens, notamment au *Chant VI*, lorsque pourchassant Mervyn, il devient un ordinaire détective privé ou un piètre agent secret. Ce « poétique Rocambole » peut se montrer d'une puissance destructrice, d'une bravoure et d'une adresse inouïes, il lui arrive aussi d'être vulnérable et faible.

Le livre entier a le ton et la force d'un manifeste de la révolte. Révolte contre toutes les formes d'aliénation (les lois, les ordres, les savoirs, l'État) qui appelle une attitude de totale subversion digne du marquis de Sade : « Moi, je fais servir mon génie à peindre les délices de la cruauté. » Le principe qui est au fondement de cette vie nouvelle prônée par Maldoror, c'est l'inconscient : « C'est un cauchemar qui tient la plume », écrira-t-il dans *Poésies I*. Les six chants proposent alors, sur le modèle détourné du roman populaire, d'éduquer le Lecteur, de le conduire au centre d'un voyage nocturne au centre de la Terre, c'est-à-dire au plus profond de lui-même. Car ce qui est au cœur des *Chants*, c'est une obsession que Maldoror interroge sous toutes les coutures : « le caractère étrange de l'homme ». Mais Maldoror sait l'aventure hors de portée pour le commun des mortels, ces amateurs de caramel auxquels il préfère les adeptes du poivre, de l'arsenic et du vitriol (*Chant V*).

Cette constante apostrophe au lecteur infléchit l'œuvre dans le sens de la réflexivité. Sans cesse, le narrateur s'interroge sur ce qu'il écrit et ne se fait guère d'illusion sur ce qui le sépare désespérément de son interlocuteur :

> « Que ne puis-je regarder à travers ces pages séraphiques le visage de celui qui me lit. S'il n'a pas dépassé la puberté, qu'il s'approche. Serre-moi contre toi, et ne crains pas de me faire du mal ; rétrécissons progressivement les liens de nos muscles. Davantage. Je sens qu'il est inutile d'insister ; l'opacité, remarquable à plus d'un titre, de cette feuille de papier, est un empêchement des plus considérables à l'opération de notre complète jonction » (*Chant V*).

Si souvent le sens même de la création littéraire se trouve remis en question, il arrive aussi que ce soit de façon totalement anecdotique, voire grotesque, lorsque le narrateur, par exemple, au début du *Chant VI*, raconte les contrariétés de son travail, puis poursuit sans transition le récit :

> « Je vais d'abord me moucher, parce que j'en ai besoin ; et ensuite, puissamment aidé par ma main, je reprendrai le porte-plume que mes doigts avaient laissé tomber. Comment le pont du Carousel put-il garder la constance de sa neutralité, lorsqu'il entendit les cris déchirants que semblait pousser le sac. »

Cet exemple illustre une technique fréquente dans *Les Chants de Maldoror* de disjonction des voix. En même temps se trouve parodiée une astuce fréquente du roman populaire, l'anticipation narrative : cette dernière phrase, qui fait irruption dans le texte, n'est compréhensible que par référence à l'épisode du sac qui sera l'objet de la strophe 9 du même chant (Mervyn est jeté et battu dans un sac). Toute l'œuvre est marquée par un travail de sape des grands registres d'écritures. Le roman et la littérature, en première ligne, mais aussi tous les langages à prétention scientifique, de la philosophie à la théologie en passant par les sciences positives. C'est probablement à ce niveau que, mine de rien, *Les Chants de Maldoror* sont d'une subversion radicale : en s'attaquant aux fondements du langage, ils ruinent toute illusion de vérité. Ils se présentent en outre comme un modèle d'auto-escamotage puisque la vérité censée y apparaître dans le récit se voit constamment mise en échec ou en arrêt : la fonction parodique est en cela d'une force redoutable puisqu'elle tourne en dérision la parole même du texte. La structure narrative de base (un sujet s'adressant à un lecteur à propos d'un héros) se voit dans les *Chants* constamment déséquilibrée, Maldoror étant tour à tour racontant et raconté. Bref, cette œuvre sulfureuse n'admet aucun code de déchiffrement, aucune lecture « naïve ». On ne peut admirer la grandeur litanique des pages sur l'océan (« Vieil océan… », *Chant I*) sans être progressivement impliqué dans un processus de désamorçage des procédés : la grandiloquente célébration, en l'occurrence, se retourne en autodérision navrée.

« La poésie doit être faite par tous. Non par un. »

Poésies I et *II* se situent tout à la fois dans la continuité et la rupture par rapport aux *Chants de Maldoror*. Continuité car il s'agit pour le poète, affranchi et prenant la parole en son nom propre, de définir une poétique qui essaimait dans l'œuvre de fiction ; rupture, parce que cette poétique, dans la logique autodestructrice où elle s'était déjà placée, tend à nier son propre cheminement. Alors que Maldoror pouvait encore se lire dans la contestation même du romantisme, comme un long poème en prose, les *Poésies* n'ont plus rien de poétique qu'un discours sur la poésie considéré (ironiquement sans doute) comme la fin ultime des arts.

Les deux fascicules parus en 1871 sont formés d'un ensemble d'aphorismes percutants. La plupart renversent des vérités toutes faites, qui ressortissent au sens commun :

> « Une vérité banale renferme plus de génie que les ouvrages de Dickens, de Gustave Aymard, de Victor Hugo, de Landelle. Avec les derniers, un enfant survivant à l'univers ne pourrait pas reconstruire l'âme humaine. Avec la première, il le pourrait. »

Mais la plupart proviennent du patrimoine moral de la France littéraire. Les pensées de Pascal, de Vauvenargues et de La Rochefoucauld, tout particulièrement, sont retournées comme un gant. Par exemple, la maxime de Vauvenargues : « La raison ne connaît pas les intérêts du cœur » devient dans *Poésies II* « Le génie garantit les facultés du cœur ».

En toute maxime, Ducasse condamne sans appel « les grandes têtes molles » de la littérature universelle et s'en prend particulièrement aux « gémissements poétiques de ce siècle ». S'il assigne une place nouvelle à la poésie dans la cité (« La poésie doit être faite par tous. Non par un ») et un rôle au poète (« Un poète doit être plus utile qu'aucun citoyen de sa tribu »), c'est qu'il est conscient que la littérature idéale est aux antipodes des grandes créations :

> « Les chefs-d'œuvre de la langue française sont les discours de distribution pour les lycées et les discours académiques » (*Poésies I*).
> « Un pion pourrait se faire un bagage littéraire, en disant le contraire de tout ce qu'ont dit les poètes en ce siècle » (*Poésies II*).

C'est toute la tradition littéraire française que Ducasse anéantit d'un seul geste. S'il prône une poésie qui « puisse être lue par une jeune fille de quatorze ans », c'est pour mieux cracher sa haine d'adolescent envers les classiques et, en fin de compte, en appeler à un total affranchissement. Il rejoint ainsi sur un autre mode Rimbaud et anticipe sur la révolte dadaïste du prochain siècle, sur un ton d'ailleurs très proche :

> « Depuis Racine, la poésie n'a pas progressé d'un millimètre. Elle a reculé. Grâce à qui ? aux Grandes-Têtes-Molles de notre époque. Grâce aux femmelettes, Châteaubriand, le Mohican-Mélancolique ; Senancour, l'Homme-en-Jupon ; Jean-Jacques Rousseau, le Socialiste-Grincheur ; Ann Radcliffe, le Sceptre-Toqué ; Edgard Poë, le Mameluck-des-Rêves-d'Alcool ; Mathurin, le Compère-des-Ténèbres ; George Sand, l'Hermaphrodite-Circoncis ; Théophile Gautier, l'Incomparable-Épicier ; Leconte, le Captif-du-Diable ; Goethe, le Suicidé-pour-Pleurer ; Sainte-Beuve, le Suicidé-pour-Rire ; Lamartine, la Cigogne-Larmoyante ; Lermontoff, le Tigre-qui-Rugit ; Victor Hugo, le Funèbre-Échalas-Vert ; Misckiewics, l'Imitateur-de-Satan ; Musset, le Gandin-Sans-Chemise-Intellectuelle ; et Byron, l'Hippopotame-des-Jungles-Infernales » (*Poésies I*).

Les *Poésies* se présentent donc de manière provocante comme de l'anti-poésie. À tout le moins proclament-elles la fin du romantisme et de la lyrique moderne et l'avènement d'une poésie qui tout entière et idéalement se confondra avec la vraie vie. Cette prophétie, que les surréalistes prendront au mot, n'est pas contradictoire avec *Les Chants de Maldoror* : au contraire, les deux œuvres de Lautréamont/Ducasse doivent se lire comme deux stratégies textuelles complémentaires d'une même logique déconstructive.

BIBLIOGRAPHIE

• Éditions :
Œuvres complètes, préfaces de L. Genonceaux, R. de Gourmont, E. Jaloux, A. Breton, Ph. Soupault, J. Gracq, R. Caillois, M. Blanchot, Paris, J. Corti, 1953. – *Œuvres complètes*, P.-O. Walzer éd., Paris, Gallimard, coll. « Biblio-

thèque de la Pléiade », 1970. – *Œuvres complètes*, H. Juin éd., Paris, Gallimard, coll. « Poésie », 1973.

• Synthèses :
M. PLEYNET, *Lautréamont par lui-même*, Paris, Le Seuil, coll. « Écrivains de toujours », 1967. – F. CARADEC, *Isidore Ducasse, Comte de Lautréamont*, Paris, La Table Ronde, 1970. – F. DE HAES, *Images de Lautréamont*, Gembloux, Duculot, 1970 (importante bibliographie). – *Lautréamont et Laforgue, la quête des origines*, L. Block de Behar, F. Caradec, D. Lefort (dir.), Montevideo, Academia nacional de Letras, 1993. – « Lautréamont et Laforgue dans leur siècle », D. Lefort et J.-J. Lefrère (dir.), *Cahiers Lautréamont*, Paris, XXXI-XXXII, 1994. – J.-J. LEFRÈRE, *Isidore Ducasse*, Paris, Fayard, 1998.

• Études particulières :
G. BACHELARD, *Lautréamont*, Paris, J. Corti, 1939, rééd. augm. 1965. – M. BLANCHOT, *Lautréamont et Sade*, Paris, Éditions de Minuit, 1967. – R. FAURISSON, *A-t-on lu Lautréamont ?*, Paris, Gallimard, 1972. – Cl. BOUCHÉ, *Lautréamont, du lieu commun à la parodie*, Paris, Larousse, coll. « Thèmes et Textes », 1974. – J. KRISTEVA, *La Révolution du langage poétique*, Paris, Le Seuil, 1974. – M. PIERSSENS, *Lautréamont. Éthique à Maldoror*, Lille, Presses universitaires de Lille, 1984.

• Revue spécialisée :
Cahiers Lautréamont, Paris.

Chapitre 37

Rimbaud

Référence majeure de la modernité littéraire, avec celles de Lautréamont et de Mallarmé, l'œuvre de Rimbaud sonne le glas de la « vieillerie poétique », romantique et parnassienne. Ses écrits autant que sa propre trajectoire se fondent dans une expérience-limite du langage et de la vie : de la provocation blasphématoire à la révolte absolue, de la fulgurance verbale au silence rédhibitoire, il est le poète de toutes les ruptures.

Du Parnassien au poète de la débâcle

Fils d'un capitaine d'infanterie et d'une paysanne ardennaise, Rimbaud (1854-1891) est le second enfant d'une famille qui compte deux sœurs cadettes (Vitalie et Isabelle) et un frère aîné (Frédéric). En 1860, le capitaine Rimbaud quitte définitivement la famille et rejoint sa garnison de Grenoble. À l'institution Rossat de Charleville puis au collège de la ville, Arthur se distingue par ses prix d'excellence. En 1868, à l'occasion de sa première communion, il envoie au prince impérial une ode latine ; en rhétorique, l'année suivante, trois de ses compositions latines sont publiées dans *Le Moniteur de l'Enseignement secondaire*. De 1869 datent aussi ses premiers vers français, « Les Étrennes des orphelins » sont publiées dans *La Revue pour tous* en 1870. C'est en rhétorique qu'il se lie avec son professeur de français, Georges Izambard, âgé de vingt et un ans, poète à ses heures, féru de Baudelaire et des Parnassiens. Rimbaud a pour condisciples Ernest Delahaye (son futur biographe) et Paul Labarrière, avec lesquels il découvre la nouvelle poésie dans *Le Parnasse contemporain* (Banville, Dierx, Valade, Verlaine). En mai 1870, il envoie trois poèmes à Banville : « Sensation », « Ophélie », et « *Credo in unam* » ; le Parnassien répond mais ne retient aucun texte. Rimbaud convaincra davantage un hebdomadaire satirique, *La Charge*, qui publie « Trois Baisers » (« Première Soirée ») en août de la même année.

Le 19 août 1870, la France déclare la guerre à la Prusse. Des opérations militaires secoueront bientôt la région de Charleville. Antibonapartiste convaincu, Rimbaud s'en prend violemment à la société bourgeoise, cléricale et patriotique dans plusieurs poèmes dont « À la musique » et surtout « Morts de Quatre-vingt-douze et Quatre-vingt-treize ». En août 1870, sans autorisation et sans argent, il se rend en train à Paris où il compte bien assister à la chute de l'Empire. Il est incarcéré à la prison de Mazas pour fraude. Le 4 septembre, Napoléon et Mac-Mahon capitulent. Avant de rentrer à Charleville, Rimbaud est hébergé à Douai chez les demoiselles Gindres, amies d'Izambard, lequel est parvenu à faire libérer son ancien élève. C'est là qu'il rencontre Paul Demeny, jeune poète et ami d'Izambard. Sur l'insistance de sa mère, Rimbaud rentre à Charleville, mais ne songe qu'à fuir. En octobre il part pour Charleroi, puis Bruxelles pour se rabattre sur Douai où il recopie, à l'attention de Demeny, un recueil de vingt-deux poèmes qui comprend, entre autres, « Au Cabaret-Vert », « La Maline », « Ma Bohème », « Rêvé pour l'hiver ». Mme Rimbaud fait ramener son fils par la maréchaussée : il fréquente la bibliothèque municipale et découvre les socialistes français (Proudhon, Babeuf, Saint-Simon, Louis Blanc). Oisif et infatigable promeneur, il compose « Les Assis », « Les Corbeaux », « Les Douaniers », etc.

En 1871, nouveau départ pour Paris. Il y erre une quinzaine de jours alors que se prépare l'insurrection de la Commune, mais est contraint de rentrer à Charleville à pied. Le 18 mars, il se réjouit d'apprendre que la Commune est proclamée. A-t-il pour autant rejoint les communards ? Rien n'est sûr : alors que sa présence est attestée à Charleville, on l'aurait vu, selon Delahaye et Verlaine, à Paris, entre le 19 avril et le 13 mai, auprès d'un groupe de francs-tireurs. Quoi qu'il en soit, ses textes d'alors témoignent d'une totale adhésion à la cause communarde et Rimbaud est probablement le plus représentatif des poètes de la débâcle qu'il transposera dans un verbe violent et subversif.

Du mois de mai 1871 datent deux lettres capitales de Rimbaud à ses amis. Dans la première, destinée à Izambard, il entend « s'encrapuler » et affirme que « Je est un autre » ; à Paul Demeny, le 15 mai, il explicite son intention de « se faire *voyant* » : « Le Poète se fait *voyant* par un long, immense et raisonné *dérèglement* de *tous les sens*. »

Par ces lettres, Rimbaud renie ses premiers poèmes (il demandera à Demeny de brûler le cahier de Douai) ; de poète parnassien, il devient rebelle. Ses nouveaux vers témoignent d'une totale insurrection : « Les Poètes de sept ans », « Les Pauvres à l'église », « Le Cœur du pitre ». Dans la foulée, il envoie à Banville un poème qui raille l'esthétique parnassienne, « Ce qu'on dit au poète à propos de fleurs ».

Voyant voyou

Grâce à Charles-Auguste Bretagne qu'il rencontre à Charleville, Rimbaud entre en contact avec Paul Verlaine à qui il envoie de nouveaux poèmes, « Mes petites amoureuses », « Paris se repeuple » et « Les Premières Communions ». Le poète saturnien, de dix ans son aîné, marié depuis peu à Mathilde Mauté et bientôt père, s'enthousiasme et l'invite à Paris. Rimbaud débarque chez les beaux-parents de Verlaine d'abord, chez Cros, Forain et Banville ensuite à l'automne 1871. Il lit au cercle des Vilains Bonshommes « Le Bateau ivre » qui suscite l'admiration de tous. Il collabore aux réunions des Zutistes que dirige Cros et donne quelques parodies savoureuses à l'*Album zutique*, avant d'être chassé du groupe en raison d'un comportement agressif peu apprécié.

Avec Verlaine, il mène une vie dissolue dans le Quartier latin, ce qui irrite Mme Verlaine qui aspire à une vie plus rangée – elle en verra encore de belles. Pour permettre à son ami de se réconcilier avec sa femme, Rimbaud rentre à Charleville, mais pour peu de temps : en mai 1872, il revient à Paris avec des textes d'une nouvelle facture, plus verlainiens et proches de la chanson : « La Rivière de Cassis », « Comédie de la soif », « Bonne pensée du matin », « Chanson de la plus haute tour »... En juillet, au plus fort de sa production poétique et de sa relation orageuse avec Verlaine, « Rimbe » enjoint à son ami de le suivre à Bruxelles où ils retrouvent d'anciens communards en exil. En dépit des tentatives de Mathilde pour récupérer son mari, Rimbaud et Verlaine s'embarquent le 4 septembre pour Londres où les accueillent d'autres ex-communards ; c'est là que sont composées certaines des *Illuminations*. Rappelé par sa mère qui a fait alliance avec Mme Mauté, Rimbaud rentre, fin 1872, à Charleville. Pour peu de temps, puisqu'il retourne à Londres en janvier, appelé au chevet de Verlaine malade. Rimbaud se lasse de son ami qui préfère à l'expérience poétique les souffrances conjugales. Ils se quittent une fois encore : Verlaine s'en va en Belgique, Rimbaud rentre à la ferme familiale de Roche où il entame son « Livre païen ou livre nègre », première mouture d'*Une saison en enfer*. Puis le couple se retrouve pour une dernière escapade anglaise de mai à juillet, dans un climat de passion et de haine. Dans un hôtel de Bruxelles, Verlaine, excédé et ivre, tire deux coups de revolver et blesse Rimbaud au poignet ; à la gare du Midi, celui-ci, accompagné de Verlaine et de sa mère, craint une récidive et trouve protection auprès d'un policier. S'ensuivront pour Verlaine une arrestation et une condamnation de deux ans, que n'a pas arrangée l'acte de désistement signé par Rimbaud à l'hôpital Saint-Jean. De retour à Roche, Rimbaud achève *Une saison en enfer*. Composé entre avril et août 1873, le recueil est confié à un imprimeur bruxellois ; Rimbaud en distribue quelques exemplaires à ses amis parisiens et, faute d'argent, abandonne la commande à l'imprimeur qui laissera pourrir le stock dans ses magasins jusqu'en 1901.

De passage à Paris à l'automne 1873, Rimbaud se lie à Germain Nouveau. Ensemble, ils s'installent à Londres. Pour des raisons obscures, Nouveau doit quitter Londres et laisse Rimbaud en proie à la maladie. Sa mère vient le secourir. Il quitte l'Angleterre pour Charleville et pour d'autres destinations. À Stuttgart tout d'abord, où il trouve un emploi de précepteur et où

Verlaine le rejoint le temps d'une entrevue houleuse. En Suisse et en Italie, ensuite. Il projette de s'embarquer pour l'Afrique, mais une violente insolation le ramène à la case départ, Charleville, *via* Marseille. Le 18 décembre 1875, sa sœur Vitalie meurt. C'est de cette année que date son dernier poème, « Rêve ». L'année suivante, nouvelle équipée vers le sud, *via* Vienne : il se fait expulser d'Autriche. La Hollande lui sourit davantage : il signe le 19 mai à Hardewijk un engagement de trois ans dans l'armée coloniale française.

Voyageur

Mercenaire, Rimbaud est en partance pour Java où on le charge de rétablir l'ordre ! Le 19 juillet 1876, il débarque à Batavia (aujourd'hui Djakarta), mais déserte peu de temps après et revient en Europe. Retour à « Charlestown », comme dit Delahaye, en fin d'année. D'autres échappées l'attendent : à Brême puis à Hambourg et, de là, en Suède et au Danemark pour revenir dans les Ardennes natales avant de tenter une nouvelle évasion, en septembre 1877, vers Alexandrie, qui échouera à nouveau. Au printemps 1878, après d'autres faux départs, Rimbaud part cette fois définitivement. À pied, il traverse les Vosges, la Suisse, le Saint-Gothard, s'embarque à Gêne pour Alexandrie et rejoint Chypre où il trouve un emploi de chef de chantier dans une carrière. Atteint de typhoïde, en mai 1879, il doit rentrer à Roche. Près d'un an plus tard, il repart pour l'Égypte, aboutit à Aden où il se fait engager par la maison Bardey, spécialisée dans le commerce des peaux et du café. D'Aden il passe à Harrar où ses employeurs tiennent une succursale. Son séjour africain durera dix ans (1880-1890) et sera marqué par l'ennui, le vide intellectuel, le travail forcené et « l'horreur indicible » de l'Arabie.

Entre-temps, à Paris, Verlaine a publié en 1883 dans *Lutèce* une étude sur Rimbaud qui sera reprise l'année suivante dans *Les Poètes maudits*. En 1886, *La Vogue* publie *Une saison en enfer* et de larges extraits des *Illuminations*, lesquelles paraîtront en plaquette avec une notice de Verlaine la même année.

Las de ses incessantes navettes entre Harrar et Aden, Rimbaud, en 1885, se laisse séduire par une plantureuse affaire d'importation d'armes dans le Choa : il s'agit de revendre cinq fois plus cher au roi Ménélik des armes achetées à Liège. Manque de chance, une grève de chameliers puis un embargo franco-anglais empêchent la livraison, tandis que le commanditaire, un certain Labatut, meurt. Après « vingt et un mois de fatigues atroces », Rimbaud, en 1887, se débarrasse de ses fusils pour une somme dérisoire. Abandonnant ce commerce douteux, il retrouve à Aden un emploi de représentant et se livre, à son propre compte, au commerce de peaux, de café, d'ivoire, d'or et autres produits. Négoce peu rentable qui permet cependant de nouer quelques contacts avec des Européens. En 1890, le directeur de *La France moderne* réclame quelques vers au « chef de file de l'école décadente et symboliste » (*sic*). Rimbaud est à mille lieues de ces petites affaires littéraires : il ne renouera jamais avec les milieux parisiens. En 1891, atteint d'une tumeur cancéreuse au genou, il rentre au pays, après avoir liquidé ses stocks de marchandises. Arrivé à Marseille où il est admis à l'hôpital, il télégraphie aux siens :

> « Toi ou Isabelle, venez Marseille par train express. Lundi matin, on ampute ma jambe. Danger mort. »

Après un bref séjour à Roche, c'est à l'hôpital de la Conception à Marseille qu'il meurt, le 10 novembre 1891. Sa sœur parvient à le faire se confesser. Ce jour-là, le premier recueil de ses œuvres paraît, publié par Genonceaux, avec une préface de Rodolphe Darzens, sous le titre *Le Reliquaire*. Mais le livre est aussitôt retiré de la vente en raison d'un différend entre l'éditeur et le préfacier.

« Être absolument moderne »

Une saison en enfer est le seul recueil publié par Rimbaud de son vivant. Composé de neuf textes en prose, il relate sur le mode de la confession une expérience poétique tenue pour provisoire et infernale. Adressé à Satan, celui « qui aim[e] dans l'écrivain l'absence des facultés descriptives ou instinctives », ce « carnet de damné » retrace selon une courbe ascendante (« Mauvais sang », « Nuit de l'Enfer ») et jusqu'à son paroxysme (« Délires » I et II, « L'Impossible ») l'itinéraire d'un sujet en proie à toutes les contradictions de son être et de son temps, pour finir sur une note plus apaisée (« L'Éclair », « Matin ») et de franche résolution : « Il faut être absolument moderne » (« Adieu »). Les neuf poèmes, sur un ton de révolte et de pardon, font alterner des motifs hallucinés et obsessionnels qui vont de la damnation au châtiment, de la soumission à la domination, de l'humilité à l'orgueil, de la raison à la folie dans une dualité qui frise le vertige. Le recueil s'est abondamment prêté à l'exégèse biographique, bon nombre de critiques ayant vu dans ce livre suffisamment d'allusions aux amours orageuses avec Verlaine (le « compagnon d'enfer » de « Délires » I) et même à l'incident de Bruxelles (« le dernier *couac* » du prologue) pour en faire le livre de tous les désaveux et du renoncement à la littérature. D'autres y ont lu la manifestation d'un « mystique à l'état sauvage » (Claudel), voire d'un chrétien repenti. S'il est vrai que de nombreux passages anticipent sur le Rimbaud en Abyssinie, *Une saison en enfer* apparaît bel et bien comme une étape dans la démarche poétique de Rimbaud, une étape qui met fin à sa première manière (parnassienne) et ouvre la voie aux *Illuminations*.

Illuminations est l'autre grand recueil du poète, paru en 1886 dans les numéros de mai-juin de *La Vogue*, puis en plaquette avec une notice de Verlaine. En dépit de leur date de composition controversée (avant ou après *Une saison*) et de leur disparate, les *Illuminations* sont l'aboutissement de l'œuvre rimbaldienne. L'ensemble est formé de quarante-trois poèmes en prose juxtaposés sans principe d'organisation et aux tonalités et formes variées : narrations elliptiques (« Après le déluge », « Conte », « Aube », etc.), réminiscences lyriques (« Vies », « Vagabonds », « Jeunesse », etc.), tableaux (« Les Ponts », « Villes », « Marine »), hymnes (« Antique », « Génie », etc.) se côtoient dans un permanent effet de polychromie. Partout, la double image de la rupture et du départ place le *je* à la lisière d'un monde chaotique qui se recrée sur ses propres débris en mêlant les éléments cosmiques ; transfiguration imaginaire de la débâcle de 1870 dont Rimbaud sans pourtant y faire allusion exprime les déchirements à travers exclamations, hyperboles et ellipses explosives.

La fulgurance de l'écriture

Rien n'est plus reconnaissable que la signature de Rimbaud. Des vers latins et parnassiens aux proses des *Illuminations*, en dépit même de sa fragmentation, son œuvre est traversée par une écriture de l'urgence qui s'embarrasse peu des normes classiques. Celles-ci sont d'ailleurs tellement bien assimilées par le jeune Rimbaud, comme en témoignent ses poèmes d'avant *Une saison en enfer* (« Le Dormeur du Val », Les Pauvres à l'église », etc., y compris « Le Bateau ivre »), qu'il semble parler en vers comme d'autres font de la prose sans le savoir. Si Rimbaud s'est quelque peu moqué, dans « Alchimie du Verbe » de ses vers anciens et de sa folle prétention de vouloir « inventer un verbe poétique accessible, un jour ou l'autre, à tous les sens », c'est qu'il s'est engagé dans un chemin de non-retour, se délestant à chaque étape d'une écriture sans cesse jugée insatisfaisante – au point qu'il renoncera à écrire à dix-neuf ans.

Son écriture porte donc trace d'une succession de ruptures d'autant plus radicales que sa poésie vise à « noter l'inexprimable ». Ruptures thématisées bien sûr, mais dont la force tient essentiellement dans un travail de déconstruction de la langue poétique. C'est toute la versification qui se voit rapidement mise à l'épreuve à travers son œuvre. Rimbaud touche d'abord au vers : faux alexandrins de onze syllabes, mélanges de mètres, vers de longueurs variables au sein d'un même poème, etc. ; il s'attaque ensuite à la strophe dont il abandonne le principe de régularité (« Les Poètes de sept ans »). L'ensemble des poèmes dits de la première période, écrits entre 1869 et 1872, sont parsemés d'attentats à la métrique classique et romantique, et on a pu montrer qu'ils traduisaient formellement la catastrophe de 1870 (voir notamment le fameux « Qu'est-ce pour nous, mon cœur, que les nappes de sang »). Ils indiquent surtout l'urgence d'une poétique nouvelle. Cela signifie pour Rimbaud un affranchissement qui dépasse le combat du vers-librisme auquel il a été mêlé sans y prendre part (et pour cause) dans les années 1880 (« Marine » et « Mouvement » seraient les prototypes du vers libre dont on a aussi attribué l'invention à Laforgue, à Kahn et à Krysinska).

Rien d'étonnant à ce que toute la codification poétique soit abandonnée au plus fort de son œuvre. *Une saison en enfer* puis *Illuminations* renoncent à la poésie en vers, dont Rimbaud se moque en se citant lui-même. C'est la prose que désormais il travaille, une prose sans le vers, qui a aboli les frontières de la « vieillerie poétique ». La formule est plus radicale encore que celle du poème en prose de Baudelaire ou de Mallarmé, qui présente une forte cohérence interne (thématique, voire narrative). Avec Rimbaud, la prose fait éclater la langue dans ses capacités représentatives : principalement en raison d'une syntaxe disloquée, d'un travail de sape sur les connecteurs logiques, d'un brouillage des procédés de prédication et de référenciation (« on comprend ce qui est dit, on ignore de quoi on parle », Todorov), Rimbaud donne non seulement à voir un monde qui se crée sous sa plume mais oblige aussi le lecteur à réinventer son rapport au langage à travers la lecture. Expérience des limites tout à la fois fondatrice et utopique : le silence de Rimbaud instaure paradoxalement la littérature d'avant-garde du XXe siècle.

Bibliographie

• Éditions :
Œuvres, S. Bernard éd., Paris, Garnier, 1960, revue et corrigée par A. Guyaux (1981 et 1983). – *Œuvres complètes*, A. Adam éd., Paris, Gallimard, coll. « Bibliothèque de la Pléiade », 1972.

• Synthèses et biographies :
Y. Bonnefoy, *Rimbaud par lui-même*, Paris, Le Seuil, coll. « Écrivains de toujours », 1961. – J.-P. Giusto, *Rimbaud créateur*, Paris, PUF, 1980. – E. Starkie, *Rimbaud*, trad. A. Borer, Paris, Flammarion, 1982. – A. Borer, *Rimbaud en Abyssinie*, Paris, Le Seuil, 1984 ; *Rimbaud d'Arabie*, Paris, Le Seuil, 1991. – J.-L. Steinmetz, *Arthur Rimbaud Une question de présence*, Paris, Tallandier, 1991.

• Études particulières :
Étiemble, *Le Mythe de Rimbaud*, Paris, Gallimard, coll. « Bibliothèque des idées », 1952-1968, 5 vol. – A. Kitang, *Discours et Jeu, essai d'analyse des textes d'Arthur Rimbaud*, Grenoble, Presses universitaires de Grenoble, 1975. – A. Guyaux, *Poétique du fragment. Essai sur les « Illuminations » de Rimbaud*, Neuchâtel, La Baconnière, coll. « Langages », 1985. – T. Todorov, « Les *Illuminations* », in *La Notion de littérature*, Paris, Le Seuil, coll. « Points », 1987. – J.-L. Cornille, *Rimbaud nègre de Dieu*, Lille, Presses universitaires de Lille, 1989. – S. Murphy, *Rimbaud et la Ménagerie impériale*, éd. du CNRS et Presses universitaires de Lyon, 1991 ; *Le Premier Rimbaud ou l'Apprentissage de la subversion*, éd. du CNRS et Presses universitaires de Lyon, 1991.

• Revues spécialisées :
Littérature, n° 11, octobre 1973. – *Europe*, nos 446-747, juin-juillet 1991. – *Parole sauvage*, Charleville-Mézière.

Chapitre 38

Verlaine

Marginal et orthodoxe

Bien que célébré – ou décrié – au XXe siècle comme le chantre de la tradition lyrique dont il serait le dernier représentant (le François Villon des temps modernes), Paul Verlaine incarne à la fin du siècle dernier le prototype du poète maudit, celui qui refuse la conformité aux règles de la société et la bienséance littéraire. Avec Rimbaud et Mallarmé, il représente le devenir scandaleux de la poésie. Toutefois, contrairement au premier qui poussera le refus de la littérature jusqu'au renoncement ou au second qui enfermera la poésie dans une logique solipsiste, il finira par renouer avec ce qu'il semblait le plus haïr : la foi chrétienne, le verbe régulier, le sentiment et même une certaine réaction politique (boulangiste, monarchiste, franchouillard).

Verlaine est le poète de toutes les marges : communard, homosexuel, repris de justice, bohème, alcoolique et, comme par pied de nez envers tous ceux qui ont vénéré son esprit rebelle, catholique sur le tard. Parce qu'il ne peut souffrir la nouveauté pour elle-même et dédaigne tout ce qui ressemble à la mode, ses audaces sont à la mesure de ses croyances : fulgurantes et emportées autant qu'éphémères et authentiques. Sa poésie, volontiers bavarde, porte trace de l'instant et s'accomplit dans l'acte même qui la fonde, sans autre prétention, semble-t-il, que de capter une émotion. Aussi est-elle traversée de tous les soubresauts et des contradictions qui, fantasmatiquement du moins, font d'une vie – « mélange inouï de scepticisme aigu et "d'écarts de chair" », écrit Huret – une œuvre à part entière : si Rimbaud et Lautréamont sont ou seront les deux figures les plus mythifiées de la fin du siècle, Verlaine, lui, alimente une chronique scandaleuse et par là même légendaire. Davantage plongé dans son époque que Rimbaud et *a fortiori* que Lautréamont, il apparaît comme moins absolu ou, si l'on veut, plus humain – inspirant tantôt la sympathie tantôt la pitié. Verlaine est le poète qui passe là où les autres maudits d'après 1870 continuent de faire outrage. C'est aussi la raison pour laquelle il sera le premier de cette génération à être reconnu et enseigné, récupéré et occulté. En 1888, Jules Lemaître, qui n'est pourtant guère favorable aux « symbolards », finit par admettre qu'avec *Sagesse*, « c'est peut-être la première fois que la poésie française a véritablement exprimé l'amour de Dieu » (*Revue bleue*, 7 janvier 1888).

De la déviance considérée comme un des beaux-arts

Verlaine naît en 1844, deux ans après Mallarmé, deux ans avant Isidore Ducasse, dix ans avant Rimbaud. Son père est capitaine au 2e régiment du génie ; la famille le suivra de garnison en garnison (Metz, Nîmes, Sète). En 1851, le capitaine quitte l'armée, s'installe à Paris et vit de ses modestes rentes. Fils unique, Verlaine poursuit laborieusement ses études jusqu'au baccalauréat ; il s'inscrit à la faculté de droit mais préfère les bistrots de la rue Soufflot. S'il s'est mis à écrire tôt et a envoyé à quatorze ans ses premiers vers à Victor Hugo, il est publié à dix-neuf ans, en 1863, après de nombreuses et vaines tentatives. C'est Louis-Xavier de Ricard (républicain libre-penseur, initiateur du *Parnasse contemporain*) qui l'introduit dans le salon de sa mère où il rencontre Banville, Villiers, Coppée, Heredia et qui accepte de publier « Monsieur Prudhomme » dans *La Revue du Progrès moral* qu'il vient de créer. L'année suivante, Verlaine est nommé expéditionnaire à la Ville de Paris.

Les conditions sont réunies pour faire de lui un parfait poète-fonctionnaire parnassien. Les vers qu'il publiera jusqu'en 1870 (*Poèmes saturniens*, 1866 ; *Fêtes galantes*, 1869 ; *La Bonne Chanson*, 1870) portent trace de l'esthétique parnassienne, même si se dessine une dissidence dans le ton et la forme qui s'accentuera. En effet « Soleils couchants », « Chanson d'automne » des *Poèmes saturniens*, « Clair de lune », « Colloque sentimental » des *Fêtes galantes*, pour ne citer que quelques textes fameux, ne sont plus de stricte obédience parnassienne : au moi déclamatoire et triomphant des adeptes de Leconte de Lisle, Verlaine oppose un moi exilé, modeste et « dolent », et les Arlequins, « masques et bermamasques » des *Fêtes galantes* renouent plus avec un XVIIIe siècle de convention qu'avec une temporalité mythique. En 1875, le troisième *Parnasse contemporain* refuse son sonnet « La Beauté des femmes » (repris dans *Sagesse*). Le jugement d'Anatole France est sans appel : « Non, l'auteur est indigne, et les vers sont les plus mauvais qu'on ait vus. ».

Pour des raisons qui font de lui un petit-bourgeois déchu en quête de socialité – son grand-père était procureur de la Haute Cour de justice ; son père, orphelin à seize ans, s'est engagé comme simple soldat dans les armées de Napoléon –, Verlaine ne peut pas partager la trajectoire d'un Coppée ou d'un Sully Prudhomme. La déviance est en lui : où qu'il prenne pied, il se rebelle, comme s'il lui incombait de tordre le cou de toutes les institutions, y compris la littérature. Toute son œuvre s'accomplit sur une revanche contre le Parnasse qu'il cherche et qu'il réussira à tuer. Il en sera ainsi du mariage en 1870 avec la patiente Mathilde Mauté, amie de Louise Michel, qu'il rencontre l'année où il tente de tuer par deux fois sa propre mère. Ces brutalités, Mathilde et Rimbaud ne tarderont pas à les connaître ; elles teintent de violence mal contenue toute une vie conjugale et sentimentale pour le moins mouvementé. Une violence qui est aux antipodes de ce que le poète évoque dans *La Bonne Chanson* (1870), ce recueil en forme d'offrande nuptiale dédié à Mathilde où Verlaine semble se réconcilier avec le bonheur et le monde.

La Commune et la rencontre d'Arthur Rimbaud bouleversent cette vie trop embourgeoisée. La même année 1871, Verlaine soutient les insurgés, ce qui lui vaut de perdre son emploi, et répond à Rimbaud : « Venez, chère grande arme, on vous appelle, on vous attend. » C'est le début d'une curieuse vie balancée entre les devoirs conjugaux et familiaux (un fils naît le 30 octobre 1871) et la débauche. Le couple Rimbaud-Verlaine s'affiche, notamment aux dîners des Vilains Bonshommes. Entre 1872 et 1873, les deux poètes font un séjour en Belgique, passent en Angleterre et s'installent à Londres, sur fond de déchirures et de conciliations juridiques avec Mathilde qui tente coûte que coûte de récupérer son mari. C'est à Londres que Rimbaud écrira quelques-unes de ses *Illuminations* et Verlaine ses *Romances sans paroles*, qui paraîtront en 1874. Fréquemment, les deux poètes se brouillent, se quittent, se retrouvent : à Bruxelles, Verlaine, dans un accès d'ivresse tire deux coups de revolver sur Rimbaud. Bien que disculpé par son ami, Verlaine est condamné à deux ans de prison et incarcéré à Mons (de 1873 à 1875). C'est en prison qu'il se convertit, en août 1874. Libéré, il tente de renouer avec Mathilde et avec Rimbaud. Mais l'épouse a obtenu la séparation de corps ; quant à l'amant, à qui il écrit « Aimons-nous comme un Jésus » et qu'il retrouve à Stuttgart, il a pour ami Germain Nouveau et s'apprête à d'autres départs. Verlaine retourne à Londres où il enseigne un peu le français jusqu'en 1877 avant de devenir professeur à Rethel ; il s'installera près de là, à Juniville, avec un ancien élève, Lucien Létinois. Il publie *Sagesse* en 1880 chez Palmé, éditeur catholique. Ce recueil sous la forme d'un long *mea culpa* est porté par un ton fortement religieux ; la prière côtoie des textes de souvenirs de prisons (dont ceux de *Cellulairement)*, le tout étant porté par une parole confiante et espérante. *Sagesse* se présente en fait comme le pendant spirituel de *La Bonne Chanson*. La préface de la première édition a joué un grand rôle dans le travail de rédemption mené par Verlaine après sa rupture avec Rimbaud :

> « L'auteur de ce livre n'a pas toujours pensé comme aujourd'hui. Il a longtemps erré dans la corruption contemporaine, y prenant sa part de faute et d'ignorance. Des chagrins très mérités l'ont depuis averti, et Dieu lui a fait la grâce de comprendre l'avertissement. »

« L'Empire à la fin de la décadence »

En 1882, après dix ans d'errance, Verlaine rentre à Paris et renoue avec la vie littéraire. À en croire du moins Jules Huret, il a tous les traits du poète maudit :

> « La figure de l'auteur de *Sagesse* est archi-connue dans le monde littéraire et dans les différents milieux du Quartier latin. Sa tête de mauvais ange vieilli, à la barbe inculte et clairsemée, au nez brusque ; ses sourcils touffus et hérissés comme des barbes d'épi couvrant un regard vert et profond ; son crâne énorme et oblong entièrement dénudé, tourmenté de bosses énigmatiques, élisent en cette physionomie l'apparente et bizarre contradiction d'un ascétisme têtu et d'appétits cyclopéens » (*Enquête sur l'évolution littéraire*, 1891).

C'est son *Art poétique* qui le porte au-devant de la scène, notamment lorsque Charles Morice lui consacre un article polémique dans *La Nouvelle Rive gauche* (décembre 1882). Cet *Art poétique*, écrit en 1874, établit une sorte de fausse théorie pleine de contresens (ainsi il condamne la rime tout en étant rimé), mais a été reçu par la nouvelle génération comme un hymne à la liberté poétique, Verlaine détruisant toute théorisation en prônant la légèreté, le vague et l'impair. Négation littéraire des préceptes du Parnasse, ce contre-manifeste est aussi un appel à une poésie simple, authentique et « primitive » qui plaira aux milieux mi-voyoux mi-bohèmes de la décadence. Car alors qu'un Mallarmé rassemble très sérieusement ses disciples (très bourgeois et plus respectueux du verbe parnassien) rue de Rome et prône une esthétique aristocratiquement idéalisée, Verlaine doit sa célébrité à la bohème déclassée qui fréquente cafés et bistrots de la rive gauche, et qui est d'un profil social équivalent au sien. En 1883, *Le Chat noir*, la revue de R. Salis, publie « Langueur » qui aussitôt fait figure d'art poétique de l'école décadente grâce à son *incipit* : « Je suis l'Empire à la fin de la décadence ». La même année Verlaine publie dans *Lutèce* sa série des *Poètes maudits*, monographies critiques qui lui valent la réputation de chef de file de la nouvelle poésie. Il y célèbre des figures aussi diverses que Corbière, Rimbaud, Mallarmé, suivis dans une seconde série en 1888, de Marceline Desbordes-Valmore, Villiers de L'Isle-Adam et Verlaine lui-même sous le nom de « Pauvre Lélian », « celui qui aura eu la destinée la plus mélancolique ». Cette plaquette a joué un rôle important pour la reconnaissance de ces auteurs-là, connus uniquement dans les cercles restreints des revues symbolistes, mais aussi, à la manière de Huysmans dans *À rebours* en 1884, Verlaine a contribué à définir un statut nouveau pour le poète des temps modernes, fût-ce sous le signe de la marginalité et de la malédiction. Avec *Les Poètes maudits*, Verlaine se pose en maître incontesté de la jeunesse.

La consécration dans la misère

Fort de cette aura, Verlaine quitte Paris en 1883 pour Coulommes où il mène une existence scandaleuse et où, pris de boisson, il tente d'étrangler sa mère. Celle-ci meurt en 1886, ce qui accentuera la détresse et la misère du poète qui rentre définitivement à Paris en 1887 : séjours répétés à l'hôpital, dénuement complet, secours du ministère de l'Instruction publique. À partir de 1888, il bénéficie d'une reconnaissance accrue en tant que « poète décadent catholique », curieux amalgame que Verlaine a malgré lui entretenu, notamment dans *Jadis et Naguère* (paru en 1884) qui est tout à la fois une sorte de testament, de confession et d'anthologie du poète, reprenant ses textes de 1860 à 1880.

Les dernières années de sa vie, Verlaine les partage entre la chambre d'hôpital (où il tient un véritable salon) et les tournées de conférences en Hollande, en Belgique, en Angleterre. C'est l'heure de la consécration dans la misère. Il se présente même à deux reprises à l'Académie française (1893 et 1894). À défaut d'être retenu – en dépit de ses reniements, on ne peut oublier son passé tumultueux, ses sympathies communardes ni sa vie de débauché –, il préside les banquets de *La Plume* et est élu Prince des Poètes à la mort de Leconte de Lisle. Par ailleurs, il publie à tous crins poèmes, proses, articles, souvenirs, préfaces. Sa reconnaissance tardive lui vient non seulement de la confession de ses remords, mais aussi de la condamnation de ce qu'il a adoré et qui font de lui un défenseur des valeurs poétiques les plus classiques. Dans « Un mot sur la rime » (*Le Décadent*, mars 1888), il revient sur ses positions et défend la prosodie traditionnelle contre le vers-librisme. « À présent, on fait des vers à mille pattes ! », ironise-t-il amèrement. Son dogme est en ces années celui de la simplicité et de la sincérité, ainsi qu'il le proclame un peu partout et entre autres dans la pièce XVIII de *Bonheur* :

> « Foin d'un art qui blasphème et fi d'un art qui pose
> Et vive un vers *bien* simple, autrement, c'est la prose. »

Dans l'entretien qu'il accorde à Jules Huret en 1891, il s'en prend durement aux jeunes :

> « — Ils m'embêtent, à la fin, les cymbalistes ! eux et leurs manifestations ridicules ! Quand on veut vraiment faire la révolution en art, est-ce que c'est comme ça qu'on procède ! En 1830, on s'emballait et on partait à la bataille avec un seul drapeau où il y avait écrit *Hernani* ! Aujourd'hui, c'est des assauts de pieds plats qui ont chacun leur bannière où il y a écrit RÉCLAME ! »

Verlaine meurt le 7 janvier 1896. À son enterrement, outre Gabriel Fauré aux grandes orgues, Vanier l'éditeur, Mallarmé, Cazals, Coppée, Mendès, Barrès, Mallarmé conduisent un cortège de plusieurs milliers de personnes : réplique en petit des funérailles nationales de Hugo, qui indique symboliquement la place qu'occupera désormais le poète dans l'histoire des lettres françaises, entre nouveauté et tradition, entre Rimbaud et Mallarmé. Entre-deux qui lui vaudra une forte classicisation en même temps que l'occultation de la part maudite de son œuvre et de sa vie.

Le ton Verlaine

Quoique parcourue des contradictions les plus diverses, l'œuvre poétique de Verlaine est marquée d'une tonalité particulière qui dépasse de loin le mot d'ordre de son *Art poétique* : « De la musique avant toute chose ». Certes, il est vrai que de *La Bonne Chanson* aux *Élégies*, la référence à la musique est constante, mais le ton proprement verlainien se dégage d'au moins trois traitements spécifiques de la poésie : un rapport équivoque à l'arsenal poétique, une rhétorique de la métonymie et de la synecdoque qui privilégie le détail significatif, la recherche de l'authenticité de la voix. Trois constantes qui le placent en porte-à-faux dans la tradition poétique : Verlaine est par excellence le plus moderne des classiques et le plus classique des modernes.

Comme celui de Laforgue sans doute, mais de manière plus insidieuse ou moins audible, le vers de Verlaine boite, se désarticule, prend de la liberté par rapport aux règles élémentaires de la versification. Pour ses détracteurs, sa poésie est juste pour l'œil mais fausse pour l'oreille, tandis que ses admirateurs reconnaissent dans ces irrégularités les charmes d'une musique authentique et l'expression d'une liberté. L'alexandrin tout particulièrement subit des contorsions les plus désinvoltes, Verlaine s'amuse à déplacer les coupes, à jouer sur les synérèses ou les diérèses, à faire entendre l'« e » muet, à abuser de l'enjambement. Parce qu'il a désarticulé le vers classique et romantique, on l'a accusé (très tardivement) d'avoir laissé la poésie se corrompre par la prose – on comprend que pour avoir aussi violemment touché au vers, il ne pouvait qu'être taxé de décadent (les symbolistes, Mallarmé en tête, sont plus respectueux du patrimoine) – ; on a même expliqué les anarchies de sa poésie par des dérèglements psychiques, à tout le moins par les dévergondages d'une vie scandaleuse…

En fait, les libertés métriques de Verlaine sont l'expression d'une tension entre la prose et la poésie dans les connotations sociales qui les séparent et que Verlaine ignore superbement ou voudrait réconcilier. En effet, si la prose est de tradition destinée à dire le monde tel qu'il est ou qu'on veut qu'il soit, sur le modèle réaliste, et si la poésie a tout au contraire mission de révéler les choses cachées et sacrées, Verlaine ne s'embarrasse plus de ces codifications désuètes. Il prend les mots dans les lexiques courants, et ne se soucie guère des répertoires poétiques – ce qui fera son succès auprès de la jeune génération.

Car ce qui motive en profondeur cette poétique, c'est la recherche d'une voix, fût-elle d'ailleurs tissée de multiples discours. Une voix simple et authentique, immédiate, qui s'offre dans la générosité et la spontanéité du geste d'écriture. Une voix qui effleure le réel et trouve à le dire par ses menues représentations. D'où une prédilection pour le détail parlant, la partie pour le tout, le concret pour l'abstrait, le sensible pour le rationnel, et toutes les figures du peu.

BIBLIOGRAPHIE

• Éditions :
Œuvres complètes, H. de Bouillane de Lacoste et J. Borel éds, Club du Meilleur Livre, 1959-1960, 2 vol. – *Œuvres poétiques complètes*, Y.-G. Le Dantec et J. Borel éds, Paris, Gallimard, coll. « Bibliothèque de la Pléiade », 1962. – *Œuvres en prose complètes*, J. Borel, Paris, Gallimard, coll. « Bibliothèque de la Pléiade », 1972. – *Œuvres poétiques*, J. Robichez éd., Paris, coll. « Classiques Garnier », 1995. – Éditions courantes des principaux recueils dans les coll. « GF » (Flammarion) et « Poésie » (Gallimard).

• Synthèses :
A. ADAM, *Verlaine*, Paris, Hatier, 1953. – J. RICHER, *Paul Verlaine*, Paris, Seghers, coll.« Poètes d'aujourd'hui », 1953, 14e éd. 1975. – J.-H. BORNECQUE, *Verlaine par lui-même*, Paris, Le Seuil, coll. « Écrivains de toujours », 1966. – G. ZAYED, *La Formation littéraire de Verlaine*, Nizet, 1970.

• Études particulières :
J.-P. RICHARD, « Fadeur de Verlaine », dans *Poésie et Profondeur*, Paris, Le Seuil, 1955. – Cl. CUÉNOT, *Le Style de Paul Verlaine*, CDU, 1963. – *Petite Musique de Verlaine*, colloque de la Société des études romantiques, Paris, SEDES, 1982. – J. ROBICHEZ, *Verlaine entre Rimbaud et Dieu*, Paris, SEDES, 1982. – B. DE CORNULIER, *Théorie du vers. Rimbaud, Verlaine, Mallarmé*, Paris, Le Seuil, 1982. – J.-M. GLEIZE, « L'œil double », dans *A noir. Poésie et littéralité*, Paris, Le Seuil, 1992. – J. BELLEMIN-NOËL, « "Ariettes oubliées" petits airs du ressouvenir », dans *Vers l'inconscient du texte. Essais*, Paris, PUF, coll. « Quadrige », 1996.

• Revues spécialisées :
Numéro spécial d'*Europe*, 1974. – *Revue Verlaine*.

Chapitre 39

Mallarmé

Des années 1880 à la Première Guerre mondiale, Mallarmé est à la poésie ce que Zola est au roman : à la fois un mentor et une conscience du devenir de la littérature. Si le poète s'est de façon quasiment linguistique penché sur le statut du texte durant toute son œuvre tandis que le romancier a cherché à définir un nouvel âge romanesque digne de la République naissante, l'un et l'autre, se partageant deux secteurs d'avant-garde spécifiques et non concurrents, ont apporté une conception antithétique mais structurelle de la littérature dont le XXe siècle restera largement héritier. Avec Zola, le réalisme trouve son aboutissement tandis que la poésie mallarméenne représente l'apogée des formes littéraires de tout le siècle. Ils ferment en quelque sorte l'évolution de la modernité littéraire – pour l'ouvrir à de nouveaux horizons –, parachevant le travail d'un Hugo et d'un Lamartine au temps du romantisme.

Il faudrait à cet égard relire parallèlement les *Poésies* et *Les Rougon-Macquart* et montrer que les deux projets participent spécifiquement d'une semblable visée globalisante dont la motivation implicite est de redonner une place à la littérature sous la République. Que Zola ait combattu en faveur d'une inscription franche et démocratique du littéraire dans les institutions sociales et Mallarmé soutenu un projet plus aristocratique de retrait élitiste n'enlève rien au fait que les deux confrères et amis aient de concert participé à la littérature nouvelle. C'est dans ce sens qu'il faut comprendre leur mutuelle admiration (avec cette nuance que Zola ne comprenait rien à la poésie de Mallarmé et regrettait plus largement que la poésie soit « hors de l'humanité, dans le pur travail de la langue et du rythme »), en témoigne ce jugement de Mallarmé à la lecture de *Son Excellence Eugène Rougon* :

> « […] et voilà pourquoi, préférant peut-être en tant que poète (et j'ai tort) certaines magnificences plus tangibles de *La Curée* et de *L'Abbé Mouret*, je considère votre dernière production comme l'expression la plus parfaite du point de vue que vous aurez à jamais l'honneur d'avoir compris et montré dans l'art de ce temps » (À Émile Zola, 18 mars 1876).

Et Mallarmé se félicite l'année suivante de suivre le « revirement de la Critique » à l'égard de Zola.

La carrière de Mallarmé se déploie parallèlement à celle de Zola ; elle s'accomplit également dans les pas de Paul Verlaine, de deux ans son cadet, avec lequel Mallarmé partagera les mêmes ruptures tout en prenant des options esthétiques radicalement différentes. En effet, si dans la trajectoire des deux poètes le Parnasse est l'instance qui exige une nécessaire démarcation, Verlaine lui opposera entre autres innovations un retour au lyrisme de la sincérité et Mallarmé un hermétisme langagier. Chacun polarisera ainsi les tendances poétiques généralement regroupées sous les appellations de décadence et de symbolisme.

Un poète-fonctionnaire

Mallarmé est né à Paris en 1842 ; son père est fonctionnaire, sous-chef à l'administration de l'Enregistrement et Domaines. Ses études secondaires ne le conduisent pas au-delà du bac. À dix-huit ans, il devient fonctionnaire à Sens, « premiers pas dans l'abrutissement ». Il se marie et obtient, après un séjour en Angleterre, son certificat d'aptitude pour l'enseignement de l'anglais – métier qu'il exercera durant toute sa vie avec quelques interruptions, à Tournon (1863-1866), Besançon (1866-1867), Avignon (1867-1870), enfin à Paris.

Le profil social de Mallarmé est celui d'un parfait épigone parnassien : petit-bourgeois installé, il mène une vie conjugale et familiale confortable et bien remplie. À vingt-quatre ans, il commence donc tout naturellement par donner quelques poèmes au *Parnasse contemporain* : « Azur », « Soupir », « Les Fenêtres » entre autres, qui lui assurent une première notoriété. Mais il travaille depuis plusieurs années déjà à un autre projet dont il ne devine qu'imperceptiblement la nouveauté : *Hérodiade* (commencé en 1864, jamais achevé). Plus tard, *Igitur, Un coup de dés*, les écrits théoriques et le projet du Livre prendront le relai de ce travail en profondeur mené au départ d'une crise (1866), durant laquelle Mallarmé a eu la « vision horrible d'une Œuvre pure ». À la même époque, et probablement en réponse à son interrogation sur le langage, mais aussi pour donner des fondements scientifiques à son œuvre, il envisage une thèse de linguistique. « J'ai toujours rêvé et tenté autre chose, avec une patience d'alchimiste », confiera-t-il à Verlaine en 1885, « Quoi ? c'est difficile à dire : un livre, tout bonnement, en maints tomes, un livre qui soit un livre architectural et prémédité, et non un recueil des inspirations de hasard fussent-elles merveilleuses… J'irai plus loin, je dirai : le Livre, persuadé qu'au fond il n'y en a qu'un […]. »

La rupture avec le Parnasse date de 1875 : L'Après-Midi d'un faune est refusé par le jury (Coppée, Banville, France) du troisième *Parnasse contemporain*, celui qui a aussi rejeté Verlaine. Le motif est cependant différent. « On se moquerait de nous », écrit France, ce qui signifie que l'outrage est proprement intellectuel. Mallarmé, par cette pièce, se montre trop innovateur dans un milieu où l'on cherche surtout à routiniser des formules et consolider une doctrine.

En effet, depuis la publication en 1862 d'un curieux texte qui anticipe sur ce que sera l'hermétisme mallarméen, « Hérésies artistiques. L'Art pour tous » (paru dans *L'Artiste*), Mallarmé est en avance sur ses maîtres parnassiens, plus absolu et intransigeant qu'eux. Même s'il ne faut pas surfaire la valeur de ce texte au ton manifestaire (il semble réécrire la fameuse préface de Leconte de Lisle aux *Poèmes antiques*), il contient néanmoins plusieurs préceptes que Mallarmé a fait siens et qui touchent au statut social de la poésie. Selon lui, le Poète, pareil à un ange, est au-dessus de la foule : « L'homme peut être démocrate, l'artiste se dédouble et doit rester aristocrate. » Il est inutile et nuisible d'enseigner et de diffuser la poésie et le Beau, « inaccessible au vulgaire ». Ce qui est condamné dans ce texte prémonitoire, c'est la dérive démocratique de l'art à laquelle le jeune Mallarmé oppose une sacralisation de la fonction et du statut du poète, tout en distinguant l'homme de l'artiste :

> « Que les masses lisent la morale, mais de grâce ne leur donnez pas notre poésie à gâter.
> Ô poètes, vous avez toujours été orgueilleux ; soyez plus, devenez dédaigneux. »

C'est une aristocratie et une religion de l'art que conçoit Mallarmé, dépassant ainsi l'aristocratisme de classe que défendent les Parnassiens fondateurs en raison de leur noblesse d'origine. C'est dire que l'élitisme qui a souvent été reproché à Mallarmé répond moins à une nécessité de distinction sociale qu'à l'impératif somme toute très bourgeois de préserver les domaines d'activités sociales en sorte d'éviter leur nivellement par le bas. Cette religion du salut dont il dote la poésie est aussi pour le fonctionnaire-poète l'occasion de prendre sa revanche sur une position sociale vécue comme un exil : sa trajectoire de poète le sauvera de la médiocrité de son métier, en le confortant dans son rôle de prophète profane. Dans l'autobiographie qu'il envoie à Verlaine en 1885, Mallarmé est très conscient d'avoir dévoyé son héritage social :

> « Mes familles paternelle et maternelle présentaient, depuis la Révolution, une suite ininterrompue de fonctionnaires dans l'Administration et l'Enregistrement ; et bien qu'ils y eussent occupé presque toujours de hauts emplois, j'ai esquivé cette carrière à laquelle on me destina dès les langes. »

Parallèlement, Mallarmé publie de curieuses choses de circonstance. Ainsi, en 1874 paraît *La Dernière Mode*, un journal illustré entièrement rédigé par lui qui comptera huit numéros. En 1878, il publiera *Les Mots anglais*, une « petite philologie », et l'année suivante *Les Dieux antiques*, traduction d'un manuel anglais. Quelques semaines avant son retour à Paris, en 1871, rue de Moscou, Mallarmé sort de la crise d'absolu qui le condamnait à l'impuissance : « Je redeviens un littérateur pur et simple. Mon œuvre n'est plus un mythe », écrit-il à Cazalis le 3 mars 1871. Un littérateur pur et simple, c'est tout à la fois, avec Mallarmé, un écrivant qui souscrit aux règles et contingences de son métier (et effectivement, il abdiquera aux nécessités des écrits de commande ou de circonstance) et un écrivain qui ne perd pas de vue son haut idéal esthétique (le Livre, en l'occurrence). À Paris, avant de connaître une célébrité choisie, il se mêle à la vie littéraire.

« J'abomine les écoles »

Les années 1880 sont celles de la véritable émergence. Jusqu'alors Mallarmé n'est connu que de quelques Parnassiens, qu'il a fréquentés et qui l'ont finalement rejeté, et de quelques félibres rencontrés en Avignon (Mistral, Aubanel, Roumanille). Tandis que la génération montante – celle née aux alentours de 1860 : Laforgue, Kahn, Ghil, etc. – se cherche des maîtres, elle trouve en Mallarmé un guide. Il accueille d'ailleurs la jeunesse rue de Rome à ses fameux mardis et devient peu à peu avec Verlaine la référence poétique de l'époque, statut dont chacun a pu se moquer. Citons à ce propos le sonnet-dédicace que Verlaine à adressé à Mallarmé en 1890 :

> « Des jeunes – c'est imprudent –
> Ont, dit-on, fait une liste
> Où vous passez symboliste.
> Symbolistes ? Ce pendant
>
> Que d'autres, dans leur ardent
> Dégoût naïf ou fumiste
> Pour cette pauvre rime iste,
> M'ont bombardé décadent.
>
> Soit ! Chacun de nous en somme
> Se voit-il si bien nommé ?
> Point ne suis tant enflammé
>
> Que ça vers les n…ymphes, comme
> Vous n'êtes pas mal armé
> Plus que Sully n'est Prud'homme. »

Ainsi, les jeunes qu'il accueille – les poètes de la génération de 1870, Gide, Valéry, Louÿs – trouvent rue de Rome un lieu de rencontres et d'échanges avec les aînés qui, contrairement à la règle des cercles parnassiens, n'entretient aucun esprit de compétition ni de prosélytisme. Mallarmé a du charisme, mais il reste convaincu, ainsi qu'il s'en explique à Jules Huret, de la solitude indispensable à la création :

> « J'abomine les écoles, dit-il, et tout ce qui y ressemble […]. Ce qui m'a donné l'attitude de chef d'école, c'est, d'abord, que je me suis toujours intéressé aux

idées des jeunes gens ; c'est ensuite, sans doute, ma sincérité à reconnaître ce qu'il y avait de nouveau dans l'apport des derniers venus. Car moi, au fond, je suis un solitaire, je crois que la poésie est faite pour le faste et les pompes suprêmes d'une société constituée où aurait sa place la gloire dont les gens semblent avoir perdu la notion. L'attitude du poète dans une époque comme celle-ci, où il est en grève devant la société, est de mettre de côté tous les moyens viciés qui peuvent s'offrir à lui. »

Cette phase de reconnaissance prend un nouveau tournant lorsque Verlaine consacre à Mallarmé un article des « Poètes maudits » (*Lutèce*, 1883, en volume, 1884) et que Huysmans le compte parmi les élus de des Esseintes dans *À rebours*. Pourtant c'est avec parcimonie que le poète donne à lire ses quelques poèmes en revues : « Prose pour des Esseintes », « Le vierge, le vivace et le bel aujourd'hui », « Quelle soie… » dans la *Revue indépendante* en 1885, « Richard Wagner » dans la *Revue wagnérienne* de Dujardin l'année suivante, trois poèmes en prose aux côtés des *Illuminations* dans *La Vogue* en 1886, etc. Jusqu'en 1887, Mallarmé n'est l'auteur d'aucun recueil : cette année il publie coup sur coup *L'Après-Midi d'un faune*, une luxueuse édition photolithographiée (avec frontispice de Rops) des *Poésies* aux éditions de la *Revue indépendante* (tirée à 47 exemplaires) et un *Album de vers et de prose*. À l'exception de *Divagations*, autre recueil de prose qui paraît chez Charpentier en 1897, il en sera ainsi jusqu'à ce qu'un recueil d'ensemble soit publié un an après sa mort sous le titre *Poésies de Stéphane Mallarmé* (Bruxelles, Deman, 1899). Production rare et dispersée, mais aussi finement ciblée et variée (poèmes, prose, préfaces, discours et autres toasts) : collaborateur peu fréquent, Mallarmé est présent dans les principaux organes de la mouvance symboliste, de *La Vogue* à la *Revue blanche*, en passant par la *Revue indépendante* et *La Plume*. Il aime aussi à témoigner publiquement de son temps – en portant des toast à ses confrères, aînés et plus jeunes (Mendès, Kahn, Moréas, Leconte de Lisle, Verhaeren, Verlaine), en répondant à de multiples enquêtes journalistiques (sur l'évolution littéraire, Voltaire, Poe, Verlaine, et d'autres sujets littéraires mais aussi la graphologie, le costume féminin à bicyclette ou le chapeau haut de forme).

Cette présence littéraire – que les témoins disent discrète et affable – lui vaut d'être invité à plusieurs reprises à faire des conférences (en Belgique, 1890, et en Angleterre, 1894) et d'être élu après Leconte de Lisle et Verlaine Prince des Poètes en 1896, deux ans avant sa mort.

« Ta vague littérature »

A priori rien n'est plus étranger au réel et à la vie sociale que la poésie de Mallarmé : poésie pure, mise en scène d'un univers raréfié, régime allusif, usage de mots obsolètes, compositions offrant une quintessence d'expression, une même poétique du vague et de l'idéal traverse l'œuvre, des poèmes aux accents parnassiens (le fameux « Brise Marine ») à *Un coup de dés*. On pourrait même penser que cette poésie s'est écrite en dehors du temps, tant y sont gommées les références à la réalité et à l'histoire. Dans la logique symboliste qui prône l'effacement de la chose au profit du mot et de l'effet qui la désignent, Mallarmé est probablement le poète le plus accompli en ce sens qu'il a dépassé en les intégrant la poésie de Baudelaire et celle du Parnasse. Un motif à lui seul exprime ce dépassement, c'est celui du cygne que Mallarmé reprend au répertoire pour en faire le symbole non plus du lyrisme, mais de l'emprisonnement langagier. « L'aile ivre » qui trouve son pendant dans les figures de l'éventail, de l'envol se voit ainsi constamment niée dans son élan virtuel, façon très hégélienne d'exprimer l'idée de liberté par ce qui tout à la fois la structure et s'y oppose, à l'image du cygne du fameux sonnet « Le vierge, le vicace et le bel aujourd'hui ».

Aussi en retrait soit-elle des discours sociaux, la poésie de Mallarmé n'est pas pour autant historiquement blanche. Si l'hermétisme est une manière d'affirmer un lieu réservé du langage, avec Mallarmé, il devient l'expression la plus résolue du statut de la poésie en cette fin de siècle. Proclamant dans *Crise de vers* la « disparition élocutoire » du poète, Mallarmé entend faire de l'écriture l'unique enjeu de la poésie. De là chez lui cette constante distance qu'il met entre ce qui se dit ou s'évoque dans tout poème : même « Brise Marine », qui a la facture d'un parfait devoir postbaudelairien, se double d'une ironie qui rend futile l'exercice littéraire – « Aboli bibelot d'inanité sonore », ou « « ronds de fumée / Abolis en autres ronds », lit-on ailleurs, Mallarmé filant de part en part et discrètement cette métaphore de l'écriture à même le texte.

Cette distance ironique apparaît aussi très clairement – bien que l'histoire littéraire l'ait le plus souvent occultée – dans le jeu très mallarméen entre œuvres de pure conception intellectuelle (*Igitur, Un coup de dés*, le « Livre ») et les vers de circonstance qui accompagnent sa trajectoire surtout à partir de 1880 : hommages, tombeaux, billets, dans le ton le plus grave, mais à côté, petits airs, « chansons bas », « éventails », « dons de fruits glacés », et les célèbres « loisirs de la poste » qui ironiquement allient le plaisir et l'efficacité de l'écriture :

« Mademoiselle Labonté
Un nom pareil en ce temps-ci
Veut qu'on soit au ciel remonté
Non ! rue, 8, Stanislas, Nancy.

***

Courez, les facteurs, demandez
Afin qu'il foule ma pelouse
Monsieur François Coppée, un des
Quarante, rue Oudinot, douze. »

Ces vers épars et futiles, s'ils sont les restes d'une littérature d'amusement, ne se démarquent pas vraiment des grandes pièces aux ambitions plus intellectuelles ; ils s'ajoutent les uns aux autres pour aboutir à une pratique de la littérature en parfaite fusion avec la vie – ou plutôt qui a absorbé la vie elle-même, comme si la poésie était guidée par cette nécessité à la fois grave et futile de réinventer la vie.

Le grand projet du Livre semble l'aboutissement ultime de cette logique. « Explication orphique de la Terre », ce grand œuvre, au sens alchimique du terme, Mallarmé l'a non seulement rêvé (« architectural et prémédité »), mais il l'a réalisé d'une certaine manière dans chacun de ses gestes d'écriture. Les traces qu'il en a laissées sont purement réflexives, elles sont regroupées dans ses essais intitulés « Quant au Livre » et dans des notes éparses (publiées en 1957 par J. Sherer), et s'offrent comme un commentaire de deux œuvres capitales, le fragment d'*Igitur* (publié en 1869) et *Un coup de dés jamais n'abolira le hasard* (publié en 1897).

Igitur ou la Folie d'Elbehnon est un conte en prose, composé entre les années 1867 et 1870, à Avignon. Œuvre de jeunesse, contemporaine d'*Hérodiade* mais qui préfigure l'évolution de la poétique mallarméenne en ceci qu'elle anticipe sur *Un coup de dés*. Conte philosophique, en quelque sorte, qui met en scène le hasard et le néant que cherche à vaincre le personnage abstrait à souhait d'Igitur. Évoluant dans un décor allusivement fin de siècle (« tentures saturées et alourdies », « complexité marine et stellaire d'une orfèvrerie »), Igitur ne pose qu'un seul acte, combien symbolique, négateur et fondateur à la fois : à minuit, heure pure par excellence, il « descend les escaliers de l'esprit humain, va au fond des choses : en "absolu" qu'il est », lance les dés et se couche au tombeau de ses ancêtres.

Un coup de dés, vingt-huit ans après, donne à lire et à voir le geste d'Igitur. Poème, ce texte l'est encore selon Mallarmé, même si l'ordonnancement du vers est totalement dispersé sur la page, et que le sens jaillit d'une disposition typographique des mots sur le papier, suggérant de la sorte des « subdivisions prismatiques de l'Idée ». L'œuvre relève de la partition musicale, non pas qu'il cherche par les mots des effets mélodiques, mais bien parce qu'il dispose ceux-ci en sorte de transposer la qualité des multiples voix poétiques qui s'y expriment. Dans la préface qu'il conseille de ne pas lire, Mallarmé donne cette explication :

> « L'avantage, si j'ai droit à le dire, littéraire, de cette distance copiée qui mentalement sépare des groupes de mots ou les mots entre eux, semble d'accélérer tantôt et de ralentir le mouvement, le scandant, l'intimant même selon une vision simultanée de la Page : celle-ci prise pour unité comme l'est autre part le Vers ou ligne parfaite. La fiction affleurera et se dissipera, vite, d'après la mobilité de l'écrit, autour des arrêts fragmentaires d'une phrase capitale dès le titre introduite et continuée. »

On reconnaît dans ces lignes de mode d'emploi la double préoccupation mallarméenne d'établir une œuvre qu'il nomme « fiction », à l'anglaise, sur des bases linguistiques et scientifiques. Son projet est de déplacer l'unité du poème du vers à la page et de fonder en puissance un nouveau langage poétique. Nouveau langage qui trouvera son accomplissement avorté dans le projet du Livre. Celui-ci, en plus de convoquer le théâtre et la musique dans un esprit wagnérien, devait, au départ d'un livre aux pages interchangeables, lu devant un public choisi et selon un cérémonial dont Mallarmé a réglé les moindres problèmes techniques, réconcilier l'artiste et la foule dans une sorte de spectacle total. Projet fantasmatique dont Mallarmé n'était pas dupe du peu d'écho qu'il pourrait recevoir :

> « Notre seule magnificence, la scène, à qui le concours d'art divers scellés par la poésie attribue selon moi quelque caractère religieux ou officiel [...], je constate que le siècle finissant n'en a cure, ainsi comprise. »

BIBLIOGRAPHIE

• Éditions :
Œuvres complètes, t. 1, B. Marchal éd., Paris, Gallimard, coll. « Bibliothèque de la Pléiade », 1998. – *Le « Livre » de Mallarmé »*, J. Scherer éd., Paris, Gallimard, 1957. – *Correspondance. Lettres sur la poésie*, B. Marchal éd., Paris, Gallimard, coll. « Folio classique », 1995.

• Synthèses :
H. MONDOR, *Vie de Mallarmé*, Paris, Gallimard, 1941. – Ch. MAURON, *Mallarmé par lui-même*, Paris, Le Seuil, coll. « Écrivains de toujours », 1964. – P. DURAND, *Poésies de Mallarmé*, Paris, Gallimard, coll. « Foliothèque », 1997. – J.-L. STEINMETZ, *Stéphane Mallarmé, l'Absolu au jour le jour,* Paris, Fayard, 1998.

• Études particulières :
J.-P. RICHARD, *L'Univers imaginaire de Mallarmé*, Paris, Le Seuil, 1961. – J. KRISTEVA, *La Révolution du langage poétique*, Paris, Le Seuil, 1974. – B. DE CORNULIER, *Théorie du vers. Rimbaud, Verlaine, Mallarmé*, Paris, Le Seuil, 1982. – B. MARCHAL, *La Religion de Mallarmé*, Paris, J. Corti, 1988. – P. BÉNICHOU, *Selon Mallarmé*, Paris, Gallimard, coll. « Bibliothèque des idées », 1995. – R. BELLET, *Mallarmé, l'Encre et le Ciel*, Champ Vallon, 1998. – P. BESNIER, *Le Théâtre de la rue de Rome*, Paris, éd. du Limon, 1998.

• Revue spécialisée :
Documents Stéphane Mallarmé, Paris, Nizet.

Portraits

José María de Heredia (1842-1905)

Avec Sully Prudhomme et Leconte de Lisle, leur chef de file, Heredia forme le triumvirat du Parnasse. Auteur d'un seul recueil, *Les Trophées*, publié tardivement en 1893, il s'est montré le plus fidèle représentant de l'esthétique parnassienne, faisant de la technique versificatoire le point nodal de sa poésie.

Né à Cuba en 1842 de père espagnol et de mère normande, il vient en France faire de solides études à la faculté de droit de Paris et à l'École des Chartes. Érudit, il distillera tout son savoir dans une poésie aussi rare que ciselée, qu'il publie parcimonieusement dans *Le Parnasse contemporain* et quelques autres revues. Il s'adonne à de nombreux travaux de traduction et d'adaptation (notamment celle de la *Véridique Histoire de la conquête de la Nouvelle Espagne* de Bernal Diaz del Castillo). À la fin de sa vie, il procurera une édition critique des *Bucoliques* de Chénier.

Résolument en retrait de l'agitation poétique (mais aussi politique et sociale) de la fin du siècle, fidèle jusqu'au bout au credo parnassien, Heredia s'est imposé avec un seul recueil qui lui a valu de coiffer sur le poteau Zola et Verlaine à l'Académie française. Si cette consécration est la juste récompense d'une institution qui privilégie l'orthodoxie la plus stricte, elle couronne une œuvre qui a fait modèle en matière de perfection poétique.

Perfection froidement technique, selon les détracteurs de l'époque, mais qui a donné au Parnasse un recueil d'une parfaite composition et surtout à la jeune génération le contre-exemple accompli d'une poésie objectale, tout entière repliée sur sa forme ; l'exacte réplique d'une *Légende des siècles* en miniature qui avait de quoi séduire l'esprit bibeloteur de la fin du siècle et convaincre les sceptiques de la disparition définitive du mythe romantique de l'inspiration.

En effet, *Les Trophées* ont quelque chose du médaillon et leur art tient de l'héraldique tant s'y trouve travaillé, au départ d'une grande économie de moyens (14 vers), tout un univers de réprésentation autonome. Chaque sonnet se rassemble harmonieusement autour de grands moments de l'humanité : « La Grèce et la Sicile », « Rome et les Barbares », « Le Moyen Âge et la Renaissance », « L'Orient et les Tropiques », « La Nature et le Rêve ». Plusieurs pièces sont restées célèbres en raison de la force évocatoire qu'elles recèlent au-delà d'une rhétorique rigoureusement affectée et déréalisante. C'est le cas des « Conquérants » qui célèbrent les premiers conquistadores espagnols et qu'ont récités des générations de lycéens.

Si le sonnet est la forme privilégiée des Parnassiens et de Heredia tout particulièrement, c'est qu'il présente des propriétés proprement plastiques. Dans *Les Trophées*, en effet, toute la composition du poème est conçue en sorte de faire converger le lexique, la rhétorique et la métrique sur un effet de chute que contient toujours l'ultime vers. Cette poésie se réfère moins à la peinture qu'à la sculpture : le vers est le matériau que le poète cisèle en sorte de révéler au terme du sonnet la chose dont il parle.

Souvent décriée, la poésie de Heredia a été néanmoins relativement « populaire » en ceci qu'elle constitue une sorte de « vulgate » de l'école parnassienne. Pour le public scolaire, auquel elle doit largement sa survivance, elle représente l'image type du code poétique dans ses exigences techniques et le modèle de la « poésie pure [...] du pur langage français » (pour reprendre l'expression qu'utilise Heredia dans la dédicace des *Trophées*).

Bibliographie

• Éditions :
Poésies complètes, Genève, Slatkine Reprints, 1979. – *Les Trophées*, A. Detalle éd., Paris, Gallimard, coll.« Poésie », 1982.

• Études :
M. Ibrovac, *José María de Heredia, sa vie, son œuvre*, Paris, Les Presses françaises, 1923. – U.-V. Chatelain, *José María de Heredia, sa vie, son milieu*, Paris, 1930.

* * *

Sully Prudhomme (1839-1907)

Troisième mousquetaire du Parnasse, avec Leconte de Lisle et Heredia, Sully Prudhomme est à la fois un fervent disciple de la doctrine de l'art pour l'art et un dissident qui a cherché à renouer avec la poésie philosophique. Un poème l'a rendu célèbre, « Vase brisé », de la plus stricte obédience parnassienne, mais le poète s'est rapidement imposé à la jeunesse littéraire de la génération de 1860 comme une voix moins étriquée et plus libre de la poésie nouvelle. Son influence s'exercera entre autres sur le jeune Laforgue qui n'a pas manqué de le pasticher à plusieurs reprises (voir la « Complainte de Faust fils » qui reprend la « Prière » des *Vaines Tendresses*).

Né à Paris d'une famille aisée, René François Armand Prudhomme, dit Sully Prudhomme, se destine tout d'abord à la carrière d'ingénieur et d'industriel à laquelle il renonce au profit du droit qui le conduit à travailler quelque temps dans une étude. Un héritage lui permet dans la vingtaine de se consacrer uniquement à la littérature. Séduit par le programme esthétique de Leconte de Lisle dans la préface des *Poèmes antiques*, il devient, avec Heredia, un disciple de la première heure du cénacle, ses premiers poèmes passant sans difficulté la sélection sévère de la première série du *Parnasse contemporain*.

À partir de là, la carrière de Sully Prudhomme ne rencontre aucun obstacle. Il publie beaucoup chez l'éditeur attitré des Parnassiens, Alphonse Lemerre : *Stances et Poèmes* (1865), *Les Épreuves* (1866), *Les Écuries d'Augias*, *Les Solitudes* (1869). Mais à partir de 1870, au lieu de s'enfermer dans une poésie dénégatrice de l'Histoire à la façon d'un Heredia, il ouvre le poème parnassien à des thèmes et des idées que la doctrine avait bannis. Sully Prudhomme s'inspire en effet de la guerre dans *Impressions de la guerre* (1872) et *La France* (1874). C'est le début d'une poésie à la fois plus grandiloquente et philosophique, qui renoue avec une forme de lyrisme célébratif. *Les Destins*, en 1872, sont d'inspiration cosmique : Sully Prudhomme médite sur le sort de la Terre et d'une certaine façon rejoint un rousseauisme en rêvant sur les accords secrets de la Nature ; mais son romantisme se teinte de positivisme, l'ingénieur entrevoyant une possible réconciliation de la science, de la poésie et de la philosophie. Ses autres recueils, *Les Vaines Tendresses* (1875), *La Justice* (1878), *Le Bonheur* (1888), sont d'une même emphase philosophique, mais cette fois plus morale et didactique que proprement méditative.

En fait, Sully Prudhomme a apporté au vers parnassien la chaleur qui lui manquait. Si quelquefois sa poésie frise le souffle hugolien, elle est d'une tonalité élégiaque qui le place dans la lignée de Marceline Desbordes-Valmore et d'Amiel : un mélange d'idéalisme et d'inquiétude, de spiritualisme et de mélancolie, de sentimentalisme et de rationalité. Une poésie du sens, à vrai dire, et non de la forme, qui lui aura valu une rapide reconnaissance : élu à l'Académie française à quarante-deux ans, il sera couronné par le prix Nobel en 1901.

Bibliographie

• Éditions :
Les Solitudes, Paris, Éd. d'Aujourd'hui, coll. « Les introuvables », 1977.

• Études :
E. Zyromski, *Sully Prudhomme*, Paris, A. Colin, 1907. – H. Morice, *L'Esthétique de Sully Prudhomme*, Vannes, Impr. Lafolye frères, 1920. – E. Estève, *Sully Prudhomme*, Paris, Boivin, 1925.

* * *

TRISTAN CORBIÈRE (1845-1875)

Souvent apparenté à Charles Cros et à Jules Laforgue, par l'humour et l'ironie de ses poésies, Corbière est l'auteur d'un seul livre, *Les Amours jaunes*, rendu célèbre par Verlaine qui l'a placé en tête de la première série des « Poètes maudits ».

Fils d'Édouard-Antoine Corbière (1793-1875), marin, journaliste et romancier (*Le Négrier*, 1832), Tristan Corbière passe son enfance en Bretagne, entre Morlaix et Saint-Brieuc où il fait ses études. Tuberculeux, il se fait soigner à Cannes, à Luchon puis à Roscoff, menant une vie libérée de tout souci matériel, fréquentant les marins, s'adonnant à la littérature, voyageant un peu (en Italie, en 1869). Conscient de sa laideur, il se fait remarquer par toutes sortes de farces scandaleuses, par exemple, lorsqu'en 1869, de son balcon, il bénit, déguisé en évêque, la population de Morlaix. En 1871, il s'éprend de Josefina Cuchiani, dite Herminie, actrice d'origine italienne, maîtresse du comte Rodolphe de Battine avec lequel elle vient de débarquer à Morlaix. Il la baptise Marcelle et lui dédicacera *Les Amours jaunes* (voir « Le Poète et la Cigale »). Lorsque Rodolphe et Marcelle regagnent Paris, Corbière les suit et s'installe non loin d'eux dans la capitale. En 1873, *Les Amours jaunes* paraissent à compte d'auteur chez les frères Glady. Son mal de poitrine s'aggravant en 1874, il est transporté d'urgence à la clinique Dubois, d'où il écrit aux siens : « Je suis à Dubois dont on fait les cercueils ». Il meurt dans sa trentième année, le 1er mars 1875.

Les Amours jaunes sont composées de sept sections : « Ça », « Les Amours jaunes », « Sérénades », « Raccrocs », « Armor », « Gens de mer » et « Rondels pour après ». Passant du portrait railleur (et autodérisoire) du mal-aimé à des visions sordides, Corbière y célèbre la Bretagne natale, croque la misère de Paris, se fait le chantre des parias. Son verbe est toujours abrupt, comme en témoignent non seulement la ponctuation qui démultiplie les coupures, par une accumulation de tirets, de points de suspension, de deux-points, mais aussi les ellipses et les ruptures logiques. L'ensemble produisant une écriture discontinue, au plus près d'une spontanéité qui se sent à l'étroit et que Corbière résume d'un seul trait : « — Ses vers faux furent ses seuls vrais » (« Épitaphe »). Mais c'est la tonalité ironique qui colore le plus profondément la poésie des *Amours jaunes*, comme l'indique déjà le titre : un humour grinçant, entre malaise et dérision, engendré, entre autres, par d'incongrus mélanges de tons, de registres, de calembours, de citations parodiques et d'allusions métapoétiques.

Il faudra attendre la révélation de Verlaine dans « Les Poètes maudits » pour que *Les Amours jaunes* sortent de l'oubli, en 1883, dix ans après leur publication. L'année suivante, Huysmans, dans *À rebours*, leur réserve une place de choix dans la bibliothèque idéale de des Esseintes. Proche du Laforgue des *Complaintes*, mais aussi du Verlaine des *Romances sans paroles* et du Rimbaud des *Illuminations*, Tristan Corbière a séduit les surréalistes et, notamment, Breton qui le compte parmi les maîtres de l'humour noir. Son influence s'est exercée également sur Apollinaire, P.-A. Birot et les poètes fantaisistes du début du XXe siècle.

Bibliographie

• Éditions :
Œuvres complètes, P.-O. Walzer éd., Paris, Gallimard, coll. « Bibliothèque de la Pléiade », 1970. – *Les Amours jaunes*, J.-L. Lalanne éd., Paris, Gallimard, coll. « Poésies », 1973.

• Études :
J. Rousselot, *Tristan Corbière*, Paris, Seghers, coll. « Poètes d'aujourd'hui », 1952, rééd. 1973. – C. Angelet, *La Poétique de Tristan Corbière*, Bruxelles, Palais des Académies, 1961. – H. Thomas, *Tristan le Dépossédé*, Paris, Gallimard, 1972.

* * *

Germain Nouveau (1851-1920)

« De Baudelaire, Germain Nouveau ou Rimbaud, qui est le plus grand poète ? » se demandait en 1948 Louis Aragon dans un article des *Lettres françaises*. La question n'aurait pas de sens si elle n'était appelée par une longue et infructueuse demande de reconnaissance de quelqu'un qui n'a cessé d'être perçu dans l'ombre des plus grands, Rimbaud et Verlaine. À l'exception d'une plaquette, son œuvre a été publiée à son insu, entre 1904 et 1910.

Né dans le Var en 1851, Nouveau est abonné au malheur. Il perd tour à tour père, mère et sœur et se retrouve seul à Paris en 1872 où il occupera quelque temps un emploi au ministère de l'Instruction publique. Il y fréquente la bohème du temps (Richepin, Cros), fréquente le salon de Nina de Villard et collabore, en 1876, aux *Dixains réalistes*, recueil confidentiel qui tourne en dérision la poésie quotidienne de François Coppée. En 1873, il rencontre Rimbaud, avec lequel il partira en Angleterre, puis Verlaine qu'il rejoindra également à Londres. Poète de l'errance, physique autant qu'imaginaire, il voyage beaucoup, en mystique et mendiant qu'il est devenu à la suite d'un drame passionnel (dont portent trace ses *Valentines*, 1885) et de la visite de la maison du bienheureux Benoît Labre. À quarante ans, il est frappé de délire mystique et interné. Jusqu'à sa mort, en 1920, après de nouveaux pèlerinages en Algérie et en Europe (Belgique, Espagne, Italie), il se retire, misérable, dans sa ville natale, Pourrières.

La poésie de Nouveau est fortement imprégnée de mysticisme. Sa *Doctrine de l'Amour*, à laquelle il travaille de 1878 à 1881 et qu'il signe du nom d'Humilis, est une offrande poétique à Jésus en même temps qu'un sensuel cantique à la Vierge. À travers l'amour de la création, Nouveau se reconstruit une famille et s'enferme dans un mysticisme peu orthodoxe qui mêle l'imagerie christique et les manques personnels. Ce recueil est assez proche quant au ton du Verlaine de *Sagesse*, mais il se double d'une poétique qui institue le poème au même titre que la prière. En effet, la poésie est selon Nouveau supérieure à toutes les formes de production intellectuelle : lieu de grâce et de communion, elle « sait ce que Voltaire ignore ».

Les *Valentines*, qui ont été composées entre 1885 et 1887, sont d'un autre registre. C'est Rimbaud cette fois qui est en arrière-plan, du moins le Rimbaud sauvage et rebelle, celui des *Stupra*. À ceci près que Nouveau exalte exclusivement la femme dans son corps et célèbre l'amour de l'amour, avec un érotisme qui ne s'embarrasse d'aucune pudeur. C'est ce recueil qui a fait dire à Breton que Nouveau était un « mendiant étincelant » et un précurseur du surréalisme (« Nouveau est surréaliste dans le baiser », déclare-t-il dans le *Premier Manifeste*, en 1924). Scandaleuse pour l'époque, cette poésie l'est moins par son érotisme que par la pratique sauvage du verbe qu'elle donne à lire : lexique incongru et quasiment « naturaliste », fantaisies verbales (« Les Lettres », « Cru »), violence de l'expression, dislocation de la métrique. Le peu de vers qu'il reste d'après la crise de 1891 a été rassemblé sous le titre *Le Calepin du mendiant*.

BIBLIOGRAPHIE

• Éditions :
Œuvres complètes [couplées à celles de Lautréamont], P.-O. Walzer éd., Paris, Gallimard, coll. « Bibliothèque de la Pléiade », 1970.

• Études :
M. RUFF (dir.), *Germain Nouveau*, Paris, Minard, 1967. – L. FORESTIER, *Germain Nouveau*, Paris, Seghers, 1971. – J. LOVICHI et P.-O. WALZER, *Dossier Germain Nouveau*, Neuchâtel, La Baconnière, 1971.

* * *

Jules Laforgue (1860-1887)

Dans l'*Enquête sur l'évolution littéraire* que mène Jules Huret en 1891, beaucoup de romanciers et de poètes, et non des moindres, évaluent à sa juste proportion la place qu'aurait pu occuper Laforgue dans la littérature de la fin du siècle s'il n'avait disparu prématurément. Mallarmé considère qu'avec Viélé-Griffin et Kahn il fait partie des « principaux poètes qui ont contribué au mouvement symbolique » ; Remy de Gourmont estime que les « *Moralités légendaires* [...] resteront l'un des chefs-d'œuvre de ce temps » et que Laforgue est « l'incontesté maître de la jeunesse » ; Mirbeau, qui a pourtant le jugement sévère, parle de « pur génie français mort à vingt-sept ans » et déplore « qu'on s'acharne à [le] montrer comme un *décadent* [alors qu'il] ne l'est pas pour un sou » ; Huysmans qui ne supporte plus les étiquettes dont il a été lui-même affublé reproche aux symbolistes de n'avoir « souffl[é] mot de celui d'entre eux qui avait le plus de talent et qui est mort » ; il regrettera, vingt ans après *À rebours*, de n'avoir pas pu l'intégrer dans le florilège de des Esseintes. Il apparaît même à certains comme le maître dont auraient eu besoin ces chapelles pour fédérer l'effervescence des esthétiques ; un maître idéal, somme toute, en ceci qu'il exerce une domination purement symbolique en s'inscrivant sans conteste aux côtés des plus grands, entre Verlaine et Mallarmé.

Car, en cette année 1886-1887 où tout s'est joué et défait pour Laforgue s'est esquissée, parallèlement à une carrière pleine de promesses, une petite mythologie qui n'a eu de cesse de grandir dès l'instant où il a quitté la scène, de façon si brusque et au fond si poétique. Il est vrai que cette courte vie présente tous les ingrédients d'une légendaire moralité, d'autant que ses vers sont truffés d'anticipations troublantes, notamment celui-ci, souvent cité, extrait des *Complaintes* : « Oh ! ces quintes de toux d'un chaos bien posthume », ou encore cette locution de Pierrot, dans *L'Imitation*, pleine de saveur prophétique : « Devenir légendaire au seuil des siècles charlatans ». Une naissance sous les tropiques, en Uruguay, à Montevideo, quatorze ans après Isidore Ducasse, comte de Lautréamont (et vingt-quatre ans avant Jules Supervielle). Une vie de bâton de chaise, ballottée entre Tarbes (le pays originaire, où rentre la famille nombreuse après n'avoir pas fait fortune outre-Atlantique) et Paris, capitale littéraire, mais surtout lieu d'échec et presque de misère. Jules s'y est installé en 1879, avec son père et ses neuf frères et sœurs, deux ans après la mort de sa mère, décédée à trente-huit ans d'une pneumonie. Après Paris, ce sont les fastes incroyables de la cour de Berlin où, grâce à l'appui de Paul Bourget et de Charles Éphrussi, Laforgue obtient un poste de lecteur. Il restera cinq ans dans le giron de ses altesses. Puis retour à Paris, pour y mourir d'une phtisie à l'âge de vingt-sept ans.

Bien qu'il ait été « exilé » de Paris la plupart du temps, s'autorisant quelques escapades annuelles, Laforgue est resté en contact avec la capitale. Ses interlocuteurs les plus assidus sont en effet Gustave Kahn, Charles Ephrussi, Charles Henry, Vanier, son éditeur, escroc notoire (ce qui ne l'empêche pas de se dire « bibliopole » des « curiosités littéraires, Décadentes, Symbolistes et autres »), Léo Trézenik, son imprimeur et futur directeur de la revue *Lutèce*, organe important de la même avant-garde symboliste, qui publia entre autres *Les Poètes maudits* de Verlaine en 1883. Puis il y a le réseau des pairs, maîtres qu'on admire et auxquels on soumet ses brouillons. Bourget, poète « moderne » (auteur des *Aveux*), romancier antinaturaliste audacieux que Laforgue place au-dessus des Goncourt et de Maupassant, esprit influent, un peu à la manière du premier Barrès, qui met à la mode Schopenhauer, Hartmann, le bouddhisme et introduit en littérature les notions de décadence, de pessimisme, de dilettantisme. Puis vient Mallarmé, que Laforgue rencontre en 1885, probablement introduit par G. Kahn aux fameux mardis de la rue de Rome, et qui apprécie *Les Complaintes*. Et il faudrait encore citer les petits maîtres et animateurs du symbolisme. Édouard Dujardin et ses revues : la *Revue wagnérienne* et la *Revue indépendante*. Laforgue lui doit un soutien précieux aux dernières heures de sa vie ainsi qu'à Félix Fénéon, Teodor de Wyzewa, Francis Viélé-Griffin. Ce personnel que Laforgue côtoie avec plus ou moins de sympathie indique, en fin de compte, alors qu'il a souvent été considéré prioritairement comme un poète décadent, qu'il circule avant tout dans la sphère symboliste. Même s'il a fréquenté, comme tant d'autres de sa génération, les milieux où se créa l'esprit décadent, à la fin des années 1870 et au début des années 1880, les Hydropathes et le Chat noir tout particulièrement, il a vite compris que ces lieux frondeurs, pour intéressants et stimulants qu'ils fussent, ne pouvaient servir à sa propre émergence et étaient socialement trop hétéroclites pour quelqu'un qui s'est toujours fait une très haute idée de ce que devaient être l'art et la littérature.

Laforgue est en fait au carrefour des esthétiques de son temps. En publiant en 1885 *Les Complaintes*, il compte bien faire entendre sa voix. Depuis 1883, son intention est de « faire de l'original à tout prix ». Le choix de la complainte s'est opéré autant par défaut que par défi : il s'est agi, pour le poète, de trouver une formule de rechange à ses tâtonnements qui fût à même de démarquer l'emprise des écoles, de rompre avec les « vers philo » de son premier recueil renié, *Le Sanglot de la Terre*, et de l'engager sur la voie d'une poétique de la parole.

Tordre le cou à l'éloquence : le mot est d'époque. Laforgue ne se contente pourtant pas de lui faire écho ; la contestation du code est une voie par laquelle se construit son identité lyrique. La parole-écriture, telle qu'il la conçoit, offre un terrain sur lequel sa subjectivité se déploie. La phrase, le mot et le vers sont soumis à une identique poussée, qui n'est autre que celle du sujet en butte à l'inefficacité d'un instrument qu'il entend faire éclater. C'est avec la même désinvolture qu'il reprend et reprise le patrimoine mythologico-littéraire qu'il parodie allégrement dans ses *Moralités légendaires* : Hamlet, Salomé, Pan, Lohengrin, Persée, autant de mythes, grands ou petits, qui sous sa plume prennent les accents tantôt pathétiques tantôt dignes de l'opérette.

Il y a dans sa prose et sa poésie quelque chose de l'écriture-artiste chère aux frères Goncourt : comme eux, une prédilection pour un langage « faisandé », aux contours phrastiques obsolètes, émaillé de mots abscons et de vers boiteux ; un langage comme rongé de l'intérieur et dont l'usure se dévoile au creux d'une énonciation qui contamine cela même qu'elle profère. *Les Complaintes*, mais aussi *L'Imitation de Notre-Dame la Lune*, *Des Fleurs de bonne volonté* et les *Moralités légendaires* fournissent aussi la fiction d'une langue en décomposition, qui brise ce qui lui reste de son savoir et de son pouvoir instrumental, se réinvente au fil de son propre morcellement. Le parler de Laforgue emprunte aux discours sociaux dont il épuise ou détourne les formules à l'emporte-pièce. La stéréotypie syntaxique, lexicale et versificatoire dont il se joue constitue le trait d'union entre le texte et son contexte ; elle instaure une connivence et un protocole de lecture entre l'auteur et son lecteur. À celui-ci, il est implicitement demandé de partager le dégoût, l'abjection du monde moderne, dans un face-à-face sans complaisance. Dans cette contemplation navrée, le texte laforguien ne ménage aucune consolation, hormis le rire qui est chez lui tout un mode d'être au monde.

Le premier Laforgue était tiraillé entre les « Derniers soupirs d'un Parnassien » et les fantaisies d'une avant-garde sans avancée, celle des cafés-concerts. Avec *Les Complaintes*, *L'Imitation* et les *Moralités légendaires* (sans parler de ses *Derniers Vers* posthumes), il rompt le clivage entre genres sérieux et genres comiques ; le rire et les larmes peuvent se côtoyer en une même parole.

Bibliographie

• Éditions :

Œuvres complètes, P.-O. Walzer, J.-L. Debauve, D. Grojnowski éd. *et al.*, Lausanne, L'Âge d'homme, t. I, 1986, t. II, 1995. – *Poésies complètes*, P. Pia éd., Paris, Gallimard, coll. « Poésie », 1979, 2 vol.

• Études :

M.-J. Durry, *Jules Laforgue*, Paris, Seghers, coll. « Poètes d'aujourd'hui », 1952. – D. Arkell, *Looking for Laforgue : an informal biography*, Manchester, Carcanet Press Limited, 1979. – J.-L. Debauve, *Laforgue en son temps*, Neuchâtel, La Baconnière, 1972. – D. Grojnowski, *Jules Laforgue et l'« originalité »*, Neuchâtel, La Baconnière, 1988. – J.-P. Bertrand, *Les Complaintes de Jules Laforgue. Ironie et désenchantement*, Paris, Klincksieck, 1997.

• Revue spécialisée :

Vortex, revue de l'Association Jules Laforgue (université de Liège).

Chapitre 40

Le théâtre : le loisir et la nouveauté

Depuis le romantisme et la fameuse préface de Hugo à *Cromwell* (1827), le théâtre français connaît la traversée du désert. Non pas à défaut d'œuvres, mais en raison d'un conservatisme de fond qui empêche le genre de se renouveler – il est de surcroît monopolisé par des notables littéraires : Dumas fils, Augier, Sardou, Labiche, Meilhac et Halévy, Gondinet, Pailleron, tous siègent à l'Académie. Ainsi, au carrefour des grands courants et quelquefois en marge de la littérature qui se fait (il n'existe pas de théâtre parnassien à proprement parler), la scène se nourrit exclusivement du répertoire, lequel est composé essentiellement de tragédies classiques (toujours en vogue), de vaudevilles et de comédies bourgeoises – histoire de contenter un public fidèle à tout un patrimoine codé (pourvoyeur d'émotions claires, de rires ou de pleurs) et hostile à toute nouveauté. Parce qu'il est spectacle et qu'il touche le domaine public, le théâtre est essentiellement revêche à l'expérimentation qui dérange les valeurs les plus assises. Genre du divertissement ou de la réflexion, il se présente comme le miroir le plus fidèle de l'ordre social et subit du même coup un puissant effet d'autocensure produit par la nécessité économique. Les risques s'y prennent d'autant plus rarement qu'ils sont toujours d'ordre financier. Comme le dit un témoin : « Le théâtre actuel est une affaire, un commerce, un moyen de gagner de l'argent ; son organisation est semblable à celle d'une fabrique, d'une usine quelconque » (J. Dubois, *La Crise théâtrale*, 1894, p. 1).

Néanmoins, le capital ne fait guère bon ménage avec de vieux fonds. Si le théâtre connaît une crise à la fin du siècle, c'est doublement parce que son répertoire est excessivement routinier et qu'il ne parvient pas à se renouveler conformément aux attentes du public bourgeois. Toute l'affaire consiste donc à sortir de la tradition sans heurter le goût commun et à maintenir un niveau de rentabilité au moins égal à ce qu'il était sous le second Empire.

C'est d'ailleurs à la faveur de la crise économique des années 1880, qui voit les recettes baisser et de nombreux théâtres fermer (le public se tournant vers les cafés-concerts), que le renouveau se fait jour.

Naissance du metteur en scène : Antoine et Lugné-Poe

Dans une telle conjoncture, il n'est pas étonnant que l'initiative en revienne aux directeurs de théâtre. Mieux que quiconque, ils ont le sens du risque calculé et ce n'est pas un hasard non plus si le nouveau théâtre de la fin du siècle passe d'abord par une refonte complète de la mise en scène. Le premier, André Antoine fait de la dramaturgie un art à part entière : il conçoit que le décor, la mise en scène, l'éclairage, le jeu des comédiens sont l'essentiel du spectacle et non plus, comme dans la tradition romantique et bourgeoise, de purs accessoires destinés à reproduire la réalité sur scène.

Car ce qui étouffait le genre jusqu'alors, c'était cette impérieuse nécessité du vraisemblable. Montigny, directeur du Gymnase, Perrin à la Comédie-Française, Porel à l'Odéon et tant d'autres n'avaient pour souci que de faire vrai, plus vrai que nature. La force du spectacle résidait tout entière dans la performance des acteurs, eux aussi pliés à ce souci d'authenticité : en Sarah Bernhardt, selon le mot de J. Lemaître, « c'est la femme qui joue… Elle étreint, elle enlace, elle se pâme, elle se tord, elle se meurt » ; C. Coquelin, Worms, Salvini, pour ne citer que les plus grands acteurs, attirent les foules plus que les œuvres, s'évertuent dans cette esthétique du naturel.

C'est à partir de 1884 – la même année que la parution d'*À rebours* – que l'on se met à esquisser d'autres dramaturgies, moins asservies aux modes bourgeoises. Cette année-là, L. Becq de Fouquières exprime dans son *Art de la mise en scène. Essai d'esthétique théâtrale* l'urgence de renverser les conventions par ce qu'il appelle « le transport du relatif au théâtre ». Mais c'est – curieusement peut-être – un romancier, et non des moindres, qui donne l'élan : Zola. Depuis 1876 déjà, à travers ses chroniques dramatiques, au nom du naturalisme qu'il rêve de voir conquérir les planches, il mène campagne en faveur d'une dramaturgie nouvelle. Selon lui elle ne peut se contenter d'un simple placage de la réalité mais, au contraire, doit sécréter un langage autonome qui dise la vérité « scientifique » du monde à travers la toute-puissance de la convention dont le théâtre est immanquablement le lieu suprême. En cela Zola renoue avec le théâtre classique : « À la place d'un théâtre de fabrication, écrit-il dans « Le Naturalisme au théâtre », nous aurons un théâtre d'observation. »

C'est d'ailleurs par Zola que passe la révolution du Théâtre-Libre d'Antoine. Ce dernier donne ses premières représentations les 29 et 30 mars 1887 en faisant jouer un prologue et quatre courtes pièces dont l'une est extraite (par L. Hennique) d'une nouvelle de Zola, *Jacques Damour*. C'est le début d'une association entre le naturalisme et l'avant-garde théâtrale dont on sait qu'elle a permis à l'école de Zola de conquérir sans véritable succès un genre jusqu'alors délaissé, et à Antoine de parfaire le métier de metteur en scène. Ce que l'esthétique naturaliste apporte au Théâtre-Libre, c'est la nécessité de faire valoir le milieu qui seul détermine les personnages. Ainsi, le texte en ses traditionnelles fonctions mimétiques est remplacé par le langage de la scène, désormais univers cohérent et synthétique : le décor est premier, car il signifie littéralement l'œuvre ; de là une attention particulière aux éclairages, aux jeux de rideaux, aux plafonds ouvragés, aux plans scéniques contigus et à la séparation du public qui, pour la première fois, assiste dans l'obscurité (sur le modèle de Wagner à Bayreuth). Antoine modifie également de fond en comble le jeu du comédien dont il attend, en plus d'un investissement physique maximal, qu'il soit « un clavier, un instrument merveilleusement accordé, dont l'auteur jouera à son gré ».

Antoine eut aussi un grand rôle dans la réforme institutionnelle du théâtre. Il conçut ce qui deviendra par la suite, avec M. Pottecher, R. Rolland et surtout J. Vilar, le mouvement du théâtre populaire : « pièces nouvelles, salles confortables, places tarifées bon marché, troupe d'ensemble », mais aussi aide accrue des pouvoirs publics et indépendance du metteur en scène.

On a reproché à ce metteur en scène de n'avoir guère fait découvrir de nouveaux auteurs. Il est vrai que, très tactiquement, il s'est accroché à l'expérience du théâtre naturaliste en suscitant la collaboration des romanciers de cette veine ; de 1887 à 1896, le Théâtre-Libre n'en a pas moins donné 124 pièces dont la moitié était jouée pour la première fois. Éclectique, Antoine a fait connaître Porto-Riche, Brieux, François de Curel, Bernstein, créé *Une Journée parlementaire* de Barrès, révélé le singulier naturaliste Georges Ancey (*L'École des veufs, La Dupe*). Mais surtout il a fait connaître en France Ibsen (*Les Revenants, Le Canard sauvage*), Strindberg (*Mademoiselle Julie*), Hauptmann (*Les Tisserands*), Verga (*Chevalier rustique*) et les pièces de Tolstoï (*La Puissance des ténèbres*). C'est ce rôle de passeur qui a fait sa réputation, bien davantage que ses conceptions de la mise en scène qu'il n'a pas su, en dépit de ses efforts pour transformer le théâtre en « un endroit clos où il se passe quelque chose », dégager de toute l'illusion réaliste. Il aura néanmoins de ce point de vue déblayé le terrain et permis à Paul Fort et à son Théâtre d'Art, à Lugné-Poe et à son Théâtre de l'Œuvre, d'accomplir une révolution dramaturgique plus audacieuse.

Quoique éphémère (1890-1892) par manque de répertoire et de moyens, le Théâtre d'Art de Paul Fort a eu quant à lui l'idée fondamentale de mettre le spectateur face à son imagination en proposant une dramaturgie de « pure fiction ornementale qui complète l'illusion par des analogies de couleurs et de lignes avec le drame ». En prenant l'exact contre-pied du naturalisme d'Antoine, Paul Fort introduit le symbolisme sur les planches, non seulement en créant Maeterlinck (*L'Intruse, Les Aveugles*, en 1891), mais en revisitant certains auteurs du répertoire (Hugo, Shelley et Marlowe).

Contrairement à Antoine, le Théâtre de l'Œuvre s'appuie sur de nouveaux auteurs – marginaux et/ou subversifs s'il en est, de Maeterlinck à Jarry. Lugné-Poe, qui fut acteur au Théâtre-Libre de 1888 à 1890 puis au Théâtre d'Art, doit lui aussi sa carrière à Maeterlinck dont il crée *Pelléas et Mélisande* aux Bouffes-Parisiens le 27 mai 1893, avant d'inaugurer son propre théâtre qui rénovera la scène de 1893 à 1897. Créant lui aussi Ibsen, Strindberg, Hauptmann et Bjørnson, il se distingue du Théâtre-Libre par une mise en scène tout entière axée sur le mystère et aucunement soucieuse de vraisemblance. C'est à un théâtre de l'imaginaire qu'il travaille, suscitant la collaboration de peintres et de musiciens. Un théâtre mallarméen, en quelque sorte, où seule l'Idée trouverait à être sinon représentée du moins suggérée. Un théâtre niant le théâtre, ainsi que l'a signifié la création scandaleuse d'*Ubu roi* en 1896 et qui met à l'avant-scène l'improvisation, la provocation, le culte du faux, la fumisterie et les genres mineurs, du monologue au spectacle de marionnettes en passant par le cirque et la pantomime. Une telle dramaturgie remet aussi en question la place et le rôle du spectateur : rompant avec le théâtre à l'italienne, Lugné-Poe refaçonne les échanges entre la salle et la scène, décentre les lieux du spectacle, donne au corps de l'acteur une nouvelle dimension en accentuant ses effets de voix et de mouvements.

Une nouvelle écriture dramatique : *Pelléas*, *Ubu* et *Tête d'Or*

Le théâtre se réinvente de l'extérieur, il innove aussi son écriture. Le travail du metteur en scène trouve ainsi appui auprès des jeunes auteurs, comme l'a compris mieux que les autres Lugné-Poe. S'il ne manque pas d'œuvres théâtrales en cette fin de siècle, peu sont à même de se dégager de la tradition et de fonder une nouvelle esthétique. Le poids de l'héritage est tel que le théâtre est devenu un secteur de loisir à part entière de la nouvelle société de consommation : comme plus tard le cinéma, on le fréquente avec assiduité ; on aime les comédies ou les tragédies, les mots d'auteurs (Rostand) ou les bouffonneries (Courteline) et par-dessus tout les comédiens et les acteurs (S. Bernhardt, les frères Coquelin) ; le théâtre est déjà le lieu d'un *star system*.

On a l'habitude de présenter la nouveauté théâtrale de l'époque à travers la figure et l'œuvre d'Henri Becque, auteur des *Corbeaux* (1882) et de *La Parisienne* (1885). Théâtre atypique, en ceci qu'il introduisait la tragédie dans le drame bourgeois et mêlait, au grand scandale du public traditionnel, le monde des affaires de Balzac au pessimisme de Zola et au grotesque de Flaubert. Théâtre critique, certes, au même titre que celui de Courteline et de Feydeau, que relaieront Mirbeau et Renard et dans un esprit plus psychologisant, Hervieu, Bernstein et Bataille – tous par ailleurs auteurs à succès –, mais théâtre pris dans les conventions du réalisme. Ces œuvres-là font parler d'elles par leur intensité dramatique ou la force et la justesse de leur style : elles n'ébranlent pas l'institution théâtrale, confirmant tout au contraire son assise sociale.

Trois textes, en revanche, suffiront à mettre à mal l'écriture de théâtre et serviront de tremplin ou de support à la nouvelle dramaturgie qui se fait jour au Théâtre-Libre ou au Théâtre de l'Œuvre. Ces textes, ce sont *Ubu roi* d'Alfred Jarry (1888), *Tête d'Or* de Paul Claudel (1890) et *Pelléas et Mélisande* de Maurice Maeterlinck (1892). Si elles n'ont pas eu la même fortune critique dans les dernières années du siècle (Claudel attendra son heure pour être reconnu), ces trois pièces ont sapé de manière emblématique et fondatrice l'écriture théâtrale, en sorte que tout autant Ubu, Pelléas et Tête d'Or sont de ce point de vue les héros du théâtre nouveau avant d'être (mais aussi parce qu'ils sont) des personnages de fiction. Ce qui se trace en eux, de manière à la fois solidaire et solitaire, c'est une ligne de fracture dans l'art de la parole et de la représentation.

Ubu, qu'il soit *roi* ou par la suite *cocu* ou encore *enchaîné*, est des trois personnages le plus violemment en rupture, le plus profondément subversif. Pas seulement parce qu'*Ubu roi* s'ouvre scandaleusement sur le fameux « Merdre ! », ou que l'auteur y malmène d'autres mots plus respectables comme « Phynance », mais parce que l'interdit trouve à se focaliser dans l'institution des institutions qu'est la langue et que l'abjection, en plus de s'ancrer très ostensiblement dans le registre intestinal et sexuel, contamine le langage et la parole dans son propre avènement. Ce langage désarticulé, déformé, illisible par moments, se présente comme une éructation du corps, une « jaculation joculatoire ». Il refuse à la langue de la scène toute vertu explicative du monde et s'avoue au contraire comme présence injustifiable d'un être au monde, dans sa primitivité et sa négativité. Le cycle ubuesque – reprise et variations d'un même argument farcesque – instaure de ce point de vue un théâtre de la cruauté avant la lettre.

Le théâtre de Jarry s'impose encore par son total et presque inconscient dépassement de toutes les règles et de tous les genres. Écrit pour les marionnettes et représenté dès 1888 par la compagnie « Les Marionnettes », *Ubu roi* fait figure d'avant-garde lorsque Lugné-Poe le monte au Théâtre de l'Œuvre huit ans plus tard, en 1896. Cette farce fait violence parce qu'elle ne laisse aucun répit et s'attaque aux moindres recoins du code théâtral. Même la dédicace à Marcel Schwob est tournée en dérision, autant que la composition de l'orchestre, lequel comprend des cervelas, des oliphans verts, des sacquebutes et des galoubets.

Si Jarry, en quelque sorte, rend scandaleusement légitimes les pratiques scéniques à l'œuvre dans les caf'conc', en les instituant en avant-garde, Maeterlinck, lui, apporte au symbolisme le théâtre qu'il attendait. Découvert par Mirbeau qui voit en lui un « Shakespeare belge » dès 1890, déjà connu comme poète avec les *Serres chaudes* (1889), il s'était signalé par deux drames montés par Paul Fort en 1890, *L'Intruse* et *Les Aveugles*, ainsi que par *Les Sept Princesses* (1891). Mais c'est assurément *Pelléas et Mélisande* qui lui valut la reconnaissance la plus durable et permit par ailleurs au Théâtre de l'Œuvre de réussir son coup d'envoi. Non seulement parce que, comme en témoigne C. Mauclair, Maeterlinck « a ce don inappréciable de sublimer la fleur des éléments constitutifs de son intellectualité en un charme inanalysable » (« L'art de Maurice Maeterlinck », in *Essais d'art libre*, février 1892), mais surtout parce que la représentation de *Pelléas* est reçue comme le manifeste théâtral des symbolistes, ainsi que l'a noté un journal de l'époque :

> « [...] Ils pensent que dans le drame humainement beau, c'est le sentiment d'humanité qui prime tout, par-dessus les époques et les frontières, et qu'alors en voilà assez des reconstitutions d'ameublement, du triomphe de l'accessoire soi-disant exact, de tout ce bric-à-brac exhibé au public, des glaces peintes et des trompe-l'œil, autant que de la vraie soupe et du vrai feu, ébahissement du badaut. Ils pensent que l'art n'est pas là, que le sens général du drame suscite, dans la coloration du décor, une nuance dominante qui s'y doit harmoniser par le degré d'impression d'ensemble et non par le détail ; qu'il est fait pour encadrer les acteurs, préciser le sentiment, et non pour faire admirer des pieds de table et des bahuts. Ils pensent enfin qu'en dehors du mélodrame historique, la réalité des objets et la date de leur style restreint l'impression héroïque et au-dessus du temps qui doit jaillir de la rencontre des personnages, et que le décor seconde la parole, comme la musique soutient le vers lyrique » (*L'Écho de Paris*, 9 mai 1893 – article signé Mirbeau mais de la plume de Mauclair).

Tous les critiques s'accordent pour admirer la fraîcheur du drame et sa mise en scène : dix-neuf tableaux distincts, des personnages flous évoluant derrière un rideau transparent, un jeu somnanbulique, une parole rare et solennelle, des décors symboliques qui soutiennent le texte, tout est mis en place de façon à créer une représentation purement suggestive qui confère au théâtre une dimension oubliée par la tradition bourgeoise, sa religiosité. Avec Maeterlinck, non seulement le théâtre symboliste se dote du sens du sacré, mais aussi d'une conception wagnérienne de l'histoire qui fait prévaloir le mythe sur la légende, l'atemporalité sur l'actualité, les tumultes de l'inconscient sur la volonté pratique – renversement total de l'esthétique bourgeoise, d'autant plus marqué que la pièce se trame de toute un arrière-plan méta-poétique en proposant des bribes de théories sur le théâtre.

En fait, Maeterlinck est au théâtre ce que Mallarmé est à la poésie : un monument où se mêlent la théorie et la création, celle-ci étant toujours dans celle-là. Le modèle qui domine son théâtre n'est autre que la poésie qui subsume tous les genres. Mallarmé avait salué en *Bruges-la-Morte* (1892) de Rodenbach – un autre Belge – le tour de force du romancier d'avoir transcendé le récit et la poésie ; avec Maeterlinck, c'est le genre à l'époque le plus étranger à la poésie qui se voit d'un seul coup poétisé. Maeterlinck dira à Huret : « Il semble que la pièce de théâtre doit être avant tout un poème. »

À ce moment, beaucoup de symbolistes, de Villiers de l'Isle Adam à Mallarmé en passant par Laforgue, redécouvrent une figure littéraire qui aura valeur d'emblème (qu'elle ait pour support la nouvelle ou le théâtre) : le légendaire Hamlet. Parce qu'il est la désincarnation du personnage héroïque (Hamlet ne fait rien), il devient l'idéal type de la tragédie mentale telle qu'elle commence à se concevoir en ces années. Rappelons-nous ce « Crayonné au théâtre » de Mallarmé, intitulé « Hamlet » :

> « Mime, penseur, le tragédien interprète Hamlet en souverain plastique et mental de l'art et surtout comme Hamlet existe par l'hérédité en les esprits de la fin de ce siècle : il convenait, une fois, après l'angoissante veille romantique, de voir aboutir jusqu'à nous résumé le beau démon, au maintien demain peut-être incompris, c'est fait. »

La référence à Shakespeare, qui sous-tend tout le nouveau théâtre de la fin du siècle, ne doit pas seulement être comprise comme une volonté esthétique de situer la nouveauté dans la tradition. C'est aussi une manière d'indiquer que Shakespeare – davantage que Wagner pour des raisons à la fois politiques et institutionnelles (l'Allemand a trop côtoyé la modernité depuis quarante ans) – est en dehors de l'histoire (la petite) exactement comme souhaiterait s'y placer le théâtre symboliste dans un drame aussi ophélien (à travers Mélisande), hamlétique (Pelléas) et othellien (Golaud) que celui de Maeterlinck. Il y a dans ce retour de Shakespeare une tentation fondatrice qui rejoint l'esthétisme de la pureté, de l'aristocratie et de la religion de l'art.

On notera aussi que cette littérature hamlétique fait se rejoindre, sur deux modes et deux tons tellement différents, le théâtre de Jarry et celui de Maeterlinck : Hamlet est comme Ubu un prince sans royaume, un héros sans héroïsme. La moralité légendaire que Laforgue tire de Shakespeare en 1887, « Hamlet ou les Suites de la piété filiale », est probablement le meilleur trait d'union entre les diverses œuvres que la tragédie a pu produire en cette fin de siècle, tantôt pour rire, tantôt pour sourire.

Reste Claudel, entre Jarry et Maeterlinck. Son drame *Tête d'Or*, édité en une première version en 1890, est remanié à plusieurs reprises jusqu'en 1897. S'il n'a pas eu le même succès que Jarry ou Maeterlinck, c'est non seulement parce que ces deux œuvres ont eu un puissant effet de frappe, mais aussi que Claudel, qui est de la génération suivante (né en 1868), n'en est qu'à ses débuts. Comme *Ubu roi* et comme *Pelléas, Tête d'Or* se déroule dans un vieil empire décadent où règne une atmosphère de mort et de désespoir. Ce n'est pas la « Pologne, c'est-à-dire Nulle-part » de Jarry, on est bel et bien dans un pays de princesses à la Maeterlinck, à ceci près que l'intensité dramatique est plus présente chez Claudel que chez les deux autres dramaturges. En effet, si Jarry et Maeterlinck délaient à leur façon – burlesque ou grave – toute l'intrigue, Claudel, lui, renoue avec le drame épique et héroïque, de même qu'avec *La Ville*, il réinstaure le drame philosophique. C'est que depuis Noël 1886, quelques mois après sa découverte fulgurante de Rimbaud, le dramaturge s'est converti et qu'il ne conçoit pas son art en dehors de la religion. Mais là n'est pas l'essentiel. Ce que la publication confidentielle de *Tête d'Or* signifie à l'époque, c'est très paradoxalement la possibilité d'un théâtre sans représentation. Claudel relance ainsi le vieux rêve d'un théâtre immatériel qui agite le XIXe siècle de Hugo à Mallarmé. Il n'est plus question d'écrire pour la scène – il concevra plus tard son *Soulier de satin* (1919-1924) comme un défi à toute représentation possible –, mais de se servir du support théâtral pour le seul plaisir du texte. Lorsque Maeterlinck reçoit la pièce en 1890, il est ébloui et écrit à Claudel qu'il ne connaît pas : « Il y a des moments [...] où vous dites un petit mot, suivi d'un tel torrent de petits mots miraculeux que vous m'apparaissez subitement le plus grand poète de la terre… » Hommage du jeune maître qui a tout de suite senti la possibilité théorique de ce théâtre purement mental que Claudel, davantage encore que Maeterlinck, a produit parallèlement à son œuvre lyrique. Ce que *Tête d'Or* inaugure, c'est donc, dans la logique d'avant-garde de l'époque, l'expérimentation d'un théâtre sans dramaturgie, exactement comme certains romanciers se sont attachés à fantasmer un roman sans romanesque sur le modèle de la poésie la plus résolument antiromantique qui s'est conçue, avec Rimbaud, Lautréamont, Mallarmé, Laforgue et Corbière, en l'absence de toute poésie. Avec ce texte, le répertoire théâtral se dote d'une œuvre idéale qui du même coup se présente comme totale construction de langage. Claudel, parallèlement à Jarry et à Maeterlinck, invente un langage théâtral, exactement comme les poètes post-parnassiens se sont inventés un langage autonome. Entendons par là tout ensemble une vision du monde et un code linguistique et rhétorique en totale infraction avec les modes de représentation et de figuration du réel.

Portraits

Georges Courteline (1858-1929)

Messieurs les ronds-de-cuir (1893) est sa pièce la plus célèbre, mais, semblablement à Labiche sous le second Empire, il a littéralement investi tout le théâtre comique des débuts de la Belle Époque, donnant à celui-ci une dramaturgie qui lui faisait défaut par la peinture à la fois gaie et désabusée de la petite-bourgeoisie. Il l'a croquée au gré d'une expérience personnelle dans des chroniques ou des récits et puis sur scène. Courteline rejoint ainsi les écrivains qui sortent le XIXᵉ siècle de son pessimisme crépusculaire au profit d'un regard amusé et cruel sur le monde tel qu'il est – Alphonse Allais, Jules Renard, ou encore le Tristan Bernard des *Pieds nickelés* (1895) sont de cette veine-là.

Fils d'un humoriste qui avait collaboré au grinçant *Charivari*, Georges Moinaux, *alias* Courteline, a reçu une solide éducation classique qui l'a dans un premier temps guidé sur les voies du pastiche et de la parodie, avec notamment une réécriture du *Misanthrope*, *La Conversion d'Alceste*, créée à la Comédie-Française en 1895. Militaire par accident de 1879 à 1880, il fait la chronique des *Gaietés de l'escadron* (1886) ou du *Cinquante et unième Chasseur* (1887) avant d'en faire une comédie (1895). De la même manière son poste de fonctionnaire au ministère du Culte lui sert d'observatoire des manies des ronds-de-cuirs qu'il rapportera dans sa pièce célèbre ainsi que dans plusieurs autres, *Monsieur Badin* notamment, en 1897. En 1906, *La Paix chez soi* entre au répertoire de la Comédie-Française, c'est la consécration de toute une carrière « heureuse » et rectiligne pour un auteur qui a su gérer son théâtre comme une entreprise (il sera élu à l'Académie Goncourt en 1926).

On pourrait croire que Courteline a simplement mis au goût du jour les lois de la comédie et du vaudeville, en les dépoussiérant de leurs strass impériaux. Ce serait faire peu de cas d'un dramaturge réellement novateur qui a su se joindre aux créateurs du temps dans le projet de réformer le théâtre. Car il ne faut pas oublier que Courteline est avant tout homme de lettres et non pas un simple scénariste. C'est au Théâtre-Libre d'Antoine qu'il crée ses premières pièces, *Lidoire* (1891), *Boubouroche* (1893), et, comme le metteur en scène, il est soucieux de faire de nouveaux spectacles : plus courts, plus incisifs (deux actes tout au plus), mettant en œuvre tous les dispositifs de la scène et le jeu des comédiens. Toute cette attention dramaturgique, il la met au service d'un réalisme qui convenait mieux à Antoine que les artifices peu convaincants et désormais obsolètes du théâtre naturaliste.

Alors que Labiche décrivait l'univers rangé du bourgeois bien assis, Courteline est forcé de décrire un univers moins stable, celui du petit-bourgeois. Moins stable, car si la petite-bourgeoisie est en pleine ascension sous la IIIe République, elle est fragile et en proie aux incertitudes du lendemain. Ce que le théâtre de Courteline croque, ce sont justement les tracas quotidiens des petits fonctionnaires qui ne rêvent que de tranquillité sociale. Ils sont prêts à accepter leur honnête médiocrité pour autant que celle-ci soit sans tourments, autant au plan matériel que sentimental et conjugal. C'est la femme qui, dans ce théâtre, représente la plus grande menace pour « la paix chez soi » : bête, dépensière, perfide, capricieuse, oisive et rêveuse, elle apparaît comme l'obstacle le plus redoutable à surmonter, étrangère en quelque sorte aux laborieux devoirs du mari. Il n'est pas rare alors de voir ce dernier démissionner de son rôle conjugal, plus lâche que réellement courageux (*La Peur des coups*, 1895).

En passant en revue les principales institutions de la société démocratique moderne – l'armée, la justice, la police, l'administration –, Courteline a fait œuvre de caricaturiste : en lieu et place d'une psychologie fouillée de personnages, ce sont des types qu'il a créés. De là son succès auprès d'un public peu cultivé et peu friand de complications, mais prêt à rire de ses travers. Le comique de Courteline a souvent été qualifié de « rosse ». C'est bien là l'adjectif qui convient le mieux à ce théâtre qui, sans être méchant et sans remettre en question la vision du monde de la classe moyenne, se donne comme divertissement à part entière. Ce qui fait le plus rire, dans cet art de la charge, c'est l'exceptionnelle imitation du parler petit-bourgeois dont Courteline, en grand connaisseur du français châtié, prend un malin plaisir à se moquer. Rien n'est épargné de la langue de tous les jours, ni les tours familiers, ni les expressions populaires les plus crues, ou les envolées absurdes de l'éloquence administrative ou juridique ; même les accents et les prononciations se voient sous sa plume tournés au ridicule. Toute la dramaturgie courtelinesque est fondée sur un maximum de proximité et de complicité avec le spectateur.

Bibliographie

• Édition :
Choix de pièces en 3 volumes, F. Pruner éd., Paris, Flammarion, coll. « GF », 1975.

• Étude :
P. Bornecque, *Le Théâtre de Georges Courteline*, Paris, Nizet, 1969.

* * *

Maurice Maeterlinck (1862-1949)

Avec Rodenbach et Verhaeren, ses aînés, Maeterlinck est une figure essentielle du symbolisme, tant en Belgique (le seul prix Nobel du royaume à ce jour) qu'en France. Deux de ses livres au moins auront contribué à l'essor des lettres françaises à la fin du siècle : *Pelléas et Mélisande* (1892) a apporté le théâtre qui manquait aux symbolistes ; quant à *Serres chaudes* (1889), recueil de vers et de prose, il sera l'une des dernières expressions d'une poésie mourante qui ouvrira la voie à la lyrique nouvelle, proche en cela d'un Paul Claudel.

Un Shakespeare belge

Né à Gand dans une famille aisée et francophone (toute la bourgeoisie flamande de l'époque parle le français), il fait ses humanités au collège Sainte-Barbe (où l'ont précédé Rodenbach et Verhaeren), en compagnie de l'auteur de *La Chanson d'Ève*, Charles van Lerberghe. Il décroche ensuite un diplôme de docteur en droit à l'université de Gand, puis devient stagiaire chez le célèbre avocat-critique, Edmond Picard – un des fondateurs de *L'Art moderne*. En 1889, après avoir collaboré à *La Jeune Belgique* – l'autre pôle de l'avant-garde littéraire belge des années 1880 –, il publie *Serres chaudes* et surtout *La Princesse Maleine* qu'Octave Mirbeau, dans *Le Figaro* du 24 août 1890, salue comme l'événement théâtral majeur de la fin du siècle : voilà Maeterlinck promu au rang de « Shakespeare belge ». C'est le coup d'envoi d'une carrière internationale que viendra couronner en 1892 *Pelléas et Mélisande*. Préparée par *L'Intruse* et *Les Aveugles*, jouées de manière confidentielle par le Théâtre d'Art de Paul Fort en 1890, l'esthétique de *Pelléas*, qui interroge les limites de la représentation théâtrale, sera prolongée par d'autres pièces « pour marionnettes », *Alladine et Palomides*, *Intérieur*, *La Mort de Tintagiles* (1894) – ces sept drames représentent la production symboliste de Maeterlinck.

Alors qu'il rencontre l'actrice française Georgette Leblanc, Maeterlinck poursuit son œuvre de dramaturge et de poète sur une voie qui peu à peu s'écarte du symbolisme : *Douze Chansons* (1896, qui deviendront *Quinze Chansons* en 1900) apportent à sa poésie des accents plus toniques et plus légers que les moiteurs déliquescentes et morbides de *Serres chaudes* ; au théâtre, *Aglavaine et Sélysette* et surtout *Le Trésor des humbles* renouent avec un spectacle de paroles et d'actions, plus accessible aussi, sans que soient dénaturées les obsessions permanentes du poète, l'inconnu, le mystère, la mort. Ces questions, Maeterlinck se les posera jusqu'à la fin des années 1930, en des œuvres variées : parallèlement au théâtre qu'il continue d'explorer –

L'Oiseau bleu (1908), pour ne citer qu'une seule pièce, relève d'une esthétique des tableaux, proche du *Soulier de satin* de Claudel –, il s'attelle à des ouvrages sur la nature qui sont autant d'interrogations cosmiques : *La Vie des abeilles* (1901), *L'Intelligence des fleurs* (1907), *La Vie des termites* (1926), etc.

Pelléas et Mélisande, « le » drame symboliste

Si *Pelléas* marque un tournant dans l'esthétique théâtrale de la fin du siècle, c'est à la fois en raison du texte de Maeterlinck, de sa mise en scène par Lugné-Poe et de sa fortune musicale.

Le texte tout d'abord (composé fin 1891-début 1892, publié chez Lacomblez, à Bruxelles, en 1892). De structure classique – cinq actes comme dans la tragédie –, *Pelléas* rompt complètement avec la vieille nécessité d'un théâtre d'action et de paroles. Maeterlinck symbolise à tous crins dans son drame non seulement ce qui s'y dit, mais ce qui s'y fait. De là une esthétique de la rareté qui extirpe le moindre mot, le moindre geste de sa gangue réelle pour en ouvrir les mystérieuses et insondables significations.

L'argument même de la pièce prête à cette pluralité infinie du sens. Égaré dans une forêt, au cours d'une chasse, le prince Golaud découvre une jeune fille qui s'est perdue, Mélisande. Il l'épouse et la ramène dans son château. Demi-frère de Golaud, l'hamlétique Pelléas s'éprend de la jeune fille. Soupçonnant les deux amants, Golaud tue son demi-frère, ce dont ne survivra pas Mélisande et à peine le prince. En fait, tous les personnages, mais aussi les lieux et les actions, se doublent d'une symbolique convergente : Golaud n'incarne pas platement une figure du jaloux, Pelléas n'a rien d'un séducteur et Mélisande est bien davantage qu'une créature ophélique descendue d'une toile préraphaélite. Tous ces personnages entrent en fait en résonance avec les lieux qu'ils occupent et qui les habitent : le château, la fontaine des aveugles, la forêt. Même les figurants, les servantes, participent de cette dramaturgie du symbole. Collaborateur de Maeterlinck, Camille Mauclair rapporte que celui-ci préférait « aux personnages de réalité anecdotique, le personnage de signification symbolique ». Tout est mis en place en sorte de donner à voir et à entendre un drame de la suggestion et non du sens : le langage lui-même se fait poésie, s'impose autant par ses silences que par le phrasé musical des rares échanges de paroles : « Je ne sais pas ce que je dis… Je ne sais pas ce que je sais… », murmure Mélisande au dernier acte, jetant ainsi le discrédit sur la certitude du langage.

La mise en scène ensuite. La première représentation, annoncée comme un manifeste de « mise en scène symboliste », eut lieu à Paris, aux Bouffes-Parisiens, le 17 mai 1893. Mise en scène par Lugné-Poe dans des décors de Vœgler et créée par le Théâtre de l'Œuvre, la pièce exigeait une dramaturgie aussi « symbolique » sinon davantage que le texte. Voici comment un critique, Robert Charvay, la décrit dans *L'Écho de Paris* du 17 mai 1893 :

> « Logiquement, les décors sont d'une simplicité grise et voulue ; ils encadrent les acteurs d'une teinte neutre et vaporeuse. Ce sont de lourds feuillages, aux grandes lignes ornementales, des salles de palais sans architecture précise. On dirait que l'habile artiste, Paul Vœgler, en les peignant s'est inspiré d'admirables camaïeux indécis et symboliques de Puvis de Chavannes. Pas d'accessoires, pas de meuble et surtout pas de prétendue exactitude dans la représentation scénique des objets inanimés. La rampe est supprimée ; les hommes et les femmes en scène sont éclairés d'en haut comme par des rayons de lune ; l'ensemble demeure dans l'ombre et le regard flotte, sur des entités de rêve. Les costumes s'harmonisent avec le reste des étoffes passées, comme lavées, sans effet criard, sans taches crues. Ils furent copiés sur des Memling du musée d'Anvers ou sur des décorations naïves des albums de Walter Crane. »

Simplicité, dépouillement, ombres, silhouettes, atmosphère de rêve : tout concourt à un théâtre synthétique et synesthésique qui repousse le réel, et dont le décor double la parole non pas pour la soutenir, mais pour lui ajouter du mystère. C'est pourquoi Lugné-Poe fit appel à ses amis peintres pour les dix-neuf tabeaux qui rythment les cinq actes : Vuillard, Maurice Denis, Sérusier…

Une telle révolution dans l'art du spectacle ne devait qu'attirer les musiciens. De 1898 à 1905, quatre compositeurs s'emparent du texte de Maeterlinck : Fauré crée une « suite » (1898), Debussy un opéra (1902), Schönberg un « poème symphonique » (1903), Sibelius en tire une « musique de scène ». Mais un autre phénomène peu observé témoigne de la popularité de l'œuvre, ce sont les pastiches qui la tournent joyeusement en dérision dès la fin du siècle, notamment dans des revues de fin d'année : ainsi cette *Pelle Jas et Mélie Cendre*, « drame tiré par les cheveux. Musique de Debue-scie », joué à Bruxelles en 1907.

BIBLIOGRAPHIE

• Éditions :
Œuvres, Bruxelles, Jacques Antoine, 1980 (*Serres chaudes, Quinze Chansons, Les Aveugles, L'Intruse*). – *Théâtre complet*, Genève, Slatkine, 1979 (comprend tout le théâtre symboliste, 1889-1901, sauf *Les Sept Princesses*). – *Pelléas et Mélisande* a fait l'objet de quelques éditions commentées en format de poche : « Le Livre de poche » chez Hachette et « Espace Nord » chez Labor, notamment.

• Études :
R. Brucher, *Maurice Maeterlinck, l'œuvre et son audience, essai de bibliographie 1883-1960*, Bruxelles, Palais des Académies, 1972. – J.-M. Andrieu,

Maeterlinck, Paris, Éditions universitaires, 1962. – R. BODART, *Maurice Maeterlinck*, Paris, Seghers, 1962. – P. GORCEIX, *Les Affinités allemandes dans l'œuvre de Maurice Maeterlinck,* Paris, PUF, 1975. – *Maurice Maeterlinck 1862-1962*, J. Hanse (dir.), Bruxelles, Renaissance du Livre, 1962. – M. DESCAMPS, *Maurice Maeterlinck, Pelléas et Mélisande*, Bruxelles, Labor, coll. « Un livre-Une œuvre », 1986. – *Annales de la Fondation Maurice Maeterlinck*, Gand, spécialement le n° XXIX « Pelléas et Mélisande », éd. par Ch. Angelet, 1994.

* * *

ALFRED JARRY (1873-1907)

Le plus atypique des écrivains de son époque, Alfred Jarry, appartient surtout au XXe siècle depuis qu'Apollinaire a célébré son humour anarchiste et potache et que les surréalistes ont vu en lui l'incarnation idéale de la fusion de l'art et de la vie – « Jarry, celui qui revolver », dira André Breton. Il se confond aussi avec le légendaire Ubu (qui a donné naissance à l'adjectif « ubuesque », attesté pour la première fois en 1922 dans un article du *Mercure de France*, qui signifie « cynique, couard et comiquement cruel »), au point que son œuvre à bien des égards scandaleuse a été pour une bonne part occultée.

Une vie de bâton de chaise

Né à Laval en 1873 dans un milieu petit-bourgeois aisé (son père est négociant et propriétaire, sa mère est la fille d'un juge breton), Jarry poursuit des études classiques à Saint-Brieuc puis à Rennes, où il a pour professeur de physique un certain M. Hébert, modèle du père Ubu. Il obtient le baccalauréat, mais sera refusé à plusieurs reprises au concours de l'École normale supérieure. C'est à Rennes qu'il compose ses premiers écrits : un poème, *La Seconde Vie ou Macaber*, une adaptation d'une pièce potachique intitulée *Les Polonais* (rédigée par plusieurs élèves au lycée vers 1885) qui est à l'origine d'*Ubu roi*, *Onésime ou les Tribulations de Priou*, première ébauche d'*Ubu cocu.*

En 1892, il monte à Paris et y découvre les milieux littéraires : il se lie d'amitié avec Léon-Paul Fargue, fréquente les mardis de Mallarmé, rencontre Rachilde, fonde avec Remy de Gourmont une revue, *L'Ymagier* (1894, sept numéros). En peu de temps, il brûle l'héritage de ses parents (morts successivement en 1893 et 1895) et doit s'en remettre à l'écriture alimentaire en collaborant aux principales revues (la *Revue blanche*, *Le Mercure de France*, notamment) – *Messaline* est la seule de ses œuvres qui lui rapporte quelque argent. Mais la précarité le guette constamment ; accablé par un alcoolisme profond, il est empêché de faire aboutir ses projets d'écriture et vivote dans l'entourage d'Alfred Valette et de Rachilde. Il mourra à trente-quatre ans d'une méningite tuberculeuse.

Une machinerie littéraire

De la poésie (un recueil), du roman (il en écrit sept), du théâtre, de l'opéra-bouffe, de l'essai philosophique, de la chronique, l'œuvre de Jarry touche à tous les genres sans se soumettre à aucun. Sans cohérence, ses écrits forment un immense bricolage qui vise à produire du sens, une « machine à décerveler » comme celle qui fait hurler les Palotins dans *Ubu roi*. Tant au théâtre qu'en poésie, Jarry sonne le glas de la littérature symboliste dont il met en excès tous les artifices.

Les poèmes et les proses des *Minutes de sable mémorial* (1894), bien qu'écrits dans l'atmosphère du symbolisme finissant, avec leur baroquisme et leur hermétisme, sont plus proches de Lautréamont que de Moréas. Ses romans, publiés entre 1897 et 1907, ne doivent rien ou presque aux modèles (naturaliste, psychologique) de l'époque : *Les Jours et les Nuits* (« *roman d'un déserteur* »), *L'Amour absolu, Messaline, Le Surmâle* (« *roman moderne* »), *La Papesse Jeanne, La Dragonne* et *L'Autre Alceste*, sont plus proches de la nouvelle ou du conte philosophiques, à la manière de Marcel Schwob, prennent prétexte d'un argument réaliste pour tramer une histoire qui mêle le rêve et la poésie à la satire sociale. Mais bien au-delà de la critique du burlesque, Jarry touche à l'innommable et aux sujets les plus tabous : le thème de la désertion dans *Les Jours et les Nuits*, de militaire qu'il est, devient peu à peu une métaphore du sujet aux prises avec son double ; dans *L'Amour absolu*, Emmanuel Dieu s'éprend de la Vierge, sa mère… Le héros du *Surmâle* cherche à battre des records érotiques et des records cyclistes… Surpuissants dans leur folie, les héros de Jarry réinventent le monde à leur mesure. Non seulement le monde, mais aussi le langage qui se voit mis à mal dans sa syntaxe et sa sémantique. La langue de Jarry transcende les genres qu'il emprunte sans aucun souci de s'y conformer : tantôt d'une grande rigueur formelle, tantôt interrompue par des borborygmes, elle introduit dans un verbe de haute tenue les mots les plus crus, sans parler des vocables qui n'appartiennent qu'à lui : « phynance », « bouffre », « tuder », etc. Avec Jarry, un ordre nouveau bouscule l'ancien, où se réactivent les grandes obsessions du poète-dramaturge-romancier : la mystique du sexe (« Ô comme tu es Dieu, Phalès ! », s'écrie Messaline), la scatologie comme allégorie de l'histoire et de son transit.

La bataille d'*Ubu roi*

En 1896, Jarry propose à Lugné-Poe, directeur du Théâtre de l'Œuvre, de mettre en scène *Ubu roi*, représenté pour la première fois en 1888 par la compagnie « Les Marionnettes ». Le 10 décembre de la même année, la représentation fait scandale non seulement parce qu'elle montre « tout le grotesque qu'il y eût au monde », mais parce que Jarry renverse de fond en comble le théâtre dans ses implications idéologiques, culturelles et sacrées.

Cette pièce n'aurait pu être qu'une farce du plus haut comique, à mi-chemin entre l'esprit potache des cafés-concerts et le théâtre à grand spectacle – d'un certain point de vue, Ubu, c'est Joseph Prudhomme et Monsieur Perrichon poussés jusqu'à l'absurde et le grotesque, une figuration de plus du bourgeois. Mais le rire de Jarry est jaune et son humour, noir. Toute la stratégie d'Ubu est de scandale : le premier mot qu'il prononce est « Merdre ! ». Antihéros à rebours des rois shakespeariens, il est pourtant pris comme eux dans une destinée qui fleurte avec l'histoire ; mais c'est dans la déchéance et le déshonneur qu'il progresse.

Le caractère polyphonique de l'œuvre apparaît déjà à l'énoncé de son argument. Nous sommes en Pologne, Ubu, ancien roi d'Aragon, est officier du roi Venceslas. Mère Ubu, sa femme, n'est cependant pas satisfaite de ce rang : elle aspire au trône et convainc son mari, séduit à l'idée « d'augmenter indéfiniment [s]es richesses », de « manger fort souvent des andouilles et rouler carrosse par les rues ». Avec le capitaine Bordure, Ubu monte une conspiration au cours d'un festin. Mais un messager du roi vient compromettre les plans : « Oh ! merdre, jarnicoton bleu, de par ma chandelle verte, je suis découvert, je vais être décapité ! Hélas ! Hélas ! » Il passe effectivement aux aveux, mais personne ne comprend rien à ses borborygmes et il se décide à « foutre le camp ». À l'acte II, retournement de situation : la famille royale est massacrée et père Ubu monte sur le trône. Son règne est autoritaire et anarchique : il prend l'argent là où il se trouve, chez les aristocrates qu'il « décervelle » dans la « trappe à nobles », chez les magistrats et les financiers – sans compter les impôts qu'il lève sur les mariages et les décès. Bordure entre-temps s'est fait l'allié du roi légitime et offre ses services à l'héritier du trône, Bougrelas. La guerre est déclarée : Ubu ne rêve que de sang et de massacres, tout en étant affolé par le moindre coup de feu. Défait, il se réfugie avec deux Palotins dans une caverne où le rejoindra son épouse ; ils regagneront ensemble par bateau leur pays natal, la France, où Ubu deviendra à Paris « Maître des Phynances ». Le drame s'achève par cette lapalissade : « S'il n'y avait pas de Pologne, il n'y aurait pas de Polonais ! »

Ubu roi fut prolongé par deux pièces qui forment un cycle : *Ubu enchaîné* (publié dans la *Revue blanche* en 1900, mais représenté seulement en 1937) où l'on voit le père Ubu accepter de devenir esclave, et réussir si bien dans ce nouveau statut qu'il convertira des hommes libres et qu'il en tirera une nouvelle puissance, et *Ubu cocu*, publié après la mort de Jarry.

Chaque acte, chaque réplique presque d'*Ubu roi* est susceptible d'une interprétation qui réfère à l'exégèse héraldique en même temps qu'à une symbolisation qui superpose le sexuel, le digestif et l'oralité dans une vaste et impitoyable allégorie du monde moderne. Dans les « Paralipomènes d'Ubu », publiés dans la *Revue blanche* l'année même de la création d'*Ubu roi*, Jarry donne une explication fantaisiste de son drame : « Ce n'est pas exactement Monsieur Thiers, ni le bourgeois, ni le mufle : ce serait plutôt l'anarchiste parfait, avec ceci qui empêche que nous devenions jamais l'anarchiste parfait, que c'est un homme, d'où couardise, saleté, laideur, etc. » En ces dernières années du siècle, marquées par des attentats à la bombe, le propos d'Ubu avait de quoi terrifier le bourgeois républicain ; mais anarchiste, l'œuvre l'est bien plus radicalement encore dans l'espèce de table rase qu'elle a imposée à la dramaturgie moderne. Sur un ton résolument différent, Jarry rejoint ainsi Maeterlinck et le premier Claudel en fondant le théâtre du XXe siècle.

Bibliographie

• Éditions :
Œuvres complètes, t. I, M. Arrivé éd., 1972, t. II et III, H. Bordillon éd., Paris, Gallimard, coll. « Bibliothèque de la Pléiade ».

• Études :
Rachilde, *Alfred Jarry ou le Surmâle des lettres*, Paris, Grasset, 1928. – J.-H. Lévesque, *Alfred Jarry*, Paris, Seghers, 1951. – M. Arrivé, *Les Langages d'Alfred Jarry*, Paris, Klincksieck, 1972 ; *Lire Jarry*, Bruxelles, Complexe, 1976. – F. Caradec, *À la recherche d'Alfred Jarry*, Paris, Seghers, 1973. – H. Béhar, *Jarry, le Monstre et la Marionnette*, Paris, Larousse, 1973. – N. Arnaud, *Alfred Jarry, d'Ubu roi au docteur Faustroll*, Paris, La Table Ronde, 1974.

• Revues spécialisées :
Publications du Collège de Pataphysique : *Cahiers du Collège de Pataphysique* (1950-1959), suivis de *Dossiers acénonètes* et de *Subsidia pataphysica*. – *L'Étoile-Absinthe*, bulletin de la Société des amis d'Alfred Jarry, Paris. – Numéro spécial de la revue *Europe*, nos 623-624, mars-avril 1981.

* * *

Edmond Rostand (1868-1918)

Pour se représenter l'étrangeté que constitue, dans notre tradition littéraire, le cas Edmond Rostand, il faut imaginer un Musset neurasthénique jouissant de la gloire bruyante d'un Béranger. Car Rostand n'était destiné ni à séduire le grand public ni à être séduit par lui. À la croisée du romantisme, du Parnasse et du symbolisme, il fut avant tout poète, et ce fut ce connaisseur (non pas révolutionnaire, mais averti) des expérimentations esthétiques de son temps qui donna au théâtre moderne le grand succès qu'il attendait depuis si longtemps, *Cyrano de Bergerac*, en décembre 1897. Et, depuis, cette pièce demeure dans notre mémoire collective, insituable et dérangeante. Comme dans un resplendissant second plan, elle continue à hanter le souvenir des lecteurs et, surtout, des spectateurs, témoignant nostalgiquement d'un temps où le théâtre brillait d'un éclat disparu.

Il ne suffit donc pas, loin s'en faut, d'évoquer les circonstances idéologiques qui ont, il est vrai, permis de faire du succès théâtral un véritable événement historique : l'humiliation de la défaite de 1870 qui fait désirer toutes les formes de revanche (*Cyrano de Bergerac*), la permanence du mythe napoléonien (*L'Aiglon*), l'exaltation du panache (*Chantecler*). Non : l'entreprise de Rostand eut une vraie grandeur, mais une grandeur sans lendemain ni descendance, peut-être simplement parce qu'elle nous apparaît comme un magnifique adieu à l'alexandrin dramatique.

Une mélancolique « fin de siècle »

Edmond Rostand fut, dans la vie, aux antipodes d'un Cyrano, à commencer par le physique, dont il soignait l'élégance alanguie et distinguée. Né dans la bourgeoisie marseillaise, il vint terminer ses études à Paris, y fit des vers, fréquenta les Parnassiens, connut ses premiers succès d'estime dans les cercles littéraires et épousa, à vingt-deux ans, la poétesse Rosemonde Gérard. Ses premières pièces en vers lui assurèrent une notoriété enviable. Lui, cependant, traînait une inextinguible neurasthénie.

Or, le triomphe – immédiat, énorme, universel –, il l'obtint le 27 décembre 1897, à la générale de *Cyrano de Bergerac*, dont le rôle-titre est tenu par le très populaire Coquelin l'aîné. Les honneurs plurent et firent de Rostand une sorte de poète officiel – mais, notons-le, dreyfusiste. Comment résister à une telle pression ? *L'Aiglon*, créé en 1900 par Sarah Bernhardt, prolongeait l'effet *Cyrano*. Mais ce fut dix ans plus tard que Rostand, réfugié dans sa fastueuse propriété pyrénéenne, donnait une nouvelle pièce, *Chantecler*. Drôle, belle et triste allégorie, où un coq de basse-cour, immensément fier de faire se lever le jour (du moins le croit-il), découvre finalement que l'aurore n'a pas besoin de lui ; il se remet néanmoins à chanter, plus modestement mais aussi bien qu'avant, puisque c'est sa fonction ici-bas. Prévisible, l'incompréhension du public blessa le poète, qui ne donna plus aucune pièce à la scène mais continua à jouir, jusqu'à sa mort en 1918, de sa gloire intacte, qu'il mit pendant la Grande Guerre au service de la propagande patriotique.

Fantaisie et poésie

Pourtant, Rostand a sans doute souffert de devoir figurer le poète français par excellence. Car sa première qualité fut celle dont on sait le moins gré aux écrivains, la fantaisie : non la fantaisie du bateleur, mais celle – onirique, fantastique, insolente et imaginative – du romantisme de 1830 ; une fantaisie où le bonheur d'inventer ou de versifier est reversé au bénéfice d'une sorte d'exultation artistique. La veine mélodramatique, si visible et si efficace dans *Cyrano* et *L'Aiglon*, est elle-même magnifiée par l'intention parodique qui la poétise.

Car, avec Rostand, le vieil alexandrin ne sert plus seulement le spectacle théâtral, comme dans la dramaturgie classique ; au contraire, c'est le vers lui-même qui se donne en spectacle, qui déploie ses charmes, parfois un peu voyants et faciles, pour dire le rêve qui l'habite. Or, toute la poésie en devenir, Mallarmé en tête, achevait de se rétracter, de dissimuler dans ses plis obscurs son secret à jamais indicible. Rostand, lui, fut l'un des derniers à croire en l'énergie centrifuge du vers syllabique, en sa capacité à offrir à l'oreille ses formes plastiques, sans perdre de sa vérité ni s'arc-bouter sur la figure héroïque du poète – comme Hugo ou Péguy – : on a admiré, on admire encore l'ambition et le tour de force poétique, sans être toujours convaincu.

Bibliographie

• Éditions :
L'Aiglon, P. Besnier éd., Paris, Gallimard, coll. « Folio », 1986. – *Cyrano de Bergerac*, P. Besnier éd., Paris, Gallimard, 1983.

• Ouvrages de synthèse :
J. W. Grieve, *L'Œuvre dramatique d'Edmond Rostand*, Paris, Les Œuvres représentatives, 1931. – E. Ripert, *Edmond Rostand, sa vie, son œuvre*, Paris, Hachette, 1968.

Conclusion : D'un siècle à l'autre

Une impossible littérature républicaine

Le XIXe siècle s'est cherché une littérature digne de la Révolution qui l'a engendré. Des romantiques aux symbolistes, de Mme de Staël à Mallarmé, on s'est efforcé d'accoucher d'une littérature en totale rupture avec l'Ancien Régime et suffisamment autonome pour trouver sa place dans les institutions politiques modernes. *De la littérature* de Germaine de Staël et le projet mallarméen du Livre balisent ainsi le siècle en le dotant de deux définitions contradictoires ou du moins opposées de ce que devraient être la fonction de l'écrivain et le sens de son œuvre dans la société.

Le vœu romantique d'une littérature républicaine totalement au service de l'État politique s'est ainsi retourné en une conception de plus en plus restrictive du littéraire dans ses rapports aux institutions sociales. Parce que l'art révolutionnaire issu des Lumières était la négation implicite des créations de l'imagination, l'écrivain a fini par abandonner sa mission de pédagogue de la Liberté et du Progrès et de porte-parole du peuple pour s'assumer en tant qu'« adorateur du beau », selon le mot de Mallarmé qui ne craint pas d'ajouter : « du beau inaccessible au vulgaire ». D'ailleurs, la laïcisation de la France du XIXe siècle, qui conduit à reporter sur le poète ou le penseur l'élan religieux et le désir de sacré, achève de détourner la littérature de l'idéal philosophique dont Mme de Staël s'était faite le héraut.

Somme toute, l'écrivain a refusé la Révolution, parce qu'elle sonnait la fin même de son art et le glas de sa liberté. Même si une littérature sociale parcourt le siècle, de Sand à Zola et de Sue à Vallès, même si un Lamartine puis un Hugo ont incarné une possible articulation entre l'écrivain et la société en se posant en mages et mentors, leurs œuvres – et d'autres plus directement engagées dans le temps – n'ont fait que renforcer la nécessité d'une aristocratie de l'art dont la littérature et prioritairement la poésie restent l'expression quintessenciée et ultime.

Parallèlement à une littérature « révolutionnée » qui aurait assumé le séisme de 1789 s'est alors développée une réaction qui a engendré ce que le XXe siècle, soucieux d'en recueillir et d'en faire fructifier l'héritage, considérera paradoxalement comme la littérature révolutionnaire par excellence. Flaubert et Baudelaire, dans les années 1850, marqueront une coupure nette dans la conception utilitariste ou « idéologue » (au sens des Lumières) de la littérature qui a fait débat au cours de la première moitié du siècle. Flaubert pour le roman, Baudelaire pour la poésie (mais à leurs yeux ces distinctions génériques vacillent déjà tant ils œuvrent pour une absorption de l'un dans l'autre) ne croient plus à quelque valeur que ce soit, pas même peut-être au Beau, qu'ils invoquent sur un ton d'indéfinissable ironie. Ils incarneront pourtant, au-delà de ce qui est communément désigné comme tel, la mouvance de l'art pour l'art, garde-fou de toutes les menaces modernes qui pèsent sur la pratique de l'écrivain, du journal à quatre sous à la publicité.

C'est pour cela que Flaubert et Baudelaire ont scandalisé : ils ont non seulement fait « outrage à la religion et aux bonnes mœurs » de l'époque, mais aussi à la littérature romantique, qu'ils ont privée de son éloquence naturelle et de ses certitudes métaphysiques ou citoyennes. S'il est courant de dire qu'avec eux est né l'écrivain moderne, c'est finalement que leur entreprise littéraire s'est faite à rebours de l'évolution sociale et de l'histoire. Les frères Goncourt, les symbolistes, les décadents, tous les littérateurs qui se sont placés sous le signe d'une « écriture-artiste » ont inlassablement revendiqué cette fracture littéraire-là, indépendamment du label que le double scandale baudelairien et flaubertien a suscité par effet d'émulation. Même un Zola, qu'on croirait dans la continuité d'une littérature républicaine telle que l'entendaient les romantiques, a bénéficié dans l'exercice de son art de cette coupure : il est probablement le seul à la fin du siècle à avoir harmonieusement articulé un projet littéraire qualifié de « naturel et social » (*Les Rougon-Macquart*) qui ne fût en rupture ni avec la volonté balzacienne de refaire *La Comédie humaine* ni avec les avancées de l'art pour l'art.

La littérature dans la République

Au royaume imaginaire des Lettres, Zola symbolise en effet, dans les années 1880, un état de la littérature diamétralement opposé à ce qu'il était à l'aube du siècle. Avec Mallarmé, il succède à Flaubert et à Baudelaire, témoignant d'une autre secousse d'envergure, qui a disqualifié le romantisme de 1820 : la répression de la Commune qui, loin d'être la simple répétition des journées de juin 1848, coupe le siècle en cassant définitivement le romantisme – ainsi que le crieront Rimbaud et Lautréamont. Pendant plusieurs années, 1870 barre toute velléité d'une littérature républicaine et consomme le divorce entre l'écrivain et la société.

Mais les ruptures n'adviennent jamais seules et préparent toujours à de futures recompositions. L'après-1870 marque aussi l'installation de l'État républicain, parlementaire et démocrate, avec lequel les gens de lettres, d'abord réticents et sceptiques, vont apprendre à pactiser. C'est qu'en soixante ans la littérature s'est *organisée*, comme s'il lui avait fallu se réinventer au lendemain de la Révolution – ce qui, d'une certaine manière, fut le cas, du moins dans la conscience des écrivains romantiques. En d'autres termes, la littérature s'est peu à peu dotée d'une *organicité* (une conception, un langage, des œuvres, un discours et un métadiscours), d'une *organisation* et d'un *organisme* qui vont des institutions d'Ancien Régime (Académie et salons) aux nouveaux lieux où elle se fait (cénacles, cafés, presse, revues, maisons d'édition, enseignement) et qui l'ont transformée en une pratique sociale autonome, indépendante et de plus en plus professionnelle. Une corporation, pourrait-on dire, mais avec cette différence capitale que le métier d'écrivain ne peut se vivre que solitairement, dans l'affrontement et la concurrence des pairs.

Bien sûr, cette littérature organique qui apparaît dans le dernier tiers du siècle se structure aussi de l'intérieur : moins étanche qu'il n'y paraît, ménageant toutes les passerelles possibles, elle renforce son unité par un principe dynamique de spécialisation et de réorientation des carrières et des œuvres, des catégories esthétiques et des valeurs qui leur sont associées. Que les écrivains le veuillent on non, on est en plein marché, avec ses règles et ses stratégies d'autant plus puissantes qu'elles restent imprescriptibles et s'apprennent sur le tas. Les antagonismes classiques entre les genres se sont transformés en une opposition transgénérique entre les tenants d'un art pur à destination des pairs et ceux d'un art moyen asservi aux attentes du grand public.

L'effet de cette dualité est de faire coexister plus ou moins harmonieusement deux pratiques de la culture distinctes (et socialement distinctives) : l'une est lettrée, l'autre de loisir – cette dernière trouvera d'ailleurs à se diversifier avec l'apparition du cinéma. La tradition de l'histoire et de l'enseignement littéraires veut qu'un Zola s'oppose en tous points à un Mallarmé, ou que le symbolisme soit le rejet absolu du Parnasse. En réalité, les refus ne sont jamais aussi tranchés, parce qu'ils sont vécus par les écrivains sur un double registre : d'un côté ils mènent leur propre projet, plus ou moins proche de ce qui est en vogue, mais soutenu par un impératif d'originalité à tout prix ; de l'autre, ils consomment ce qui se produit en littérature comme ailleurs : du divertissement (spectacle, vaudeville, cirque, music-hall…).

Apparaissent ainsi, dans le dernier tiers du siècle, une conscience et une pratique nouvelles de la littérature qui associent dans un même rite de consommation culturelle des genres et des valeurs naguère inconciliables. D'ailleurs, le dédoublement de la littérature entre élite et grand public est en grande partie un leurre, dont les écrivains sont à la fois complices et victimes. Il est vrai que la littérature est un marché, dont les poètes symbolistes occupent assurément un secteur restreint et marginal. Mais un Mallarmé peut opposer ses exigences d'artiste aux contraintes de la librairie parce que, même incompris du public des journaux, il en obtient une forme d'assentiment : il n'est plus poète « maudit », mais d'« avant-garde » ; il sait – ou croit savoir – que le temps joue désormais en faveur de l'invention littéraire.

En effet, l'État (devenu républicain) s'est enfin rapproché des écrivains. Au terme des réformes successives de l'Instruction publique qui marquent la fin du XIXe siècle et les premières années du suivant, l'enseignement intemporel des Humanités antiques a fait place à la littérature française, à son histoire et à son examen sous la forme, alors nouvelle, de la dissertation. Selon un cliché d'époque, le bourgeois louis-philippard lisait le journal abhorré des romantiques et se moquait des poètes. Au contraire, c'est désormais toute une nation, de la jeunesse dorée du lycée Condorcet jusqu'aux enfants populaires des écoles communales, en phase d'ascension sociale, qui est élevée dans le culte admiratif ou dans l'amour plus familier de sa littérature – d'une littérature apaisée, acclimatée à la société qui lui fait accueil ; alors que la France, après le désastre de 1870, doit reconstituer ses forces matérielles et idéologiques, un mythe nouveau est en train de naître : celui du grand écrivain français, dont, en 1885, l'entrée de Victor Hugo au Panthéon, redevenu pour l'occasion le temple laïque des grands hommes, constitue l'acte de baptême.

L'héritage ambigu du XIXe siècle

L'émergence de ce consensus favorise le développement sans précédent de toute une littérature de recherche, qui s'accorde d'abord sur l'abandon des cloisonnements textuels. Si l'on continue à pratiquer le roman, la poésie et le théâtre, c'est dans une perspective résolument transgressive et dans le projet d'œuvrer pour une littérature totale.

Toute la littérature de pointe des dernières années du siècle est hantée par le désir de se refondre intégralement. En un genre qui subsumerait les catégories traditionnelles – ce qui reste toujours illusoire, notamment en raison d'un savoir et d'un enseignement littéraires qui multiplient les classements –, mais surtout en une pratique du signe qui touche aux fondements mêmes du langage. Ce qu'apportent à l'institution littéraire de manière brutale les grands inventeurs de la fin de siècle, c'est une langue, ou plutôt le droit de s'en inventer une. Une langue certes lisible dans le cercle restreint des initiés, mais qui se présente comme une monnaie d'échange à tous ceux qui entrent dans la religion de l'art. Une langue qui, très paradoxalement, se prive le plus souvent de toute intention de communiquer pour se replier dans un processus de création illimité. Une langue, d'un mot, qui devient le lieu de tous les possibles.

C'est ainsi que cette alchimie du verbe fournit à la littérature un statut (et le pouvoir qui en découle) qui la place en dehors de l'Histoire. Le fantasme de la quintessence littéraire, le refus du déterminisme et de l'instrumentation langagière, la conscience du jeu et de la vanité de ses enjeux, tous ces idéaux qui travaillent les écritures sont portés par la nécessité aristocratique et fondatrice d'ouvrir la brèche en séparant la littérature (la vraie) de ses restes, comme on sépare le bon grain de l'ivraie.

Mais l'Histoire, oubliée de cette production de cette fin de siècle, lui a rendu la monnaie de sa pièce. Alors que bien des innovations formelles à venir, du surréalisme au « Nouveau Roman », ont pris racine dans l'extraordinaire effervescence créatrice du symbolisme ou de ses parages, l'histoire littéraire, telle qu'elle a constitué sa vulgate au XXe siècle, lui en sait peu de gré et préfère suggérer des filiations plus héroïques – Nerval, Flaubert, Baudelaire, Rimbaud, tous auteurs qui avaient encore eu l'énergie et l'obligation de défier leur temps.

De fait, après l'Affaire Dreyfus qui a rappelé les consciences à l'ordre du présent, d'autres menaces ont pointé à l'horizon, tandis que reprenaient vigueur des aspirations plus anciennes (le progrès, la paix, l'éducation des peuples et des esprits…), portées par des forces politiques nouvelles. De nouvelles générations d'écrivains, de Péguy à Aragon, de Claudel à Jules Romains, étaient impatientes de réclamer à nouveau le droit romantique à la parole. Même Proust, si lié à la société raffinée et oisive de la Belle Époque, allait magnifiquement rappeler avec *À la recherche du temps perdu* que les grandes œuvres naissent toujours d'une exigence de l'esprit philosophique.

Après la guerre 1914-1918 qui devait enseigner, par une effroyable et interminable tuerie, que la vieille Europe pouvait engendrer la barbarie, le surréalisme annula de son rire dévastateur les élégances littéraires de naguère et revint aux plus folles extravagances des écrivains frénétiques de 1830, dont il se réclama en effet.

L'utopie romantique semblait triompher et connaître même un début de réalisation. On a pu le croire et cette espérance assura, somme toute, le prestige international de la grande littérature française, jusqu'aux confins de l'époque contemporaine. Mais on ne saurait refaire l'histoire, ni faire comme si elle n'avait pas eu lieu. La littérature était devenue, à force de volonté collective, le centre respecté des bibliothèques familiales ou scolaires, et l'ambition respectable de bons lecteurs de livres, en un siècle où la multiplication des loisirs et le développement indéfini de la technologie électronique offrent des émotions autrement puissantes que l'austère consommation de l'imprimé, noir sur blanc. Bientôt viendrait le temps des nostalgies, des maisons d'écrivains, des musées d'archives, des recueils de manuscrits, vestiges d'un XIXe siècle chargé de figurer à jamais le paradis perdu de la littérature.

L'écrivain, lui, n'y peut rien ; et, sans plus invoquer la singularité absolue d'inventeur de formes et de faiseur d'Histoire dont un Victor Hugo tirait tout son orgueil et qui, d'une certaine manière, lui donnait tous les droits, il lui reste, indéfiniment, à feindre d'improviser une pièce dont le texte est à l'avance connu du spectateur.

Chronologie générale

	Histoire générale	Histoire culturelle	Histoire du roman
1799	9 novembre : coup d'État du 18 brumaire, qui permet à Bonaparte d'accéder au Consulat.	David, *L'Enlèvement des sabines.* Goya*, Les Caprices* (eaux-fortes).	Hölderlin, *Hyperion.*
1800		Paganini, *Vingt-Quatre Caprices pour violon.* Girodet, *Le Songe d'Ossian.*	Sade, *Les Crimes de l'amour.*
1801	Signature du Concordat avec le pape Pie VII.	Haydn, *Les Saisons.* Beethoven, *Sonate au clair de lune.*	Chateaubriand, *Atala.*
1802	Paix d'Amiens avec l'Angleterre, qui, instaure un répit au milieu des incessantes guerres impériales. Réorganisation de l'enseignement secondaire et création du Lycée. Bonaparte, consul à vie.	Gérard, *Madame Récamier.*	Chateaubriand, *René.* Mme de Staël, *Delphine.*
1803		Beethoven, *Sonate à Kreutzer.*	
1804	21 mars : exécution du duc d'Enghien, qui révolte la noblesse royaliste. Promulgation du code civil. Établissement de l'Empire et couronnement de Napoléon.	Gros, *Les Pestiférés de Jaffa.* Ingres, *Portrait de Napoléon.*	Senancour, *Oberman.*
1805	Désastre naval de Trafalguar et victoire terrestre d'Austerlitz.		
1806	Création de l'Université impériale.	David, *Le Sacre de Napoléon.*	

	Histoire poétique	Histoire théâtrale	Histoire littéraire
1799			
1800	Novalis, *Hymnes à la nuit.*	Pixerécourt, *Cœlina ou l'Enfant du mystère* (mélodrame). Lemercier, *Pinto* (comédie). Schiller, *Wallenstein.*	Mme de Staël, *De la littérature.* Schelling, *Système de l'idéalisme transcendantal.*
1801		Pixerécourt, *L'Homme à trois visages ou le Proscrit* (mélodrame).	Bichat, *Anatomie générale.*
1802		Caigniez, *Le Jugement de Salomon* (mélodrame).	Chateaubriand, *Le Génie du christianisme.* Cabanis, *Rapports du physique et du moral.* Bonald, *De la législation primitive.* Maine de Biran, *Influence de l'habitude.*
1803		Pixerécourt, *Les Mines de Pologne* (mélodrame).	
1804	Legouvé, *Le Mérite des femmes.*	Schiller, *Guillaume Tell.*	Fourier, *Les Harmonies universelles.*
1805		Raynouard, *les Templiers* (tragédie).	Schlegel, *Considérations sur la civilisation.*
1806	Delille, *L'Imagination.*	Legouvé, *la Mort de Henri IV* (tragédie).	

	Histoire générale	Histoire culturelle	Histoire du roman
1807		Gros, *La Bataille d'Eylau.*	Mme de Staël, *Corinne.*
1808	Création de la noblesse d'Empire.	Girodet, *Atala porté au tombeau.* Friedrich, *Lumière du matin.* Turner, *Soleil levant devant la brume.*	
1809	Pie VII excommunie Napoléon, qui l'a fait enlever.		Chateaubriand, *Les Martyrs.* Goethe, *Les Affinités électives.*
1810	Rétablissement de la censure, réorganisation de la librairie et de l'imprimerie. Promulgation du code pénal.	Goya, *Les Désastres de la guerre* (eaux-fortes ; série poursuivie jusqu'en 1818).	
1811			
1812	Campagne de Russie et débâcle de la Bérézina.	Beethoven, *Septième* et *Huitième Symphonies.*	
1813	Défaite de Leipzig.		
1814	6 avril : abdication de Napoléon. Retour de Louis XVIII, qui « octroie », le 4 juin, une Charte constitutionnelle. Ouverture du Congrès de Vienne qui, jusqu'en juin 1815, se consacre au remodelage des frontières européennes.	Géricault, *Le Cuirassé blessé.* Ingres, *La Grande Odalisque.* Goya, *El Dos de mayo.*	Scott, *Waverley.* Chamisso, *L'Histoire merveilleuse de Peter Schlemihl.*

	Histoire poétique	Histoire théâtrale	Histoire littéraire
1807			Hegel, *Phénoménologie de l'esprit.*
1808	Delille, *Les Trois Règnes de la nature.*		
1809		Désaugiers, *Le Départ pour Saint-Malo* (vaudeville, premier de la série des Dumollet). Lemercier, *Christophe Colomb* (comédie).	Lamarck, *Philosophie zoologique.*
1810	Scott, *La Dame du lac.*	Pixerécourt, *Les Ruines de Babylone* (mélodrame). Étienne, *Les Deux Gendres* (comédie). Kleist, *Le Prince de Hombourg.*	Mme de Staël, *De l'Allemagne.*
1811	Millevoye, *Élégies.*		Chateaubriand, *Itinéraire de Paris à Jérusalem.*
1812	Byron, *Childe Harold* (1812-1815). Lemercier, *Théogonie newtonienne.*		Cuvier, *Recherches sur les ossements fossiles.*
1813			
1814			Chateaubriand, *De Buonaparte et des Bourbons.* Constant, *De l'esprit de conquête et de l'usurpation.*

	Histoire générale	**Histoire culturelle**	**Histoire du roman**
1815	1er mars : retour de Napoléon de l'île d'Elbe. 18 juin : défaite de Waterloo. juillet : retour de Louis XVIII.	Canova, *Les Trois Grâces.*	
1816		Rossini, *Le Barbier de Séville.*	Constant, *Adolphe.*
1818	Fin de l'occupation du territoire français par les troupes alliées.		Nodier, *Jean Sbogar.*
1819	Libéralisation du régime légal de la presse.	Géricault, *Le Radeau de la Méduse.*	Scott, *Ivanhoé, La Fiancée de Lammermoor.*
1820			
1821	Février : assassinat du duc de Berry, qui provoque un durcissement du pouvoir. 5 mai : mort de Napoléon, sur l'île anglaise Sainte-Hélène.	Pradier, *Les Trois Grâces.* Friedrich, *Le Naufrage de l'Espoir dans les glaces.*	Nodier, *Smarra.*
1822	Proclamation de l'indépendance grecque, suivie d'une très dure répression turque.	Delacroix, *La Barque de Dante.* Mickiewicz, *Ballades et Romances.* Beethoven, *Missa solemnis.* Schubert, *Symphonie inachevée.* Mendelssohn, *Concerto pour violon.*	Nodier, *Trilby.*

	Histoire poétique	Histoire théâtrale	Histoire littéraire
1815		Caigniez, *La Pie voleuse ou la Servante de Palaiseau* (mélodrame).	
1816			
1817	Keats, *Poèmes.*		Lamennais, *Essai sur l'indifférence en matière de religion* (1817-1829).
1818			Geoffroy Saint-Hilaire, *Philosophie anatomique.* Ballanche, *Essai sur les institutions sociales.* Mme de Staël, *Considérations sur la Révolution française.*
1819	Publication des poèmes de Chénier par Latouche. Byron, *Don Juan.* Marceline Desbordes-Valmore, *Poésies.*	Delavigne, *Les Vêpres siciliennes* (tragédie). Ancelot, *Louis IX* (tragédie).	J. de Maistre, *Du Pape.* Schopenhauer, *Le Monde comme volonté et comme représentation.*
1820	Lamartine, *Méditations poétiques.*	Ducange, *Valentine ou le Pasteur d'Uzès* (mélodrame). Lebrun, *Marie Stuart* (tragédie).	Ballanche, *L'Homme sans nom.*
1821	Heine, *Poèmes.* Béranger, *Chansons.*		Saint-Simon, *Le Système industriel.* J. de Maistre, *Les Soirées de Saint-Pétersbourg.* Quincey, *Confessions d'un mangeur d'opium.*
1822	Hugo, *Odes.* Vigny, *Poèmes.*	Soumet, *Clytemnestre, Saül (*tragédies).	Stendhal, *De l'amour.*

	Histoire générale	Histoire culturelle	Histoire du roman
1823	Intervention militaire de la France en Espagne, à l'initiative de Chateaubriand.		Hugo, *Han d'Islande.* Scott, *Quentin Durward.*
1824	Mort de Louis XVIII, auquel succède son frère Charles X.	Delacroix, *Les Massacres de Scio.* Schubert, *La Jeune Fille et la Mort.*	
1825	Vote du « milliard des émigrés ». Sacre de Charles X à Reims. Lois répressives sur le sacrilège. Manifestation contestataire à l'enterrement du général Foy.		Hugo, *Bug Jargal.*
1826		Corot, *Le Colisée vu des jardins Farnèse.* Mendelssohn, *Le Songe d'une nuit d'été.*	Chateaubriand, *Les Natchez*, *Les Aventures du dernier Abencerage.* Vigny, *Cinq-Mars.* Cooper, *Le Dernier des Mohicans.*
1827	Manifestation contestataire à l'enterrement du député Manuel.	Delacroix, *La Mort de Sardanapale.* Rossini, *Moïse* (créé à Paris).	Stendhal, *Armance.* Manzoni, *Les Fiancés.*
1828	Inauguration de la première ligne de chemin de fer en France (Saint-Étienne-Andrézieux), pour le transport du minerai.		

	Histoire poétique	Histoire théâtrale	Histoire littéraire
1823	Lamartine, *Nouvelles Méditations poétiques.*	Création par Frédérick Lemaître de *L'Auberge des Adrets* (mélodrame).	Las Cases, *Mémorial de Sainte-Hélène.* Stendhal, *Racine et Shakespeare* (1823-1825). Saint-Simon, *Catéchisme des industriels.* Thiers, *Histoire de la Révolution française* (1823-1827).
1824			Courier, *Le Pamphlet des pamphlets.* Auguste Comte, *Système de philosophie positive.*
1825		Mérimée, *Théâtre de Clara Gazul* (comédies). Soumet, *Jeanne d'Arc* (tragédie).	Augustin Thierry, *Histoire de la conquête de l'Angleterre par les Normands.*
1826	Vigny, *Poèmes antiques et modernes.*		
1827		Anicet-Bourgeois, *La Fille du portier.* Ducange, *Trente Ans ou la Vie d'un joueur* (mélodrame). Hugo, *Cromwell* (drame).	Chateaubriand, *Voyage en Amérique.*
1828	Hugo, *Odes et Ballades.* Émile Deschamps, *Études françaises et étrangères.*	Mérimée, *La Jaquerie* (« scènes historiques »), *La Famille de Carjaval* (drame parodique).	Sainte-Beuve, *Tableau historique et critique de la poésie française et du théâtre français au XVI*e *siècle.* Vidocq, *Mémoires.*

	Histoire générale	Histoire culturelle	Histoire du roman
1829		Rossini, *Guillaume Tell* (créé à Paris).	Mérimée, *Chronique du règne de Charles IX.* Balzac, *Le Dernier Chouan* (*Les Chouans*). Goethe, *Les Années de voyage de Wilhem Meister.*
1830	27-29 juillet : journées insurrectionnelles des « Trois Glorieuses », qui entraînent la chute de Charles X. Avènement de Louis-Philippe, « roi des Français », malgré l'opposition républicaine.	Berlioz, *La Symphonie fantastique.*	Nodier, *Histoire du roi de Bohême et de ses sept châteaux.* Stendhal, *Le Rouge et le Noir.*
1831	Révolte des canuts (ouvriers de la soie) de Lyon.	Delacroix, *La Liberté guidant le peuple.* Meyerbeer, *Robert le Diable.* Bellini, *Norma.*	Hugo, *Notre-Dame de Paris.* Balzac, *La Peau de chagrin.*
1832	Épidémie de choléra, qui sévit tout particulièrement à Paris. Échec de l'insurrection républicaine du cloître Saint-Merri. Tentative de soulèvement de la Vendée par la duchesse de Berry, qui est arrêtée.		Balzac, *Le Colonel Chabert*, *Le Curé de Tours*, *Contes drolatiques* (1832-1837). Vigny, *Stello.* Sand, *Indiana.*
1833	Loi Guizot sur l'enseignement primaire.	Rude, *La Marseillaise.* Chopin, *Trois Nocturnes.*	Balzac, *Le Médecin de campagne*, *Eugénie Grandet.* Gautier, *Les Jeunes France, romans goguenards.* Sand, *Lélia.* Pétrus Borel, *Champavert, contes immoraux.*

	Histoire poétique	Histoire théâtrale	Histoire littéraire
1829	Hugo, *Les Orientales.* Musset, *Contes d'Espagne et d'Italie.*	Dumas, *Henry III et sa cour* (drame). Hugo, *Marion Delorme*, pièce interdite par la censure (drame). Vigny, *Le More de Venise* (drame).	Balzac, *La Physiologie du mariage.* Cousin, *Introduction à l'histoire de la philosophie.* Saint-Simon (duc de), publication posthume des *Mémoires* (1829-1830). Sainte-Beuve, *Vie, poésies et pensées de Joseph Delorme.*
1830	Gautier, *Poésies.* Lamartine, *Harmonies poétiques et religieuses.*	Hugo, *Hernani* (drame). Henry Monnier, *scènes populaires* (scènes dialoguées où est créé le personnage de Prudhomme). Musset, *La Nuit vénitienne* (comédie).	
1831	Hugo, *Les Feuilles d'automne.* Auguste Barbier, *Iambes.*	Vigny, *La Maréchale d'Ancre* (drame). Dumas, *Antony* (drame).	Lamartine, *Sur la politique rationnelle.* Michelet, *Introduction à l'histoire universelle.*
1832	Gautier, *Albertus.*	Musset, *La Coupe et les lèvres, À quoi rêvent les jeunes filles* ? (Un spectacle dans un fauteuil, comédies). Hugo, *Le roi s'amuse* (drame). Soulié, *Clotilde* (mélodrame). Dumas, *La Tour de Nesle* (drame).	
1833	Marceline Desbordes-Valmore, *Les Pleurs.* Musset, *Rolla.* Béranger, *Chansons nouvelles et dernières.*	Delavigne, *Les Enfants d'Édouard* (tragédie). Hugo, *Marie Tudor, Lucrèce Borgia* (drames). Musset, *Les Caprices de Marianne, Fantasio* (comédies). Scribe, *Bertrand et Raton ou l'Art de conspirer* (comédie).	Quinet, *Ahasvérus.* Michelet, *Histoire de France* (1833-1867).

	Histoire générale	Histoire culturelle	Histoire du roman
1834	Soulèvements à Lyon et à Paris. Massacre de la rue Transnonain à Paris.	Delacroix, *Femmes d'Alger.*	Sainte-Beuve, *Volupté.* Balzac, *La Recherche de l'absolu.*
1835	Attentat de Fieschi contre le roi. Adoption des « lois scélérates », limitant la liberté d'expression.	Halévy, *La Juive.* Donizetti, *Lucia di Lammermoor.*	Balzac, *Le Père Goriot*, *Le Lys dans la vallée*, *Séraphita.* Vigny, *Servitude et grandeur militaires.* Gautier, *Mademoiselle de Maupin* (1835-1836) Gogol, *Journal d'un fou.*
1836			Musset, *La Confession d'un enfant du siècle.* Dickens, *Les Aventures de M. Pickwick.*
1837	Inauguration de la première ligne de chemin de fer pour voyageurs, entre Paris et Saint-Germain-en-Laye.		Sand, *Mauprat.* Balzac, *César Birotteau*, *Illusions perdues* (1837-1843). Mérimée, *La Vénus d'Ille.*
1838		Premiers daguerréotypes de Daguerre.	Balzac, *La Maison Nucingen.* Dickens, *Oliver Twist.*
1839	Insurrection républicaine à Paris.	Berlioz, création de *Roméo et Juliette.* Chopin, *Préludes.*	Stendhal, *La Chartreuse de Parme.* Balzac, *Splendeurs et misères de courtisanes* (1839-1847). Pétrus Borel, *Madame Putiphar.*

	Histoire poétique	Histoire théâtrale	Histoire littéraire
1834		F. Lemaître reprend son rôle de *L'Auberge des Adrets*, dans une pièce intitulée *Robert Macaire.* Musset, *Lorenzaccio* (drame), *On ne badine pas avec l'amour* (proverbe).	Hugo, *Littérature et philosophie mêlées.* Lamennais, *Paroles d'un croyant.*
1835	Musset, *Les Nuits* (1835-1837). Hugo, *Les Chants du crépuscule.*	Musset, *Le Chandelier* (comédie). Hugo, *Angelo tyran de Padoue* (drame). Vigny, *Chatterton* (drame). Félix Pyat, *Ango* (mélodrame). Büchner, *La Mort de Danton.*	Lamartine, *Voyage en Orient.* Tocqueville, *De la démocratie en Amérique* (1835-1840).
1836	Lamartine, *Jocelyn.*	Dumas, *Kean* (drame). Musset, *Il ne faut jurer de rien* (proverbe).	Musset, *Lettres de Dupuis et Cotonet* (1836-1837).
1837	Hugo, *Les Voix intérieures.*	Bouchardy, *Gaspardo le pêcheur* (mélodrame). Musset, *Un caprice* (comédie).	Lamennais, *Le Livre du peuple.* Carlyle, *Histoire de la Révolution française.*
1838	Xavier Forneret, *Vapeurs, ni vers ni prose.* Gautier, *La Comédie de la mort.* Hégésippe Moreau, *Le Myosotis.* Lamartine, *La Chute d'un ange.*	Bouchardy, *Le Sonneur de Saint-Paul* (mélodrame). Scribe, *La Camaraderie ou la Courte Échelle* (comédie). Hugo, *Ruy Blas* (drame).	
1839			Louis Blanc, *De l'organisation du travail.*

	Histoire générale	Histoire culturelle	Histoire du roman
1840	Transport des cendres de Napoléon aux Invalides.	Schubert, *Lieder.*	Mérimée, *Colomba.*
1841		Delacroix, *Prise de Constantinople par les croisés.*	Soulié, *Les Mémoires du diable.*
1842	Loi sur les chemins de fer.	Gounod, *Requiem.* Rossini, *Stabat mater* (créé à Paris). Verdi, *Nabucco.*	Sue, *Les Mystères de Paris* (1842-1843). Sand, *Consuelo* (1842-1843). Balzac, début de la publication de *La Comédie humaine.*
1843			
1844			Dumas, *Les Trois Mousquetaires.*
1845		Vernet, *Prise de la smala.* Daumier, *Les Gens de justice.* Schumann, *Deuxième Symphonie.* Wagner, *Tannhäuser.*	Dumas, *Le Comte de Monte-Cristo*, *La Reine Margot*, *Vingt Ans après.* Sue, *Le Juif errant.* Mérimée, *Carmen.*
1846		Berlioz, *La Damnation de Faust.* Courbet, *L'Homme à la pipe* (autoportrait).	Dumas, *Joseph Balsamo.* Balzac, *La Cousine Bette.* Sand, *La Mare au diable.*
1847	Campagne de banquets pour la réforme de la loi électorale.	Verdi, *Macbeth.*	Balzac, *Le Cousin Pons.* C. Brontë, *Jane Eyre.* E. Brontë, *Les Hauts de Hurle-Vent.*

	Histoire poétique	Histoire théâtrale	Histoire littéraire
1840	Maurice de Guérin, *Glaucus*, *Le Centaure.* Hugo, *Les Rayons et les Ombres.* Musset, *Poésies complètes.*	Soulié, *L'Ouvrier* (mélodrame). Balzac, *Vautrin* (mélodrame).	Sainte-Beuve, *Port-Royal* (1840-1859). Proudhon, *Qu'est-ce que la propriété littéraire ?*
1841		Dennery, *La Grâce de Dieu ou la Nouvelle Fanchon* (mélodrame).	
1842	Banville, *Les Cariatides.* Aloysius Bertrand, *Gaspard de la nuit.*	Balzac, *Les Ressources de Quinola* (comédie).	Hugo, *Le Rhin.*
1843		Hugo, *Les Burgraves* (drame). Ponsard, *Lucrèce* (tragédie). Dennery, *Les Bohémiens de Paris* (mélodrame).	Gautier, *Voyage en Espagne.*
1844			Chateaubriand, *Vie de Rancé.* Kierkegaard, *Le Concept de l'angoisse.*
1845	Poe, *Le Corbeau.*	Dennery, *Marie-Jeanne ou la Femme du peuple.* Musset, *Il faut qu'une porte soit ouverte ou fermée* (proverbe).	Baudelaire, premier des *Salons* (1845-1859).
1846	Banville, *Les Stalactites.*	Anicet-Bourgeois, *Le Docteur Noir.* Soulié, *La Closerie des genêts* (mélodrame).	Proudhon, *Philosophie de la misère.* Michelet, *Le Peuple.*
1847		Dumas, *La Reine Margot, Le Chevalier de Maison-Rouge, Monte-Cristo* (mélodrames). Pyat, *Le Chiffonnier de Paris* (mélodrame).	Quinet, *Le Christianisme et la Révolution.* Lamartine, *Histoire des Girondins.* Michelet, *Histoire de la Révolution française* (1847-1853).

	Histoire générale	Histoire culturelle	Histoire du roman
1848	24 février : abdication de Louis-Philippe et proclamation de la République. Adoption du suffrage universel. Juin : soulèvement populaire à Paris et répression sanglante de l'armée. 2 décembre : Louis Napoléon Bonaparte élu à la présidence de la République.		Dumas, *Le Vicomte de Bragelonne.* Dumas fils, *La Dame aux camélias.*
1849	13 mai : succès des conservateurs aux élections à l'Assemblée législative, malgré une forte minorité d'opposition.	Courbet, *Les Casseurs de pierre.*	Dumas, *Le Collier de la reine.* Sand, *La Petite Fadette, François le Champi.* Lamartine, *Graziella.* Sue, *Les Mystères du peuple* (1849-1856).
1850	Loi Falloux sur l'enseignement, libérale donc favorable au clergé. Lois restrictives sur le droit de réunion et d'expression.	Courbet, *L'Enterrement à Ornans.* Gavarni, *Les Anglais chez eux.* Millet, *Le Semeur.*	Dickens, *David Copperfield.* Hawthorne, *La Lettre écarlate.*
1851	2 décembre : coup d'État de Louis Napoléon Bonaparte, suivie d'une efficace répression.	Daumier, *Ratapoil.* Verdi, *Rigoletto.*	Lamartine, *Geneviève, Le Tailleur de pierres de Saint-Point.* Murger, *Scènes de la vie de bohème.* Barbey d'Aurevilly, *Une vieille maîtresse.*

	Histoire poétique	Histoire théâtrale	Histoire littéraire
1848		Sand, *Le roi attend* (drame).	Chateaubriand, *Mémoires d'outre-tombe.* Marx et Engels, *Manifeste du parti communiste.*
1849			Lamartine, *Histoire de la révolution de 1848.*
1850		Dugué, *La Misère* (mélodrame). Labiche, *Un garçon de chez Véry, Embrassons-nous, Folleville* (vaudevilles). Moreau, Giraudin et Delacourt, *Le Courrier de Lyon.*	
1851		Balzac, *Mercadet ou le Faiseur* (comédie). Labiche, *Un chapeau de paille d'Italie* (vaudeville).	Comte, *Système de politique positive* (1851-1854). Nerval, *Voyage en Orient.* Les Goncourt, début du *Journal.* Sainte-Beuve, première des *Causeries du lundi* (1851-1862).

	Histoire générale	Histoire culturelle	Histoire du roman
1852	Adoption de mesures très restrictives à l'encontre de la presse. Nouvelles concessions aux compagnies de chemin de fer, qui entraîneront un développement accéléré du réseau français. Fondation du crédit foncier et du crédit mobilier, premiers organismes bancaires de crédit. Création du premier grand magasin, au Bon Marché. 2 décembre : proclamation de l'Empire.		Dumas, *Ange Pitou*, *La Comtesse de Charny.* Beecher-Stowe, *la Case de l'oncle Tom.*
1853	Haussmann nommé préfet de la Seine, en vue de la transformation urbanistique de la capitale.	Courbet, *Les Baigneuses.*	Sand, *Les Maîtres sonneurs.* Nerval, *Sylvie.*
1854	Proclamation du dogme de l'Immaculée Conception.	Doré, illustration de *Pantagruel.* Nadar crée son atelier de photographie. Brahms, *Ballades.*	Dumas, *Les Mohicans de Paris.* Nerval, *Les Filles du feu.* Barbey d'Aurevilly, *L'Ensorcelée.*
1855	Exposition universelle à Paris. Loi sur la propriété industrielle.	Courbet, *L'Atelier.* Verdi, *Les Vêpres siciliennes* (création à Paris).	Nerval, *Aurélia.*
1856		Liszt, *Symphonie de Dante.*	
1857		Millet, *Les Glaneuses.*	Flaubert, *Madame Bovary.* About, *Le Roi des montagnes.* Feuillet, *Le Roman d'un jeune homme pauvre.* Poe, *Histoires extraordinaires* (traduction de Baudelaire).

	Histoire poétique	Histoire théâtrale	Histoire littéraire
1852	Leconte de Lisle, *Poèmes antiques.* Gautier, *Émaux et Camées.* Musset, publication des poésies sous les titres *Premières poésies* et *Poésies nouvelles.*	Anicet-Bourgeois, *La Mendiante.* Dumas fils, *La Dame aux camélias* (drame).	Comte, *Catéchisme positiviste.* Nerval, *Les Illuminés.* Hugo, *Napoléon le Petit.*
1853	Hugo, *Les Châtiments.*		Cousin, *Du vrai, du beau, du bien.* Gobineau, *Essai sur l'inégalité des races* (1853-1856).
1854	Louis Bouilhet, *Les Fossiles.* Nerval, *Les Chimères.*	Augier, *Le Gendre de M. Poirier* (comédie).	
1855		Augier, *Le Mariage d'Olympe* (comédie). Dumas fils, *Le Demi-Monde* (drame).	
1856	Banville, *Odelettes.* Hugo, *Les Contemplations.*		Lamartine, *Cours familier de littérature* (1856-1869). Tocqueville, *L'Ancien Régime et la Révolution.*
1857	Banville, *Odes funambulesques.* Baudelaire, *Les Fleurs du mal.*	Anicet-Bourgeois, *L'Aveugle* (mélodrame).	Fromentin, *Un été dans le Sahara.* Vallès, *L'Argent.* Champfleury, *Le Réalisme.*

	Histoire générale	Histoire culturelle	Histoire du roman
1858	Loi de Sûreté générale, après l'attentat d'Orsini contre Napoléon III. Première apparition à Lourdes.	Offenbach, *Orphée aux enfers.*	Gautier, *le Roman de la momie.* Ernest Feydeau, *Fanny.* Sand, *Les Beaux Messieurs de Bois-Doré.* Féval, *Le Bossu.*
1859	Décret d'amnistie en faveur des condamnés politiques.	Millet, *L'Angélus.* Gounod, *Faust.*	Sand, *Elle et Lui.* Ponson du Terrail, *Rocambole* (création du personnage de roman-feuilleton).
1860	Droit d'adresse annuelle accordé, dans un esprit libéral, au Corps législatif. Traité de commerce, contre le protectionnisme, entre la France et l'Angleterre.	Manet, *Le Buveur d'absinthe.* Franck, *Six Pièces pour grand orgue.* Saint-Saëns, *Oratorio de Noël.*	Les Goncourt, *Charles Demailly.*
1861		Wagner, *Tannhäuser* (échec de la représentation à Paris).	Les Goncourt, *Sœur Philomène.* Sand, *Le Marquis de Villemer.* Gautier, *Le Capitaine Fracasse.* Dostoïevski, *Souvenirs de la maison des morts.*
1862		Wagner, *Les Maîtres chanteurs de Nuremberg.*	About, *L'Homme à l'oreille cassée.* Hugo, *Les Misérables.* Villiers de l'Isle-Adam, *Isis.* Flaubert, *Salammbô.* Fromentin, *Dominique.*
1863	Succès de l'opposition aux élections législatives. Loi sur les sociétés à responsabilité limitée.	Premier Salon des refusés à Paris. Manet, *Le Déjeuner sur l'herbe.* Bizet, *Les Pêcheurs de perles.* Whistler, *Symphonie en blanc.*	Sand, *Mademoiselle La Quintinie.* Cherbuliez, *Le Comte Kostia.*

	Histoire poétique	Histoire théâtrale	Histoire littéraire
1858		Dumas fils, *Le Fils naturel* (drame).	Quinet, *Histoire de mes idées.*
1859	Hugo, *La Légende des siècles* (première série). Mistral, *Mireille.*	Dumas fils, *Le Père prodigue* (drame). Augier, *Un beau mariage* (comédie). Anicet-Bourgeois, *Les Pirates de la savane.*	Fromentin, *Une année dans le Sahel.* Michelet, *La Femme.* Darwin, *De l'origine des espèces.*
1860		Labiche, *Le Voyage de monsieur Perrichon* (mélodrame).	Ravaisson, *Histoire et Philosophie.* Baudelaire, *Les Paradis artificiels.*
1861	Maurice de Guérin, *La Bacchante* (publication posthume).	Anicet-Bourgeois et Dugué, *La Fille des chiffonniers.* Sardou, *Nos intimes* (comédie).	Sainte-Beuve, *Chateaubriand et son groupe littéraire sous l'Empire.*
1862	Leconte de Lisle, *Poèmes barbares.*	Féval et Anicet-Bourgeois, *Le Bossu* (mélodrame).	Thiers, *Histoire du Consulat et de l'Empire.* Michelet, *La Sorcière.*
1863	Catulle Mendès, *Philomela.*		Renan, *La Vie de Jésus.* Littré, début de la publication du *Dictionnaire*. Baudelaire, *Le Peintre de la vie moderne.* Sainte-Beuve, début de la publication des *Nouveaux Lundis* (1863-1870). Taine, *Histoire de la littérature anglaise.*

	Histoire générale	Histoire culturelle	Histoire du roman
1864	Loi sur le droit de grève. Fondation à Londres de la Ire Internationale.	Corot, *Souvenir de Mortefontaine.* Gounod, *Mireille.* Offenbach, *La Belle Hélène.* Bruckner, *Messe en ré mineur.*	Les Goncourt, *Renée Mauperin.* Barbey d'Aurevilly, *Le Chevalier des Touches.* Comtesse de Ségur, *Les Malheurs de Sophie.* Verne, *Voyage au centre de la Terre.* Erckmann-Chatrian, *L'Ami Fritz.*
1865		Manet, *Olympia.* Brahms, *Danses hongroises.* Wagner, *Tristan et Iseult.*	Les Goncourt, *Germinie Lacerteux.* Barbey d'Aurevilly, *Un prêtre marié.* Verne, *De la Terre à la Lune.*
1866		Grandville, *Les Animaux peints par eux-mêmes.* Offenbach, *La Vie parisienne.*	Daudet, *Lettres de mon moulin* (1866-1869). Gaboriau, *L'Affaire Lerouge.* Hugo, *Les Travailleurs de la mer.* Tolstoï, *Guerre et Paix.* Dostoïevski, *Crime et Châtiment.*
1867	Exposition universelle à Paris. Création par le ministre Victor Duruy d'un enseignement secondaire féminin.	Bizet, *La Jolie Fille de Perth.* Moussorgsky, *Une nuit sur le mont Chauve.*	Féval, *Les Mystères de Londres.* Zola, *Thérèse Raquin.*
1868	Loi libérale sur la presse.	Manet, *Le Balcon.* Pissaro, *Route de Louveciennes à Versailles.*	Daudet, *Le Petit Chose.* Gaboriau, *Monsieur Lecoq.* Dostoïevski, *L'Idiot.*
1869	Poussée radicale aux élections. Sénatus-consulte sur les réformes libérales.	Carpeaux, *La Danse.* Wagner, *L'Or du Rhin.*	Hugo, *L'homme qui rit.* Flaubert, *L'Éducation sentimentale.* Les Goncourt, *Madame Gervaisais.* Verne, *Vingt Mille Lieues sous les mers.*

	Histoire poétique	Histoire théâtrale	Histoire littéraire
1864	Glatigny, *Les Flèches d'or.* Vigny, *Les Destinées.*		Camille Flammarion, *Le Soleil, sa nature et sa constitution physique.* Larousse, début de la publication du *Grand Dictionnaire universel.* Bréal, *Cours de grammaire comparée.* Hugo, *William Shakespeare.* Fustel de Coulanges, *La Cité antique.*
1865	Sully Prudhomme, *Stances et poèmes.* Hugo, *Chansons des rues et des bois.*		Gaston Paris, *Histoire poétique de Charlemagne.* Vallès, *Les Réfractaires.* Claude Bernard, *Introduction à l'étude de la médecine expérimentale.*
1866	Première livraison du *Parnasse contemporain.* Sully Prudhomme, *Les Épreuves.* Coppée, *Le Reliquaire.* Verlaine, *Poèmes saturniens.*		Zola, *Mes haines.*
1867	Léon Dierx, *Lèvres closes.* Banville, *Les Exilés.*	Ibsen, *Peer Gynt.*	Vigny, publication posthume du *Journal d'un poète.* Mgr Dupanloup, *L'Athéisme et le Péril social.* Taine, *De l'idéal dans l'art.*
1868			
1869	Verlaine, *Fêtes galantes.* Baudelaire, *Petits Poèmes en prose.* Coppée, *Intimités.* Lautréamont, *Les Chants de Maldoror.*		Renouvier, *La Science de la morale.*

	Histoire générale	Histoire culturelle	Histoire du roman
1870	2 janvier : constitution du ministère réformateur d'Émile Ollivier. 8 mai : plébiscite sur les réformes et sur l'Empire. 19 juillet : déclaration de guerre à la Prusse. 2 septembre : désastre de Sedan, où Napoléon III est fait prisonnier. 4 septembre : proclamation de la République et constitution d'un gouvernement de Défense nationale. 19 septembre : début du siège de Paris.		
1871	28 janvier : armistice franco-prussien. 17 février : Thiers, chef du pouvoir exécutif. 18 mars : début de la Commune de Paris. 21-29 mai : « Semaine sanglante ».	Courbet conservateur aux Beaux-Arts sous la Commune. Fondation de la Société nationale de musique. Cézanne, *L'Estaque*. Verdi, *Aïda*.	Zola, *La Fortune des Rougon*. Caroll, *À travers le miroir*.
1872		Degas, *Le Foyer de la danse*. Pissaro, *L'Entrée du village de Voisins*. Renoir, *Les Canotiers de Chatou*. Bizet, *L'Arlésienne*.	Daudet, *Tartarin de Tarascon*. Zola, *La Curée*. Andersen, *Contes de fées*.
1873	24 mai : chute de Thiers, Mac-Mahon, président. 16 septembre : évacuation des Allemands hors de France. Novembre : début d'une crise économique mondiale.	Les impressionnistes s'installent à Argenteuil, Pontoise, Auvers-sur-Oise. Manet, *Le Bon Bock*. Lalo, *Symphonie pastorale*.	Barbey d'Aurevilly, *Les Diaboliques*. Daudet, *Contes du lundi*. Verne, *Le Tour du monde en quatre-vingts jours*. Perez Galdos, *Trafalgar*.

	Histoire poétique	Histoire théâtrale	Histoire littéraire
1870	Verlaine, *La Bonne Chanson.*		Flammarion, *Contemplations scientifiques.* Taine, *De l'intelligence.*
1871	*L'Album zutique*, recueil autographe, signé entre autres Rimbaud, Verlaine, Cros.		Renan, *La Réforme intellectuelle et morale.*
1872	Banville, *Petit Traité de poésie française.* Coppée, *Les Humbles.* Déroulède, *Les Chants du soldat.* *Le Parnassiculet contemporain,* signé entre autres P. Arène et A. Daudet.		G. Paris fonde la revue *Romania.* Hello, *L'Homme.* Michelet, *Histoire du* XIX*e siècle.* Marx, *Le Capital*, I, trad. J. Roy. Nietzsche, *La Naissance de la tragédie.*
1873	Corbière, *Les Amours jaunes.* Cros, *Le Coffret de santal.* Rimbaud, *Une saison en enfer.*	Dumas fils, *La Femme de Claude.*	Ribot, *L'Hérédité.* Taine, *Les Origines de la France contemporaine.* Littré, *La Science au point de vue philosophique.* Bakounine, *Étatisme et Anarchie.*

	Histoire générale	Histoire culturelle	Histoire du roman
1874		Première exposition des impressionnistes. Renoir, *La Loge*. Cézanne, *La Maison du docteur Gachet.* Puvis de Chavanne, fresques du Panthéon de Paris. Reprise triomphale d'*Orphée aux enfers* d'Offenbach.	Gobineau, *Les Pléiades.* Zola, *La Conquête de Plassans.* Daudet, *Fromont jeune et Risler aîné.* Verne, *L'Île mystérieuse.* Féval, *La Ville vampire*.
1875	30 janvier : vote de l'amendement Wallon (pouvoir présidentiel et constitution des deux chambres ; le mot « République » entre dans la Constitution).	Manet, *Les Canotiers d'Argenteuil.* Grieg, *Peer Gynt*. Moussorgski, *Boris Godounov*. Bizet, *Carmen.* Fauré, *Première Sonate pour piano et violon.* Saint-Saëns, *Danse macabre.* Ouverture de l'Opéra.	Zola, *La Faute de l'abbé Mouret.* James, *Roderick Hudson.*
1876	Février-mars : élections. Ministère Jules Simon. Levée de l'état de siège, sauf à Paris, Lyon et Marseille.	Invention du téléphone (Bell). Invention du moteur à explosion (Otto). Renoir, *Le Bal au Moulin de la Galette.* Moreau, *L'Apparition.* Inauguration, en août, du festival de Bayreuth avec Wagner, *L'Anneau des Nibelungen.*	Daudet, *Jack.* Huysmans, *Marthe, histoire d'une fille.* Verne, *Michel Strogoff.* Dostoïevski, *L'Adolescent.* Tourgeniev, *Terres vierges.* Tolstoï, *Anna Karenine.* Twain, *Les Aventures de Tom Sawyer.*
1877	14 octobre : élections républicaines. Mort de Thiers.	Invention du phonographe (Cros et Edison). Manet, *Portrait de Mallarmé, Nana.* Delibes, *Sylvia.* Saint-Saëns, *Samson et Dalila.* Rodin, *L'Âge d'airain.*	Zola, *L'Assommoir.* Flaubert, *Trois Contes*. E. de Goncourt, *La Fille Élisa.* Daudet, *Le Nabab*. Collodi, *Les Aventures de Pinocchio.*

	Histoire poétique	Histoire théâtrale	Histoire littéraire
1874	Verlaine, *Romances sans paroles.*	Sardou, *La Haine.*	Ribot, *La Philosophie de Schopenhauer.*
1875	Sully Prudhomme, *Les Vaines Tendresses.* Mistral, trad. de *Mireille* (1859).		Quinet, *L'Esprit nouveau.* Marx, *Critique du programme de Gotha.* Hegel, *Esthétique,* trad. Ch. Bénard. Lombroso, *L'Homme criminel.*
1876	Troisième et dernier *Parnasse contemporain.* Mallarmé, *L'Après-midi d'un faune.* Richepin, *La Chanson des gueux.* *Dizains réalistes*, recueil parodique de Nouveau, Cros, Richepin, Rollinat et N. de Villard.	Dumas fils, *L'Étrangère.*	Renan, *Dialogues philosophiques.* Whithney, *Le Langage et son étude.* Nietzsche, *Considérations inactuelles.* Hegel, *Philosophie de la religion*, trad. Ch. Bénard.
1877	Hugo, *L'Art d'être grand-père ; La Légende des siècles*, 2e série.		Bruno, *Le Tour de France par deux enfants* (best-seller de la pédagogie laïque). Spencer, *Principes de sociologie.* Hartmann, *Philosophie de l'inconscient*, trad. Nolen.

	Histoire générale	Histoire culturelle	Histoire du roman
1878	1er mai : Exposition universelle à Paris, au Trocadéro. Congrès ouvrier à Lyon (Jules Guesde). Mort de Pie IX, Léon XIII pape.	Invention de la lampe électrique (Swan et Edison). Fondation des Hydropathes (E. Goudeau). Troisième exposition des impressionnistes. Rodin, *Saint Jean-Baptiste.* Tchaïkovski, *Eugène Onéguine.*	Zola, *Une page d'amour.* De Queiros, *Le Cousin Basile.*
1879	30 janvier : démission de Mac-Mahon, Jules Grévy président. Fondation du parti ouvrier social à Marseille.	Découverte du vaccin (Pasteur). Installation du téléphone à Paris. Redon, *Dans le rêve.* Chabrier, *Une éducation manquée.* Lalo, *Rhapsodie norvégienne.* Offenbach, *La Fille du tambour major.*	Zola, *Nana.* Huysmans, *Les Sœurs Vatard.* E. de Goncourt, *Les Frères Zemganno.* Daudet, *Les Rois en exil.* Vallès, *L'Enfant.* Loti, *Aziyadé.* Dostoïevski, *Les Frères Karamazov.*
1880	29 mars : décret contre les Congrégations. 10 juillet : amnistie des communards. Septembre : Jules Ferry, président du Conseil. Octobre : fondation de la Compagnie du canal de Panamá.	Invention de la bicyclette. Renoir, *Dans la loge.* Rodin, *Le Penseur.* Franck, *Quintette.*	Zola, *Le Roman expérimental.* Les Soirées de Médan. Tolstoï, *La Guerre et la Paix*, trad. fr.
1881	Juin-juillet : loi Ferry sur l'enseignement primaire laïque ; lois sur la liberté de la presse.	Fondation du cabaret Le Chat noir (R. Salis). Renoir, *Le Déjeuner des canotiers.* Manet, *Bar aux Folies-Bergère.* Massenet, *Hérodiade.*	Flaubert, *Bouvard et Pécuchet*, posth. Céard, *Une belle journée.* Daudet, *Numa Roumestan.* France, *Le Crime de Sylvestre Bonnard.* Vallès, *Le Bachelier.* Lemonnier, *Un mâle.* James, *Washington Square.* Eliot, *Silas Marner*, trad. fr. Verga, *Les Malavoglia.*

	Histoire poétique	Histoire théâtrale	Histoire littéraire
1878	Sully Prudhomme, *Justice.*	Augier, *Les Fourchambault.*	Caro, *Le Pessimisme au* XIX*e siècle.* Nietzsche, *Humain trop humain.* Saussure, *Mémoire sur les voyelles primitives en indo-européen.*
1879		Ibsen, *La Maison de poupée.* Strindberg, *La Chambre rouge.*	Lavisse, *Études sur l'histoire de Prusse.* Schopenhauer, *Les Fondements de la morale*, trad. A. Burdeau.
1880	Gill, *La Muse à Bibi.*	Grande vogue des théâtres de marionnettes (Tuileries, Passy).	Lafargue, *Le Droit à la paresse* (dans *L'Égalité*, en volume en 1883). Schopenhauer, *Pensées, maximes et fragments,* trad. A. Burdeau.
1881	Verlaine, *Sagesse.* Wilde, *Poems.* Rossetti, *Ballades et Sonnets.*	Pailleron, *Le Monde où l'on s'ennuie.* Ibsen, *Les Revenants.*	Bourget, *Essais de psychologie contemporaine* (articles, repris en 1883-1885).

	Histoire générale	Histoire culturelle	Histoire du roman
1882	Krach de l'Union générale à Paris. 31 décembre : mort de Gambetta.	Premier Salon des arts incohérents (J. Lévy). Redon, *À Edgar Poe.* Wagner, *Parsifal.*	Zola, *Pot-Bouille.* Huysmans, *À vau-l'eau.* E. de Goncourt, *La Faustin.* Champsaur, *Dinah Samuel.* Ohnet, *Le Maître des forges.* Aimard, *Les Bandits de l'Arizona.*
1883	Février (jusqu'en mars 1885) : second ministère J. Ferry. Inauguration de la statue de la République (bonnet phrygien et rameau d'olivier). Expédition au Tonkin.	Seurat, *Une baignade.* Chabrier, *España.* Delibes, *Lakmé.*	Zola, *Au bonheur des dames.* Bonnetain, *Charlot s'amuse.* Maupassant, *Une vie.* Loti, *Mon Frère Yves.* Villiers de l'Isle-Adam, *Contes cruels.* Stevenson, *L'Île au trésor.*
1884	Mars : lois sur les libertés syndicales. Juillet : loi sur le divorce. Suppression des prières publiques en séance parlementaire.	Première voiture automobile en France. Première ligne électrique de chemin de fer aux É.-U. Franck, *Les Djinns.* Brahms, *Quatrième Symphonie.* Massenet, *Manon.* Debussy, *L'Enfant prodigue.* Premier Salon des Indépendants. Degas, *Les Repasseuses.* Renoir, *Les Grandes Baigneuses.* Signac, *Le Pont Louis-Philippe* (néo-impressionnisme). Van Gogh, *Le Tisserand.* Ensor, *Les Toits d'Ostende.* Burne-Jones, *Le Roi Cophétua et la Mendiante.* Whistler, *Portrait de Sarasate.* Rodin, *Les Bourgeois de Calais.*	Huysmans, *À rebours.* Zola, *La Joie de vivre.* Bourges, *Le Crépuscule des dieux.* Daudet, *Sapho.* Montepin, *La Porteuse de pain.* Dostoïevski, *Crime et Châtiment,* trad. fr. Clarin, *La Régente.*

	Histoire poétique	Histoire théâtrale	Histoire littéraire
1882		Becque, *Les Corbeaux.* Ibsen, *Un ennemi du peuple.*	Nietzsche, *Le Gai Savoir.*
1883	Rimbaud, « Le Bateau ivre ». Verlaine, *Les Poètes maudits.* Rollinat, *Les Névroses.* Hugo, *La Légende des siècles,* 3e série. Haraucourt, *La Légende des sexes.* Verhaeren, *Les Flamandes.*	Sardou, *Divorçons.* Bjørnson, *Au-delà des forces humaines.*	Dilthey, *Introduction à l'étude des sciences humaines.* Ribot, *Les Maladies de la volonté.* Renan, *Souvenirs d'enfance et de jeunesse.* Nietzsche, *Ainsi parlait Zarathoustra,* trad. fr. 1894 puis 1898 en vol.
1884	Premiers « mardis » de Mallarmé. Moréas, *Les Syrtes.* Verlaine, *Jadis et Naguère.* Leconte de Lisle, *Poèmes tragiques.*	Becq de Fouquières, *Art de la mise en scène.* Ibsen, *Le Canard sauvage.*	Péladan, *La Décadence latine,* 1884-1903.

	Histoire générale	Histoire culturelle	Histoire du roman
1885	Avril : ministère Brisson, après la chute de Ferry. Déroulède à la tête de la Ligue des patriotes.	Funérailles nationales de Victor Hugo. Charcot, *Étude des centres fonctionnels du cerveau.* Freud suit à Paris des cours à la Salpêtrière. Première inoculation du vaccin antirabique. Cézanne, *Le Mas de Bouffan.* Douanier Rousseau, *La Danse italienne*. Signac, *La Seine à Asnières.* Redon, *Hommage à Goya.* Munch, *Enfant malade.* Van Gogh, *Les Mangeurs de pommes de terre.* Franck, *Variations symphoniques.*	Zola, *Germinal.* Maupassant, *Bel Ami.* Bourget, *Cruelle Énigme.*
1886	Janvier : grève de Decazeville. Boulanger, ministre de la Guerre. Octobre : loi sur la laïcisation du personnel de l'école publique. Décembre : ministère Goblet.	Chabrier, *Gwendoline.* Messager, *Les Deux Pigeons.* Saint-Saëns, *Le Carnaval des animaux.* Fauré, *Deuxième Quatuor en sol mineur.* Satie, *Ogives.* Franck, *Sonate pour piano et violon.* Bruckner, *Te Deum.* Dernière exposition des impressionnistes. Gauguin, *Jeunes Bretonnes.* Pissaro, *Printemps à Éragny.* Seurat, *Un après-midi à l'île de la Grande-Jatte.* Signac, *Les Modistes.* Redon, *La Tentation de saint Antoine.* Inauguration à New York de *La Liberté* de Bartholdi.	Adam et Moréas, *Le Thé chez Miranda.* Villiers de l'Isle-Adam, *L'Ève future.* Loti, *Pêcheur d'Islande.* Bloy, *Le Désespéré.* Vallès, *L'Insurgé.* Zola, *L'Œuvre.* Mary, *Roger-la-Honte.* Lemonnier, *Happe-Chair.* James, *The Bostonians.* Stevenson, *The Strange Case of Dr Jekill and Mr Hyde.* Vogüé, *Le Roman russe.*

	Histoire poétique	Histoire théâtrale	Histoire littéraire
1885	Mallarmé, « Prose pour des Esseintes ». Laforgue, *Les Complaintes.*	Becque, *La Parisienne.*	Nietzsche, *Par-delà le Bien et le Mal* (trad. fr. 1903).
1886	Moréas, *Manifeste du symbolisme.* Rimbaud, *Illuminations.* Hugo, *La Fin de Satan.* Ghil, *Traité du verbe.* Mac-Nab, *Poèmes mobiles.*	Courteline, *Les Gaietés de l'escadron.*	Drumont, *La France juive.* Schopenhauer, *Le Monde comme volonté et comme représentation,* trad. Cantacuzène (trad. A. Burdeau en 1888).

	Histoire générale	Histoire culturelle	Histoire du roman
1887	Un groupe « ouvrier » de 18 députés à la Chambre. 2 décembre : scandale des décorations ; démission de J. Grévy et élection de Sadi Carnot.	Fauré, *Requiem.* Gounod, *Messe à la mémoire de Jeanne d'Arc.* Franck, *Psyché.* Satie, *Sarabandes, Gymnopédies.* Cézanne, *L'Allée des marronniers au mas de Bouffan.* Van Gogh, *Le Père Tanguy, Moulin à vent à Montmartre.*	Bourget, *André Cornélis.* Loti, *Madame Chrysanthème.* Maupassant, *Mont-Oriol.* Zola, *La Terre.* Laforgue, *Moralités légendaires.* Villiers, *Tribulat Bonhomet.* Dujardin, *Les lauriers sont coupés.* Bashkirtseff, *Journal.*
1888		Invention du pneumatique (Dunlop). Seurat, *La Parade.* Ensor, *L'Entrée du Christ à Bruxelles.* Debussy, *Ariettes oubliées* (sur des poèmes de Verlaine).	Barrès, *Un homme libre.* Bourget, *Le Disciple.* France, *Thaïs.* Descaves, *Sous-off's.* Darien, *Bas les cœurs.* Rachilde, *Monsieur Vénus.* Mérouvel, *Chaste et Flétrie.* Rosny, *Le Bilatéral.* Lemonnier, *Ceux de la glèbe.* D'Annunzio, *L'Enfant de volupté.*
1889	Boulanger élu à Paris. 5 mai : Exposition universelle à Paris (tour Eiffel).	Exposition de Gauguin et des peintres de Pont-Aven au Café Voltaire. Exposition Manet.	Zola, *La Bête humaine.* Maupassant, *Notre cœur.* Daudet, *L'Immortel.* Mirbeau, *Sébastien Roch.* Alexis, *Madame Meuriot.* Darien, *Biribi.* Stendhal, *La Vie de Henry Brulard*, posth. Christophe, *La Famille Fenouillard.* Rodenbach, *L'Art en exil.* Hamsun, *La Faim.*
1890	Premier « 1er Mai » international. Essor du parti ouvrier français de Guesde. Suppression du livret ouvrier.	Invention du porte-plume réservoir. M. Denis dans *Art et Critique* introduit l'esthétique des Nabis. Toulouse-Lautrec, *Danse au Moulin-Rouge.*	Barrès, *Le Jardin de Bérénice.* Gide, *Traité du Narcisse ; Les Cahiers d'André Walter.* Hardy, *Tess of the Urberville.*

	Histoire poétique	Histoire théâtrale	Histoire littéraire
1887	Kahn, *Les Palais nomades.* Laforgue, *L'Imitation de Notre-Dame la Lune*. Verhaeren, *Les Soirs.*	Fondation du Théâtre-Libre d'Antoine. Zola, *Jacques Damour*. Villiers de l'Isle-Adam, *L'Évasion*. Strinberg, *Père.*	Papus, *L'Occultisme contemporain.*
1888	Sully Prudhomme, *Le Bonheur.* Verlaine, *Parallèlement ; Amour.*	Création du Petit-Théâtre (Marionettes) de Signoret. Zola, *Germinal* (adapt.). Lemaître, *Impressions de théâtre* (1888-1898). Tchekhov, *L'Ours.* Strindberg, *Mademoiselle Julie.*	Fustel de Coulanges, *Histoire des institutions politiques de l'ancienne France.*
1889	Maeterlinck, *Serres chaudes.*		Bergson, *Les Données immédiates de la conscience.* Nietzsche, *Le Crépuscule des idoles*.
1890		Fondation du Théâtre d'Art (Paul Fort). Claudel, *Tête d'Or.* Villiers, *Axel.* Maeterlinck, *L'Intruse* ; *Les Aveugles.*	Renan, *L'Avenir de la science.* Fondation de la Rose + Croix catholique de Péladan, concurrente de celle de S. de Guaïta (1889). Sinnet, *Le Bouddhisme ésotérique.* Frazer, *Le Rameau d'or.*

	Histoire générale	Histoire culturelle	Histoire du roman
1891	1er mai : grève et fusillade de Fourmies. Encyclique *Rerum novarum.* Scandale de Panamá.	Fauré, *La Bonne Chanson* (sur des poèmes de Verlaine). *Lohengrin* de Wagner à l'Opéra (16 nov.). Monet, *Les Nymphéas.* Seurat, *Le Cirque.* Bonnard expose au Salon des Indépendants.	Huysmans, *Là-bas.* Zola, *L'Argent.* Renard, *L'Écornifleur.* Allais, *À se tordre, histoires chatnoiresques.* Wilde, *The Picture of Dorian Gray.*
1892	30 mars : arrestation de Ravachol. 26 avril : attentat au restaurant Véry. 9 décembre : attentat à la bombe à la Chambre (Vaillant).	Debussy, *Prélude à l'après-midi d'un faune* (d'après Mallarmé). Cézanne, *Les Joueurs de cartes.*	Barrès, *L'Ennemi des lois.* Zola, *La Débâcle.* France, *La Rôtisserie de la reine Pédauque.* Bourges, *Les oiseaux s'envolent et les fleurs tombent.* Verne, *Le Château des Carpathes.* Rosny, *Vamireh.* Rodenbach, *Bruges-la-Morte.* C. Doyle, *Les Aventures de Sherlock Holmes.* Svevo, *Une vie.*
1893	Constitution d'un groupe d'« union socialiste » à la Chambre. Mars : création de la Droite républicaine. Condamnation de F. de Lesseps (scandale de Panamá).	Debussy, *Quatuor.* *La Walkyrie* de Wagner à l'Opéra (12 mai).	Zola, *Le Docteur Pascal.* Barrès, *Du sang, de la volupté et de la mort.*
1894	24 juin : assassinat du président Sadi Carnot. « Lois scélérates » contre les anarchistes et les socialistes. Décembre : procès Dreyfus.	*Salomé* (d'après O. Wilde) de R. Strauss au Théâtre Lyrique (avec S. Bernhardt). Massenet, *Thaïs.* Renoir, *Berthe Morisot et sa fille.* Rouault, *Jésus parmi les Docteurs.* Munch, *Cendres.*	Zola, *Lourdes.* Renard, *Poil de Carotte.* Stendhal, *Lucien Leuwen,* posth. Prévost, *Les Demi-Vierges.* D'Annunzio, *Le Triomphe de la mort.* Bedford, *Vathek.*

	Histoire poétique	Histoire théâtrale	Histoire littéraire
1891	Naissance de l'École romane (Moréas). Verlaine, *Bonheur ; Chansons pour Elle.* Rodenbach, *Le Règne du silence.*	Maeterlinck, *Les Sept Princesses.*	Jaurès, *De la réalité du monde sensible.* Maspéro, *Histoire de l'Orient.* Huret, *Enquête sur l'évolution littéraire.*
1892		Curel, *Les Fossiles.* Maeterlinck, *Pelléas et Mélisande.* Hauptmann, *Les Tisserands.*	Gourmont, *Le Latin mystique.*
1893	Mallarmé, *Vers et proses.* Heredia, *Les Trophées.* Saint-Pol Roux, *Les Reposoirs de la procession* (1893-1897). Samain, *Au jardin de l'infante.* Verhaeren, *Les Campagnes hallucinées.*	Fondation du Théâtre de l'Œuvre (Lugné-Poe). Claudel, *L'Échange* ; *La Ville* (1re version). Sardou, *Madame Sans-Gêne.* Courteline, *Messieurs les ronds-de-cuir ; Boubouroche.* Rodenbach, *Le Voile.*	Grave, *La Société mourante et l'anarchie.* Nordau, *Dégénérescence.*
1894	Laforgue, *Poésies complètes.* Louÿs, *Les Chansons de Bilitis.* Jarry, *Les Minutes de sable mémorial.* Rilke, *Leben und Lied.*	Feydeau, *Un fil à la patte.*	Durkheim, *Les Règles de la méthode sociologique.* Lanson, *Histoire de la littérature française.* Croce, *La critica letteraria.* Nietzsche, *La Volonté de puissance.*

	Histoire générale	Histoire culturelle	Histoire du roman
1895	Constitution de la CGT. Grandes grèves de Carmaux. Dégradation de Dreyfus.	Invention du cinématographe (Lumière). Fauré, *Cinquième* et *Sixième Barcarolles.* *Tannhäuser* de Wagner à l'Opéra (13 mai). Cézanne, 11 études de *La Montagne Sainte-Victoire.* Munch, *Le Cri* (lithographie). Horta, Hôtel Solvay à Bruxelles.	Gide, *Paludes.* Schwob, *Le Livre de Monelle.* Huysmans, *En route.* France, *Le Jardin d'Épicure.* Wells, *La Machine à explorer le temps.* Fogazzaro, *Le Petit Monde d'autrefois.*
1896	Ministère Méline.	Découverte de la radioactivité (Curie). Invention de la TSF (Marconi). Ravel, *Sainte.* Mahler, *Troisième Symphonie.* Puccini, *La Vie de bohème.* Strauss, *Ainsi parlait Zarathoustra.* Picasso, *Le Mendiant.* Horta, La Maison du Peuple à Bruxelles. Méliès, *Escamotage d'une dame chez Robert Houdin.*	Estaunié, *L'Empreinte.* Valéry, *La Soirée avec Monsieur Teste.* Renard, *Histoires naturelles.* Proust, *Les Plaisirs et les Jours.*
1897	Incendie du Bazar de la Charité. Décembre : congrès démocrate chrétien à Lyon.	Naissance de *La Fronde*, quotidien féministe. Premier vol avec passager (Ader). Rousseau, *La Bohémienne endormie.* Matisse, *La Desserte.* Rodin, *Monument à Victor Hugo.* Debussy, *Chansons de Bilitis* (d'après P. Louÿs). Dukas, *L'Apprenti sorcier.* Strauss, *Don Quichotte.*	Gide, *Les Nourritures terrestres.* Bloy, *La Femme pauvre.* Darien, *Le Voleur.* Barrès, *Les Déracinés.* Lorrain, *Monsieur de Bougrelon.* Loti, *Ramuntcho.* Rodenbach, *Le Carillonneur.* De Queiros, *L'Illustre Maison Ramirez.* Wells, *La Guerre des mondes.*

	Histoire poétique	Histoire théâtrale	Histoire littéraire
1895	Jammes, *Premières Ballades.* Verhaeren, *Les Villages illusoires ; Les Villes tentaculaires.* Yeats, *Poèmes.*	Fondation du Théâtre du Peuple à Bussang (Pottecher). T. Bernard, *Les Pieds nickelés.*	Valéry, *Introduction à la méthode de Léonard de Vinci.*
1896	Rodenbach, *Les Vies encloses.* Verhaeren, *Les Heures claires.*	Jarry, *Ubu roi.* Création de *Lorenzaccio* (int. S. Bernhardt). Tchekhov, *La Mouette.*	Bergson, *Matière et Mémoire.* Labriola, *Le Matérialisme historique.* Herzl, *L'État sioniste.* Maeterlinck, *Le Trésor des humbles.*
1897	Mallarmé, *Un coup de dés ; Divagations.* Régnier, *Les Jeux rustiques et divins.* Rictus, *Les Soliloques du pauvre.* Rilke, *La Couronne de rêves.*	Rostand, *Cyrano de Bergerac.* Courteline, *Un client sérieux.* Strindberg, *Inferno.* Stanislavski au Théâtre des Arts de Moscou.	Durkheim, *Le Suicide* ; *La Prohibition de l'inceste.* Langlois et Seignobos, *Introduction aux études historiques.*

	Histoire générale	Histoire culturelle	Histoire du roman
1898	13 janvier : publication dans *L'Aurore* du *J'accuse* de Zola. Fondation de la Ligue des droits de l'homme.	Construction du Métropolitain à Paris. Découverte du radium (Curie). Fauré, *Pelléas et Mélisande.* Cézanne, *Portrait d'Ambroise Vollard.* Böcklin, *La Peste*. Rodin, *Balzac.* Guimard, Le Castel Béranger à Paris.	Huysmans, *La Cathédrale.* Bloy, *Le Mendiant ingrat.* Zola, *Paris.* P. Margueritte, *Le Désastre.* Louÿs, *La Femme et le Pantin.* Lichtenberger, *Mon Petit Trott* (litt. enf.). Conrad, *Le Nègre du Narcisse.*
1899	Affaire Dreyfus : cassation, nouvelle condamnation, grâce.		Zola, *Fécondité.* Mirbeau, *Le Jardin des supplices.* Bazin, *La Terre qui meurt.* Le Roy, *Jacquou le Croquant.* Bierce, *Contes fantastiques.*

	Histoire poétique	Histoire théâtrale	Histoire littéraire
1898	Mallarmé, *Poésies*. Samain, *Aux flancs du vase*. Jammes, *De l'angelus de l'aube à l'angelus du soir*. Wilde, *Ballade de la geôle de Reading*.	Rolland, *Les Loups*. Shaw, *Pièces plaisantes et déplaisantes*.	Janet, *Névroses et Idées fixes*.
1899	Moréas, *Les Stances*.	Feydeau, *La Dame de chez Maxim's*. Tchekhov, *Oncle Vania*.	

Bibliographie

1. Généralités

• Instruments de recherche bibliographique

BAGULEY David éd., *A Critical Bibliography of French Literature*, vol. V, *The Nineteenth Century*, Syracuse, Syracuse University Press, 1994, 2 vol.

Dix-Neuvième Siècle. Recherche, actualité culturelle, bibliographie, bulletin de la Société des études romantiques et dix-neuviémistes, à partir de 1985 [ce périodique comporte, outre une vaste section bibliographique, toutes les informations utiles sur la recherche dix-neuviémiste : colloques, expositions, centres de recherche, thèses, etc.].

KLAPP Otto, *Bibliographie der französischen Litteraturwissenschaft*, Francfort-sur-le-Main, Klostermann, à partir de 1960.

RANCŒUR René, « Bibliographie d'histoire littéraire de la France », *Revue d'histoire littéraire de la France*, à partir de 1950.

TALVART Hector et PLACE Joseph, *Bibliographie des auteurs modernes de langue française (1801-1927)*, Paris, éditions de la Chronique des Lettres françaises, 1928-1976 [20 vol. parus, jusqu'à « Morgan »].

THIEME Hugo, *Bibliographie de la littérature française de 1800 à 1930*, Paris, Droz, 1933, 3 vol.

• Revues

Europe

Revue d'histoire littéraire de la France

Revue des sciences humaines

Romantisme (malgré son titre, consacré à l'ensemble du XIXᵉ siècle. À consulter prioritairement).

• Histoires littéraires du XIXᵉ siècle

AMBRIÈRE Madeleine (dir.), *Précis de littérature française du XIXᵉ siècle*, Paris, Presses universitaires de France, 1990.

ABRAHAM Pierre et DESNE Roland, *Manuel d'histoire littéraire de la France*, Paris, Éditions sociales. T. IV, *« 1789-1848 »*, Pierre BARBÉRIS et Claude DUCHET (dir.), 1972 ; T. V, *« 1848-1913 »*, Claude DUCHET (dir.), 1977.

CALVET Jean (dir.), *Histoire de la littérature française*, Paris, Del Duca-de Gigord, 1931-1958 ; T. VIII, Pierre MOREAU, *Le Romantisme*, 1957 ; T. IX : René DUMESNIL, *Le Réalisme et le Naturalisme*, 1936.
PICHOIS Claude (dir.), *Littérature française*, Paris, Arthaud. T. XII, Max MILNER, *Le Romantisme (1820-1843)*, 1973 ; T. XIII, Claude PICHOIS, *Le Romantisme (1843-1869)*, 1979 ; T. XIV, Raymond POUILLIART, *Le Romantisme (1869-1896)*, 1968.
THIBAUDET Albert, *Histoire de la littérature française de 1789 à nos jours*, Paris, Stock, 1936.

2. Histoire

• Histoire politique du XIXe siècle

AGULHON Maurice, *1848 ou l'Apprentissage de la République*, Paris, Le Seuil, 1973.
BERTIER DE SAUVIGNY Georges, *La Restauration*, Paris, Flammarion, 1955.
BIRNBERG J. (dir.), *Les Socialismes français (1796-1866)*, Paris, SEDES, 1995.
BOURGIN Georges, *La Troisième République (1870-1914)*, Paris, Armand Colin, 1967.
CARON Jean-Claude, *La Nation, l'État et la démocratie en France de 1789 à 1914*, Paris, Armand Colin, 1995.
CHEVALIER Jean-Jacques, *Histoire des institutions et des régimes politiques de la France de 1789 à nos jours*, Paris, Dalloz, 1971.
DROUIN Michel (dir.), *L'Affaire Dreyfus de A à Z*, Paris, Flammarion, 1994.
GIRARD Louis, *Les Libéraux français (1814-1875)*, Paris, Aubier-Montaigne, 1975.
JARDIN André et TUDESQ A.-J., *La France des notables (1815-1848)*, Paris, Le Seuil, 1973.
JARDIN André, *Histoire du libéralisme de la crise de l'absolutisme à la Constitution de 1875*, Paris, Hachette, 1985.
LEFEBVRE Georges, *Napoléon*, Paris, PUF, 1969 (1re éd. : 1936).
MAYEUR Jean-Marie, *Les Débuts de la IIIe République (1871-1898)*, Paris, Le Seuil, 1973.
PLESSIS Alain, *De la fête impériale au Mur des Fédérés (1852-1871)*, Paris, Le Seuil, 1973.
RÉMOND René, *La Vie politique en France depuis 1789*, Paris, Armand Colin, 1965. T. I : *1789-1848*. T. II : *1848-1879*.
ROSANVALLON Pierre, *Le Moment Guizot,* Paris, Flammarion, 1985.
ROSANVALLON Pierre, *La Monarchie impossible. Les chartes de 1814 et de 1830*, Paris, Fayard, 1994.
TULARD Jean, *Le Mythe de Napoléon*, Paris, Arman Colin, 1971.
TULARD Jean, *Le Grand Empire (1804-1815)*, Paris, Albin Michel, 1982.
VIGIER Philippe, *La Monarchie de Juillet*, Paris, PUF, 1962.

• Histoire culturelle, économique et sociale

ARON Jean-Paul, *Le Mangeur du XIXe siècle*, Paris, R. Laffont, 1974.
BRAUDEL Fernand et LABROUSSE Ernest, *L'Avènement de l'ère industrielle*, Paris, PUF, 1972.
CHARLE Christophe, *La République des universitaires (1770-1940)*, Paris, Le Seuil, 1994.
CHARLE Christophe, *Les Intellectuels en Europe au XIXe siècle*, Paris, Le Seuil, 1996.

CHEVALIER Louis, *Classes laborieuses et classes dangereuses*, Paris, Plon, 1969.

DAUMARD Adeline, *La Bourgeoisie française de 1815 à 1848*, Paris, SEVPEN, 1963.

FRAISSE Geneviève, *Muse de la raison, démocratie et exclusion des femmes en France*, Paris, Alinéa, 1989.

GERBOD Paul, *La Condition universitaire en France au XIX*e *siècle*, Paris, PUF, 1965.

GODECHOT Jacques, *Les Institutions de la France sous la Révolution et l'Empire*, Paris, PUF, 1968 (1re éd. : 1951).

GUIRAL Pierre, *La Vie quotidienne en France à l'âge d'or du capitalisme (1852-1879)*, Paris, Hachette, 1976.

Histoire des femmes en Occident, Paris, Plon. T. 4 : *Le XIX*e *siècle*, Geneviève FRAISSE et Michelle PERROT (dir.), 1991.

LETERRIER Sophie-Anne, *L'Institution des sciences morales (1795-1850)*, Paris, L'Harmattan, 1995.

LOLIEE Frédéric, *La Fête impériale*, Paris, Tallandier, 1926.

MANEGLIER Hervé, *Paris impérial. La vie quotidienne sous le second Empire*, Paris, Armand Colin, 1990.

NORA Pierre (dir.), *Les Lieux de mémoire*, Paris, Gallimard, 1984- 1993, ?7 vol.

PONTEIL Félix, *Les Classes bourgeoises et l'avènement de la démocratie (1815-1914)*, Paris, Albin Michel, 1968.

PONTEIL Félix, *Les Institutions de la France de 1814 à 1870*, Paris, PUF, 1965.

PROST Antoine, *L'Enseignement en France (1800-1967)*, Paris, Armand Colin, 1968.

SORLIN Pierre, *La Société française (1840-1914)*, Paris, Arthaud, 1969.

ZELDIN Théodore, *Histoire des passions françaises (1845-1945)*, Paris, Le Seuil, 1980-1981, 5 vol.

3. Histoire des mentalités et des sensibilités

AGULHON Maurice, *Marianne au combat*, Paris, Flammarion, 1979.

ANGENOT Marc, *Ce que l'on dit des Juifs en 1889. Antisémitisme et discours social*, Paris, Presses universitaires de Vincennes, 1989.

ANGENOT Marc, *1889. Un état du discours social*, Longueuil (Québec), éd. du Préambule, 1989.

BESSÈDE Robert, *La Crise de la conscience catholique dans la littérature et la pensée françaises à la fin du XIX*e *siècle*.

BOWMAN Frank Paul, *Le Christ des barricades*, Paris, Le Cerf, 1987.

CAPERAN Louis, *Histoire contemporaine de la laïcité française*, Paris, Rivière, 1957-1960.

CARASSUS Émilien, *Le Snobisme et les lettres françaises de Paul Bourget à Marcel Proust (1884-1914)*, Paris, Armand Colin, 1966.

CELLIER Léon, *L'Épopée humanitaire et les grands mythes romantiques*, Paris, SEDES, 1971.

CHOLVY Gérard et HILAIRE Yves-Marie, *Histoire religieuse de la France contemporaine*, Toulouse, Privat. T. I : *1800-1880*, 1990 (1re éd. : 1985). T. II, *1880-1930*, 1989 (1re éd. 1986).

CITTI Pierre, *Contre la décadence*, Paris, PUF, 1987.

DOTTIN-ORSINI Mireille, *Cette femme qu'ils disent fatale. Textes et images de la misogynie fin de siècle*, Paris, Grasset, 1993.

GENGEMBRE Gérard, *La Contre-Révolution ou l'Histoire désespérante*, Paris, Imago, 1989.

GRIFFITHS Richard, *Révolution à rebours. Le renouveau catholique dans la littérature en France de 1870 à 1914*, Paris, Desclée de Brouwer, 1971.

LALOUETTE Jacqueline, *La Libre pensée en France (1848-1940)*, Paris, Albin Michel, 1997.

LATREILLE André et RÉMOND René, *Histoire du catholicisme en France*. T. III : *La Période contemporaine*, Paris, Spes, 1962.

Mélancolie et opposition. Les débuts du modernisme en France, Paris, J. Corti, 1987.

4. Idées, arts et sciences

• Philosophie et pensée théorique

BRÉHIER Émile, *Histoire de la philosophie*. T. III : *XIXe-XXe siècles*, Paris, PUF, 1964 (réédition, revue et corrigée, de l'édition de 1932).

CHATELET François (dir.), *Histoire de la philosophie*. T. V : *La Philosophie de l'histoire (1780-1880)*. T. VI : *La Philosophie du monde scientifique et industriel (1860-1940)*, Paris, Hachette, 1973.

DIGEON Claude, *La Crise allemande de la pensée française (1870-1914)*, Paris, PUF, 1959.

GUSDORF Georges, *Les Sciences humaines et la pensée occidentale*, Paris, Payot. T. IX : *Fondements du savoir romantique*, 1982. T. X, *Du néant à Dieu dans le savoir romantique*, 1983. T. XI, *La Nature dans le savoir romantique*, 1984. T. XII, *L'Homme dans le savoir romantique*, 1985.

Philosophie, France, XIXe siècle. Écrits et opuscules (anthologie constituée par Stéphane Douailler, Roger-Pol Droit et Patrice Vermeren), Paris, Le Livre de Poche, 1994.

PICAVET François, *Les Idéologues*, Paris, Alcan, 1891.

RAVAISSON Félix, *La Philosophie en France au XIXe siècle*, Paris, Imprimerie nationale, 1868.

REGALDO Marc, *Un milieu intellectuel : « La Décade philosophique » (1794-1807)*, Paris, Champion, 1976.

Régénération et reconstruction sociale entre 1780 et 1848, Paris, Vrin, 1978.

• Histoire

CARBONNELL Charles-Olivier, *Histoire et historiens, une mutation idéologique des historiens français (1865-1885)*, Toulouse, Privat, 1976.

LEFEBVRE Georges, *La Naissance de l'historiographie moderne*, Paris, Flammarion, 1971.

MOREAU Pierre, *L'Histoire en France au XIXe siècle*, Paris, Les Belles Lettres, 1935.

• Arts

BALDENSPERGER Fernand, *Sensibilité musicale et romantisme*, Paris, Les Presses françaises, 1925.

GUICHARD Léon, *La Musique et les lettres au temps du romantisme*, Paris, PUF, 1955.

JULLIAN René, *Le Mouvement des arts du romantisme au symbolisme*, Paris, Albin Michel, 1979.

LE BRIS Michel, *Journal du romantisme*, Genève, Skira, 1981.

MIGNOT Claude, *L'Architecture au XIXe siècle*, Paris, Éd. du Moniteur, 1983.
MILLET Claude, *L'Esthétique romantique en France. Une anthologie*, Paris, Pocket, 1994.
La Musique en France à l'époque romantique (1830-1870), Paris, Flammarion, 1991.
PICON Gaëtan, *1863, naissance de la peinture moderne*, Genève, Skira, 1974.
PISTONE Danièle, *La Musique en France de la Révolution à 1900*, Paris, Champion, 1979.

• Sciences

« Les Débuts des sciences de l'homme », *Communications*, 1992, n° 54.
DHOMBRES Jean et Nicole, *Naissance d'un pouvoir : sciences et savants en France (1793-1824)*, Paris, Payot, 1989.
POUTRIN Isabelle (dir.), *Le XIXe siècle. Science, politique et tradition*, Paris, Berger-Levrault, 1995.
SERRES Michel, *Hermès I, II, III, IV*, Paris, Éd. de Minuit, 1968-1977.
TATON René (dir.), *Histoire générale des sciences*, Paris, PUF, T. III, 1 : *Le XIXe siècle*, 1961.

5. Livres et écrivains

• La presse et l'édition

BELLANGER Claude, GODECHOT Jacques, GUIRAL Pierre, TERROU Fernand, *Histoire générale de la presse française*, Paris, PUF. T. II : *De 1815 à 1871*, 1969. T. III : *De 1871 à 1940*, 1972.
BELLET Roger, *Presse et journalisme sous le second Empire*, Paris, Armand Colin, 1967.
DARMON Jean-Jacques, *Le Colportage de librairie en France sous le second Empire*, Paris, Plon, 1972.
FELKAY Nicole, *Balzac et ses éditeurs. Essai sur la librairie romantique*, Paris, Promodis, 1987.
GLENISSON Jean et LE MEN Ségolène (dir.), *Le Livre d'enfance et de jeunesse en France*, Bordeaux, Société des bibliophiles de Guyenne, 1994.
GOBLOT Jean-Jacques, *La Jeune France libérale. « Le Globe » et son groupe littéraire (1824-1830)*, Paris, Plon, 1995.
LEDRE Charles, *La Presse à l'assaut de la monarchie (1815-1848)*, Paris, Armand Colin, 1960.
LYONS Martyn, *Le Triomphe du livre. Une histoire sociologique de la lecture dans la France du XIXe siècle*, Paris, Promodis, 1987.
MARTIN Henri-Jean et CHARTIER Roger (dir.), *Histoire de l'édition*, Paris, Promodis. T. II : *Le Livre triomphant (1660-1830)*, 1982. T. III : *Le Temps des éditeurs, du Romantisme à la Belle Époque*, 1984.
MOLLIER Jean-Yves, *Michel et Calmann Lévy ou la Naissance de l'édition moderne*, Paris, Calmann-Lévy, 1984.
MOLLIER Jean-Yves, *L'Argent et les lettres*, Paris, Fayard, 1988.
MOLLIER Jean-Yves et ORY Pascal (dir.), *Pierre Larousse et son temps*, Paris, Larousse, 1995.
PARENT-LARDEUR Françoise, *Lire à Paris au temps de Balzac : les cabinets de lecture à Paris (1815-1830)*, Paris, EPHE, 1981.

RÉGNIER Philippe (dir.), *La Caricature entre République et censure. L'imagerie satirique en France de 1830 à 1900 : un discours de résistance ?*, Lyon, Presse universitaires de Lyon, 1996.
SEGUIN Jean-Pierre, *Canards du XIXe siècle*, Paris, Armand Colin, 1959.
VAILLANT Alain (dir.), *Mesure(s) du livre*, Paris, éd. de la Bibliothèque nationale, 1992.

• Les institutions littéraires

ABASTADO Claude, *Mythes et rituels de l'écriture*, Bruxelles, éd. Complexe, 1979.
BOURDIEU Pierre, *Les Règles de l'art. Genèse et structure du champ littéraire*, Paris, Le Seuil, 1992.
CARON Jean-Claude, *Générations romantiques. Les étudiants de Paris et le Quartier latin*, Paris, Armand Colin, 1991.
DUBOIS Jacques, *L'Institution de la littérature*, Paris/Bruxelles, Nathan/Labor, 1978 (rééd. 1986).
GOULEMOT Jean-Marie et OSTER Daniel, *Gens de lettres. Écrivains et bohèmes*, Paris, Minerve, 1992.
PARKHURST-FERGUSON Priscilla, *La France nation littéraire*, Bruxelles, Labor, 1991.
PONTON Rémy, *Le Champ littéraire en France de 1865 à 1905*, thèse inédite, Paris, EHESS, 1977.
SEIGEL Jerrold, *Paris bohème (1830-1930)*, Paris, Gallimard, 1986.
THIESSE Anne-Marie, *Écrire la France. Le mouvement littéraire régionaliste de langue française entre la Belle Époque et la Libération*, Paris, PUF, 1991.
ZEVAÈS Alexandre, *Les Procès littéraires au XIXe siècle*, Paris, Perrin, 1921.

• La critique littéraire

COMPAGNON Antoine, *La IIIe République des Lettres*, Paris, Le Seuil, 1983.
FAYOLLE Roger, *La Critique*, Paris, Armand Colin, 1965 (rééd. en 1978).
MOLHO Raphaël, *La Critique littéraire en France au XIXe siècle*, Paris, Buchet-Castel, 1963.

6. Les époques littéraires

• Préromantisme et romantisme

BALDENSPERGER Fernand, *Le Mouvement des idées dans l'émigration française (1789-1815)*, Paris, Plon, 1925.
BÉNICHOU Paul, *Le Sacre de l'écrivain*, Paris, J. Corti, 1973.
BÉNICHOU Paul, *Le Temps des prophètes*, Paris, Gallimard, 1977.
BÉNICHOU Paul, *Les Mages romantiques*, Paris, Gallimard, 1988.
BRAY René, *Chronologie du romantisme (1804-1830)*, Paris, Boivin, 1932.
EGGLI Edmond et MARTINO Pierre, *Le Débat romantique en France (1813-1830)*, Paris, Les Belles Lettres, 1933.
FABRE Jean, *Lumières et romantisme*, Paris, Klincksieck, 1980.
JUDEN Brian, *Traditions orphiques et tendances mystiques dans le romantisme français (1800-1855)*, Paris, Klincksieck, 1971.
MARSAN Jules, *La Bataille romantique*, Paris, Hachette, 1912.
MONGLOND André, *Le Préromantisme français*, Grenoble, Arthaud, 1929 (rééd. chez J. Corti en 1966).

MOREAU Pierre, *Le Romantisme*, Paris, Del Duca, 1957.
PEYRE Henri, *Qu'est-ce que le romantisme ?*, Paris, PUF, 1971.
PICHOIS Claude, *Le Surnaturalisme français*, Neuchâtel, La Baconnière, 1979.
RIFFATERRE Michaël, *L'Orphisme dans la poésie romantique*, Paris, Nizet, 1970.
STEINMETZ Jean-Luc, *La France frénétique de 1830*, Paris, Phébus, 1980.
VIATTE Auguste, *Les Sources occultes du romantisme ; illuminisme, théosophie (1770-1820)*, Paris, Champion, 1928.

• Parnasse

BADESCO Luc, *La Génération poétique de 1860*, Paris, Nizet, 1971.
MARTINO Pierre, *Parnasse et symbolisme*, Paris, Armand Colin, 1967.
SOURIAU Maurice, *Histoire du Parnasse*, Paris, Spes, 1929.

• Réalisme et naturalisme

BOUVIER Émile, *La Bataille réaliste (1844-1857)*, Paris, Fonteming, 1914 (réimp. chez Slatkine en 1973).
CHARLE Christophe, *La Crise littéraire à l'époque du naturalisme. Roman, théâtre, politique*, Paris, Presses de l'École normale supérieure, 1979.
CHEVREL Yves, *Le Naturalisme*, Paris, PUF, 1982.
COLIN René-Pierre, *Zola. Renégats et alliés. La république naturaliste*, Lyon, Presses universitaires de Lyon, 1988.

• Décadence, symbolisme et fin de siècle

CASSOU Jean (dir.), *Encyclopédie du symbolisme*, Paris, Somogy, 1979.
Europe, « Littérature fin de siècle », n°s 751-752, nov.-déc. 1991.
GROJNOWSKI Daniel et SARRASIN Bernard, *L'Esprit fumiste et les rires fin de siècle (anthologie)*, Paris, J. Corti, 1990.
GROJNOWSKI Daniel, *Aux commencements du rire moderne. L'esprit fumiste*, Paris, J. Corti, 1997.
JOURDE Pierre, *L'Alcool du silence. Sur la décadence*, Paris, Champion, 1994.
MARCHAL Bertrand, *Lire le symbolisme*, Paris, Dunod, 1993.
MARQUEZE-OUEY Louis, *Le Mouvement décadent en France*, Paris, PUF, 1986.
PALACIO Jean de, *Figures et formes de la décadence*, Paris, Séguier, 1994.
RICHARD Noël, *Le Mouvement décadent*, Paris, Nizet, 1968.
Romantisme, « Fins de siècle », n° 87, 1995.
SHAW Mary et CORNILLAT François (dir.), *Rhétoriques fin de siècle*, Paris, Christian Bourgois, 1992.

7. Les genres littéraires

• La poésie

BERNARD Suzanne, *Le Poème en prose de Baudelaire jusqu'à nos jours*, Paris, Nizet, 1959.
DECAUDIN Michel, *La Crise des valeurs symbolistes. Vingt ans de poésie française (1895-1914)*, Toulouse, Privat, 1960.
GILMAN Margaret, *The Idea of Poetry in France from Houdar de La Motte to Baudelaire*, Cambridge, Harvard University Press, 1958.

GUITTON Édouard, *Delille et la poésie de la nature de 1750 à 1820*, Paris, Klincksieck, 1974.
MARTINO Pierre, *Parnasse et symbolisme*, Paris, Armand Colin, 1967.
MICHAUD Guy, *Message poétique du symbolisme*, Paris, Nizet, 1947.
MORIER Henri, *Le Rythme du vers libre symboliste étudié chez Verhaeren, Régnier, Viélé-Griffin*, Genève, Les Presses académiques, 1943-1944.
POTEZ Henri, *L'Élégie en France avant le romantisme : de Parny à Lamartine (1778-1820)*, Paris, Calmann-Lévy, 1898 (réimp. chez Slatkine en 1973).
RAYMOND Marcel, *De Baudelaire au surréalisme*, Paris, J. Corti, 1960.
VINCENT-MUNNIA Nathalie, *Les Premiers Poèmes en prose : généalogie d'un genre dans la première moitié du XIXe siècle français*, Paris, Champion, 1996.

• Le roman

AUERBACH Erich, *Mimesis*, Paris, Gallimard, 1968.
BERNARD Claudie, *Le Passé recomposé. Le roman historique français du XIXe siècle*, Paris, Hachette, 1996.
BERTRAND Jean-Pierre, BIRON Michel, DUBOIS Jacques, PAQUE Jeannine, *Le Roman célibataire. D'« À rebours » à « Paludes »*, Paris, J. Corti, 1996.
CASTEX Pierre-Georges, *Le Conte fantastique en France de Nodier à Maupassant*, Paris, J. Corti, 1951.
DUBOIS Jacques, *Romanciers français de l'instantané au XIXe siècle, Bruxelles, Palais des Académies*, 1963.
GUISE René, *Le Phénomène du roman-feuilleton (1828-1848). La crise de croissance du roman*, thèse inédite, Nancy, 1975.
LUKACS Georg, *Problème du réalisme*, Paris, L'Arche, 1965.
LUKACS Georg, *Le Roman historique*, Paris, Payot, 1965.
MARTINO Pierre, *Le Roman réaliste sous le second Empire*, Paris, Hachette, 1913 (réimp. Slatkine en 1972).
MITTERAND Henri, *Le Discours du roman*, Paris, PUF, 1980.
PONTON Rémy, « Naissance du roman psychologique », dans *Actes de la recherche en sciences sociales*, n° 4, juillet 1975, p. 77-81.
QUEFFÉLEC Lise, *Naissance du roman populaire moderne. Étude du roman-feuilleton de « La Presse » de 1836 à 1848*, thèse inédite, Paris-IV, 1983.
QUEFFÉLEC Lise, *Le Roman-feuilleton français au XIXe siècle, Paris*, PUF, 1989.
RAIMOND Michel, *La Crise du roman, des lendemains du naturalisme aux années vingt*, Paris, J. Corti, 1966.
SALOMON Pierre, *Le Roman et la nouvelle romantique*, Paris, Masson, 1971.
THOREL-CAILLETEAU Sylvie, *La Tentation du livre sur rien. Naturalisme et décadence*, Mont-de-Marsan, Éditions interuniversitaires, 1994.
TODOROV Tzvetan, *Introduction à la littérature fantastique*, Paris, Le Seuil, 1970.
VAREILLE Jean-Claude, *Le Roman populaire français (1789-1914). Idéologues et pratiques. La trompette de la Bérésina*, Limoges, Presses de l'université de Limoges, 1994.
VAILLANT Alain, « Grandeur et servitude du roman », dans S. VACHON (dir.), *Balzac, une poétique du roman*, Montréal, XYZ éditeur, 1996, p. 341-361.

• Le théâtre

ALBERT Maurice, *Les Théâtres des Boulevards (1789-1848)*, Paris, SFIL, 1902.
ALLARD Louis, *La Comédie de mœurs en France au XIXe siècle*, Paris, Hachette, 1924.

BABLET Denis, *Esthétique générale du décor de théâtre de 1870 à 1914*, Paris, éd. du CNRS, 1965.
BERTHIER Patrick, *Le Théâtre au XIXe siècle*, Paris, PUF, 1986.
DESCOTES Maurice, *Le Drame romantique et ses grands créateurs (1827-1839)*, Paris, PUF, 1955.
GIDEL Henri, *Le Vaudeville*, Paris, PUF, 1986.
GINISTY Paul, *Le Mélodrame*, Paris, Michaud, 1910.
GUEX Jules, *Le Théâtre et la société française de 1815 à 1848*, Paris, Vevey, 1900 (réimp. chez Slatkine en 1973).
JONES Michèle, *Le Théâtre national en France de 1800 à 1830*, Paris, Klincksieck, 1975.
LECOMTE Louis-Henry, *Napoléon et le monde dramatique*, Paris, Daragon, 1912.
LENIENT Charles, *La Comédie en France au XIXe siècle*, Paris, Hachette, 1898.
MARIE Gisèle, *Le Théâtre symboliste*, Paris, Nizet, 1973.
« Le Mélodrame », *Revue des sciences humaines*, 1972, n° 2.
ROBICHEZ Jacques, *Le Symbolisme au théâtre, Lugné-Poe et les débuts de l'Œuvre*, Paris, L'Arche, 1957.
THOMASSEAU Jean-Marie, *Le Mélodrame*, Paris, PUF, 1984.
THOMASSEAU Jean-Marie, *Drame et tragédie*, Paris, Hachette, 1995.
UBERSFELD Anne, *Le Drame romantique*, Paris, Belin, 1993.

8. Quelques études thématiques

ALBOUY Pierre, *Mythes et mythologies de la littérature française*, Paris, Armand Colin, 1969.
ALBOUY Pierre, *Mythographies*, Paris, J. Corti, 1976.
BÉGUIN Albert, *L'Âme romantique et le rêve*, Paris, J. Corti, 1939.
BROMBERG Victor, *La Prison romantique*, Paris, J. Corti, 1975.
MILNER Max, *Le Diable dans la littérature française de Cazotte à Baudelaire*, Paris, J. Corti, 1960.
PICHOIS Claude, *Littérature et progrès. Vitesse et vision du monde*, Neuchâtel, La Baconnière, 1973.
RICHARD Jean-Pierre, *Littérature et Sensation*, Paris, Le Seuil, 1954.
RICHARD Jean-Pierre, *Études sur le romantisme*, Paris, Le Seuil, 1970.

Index des écrivains, des journalistes et des éditeurs littéraires du XIXe siècle

H

I

J

N

O

P

Q

R

V

W

Z

Index des titres (œuvres et périodiques) du XIXe siècle

B

C

D

E

K

L

M

N

Q

R

S

T

U

Table des matières

Les grandes voix du romantisme

1870-1900 : LES AMBIVALENCES D'UNE FIN DE SIÈCLE

N° projet : 10048181 - (I) - (2) - OSBN - 80 - C2000
Imprimé en France - Novembre 1998
par MAME Imprimeurs à Tours (n° 98102256)